금성출판사

자습서 구성 및 활용 방법

수학 다잡기

수학 교과서의 본책

체계적인 예습, 진도, 평가 시스템을 갖춘 3단계 개념 학습

평가 문제 다잡기

시험 대비 자료집

다양한 유형의 문제로 평가 대비 강화

교과서 다잡기 구성과 특징

체계적인 3단계 개념 학습(선수 학습 , 본 학습 , 마무리 학습)과 다양한 유형의 문제로 교과서 개념과 각종 시험까지 완벽 대비할 수 있습니다.

선수 학습 - 예습

단원 도입

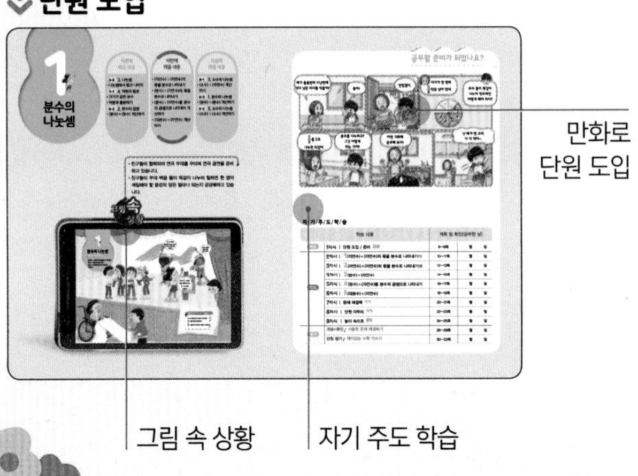

만화로 단원 도입

그림 속 상황

자기 주도 학습

준비 팡팡

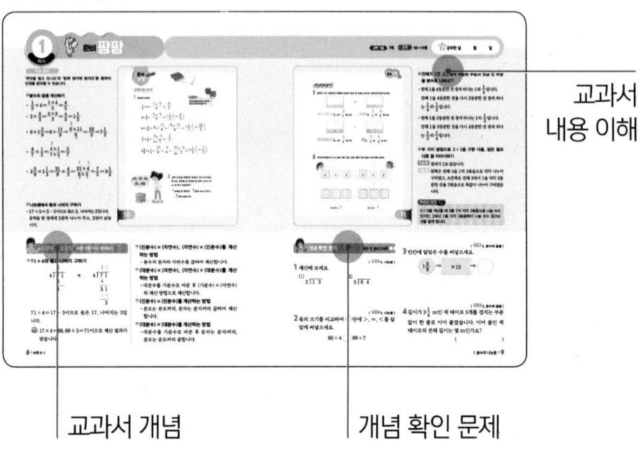

교과서 내용 이해

교과서 개념

개념 확인 문제

본 학습 - 진도

단원의 주요 개념을 파악합니다.

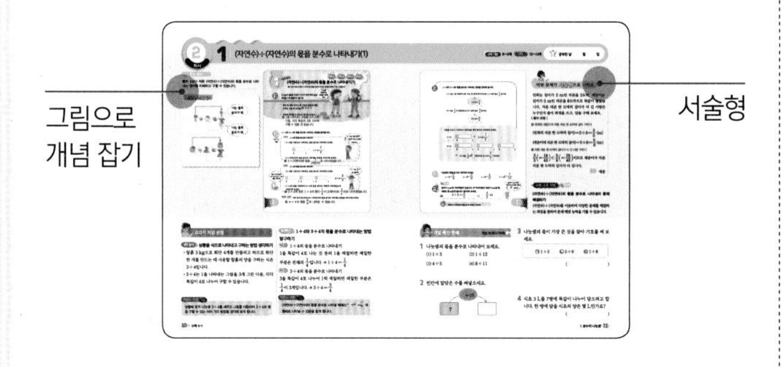

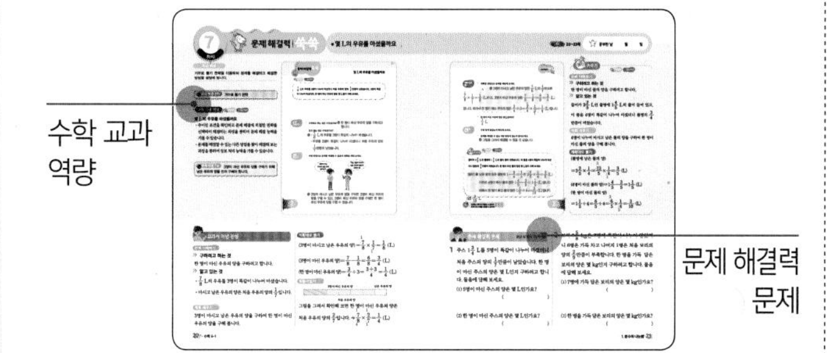

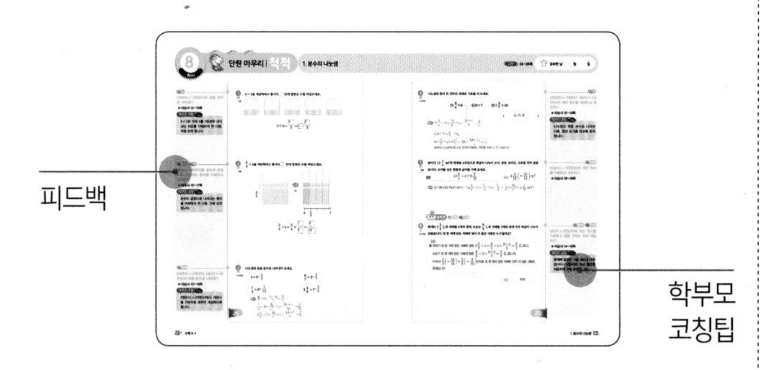

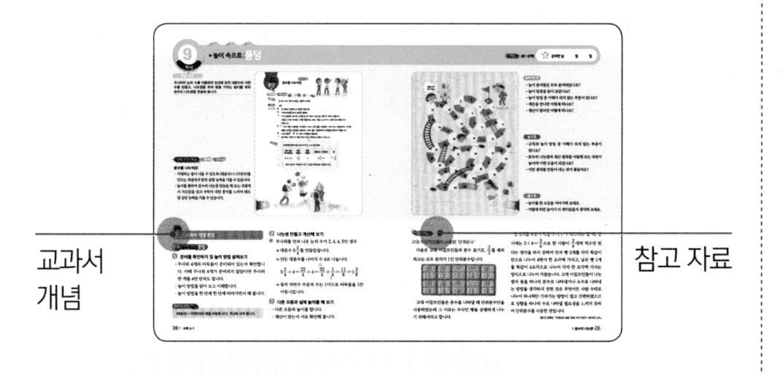

마무리 학습 - 평가

다양한 유형의 문제를 통해 실력을 확인합니다.

개념+확인

교과서 개념과 확인 문제를 풀면서 개념을 이해합니다.

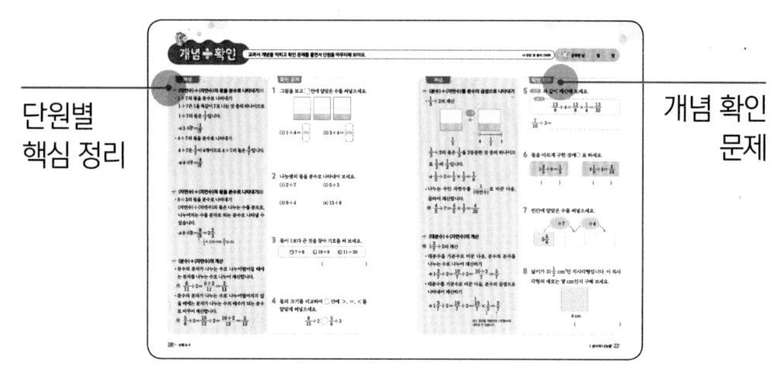

서술형 문제 해결하기

서술형 평가에 대비하며 문제 해결력을 기릅니다.

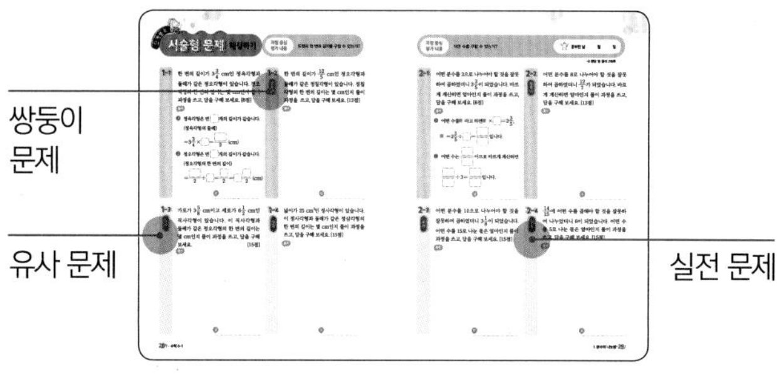

단원 평가

다양한 문제를 풀면서 단원에 대한 학습을 마무리합니다.

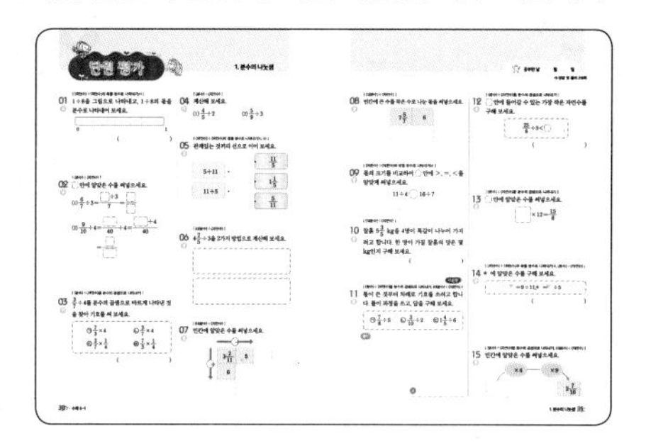

차례

지도 계획표 6-1

지도 계획표는 선생님들께서 사용하시는 지도서의 학기 지도 계획표를 「수학 다잡기」에 맞추어 수정 구성한 것입니다.
학교마다 다를 수 있으니 참고하시기 바랍니다.

월	주	차시	내용
3월	1주	1차시	**1. 분수의 나눗셈** 단원 도입 / 준비 팡팡
		2차시	1 (자연수)÷(자연수)의 몫을 분수로 나타내기(1)
		3차시	2 (자연수)÷(자연수)의 몫을 분수로 나타내기(2)
		4차시	3 (분수)÷(자연수)
	2주	5차시	4 (분수)÷(자연수)를 분수의 곱셈으로 나타내기
		6차시	5 (대분수)÷(자연수)
		7차시	문제 해결력 쑥쑥
	3주	8차시	단원 마무리 척척
		9차시	놀이 속으로 풍덩
		1차시	**2. 각기둥과 각뿔** 단원 도입 / 준비 팡팡
	4주	2~3차시	1 각기둥(1)
		4차시	2 각기둥(2)
		5~6차시	3 각기둥의 전개도
4월	1주	7차시	4 각뿔(1)
		8차시	5 각뿔(2)
		9차시	문제 해결력 쑥쑥
	2주	10차시	단원 마무리 척척
		11차시	미술 속으로 풍덩
		1차시	**3. 소수의 나눗셈** 단원 도입 / 준비 팡팡
	3주	2차시	1 (소수)÷(자연수) 알아보기(1)
		3차시	2 (소수)÷(자연수) 알아보기(2)
		4차시	3 (소수)÷(자연수)의 계산(1)
	4주	5차시	4 (소수)÷(자연수)의 계산(2)
		6차시	5 (소수)÷(자연수)의 계산(3)
		7차시	6 (소수)÷(자연수)의 계산(4)
5월	1주	8~9차시	7 (자연수)÷(자연수)의 몫을 소수로 나타내기
		10차시	문제 해결력 쑥쑥
		11차시	단원 마무리 척척
		12차시	놀이 속으로 풍덩
	2주	1차시	**4. 비와 비율** 단원 도입 / 준비 팡팡
		2차시	1 두 양의 크기 비교
		3차시	2 비
		4차시	3 비율
	3주	5차시	4 일상생활에서 사용되는 비율
		6~7차시	5 백분율
		8차시	6 백분율의 활용
	4주	9차시	문제 해결력 쑥쑥
		10차시	단원 마무리 척척
		11차시	공간 속으로 풍덩
6월	1주	1차시	**5. 여러 가지 그래프** 단원 도입 / 준비 팡팡
		2~3차시	1 그림그래프
		4차시	2 띠그래프 알아보기
	2주	5차시	3 띠그래프 그리기
		6차시	4 띠그래프 해석하기
		7차시	5 원그래프 알아보기
		8차시	6 원그래프 그리기
	3주	9차시	7 원그래프 해석하기
		10~11차시	8 목적에 맞는 그래프로 나타내기
		12차시	문제 해결력 쑥쑥
	4주	13차시	단원 마무리 척척
		14차시	그래프 속으로 풍덩
		1차시	**6. 직육면체의 부피와 겉넓이** 단원 도입 / 준비 팡팡
7월	1주	2차시	1 직육면체의 부피 비교
		3~4차시	2 직육면체의 부피
		5차시	3 부피의 단위 $1\,m^3$
	2주	6~7차시	4 직육면체와 정육면체의 겉넓이
		8차시	문제 해결력 쑥쑥
		9차시	단원 마무리 척척
		10~11차시	놀이 속으로 풍덩 / 이야기로 키우는 생각

1 분수의 나눗셈

이전에 배운 내용	이번에 배울 내용	다음에 배울 내용
3-2 3. 나눗셈 • 나눗셈에서 몫과 나머지 5-1 4. 약분과 통분 • 크기가 같은 분수 • 약분과 통분하기 5-2 2. 분수의 곱셈 • (분수)×(분수) 계산하기	• (자연수)÷(자연수)의 몫을 분수로 나타내기 • (분수)÷(자연수)의 몫을 분수로 나타내기 • (분수)÷(자연수)를 분수의 곱셈으로 나타내어 계산하기 • (대분수)÷(자연수) 계산하기	6-1 3. 소수의 나눗셈 • (소수)÷(자연수) 계산하기 6-2 1. 분수의 나눗셈 • (분수)÷(분수) 계산하기 6-2 3. 소수의 나눗셈 • (소수)÷(소수) 계산하기

• 친구들이 협력하여 연극 무대를 꾸미며 연극 공연을 준비하고 있습니다.
• 친구들이 무대 벽을 둘이 똑같이 나누어 칠하면 한 명이 색칠해야 할 물감의 양은 얼마나 되는지 궁금해하고 있습니다.

공부할 준비가 되었나요?

자/기/주/도/학/습

	학습 내용	계획 및 확인(공부한 날)	
예습	**1차시** | 단원 도입 / 준비 팡팡	6~9쪽	월 일
진도	**2차시** | 1 (자연수)÷(자연수)의 몫을 분수로 나타내기(1)	10~11쪽	월 일
	3차시 | 2 (자연수)÷(자연수)의 몫을 분수로 나타내기(2)	12~13쪽	월 일
	4차시 | 3 (분수)÷(자연수)	14~15쪽	월 일
	5차시 | 4 (분수)÷(자연수)를 분수의 곱셈으로 나타내기	16~17쪽	월 일
	6차시 | 5 (대분수)÷(자연수)	18~19쪽	월 일
	7차시 | 문제 해결력 쑥쑥	20~21쪽	월 일
	8차시 | 단원 마무리 척척	22~23쪽	월 일
	9차시 | 놀이 속으로 풍덩	24~25쪽	월 일
평가	개념+확인 / 서술형 문제 해결하기	26~29쪽	월 일
	단원 평가 / 재미있는 수학 이야기	30~33쪽	월 일

준비 팡팡

학습 목표

'무엇을 알고 있나요'와 '함께 생각해 볼까요'를 통하여 단원을 준비할 수 있습니다.

분수의 곱셈 계산하기

- $\frac{1}{5}\times4=\frac{1\times4}{5}=\frac{4}{5}$
- $2\times\frac{2}{3}=\frac{2\times2}{3}=\frac{4}{3}=1\frac{1}{3}$
- $6\times1\frac{2}{9}=6\times\frac{11}{9}=\frac{\overset{2}{\cancel{6}}\times11}{\underset{3}{\cancel{9}}}=\frac{22}{3}=7\frac{1}{3}$
- $\frac{4}{7}\times\frac{1}{2}=\frac{\overset{2}{\cancel{4}}\times1}{7\times\underset{1}{\cancel{2}}}=\frac{2}{7}$
- $2\frac{5}{8}\times1\frac{1}{3}=\frac{21}{8}\times\frac{4}{3}=\frac{\overset{7}{\cancel{21}}\times\overset{1}{\cancel{4}}}{\underset{2}{\cancel{8}}\times\underset{1}{\cancel{3}}}=\frac{7}{2}=3\frac{1}{2}$

나눗셈에서 몫과 나머지 구하기

- $17\div5=3\cdots2$이므로 몫은 3, 나머지는 2입니다. 공책을 한 명에게 3권씩 나누어 주고, 2권이 남습니다.

준비 팡팡 (수학익힘 7쪽)

무엇을 알고 있나요

1 계산해 보세요.

알면 쉬워요: 분수의 곱셈은 분모는 분모끼리, 분자는 분자끼리 곱합니다.

$\frac{1}{5}\times4=\frac{\boxed{1}\times\boxed{4}}{5}=\boxed{\frac{4}{5}}$

$2\times\frac{2}{3}=\frac{\boxed{2}\times\boxed{2}}{3}=\boxed{1\frac{1}{3}}\left(=\frac{4}{3}\right)$

$6\times1\frac{2}{9}=\boxed{6}\times\frac{\boxed{11}}{9}=\frac{\boxed{6}\times\boxed{11}}{9}=\boxed{7\frac{1}{3}}\left(=\frac{22}{3}\right)$

$\frac{4}{7}\times\frac{1}{2}=\frac{\boxed{4}\times\boxed{1}}{7\times\boxed{2}}=\boxed{\frac{2}{7}}$

$2\frac{5}{8}\times1\frac{1}{3}=\frac{\boxed{21}}{8}\times\frac{\boxed{4}}{3}=\frac{\boxed{21}\times\boxed{4}}{8\times\boxed{3}}=\boxed{3\frac{1}{2}}\left(=\frac{7}{2}\right)$

2 공책 17권을 5명에게 똑같이 나누어 주려고 합니다. 공책을 한 명에게 몇 권씩 나누어 주고, 몇 권이 남을까요?

➡ 공책을 한 명에게 $\boxed{3}$권씩 나누어 주고, $\boxed{2}$권이 남습니다.

10

교과서 개념 완성 | 배운 것을 다시 생각하기

71÷4의 몫과 나머지 구하기

```
    1                 1 7
4 ) 7 1    ➜     4 ) 7 1
    4                 4
    3                 3 1
                      2 8
                        3
```

$71\div4=17\cdots3$이므로 몫은 17, 나머지는 3입니다.

확인 $17\times4=68$, $68+3=71$이므로 계산 결과가 맞습니다.

(진분수)×(자연수), (자연수)×(진분수)를 계산하는 방법

- 분수의 분자와 자연수를 곱하여 계산합니다.

(대분수)×(자연수), (자연수)×(대분수)를 계산하는 방법

- 대분수를 가분수로 바꾼 후 (가분수)×(자연수)의 계산 방법으로 계산합니다.

(진분수)×(진분수)를 계산하는 방법

- 분모는 분모끼리, 분자는 분자끼리 곱하여 계산합니다.

(대분수)×(대분수)를 계산하는 방법

- 대분수를 가분수로 바꾼 후 분자는 분자끼리, 분모는 분모끼리 곱합니다.

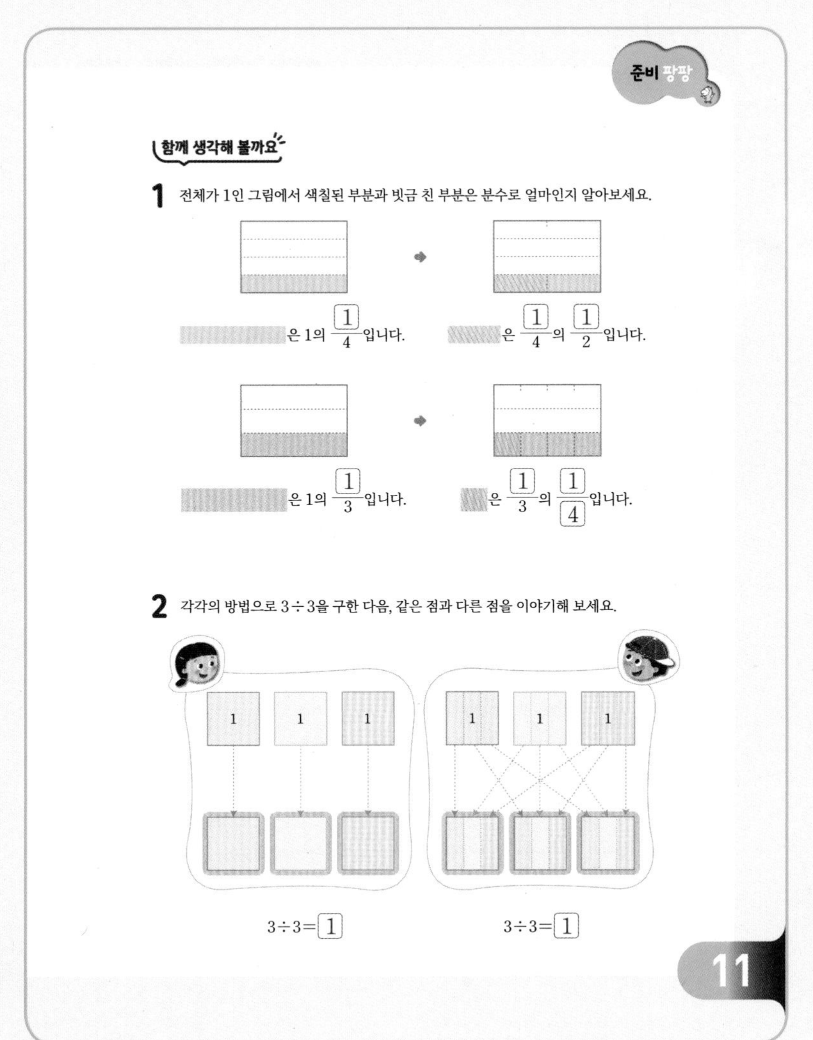

준비 팡팡
함께 생각해 볼까요
1 전체가 1인 그림에서 색칠된 부분과 빗금 친 부분은 분수로 얼마인지 알아보세요.
2 각각의 방법으로 3÷3을 구한 다음, 같은 점과 다른 점을 이야기해 보세요.
3÷3=1
3÷3=1
11

전체가 1인 그림에서 색칠된 부분과 빗금 친 부분을 분수로 나타내기

- 전체 1을 4등분한 것 중의 하나는 1의 $\frac{1}{4}$입니다.
  전체 1을 4등분한 것을 다시 2등분한 것 중의 하나는 $\frac{1}{4}$의 $\frac{1}{2}$입니다.
- 전체 1을 3등분한 것 중의 하나는 1의 $\frac{1}{3}$입니다.
  전체 1을 3등분한 것을 다시 4등분한 것 중의 하나는 $\frac{1}{3}$의 $\frac{1}{4}$입니다.

두 가지 방법으로 3÷3을 구한 다음, 같은 점과 다른 점 이야기하기

같은 점 결과가 1로 같습니다.

다른 점 왼쪽은 전체 3을 1씩 3묶음으로 각각 나누어 구하였고, 오른쪽은 전체 3에서 1을 각각 3등분한 것을 3묶음으로 똑같이 나누어 구하였습니다.

학부모 코칭 Tip

3÷3을 계산할 때 3을 1씩 각각 3묶음으로 나눌 수도 있지만, 3에서 1을 각각 3등분하여 나눌 수도 있다는 것을 알게 합니다.

개념 확인 문제

정답 및 풀이 214쪽

| 3-2 3. 나눗셈 |

1 계산해 보세요.

(1) $2\overline{)13}$

(2) $5\overline{)84}$

| 3-2 3. 나눗셈 |

2 몫의 크기를 비교하여 ○ 안에 >, =, <를 알맞게 써넣으세요.

$60 \div 4$ ○ $99 \div 7$

| 5-2 2. 분수의 곱셈 |

3 빈칸에 알맞은 수를 써넣으세요.

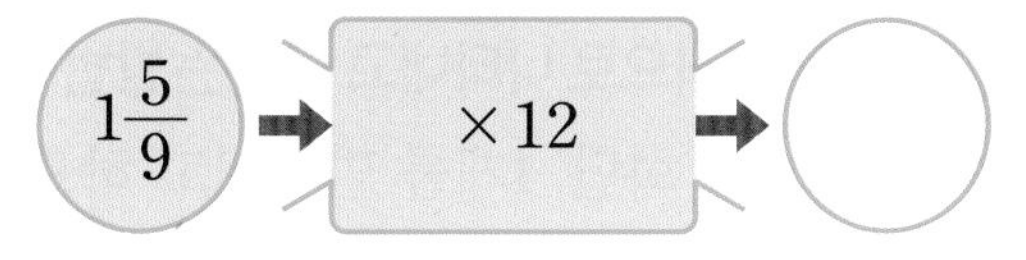

| 5-2 2. 분수의 곱셈 |

4 길이가 $2\frac{1}{4}$ m인 색 테이프 5개를 겹치는 부분 없이 한 줄로 이어 붙였습니다. 이어 붙인 색 테이프의 전체 길이는 몇 m인가요?

(   )

1 (자연수)÷(자연수)의 몫을 분수로 나타내기(1)

학습 목표

몫이 1보다 작은 (자연수)÷(자연수)의 몫을 분수로 나타내는 원리를 이해하고 구할 수 있습니다.

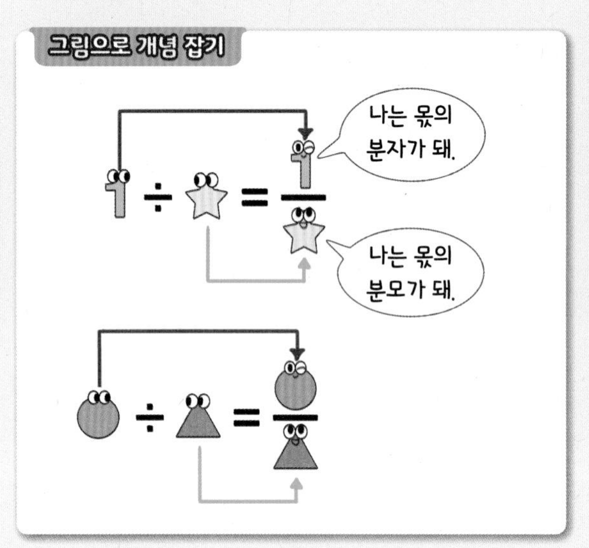

교과서 개념 완성

생각열기 상황을 식으로 나타내고 구하는 방법 생각하기

- 찰흙 3 kg으로 화단 4개를 만들려고 하므로 화단 한 개를 만드는 데 사용할 찰흙의 양을 구하는 식은 3÷4입니다.
- 3÷4는 1을 나타내는 그림을 3개 그린 다음, 각각 똑같이 4로 나누어 구할 수 있습니다.

학부모 코칭 Tip

상황에 맞게 나눗셈 3÷4를 세우고 그림을 이용하여 3÷4의 몫을 구할 수 있는 여러 가지 방법을 생각해 보게 합니다.

탐구하기 1÷4와 3÷4의 몫을 분수로 나타내는 방법 탐구하기

활동1 1÷4의 몫을 분수로 나타내기

1을 똑같이 4로 나눈 것 중의 1을 색칠하면 색칠한 부분은 전체의 $\frac{1}{4}$입니다. ➔ $1\div4=\frac{1}{4}$

활동2 3÷4의 몫을 분수로 나타내기

3을 똑같이 4로 나누어 1씩 색칠하면 색칠한 부분은 $\frac{1}{4}$이 3개입니다. ➔ $3\div4=\frac{3}{4}$

학부모 코칭 Tip

(자연수)÷(자연수)의 몫을 분수로 나타낼 때에는 ★÷●=$\frac{★}{●}$의 형태로 나타낼 수 있음을 알게 합니다.

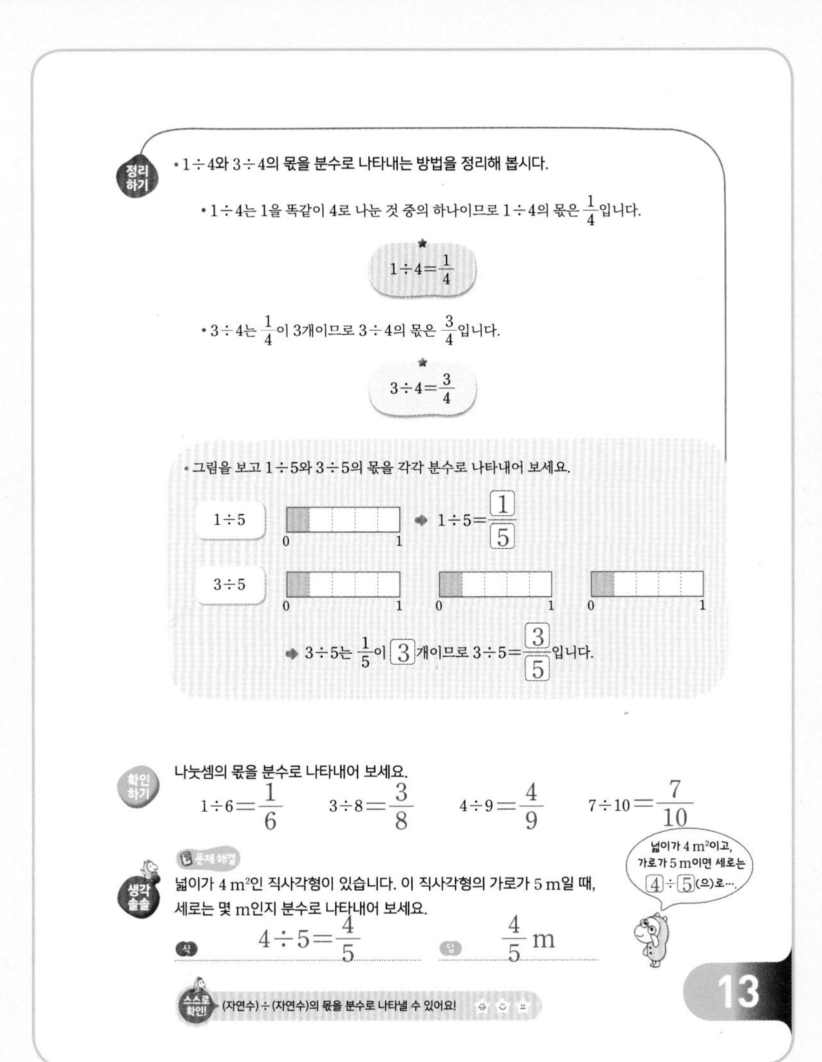

이런 문제가 서술형으로 나와요

민희는 길이가 2 m인 리본을 5도막, 재준이는 길이가 5 m인 리본을 8도막으로 똑같이 잘랐습니다. 자른 리본 한 도막의 길이가 더 긴 사람은 누구인지 풀이 과정을 쓰고, 답을 구해 보세요.

| 풀이 과정 |

❶ 민희와 재준이가 자른 리본 한 도막의 길이 구하기

(민희의 리본 한 도막의 길이)$=2\div5=\frac{2}{5}$ (m)

(재준이의 리본 한 도막의 길이)$=5\div8=\frac{5}{8}$ (m)

❷ 자른 리본 한 도막의 길이가 더 긴 사람 구하기

$\frac{2}{5}\left(=\frac{16}{40}\right)<\frac{5}{8}\left(=\frac{25}{40}\right)$이므로 재준이가 자른 리본 한 도막의 길이가 더 깁니다.

답 재준

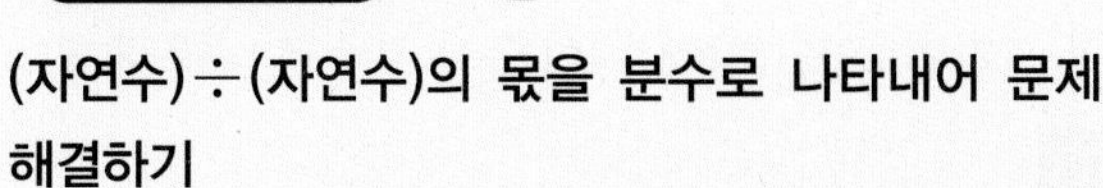

(자연수)÷(자연수)의 몫을 분수로 나타내어 문제 해결하기

(자연수)÷(자연수)를 이용하여 다양한 문제를 해결하는 과정을 통하여 문제 해결 능력을 기를 수 있습니다.

개념 확인 문제

정답 및 풀이 214쪽

1 나눗셈의 몫을 분수로 나타내어 보세요.

(1) $1\div3$ (2) $1\div12$

(3) $4\div5$ (4) $8\div11$

2 빈칸에 알맞은 수를 써넣으세요.

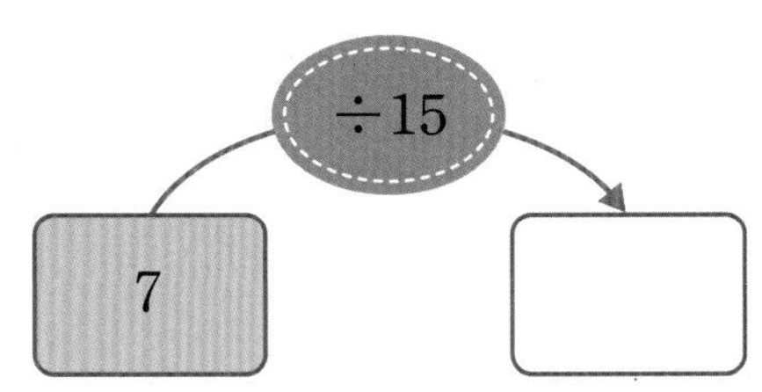

3 나눗셈의 몫이 가장 큰 것을 찾아 기호를 써 보세요.

㉠ $1\div2$ ㉡ $5\div9$ ㉢ $1\div8$

( )

4 식초 3 L를 7병에 똑같이 나누어 담으려고 합니다. 한 병에 담을 식초의 양은 몇 L인가요?

( )

2 | (자연수)÷(자연수)의 몫을 분수로 나타내기(2)

학습 목표

몫이 1보다 큰 (자연수)÷(자연수)의 몫을 분수로 나타내는 원리를 이해하고 구할 수 있습니다.

그림으로 개념 잡기

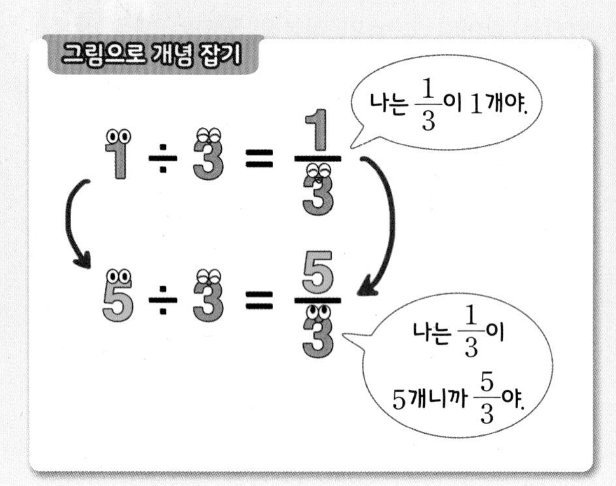
나는 $\frac{1}{3}$이 1개야.
$1 \div 3 = \frac{1}{3}$
$5 \div 3 = \frac{5}{3}$
나는 $\frac{1}{3}$이 5개니까 $\frac{5}{3}$야.

(자연수)÷(자연수)의 몫을 분수로 나타내기

$▲ \div ■ = \frac{▲}{■}$

2 (자연수)÷(자연수)의 몫을 분수로 나타내기(2)
몫이 1보다 큰 (자연수)÷(자연수)의 몫을 분수로 나타내는 원리를 이해하고 구할 수 있습니다.
한 곳에 붙일 종이는 1장보다 많을까, 적을까?
생각 열기
크기가 같은 4장의 종이를 무대 3곳에 똑같이 나누어 붙이려고 합니다.
• 무대 한 곳에 붙일 종이는 얼마인지 구하는 식을 써 보세요. 예 4÷3
• 어떻게 계산할 수 있을지 생각해 보세요.
예 1을 나타내는 그림을 4개 그린 다음, 똑같이 3으로 나누어 구할 수 있을 것 같습니다.
의사소통
탐구 하기
4÷3의 몫을 분수로 나타내는 방법을 알아봅시다.
활동 1 4÷3의 몫을 분수로 나타내기(1)
• 그림을 이용하여 4÷3의 몫을 분수로 나타내어 보세요.
4÷3=1…1인데, 남은 1을 어떻게 나눌까?
$4 \div 3 = 1\frac{1}{3}$
• 4÷3의 몫을 가분수로 나타내어 보세요. $\frac{4}{3}$
• 4÷3의 몫을 분수로 어떻게 나타내었는지 이야기해 보세요.
14
예 4÷3의 몫을 $1\frac{1}{3}$로 나타내었습니다.

교과서 개념 완성

생각열기 **상황을 식으로 나타내고 구하는 방법 생각하기**

- 크기가 같은 종이 4장을 무대 3곳에 똑같이 나누어 붙이려고 하므로 무대 한 곳에 붙일 종이는 얼마인지 구하는 식은 $4 \div 3$입니다.
- $4 \div 3$은 1을 나타내는 그림을 4개 그린 다음, 똑같이 3으로 나누어 구할 수 있습니다.

학부모 코칭 Tip

상황에 맞게 나눗셈 $4 \div 3$을 세우고 그림을 이용하여 $4 \div 3$의 몫을 구할 수 있는 여러 가지 방법을 생각해 보게 합니다.

탐구하기 **4÷3의 몫을 분수로 나타내는 방법 탐구하기**

활동 1 4÷3의 몫을 분수로 나타내기(1)

3묶음에 각각 1씩 나누고 남은 1을 3등분하여 3묶음에 각각 하나씩 나누면 한 묶음에 1과 $\frac{1}{3}$입니다.

➜ $4 \div 3 = 1\frac{1}{3} = \frac{4}{3}$

활동 2 4÷3의 몫을 분수로 나타내기(2)

1을 나타내는 그림 4개를 각각 3등분하여 3묶음으로 나누면 한 묶음에 $\frac{1}{3}$이 4개입니다.

➜ $4 \div 3 = \frac{4}{3}$

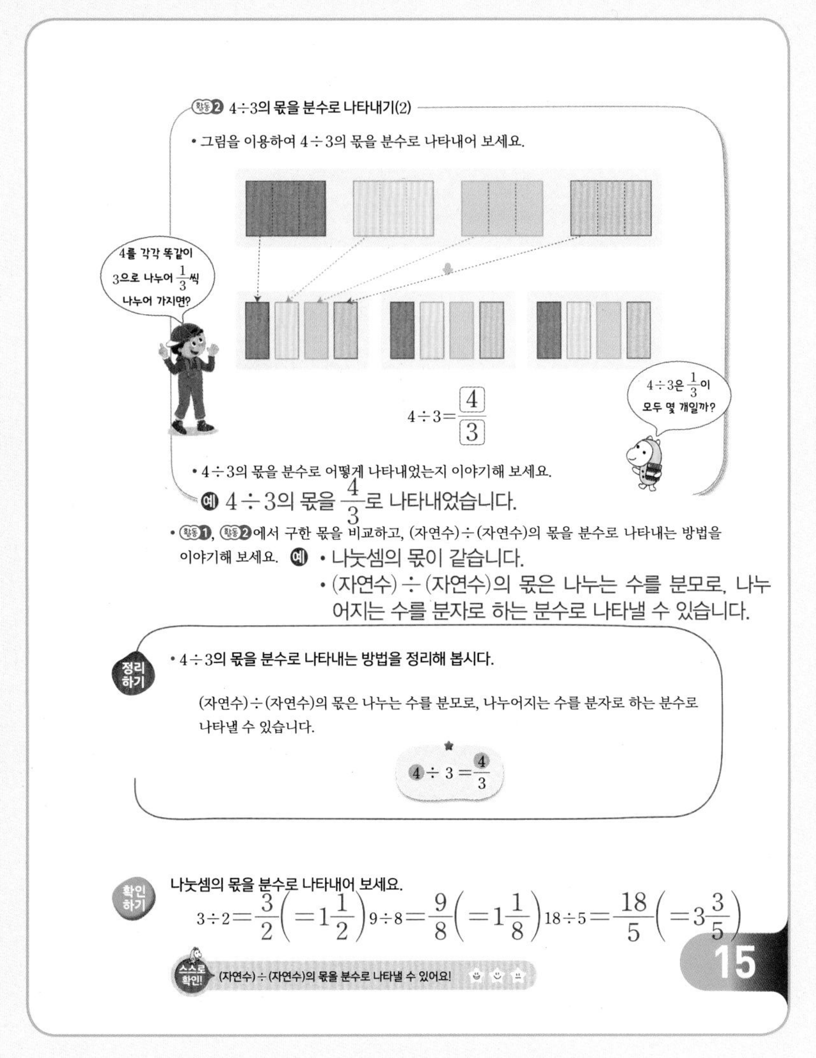
활동2 4÷3의 몫을 분수로 나타내기(2)

• 그림을 이용하여 4÷3의 몫을 분수로 나타내어 보세요.

4를 각각 똑같이 3으로 나누어 $\frac{1}{3}$씩 나누어 가지면?

$4\div3=\frac{4}{3}$

4÷3은 $\frac{1}{3}$이 모두 몇 개일까?

• 4÷3의 몫을 분수로 어떻게 나타내었는지 이야기해 보세요.
예 4÷3의 몫을 $\frac{4}{3}$로 나타내었습니다.

• 활동1, 활동2에서 구한 몫을 비교하고, (자연수)÷(자연수)의 몫을 분수로 나타내는 방법을 이야기해 보세요. 예 • 나눗셈의 몫이 같습니다.
• (자연수)÷(자연수)의 몫은 나누는 수를 분모로, 나누어지는 수를 분자로 하는 분수로 나타낼 수 있습니다.

정리하기 • 4÷3의 몫을 분수로 나타내는 방법을 정리해 봅시다.

(자연수)÷(자연수)의 몫은 나누는 수를 분모로, 나누어지는 수를 분자로 하는 분수로 나타낼 수 있습니다.

$4\div3=\frac{4}{3}$

확인하기 나눗셈의 몫을 분수로 나타내어 보세요.
$3\div2=\frac{3}{2}\left(=1\frac{1}{2}\right)$ $9\div8=\frac{9}{8}\left(=1\frac{1}{8}\right)$ $18\div5=\frac{18}{5}\left(=3\frac{3}{5}\right)$

스스로 확인! (자연수)÷(자연수)의 몫을 분수로 나타낼 수 있어요!

15

이런 문제가 서술형으로 나와요

윤슬이네는 깨 20 kg을 사서 7 kg으로 참기름을 짰습니다. 남은 깨를 4봉지에 똑같이 나누어 담으려면 한 봉지에 담을 깨의 양은 몇 kg인지 풀이 과정을 쓰고, 답을 구해 보세요.

| 풀이 과정 |

❶ 참기름을 짜고 남은 깨의 양 구하기

$20-7=13\,(\mathrm{kg})$

❷ 한 봉지에 담을 깨의 양 구하기

$13\div4=\frac{13}{4}=3\frac{1}{4}\,(\mathrm{kg})$

답 $3\frac{1}{4}\left(=\frac{13}{4}\right)$ kg

수학 교과 역량 의사소통

몫이 1보다 큰 (자연수)÷(자연수)의 몫을 분수로 나타내기

그림을 이용하여 몫을 분수로 나타내는 원리를 이해하고 수학적으로 표현하는 과정을 통하여 의사소통 능력을 기를 수 있습니다.

개념 확인 문제

정답 및 풀이 214쪽

1 9÷4의 몫을 구하려고 합니다. □ 안에 알맞은 수를 써넣으세요.

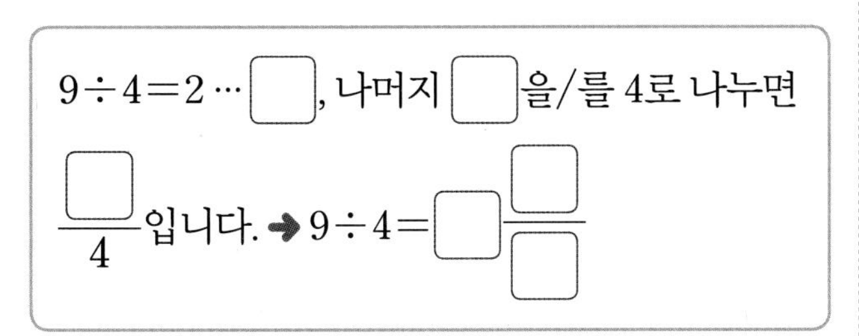
9÷4=2 ··· □, 나머지 □을/를 4로 나누면 $\frac{\square}{4}$입니다. ➔ $9\div4=\square\frac{\square}{\square}$

2 나눗셈의 몫을 분수로 나타내어 보세요.

(1) 8÷3 (2) 15÷11

3 가장 큰 수를 가장 작은 수로 나눈 몫을 분수로 나타내어 보세요.

17	25	9

( )

4 물 10 L를 3병에 똑같이 나누어 담으려고 합니다. 한 병에 담을 물의 양은 몇 L인가요?

( )

3 | (분수)÷(자연수)

학습 목표

(분수)÷(자연수)의 계산 원리를 이해하고 계산할 수 있습니다.

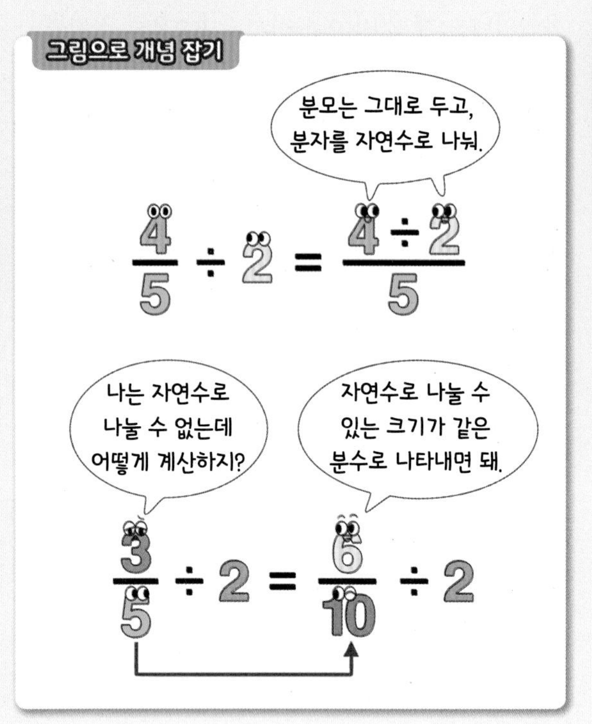

그림으로 개념 잡기
분모는 그대로 두고,
분자를 자연수로 나눠.
나는 자연수로
나눌 수 없는데
어떻게 계산하지?
자연수로 나눌 수
있는 크기가 같은
분수로 나타내면 돼.

$\frac{4}{5} \div 2 = \frac{4 \div 2}{5}$

$\frac{3}{5} \div 2 = \frac{6}{10} \div 2$

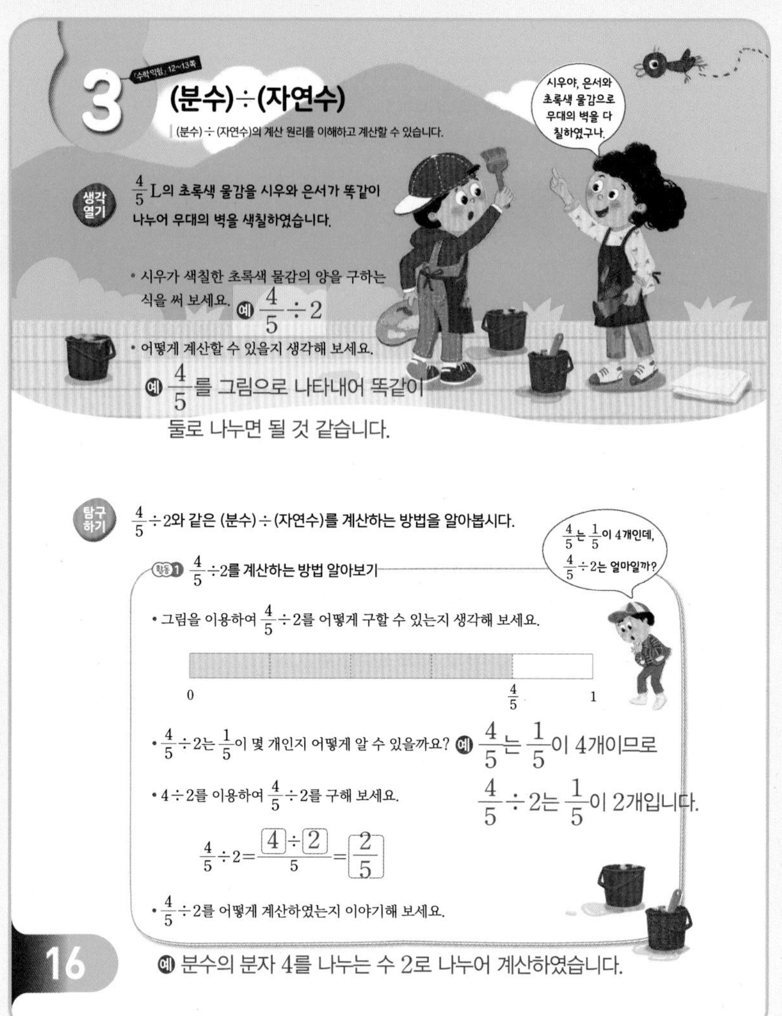

3 (분수)÷(자연수)
(분수)÷(자연수)의 계산 원리를 이해하고 계산할 수 있습니다.
시우야, 은서와 초록색 물감으로 우대의 벽을 다 칠하였구나.
생각 열기 4/5 L의 초록색 물감을 시우와 은서가 똑같이 나누어 우대의 벽을 색칠하였습니다.
• 시우가 색칠한 초록색 물감의 양을 구하는 식을 써 보세요. 예 4/5÷2
• 어떻게 계산할 수 있을지 생각해 보세요.
예 4/5를 그림으로 나타내어 똑같이 둘로 나누면 될 것 같습니다.
탐구 하기 4/5÷2와 같은 (분수)÷(자연수)를 계산하는 방법을 알아봅시다.
4/5는 1/5이 4개인데, 4/5÷2는 얼마일까?
활동 1 4/5÷2를 계산하는 방법 알아보기
• 그림을 이용하여 4/5÷2를 어떻게 구할 수 있는지 생각해 보세요.
0
4/5
1
• 4/5÷2는 1/5이 몇 개인지 어떻게 알 수 있을까요? 예 4/5는 1/5이 4개이므로 4/5÷2는 1/5이 2개입니다.
• 4÷2를 이용하여 4/5÷2를 구해 보세요.
4/5÷2=(4÷2)/5=2/5
• 4/5÷2를 어떻게 계산하였는지 이야기해 보세요.
16
예 분수의 분자 4를 나누는 수 2로 나누어 계산하였습니다.

교과서 개념 완성

생각 열기 **상황을 식으로 나타내고 구하는 방법 생각하기**

- 초록색 물감을 시우와 은서가 똑같이 나누어 벽을 색칠하였으므로 시우가 색칠한 초록색 물감의 양을 구하는 식은 $\frac{4}{5} \div 2$입니다.
- $\frac{4}{5}$를 그림으로 나타내어 똑같이 둘로 나누어 구할 수 있습니다.

학부모 코칭 Tip

$\frac{4}{5}$를 그림으로 나타내어 똑같이 2로 나누는 방법을 이야기해 보게 합니다.

탐구하기 **$\frac{4}{5} \div 2$와 같은 (분수)÷(자연수)를 계산하는 방법 탐구하기**

활동 1 $\frac{4}{5} \div 2$를 계산하는 방법 알아보기

$\frac{4}{5}$는 $\frac{1}{5}$이 4개이므로 $\frac{4}{5} \div 2$는 $\frac{1}{5}$이 2개입니다.

➜ $\frac{4}{5} \div 2 = \frac{4 \div 2}{5} = \frac{2}{5}$

활동 2 $\frac{4}{5} \div 3$을 계산하는 방법 알아보기

분수의 분자 4가 3으로 나누어떨어지지 않으므로 분자가 3의 배수가 되는 분수로 바꾸어 계산합니다.

➜ $\frac{4}{5} \div 3 = \frac{12}{15} \div 3 = \frac{12 \div 3}{15} = \frac{4}{15}$

공부한 날 월 일

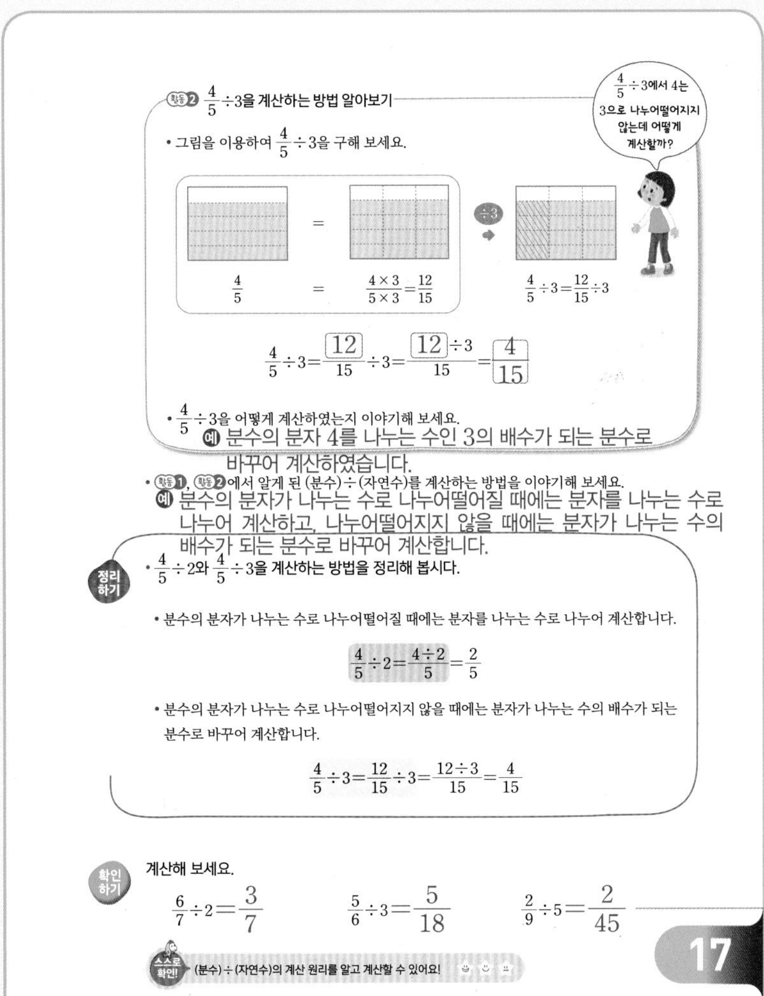

활동2 $\frac{4}{5}\div3$을 계산하는 방법 알아보기

• 그림을 이용하여 $\frac{4}{5}\div3$을 구해 보세요.

$\frac{4}{5}\div3$에서 4는 3으로 나누어떨어지지 않는데 어떻게 계산할까?
$\frac{4}{5}$ = $\frac{4\times3}{5\times3}=\frac{12}{15}$
$\frac{4}{5}\div3=\frac{12}{15}\div3$

$\frac{4}{5}\div3=\frac{12}{15}\div3=\frac{12\div3}{15}=\frac{4}{15}$

• $\frac{4}{5}\div3$을 어떻게 계산하였는지 이야기해 보세요.

예 분수의 분자 4를 나누는 수인 3의 배수가 되는 분수로 바꾸어 계산하였습니다.

• 활동1, 활동2에서 알게 된 (분수)÷(자연수)를 계산하는 방법을 이야기해 보세요.

예 분수의 분자가 나누는 수로 나누어떨어질 때에는 분자를 나누는 수로 나누어 계산하고, 나누어떨어지지 않을 때에는 분자가 나누는 수의 배수가 되는 분수로 바꾸어 계산합니다.

정리하기 • $\frac{4}{5}\div2$와 $\frac{4}{5}\div3$을 계산하는 방법을 정리해 봅시다.

• 분수의 분자가 나누는 수로 나누어떨어질 때에는 분자를 나누는 수로 나누어 계산합니다.

$\frac{4}{5}\div2=\frac{4\div2}{5}=\frac{2}{5}$

• 분수의 분자가 나누는 수로 나누어떨어지지 않을 때에는 분자가 나누는 수의 배수가 되는 분수로 바꾸어 계산합니다.

$\frac{4}{5}\div3=\frac{12}{15}\div3=\frac{12\div3}{15}=\frac{4}{15}$

확인하기 계산해 보세요.

$\frac{6}{7}\div2=\frac{3}{7}$ $\frac{5}{6}\div3=\frac{5}{18}$ $\frac{2}{9}\div5=\frac{2}{45}$

스스로 확인! (분수)÷(자연수)의 계산 원리를 알고 계산할 수 있어요!

17

풀이
$\frac{6}{7}\div2=\frac{6\div2}{7}=\frac{3}{7}$
$\frac{5}{6}\div3=\frac{15}{18}\div3=\frac{15\div3}{18}=\frac{5}{18}$
$\frac{2}{9}\div5=\frac{10}{45}\div5=\frac{10\div5}{45}=\frac{2}{45}$

이런 문제가 서술형으로 나와요

철사 $\frac{21}{25}$ m를 겹치거나 남는 부분 없이 모두 사용하여 크기가 같은 정사각형을 3개 만들었습니다. 정사각형의 한 변의 길이는 몇 m인지 풀이 과정을 쓰고, 답을 구해 보세요.

| 풀이 과정 |

❶ 정사각형 한 개의 둘레 구하기

$\frac{21}{25}\div3=\frac{21\div3}{25}=\frac{7}{25}$ (m)

❷ 정사각형의 한 변의 길이 구하기

정사각형은 변 4개의 길이가 같습니다.

$\frac{7}{25}\div4=\frac{28}{100}\div4=\frac{28\div4}{100}=\frac{7}{100}$ (m)

답 $\frac{7}{100}$ m

개념 확인 문제

정답 및 풀이 214쪽

1 □ 안에 알맞은 수를 써넣으세요.

(1) $\frac{8}{9}\div2=\frac{\square\div2}{9}=\frac{\square}{\square}$

(2) $\frac{4}{7}\div5=\frac{\square}{35}\div5=\frac{\square\div5}{35}=\frac{\square}{\square}$

(3) $\frac{5}{6}\div2=\frac{\square}{12}\div2=\frac{\square\div2}{12}=\frac{\square}{\square}$

2 빈칸에 작은 수를 큰 수로 나눈 몫을 써넣으세요.

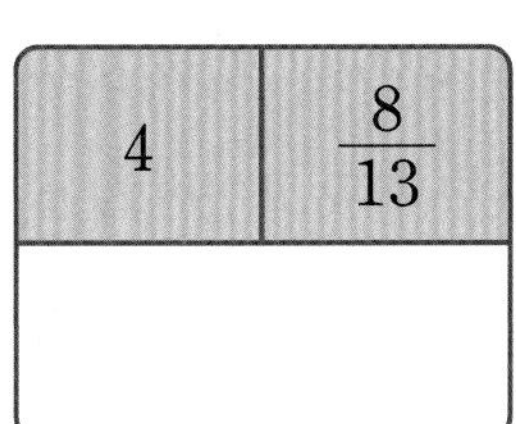

4	$\frac{8}{13}$

3 과학 시간에 용액 $\frac{11}{15}$ L를 비커 6개에 똑같이 나누어 담으려고 합니다. 비커 한 개에 담을 용액의 양은 몇 L인가요?

( )

5
차시

4 | (분수)÷(자연수)를 분수의 곱셈으로 나타내기

학습 목표

(분수)÷(자연수)를 분수의 곱셈으로 나타내어 계산할 수 있습니다.

그림으로 개념 잡기

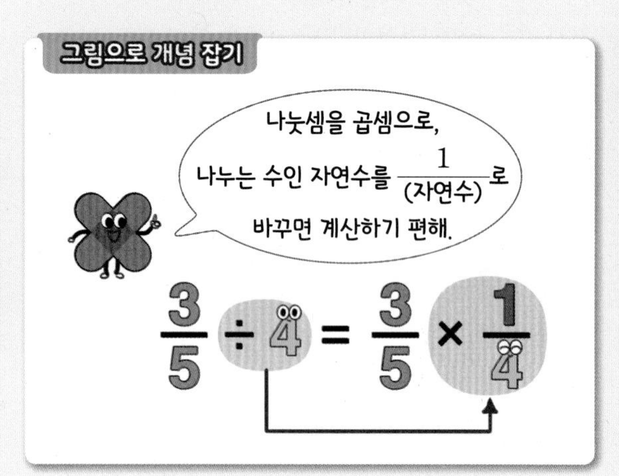
나눗셈을 곱셈으로,
나누는 수인 자연수를 $\frac{1}{(자연수)}$로
바꾸면 계산하기 편해.
$\frac{3}{5} \div 4 = \frac{3}{5} \times \frac{1}{4}$

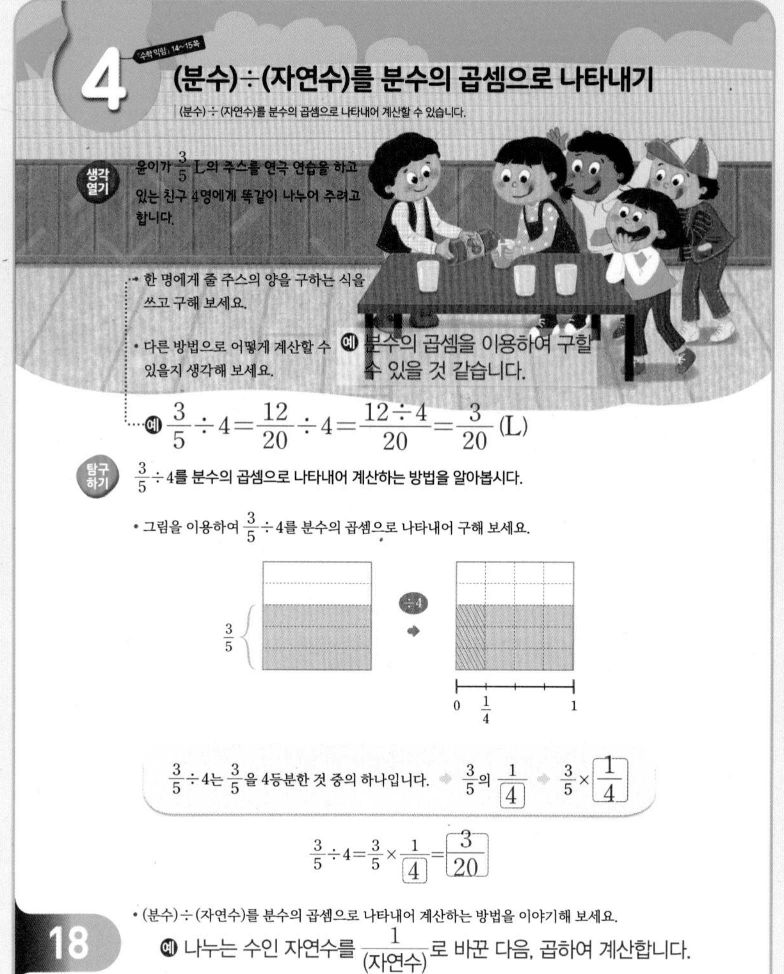
4 (분수)÷(자연수)를 분수의 곱셈으로 나타내기
(분수)÷(자연수)를 분수의 곱셈으로 나타내어 계산할 수 있습니다.
생각열기 윤이가 $\frac{3}{5}$ L의 주스를 연극 연습을 하고 있는 친구 4명에게 똑같이 나누어 주려고 합니다.
• 한 명에게 줄 주스의 양을 구하는 식을 쓰고 구해 보세요.
• 다른 방법으로 어떻게 계산할 수 있을지 생각해 보세요.
예 분수의 곱셈을 이용하여 구할 수 있을 것 같습니다.
예 $\frac{3}{5} \div 4 = \frac{12}{20} \div 4 = \frac{12 \div 4}{20} = \frac{3}{20}$ (L)
탐구하기 $\frac{3}{5} \div 4$를 분수의 곱셈으로 나타내어 계산하는 방법을 알아봅시다.
• 그림을 이용하여 $\frac{3}{5} \div 4$를 분수의 곱셈으로 나타내어 구해 보세요.
$\frac{3}{5}$
÷4
0 $\frac{1}{4}$ 1
$\frac{3}{5} \div 4$는 $\frac{3}{5}$을 4등분한 것 중의 하나입니다. → $\frac{3}{5}$의 $\frac{1}{4}$ → $\frac{3}{5} \times \frac{1}{4}$
$\frac{3}{5} \div 4 = \frac{3}{5} \times \frac{1}{4} = \frac{3}{20}$
• (분수)÷(자연수)를 분수의 곱셈으로 나타내어 계산하는 방법을 이야기해 보세요.
예 나누는 수인 자연수를 $\frac{1}{(자연수)}$로 바꾼 다음, 곱하여 계산합니다.
18

학부모 코칭 Tip

계산 결과를 기약분수나 대분수로 요구하지 않을 경우에는 기약분수가 아닌 분수나 가분수로 나타내는 것도 허용합니다.

교과서 개념 완성

생각열기 **상황을 식으로 나타내고 구하는 방법 생각하기**

• $\frac{3}{5}$ L의 주스를 친구 4명에게 똑같이 나누어 주려고 하므로 한 명에게 줄 주스의 양을 구하는 식은 $\frac{3}{5} \div 4$입니다.

• $\frac{3}{5} \div 4$를 분수의 곱셈을 이용하여 구할 수 있습니다.

학부모 코칭 Tip

(분수)÷(자연수)를 앞 차시에서 배운 계산 방법을 이용하여 계산해 보게 한 다음, 다른 방법을 생각해 보게 합니다.

탐구하기 **$\frac{3}{5} \div 4$를 분수의 곱셈으로 나타내는 방법 탐구하기**

$\frac{3}{5} \div 4$는 $\frac{3}{5}$을 4등분한 것 중의 하나이므로 $\frac{3}{5}$의 $\frac{1}{4}$이고, $\frac{3}{5}$의 $\frac{1}{4}$은 $\frac{3}{5} \times \frac{1}{4}$로 나타낼 수 있습니다.

확인하기 **(분수)÷(자연수)를 분수의 곱셈으로 나타내어 계산하기**

$\frac{10}{9} \div 3 = \frac{10}{9} \times \frac{1}{3} = \frac{10}{27}$, $\frac{2}{7} \div 6 = \frac{\overset{1}{\cancel{2}}}{7} \times \frac{1}{\underset{3}{\cancel{6}}} = \frac{1}{21}$,

$\frac{9}{4} \div 8 = \frac{9}{4} \times \frac{1}{8} = \frac{9}{32}$

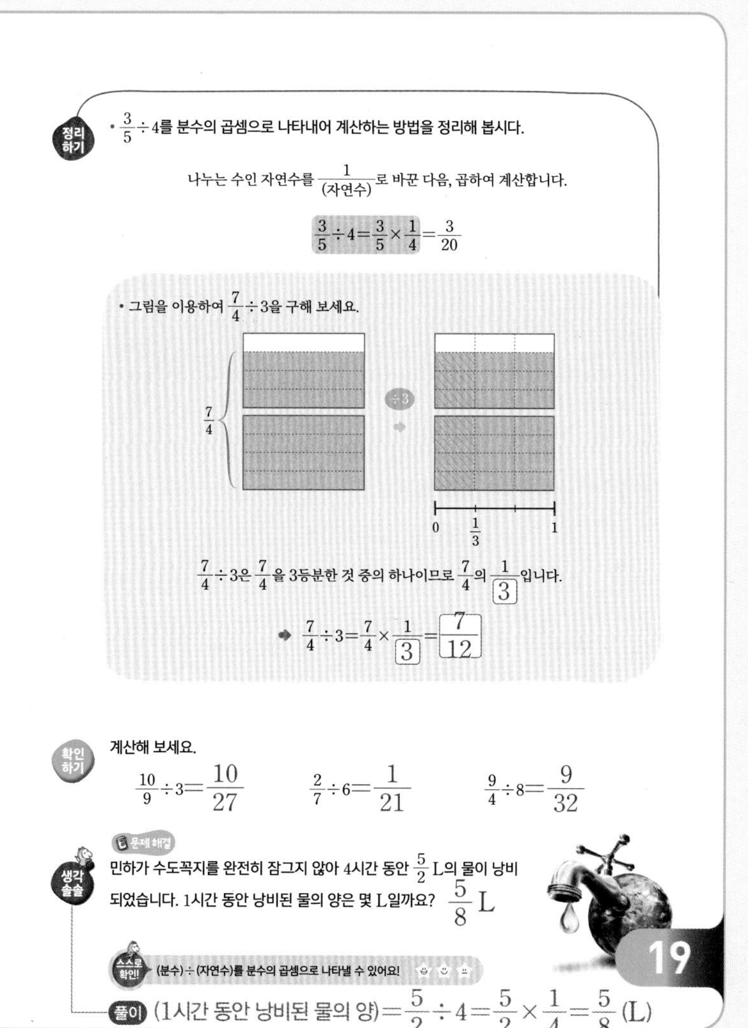
정리하기

• $\frac{3}{5}\div 4$를 분수의 곱셈으로 나타내어 계산하는 방법을 정리해 봅시다.

나누는 수인 자연수를 $\frac{1}{(자연수)}$로 바꾼 다음, 곱하여 계산합니다.

$\frac{3}{5}\div 4=\frac{3}{5}\times\frac{1}{4}=\frac{3}{20}$

• 그림을 이용하여 $\frac{7}{4}\div 3$을 구해 보세요.

$\frac{7}{4}$ ÷3 0 $\frac{1}{3}$ 1

$\frac{7}{4}\div 3$은 $\frac{7}{4}$을 3등분한 것 중의 하나이므로 $\frac{7}{4}$의 $\frac{1}{\boxed{3}}$입니다.

➡ $\frac{7}{4}\div 3=\frac{7}{4}\times\frac{1}{\boxed{3}}=\boxed{\frac{7}{12}}$

확인하기 계산해 보세요.

$\frac{10}{9}\div 3=\frac{10}{27}$ $\frac{2}{7}\div 6=\frac{1}{21}$ $\frac{9}{4}\div 8=\frac{9}{32}$

생각술술 문제 해결

민하가 수도꼭지를 완전히 잠그지 않아 4시간 동안 $\frac{5}{2}$ L의 물이 낭비되었습니다. 1시간 동안 낭비된 물의 양은 몇 L일까요? $\frac{5}{8}$ L

스스로 확인! (분수)÷(자연수)를 분수의 곱셈으로 나타낼 수 있어요!

19

풀이 (1시간 동안 낭비된 물의 양) $=\frac{5}{2}\div 4=\frac{5}{2}\times\frac{1}{4}=\frac{5}{8}$ (L)

이런 문제가 서술형으로 나와요

길이가 $\frac{2}{5}$ m인 색 테이프 7개를 겹치지 않게 이어 붙여서 4명이 똑같이 나누어 가지려고 합니다. 한 명이 가질 색 테이프의 길이는 몇 m인지 풀이 과정을 쓰고, 답을 구해 보세요.

| 풀이 과정 |

❶ 겹치지 않게 이어 붙인 색 테이프의 전체 길이 구하기

$\frac{2}{5}\times 7=\frac{14}{5}$ (m)

❷ 한 명이 가질 색 테이프의 길이 구하기

$\frac{14}{5}\div 4=\frac{\overset{7}{\cancel{14}}}{5}\times\frac{1}{\underset{2}{\cancel{4}}}=\frac{7}{10}$ (m)

답 $\frac{7}{10}$ m

수학 교과 역량 문제 해결

(분수)÷(자연수)와 관련된 실생활 문제를 해결하는 과정을 통하여 문제 해결 능력을 기를 수 있습니다.

개념 확인 문제

정답 및 풀이 215쪽

1 잘못 계산한 곳을 찾아 바르게 계산해 보세요.

$$\frac{5}{8}\div 3=\frac{5}{8}\times 3=\frac{15}{8}=1\frac{7}{8}$$

➜

2 빈칸에 알맞은 수를 써넣으세요.

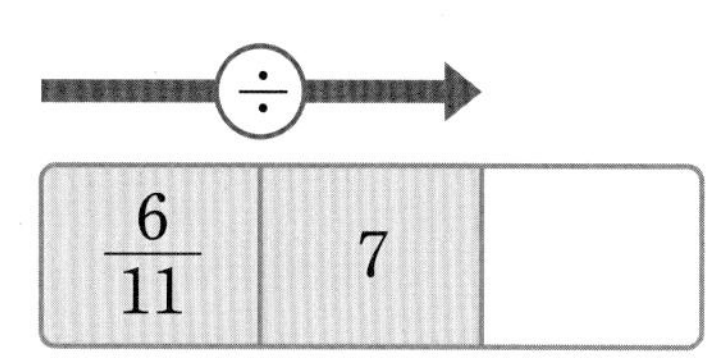

3 몫의 크기를 비교하여 ◯ 안에 >, =, <를 알맞게 써넣으세요.

$$\frac{9}{4}\div 5 \bigcirc \frac{7}{10}\div 2$$

4 돼지고기 $\frac{7}{5}$ kg을 4팩에 똑같이 나누어 담으려고 합니다. 한 팩에 담을 돼지고기의 양은 몇 kg인가요?

( )

5 | (대분수)÷(자연수)

학습 목표

(대분수)÷(자연수)의 계산 원리를 이해하고 계산할 수 있습니다.

그림으로 개념 잡기

$1\frac{3}{5} \div 2 = \frac{8}{5} \div 2$

대분수는 가분수로 나타내어야 해.

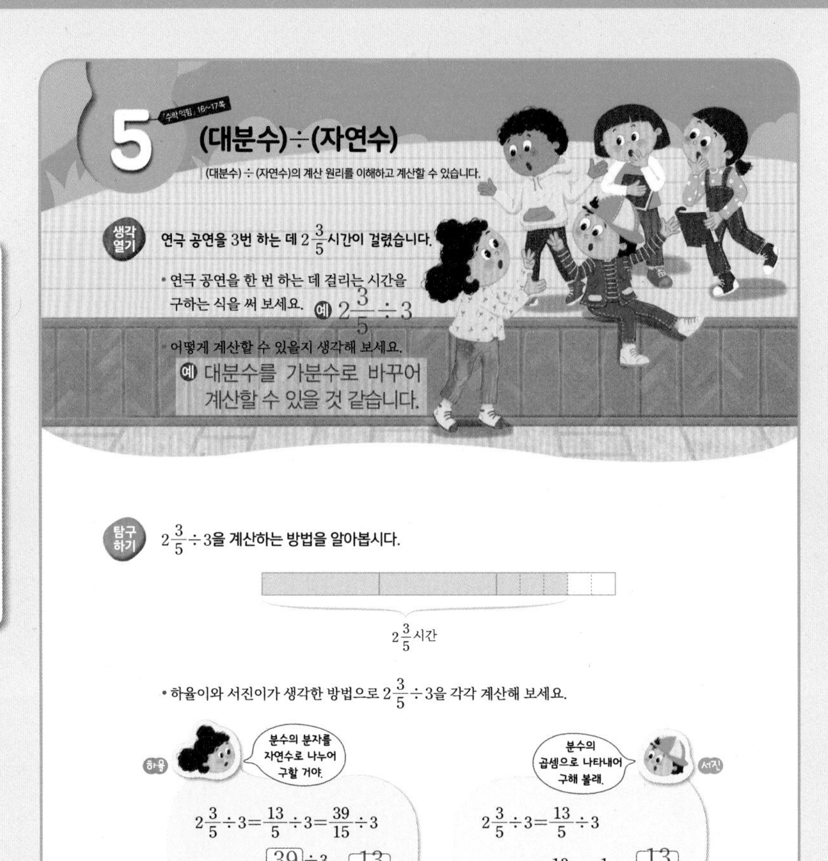

탐구하기 $2\frac{3}{5} \div 3$을 계산하는 방법을 알아봅시다.

$2\frac{3}{5}$시간

• 하율이와 서진이가 생각한 방법으로 $2\frac{3}{5} \div 3$을 각각 계산해 보세요.

하율: 분수의 분자를 자연수로 나누어 구할 거야.

$2\frac{3}{5} \div 3 = \frac{13}{5} \div 3 = \frac{39}{15} \div 3 = \frac{39 \div 3}{15} = \frac{13}{15}$

서진: 분수의 곱셈으로 나타내어 구해 볼래.

$2\frac{3}{5} \div 3 = \frac{13}{5} \div 3 = \frac{13}{5} \times \frac{1}{3} = \frac{13}{15}$

• (대분수)÷(자연수)를 계산하는 방법을 이야기해 보세요.

예 • 대분수를 가분수로 바꾸어 분수의 분자를 자연수로 나누어 계산합니다.
• 대분수를 가분수로 바꾸어 분수의 곱셈으로 나타내어 계산합니다.

20

참고 분수의 나눗셈을 계산할 때에는 분자를 자연수로 나누어 구하거나 분수의 곱셈으로 나타내어 계산하는 방법 중에서 더 편리하다고 생각되는 방법으로 계산합니다.

교과서 개념 완성

탐구하기 $2\frac{3}{5} \div 3$을 계산하는 방법 탐구하기

• 하율이는 분수의 분자를 자연수로 나누어 계산하려고 하므로 분수의 분자를 나누는 수의 배수가 되는 수로 바꿉니다.

➔ $2\frac{3}{5} \div 3 = \frac{13}{5} \div 3 = \frac{39}{15} \div 3 = \frac{39 \div 3}{15} = \frac{13}{15}$

• 서진이는 분수의 곱셈으로 나타내어 계산하려고 하므로 ÷(자연수)를 $\times \frac{1}{(\text{자연수})}$로 바꿉니다.

➔ $2\frac{3}{5} \div 3 = \frac{13}{5} \div 3 = \frac{13}{5} \times \frac{1}{3} = \frac{13}{15}$

확인하기 (대분수)÷(자연수) 계산하기

$1\frac{3}{8} \div 2 = \frac{11}{8} \div 2 = \frac{11}{8} \times \frac{1}{2} = \frac{11}{16}$

$6\frac{3}{4} \div 5 = \frac{27}{4} \div 5 = \frac{27}{4} \times \frac{1}{5} = \frac{27}{20} = 1\frac{7}{20}$

$3\frac{1}{5} \div 4 = \frac{16}{5} \div 4 = \frac{16 \div 4}{5} = \frac{4}{5}$

$9\frac{6}{7} \div 3 = \frac{69}{7} \div 3 = \frac{69 \div 3}{7} = \frac{23}{7} = 3\frac{2}{7}$

생각 솔솔 잘못 계산한 곳 찾아 바르게 계산하기

대분수를 가분수로 바꾸어 분수의 곱셈으로 계산해야 하는데 대분수를 가분수로 바꾸지 않아 잘못 계산하였습니다.

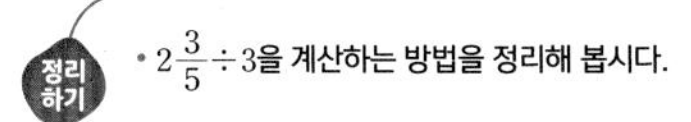

정리하기 • $2\frac{3}{5}\div3$을 계산하는 방법을 정리해 봅시다.

대분수를 가분수로 바꾸어 계산합니다.

$2\frac{3}{5}\div3=\frac{13}{5}\div3=\frac{39}{15}\div3=\frac{39\div3}{15}=\frac{13}{15}$

$2\frac{3}{5}\div3=\frac{13}{5}\div3=\frac{13}{5}\times\frac{1}{3}=\frac{13}{15}$

• $2\frac{1}{7}\div5$를 계산해 보세요.

$2\frac{1}{7}\div5=\frac{15}{7}\div5=\frac{15\div5}{7}=\frac{3}{7}$

$2\frac{1}{7}\div5=\frac{15}{7}\div5=\frac{15}{7}\times\frac{1}{5}=\frac{3}{7}$

확인하기 계산해 보세요.

$1\frac{3}{8}\div2=\frac{11}{16}$ $6\frac{3}{4}\div5=1\frac{7}{20}\left(=\frac{27}{20}\right)$

$3\frac{1}{5}\div4=\frac{4}{5}$ $9\frac{6}{7}\div3=3\frac{2}{7}\left(=\frac{23}{7}\right)$

창의·융합 정보 처리

생각 술술 잘못 계산한 곳을 찾아 바르게 계산해 보세요.

$3\frac{2}{7}\div2=3\frac{2}{7}\times\frac{1}{2}=3\frac{1}{7}$ → 예 $3\frac{2}{7}\div2=\frac{23}{7}\div2=\frac{23}{7}\times\frac{1}{2}=\frac{23}{14}=1\frac{9}{14}$

스스로 확인! (대분수)÷(자연수)의 계산 원리를 알고 계산할 수 있어요!

21

이런 문제가 서술형으로 나와요

무게가 똑같은 책 9권이 들어 있는 상자의 무게는 $5\frac{3}{10}$ kg입니다. 빈 상자의 무게가 $\frac{1}{8}$ kg일 때, 책 한 권의 무게는 몇 kg인지 풀이 과정을 쓰고, 답을 구해 보세요.

| 풀이 과정 |

❶ 책 9권의 무게 구하기

$5\frac{3}{10}-\frac{1}{8}=5\frac{12}{40}-\frac{5}{40}=5\frac{7}{40}$ (kg)

❷ 책 한 권의 무게 구하기

$5\frac{7}{40}\div9=\frac{207}{40}\div9=\frac{207\div9}{40}=\frac{23}{40}$ (kg)

답 $\frac{23}{40}$ kg

수학 교과 역량 창의·융합 정보 처리

(대분수)÷(자연수)를 여러 가지 방법으로 계산하면서 창의·융합 능력을 기르고, 주어진 나눗셈에서 적절한 계산 방법을 파악하고 처리하는 과정을 통하여 정보 처리 능력을 기를 수 있습니다.

개념 확인 문제

정답 및 풀이 215쪽

1 $1\frac{1}{3}\div2$를 계산해 보세요.

(1) $1\frac{1}{3}\div2=\frac{\square}{3}\div2=\frac{\square\div2}{3}=\frac{\square}{3}$

(2) $1\frac{1}{3}\div2=\frac{\square}{3}\div2=\frac{\square}{3}\times\frac{\square}{\square}=\frac{\square}{3}$

2 몫이 다른 하나를 찾아 ○표 하세요.

$5\frac{3}{5}\div4$ $3\frac{4}{5}\div2$ $8\frac{2}{5}\div6$

3 가장 큰 수를 6으로 나눈 몫을 구해 보세요.

$4\frac{5}{8}$ $3\frac{7}{10}$ $5\frac{1}{7}$

( )

4 페인트 3통으로 벽면 $5\frac{4}{9}$ m^2를 색칠했습니다. 페인트 한 통으로 색칠한 벽면의 넓이는 몇 m^2인가요?

( )

7
차시

문제 해결력 | 쑥쑥

• 몇 L의 우유를 마셨을까요

학습 목표

거꾸로 풀기 전략을 이용하여 문제를 해결하고 해결한 방법을 설명해 봅니다.

문제 해결 전략 거꾸로 풀기 전략

수학 교과 역량 

몇 L의 우유를 마셨을까요

- 주어진 조건을 확인하고 문제 해결에 적절한 전략을 선택하여 해결하는 과정을 통하여 문제 해결 능력을 기를 수 있습니다.
- 문제를 해결할 수 있는 다른 방법을 찾아 해결해 보는 과정을 통하여 정보 처리 능력을 기를 수 있습니다.

문제 해결 Tip 3명이 마신 우유의 양을 구하기 위해 남은 우유의 양을 먼저 구해야 합니다.

문제 해결력 쑥쑥

몇 L의 우유를 마셨을까요

문제 해결 · 정보 처리

$\frac{7}{8}$ L의 우유를 3명이 나누어 마셨더니 처음 우유의 양의 $\frac{1}{7}$만큼이 남았습니다. 3명이 똑같이 나누어 마셨다면, 한 명이 마신 우유의 양은 몇 L일지 구해 보세요.

문제 이해하기
- 구하려고 하는 것은 무엇인가요? 예 한 명이 마신 우유의 양을 구하려고 합니다.
- 알고 있는 것은 무엇인가요?
  예 • $\frac{7}{8}$ L의 우유를 3명이 똑같이 나누어 마셨습니다.
  • 우유를 3명이 똑같이 나누어 마셨더니 처음 우유의 양의 $\frac{1}{7}$만큼이 남았습니다.

계획 세우기
- 어떤 방법으로 문제를 해결할 수 있을지 계획을 세워 보세요.

3명이 마신 우유의 양을 먼저 알아보자.

그럼, 3명이 마시고 남은 우유의 양부터 구해야 돼.

예 3명이 마시고 남은 우유의 양을 구하면 3명이 마신 우유의 양을 구할 수 있고, 3명이 마신 우유의 양을 구하면 한 명이 마신 우유의 양을 구할 수 있습니다.

22

교과서 개념 완성

문제 이해하기

» 구하려고 하는 것

한 명이 마신 우유의 양을 구하려고 합니다.

» 알고 있는 것

- $\frac{7}{8}$ L의 우유를 3명이 똑같이 나누어 마셨습니다.
- 마시고 남은 우유의 양은 처음 우유의 양의 $\frac{1}{7}$입니다.

계획 세우기

3명이 마시고 남은 우유의 양을 구하여 한 명이 마신 우유의 양을 구해 봅니다.

계획대로 풀기

(3명이 마시고 남은 우유의 양)$=\frac{\cancel{7}^{1}}{8}\times\frac{1}{\cancel{7}_{1}}=\frac{1}{8}$ (L)

(3명이 마신 우유의 양)$=\frac{7}{8}-\frac{1}{8}=\frac{6}{8}=\frac{3}{4}$ (L)

(한 명이 마신 우유의 양)$=\frac{3}{4}\div 3=\frac{3\div 3}{4}=\frac{1}{4}$ (L)

되돌아보기

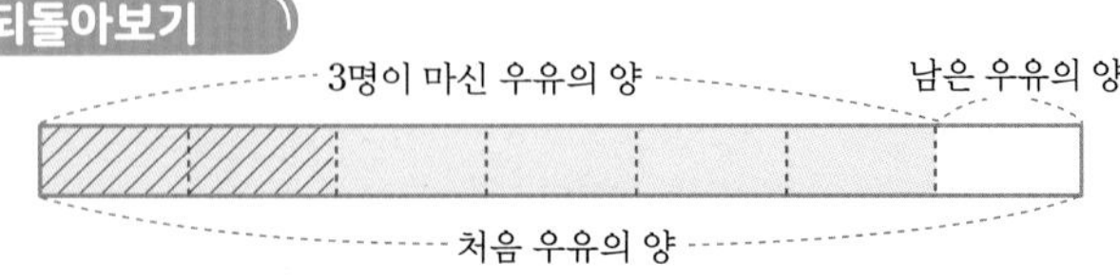
3명이 마신 우유의 양
남은 우유의 양
처음 우유의 양

그림을 그려서 확인해 보면 한 명이 마신 우유의 양은 처음 우유의 양의 $\frac{2}{7}$입니다. ➜ $\frac{\cancel{7}^{1}}{\cancel{8}_{4}}\times\frac{\cancel{2}^{1}}{\cancel{7}_{1}}=\frac{1}{4}$ (L)

• 계획한 방법으로 문제를 해결해 보세요.

예 3명이 마시고 남은 우유의 양은 $\frac{7}{8}$ L의 $\frac{1}{7}$이므로 $\frac{\overset{1}{\cancel{7}}}{8}\times\frac{1}{\underset{1}{\cancel{7}}}=\frac{1}{8}$ (L)이고, 3명이 마신 우유의 양은 $\frac{7}{8}-\frac{1}{8}=\frac{6}{8}=\frac{3}{4}$ (L)입니다. 따라서 한 명이 마신 우유의 양은 $\frac{3}{4}\div 3=\frac{\overset{1}{\cancel{3}}}{4}\times\frac{1}{\underset{1}{\cancel{3}}}=\frac{1}{4}$ (L)입니다.

• 한 명이 마신 우유의 양은 몇 L일까요?

$\frac{1}{4}$ L

되돌아보기

• 구한 답이 맞았는지 확인해 보세요.

• 문제를 해결할 수 있는 다른 방법이 있는지 찾아보세요.

예 그림을 그려서 해결할 수 있을 것 같습니다.

들이가 $2\frac{2}{5}$ L인 물병에 $1\frac{4}{5}$ L의 물이 들어 있었습니다. 이 물을 4명이 똑같이 나누어 마셨더니 물병의 $\frac{3}{4}$만큼이 비었습니다. 한 명이 마신 물의 양은 몇 L일지 구해 보세요.

[풀이] 예 남은 물의 양은 물병의 $1-\frac{3}{4}=\frac{1}{4}$인 $2\frac{2}{5}\times\frac{1}{4}=\frac{3}{5}$ (L)이므로 4명이 마신 물의 양은 $1\frac{4}{5}-\frac{3}{5}=1\frac{1}{5}$ (L)입니다. 따라서 한 명이 마신 물의 양은 $1\frac{1}{5}\div 4=\frac{3}{10}$ (L)입니다.

[답] $\frac{3}{10}$ L

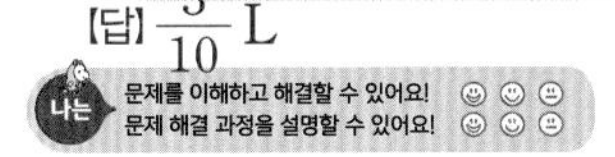

23

생각 키우기

문제 해결 정보 처리

문제 이해하기

» 구하려고 하는 것

한 명이 마신 물의 양을 구하려고 합니다.

» 알고 있는 것

들이가 $2\frac{2}{5}$ L인 물병에 $1\frac{4}{5}$ L의 물이 들어 있고, 이 물을 4명이 똑같이 나누어 마셨더니 물병의 $\frac{3}{4}$만큼이 비었습니다.

계획 세우기

4명이 나누어 마시고 남은 물의 양을 구하여 한 명이 마신 물의 양을 구해 봅니다.

계획대로 풀기

(물병에 남은 물의 양)

$=2\frac{2}{5}\times\frac{1}{4}=\frac{\overset{3}{\cancel{12}}}{5}\times\frac{1}{\underset{1}{\cancel{4}}}=\frac{3}{5}$ (L)

(4명이 마신 물의 양) $=1\frac{4}{5}-\frac{3}{5}=1\frac{1}{5}$ (L)

(한 명이 마신 물의 양)

$=1\frac{1}{5}\div 4=\frac{6}{5}\div 4=\frac{\overset{3}{\cancel{6}}}{5}\times\frac{1}{\underset{2}{\cancel{4}}}=\frac{3}{10}$ (L)

문제 해결력 문제

정답 및 풀이 215쪽

1 주스 $1\frac{3}{4}$ L를 5명이 똑같이 나누어 마셨더니 처음 주스의 양의 $\frac{1}{7}$만큼이 남았습니다. 한 명이 마신 주스의 양은 몇 L인지 구하려고 합니다. 물음에 답해 보세요.

(1) 5명이 마신 주스의 양은 몇 L인가요?

( )

(2) 한 명이 마신 주스의 양은 몇 L인가요?

( )

2 보리 $2\frac{5}{8}$ kg을 7병에 똑같이 나누어 담았더니 6병은 가득 차고 나머지 1병은 처음 보리의 양의 $\frac{2}{9}$만큼이 부족합니다. 한 병을 가득 담은 보리의 양은 몇 kg인지 구하려고 합니다. 물음에 답해 보세요.

(1) 7병에 가득 담은 보리의 양은 몇 kg인가요?

( )

(2) 한 병을 가득 담은 보리의 양은 몇 kg인가요?

( )

8 차시

단원 마무리 | 척척

추론

(자연수)÷(자연수)의 몫을 분수로 나타내기

▶자습서 12~13쪽

학부모 코칭 Tip

5÷3은 전체 5를 3등분한 것이라는 의미를 이해하게 한 다음, 구해 보게 합니다.

1 5÷3을 계산하려고 합니다. □ 안에 알맞은 수를 써넣으세요.

14쪽

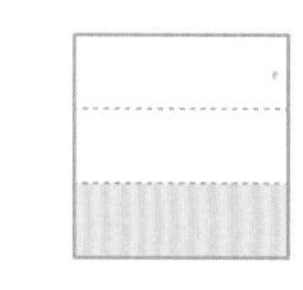
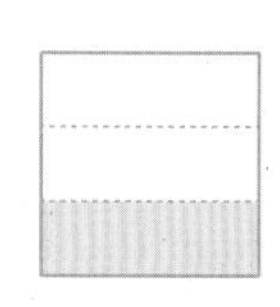
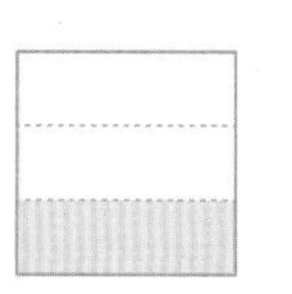

$5 \div 3 = \frac{\boxed{5}}{3} = \boxed{1}\frac{\boxed{2}}{3}$

문제 해결 · 추론

(분수)÷(자연수)를 분수의 곱셈으로 나타내는 원리를 이해하고 계산하기

▶자습서 16~17쪽

학부모 코칭 Tip

분수의 곱셈으로 나타내는 원리를 이해하게 한 다음, 구해 보게 합니다.

2 $\frac{5}{4} \div 4$를 계산하려고 합니다. □ 안에 알맞은 수를 써넣으세요.

18쪽

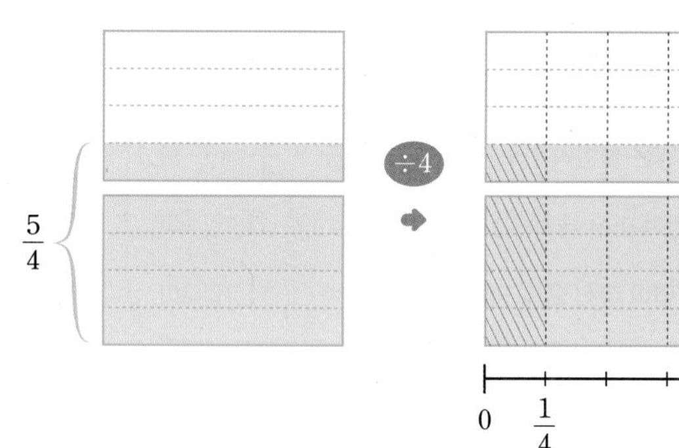

$\frac{5}{4} \div 4 = \frac{5}{4} \times \frac{\boxed{1}}{\boxed{4}} = \frac{\boxed{5}}{\boxed{16}}$

문제 해결

(자연수)÷(자연수), (분수)÷(자연수)의 몫을 분수로 나타내기

▶자습서 10~19쪽

학부모 코칭 Tip

(대분수)÷(자연수)에서 대분수를 가분수로 바꾸어 계산하도록 합니다.

3 나눗셈의 몫을 분수로 나타내어 보세요.

12~21쪽

$2 \div 9 = \frac{2}{9}$ $\qquad$ $\frac{6}{7} \div 3 = \frac{2}{7}$

$\frac{7}{3} \div 5 = \frac{7}{15}$ $\qquad$ $2\frac{4}{5} \div 7 = \frac{2}{5}$

풀이 $\frac{6}{7} \div 3 = \frac{6 \div 3}{7} = \frac{2}{7}$

$\frac{7}{3} \div 5 = \frac{35}{15} \div 5 = \frac{35 \div 5}{15} = \frac{7}{15}$

$2\frac{4}{5} \div 7 = \frac{14}{5} \div 7 = \frac{14 \div 7}{5} = \frac{2}{5}$

24

4 나눗셈의 몫이 큰 것부터 차례로 기호를 써 보세요.

14~21쪽

㉠ $\frac{9}{4} \div 6$ ㉡ $8 \div 7$ ㉢ $1\frac{3}{7} \div 10$

(㉡, ㉠, ㉢)

풀이 ㉠ $\frac{9}{4} \div 6 = \frac{18}{8} \div 6 = \frac{18 \div 6}{8} = \frac{3}{8}$

㉡ $8 \div 7 = \frac{8}{7} = 1\frac{1}{7}$

㉢ $1\frac{3}{7} \div 10 = \frac{10}{7} \div 10 = \frac{10 \div 10}{7} = \frac{1}{7}$

따라서 나눗셈의 몫이 큰 것부터 차례로 기호를 쓰면 ㉡, ㉠, ㉢입니다.

추론

(자연수)÷(자연수), (분수)÷(자연수)의 계산 원리를 이해하고 계산하기

▶자습서 12~19쪽

학부모 코칭 Tip

나눗셈의 몫을 분수로 나타낸 다음, 몫의 크기를 비교해 보게 합니다.

5 넓이가 $12\frac{3}{4}$ m^2인 텃밭을 4부분으로 똑같이 나누어 오이, 상추, 토마토, 고추를 각각 심었습니다. 오이를 심은 텃밭의 넓이를 구해 보세요.

20쪽

식 $12\frac{3}{4} \div 4 = 3\frac{3}{16}$

답 $3\frac{3}{16}\left(=\frac{51}{16}\right)$ m^2

풀이 (오이를 심은 텃밭의 넓이)$=12\frac{3}{4} \div 4 = \frac{51}{4} \div 4 = \frac{51}{4} \times \frac{1}{4} = \frac{51}{16} = 3\frac{3}{16}$ (m^2)

문제 해결

(대분수)÷(자연수)의 계산 원리를 이해하고 계산하기

▶자습서 18~19쪽

6 희재는 $2\frac{2}{3}$ L의 식혜를 4개의 컵에, 소유는 $\frac{9}{5}$ L의 식혜를 3개의 컵에 각각 똑같이 나누어 담았습니다. 컵 한 개에 담은 식혜의 양이 더 많은 사람은 누구일까요?

16~21쪽

풀이

예 희재가 컵 한 개에 담은 식혜의 양은 $2\frac{2}{3} \div 4 = \frac{8}{3} \div 4 = \frac{8 \div 4}{3} = \frac{2}{3}$ (L)이고,

소유가 컵 한 개에 담은 식혜의 양은 $\frac{9}{5} \div 3 = \frac{9 \div 3}{5} = \frac{3}{5}$ (L)입니다.

따라서 $\frac{2}{3}\left(=\frac{10}{15}\right) > \frac{3}{5}\left(=\frac{9}{15}\right)$이므로 컵 한 개에 담은 식혜의 양이 더 많은 사람은 희재입니다.

답 희재

문제 해결 의사소통

(분수)÷(자연수)의 계산 원리를 이해하고 몫을 구하여 문제 해결하기

▶자습서 14~19쪽

학부모 코칭 Tip

문제에 알맞은 식을 바르게 세워 (분수)÷(자연수)의 계산 원리를 이용하여 구해 보게 합니다.

25

9 차시 • 놀이 속으로 | 풍덩

학습 목표

주사위의 눈의 수를 이용하여 조건에 맞게 대분수와 자연수를 만들고, 나눗셈을 하여 몫을 구하는 놀이를 하며 분수의 나눗셈을 연습해 봅니다.

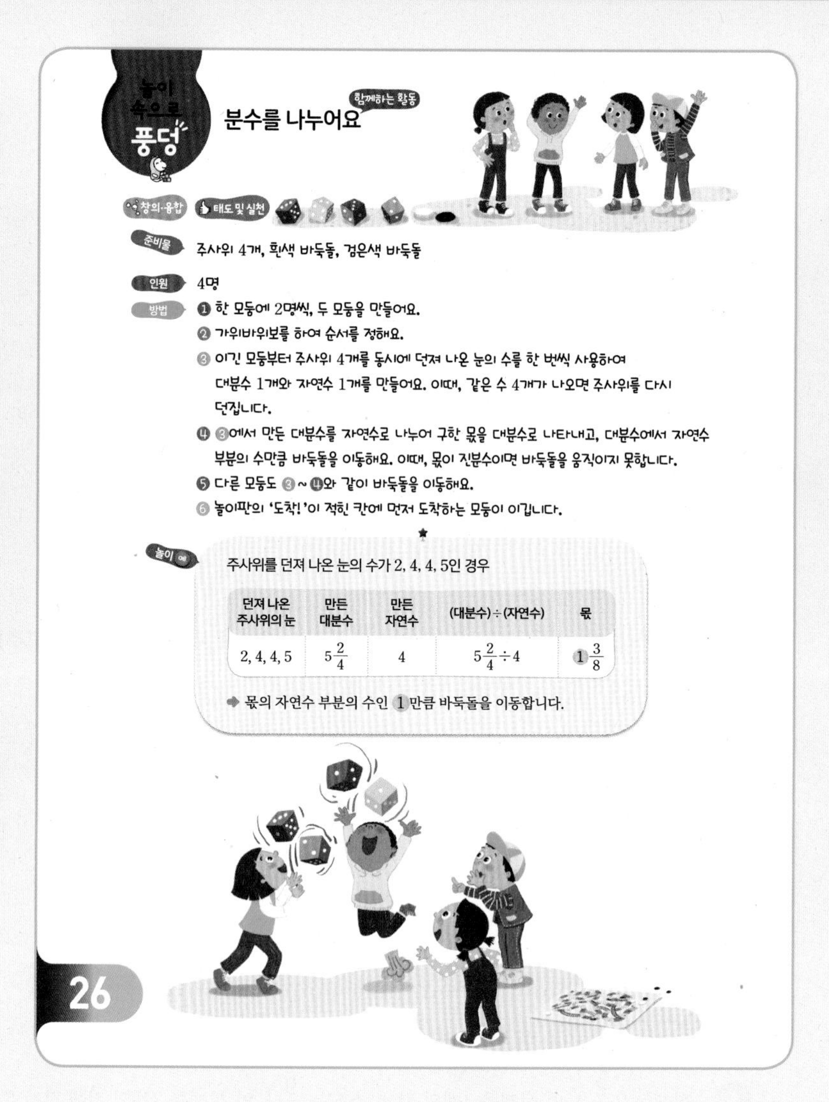
놀이 속으로 풍덩

분수를 나누어요 (함께하는 활동)

창의·융합 / 태도 및 실천

준비물: 주사위 4개, 흰색 바둑돌, 검은색 바둑돌

인원: 4명

방법
❶ 한 모둠에 2명씩, 두 모둠을 만들어요.
❷ 가위바위보를 하여 순서를 정해요.
❸ 이긴 모둠부터 주사위 4개를 동시에 던져 나온 눈의 수를 한 번씩 사용하여 대분수 1개와 자연수 1개를 만들어요. 이때, 같은 수 4개가 나오면 주사위를 다시 던집니다.
❹ ❸에서 만든 대분수를 자연수로 나누어 구한 몫을 대분수로 나타내고, 대분수에서 자연수 부분의 수만큼 바둑돌을 이동해요. 이때, 몫이 진분수이면 바둑돌을 움직이지 못합니다.
❺ 다른 모둠도 ❸~❹와 같이 바둑돌을 이동해요.
❻ 놀이판의 '도착!'이 적힌 칸에 먼저 도착하는 모둠이 이깁니다.

놀이 예

주사위를 던져 나온 눈의 수가 2, 4, 4, 5인 경우

던져 나온 주사위의 눈	만든 대분수	만든 자연수	(대분수) ÷ (자연수)	몫
2, 4, 4, 5	$5\frac{2}{4}$	4	$5\frac{2}{4} \div 4$	$1\frac{3}{8}$

➡ 몫의 자연수 부분의 수인 1만큼 바둑돌을 이동합니다.

26

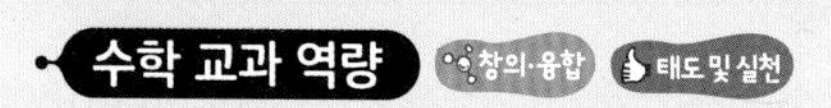

분수를 나누어요

- 기대하는 몫이 나올 수 있도록 (대분수) ÷ (자연수)를 만드는 과정에서 창의·융합 능력을 기를 수 있습니다.
- 놀이를 통하여 분수의 나눗셈 연습을 해 보는 과정에서 자신감을 갖고 수학에 대한 흥미를 느끼며 태도 및 실천 능력을 기를 수 있습니다.

교과서 개념 완성

1 준비물 확인하기 및 놀이 방법 살펴보기

- 주사위 4개와 바둑돌이 준비되어 있는지 확인합니다. 이때 주사위 4개가 준비되지 않았다면 주사위 한 개를 4번 던져도 됩니다.
- 놀이 방법을 읽어 보고 이해합니다.
- 놀이 방법을 한 단계 한 단계 따라가면서 해 봅니다.

학부모 코칭 Tip

(대분수) ÷ (자연수)의 몫을 어림해 보고, 계산해 보게 합니다.

2 나눗셈 만들고 계산해 보기

예 주사위를 던져 나온 눈의 수가 2, 4, 4, 5인 경우

➜ 대분수 $5\frac{2}{4}$를 만들었습니다.

➜ 만든 대분수를 나머지 수 4로 나눕니다.

$$5\frac{2}{4} \div 4 = \frac{22}{4} \div 4 = \frac{\overset{11}{\cancel{22}}}{4} \times \frac{1}{\underset{2}{\cancel{4}}} = \frac{11}{8} = 1\frac{3}{8}$$

➜ 몫의 자연수 부분의 수는 1이므로 바둑돌을 1칸 이동시킵니다.

3 다른 모둠과 실제 놀이를 해 보기

- 다른 모둠과 놀이를 합니다.
- 계산이 맞는지 서로 확인해 봅니다.

놀이하기 전

- 놀이 준비물은 모두 준비되었나요?
- 놀이 방법을 읽어 보았나요?
- 놀이 방법 중 이해가 되지 않는 부분이 있나요?
- 계단을 만나면 어떻게 하나요?
- 계산이 틀리면 어떻게 하나요?

놀이 중

- 규칙과 놀이 방법 중 이해가 되지 않는 부분이 있나요?
- 분수의 나눗셈의 계산 결과를 어림해 보는 과정이 놀이에 어떤 도움이 되었나요?
- 어떤 결과를 만들어 내는 것이 좋을까요?

놀이 후

- 놀이를 한 소감을 이야기해 보세요.
- 어떻게 하면 놀이가 더 재미있을지 생각해 보세요.

참고 자료

고대 이집트인들이 사용한 '단위분수'

다음은 고대 이집트인들의 분수 표기로, $\frac{2}{3}$를 제외하고는 모두 분자가 1인 단위분수입니다.

$\frac{1}{3}$	$\frac{1}{4}$	$\frac{1}{5}$	$\frac{1}{6}$	$\frac{1}{7}$
$\frac{1}{8}$	$\frac{1}{9}$	$\frac{1}{10}$	$\frac{1}{2}$	$\frac{2}{3}$

고대 이집트인들은 분수를 나타낼 때 단위분수만을 사용하였는데 그 이유는 주식인 빵을 공평하게 나누기 위해서라고 합니다.

빵 3개를 4명이 똑같이 나누어 먹으려고 할 때, 당시에는 $3 \div 4 = \frac{3}{4}$으로 한 사람이 $\frac{3}{4}$개씩 먹으면 된다는 생각을 하지 못하여 먼저 빵 2개를 각각 똑같이 반으로 나누어 4명이 한 조각씩 가지고, 남은 빵 1개를 똑같이 4조각으로 나누어 각자 한 조각씩 가지는 방식으로 나누어 가졌습니다. 고대 이집트인들이 나눗셈의 몫을 하나의 분수로 나타내거나 소수로 나타내는 방법을 생각하지 못한 것은 무엇이든 사람 수대로 나누어 하나씩만 가져가는 방법이 쉽고 간편하였으므로 상황을 하나의 수로 나타낼 필요성을 느끼지 못하여 단위분수를 사용한 것입니다.

[출처] 오혜정, 『선생님도 놀란 초등 수학 뒤집기-분수와 소수』

개념 + 확인

교과서 개념을 익히고 확인 문제를 풀면서 단원을 마무리해 보아요.

개념

(자연수)÷(자연수)의 몫을 분수로 나타내기(1)

- 1÷7의 몫을 분수로 나타내기
  1÷7은 1을 똑같이 7로 나눈 것 중의 하나이므로 1÷7의 몫은 $\frac{1}{7}$입니다.
  → $1\div7=\frac{1}{7}$
- 4÷7의 몫을 분수로 나타내기
  4÷7은 $\frac{1}{7}$이 4개이므로 4÷7의 몫은 $\frac{4}{7}$입니다.
  → $4\div7=\frac{4}{7}$

(자연수)÷(자연수)의 몫을 분수로 나타내기(2)

- 8÷3의 몫을 분수로 나타내기
  (자연수)÷(자연수)의 몫은 나누는 수를 분모로, 나누어지는 수를 분자로 하는 분수로 나타낼 수 있습니다.
  → $8\div3=\frac{8}{3}=2\frac{2}{3}$
  └ $\frac{1}{3}$이 8개이므로 $\frac{8}{3}$입니다.

(분수)÷(자연수)의 계산

- 분수의 분자가 나누는 수로 나누어떨어질 때에는 분자를 나누는 수로 나누어 계산합니다.
  예 $\frac{6}{11}\div3=\frac{6\div3}{11}=\frac{2}{11}$
- 분수의 분자가 나누는 수로 나누어떨어지지 않을 때에는 분자를 나누는 수의 배수가 되는 분수로 바꾸어 계산합니다.
  예 $\frac{5}{6}\div2=\frac{10}{12}\div2=\frac{10\div2}{12}=\frac{5}{12}$

확인 문제

1 그림을 보고 □ 안에 알맞은 수를 써넣으세요.

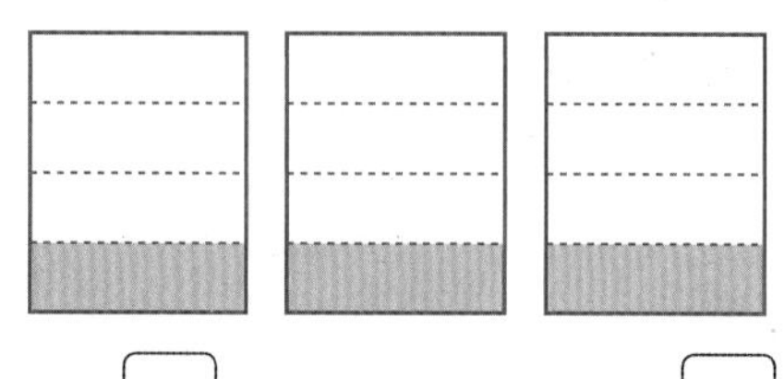

(1) $1\div4=\frac{□}{□}$ (2) $3\div4=\frac{□}{□}$

2 나눗셈의 몫을 분수로 나타내어 보세요.

(1) 2÷7 (2) 5÷3

(3) 9÷4 (4) 15÷8

3 몫이 1보다 큰 것을 찾아 기호를 써 보세요.

㉠ 7÷8	㉡ 10÷9	㉢ 11÷20

( )

4 몫의 크기를 비교하여 ○ 안에 >, =, <를 알맞게 써넣으세요.

$\frac{8}{15}\div2$ ○ $\frac{5}{6}\div3$

개념

(분수)÷(자연수)를 분수의 곱셈으로 나타내기

• $\frac{1}{3}\div2$의 계산

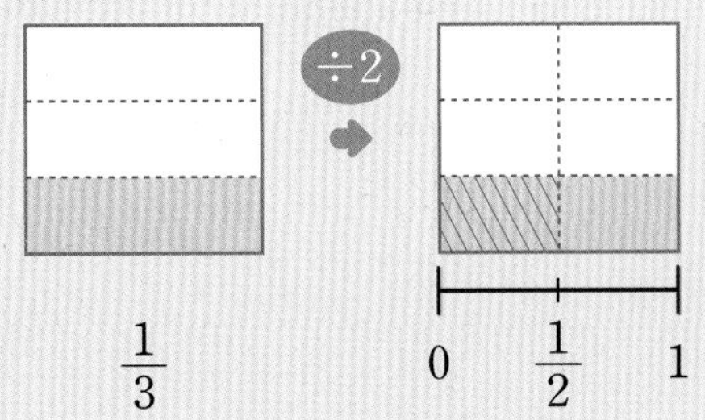

$\frac{1}{3}\div2$의 몫은 $\frac{1}{3}$을 2등분한 것 중의 하나이므로 $\frac{1}{3}$의 $\frac{1}{2}$입니다.

➜ $\frac{1}{3}\div2=\frac{1}{3}\times\frac{1}{2}=\frac{1}{6}$

• 나누는 수인 자연수를 $\frac{1}{(\text{자연수})}$로 바꾼 다음, 곱하여 계산합니다.

예 $\frac{4}{5}\div7=\frac{4}{5}\times\frac{1}{7}=\frac{4}{35}$

(대분수)÷(자연수)의 계산

예 $1\frac{3}{7}\div2$의 계산

• 대분수를 가분수로 바꾼 다음, 분수의 분자를 나누는 수로 나누어 계산하기

➜ $1\frac{3}{7}\div2=\frac{10}{7}\div2=\frac{10\div2}{7}=\frac{5}{7}$

• 대분수를 가분수로 바꾼 다음, 분수의 곱셈으로 나타내어 계산하기

➜ $1\frac{3}{7}\div2=\frac{10}{7}\div2=\frac{\overset{5}{\cancel{10}}}{7}\times\frac{1}{\underset{1}{\cancel{2}}}=\frac{5}{7}$

계산 결과를 약분하여 기약분수로 나타낼 수 있습니다.

확인 문제

5 보기 와 같이 계산해 보세요.

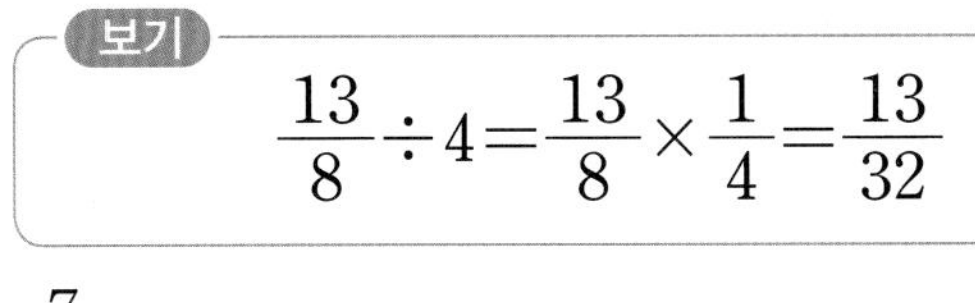

$\frac{13}{8}\div4=\frac{13}{8}\times\frac{1}{4}=\frac{13}{32}$

$\frac{7}{10}\div3=$ ____________

6 몫을 바르게 구한 것에 ○표 하세요.

$1\frac{3}{5}\div8=\frac{1}{5}$	$2\frac{1}{9}\div3=\frac{3}{19}$
(　　　)	(　　　)

7 빈칸에 알맞은 수를 써넣으세요.

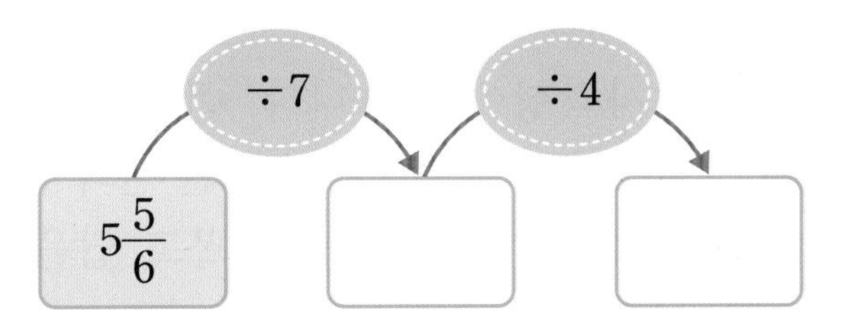

8 넓이가 $31\frac{1}{2}$ cm²인 직사각형입니다. 이 직사각형의 세로는 몇 cm인지 구해 보세요.

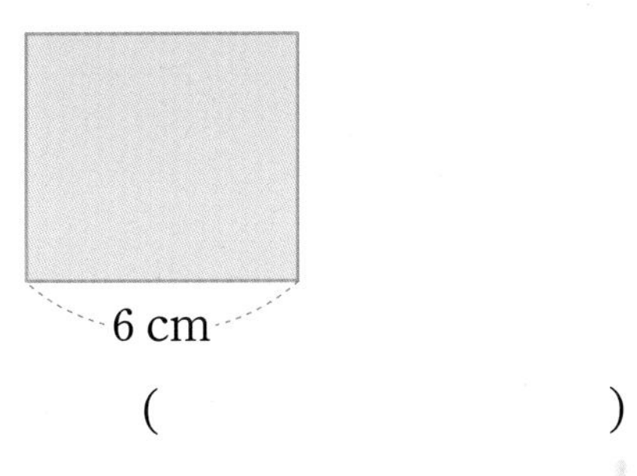

(　　　　　　　　)

단계별로

서술형 문제 해결하기

과정 중심 평가 내용: 도형의 한 변의 길이를 구할 수 있는가?

1-1 한 변의 길이가 $3\frac{3}{4}$ cm인 정육각형과 둘레가 같은 정오각형이 있습니다. 정오각형의 한 변의 길이는 몇 cm인지 풀이 과정을 쓰고, 답을 구해 보세요. [8점]

풀이

❶ 정육각형은 변 □개의 길이가 같습니다.

(정육각형의 둘레)

$=3\frac{3}{4}\times\square=\frac{\square}{2}$ (cm)

❷ 정오각형은 변 □개의 길이가 같습니다.

(정오각형의 한 변의 길이)

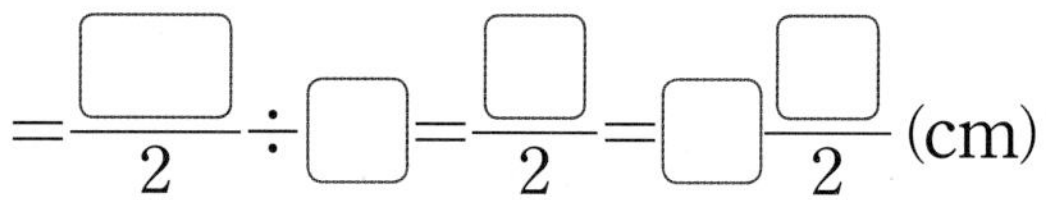

$=\frac{\square}{2}\div\square=\frac{\square}{2}=\square\frac{\square}{2}$ (cm)

답 ....

1-2 쌍둥이

한 변의 길이가 $\frac{12}{5}$ cm인 정오각형과 둘레가 같은 정칠각형이 있습니다. 정칠각형의 한 변의 길이는 몇 cm인지 풀이 과정을 쓰고, 답을 구해 보세요. [12점]

풀이

답 ....

1-3 유사

가로가 $3\frac{5}{8}$ cm이고 세로가 $6\frac{1}{2}$ cm인 직사각형이 있습니다. 이 직사각형과 둘레가 같은 정오각형의 한 변의 길이는 몇 cm인지 풀이 과정을 쓰고, 답을 구해 보세요. [15점]

풀이

답 ....

1-4 실전

넓이가 25 cm^2인 정사각형이 있습니다. 이 정사각형과 둘레가 같은 정삼각형의 한 변의 길이는 몇 cm인지 풀이 과정을 쓰고, 답을 구해 보세요. [15점]

풀이

답 ....

과정 중심 평가 내용 어떤 수를 구할 수 있는가?

공부한 날 월 일

➔ 정답 및 풀이 216쪽

2-1 어떤 분수를 3으로 나누어야 할 것을 잘못하여 곱하였더니 $2\frac{3}{5}$이 되었습니다. 바르게 계산하면 얼마인지 풀이 과정을 쓰고, 답을 구해 보세요. [8점]

풀이

❶ 어떤 수를 ■라고 하면 $■\times\square=2\frac{3}{5}$,

$■=2\frac{3}{5}\div\square=\frac{\square}{\square}$입니다.

❷ 어떤 수는 $\frac{\square}{\square}$이므로 바르게 계산하면

$\frac{\square}{\square}\div 3=\frac{\square}{\square}$입니다.

답

2-2 쌍둥이

어떤 분수를 8로 나누어야 할 것을 잘못하여 곱하였더니 $\frac{12}{7}$가 되었습니다. 바르게 계산하면 얼마인지 풀이 과정을 쓰고, 답을 구해 보세요. [12점]

풀이

답

2-3 유사

어떤 분수를 10으로 나누어야 할 것을 잘못하여 곱하였더니 $3\frac{1}{8}$이 되었습니다. 어떤 수를 15로 나눈 몫은 얼마인지 풀이 과정을 쓰고, 답을 구해 보세요. [15점]

풀이

답

2-4 실전

$\frac{14}{15}$에 어떤 수를 곱해야 할 것을 잘못하여 나누었더니 6이 되었습니다. 어떤 수를 5로 나눈 몫은 얼마인지 풀이 과정을 쓰고, 답을 구해 보세요. [15점]

풀이

답

| (자연수)÷(자연수)의 몫을 분수로 나타내기(1) |

01 하 $1\div8$을 그림으로 나타내고, $1\div8$의 몫을 분수로 나타내어 보세요.

0 1

( )

| (분수)÷(자연수) |

02 하 □ 안에 알맞은 수를 써넣으세요.

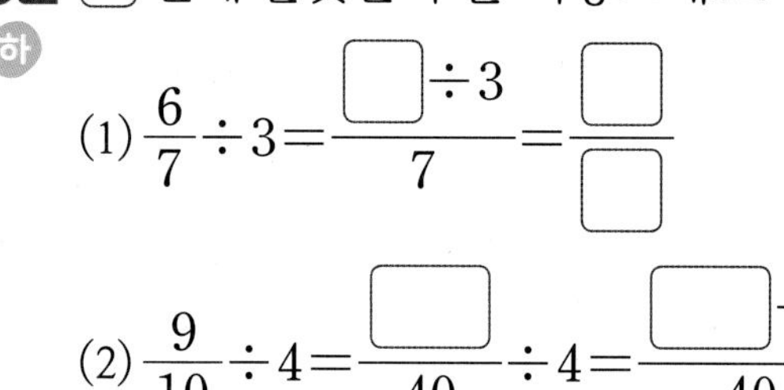

(1) $\frac{6}{7}\div3=\frac{\square\div3}{7}=\frac{\square}{\square}$

(2) $\frac{9}{10}\div4=\frac{\square}{40}\div4=\frac{\square\div4}{40}$

$=\frac{\square}{\square}$

| (분수)÷(자연수)를 분수의 곱셈으로 나타내기 |

03 하 $\frac{3}{7}\div4$를 분수의 곱셈으로 바르게 나타낸 것을 찾아 기호를 써 보세요.

㉠ $\frac{7}{3}\times4$ ㉡ $\frac{3}{7}\times4$

㉢ $\frac{3}{7}\times\frac{1}{4}$ ㉣ $\frac{7}{3}\times\frac{1}{4}$

( )

| (분수)÷(자연수) |

04 하 계산해 보세요.

(1) $\frac{4}{5}\div2$ (2) $\frac{5}{9}\div3$

| (자연수)÷(자연수)의 몫을 분수로 나타내기(1), (2) |

05 중 관계있는 것끼리 선으로 이어 보세요.

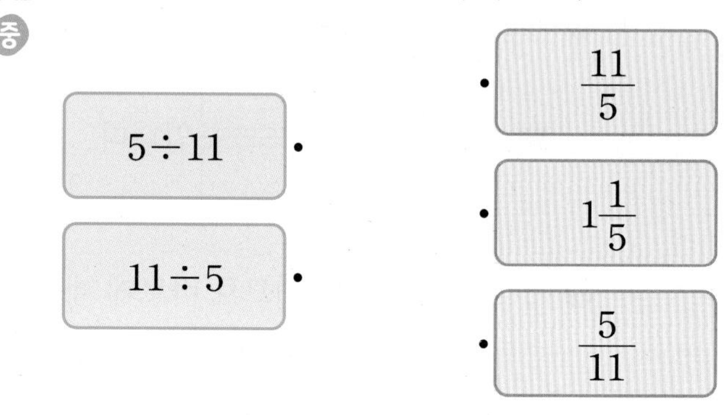

$5\div11$ •　　• $\frac{11}{5}$

$11\div5$ •　　• $1\frac{1}{5}$

• $\frac{5}{11}$

| (대분수)÷(자연수) |

06 중 $4\frac{2}{5}\div3$을 2가지 방법으로 계산해 보세요.

| (대분수)÷(자연수) |

07 중 빈칸에 알맞은 수를 써넣으세요.

÷ →, ÷ ↓

$3\frac{2}{11}$	5	
6		

➔ 정답 및 풀이 218쪽

| (대분수)÷(자연수) |

08 빈칸에 큰 수를 작은 수로 나눈 몫을 써넣으세요.

중

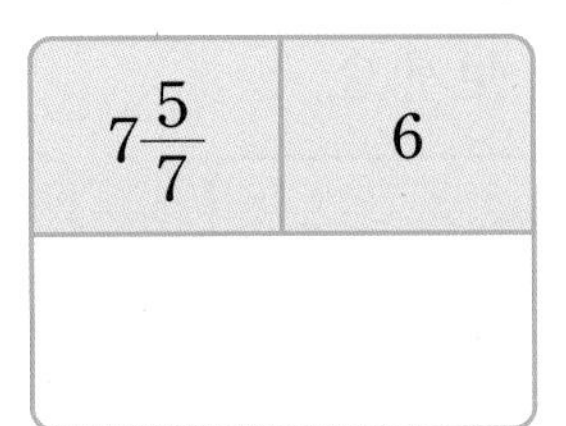

| (자연수)÷(자연수)의 몫을 분수로 나타내기(2) |

09 몫의 크기를 비교하여 ◯ 안에 >, =, <를 알맞게 써넣으세요.

중

$$11 \div 4 \bigcirc 16 \div 7$$

| (대분수)÷(자연수) |

10 찰흙 $5\frac{3}{5}$ kg을 4명이 똑같이 나누어 가지려고 합니다. 한 명이 가질 찰흙의 양은 몇 kg인지 구해 보세요.

중

( )

서술형

| (분수)÷(자연수)를 분수의 곱셈으로 나타내기, (대분수)÷(자연수) |

11 몫이 큰 것부터 차례로 기호를 쓰려고 합니다. 풀이 과정을 쓰고, 답을 구해 보세요.

중

㉠ $\frac{7}{8} \div 5$ ㉡ $\frac{3}{10} \div 2$ ㉢ $1\frac{4}{5} \div 6$

풀이

답

| (분수)÷(자연수)를 분수의 곱셈으로 나타내기 |

12 □ 안에 들어갈 수 있는 가장 작은 자연수를 구해 보세요.

중

$$\frac{25}{8} \div 3 < \square$$

( )

| (분수)÷(자연수)를 분수의 곱셈으로 나타내기 |

13 □ 안에 알맞은 수를 써넣으세요.

중

$$\square \times 12 = \frac{15}{8}$$

| (자연수)÷(자연수)의 몫을 분수로 나타내기(1), (분수)÷(자연수) |

14 ★에 알맞은 수를 구해 보세요.

중

♥ $= 9 \div 11$, ★ $=$ ♥ $\div 5$

( )

| (분수)÷(자연수)를 분수의 곱셈으로 나타내기, (대분수)÷(자연수) |

15 빈칸에 알맞은 수를 써넣으세요.

중

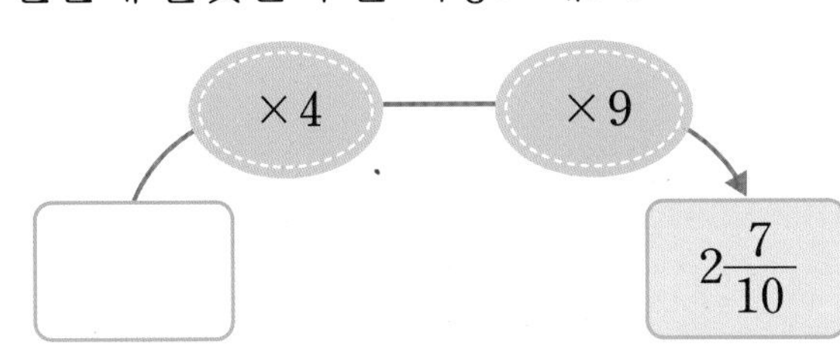

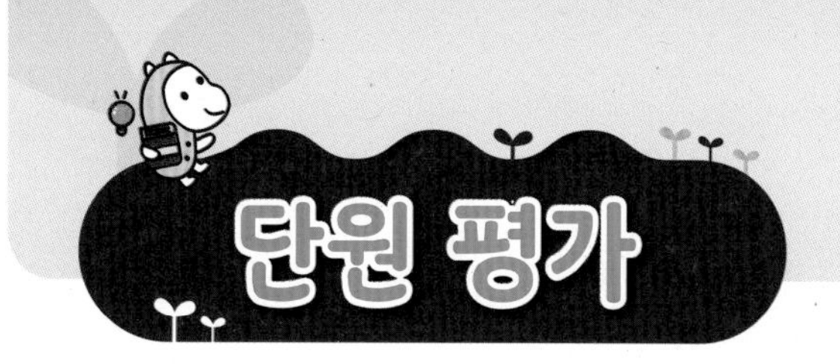

➜ 정답 및 풀이 218쪽

| (분수)÷(자연수)를 분수의 곱셈으로 나타내기 |

16 중 오른쪽은 넓이가 $\frac{25}{4}$ cm²인 삼각형입니다. 이 삼각형의 높이는 몇 cm인지 구해 보세요.

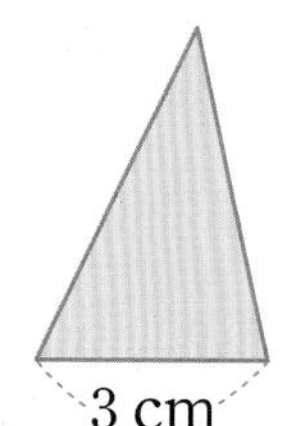

(   )

| (대분수)÷(자연수) |

17 중 무게가 똑같은 장난감 8개가 들어 있는 상자의 무게는 $5\frac{1}{5}$ kg입니다. 빈 상자의 무게가 $\frac{2}{7}$ kg일 때, 장난감 한 개의 무게는 몇 kg인지 구해 보세요.

(   )

| (대분수)÷(자연수) |

18 상 4장의 숫자 카드를 한 번씩 모두 사용하여 (대분수)÷(자연수)를 만들려고 합니다. 몫이 가장 크게 되는 나눗셈의 몫을 구해 보세요.

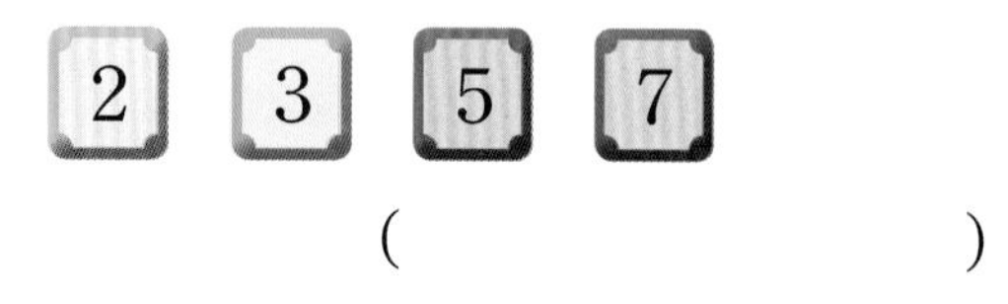

(   )

| (대분수)÷(자연수) | 서술형

19 상 □ 안에 공통으로 들어갈 수 있는 자연수를 모두 구하려고 합니다. 풀이 과정을 쓰고, 답을 구해 보세요.

$4\frac{13}{20}\div 3<\square$ $\square<9\frac{5}{7}\div 2$

풀이

답

| (분수)÷(자연수)를 분수의 곱셈으로 나타내기 | 서술형

20 상 어떤 수를 8로 나누어야 할 것을 잘못하여 곱하였더니 $\frac{6}{7}$이 되었습니다. 바르게 계산하면 얼마인지 풀이 과정을 쓰고, 답을 구해 보세요.

풀이

답

작은 수를 큰 수로 어떻게 나눌까?

자~, 우리 이 주스를 똑같이 나누어 마시자.
네

주스 2병을 3으로 똑같이 나누려면 어떻게 해야 할까요?
오렌지 주스
오렌지 주스

음... 먼저 주스 한 병을 똑같이 3컵씩 나누는 건 어때?

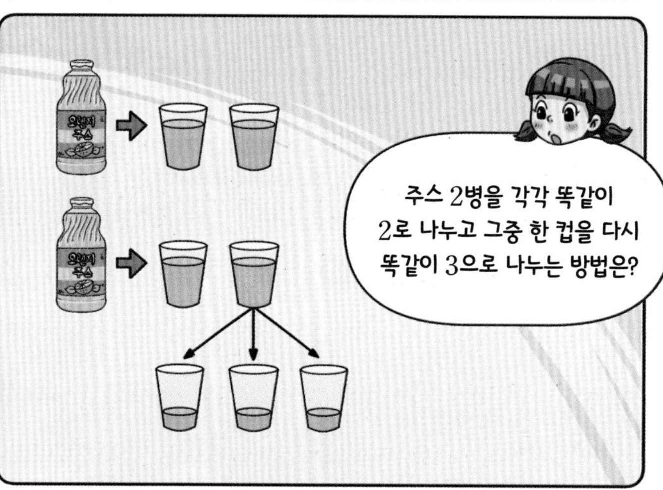

주스 2병을 각각 똑같이 2로 나누고 그중 한 컵을 다시 똑같이 3으로 나누는 방법은?

오~ 똑똑한 걸. 하지만 고민할 필요 없단다. 주스가 한 병 더 있거든.
짠
헉 !

하하
하하

2 각기둥과 각뿔

이전에 배운 내용	이번에 배울 내용	다음에 배울 내용
4-2 6. 다각형 • 다각형 알아보기 5-2 3. 합동과 대칭 • 도형의 합동 5-2 5. 직육면체와 정육면체 • 직육면체에서 면, 모서리, 꼭짓점 알아보기 • 직육면체의 전개도	• 각기둥과 각뿔을 이해하고 찾기 • 각기둥과 각뿔에서 밑면의 모양에 따른 이름을 이해하고 찾기 • 각기둥과 각뿔의 구성 요소를 알고 성질 이해하기 • 각기둥의 전개도를 이해하고 여러 가지 방법으로 그리기	6-2 6. 원기둥, 원뿔, 구 • 원기둥, 원뿔을 이해하고 구분하기 • 원기둥, 원뿔의 구성 요소를 알고 성질 이해하기 • 원기둥의 전개도를 이해하고 그리기

• 제페토 할아버지께서 피노키오를 만들고 있습니다.
• 여러 가지 다각형으로 이루어진 기둥 모양의 나무토막, 뾰족한 모양의 나무토막과 같은 도형들을 무엇이라고 부를지 궁금해하고 있습니다.

공부할 준비가 되었나요?

자/기/주/도/학/습

	학습 내용	계획 및 확인(공부한 날)	
예습	1차시 | 단원 도입 / 준비 팡팡	34~37쪽	월 일
진도	2~3차시 | 1 각기둥(1)	38~41쪽	월 일
	4차시 | 2 각기둥(2)	42~43쪽	월 일
	5~6차시 | 3 각기둥의 전개도	44~47쪽	월 일
	7차시 | 4 각뿔(1)	48~49쪽	월 일
	8차시 | 5 각뿔(2)	50~51쪽	월 일
	9차시 | 문제 해결력 쑥쑥	52~53쪽	월 일
	10차시 | 단원 마무리 척척	54~55쪽	월 일
	11차시 | 미술 속으로 풍덩	56~57쪽	월 일
평가	개념+확인 / 서술형 문제 해결하기	58~61쪽	월 일
	단원 평가 / 재미있는 수학 이야기	62~65쪽	월 일

1 차시 준비 팡팡

학습 목표

'무엇을 알고 있나요'와 '함께 생각해 볼까요'를 통하여 단원을 준비할 수 있습니다.

직육면체의 구성 요소

- 면: 선분으로 둘러싸인 부분
- 모서리: 면과 면이 만나는 선분
- 꼭짓점: 모서리와 모서리가 만나는 점

직육면체의 겨냥도

- 직육면체의 겨냥도는 직육면체와 같은 도형의 모양을 잘 알 수 있도록 보이지 않는 면, 모서리, 꼭짓점까지 모두 나타낸 그림입니다.
- 직육면체에서 서로 평행하고 길이가 같은 모서리는 겨냥도에서도 서로 평행하고 길이가 같습니다.

직육면체의 전개도

- 직육면체의 모서리를 잘라서 펼친 그림을 직육면체의 전개도라고 합니다.

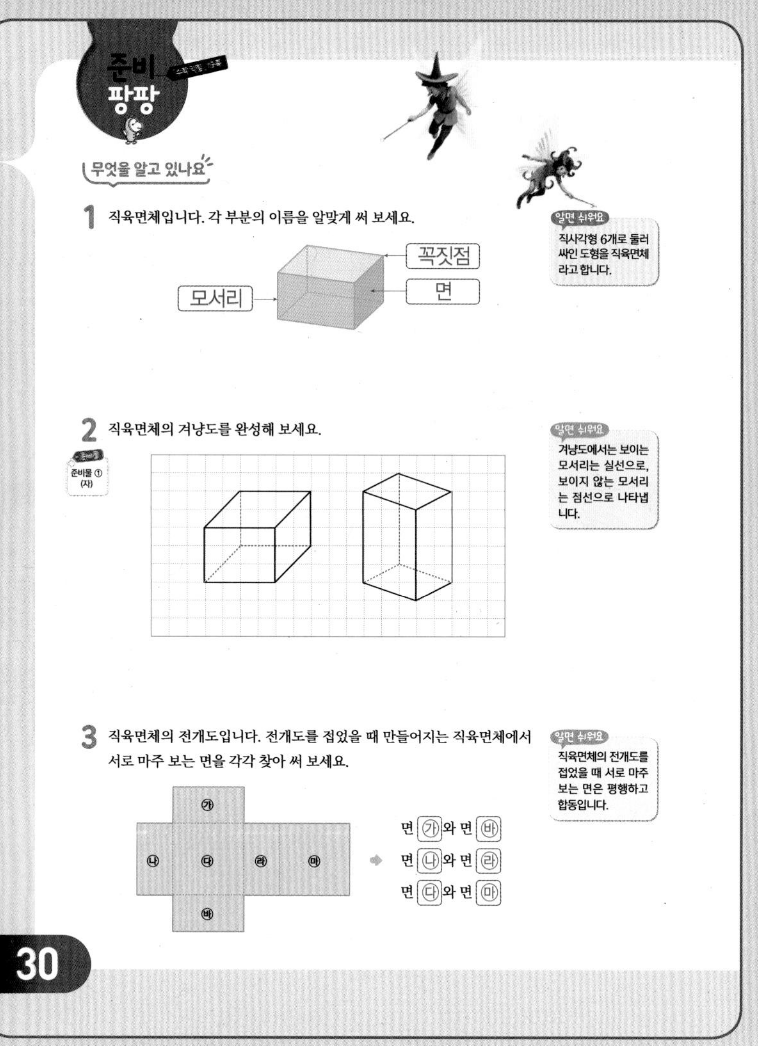

준비 팡팡
무엇을 알고 있나요
1 직육면체입니다. 각 부분의 이름을 알맞게 써 보세요.
꼭짓점
모서리
면
직사각형 6개로 둘러싸인 도형을 직육면체라고 합니다.
2 직육면체의 겨냥도를 완성해 보세요.
겨냥도에서는 보이는 모서리는 실선으로, 보이지 않는 모서리는 점선으로 나타냅니다.
3 직육면체의 전개도입니다. 전개도를 접었을 때 만들어지는 직육면체에서 서로 마주 보는 면을 각각 찾아 써 보세요.
㉮ ㉯ ㉰ ㉱ ㉲ ㉳
면 ㉮와 면 ㉳
면 ㉯와 면 ㉱
면 ㉰와 면 ㉲
직육면체의 전개도를 접었을 때 서로 마주 보는 면은 평행하고 합동입니다.
30

교과서 개념 완성 | 배운 것을 다시 생각하기

직육면체와 정육면체 알아보기

- 직육면체: 직사각형 6개로 둘러싸인 도형
- 정육면체: 정사각형 6개로 둘러싸인 도형

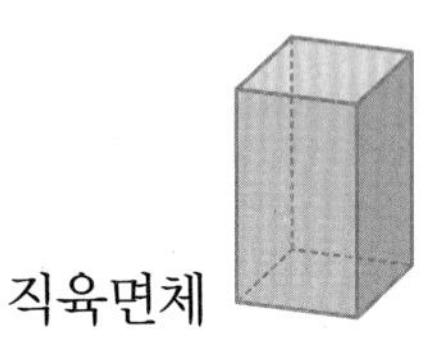
직육면체

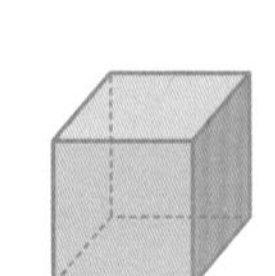
정육면체

직육면체의 구성 요소의 수

면의 개수	6개
모서리의 개수	12개
꼭짓점의 개수	8개

직육면체의 성질

- 직육면체에서 마주 보고 있는 두 면은 서로 평행하고, 서로 평행한 면은 모두 3쌍입니다.
- 직육면체에서 서로 만나는 면은 수직이고, 한 면에 수직인 면은 모두 4개입니다.

직육면체의 전개도 그리기

- 잘린 모서리는 실선으로, 잘리지 않은 모서리는 점선으로 그립니다.
- 서로 평행한 면끼리 모양과 크기를 같게 그립니다.
- 접었을 때 만나는 모서리의 길이를 같게 그립니다.

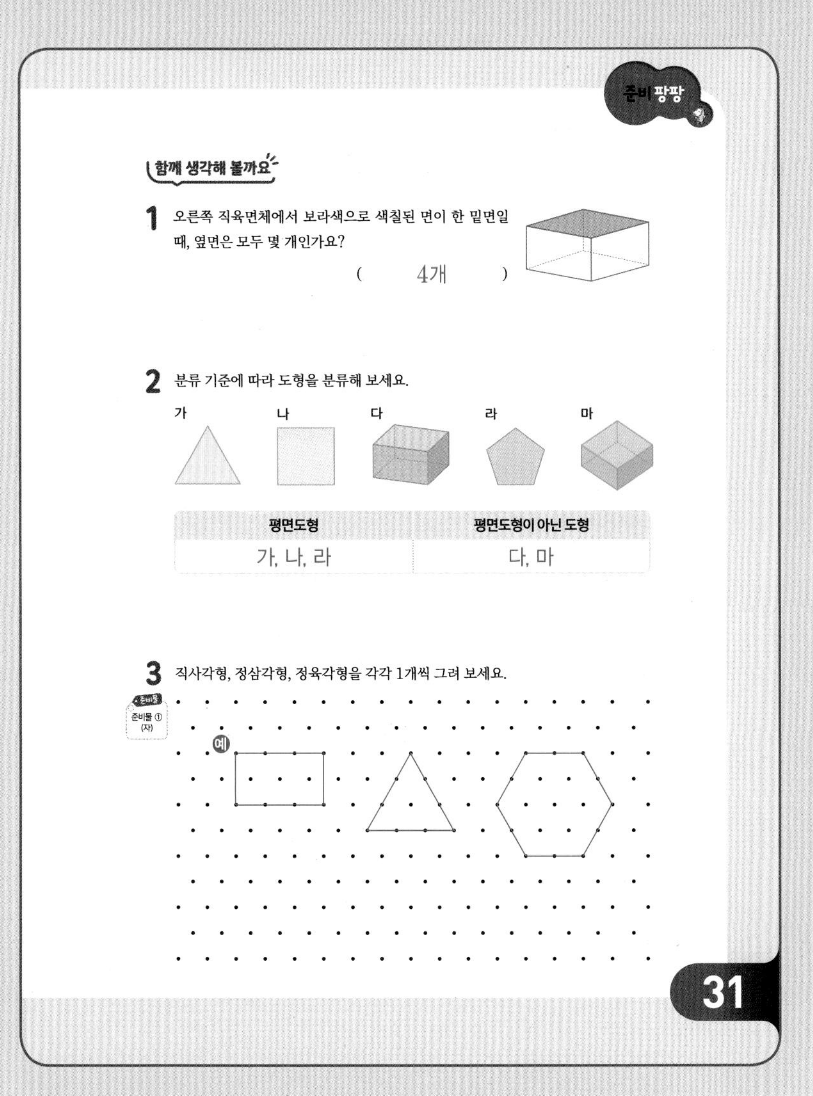

직육면체에서 색칠된 면이 밑면일 때, 옆면의 개수 구하기

• 직육면체에서 밑면과 수직으로 만나는 면은 옆면으로 모두 4개입니다.

분류 기준에 따라 도형 분류하기

• 평면도형은 원, 다각형, 곡선, 직선, 점과 같이 평평한 표면에 그려진 입체적이지 않은 도형입니다.

직사각형, 정삼각형, 정육각형 그리기

• 직사각형은 네 각의 크기가 같고 마주 보는 두 쌍의 변이 서로 평행하도록 그립니다.
• 정삼각형은 세 변의 길이가 모두 같게 그립니다.
• 정육각형은 6개의 변의 길이가 모두 같게 그립니다.

개념 확인 문제

정답 및 풀이 220쪽

| 4-2 6. 다각형 |

1 다각형을 모두 찾아 기호를 써 보세요.

(   )

| 5-2 5. 직육면체와 정육면체 |

2 오른쪽 직육면체의 모서리는 모두 몇 개인가요?

(   )

| 5-2 5. 직육면체와 정육면체 |

3 전개도를 접었을 때 만들어지는 직육면체에서 면 마와 수직인 면을 모두 찾아 써 보세요.

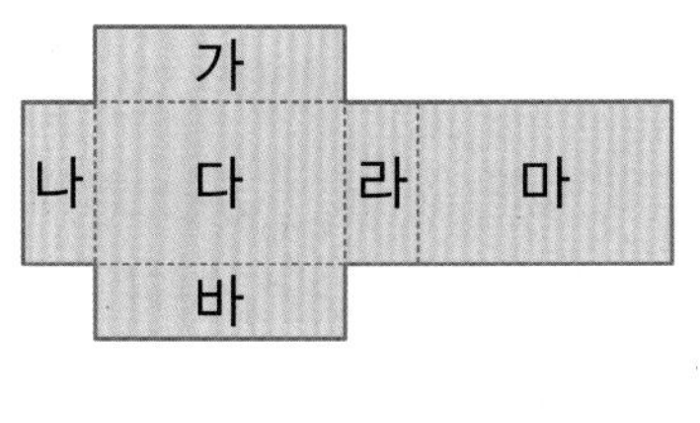

(   )

2~3
차시

1 | 각기둥(1)

학습 목표

각기둥을 이해하고, 각기둥의 밑면과 옆면을 알 수 있습니다.

그림으로 개념 잡기

너희랑 무엇이 다르지?
밑면의 개수와 옆면의 모양이 달라.

어휘		
각기둥 (角기둥) prism		위와 아래에 있는 면의 모양이 서로 평행하고 합동인 다각형으로 되어 있는 입체도형입니다.

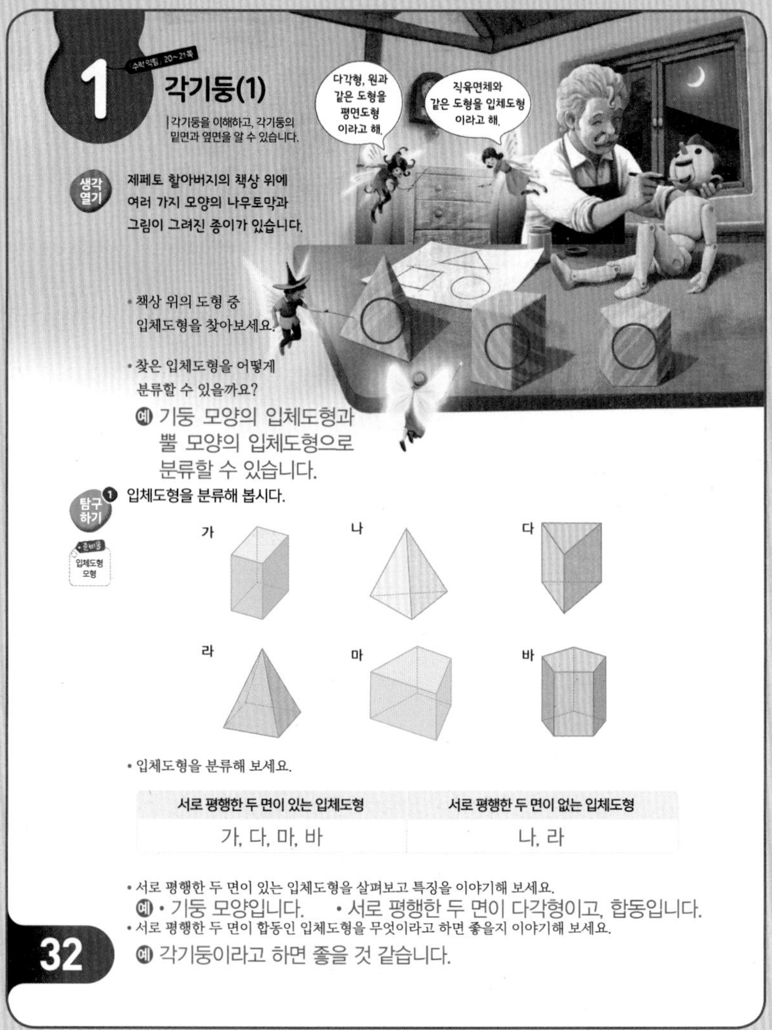
1 각기둥(1)

각기둥을 이해하고, 각기둥의 밑면과 옆면을 알 수 있습니다.

다각형, 원과 같은 도형을 평면도형이라고 해.

직육면체와 같은 도형을 입체도형이라고 해.

생각열기 제페토 할아버지의 책상 위에 여러 가지 모양의 나무토막과 그림이 그려진 종이가 있습니다.

- 책상 위의 도형 중 입체도형을 찾아보세요.
- 찾은 입체도형을 어떻게 분류할 수 있을까요?

예 기둥 모양의 입체도형과 뿔 모양의 입체도형으로 분류할 수 있습니다.

탐구하기 1 입체도형을 분류해 봅시다.

가 나 다 라 마 바

- 입체도형을 분류해 보세요.

서로 평행한 두 면이 있는 입체도형	서로 평행한 두 면이 없는 입체도형
가, 다, 마, 바	나, 라

- 서로 평행한 두 면이 있는 입체도형을 살펴보고 특징을 이야기해 보세요.

예 • 기둥 모양입니다. • 서로 평행한 두 면이 다각형이고, 합동입니다.

- 서로 평행한 두 면이 합동인 입체도형을 무엇이라고 하면 좋을지 이야기해 보세요.

예 각기둥이라고 하면 좋을 것 같습니다.

32

교과서 개념 완성

생각 열기 입체도형을 찾고 분류 기준 생각하기

- 다각형, 원과 같은 도형을 평면도형이라 하고, 직육면체와 같은 도형을 입체도형이라고 합니다.
- 책상 위에서 찾은 평면도형은 종이에 그려진 삼각형, 사각형, 원이고 입체도형은 , , 입니다.
- 찾은 입체도형을 서로 평행한 두 면이 있는 입체도형과 서로 평행한 두 면이 없는 입체도형으로 분류하거나, 기둥 모양의 입체도형과 뿔 모양의 입체도형으로 분류할 수 있습니다.

탐구하기 1 입체도형 분류하기

- 서로 평행한 두 면이 있는 입체도형은 가, 다, 마, 바입니다.
- 서로 평행한 두 면이 없는 입체도형은 나, 라입니다.

확인하기 1 각기둥을 찾고, 찾은 각기둥에서 평행하고 합동인 두 면 색칠하기

- 각기둥은 나, 다, 라, 바입니다.
- 각기둥 다에는 서로 평행하고 합동인 두 면이 3쌍 있으므로 서로 평행하고 합동인 두 면을 찾아 색칠할 때 3가지 색깔로 3쌍을 모두 색칠해 봅니다.

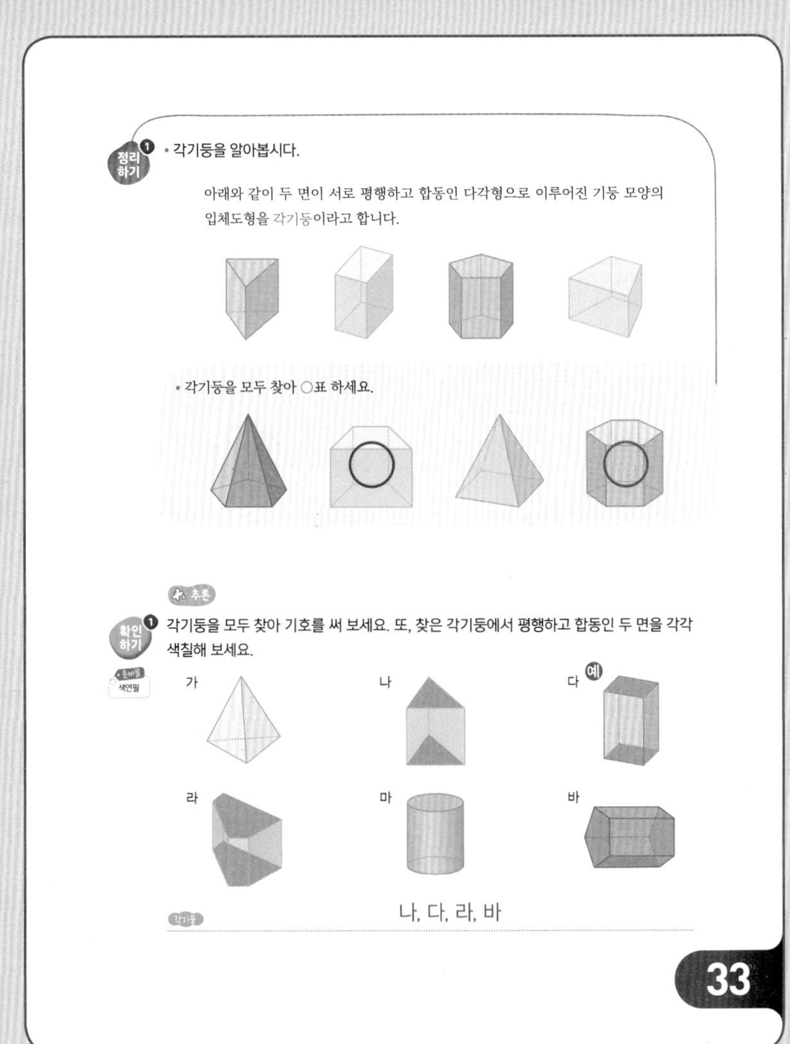
정리하기 ❶ • 각기둥을 알아봅시다.

아래와 같이 두 면이 서로 평행하고 합동인 다각형으로 이루어진 기둥 모양의 입체도형을 각기둥이라고 합니다.

• 각기둥을 모두 찾아 ○표 하세요.

추론

확인하기 ❶ 각기둥을 모두 찾아 기호를 써 보세요. 또, 찾은 각기둥에서 평행하고 합동인 두 면을 각각 색칠해 보세요.

나, 다, 라, 바

33

이런 문제가 서술형으로 나와요

다음 중 각기둥이 아닌 것을 찾아 기호를 쓰고, 각기둥이 아닌 이유를 써 보세요.

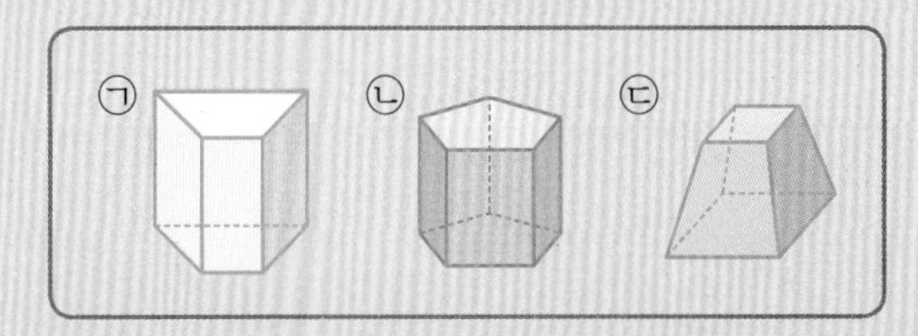

| 풀이 과정 |

❶ 각기둥이 아닌 것 찾기

각기둥이 아닌 것은 ㉢입니다.

❷ 각기둥이 아닌 이유 쓰기

예 두 밑면이 합동이 아니고 옆면도 직사각형이 아니기 때문입니다.

수학 교과 역량 추론

각기둥을 찾고, 찾은 각기둥에서 밑면을 찾아보는 활동을 통하여 추론 능력을 기를 수 있습니다.

개념 확인 문제

정답 및 풀이 220쪽

1 도형을 보고 물음에 답해 보세요.

가 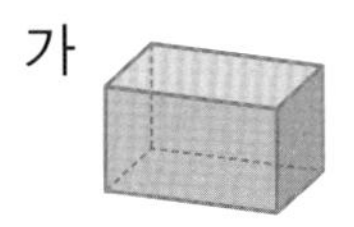 나 다 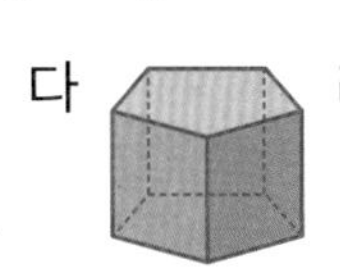 라 

(1) 두 면이 서로 평행하고 합동인 다각형으로 이루어진 기둥 모양의 입체도형을 모두 찾아 기호를 써 보세요.

( )

(2) (1)에서 찾은 도형을 무엇이라고 하나요?

( )

2 각기둥이 아닌 것을 찾아 ○표 하세요.

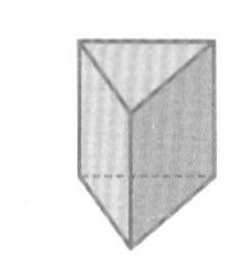 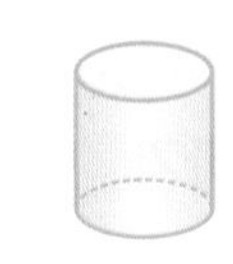 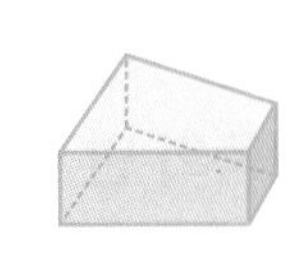 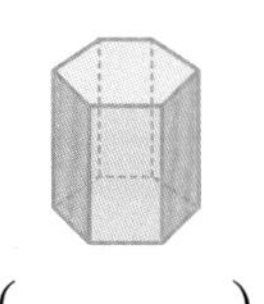

( ) ( ) ( ) ( )

3 각기둥은 모두 몇 개인가요?

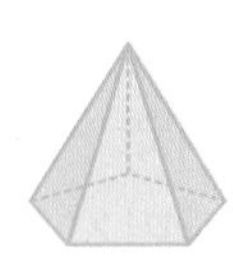 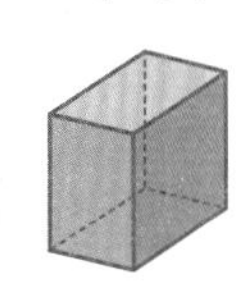 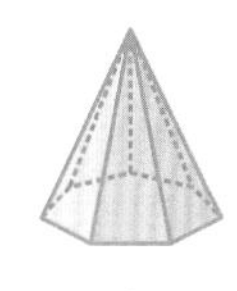 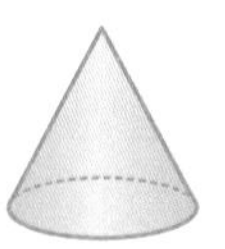 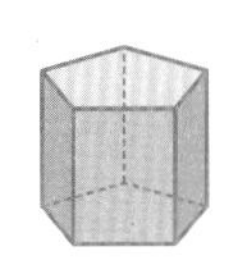

( )

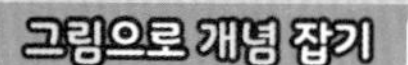
그림으로 개념 잡기

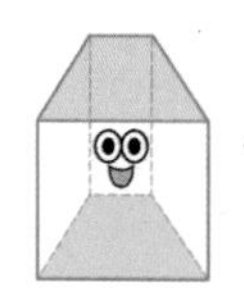

색칠한 두 면은 서로 평행하고 합동이며, 색칠하지 않은 면은 색칠한 면과 모두 수직으로 만나므로 나는 각기둥이야.

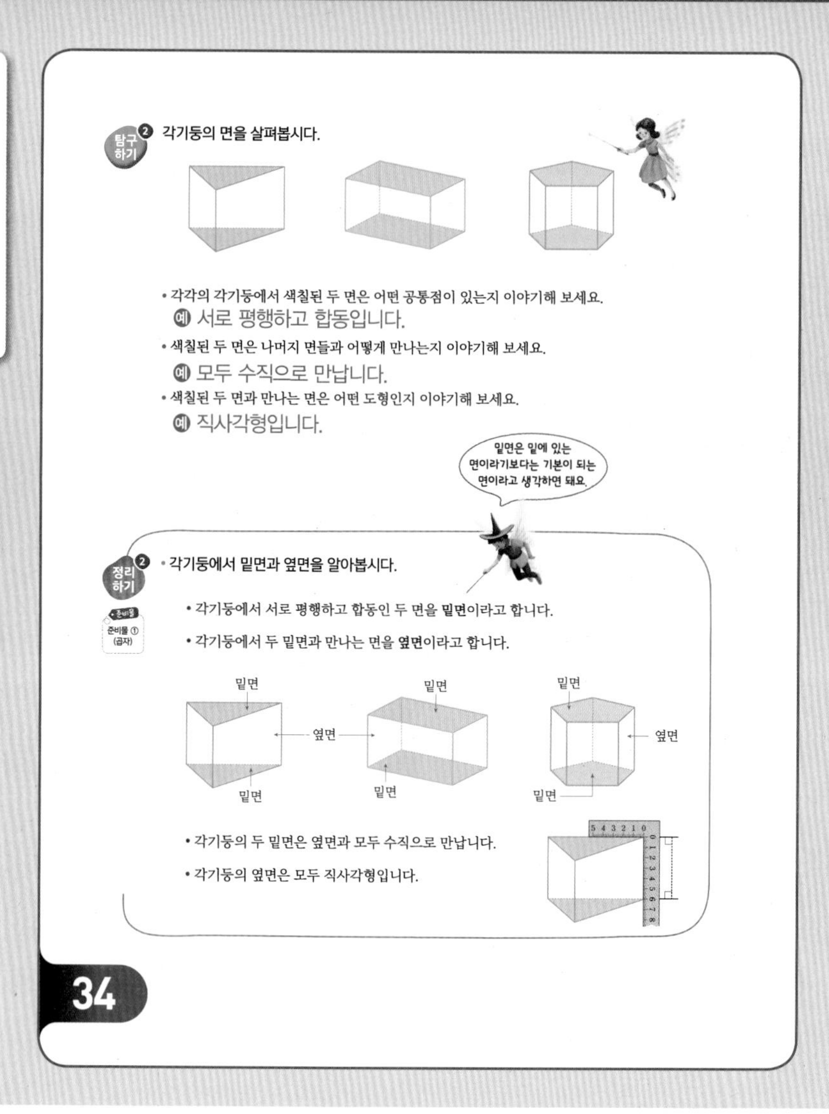

탐구하기 ❷ 각기둥의 면을 살펴봅시다.

• 각각의 각기둥에서 색칠된 두 면은 어떤 공통점이 있는지 이야기해 보세요.
예 서로 평행하고 합동입니다.

• 색칠된 두 면은 나머지 면들과 어떻게 만나는지 이야기해 보세요.
예 모두 수직으로 만납니다.

• 색칠된 두 면과 만나는 면은 어떤 도형인지 이야기해 보세요.
예 직사각형입니다.

밑면은 밑에 있는 면이라기보다는 기본이 되는 면이라고 생각하면 돼요.

정리하기 ❷ • 각기둥에서 밑면과 옆면을 알아봅시다.

• 각기둥에서 서로 평행하고 합동인 두 면을 **밑면**이라고 합니다.

• 각기둥에서 두 밑면과 만나는 면을 **옆면**이라고 합니다.

밑면
옆면
밑면

• 각기둥의 두 밑면은 옆면과 모두 수직으로 만납니다.

• 각기둥의 옆면은 모두 직사각형입니다.

34

학부모 코칭 Tip

• 옆면의 개수가 짝수인 각기둥의 경우 마주 보는 옆면이 서로 평행하고 합동인 경우가 있으나 다른 면들과 수직으로 만나지 않으면 밑면이 될 수 없음을 이해하게 합니다.

• 각기둥의 면은 시작점을 기준으로 시계 방향 또는 반시계 방향으로 읽습니다.

➜ 면 ㄱㄴㄷ 또는 면 ㄴㄷㄱ 또는 면 ㄷㄱㄴ 등

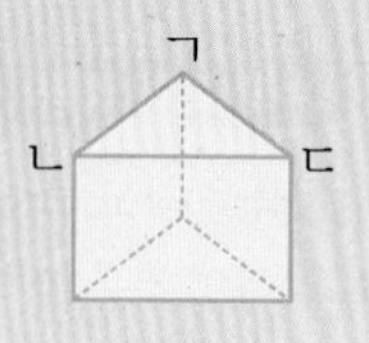
ㄱ
ㄴ
ㄷ

교과서 개념 완성

탐구하기 ❷ 각기둥의 면 탐구하기

• 각각의 각기둥에서 색칠된 두 면은 서로 평행하고, 합동인 공통점이 있습니다.

• 색칠된 두 면은 나머지 면들과 만나서 이루는 각이 직각이므로 모두 수직으로 만납니다.

• 색칠된 두 면과 만나는 면은 직사각형입니다.

정리하기 ❷ 각기둥에서 밑면과 옆면 알아보기

각기둥에서 밑면은 밑에 있는 면이라기보다는 기본이 되는 면으로 서로 평행하고 합동이면서 나머지 면들과 수직으로 만나는 면입니다.

확인하기 ❷ 각기둥에서 밑면과 옆면 찾아보기

1. 각기둥에서 평행하고 합동인 면과 수직인 면 알아보기

• 면 ㄱㄴㄷ과 평행하고 합동인 면은 면 ㄹㅁㅂ입니다.

• 면 ㄱㄴㄷ과 수직인 면은 면 ㄱㄹㅁㄴ, 면 ㄴㅁㅂㄷ, 면 ㄷㅂㄹㄱ입니다.

2. 각기둥에서 두 밑면과 옆면 알아보기

• 각기둥에서 서로 평행하고 합동이면서 나머지 면들과 수직으로 만나는 면을 색칠합니다.

• 각기둥에서 옆면은 가는 3개, 나는 4개, 다는 5개, 라는 6개입니다.

공부한 날 월 일

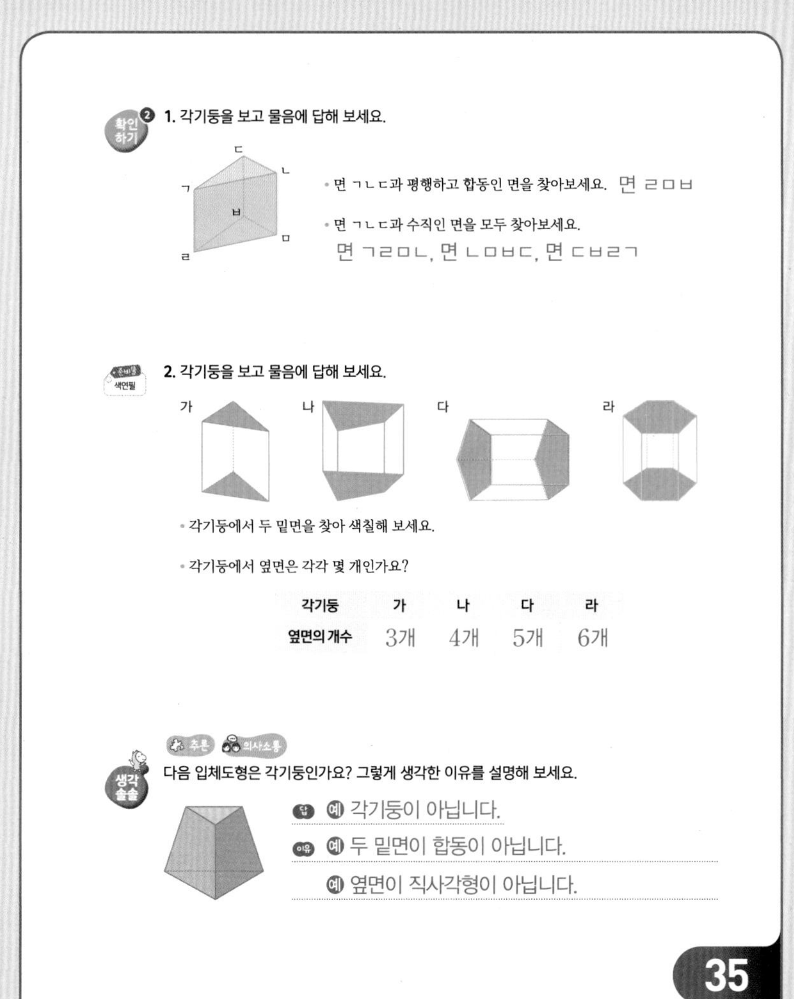
확인하기 ❷ 1. 각기둥을 보고 물음에 답해 보세요.

- 면 ㄱㄴㄷ과 평행하고 합동인 면을 찾아보세요. 면 ㄹㅁㅂ
- 면 ㄱㄴㄷ과 수직인 면을 모두 찾아보세요.
  면 ㄱㄹㅁㄴ, 면 ㄴㅁㅂㄷ, 면 ㄷㅂㄹㄱ

문제해결 색연필 2. 각기둥을 보고 물음에 답해 보세요.

- 각기둥에서 두 밑면을 찾아 색칠해 보세요.
- 각기둥에서 옆면은 각각 몇 개인가요?

각기둥	가	나	다	라
옆면의 개수	3개	4개	5개	6개

생각솔솔 추론 의사소통
다음 입체도형은 각기둥인가요? 그렇게 생각한 이유를 설명해 보세요.

답 예 각기둥이 아닙니다.
이유 예 두 밑면이 합동이 아닙니다.
예 옆면이 직사각형이 아닙니다.

35

이런 문제가 서술형으로 나와요

각기둥의 밑면의 수와 옆면의 수의 차는 몇 개인지 풀이 과정을 쓰고, 답을 구해 보세요.

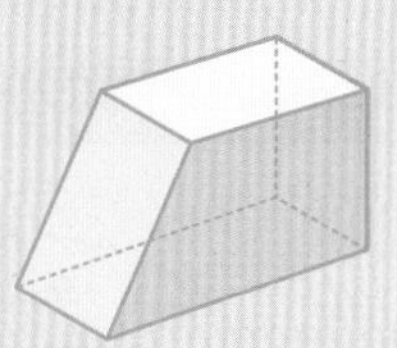

| 풀이 과정 |

❶ 밑면의 개수 구하기
서로 평행하고 합동인 두 면은 2개입니다.

❷ 옆면의 개수 구하기
두 밑면과 만나는 면은 4개입니다.

❸ 밑면의 수와 옆면의 수의 차 구하기
밑면은 2개, 옆면은 4개이므로 밑면의 수와 옆면의 수의 차는 $4-2=2$(개)입니다.

답 2개

수학 교과 역량 

제시된 입체도형과 각기둥을 비교하여 각기둥이 아닌 이유를 설명해 보는 활동을 통하여 추론과 의사소통 능력을 기를 수 있습니다.

개념 확인 문제

정답 및 풀이 220쪽

1 각기둥에서 밑면과 옆면을 모두 찾아 써 보세요.

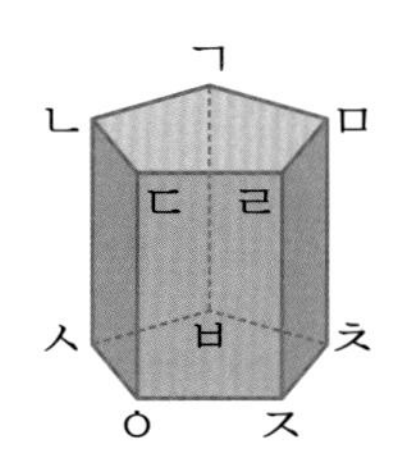

밑면

옆면

2 오른쪽 각기둥에서 밑면에 수직인 면은 모두 몇 개인가요?

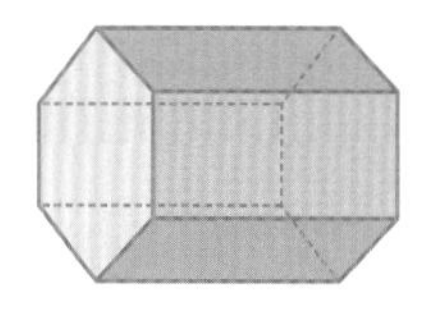

( )

3 오른쪽 각기둥에서 색칠한 면이 밑면일 때, 옆면이 아닌 것은 어느 것인가요?

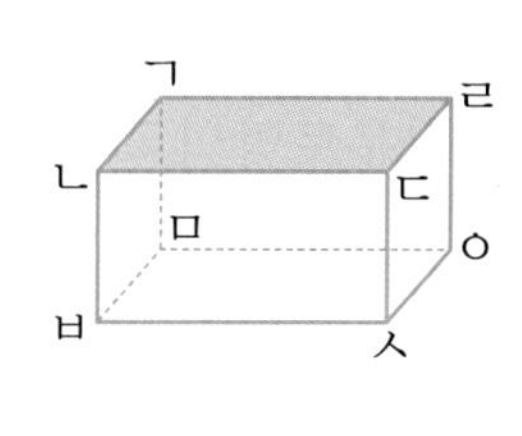

( )

① 면 ㄱㄴㅂㅁ
② 면 ㄱㅁㅇㄹ
③ 면 ㄴㅂㅅㄷ
④ 면 ㄷㅅㅇㄹ
⑤ 면 ㅁㅂㅅㅇ

2 | 각기둥(2)

학습 목표

각기둥의 이름을 이해하고, 각기둥의 모서리, 꼭짓점, 높이를 알 수 있습니다.

그림으로 개념 잡기

우리는 밑면이 모두
오각형이므로 오각기둥이야.

학부모 코칭 Tip

각기둥 가의 경우 밑면을 무엇으로 정하느냐에 따라 옆면이 다르게 되고, 밑면의 될 수 있는 두 면이 3쌍 있다는 것을 이해하게 합니다.

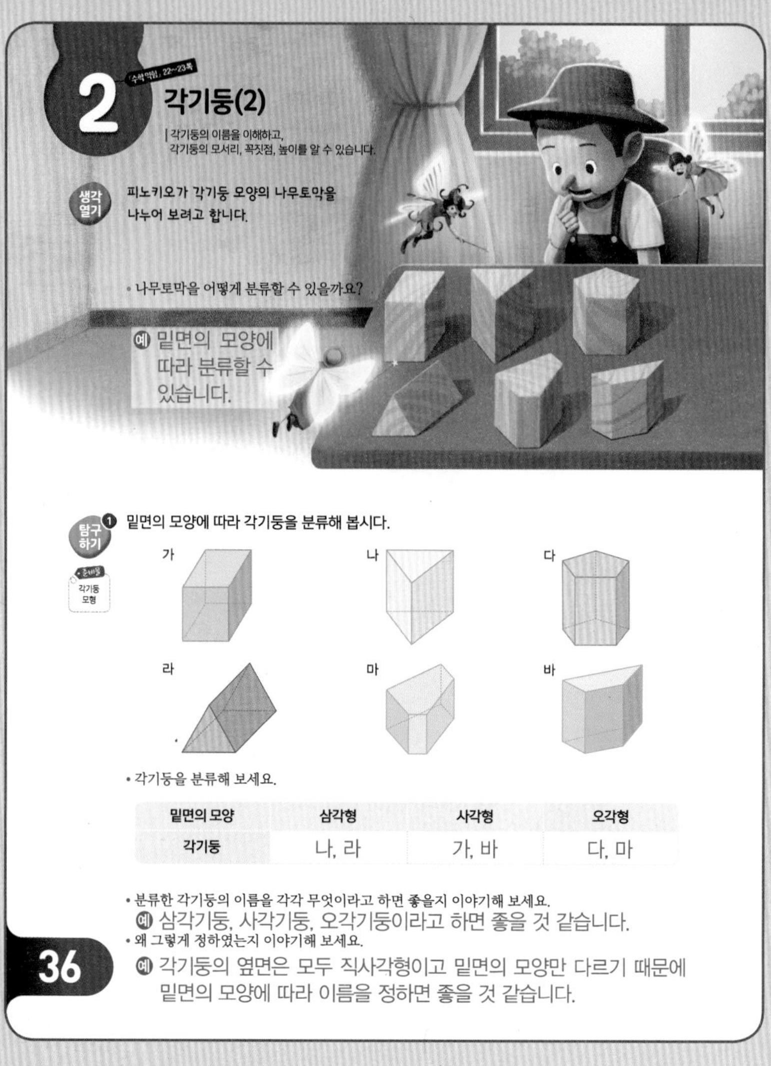

2 각기둥(2)

수학익힘 22~23쪽

각기둥의 이름을 이해하고, 각기둥의 모서리, 꼭짓점, 높이를 알 수 있습니다.

생각열기 피노키오가 각기둥 모양의 나무토막을 나누어 보려고 합니다.

• 나무토막을 어떻게 분류할 수 있을까요?

예 밑면의 모양에 따라 분류할 수 있습니다.

탐구하기 1 밑면의 모양에 따라 각기둥을 분류해 봅시다.

준비물 각기둥 모형

가 나 다 라 마 바

• 각기둥을 분류해 보세요.

밑면의 모양	삼각형	사각형	오각형
각기둥	나, 라	가, 바	다, 마

• 분류한 각기둥의 이름을 각각 무엇이라고 하면 좋을지 이야기해 보세요.

예 삼각기둥, 사각기둥, 오각기둥이라고 하면 좋을 것 같습니다.

• 왜 그렇게 정하였는지 이야기해 보세요.

예 각기둥의 옆면은 모두 직사각형이고 밑면의 모양만 다르기 때문에 밑면의 모양에 따라 이름을 정하면 좋을 것 같습니다.

36

교과서 개념 완성

생각열기 각기둥 모양의 나무토막의 분류 기준 생각하기

• 책상 위에 각기둥 모양의 나무토막은 모두 6개 있습니다.

• 나무토막의 밑면의 모양이 삼각형, 사각형, 오각형이므로 밑면의 모양에 따라 분류할 수 있습니다.

확인하기 1 각기둥의 이름 이해하기

• 밑면의 모양이 사각형인 각기둥은 사각기둥입니다.

• 밑면의 모양이 삼각형인 각기둥은 삼각기둥입니다.

• 밑면의 모양이 육각형인 각기둥은 육각기둥입니다.

탐구하기 2 각기둥의 구성 요소 탐구하기

• 직육면체에서는 선분으로 둘러싸인 부분을 면, 면과 면이 만나는 선분을 모서리, 모서리와 모서리가 만나는 점을 꼭짓점이라고 했으므로 각기둥에서도 면과 면이 만나는 선분을 모서리, 모서리와 모서리가 만나는 점을 꼭짓점이라고 합니다.

• 각기둥에서 한 밑면의 변의 수, 면의 수, 모서리의 수, 꼭짓점의 수 사이의 규칙은 다음과 같습니다.

(면의 수)=(한 밑면의 변의 수)+2

(모서리의 수)=(한 밑면의 변의 수)×3

(꼭짓점의 수)=(한 밑면의 변의 수)×2

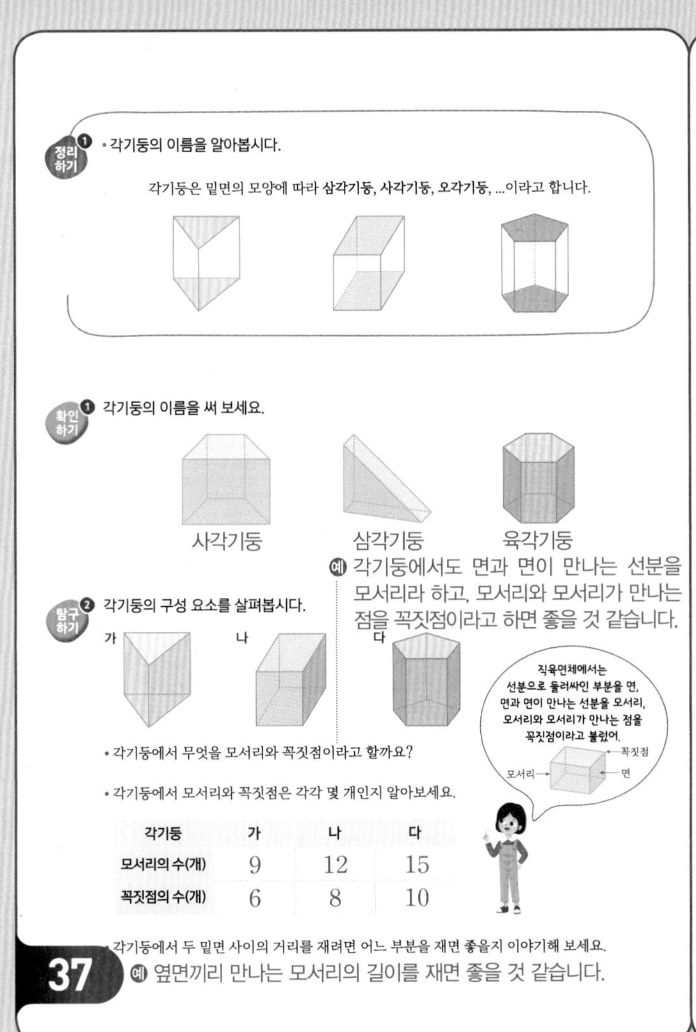

정리하기 1 • 각기둥의 이름을 알아봅시다.
각기둥은 밑면의 모양에 따라 삼각기둥, 사각기둥, 오각기둥, ...이라고 합니다.
확인하기 1 각기둥의 이름을 써 보세요.
사각기둥
삼각기둥
육각기둥
예 각기둥에서도 면과 면이 만나는 선분을 모서리라 하고, 모서리와 모서리가 만나는 점을 꼭짓점이라고 하면 좋을 것 같습니다.
탐구하기 2 각기둥의 구성 요소를 살펴봅시다.
가
나
다
직육면체에서는 선분으로 둘러싸인 부분을 면, 면과 면이 만나는 선분을 모서리, 모서리와 모서리가 만나는 점을 꼭짓점이라고 불렀어.
꼭짓점
모서리
면
• 각기둥에서 무엇을 모서리와 꼭짓점이라고 할까요?
• 각기둥에서 모서리와 꼭짓점은 각각 몇 개인지 알아보세요.
각기둥 가 나 다
모서리의 수(개) 9 12 15
꼭짓점의 수(개) 6 8 10
• 각기둥에서 두 밑면 사이의 거리를 재려면 어느 부분을 재면 좋을지 이야기해 보세요.
예 옆면끼리 만나는 모서리의 길이를 재면 좋을 것 같습니다.
37

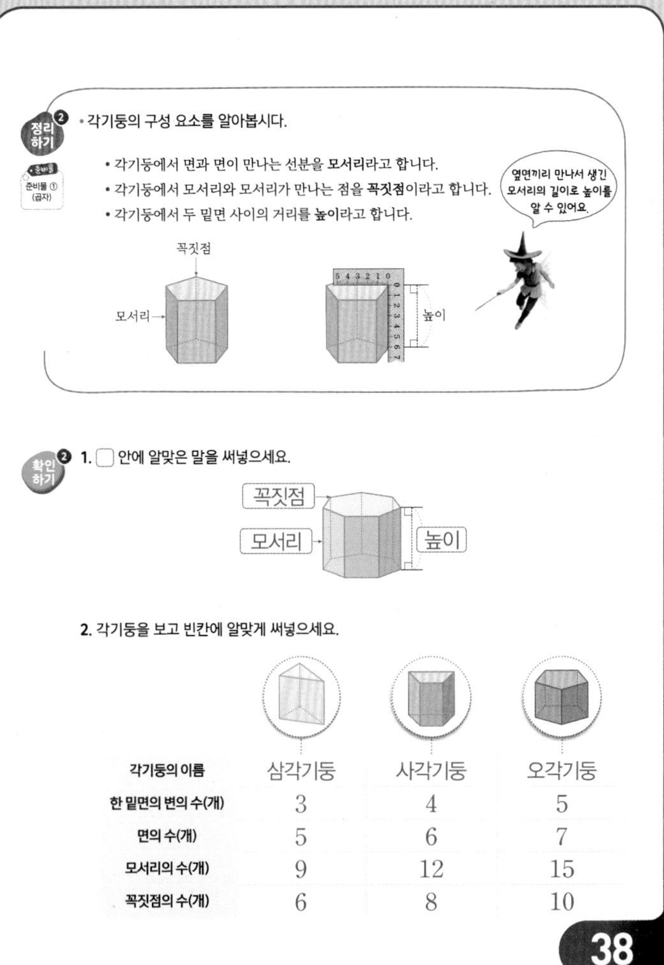

정리하기 2 • 각기둥의 구성 요소를 알아봅시다.
• 각기둥에서 면과 면이 만나는 선분을 모서리라고 합니다.
• 각기둥에서 모서리와 모서리가 만나는 점을 꼭짓점이라고 합니다.
• 각기둥에서 두 밑면 사이의 거리를 높이라고 합니다.
옆면끼리 만나서 생긴 모서리의 길이로 높이를 알 수 있어요.
꼭짓점
모서리
높이
확인하기 2 1. □ 안에 알맞은 말을 써넣으세요.
꼭짓점
모서리
높이
2. 각기둥을 보고 빈칸에 알맞게 써넣으세요.
각기둥의 이름 삼각기둥 사각기둥 오각기둥
한 밑면의 변의 수(개) 3 4 5
면의 수(개) 5 6 7
모서리의 수(개) 9 12 15
꼭짓점의 수(개) 6 8 10
38

개념 확인 문제

정답 및 풀이 220쪽

1 각기둥을 보고 밑면의 모양과 각기둥의 이름을 써 보세요.

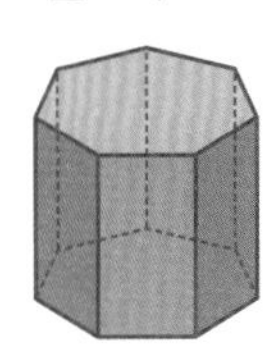

밑면의 모양	
각기둥의 이름	

2 오른쪽 각기둥의 높이는 몇 cm인가요?

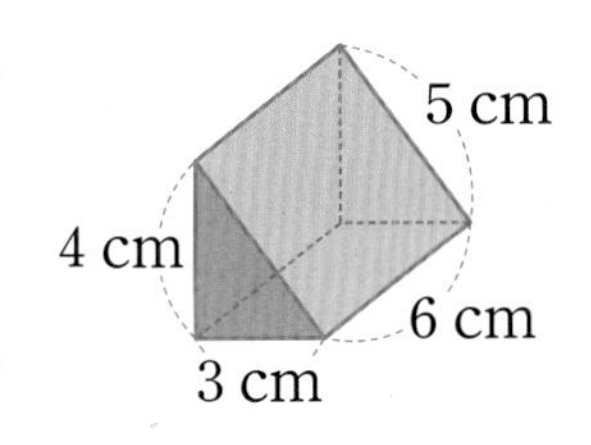

(　　　　　　　　)

3 밑면의 모양이 오른쪽과 같은 각기둥이 있습니다. 빈칸에 알맞은 수를 써넣으세요.

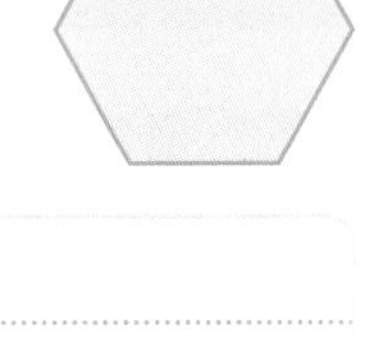

면의 수(개)	
모서리의 수(개)	
꼭짓점의 수(개)	

4 면이 10개인 각기둥의 이름을 써 보세요.

(　　　　　　　　)

3 | 각기둥의 전개도

학습 목표

각기둥의 전개도를 이해하고, 각기둥의 전개도를 그릴 수 있습니다.

그림으로 개념 잡기

같은 색으로 표시한 선분은 전개도를 접었을 때 서로 맞닿는 부분이므로 선분의 길이는 서로 같아.

3 각기둥의 전개도

수학 익힘 24~25쪽

| 각기둥의 전개도를 이해하고, 각기둥의 전개도를 그릴 수 있습니다.

생각 열기

피노키오가 제페토 할아버지에게서 받은 선물 상자를 펼쳐 보려고 합니다.

- 삼각기둥 모양인 선물 상자의 모서리를 잘라 펼쳤을 때의 면들은 어떤 모양일까요?

예 삼각형 모양과 직사각형 모양입니다.

- 선물 상자를 펼쳤을 때의 면은 모두 몇 개일까요?

예 삼각형 2개와 직사각형 3개로 모두 5개입니다.

탐구하기 각기둥의 전개도를 살펴봅시다.

준비물 ② (전개도)

각기둥의 모서리를 잘라 펼쳐 놓은 그림을 각기둥의 전개도라고 해요.

활동 1 삼각기둥의 전개도 알아보기

- 전개도에서 삼각기둥의 밑면의 모양과 밑면의 개수를 각각 찾아 써 보세요.

밑면의 모양 [삼각형], 밑면의 개수 [2개]

- 전개도에서 삼각기둥의 옆면의 모양과 옆면의 개수를 각각 찾아 써 보세요.

옆면의 모양 [직사각형], 옆면의 개수 [3개]

- 전개도를 접었을 때 선분 ㄱㄴ, 선분 ㄷㄹ과 맞닿는 선분을 각각 찾아보세요.

선분 ㄱㄴ과 맞닿는 선분은 선분 ㅅㅂ이고, 선분 ㄷㄹ과 맞닿는 선분은 선분 ㄷㄴ입니다.

39

참고 각기둥의 전개도에서 옆면은 한 밑면의 변의 수만큼 있어야 합니다.

교과서 개념 완성

탐구하기 각기둥의 전개도 탐구하기

활동 1 삼각기둥의 전개도 알아보기

- 전개도에서 삼각기둥의 밑면은 삼각형 모양이고, 2개입니다.
- 전개도에서 삼각기둥의 옆면은 직사각형 모양이고, 3개입니다.
- 전개도를 접었을 때 점 ㄱ과 만나는 점은 점 ㅅ이고, 점 ㄴ과 만나는 점은 점 ㅂ이므로 선분 ㄱㄴ과 맞닿는 선분은 선분 ㅅㅂ입니다.
- 전개도를 접었을 때 점 ㄹ과 만나는 점은 점 ㄴ이므로 선분 ㄷㄹ과 맞닿는 선분은 선분 ㄷㄴ입니다.

활동 2 오각기둥의 전개도 알아보기

- 전개도에서 오각기둥의 밑면은 오각형 모양이고, 2개입니다.
- 전개도에서 오각기둥의 옆면은 직사각형 모양이고, 5개입니다.
- 전개도를 접었을 때 점 ㄱ과 만나는 점은 점 ㅋ이고, 점 ㄴ과 만나는 점은 점 ㅊ이므로 선분 ㄱㄴ과 맞닿는 선분은 선분 ㅋㅊ입니다.
- 전개도를 접었을 때 점 ㅂ과 만나는 점은 점 ㅇ이므로 선분 ㅂㅅ과 맞닿는 선분은 선분 ㅇㅅ입니다.

학부모 코칭 Tip

전개도를 접었을 때 만들어지는 각기둥의 이름은 밑면의 모양에 따라 정해진다는 것을 이해하도록 합니다.

활동2 오각기둥의 전개도 알아보기

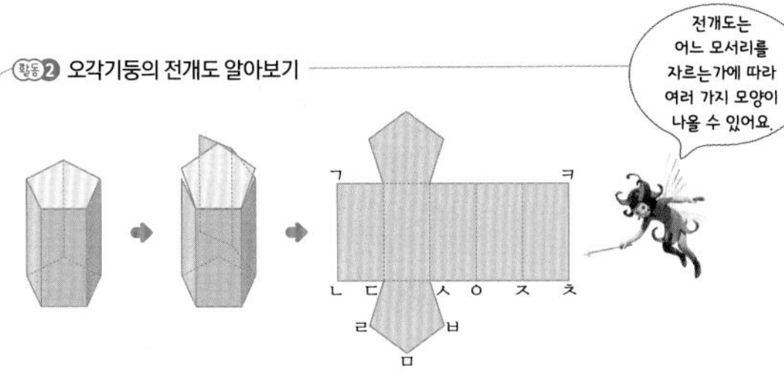

• 전개도에서 오각기둥의 밑면의 모양과 밑면의 개수를 각각 찾아 써 보세요.

밑면의 모양 (오각형), 밑면의 개수 (2개)

• 전개도에서 오각기둥의 옆면의 모양과 옆면의 개수를 각각 찾아 써 보세요.

옆면의 모양 (직사각형), 옆면의 개수 (5개)

• 전개도를 접었을 때 선분 ㄱㄴ, 선분 ㅂㅅ과 맞닿는 선분을 각각 찾아보세요.
선분 ㄱㄴ과 맞닿는 선분은 선분 ㅋㅊ이고, 선분 ㅂㅅ과 맞닿는 선분은 선분 ㅇㅅ입니다.

• 활동1, 활동2에서 알게 된 것을 이야기해 보세요. 예 • 옆면은 모두 직사각형입니다.
• 전개도를 접었을 때 맞닿는 선분의 길이는 서로 같습니다.

• 각기둥의 전개도를 알아봅시다.

• 각기둥의 모서리를 잘라 펼쳐 놓은 그림을 **각기둥의 전개도**라고 합니다.
• 각기둥의 전개도에서 밑면은 합동인 다각형이고, 2개입니다.
• 각기둥의 전개도에서 옆면은 모두 직사각형이고, 한 밑면의 변의 수만큼 있습니다.

	밑면		옆면	
	모양	개수	모양	개수
삼각기둥	삼각형	2개	직사각형	3개
오각기둥	오각형	2개	직사각형	5개

• 각기둥의 전개도를 접었을 때 맞닿는 선분의 길이는 서로 같습니다.

40

1. 전개도를 접었을 때 만들어지는 각기둥의 이름을 써 보세요.

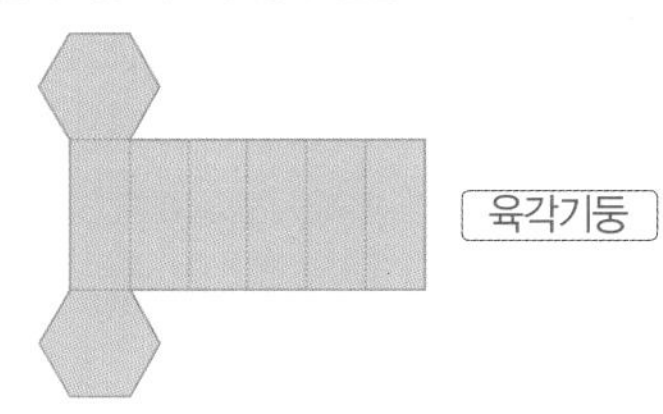

(육각기둥)

2. 전개도를 접어 삼각기둥을 만들려고 합니다. 삼각기둥을 만들 수 없는 것을 찾고, 그 이유를 이야기해 보세요.

다, 예 밑면이 되는 면 2개가 같은 방향에 있습니다. 따라서 전개도를 접었을 때 서로 겹치게 되어 삼각기둥을 만들 수 없습니다.

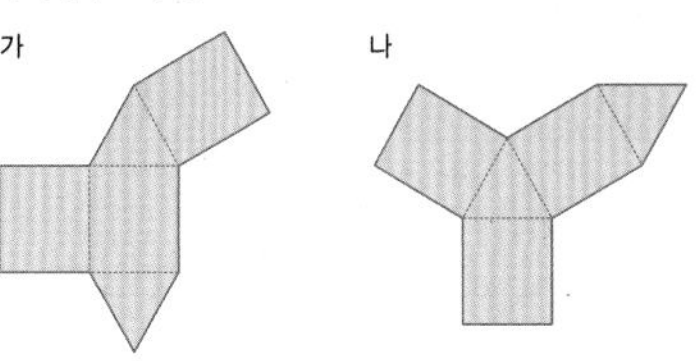
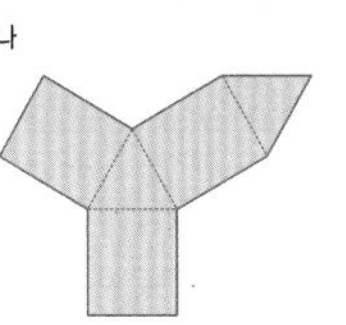
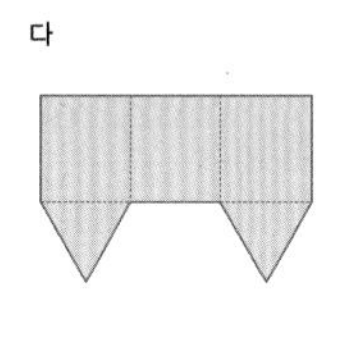

3. 각기둥의 전개도를 찾고, 전개도를 접었을 때 만들어지는 각기둥의 이름을 써 보세요.

가, 사각기둥 / 다, 오각기둥

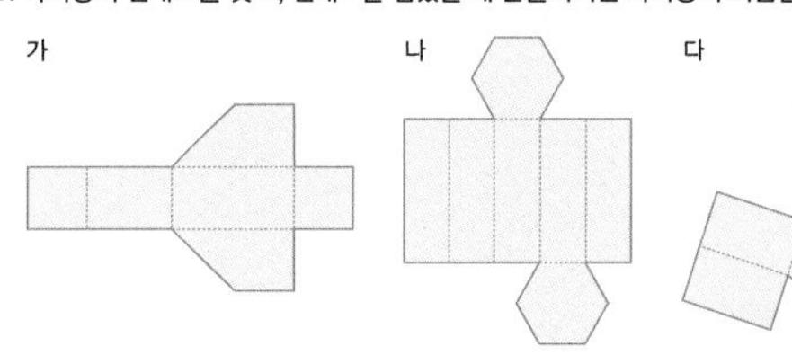

41

개념 확인 문제

정답 및 풀이 220쪽

1 전개도를 접었을 때 만들어지는 각기둥의 이름을 써 보세요.

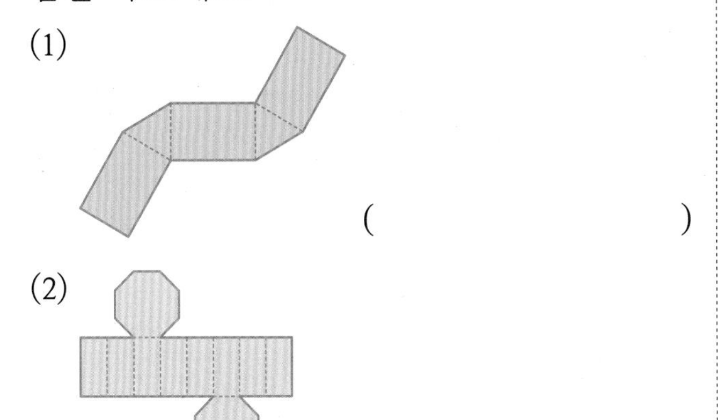

(1) (   )

(2) (   )

2 각기둥의 전개도를 보고 물음에 답해 보세요.

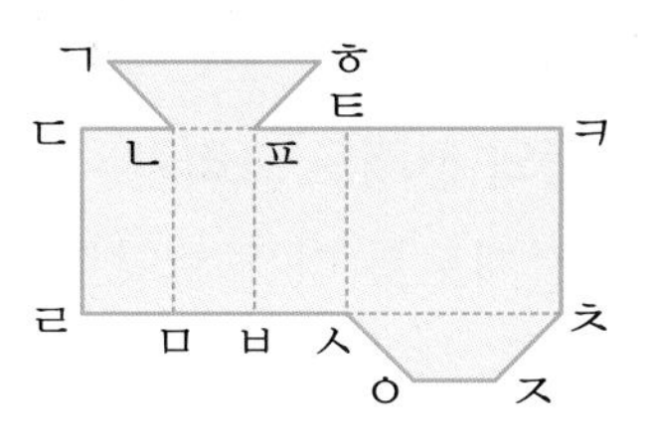

(1) 전개도를 접었을 때 선분 ㅁㅂ과 맞닿는 선분을 찾아 써 보세요.

(   )

(2) 전개도를 접었을 때 면 ㄱㄴㅍㅎ과 평행한 면을 찾아 써 보세요.

(   )

각기둥의 전개도는 어느 모서리를 자르는가에 따라 여러 가지 모양이 나올 수 있습니다.

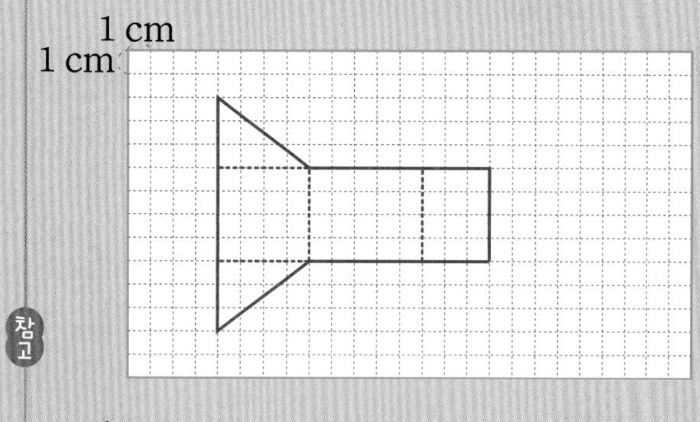

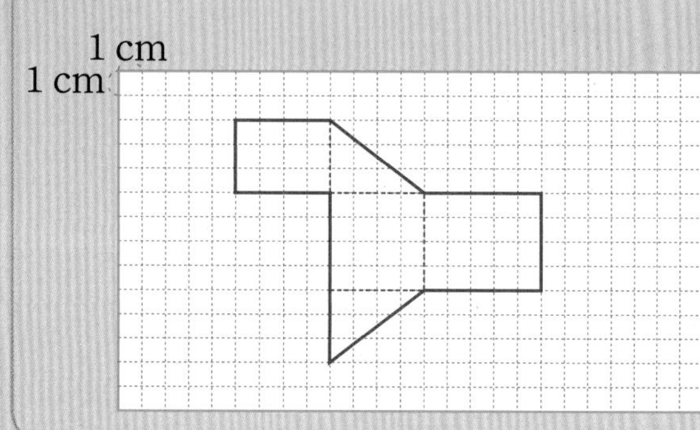

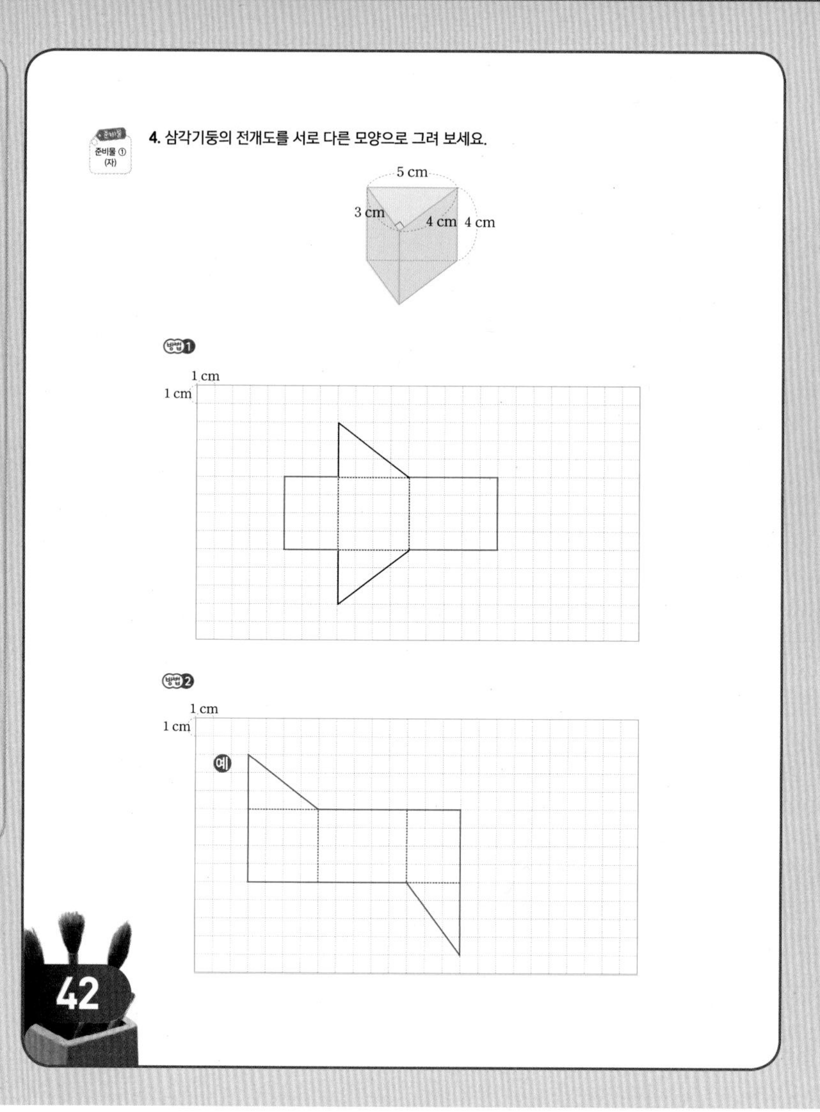

학부모 코칭 Tip

전개도를 그리기 어려워하면 실제 크기로 각기둥의 밑면과 옆면을 잘라서 직접 따라 그려 보게 합니다.

교과서 개념 완성

확인하기 각기둥의 전개도 그리기

5. 육각기둥의 전개도를 다른 모양으로 한 가지 더 그리기

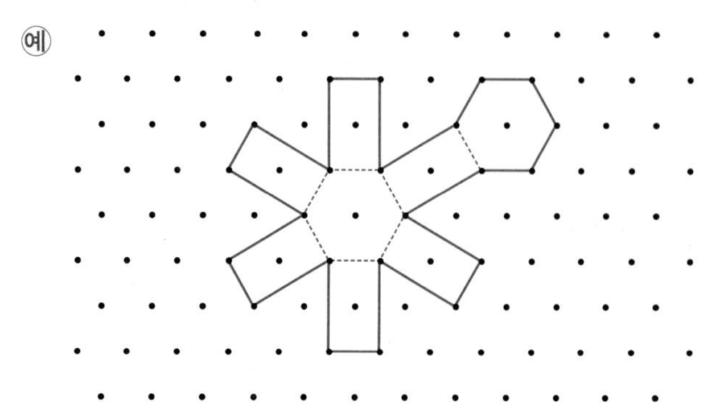

생각솔솔 오각기둥의 전개도에서 옆면 살펴보기

밑면인 정오각형의 한 변의 길이가 5 cm이므로 직사각형 ㄱㄴㄷㄹ의 가로는 $5 \times 4 = 20$ (cm)이고, 세로는 각기둥의 높이와 같으므로 10 cm입니다.
따라서 직사각형 ㄱㄴㄷㄹ의 둘레는 $(20 + 10) \times 2 = 60$ (cm)입니다.

학부모 코칭 Tip

직사각형 ㄱㄴㄷㄹ의 둘레를 구하기 어려워하면 각기둥의 전개도를 접었을 때 맞닿는 선분의 길이가 서로 같다는 것을 이해하게 한 다음, 직사각형 ㄱㄴㄷㄹ의 가로와 세로를 찾아보게 합니다.

5. 육각기둥의 전개도를 완성하고, 다른 모양으로 한 가지 더 그려 보세요.

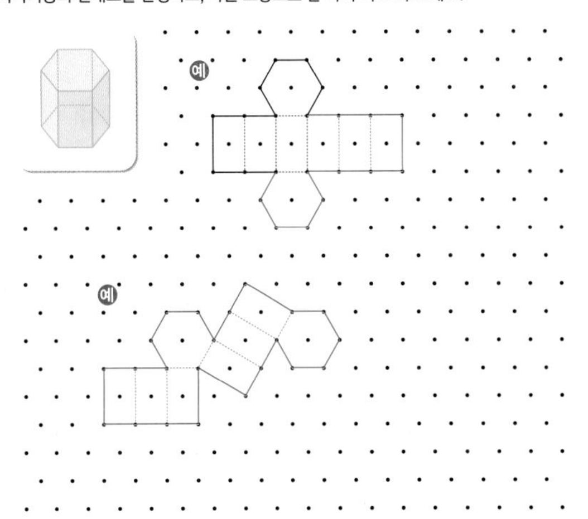

창의·융합 정보 처리

밑면이 정오각형인 오각기둥의 전개도입니다. 이 각기둥의 높이가 10 cm일 때, 전개도에서 직사각형 ㄱㄴㄷㄹ의 둘레를 구해 보세요. 60 cm

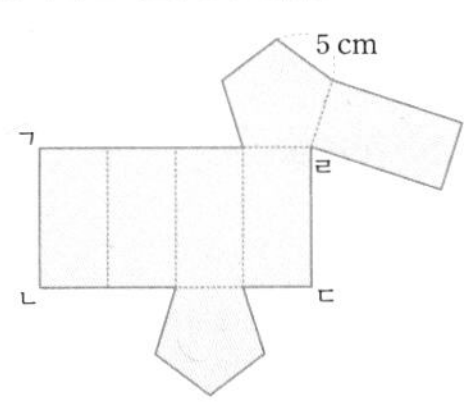

풀이 직사각형 ㄱㄴㄷㄹ의 가로는 $5 \times 4 = 20$(cm)이고, 세로는 각기둥의 높이와 같으므로 10 cm입니다.
➜ (직사각형 ㄱㄴㄷㄹ의 둘레)$= 20 + 10 + 20 + 10 = 60$(cm)

43

이런 문제가 서술형으로 나와요

밑면이 정육각형인 육각기둥의 전개도입니다. 선분 ㄱㄴ의 길이가 42 cm일 때, 이 각기둥을 접었을 때 만들어지는 각기둥의 모든 모서리의 길이의 합은 몇 cm인지 풀이 과정을 쓰고, 답을 구해 보세요.

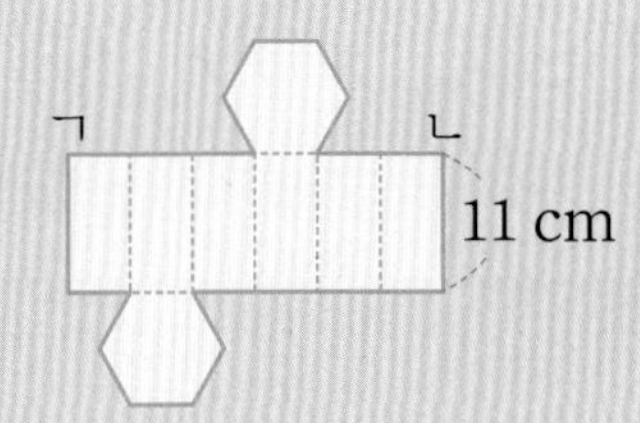

| 풀이 과정 |

❶ 한 밑면의 한 변의 길이 구하기

$42 \div 6 = 7$ (cm)

❷ 접은 각기둥의 모든 모서리의 길이의 합 구하기

각기둥에서 7 cm인 모서리는 12개, 11 cm인 모서리는 6개이므로 모든 모서리의 길이의 합은 $7 \times 12 + 11 \times 6 = 150$ (cm)입니다.

답 150 cm

개념 확인 문제

정답 및 풀이 221쪽

1 사각기둥의 전개도를 완성해 보세요.

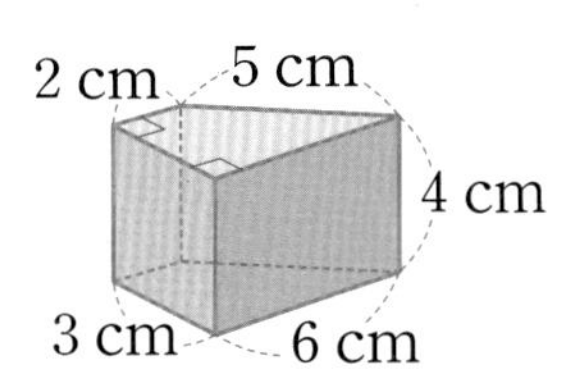

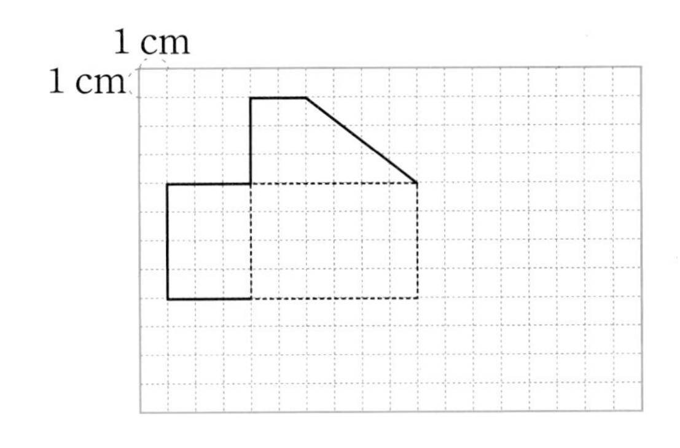

[2~3] 옆면이 모두 정사각형인 오각기둥의 전개도입니다. 물음에 답해 보세요.

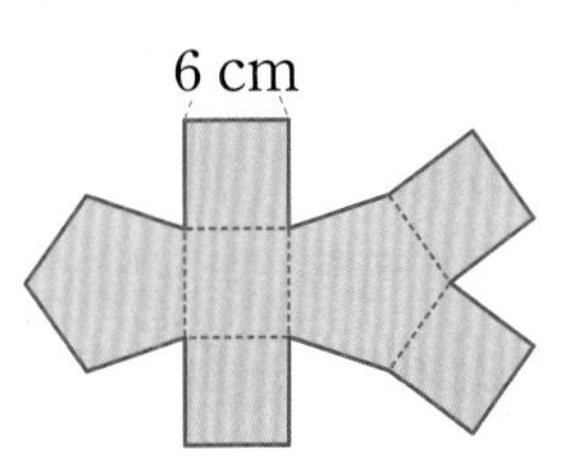

2 오각기둥의 한 밑면의 둘레는 몇 cm인가요?

(　　　　　　　　)

3 오각기둥의 모든 옆면의 넓이의 합은 몇 cm^2인가요?

(　　　　　　　　)

학습 목표

각뿔을 이해하고, 각뿔의 밑면과 옆면을 알 수 있습니다.

그림으로 개념 잡기

어서 와~.
우리는 밑면이 1개이고, 옆면은 모두 삼각형이야!

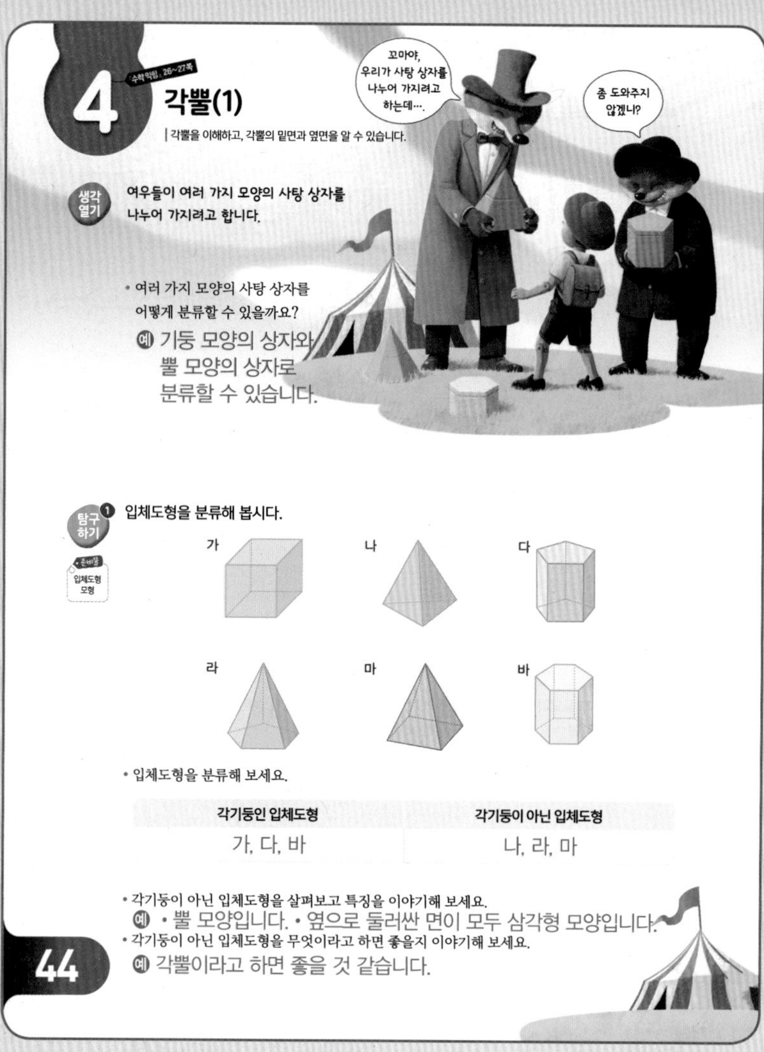
4 각뿔(1)
| 각뿔을 이해하고, 각뿔의 밑면과 옆면을 알 수 있습니다.

생각열기 여우들이 여러 가지 모양의 사탕 상자를 나누어 가지려고 합니다.

꼬마야, 우리가 사탕 상자를 나누어 가지려고 하는데…

좀 도와주지 않겠니?

• 여러 가지 모양의 사탕 상자를 어떻게 분류할 수 있을까요?

예 기둥 모양의 상자와 뿔 모양의 상자로 분류할 수 있습니다.

탐구하기 1 입체도형을 분류해 봅시다.

가 나 다 라 마 바

• 입체도형을 분류해 보세요.

각기둥인 입체도형	각기둥이 아닌 입체도형
가, 다, 바	나, 라, 마

• 각기둥이 아닌 입체도형을 살펴보고 특징을 이야기해 보세요.

예 • 뿔 모양입니다. • 옆으로 둘러싼 면이 모두 삼각형 모양입니다.

• 각기둥이 아닌 입체도형을 무엇이라고 하면 좋을지 이야기해 보세요.

예 각뿔이라고 하면 좋을 것 같습니다.

44

어휘

각뿔(角뿔) pyramid

다각형의 각 변을 밑변으로 하고, 다각형의 평면 밖의 한 점을 공통의 꼭짓점으로 하는 삼각형으로 둘러싸인 입체도형입니다.

교과서 개념 완성

생각열기 사탕 상자의 분류 기준 생각하기

- 여우들이 들고 있는 사탕 상자와 풀밭에 놓여 있는 사탕 상자는 기둥 모양과 뿔 모양입니다.
- 이전 수업에서 각기둥 모양을 배웠으므로 여러 가지 모양의 사탕 상자를 각기둥과 각기둥이 아닌 상자로 분류할 수 있습니다.

학부모 코칭 Tip

분류 활동을 할 때에는 분류 기준을 정하는 것이 중요합니다. 입체도형을 분류할 수 있는 기준을 정하고 각자 정한 분류 기준에 대해 이야기해 보게 합니다.

탐구하기 1 입체도형 분류하기

- 입체도형을 분류해 보면 각기둥인 입체도형은 가, 다, 바이고, 각기둥이 아닌 입체도형은 나, 라, 마입니다.
- 각기둥이 아닌 입체도형은 뿔 모양이고, 옆으로 둘러싼 면이 모두 삼각형 모양이며 바닥과 닿는 면이 한 개 있습니다.

탐구하기 2 각뿔의 면 탐구하기

- 밑에 있는 면은 다각형 모양입니다.
- 밑에 있는 면과 만나는 면은 모두 삼각형입니다.

수학 익힘 26~27쪽 수학 44~46쪽 공부한 날 월 일

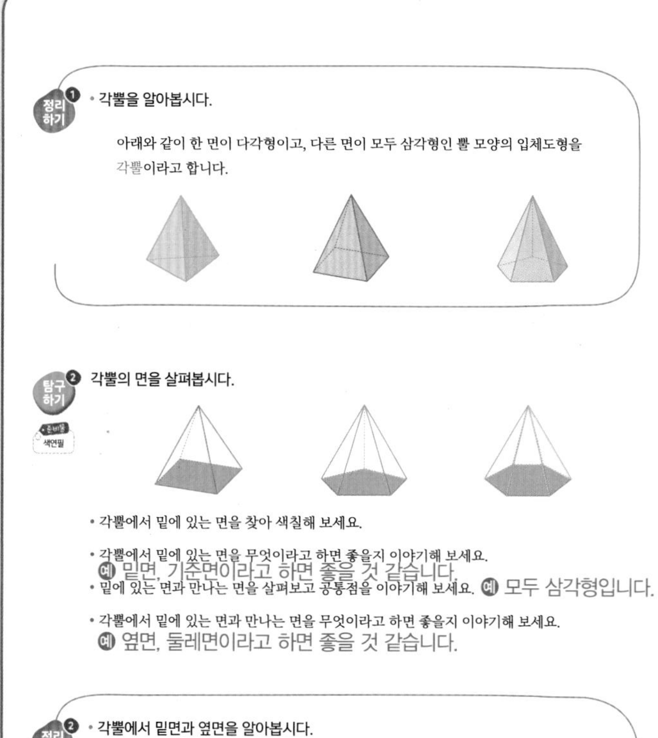

정리하기 ❶ • 각뿔을 알아봅시다.

아래와 같이 한 면이 다각형이고, 다른 면이 모두 삼각형인 뿔 모양의 입체도형을 각뿔이라고 합니다.

탐구하기 ❷ 각뿔의 면을 살펴봅시다.

준비물 색연필

• 각뿔에서 밑에 있는 면을 찾아 색칠해 보세요.

• 각뿔에서 밑에 있는 면을 무엇이라고 하면 좋을지 이야기해 보세요.
예 밑면, 기준면이라고 하면 좋을 것 같습니다.

• 밑에 있는 면과 만나는 면을 살펴보고 공통점을 이야기해 보세요. 예 모두 삼각형입니다.

• 각뿔에서 밑에 있는 면과 만나는 면을 무엇이라고 하면 좋을지 이야기해 보세요.
예 옆면, 둘레면이라고 하면 좋을 것 같습니다.

정리하기 ❷ • 각뿔에서 밑면과 옆면을 알아봅시다.

• 각뿔에서 면 ㄴㄷㄹㅁ과 같은 면을 **밑면**이라고 합니다.
• 각뿔에서 면 ㄱㄷㄹ, 면 ㄱㄹㅁ, 면 ㄱㅁㄴ, 면 ㄱㄴㄷ과 같이 밑면과 만나는 면을 모두 **옆면**이라고 합니다.

• 각뿔의 옆면은 모두 삼각형입니다.

45

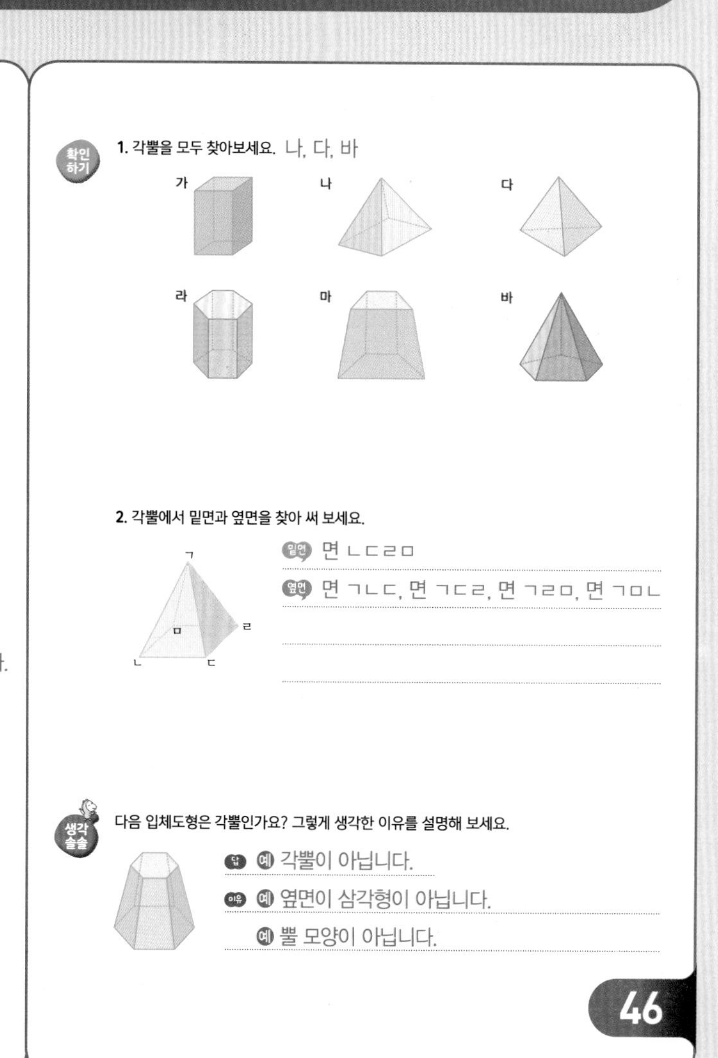

확인하기 1. 각뿔을 모두 찾아보세요. 나, 다, 바

2. 각뿔에서 밑면과 옆면을 찾아 써 보세요.

밑면 면 ㄴㄷㄹㅁ

옆면 면 ㄱㄴㄷ, 면 ㄱㄷㄹ, 면 ㄱㄹㅁ, 면 ㄱㅁㄴ

생각솔솔 다음 입체도형은 각뿔인가요? 그렇게 생각한 이유를 설명해 보세요.

답 예 각뿔이 아닙니다.

이유 예 옆면이 삼각형이 아닙니다.

예 뿔 모양이 아닙니다.

46

개념 확인 문제

정답 및 풀이 221쪽

1 입체도형을 보고 물음에 답해 보세요.

가 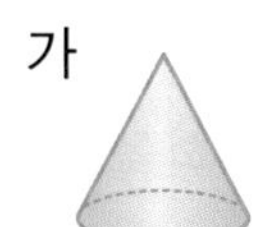
나 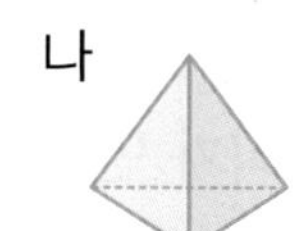
다 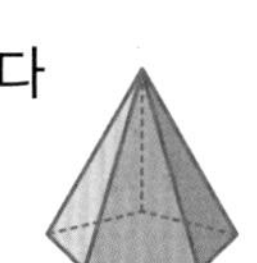
라 

(1) 한 면이 다각형이고, 다른 면이 모두 삼각형인 뿔 모양의 입체도형을 모두 찾아 기호를 써 보세요.

( )

(2) (1)에서 찾은 도형을 무엇이라고 하나요?

( )

2 오른쪽 각뿔에서 옆면을 모두 찾아 써 보세요.

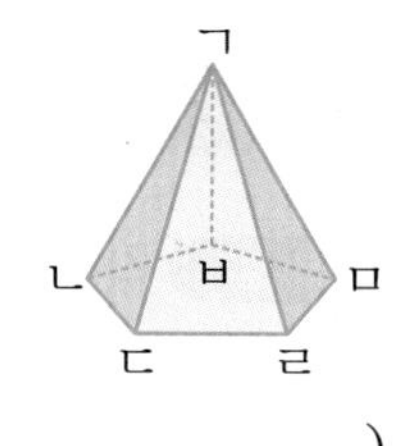

( )

3 각뿔에 대한 설명으로 옳은 것은 ○표, 틀린 것은 ×표 하세요.

(1) 밑면은 1개입니다. ( )

(2) 옆면은 직사각형입니다. ( )

(3) 옆면은 밑면과 수직으로 만납니다.

( )

8 차시 5 | 각뿔(2)

학습 목표

각뿔의 이름을 이해하고, 각뿔의 모서리, 꼭짓점, 높이를 알 수 있습니다.

그림으로 개념 잡기

우린 밑면의 모양이 오각형으로 같아.
하지만 너는 오각기둥이고, 나는 오각뿔이야.

5 각뿔(2)
각뿔의 이름을 이해하고, 각뿔의 모서리, 꼭짓점, 높이를 알 수 있습니다.
할아버지께 어떤 선물을 드릴까?
생각 열기 피노키오가 선물 가게 안에 있는 여러 가지 각뿔 모양의 초를 보고 있습니다.
• 각뿔 모양의 초를 어떻게 분류할 수 있을까요?
예 밑면의 모양에 따라 분류할 수 있습니다.
각뿔의 밑면의 모양이 여러 가지구나.
탐구하기 1 밑면의 모양에 따라 각뿔을 분류해 봅시다.
가
나
다
라
마
바
• 각뿔을 분류해 보세요.
밑면의 모양 삼각형 사각형 오각형
각뿔 나, 바 가, 마 다, 라
• 분류한 각뿔의 이름을 각각 무엇이라고 하면 좋을지 이야기해 보세요.
예 삼각뿔, 사각뿔, 오각뿔이라고 하면 좋을 것 같습니다.
• 왜 그렇게 정하였는지 이야기해 보세요.
예 각뿔의 옆면은 모두 삼각형이고 밑면의 모양만 다르기 때문에 밑면의 모양에 따라 이름을 정하면 좋을 것 같습니다.
47

학부모 코칭 Tip

각뿔의 옆면은 모두 삼각형이고 밑면의 모양이 서로 다르기 때문에 밑면의 모양에 따라 각뿔의 이름을 붙인다는 것을 이해하게 합니다.

교과서 개념 완성

생각 열기 각뿔 모양 초의 분류 기준 생각하기

• 선물 가게 안에 놓여 있는 초는 6개이고, 모두 각뿔 모양입니다.

• 초의 밑면의 모양이 삼각형, 사각형, 오각형이므로 밑면의 모양에 따라 분류할 수 있습니다.

확인하기 1 각뿔의 이름 이해하기

• 밑면의 모양이 사각형인 각뿔은 사각뿔입니다.

• 밑면의 모양이 육각형인 각뿔은 육각뿔입니다.

• 밑면의 모양이 삼각형인 각뿔은 삼각뿔입니다.

탐구하기 2 각뿔의 구성 요소 탐구하기

• 각기둥에서는 면과 면이 만나는 선분을 모서리, 모서리와 모서리가 만나는 점을 꼭짓점이라고 했으므로 각뿔에서도 면과 면이 만나는 선분을 모서리라 하고, 모서리와 모서리가 만나는 점을 꼭짓점이라고 합니다.

• 각뿔에서 밑면의 변의 수, 면의 수, 모서리의 수, 꼭짓점의 수 사이의 규칙은 다음과 같습니다.

(면의 수)=(밑면의 변의 수)+1
(모서리의 수)=(밑면의 변의 수)×2
(꼭짓점의 수)=(밑면의 변의 수)+1

➜ 각뿔에서 면의 수와 꼭짓점의 수가 같습니다.

수학 익힘 28~29쪽 수학 47~49쪽 공부한 날 월 일

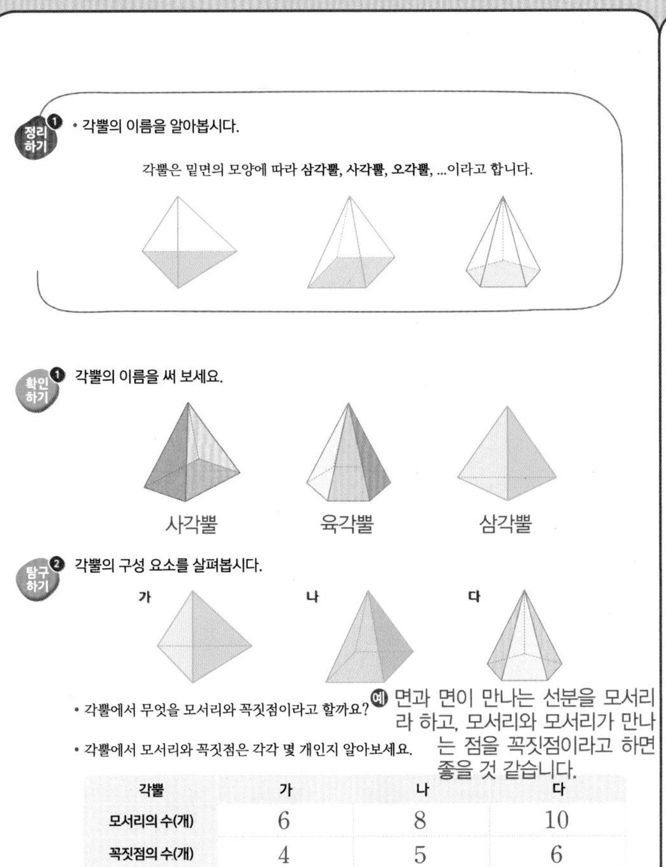

정리하기 1 • 각뿔의 이름을 알아봅시다.

각뿔은 밑면의 모양에 따라 **삼각뿔, 사각뿔, 오각뿔**, ...이라고 합니다.

확인하기 1 각뿔의 이름을 써 보세요.

사각뿔 육각뿔 삼각뿔

탐구하기 2 각뿔의 구성 요소를 살펴봅시다.

가 나 다

• 각뿔에서 무엇을 모서리와 꼭짓점이라고 할까요? 예 면과 면이 만나는 선분을 모서리라 하고, 모서리와 모서리가 만나는 점을 꼭짓점이라고 하면 좋을 것 같습니다.

• 각뿔에서 모서리와 꼭짓점은 각각 몇 개인지 알아보세요.

각뿔	가	나	다
모서리의 수(개)	6	8	10
꼭짓점의 수(개)	4	5	6

• 각뿔에서 옆면을 이루는 모든 삼각형이 공통으로 만나는 꼭짓점을 무엇이라고 하면 좋을까요? 또, 그 꼭짓점에서 밑면까지의 거리를 어떻게 재면 좋을지 이야기해 보세요. 예 각뿔의 꼭짓점이라고 하면 좋을 것 같습니다. 예 곱자의 직각을 이용하여 재면 좋을 것 같습니다.

48

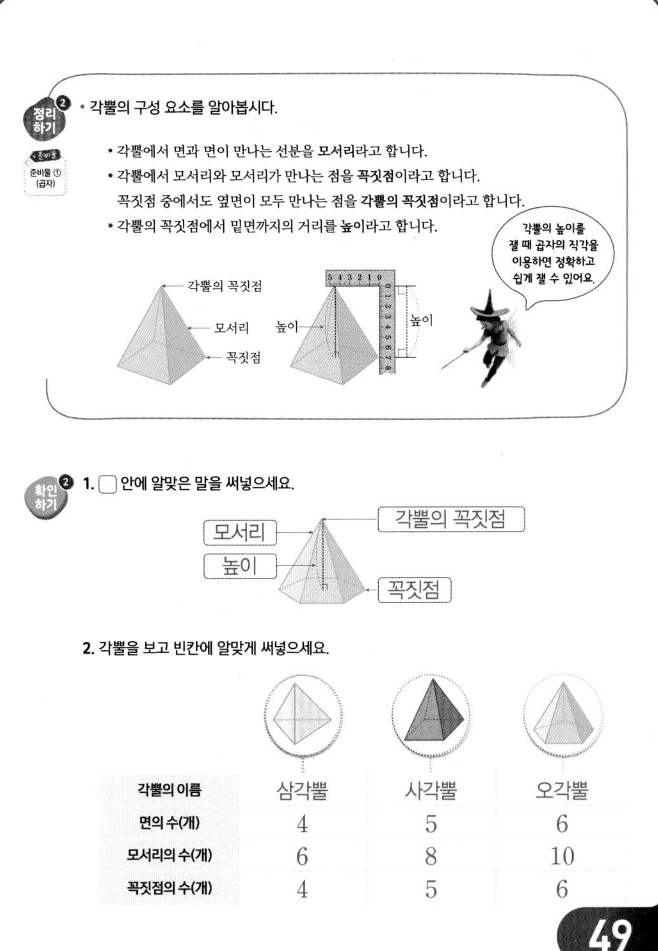

정리하기 2 • 각뿔의 구성 요소를 알아봅시다.

준비물 ① (곱자)

• 각뿔에서 면과 면이 만나는 선분을 **모서리**라고 합니다.
• 각뿔에서 모서리와 모서리가 만나는 점을 **꼭짓점**이라고 합니다.
꼭짓점 중에서도 옆면이 모두 만나는 점을 **각뿔의 꼭짓점**이라고 합니다.
• 각뿔의 꼭짓점에서 밑면까지의 거리를 **높이**라고 합니다.

확인하기 2 1. □ 안에 알맞은 말을 써넣으세요.

2. 각뿔을 보고 빈칸에 알맞게 써넣으세요.

각뿔의 이름	삼각뿔	사각뿔	오각뿔
면의 수(개)	4	5	6
모서리의 수(개)	6	8	10
꼭짓점의 수(개)	4	5	6

49

개념 확인 문제

정답 및 풀이 221쪽

1 밑면의 모양이 다음과 같은 각뿔의 이름을 써 보세요.

(1)

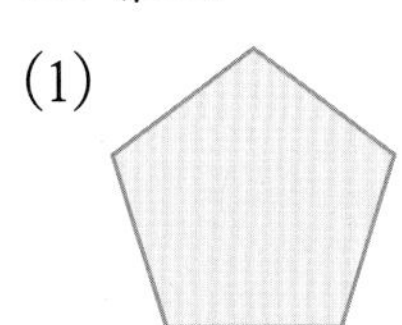

( )

(2)

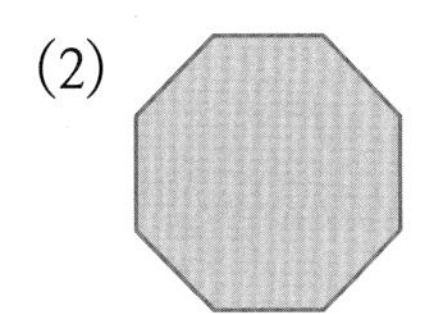

( )

[2~3] 오른쪽 각뿔을 보고 물음에 답해 보세요.

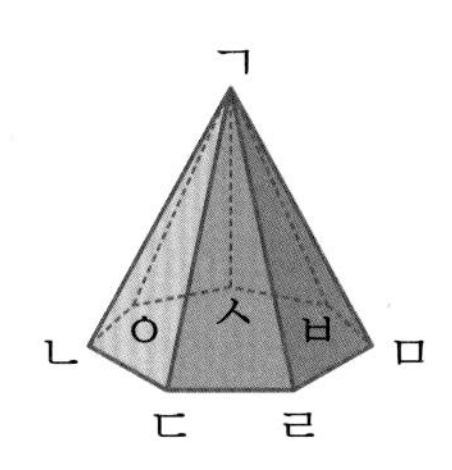

2 각뿔의 꼭짓점을 찾아 써 보세요.

( )

3 빈칸에 알맞은 수를 써넣으세요.

면의 수(개)	
모서리의 수(개)	
꼭짓점의 수(개)	

9 문제 해결력 | 쑥쑥 • 나의 이름은 무엇일까요

학습 목표

• 논리적 추론 전략을 이용하여 문제를 해결하고 해결한 방법을 설명해 봅니다.
• 문제를 해결하는 데 필요 없는 정보를 찾아봅니다.

문제 해결 전략 논리적 추론 전략

수학 교과 역량 문제 해결 추론

나의 이름은 무엇일까요

• 주어진 조건을 확인하고 문제 해결에 적절한 전략을 선택하여 해결하는 과정을 통하여 문제 해결 능력을 기를 수 있습니다.
• 문제 해결을 위한 조건을 확인하고 가능 여부를 판단하는 과정을 통하여 추론 능력을 기를 수 있습니다.

문제 해결 Tip 평행한 두 면이 있는 입체도형은 각기둥인지, 각뿔인지를 먼저 생각해야 합니다.

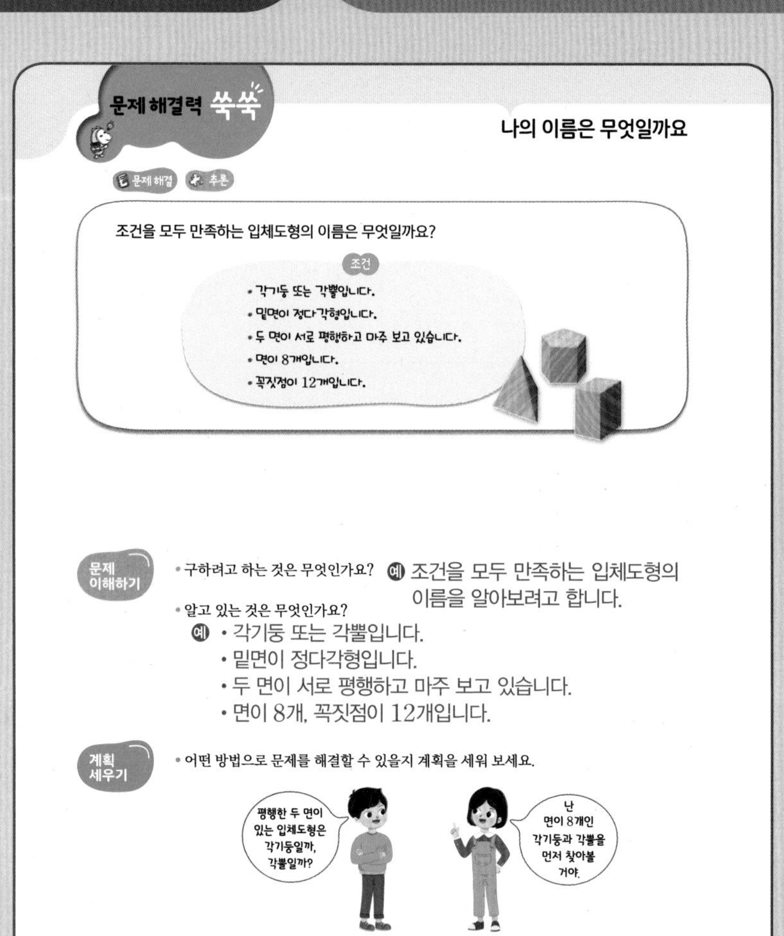

교과서 개념 완성

문제 이해하기

» 구하려고 하는 것

조건을 모두 만족하는 입체도형의 이름을 알아보려고 합니다.

» 알고 있는 것

• 각기둥 또는 각뿔입니다.
• 밑면이 정다각형입니다.
• 두 면이 서로 평행하고 마주 보고 있습니다.
• 면이 8개이고, 꼭짓점이 12개입니다.

계획 세우기

면이 8개인 각기둥과 각뿔을 각각 먼저 찾아봅니다.

계획대로 풀기

면이 8개인 각기둥은 육각기둥이고, 면이 8개인 각뿔은 칠각뿔입니다. 육각기둥은 두 면이 서로 평행하고 마주 보고 있고, 꼭짓점도 12개이므로 조건을 만족하는 입체도형입니다. 칠각뿔은 꼭짓점이 8개이므로 조건을 만족하지 않습니다.

되돌아보기

육각기둥은 두 면이 서로 평행하고 마주 보고 있습니다. 육각기둥은 면이 8개, 꼭짓점이 12개이므로 조건을 모두 만족하는 입체도형이 맞습니다.

 공부한 날 월 일

• 계획한 방법으로 문제를 해결해 보세요.

예 평행한 두 면이 있는 입체도형은 각기둥입니다. 면이 8개이므로 옆면이 6개이고 밑면이 육각형인 육각기둥입니다. 육각기둥은 두 면이 서로 평행하고 마주 보고 있고, 꼭짓점도 12개이므로 조건을 모두 만족하는 입체도형입니다. 따라서 조건을 모두 만족하는 입체도형은 육각기둥입니다.

• 조건을 모두 만족하는 입체도형의 이름은 무엇일까요? 육각기둥

• 찾은 입체도형이 조건을 모두 만족하는 도형이 맞았는지 확인해 보세요.

• 문제를 해결하는 데 가장 도움이 되었던 조건은 무엇이고, 필요 없는 조건은 무엇인지 친구들과 이야기해 보세요.

조건을 모두 만족하는 입체도형의 이름은 무엇일까요? 십이각뿔

- 각기둥 또는 각뿔입니다.
- 면을 이루는 다각형 모양이 2가지입니다.
- 면의 수와 꼭짓점의 수가 같습니다.
- 모서리가 24개입니다.

51

문제 해결 추론

문제 이해하기

구하려고 하는 것

조건을 모두 만족하는 입체도형의 이름을 알아보려고 합니다.

알고 있는 것

- 각기둥 또는 각뿔입니다.
- 면을 이루는 다각형 모양이 2가지입니다.
- 면의 수와 꼭짓점의 수가 같습니다.
- 모서리가 24개입니다.

계획 세우기

면의 수와 꼭짓점의 수가 같은 입체도형은 각기둥인지, 각뿔인지 찾아봅니다.

계획대로 풀기

면의 수와 꼭짓점의 수가 같은 입체도형은 각뿔입니다. 모서리가 24개인 각뿔은 밑면이 십이각형이므로 십이각뿔입니다. 십이각뿔은 면을 이루는 다각형이 십이각형과 삼각형 2가지이므로 조건을 만족합니다. 따라서 조건을 모두 만족하는 입체도형은 십이각뿔입니다.

문제 해결력 문제

정답 및 풀이 221쪽

1 조건을 모두 만족하는 입체도형의 이름을 구하려고 합니다. 물음에 답해 보세요.

- 밑면은 다각형이고, 옆면은 삼각형입니다.
- 모서리가 20개입니다.

(1) 각기둥인가요, 각뿔인가요?

( )

(2) 조건을 모두 만족하는 입체도형의 이름은 무엇일까요?

( )

2 조건을 모두 만족하는 입체도형의 이름은 무엇일까요?

- 옆면은 7개이고 모두 직사각형입니다.
- 꼭짓점이 14개입니다.

( )

3 조건을 모두 만족하는 입체도형의 이름은 무엇일까요?

- 면이 11개입니다.
- 모서리가 27개입니다.

( )

문제 해결 · 추론

각기둥과 각뿔 알아보기

▶자습서 38~39쪽, 48~49쪽

학부모 코칭 Tip

각기둥과 각뿔을 알고, 구분하여 바르게 찾을 수 있게 합니다.

1 각기둥과 각뿔을 찾아 기호를 써 보세요.

32, 44쪽

가

나

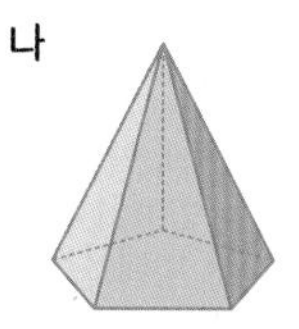

다

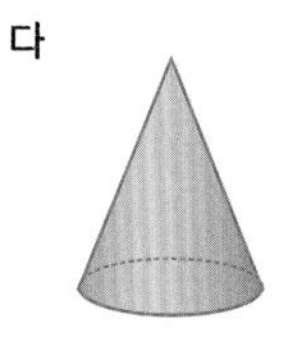

라

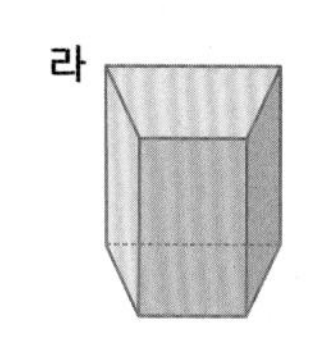

마

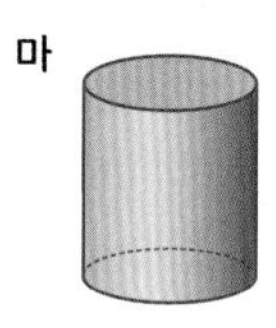

바

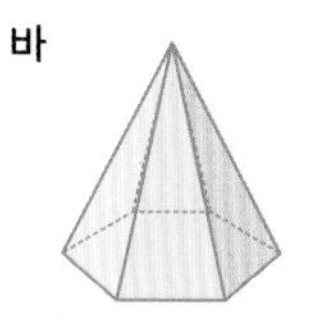

가, 라

풀이 • 각기둥은 두 면이 서로 평행하고 합동인 다각형으로 이루어진 기둥 모양의 입체도형이므로 가, 라입니다.
• 각뿔은 한 면이 다각형이고, 다른 면이 모두 삼각형인 뿔 모양의 입체도형이므로 나, 바입니다.

추론 · 정보 처리

각기둥과 각뿔의 구성 요소 알아보기

▶자습서 40~43쪽, 48~51쪽

학부모 코칭 Tip

각뿔의 꼭짓점은 옆면이 모두 만나는 한 점으로, 각뿔의 높이를 재는 데 사용됨을 알게 합니다.

2 □ 안에 알맞은 말을 써넣으세요.

32, 36, 44, 47쪽

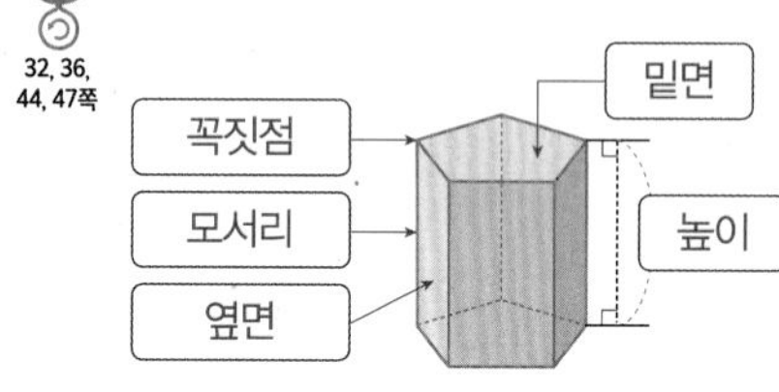

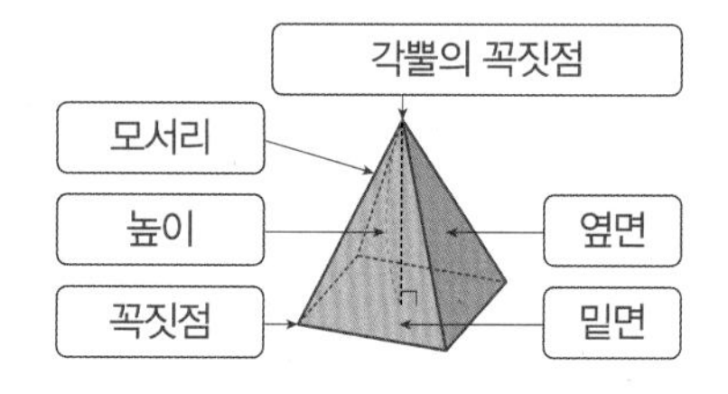

문제 해결 · 추론

각기둥과 각뿔의 성질 이해하기

▶자습서 38~41쪽, 48~49쪽

3 □ 안에 알맞은 말을 써넣으세요.

32, 44쪽

• 각기둥의 두 밑면은 옆면과 모두 [수직](으)로 만납니다.

• 각기둥의 옆면의 모양은 모두 [직사각형]입니다.

• 각뿔의 옆면의 모양은 모두 [삼각형]입니다.

52

4 입체도형을 보고 빈칸에 알맞게 써넣으세요.

36, 47쪽

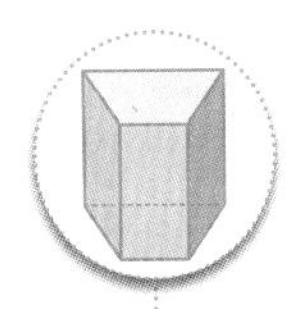
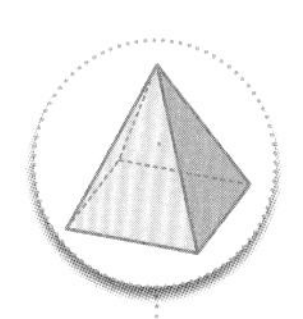

입체도형의 이름	사각기둥	사각뿔
한 밑면의 변의 수(개)	4	4
면의 수(개)	6	5
모서리의 수(개)	12	8
꼭짓점의 수(개)	8	5

문제 해결 · 추론 · 정보 처리

각기둥과 각뿔의 이름, 구성 요소 이해하기

▶자습서 42~43쪽, 50~51쪽

학부모 코칭 Tip

각기둥과 각뿔은 밑면의 모양에 따라 이름이 정해진다는 것을 이해하게 합니다.

생각 넓히기 추론 의사소통

5 각기둥의 전개도가 아닌 것을 찾아 기호를 쓰고, 그 이유를 설명해 보세요.

39쪽

가

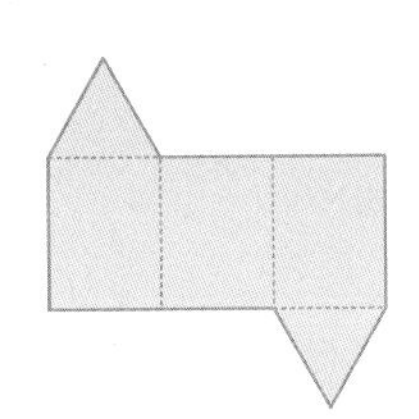

나

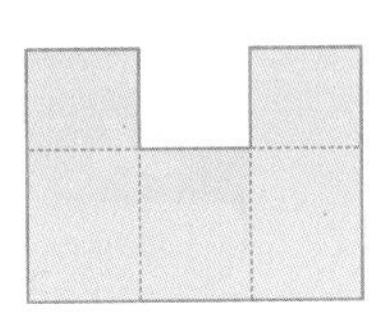

다

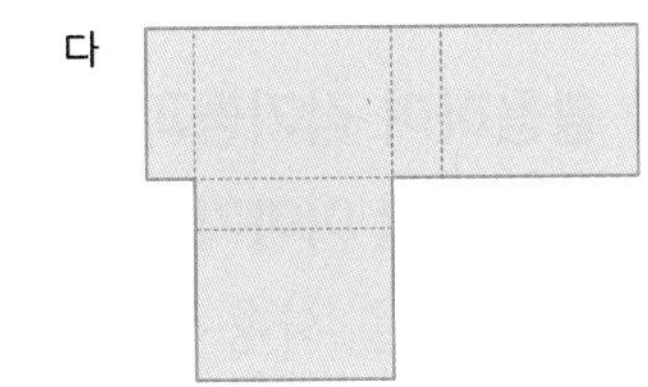

라

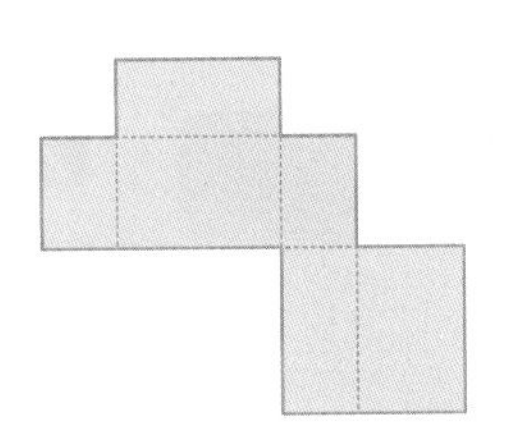

답 나 이유 예 옆면이 1개 부족하고, 접었을 때 겹치는 면이 있습니다.

답 다 이유 예 접었을 때 겹치는 면이 있습니다.

추론 · 의사소통

각기둥의 전개도가 아닌 것 찾고, 그 이유 설명하기

▶자습서 44~47쪽

학부모 코칭 Tip

전개도에서 각기둥의 밑면과 옆면을 구분해 보게 하여 각각의 모양과 개수가 맞는지 확인해 보게 합니다.

53

미술 속으로 | 풍덩

학습 목표

- 스티로폼과 이쑤시개를 사용하여 다양한 각기둥과 각뿔 모양으로 건축물을 만들어 마을을 꾸며 봅니다.
- 수학과 건축물을 연결하여 활동을 해 보며 수학에 대한 흥미를 가질 수 있도록 합니다.

수학 교과 역량 창의·융합 태도 및 실천

각기둥과 각뿔로 마을을 꾸며요

- 각기둥 또는 각뿔 모양을 이용하여 다양한 건축물을 만들어 보는 활동을 통하여 수학과 실생활을 연결·융합하여 문제를 해결할 수 있는 창의·융합 능력을 기를 수 있습니다.
- 각기둥 또는 각뿔의 개념을 이용하여 활동을 하면서 자신감을 갖고, 수학의 실용적 가치를 인식하는 태도 및 실천 능력을 기를 수 있습니다.

교과서 개념 완성

1 각기둥과 각뿔 모양으로 마을 꾸며 보기

- 모둠별로 꾸미고 싶어 하는 마을에 대해 이야기해 봅니다.
- 마을에 필요한 건축물은 무엇이며, 어떤 건축물로 마을을 꾸밀지 정해 봅니다.
- 스케치북에 각기둥 또는 각뿔 모양으로 마을을 꾸밀 건축물을 그려 봅니다.
- 스티로폼과 이쑤시개를 사용하여 각기둥 또는 각뿔 모양의 건축물을 만들어 마을을 꾸며 봅니다.

2 다양한 재료를 활용하여 각기둥과 각뿔 모양으로 마을 꾸미고, 친구들에게 이야기해 보기

예
- 나무막대와 고무찰흙을 사용하여 각기둥 또는 각뿔 모양을 만듭니다.
- 입체도형 교구를 사용하여 각기둥 또는 각뿔 모양을 만듭니다.
- 신문지를 말아서 각뿔의 모서리를 만들고 테이프로 연결하여 각뿔 모양을 만듭니다.

➜ 각기둥 모양이나 각뿔 모양을 만들어 마을을 꾸미고, 어떤 마을을 꾸민 것인지 친구들에게 설명해 봅니다.

우리 모둠에서는
각기둥과 각뿔로 어떤
건축물을 만들어 마을을
꾸몄는지 친구들에게
이야기해 보세요.
55

놀이하기 전

모둠별로 살고 싶어 하는 마을에 무엇이 있으면 좋을지 이야기해 보세요.

- 각기둥 모양의 학교가 있으면 좋겠습니다.
- 각뿔 모양의 조형물이 있으면 좋겠습니다.
- 마을 한가운데에 도서관이 있으면 좋겠습니다.
- 전기자동차 충전소가 있으면 편리할 것 같습니다.

놀이 중

마을을 꾸밀 건축물을 각기둥 모양 또는 각뿔 모양으로 만들어 보세요.

- 각기둥 모양 또는 각뿔 모양으로 건축물 그림을 그려 보고, 만들어 봅니다.

놀이 후

모둠별로 꾸민 마을은 어떤 특징이 있는지 친구들과 이야기해 보세요.

- 우리 모둠에서 꾸민 마을은 어떤 특징이 있는지 친구들에게 설명하고 친구들의 이야기를 들어 봅니다.

참고 자료

- 사각기둥 모양의 건축물, '조토의 종탑'

조토의 종탑은 높이 약 85 m에 이르는 사각기둥 모양의 종탑으로, 피렌체 고딕 양식의 대표작으로 꼽힙니다. 이 종탑은 디자인과 색채의 조화, 조각된 섬세한 부조까지 바로 옆의 두오모와 함께 어우러져 더욱 아름답게 느껴집니다. 414개의 계단을 올라 도달하는 종탑 꼭대기에서는 피렌체의 숨 막히는 전경과 그를 둘러싼 언덕들을 감상할 수 있습니다.

[출처] 위키피디아, 2021

- 사각뿔 모양의 건축물, '루브르 피라미드'

루브르 피라미드는 프랑스 파리에 있는 루브르 궁전의 안뜰인 나폴레옹 광장에 설치된 사각뿔 모양의 거대한 유리 금속 건축물입니다. 3개의 작은 피라미드에 둘러싸인 가운데의 큰 피라미드는 루브르 박물관의 입구로 사용되고 있습니다. 외부로 솟은 이 거대한 피라미드는 입구 역할을 하는 동시에 지하 공간 안으로 빛이 잘 비칠 수 있도록 돕고 프랑스식 정원을 연상시키기도 합니다.

[출처] 마크 어빙 외, 『죽기 전에 꼭 봐야 할 세계 건축 1001』

개념+확인

교과서 개념을 익히고 확인 문제를 풀면서 단원을 마무리해 보아요.

개념

각기둥(1)

- 각기둥: 아래와 같이 두 면이 서로 평행하고 합동인 다각형으로 이루어진 기둥 모양의 입체도형

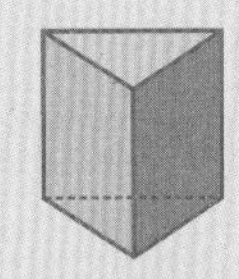
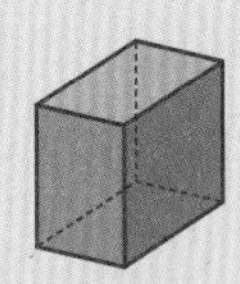
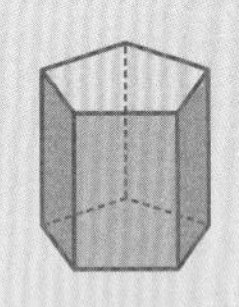

- **밑면**: 각기둥에서 서로 평행하고 합동인 두 면
- **옆면**: 각기둥에서 두 밑면과 만나는 면
- 각기둥의 두 밑면은 옆면과 모두 수직으로 만납니다.
- 각기둥의 옆면은 모두 직사각형입니다.

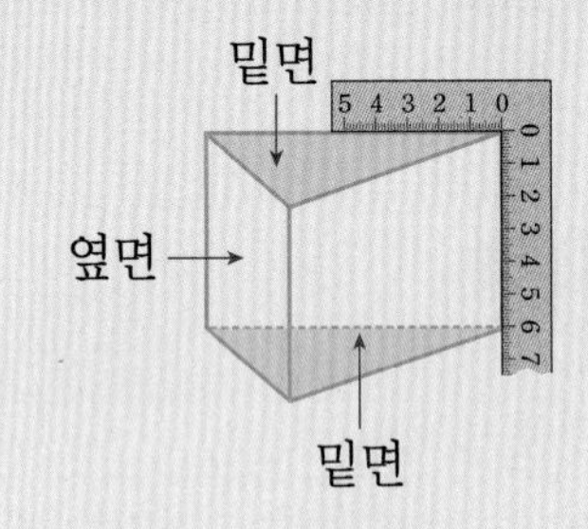

각기둥(2)

- 각기둥은 밑면의 모양에 따라 **삼각기둥**, **사각기둥**, **오각기둥**, ...이라고 합니다.
- 각기둥의 구성 요소
  - **모서리**: 각기둥에서 면과 면이 만나는 선분
  - **꼭짓점**: 각기둥에서 모서리와 모서리가 만나는 점
  - **높이**: 각기둥에서 두 밑면 사이의 거리

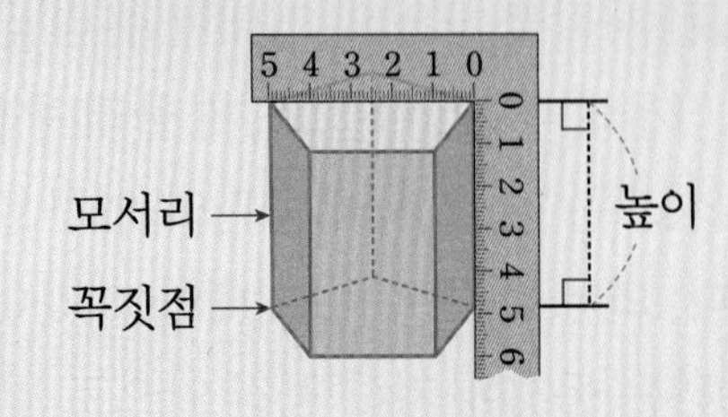

확인 문제

1 각기둥을 모두 찾아 기호를 써 보세요.

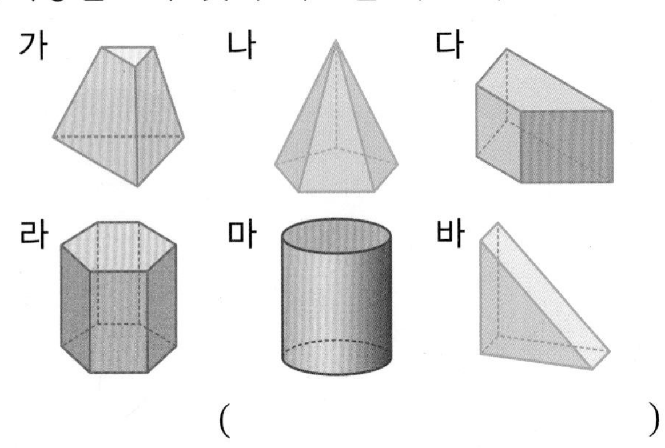

(　　　　　　　　　　)

[2~3] 각기둥을 보고 물음에 답해 보세요.

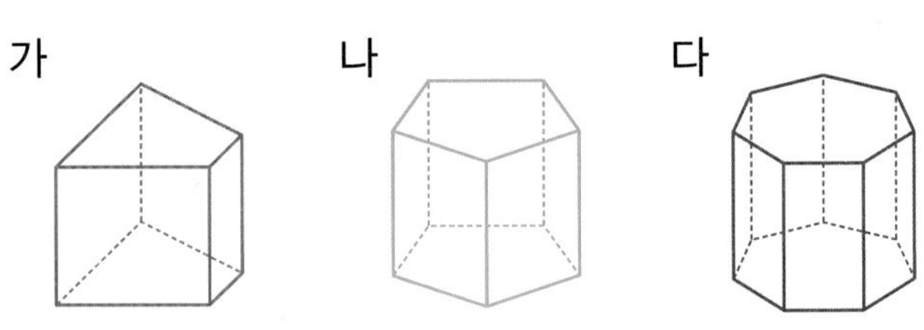

2 각기둥에서 두 밑면을 찾아 색칠해 보세요.

3 각기둥의 이름을 써 보세요.

각기둥	가	나	다
이름			

4 각기둥을 보고 빈칸에 알맞은 수를 써넣으세요.

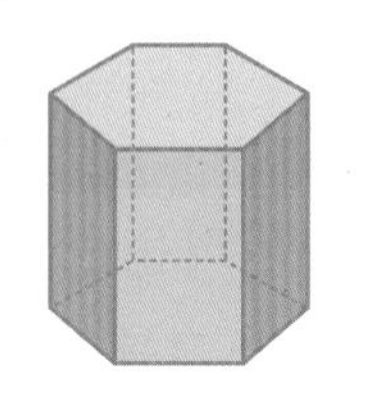

면의 수(개)	
모서리의 수(개)	
꼭짓점의 수(개)	

개념

각기둥의 전개도

- **각기둥의 전개도**: 각기둥의 모서리를 잘라 펼쳐 놓은 그림
- 각기둥의 전개도에서 밑면은 합동인 다각형이고, 2개입니다.
- 각기둥의 전개도에서 옆면은 모두 직사각형이고, 한 밑면의 변의 수만큼 있습니다.
- 각기둥의 전개도를 접었을 때 맞닿는 선분의 길이는 서로 같습니다.

각뿔 (1)

- 각뿔: 아래와 같이 한 면이 다각형이고, 다른 면이 모두 삼각형인 뿔 모양의 입체도형

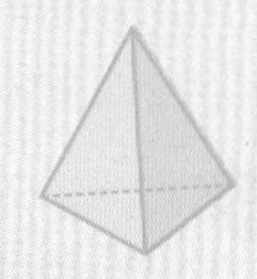 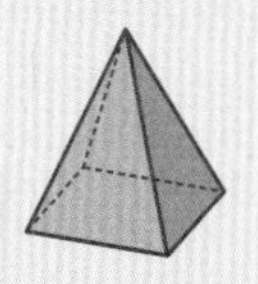 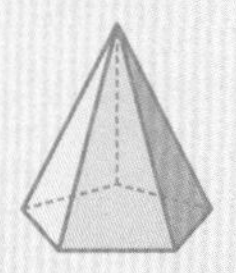

- **밑면**: 각뿔에서 면 ㄴㄷㄹㅁ과 같은 면
- **옆면**: 각뿔에서 밑면과 만나는 면
- 각뿔의 옆면은 모두 삼각형입니다.

각뿔 (2)

- 각뿔은 밑면의 모양에 따라 **삼각뿔**, **사각뿔**, **오각뿔**, ...이라고 합니다.
- 각뿔의 구성 요소

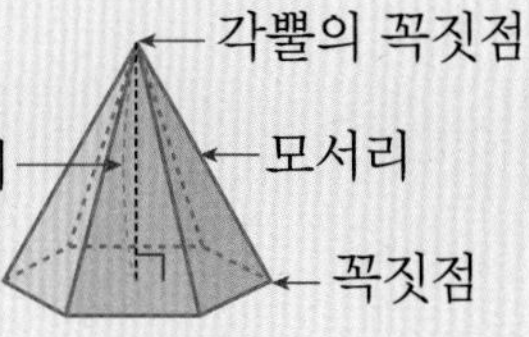

  - **모서리**: 각뿔에서 면과 면이 만나는 선분
  - **꼭짓점**: 각뿔에서 모서리와 모서리가 만나는 점
  - **각뿔의 꼭짓점**: 꼭짓점 중에서도 옆면이 모두 만나는 점
  - **높이**: 각뿔의 꼭짓점에서 밑면까지의 거리

확인 문제

5 각기둥의 전개도를 찾아 기호를 쓰고, 이 전개도를 접었을 때 만들어지는 각기둥의 이름을 써 보세요.

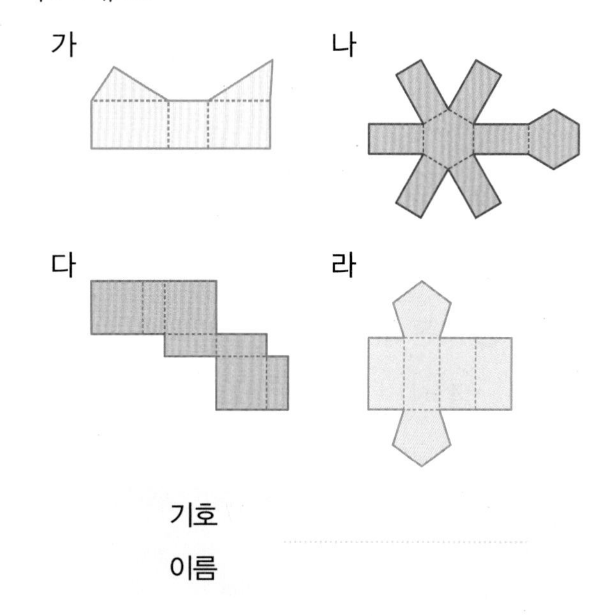

기호 ____________

이름 ____________

6 각뿔은 모두 몇 개인지 구해 보세요.

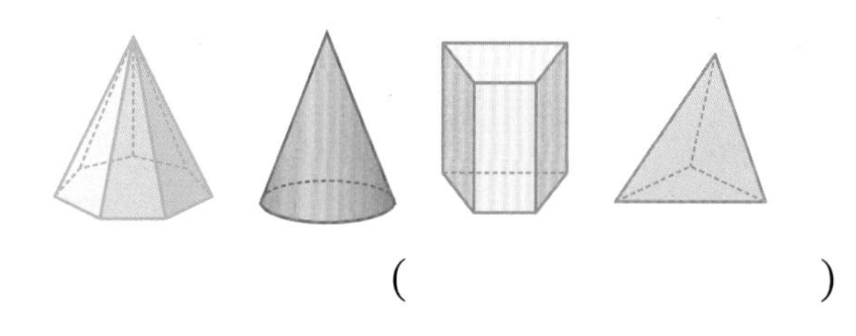

( )

7 밑면의 모양이 오른쪽과 같은 각뿔이 있습니다. 빈칸에 알맞은 수를 써넣으세요.

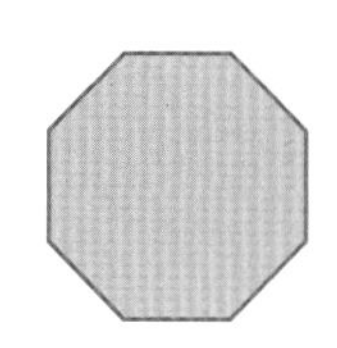

면의 수(개)	
모서리의 수(개)	
꼭짓점의 수(개)	

과정 중심 평가 내용 | 모든 모서리의 길이의 합을 구할 수 있는가?

1-1 오른쪽은 밑면의 모양이 정육각형인 각기둥입니다. 이 각기둥의 모든 모서리의 길이의 합은 몇 cm인지 풀이 과정을 쓰고, 답을 구해 보세요. [8점]

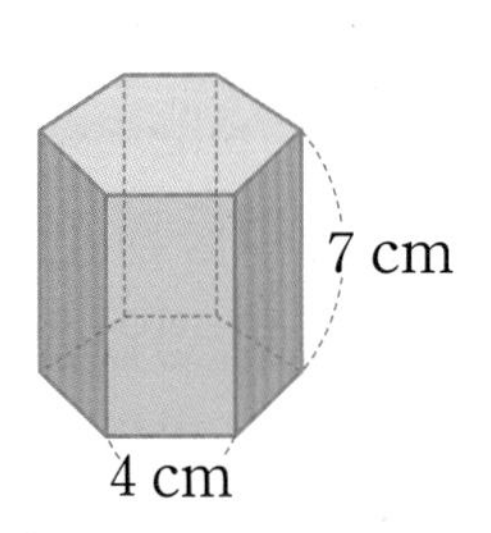

풀이

❶ 4 cm인 모서리는 ☐개, 7 cm인 모서리는 ☐개입니다.

❷ 모든 모서리의 길이의 합은 $4\times\square+7\times\square=\square$ (cm) 입니다.

답

1-2 

오른쪽은 밑면의 모양이 정오각형인 각뿔입니다. 이 각뿔의 모든 모서리의 길이의 합은 몇 cm인지 풀이 과정을 쓰고, 답을 구해 보세요. [12점]

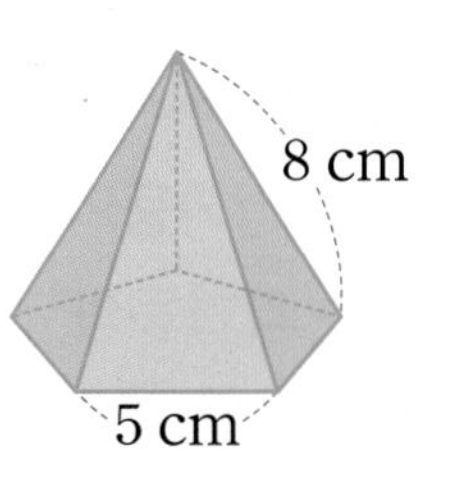

풀이

답

1-3 

밑면과 옆면이 다음과 같은 각기둥이 있습니다. 이 각기둥의 모든 모서리의 길이의 합은 몇 cm인지 풀이 과정을 쓰고, 답을 구해 보세요. [15점]

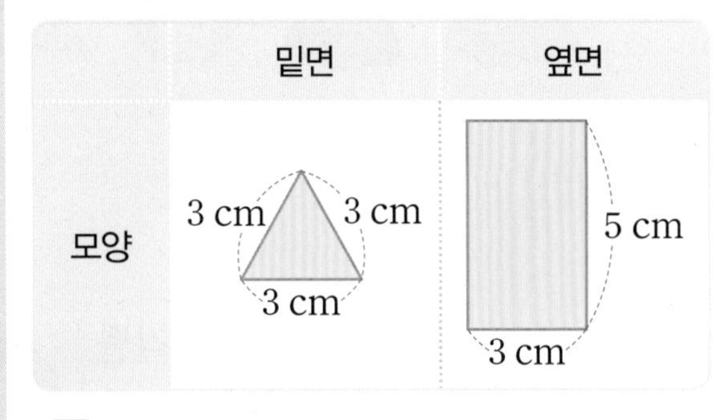

	밑면	옆면
모양	3 cm, 3 cm, 3 cm	5 cm, 3 cm

풀이

답

1-4 

옆면이 오른쪽과 같은 삼각형 7개로 이루어진 각뿔이 있습니다. 이 각뿔의 모든 모서리의 길이의 합은 몇 cm인지 풀이 과정을 쓰고, 답을 구해 보세요. [15점]

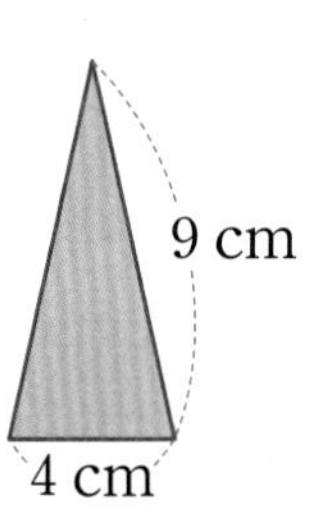

풀이

답

과정 중심 평가 내용 | 각기둥과 각뿔의 구성 요소의 수를 구할 수 있는가?

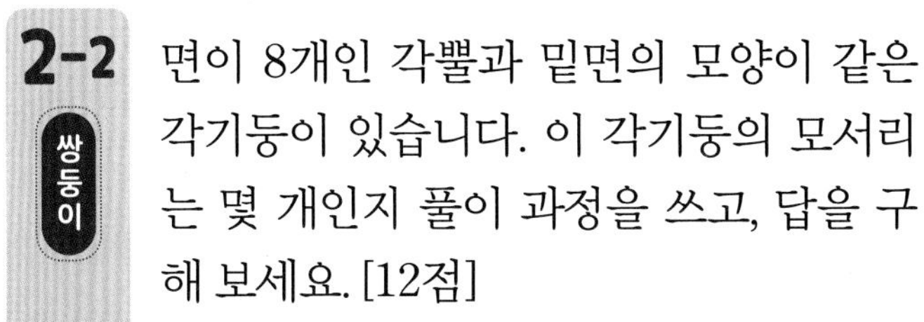

➜ 정답 및 풀이 222쪽

2-1 면이 11개인 각기둥과 밑면의 모양이 같은 각뿔이 있습니다. 이 각뿔의 꼭짓점은 몇 개인지 풀이 과정을 쓰고, 답을 구해 보세요. [8점]

풀이

❶ 면이 11개인 각기둥은 밑면이 2개, 옆면이 ☐개이므로 밑면의 모양이 ☐인 각기둥입니다.

❷ 각뿔의 밑면의 모양이 ☐이므로 각뿔의 이름은 ☐입니다.

따라서 꼭짓점은 ☐개입니다.

답

2-2 쌍둥이

면이 8개인 각뿔과 밑면의 모양이 같은 각기둥이 있습니다. 이 각기둥의 모서리는 몇 개인지 풀이 과정을 쓰고, 답을 구해 보세요. [12점]

풀이

답

2-3 유사

어떤 각기둥의 면의 수는 십이각뿔의 면의 수와 같습니다. 이 각기둥의 꼭짓점은 몇 개인지 풀이 과정을 쓰고, 답을 구해 보세요. [15점]

풀이

답

2-4 실전

어떤 각뿔의 꼭짓점의 수는 팔각기둥의 꼭짓점의 수와 같습니다. 이 각뿔의 면의 수와 모서리의 수의 합은 몇 개인지 풀이 과정을 쓰고, 답을 구해 보세요. [15점]

풀이

답

[01~02] 입체도형을 보고 물음에 답해 보세요.

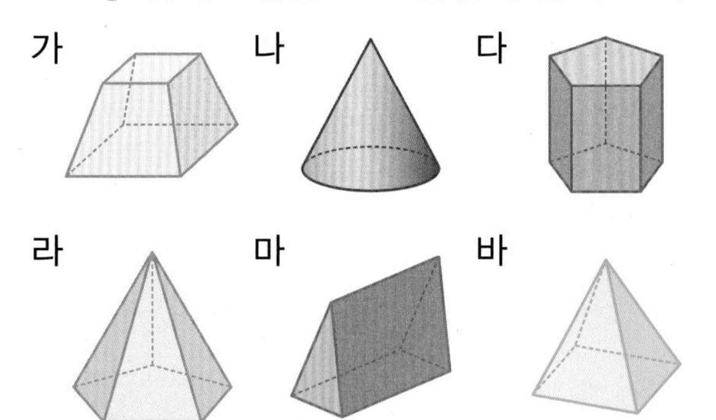

| 각기둥(1) |

01 각기둥을 모두 찾아 기호를 써 보세요.

하

( )

| 각뿔(1) |

02 각뿔을 모두 찾아 기호를 써 보세요.

하

( )

| 각기둥(2), 각뿔(2) |

03 입체도형의 이름을 써 보세요.

하

(1)

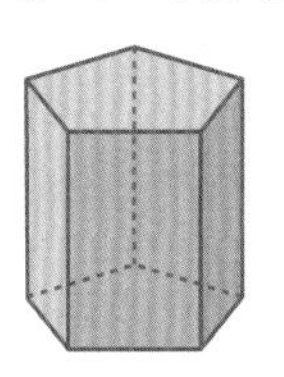

( )

(2)

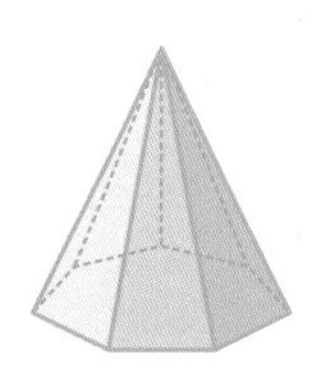

( )

| 각뿔(2) |

04 □ 안에 알맞은 말을 써넣으세요.

하

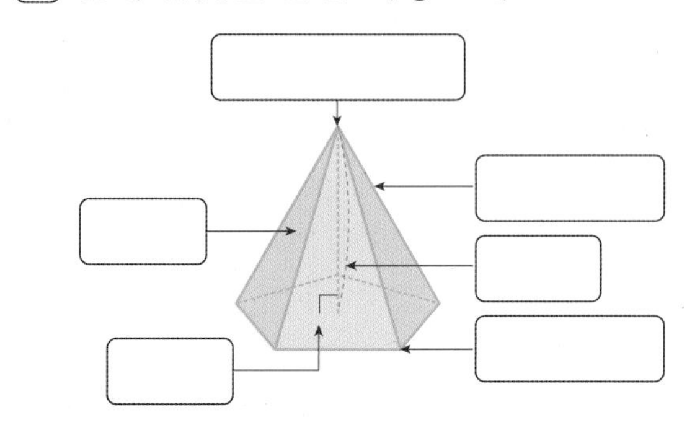

| 각기둥(1) |

05 각기둥에서 색칠한 면이 밑면일 때, 옆면을 모두 찾아 써 보세요.

중

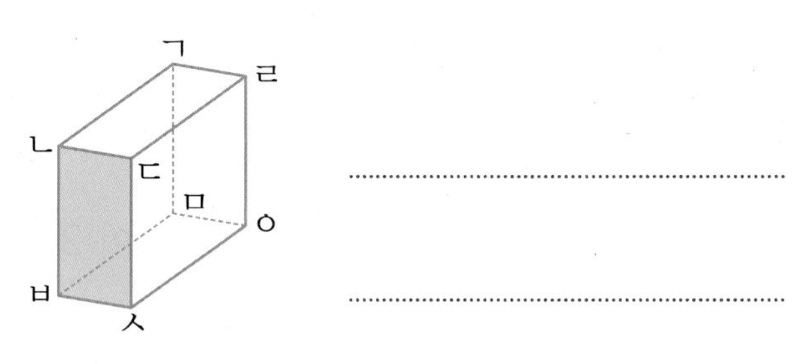

| 각기둥(1) |

06 오른쪽 입체도형은 각기둥인가요? 그렇게 생각한 이유를 써 보세요.

서술형

중

답

이유

| 각기둥(2) |

07 오른쪽 각기둥에서 높이를 잴 수 모서리는 모두 몇 개인가요?

중

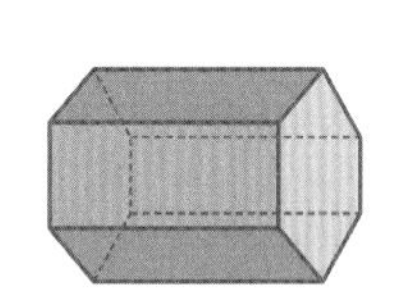

( )

| 각기둥(1), 각뿔(1) |

08 팔각기둥과 팔각뿔의 같은 점을 모두 찾아 기호를 써 보세요.

중

㉠ 밑면의 모양	㉡ 옆면의 모양
㉢ 밑면의 개수	㉣ 옆면의 개수

( )

➜ 정답 및 풀이 223쪽

[09~10] 각기둥의 전개도를 보고 물음에 답해 보세요.

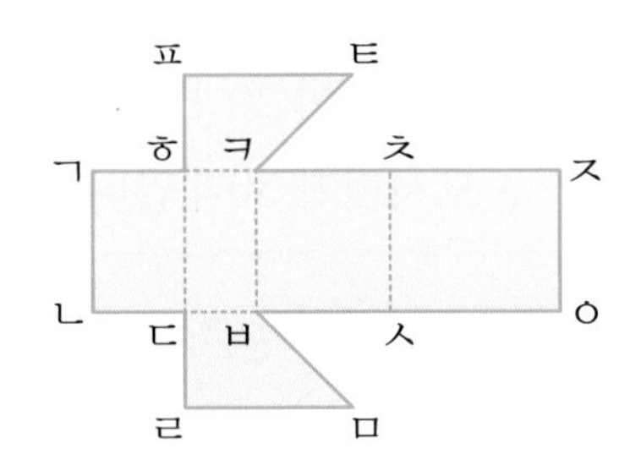

| 각기둥의 전개도 |

09 전개도를 접었을 때 만들어지는 각기둥의 이름을 써 보세요.
(중)

( )

| 각기둥의 전개도 |

10 전개도를 접었을 때 선분 ㄱㄴ, 선분 ㄹㅁ과 맞닿는 선분을 각각 찾아 써 보세요.
(중)

선분 ㄱㄴ과 ( )

선분 ㄹㅁ과 ( )

| 각기둥의 전개도 |

11 전개도를 접어 각기둥을 만들려고 합니다. 각기둥을 만들 수 없는 것을 찾아 기호를 써 보세요.
(중)

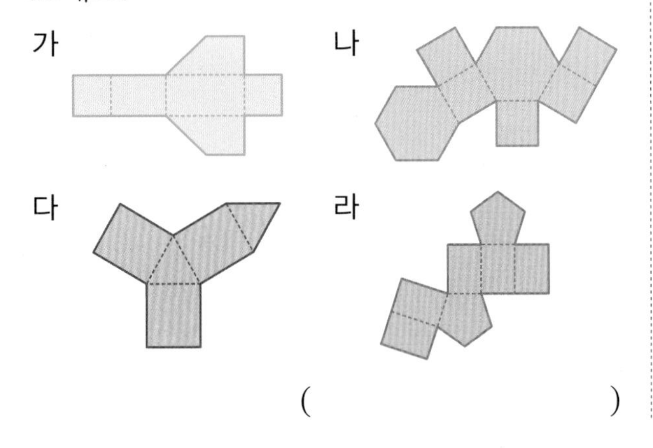

( )

| 각기둥의 전개도 |

12 삼각기둥을 보고 전개도를 그린 것입니다. □ 안에 알맞은 수를 써넣으세요.
(중)

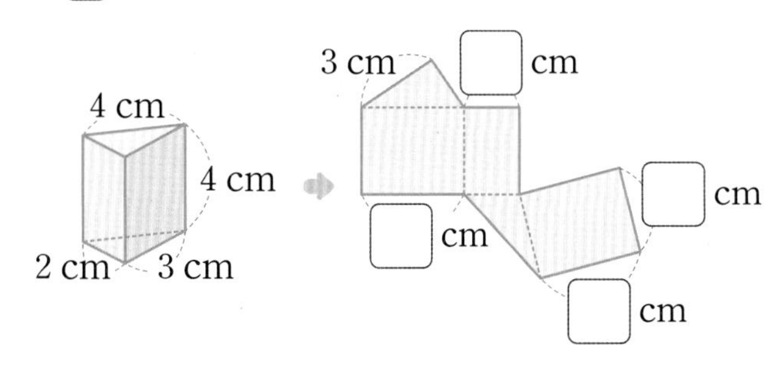

| 각기둥의 전개도 |

13 오른쪽 삼각기둥의 전개도를 완성하고, 다른 모양으로 한 가지 더 그려 보세요.
(중)

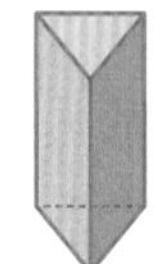

| 각기둥(2), 각뿔(2) |

14 입체도형을 보고 빈칸에 알맞은 수를 써넣으세요.
(중)

입체도형		
면의 수(개)		
모서리의 수(개)		
꼭짓점의 수(개)		

➔ 정답 및 풀이 223쪽

| 각기둥(2), 각뿔(2) | 서술형

15 (중) □ 안에 들어갈 수가 큰 것부터 차례로 기호를 쓰려고 합니다. 풀이 과정을 쓰고, 답을 구해 보세요.

> ㉠ 사각기둥은 모서리가 □개입니다.
> ㉡ 육각뿔은 꼭짓점이 □개입니다.
> ㉢ 칠각기둥은 면이 □개입니다.

풀이

답 ....

| 각뿔(2) |

16 (중) 밑면의 모양이 오른쪽과 같은 각뿔이 있습니다. 이 각뿔의 면은 몇 개인가요?

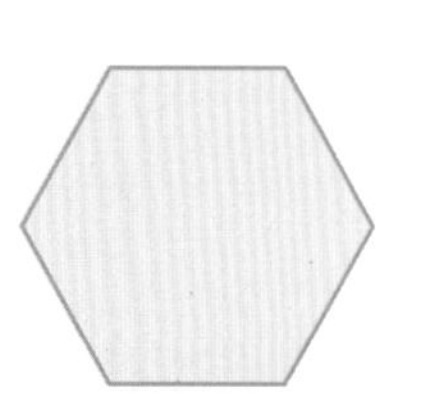

(　　　　　　　　)

| 각기둥(2) |

17 (중) 오른쪽 각기둥의 모든 모서리의 길이의 합은 56 cm입니다. 이 각기둥의 높이는 몇 cm인가요?

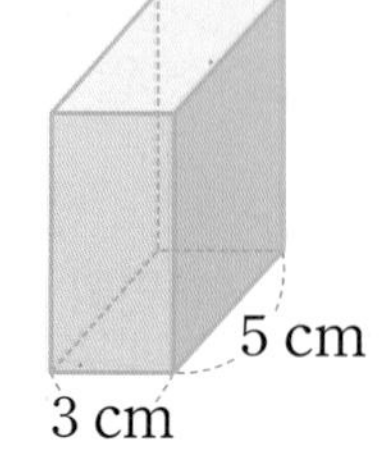

(　　　　　　　　)

| 각기둥(2) |

18 (상) 조건을 모두 만족하는 각기둥의 이름은 무엇인가요?

> • 면이 12개입니다.
> • 꼭짓점이 20개입니다.
> • 모서리가 30개입니다.

(　　　　　　　　)

| 각기둥의 전개도 | 서술형

19 (상) 밑면이 정오각형인 각기둥의 전개도입니다. 직사각형 ㄱㄴㄷㄹ의 넓이가 270 cm^2일 때, 이 각기둥의 높이는 몇 cm인지 풀이 과정을 쓰고, 답을 구해 보세요.

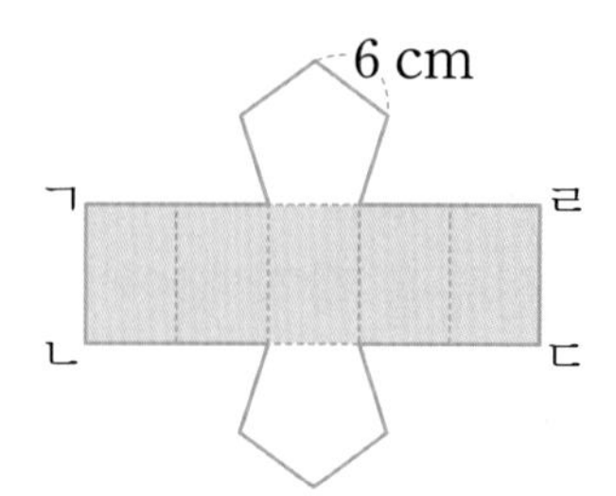

풀이

답 ....

| 각뿔(2) |

20 (상) 오른쪽 정삼각형 4개로 이루어진 입체도형의 모든 모서리의 길이의 합은 몇 cm인가요?

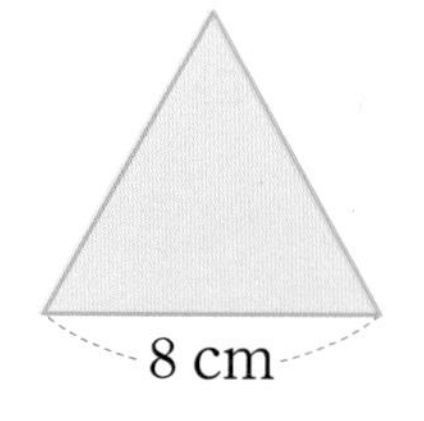

(　　　　　　　　)

재미있는 수학 이야기

세계의 건축물

탁 탁…

세계에는 다양한 모양의 건축물이 있어.
맞아, 우리 한번 찾아보자.

산조반니 세례당

이것 봐, 피렌체에 있는 산조반니 세례당이야. 피렌체에 현존하는 종교 건물로는 제일 오래된 건물로 팔각기둥 모양의 건물에 팔각뿔의 쿠폴라(cupola, 건물의 돔과 같은 양식의 천장)가 올려진 건축물이야.

멋진 건축물인걸~.

미국 펜타곤

나는 펜타곤을 찾았어. 펜타곤은 미국 국방부 청사의 명칭이자 국방부 자체를 일컫는 별명으로 오각형으로 생겨서 펜타곤으로 부른대. 처음에 지어졌을 땐 세계에서 가장 거대한 관공서 건물이었다고 해.
다른 건축물도 더 찾아보자.

3 소수의 나눗셈

이전에 배운 내용	이번에 배울 내용	다음에 배울 내용
4-1 3. 곱셈과 나눗셈 • (세 자리 수)÷(두 자리 수) 5-2 1. 수의 범위와 어림하기 • 반올림 5-2 4. 소수의 곱셈 • (소수)×(소수) 계산하기 6-1 1. 분수의 나눗셈 • (분수)÷(자연수) 계산하기	• (소수)÷(자연수)의 계산 원리 알아보고 몫 구하기 • (소수)÷(자연수)의 세로 계산 방법을 이해하고 계산하기 • (자연수)÷(자연수)의 몫을 소수로 나타내기 • (자연수)÷(자연수)의 몫을 반올림하여 나타내기	6-1 4. 비와 비율 • 비율을 소수로 나타내기 6-2 3. 소수의 나눗셈 • (소수)÷(소수)의 계산 원리를 알아보고 몫 구하기 • (소수)÷(소수)의 세로 계산 방법을 이해하고 계산하기

- 서은이와 민유가 생활 속에서 소수의 나눗셈 상황을 찾아 해결해 보려고 합니다.
- 롤케이크, 물을 똑같이 나누어 담으면 나눈 하나는 얼마나 되는지 궁금해하고 있습니다.

그림 속 상황

공부할 준비가 되었나요?

자/기/주/도/학/습

	학습 내용	계획 및 확인(공부한 날)	
예습	1차시 | 단원 도입 / 준비 팡팡	66~69쪽	월 일
진도	2차시 | 1 (소수)÷(자연수) 알아보기(1)	70~71쪽	월 일
	3차시 | 2 (소수)÷(자연수) 알아보기(2)	72~73쪽	월 일
	4차시 | 3 (소수)÷(자연수)의 계산(1)	74~77쪽	월 일
	5차시 | 4 (소수)÷(자연수)의 계산(2)	78~81쪽	월 일
	6차시 | 5 (소수)÷(자연수)의 계산(3)	82~85쪽	월 일
	7차시 | 6 (소수)÷(자연수)의 계산(4)	86~87쪽	월 일
	8~9차시 | 7 (자연수)÷(자연수)의 몫을 소수로 나타내기	88~91쪽	월 일
	10차시 | 문제 해결력 쑥쑥	92~93쪽	월 일
	11차시 | 단원 마무리 척척	94~95쪽	월 일
	12차시 | 놀이 속으로 풍덩	96~97쪽	월 일
평가	개념+확인 / 서술형 문제 해결하기	98~101쪽	월 일
	단원 평가 / 재미있는 수학 이야기	102~105쪽	월 일

1차시 준비 팡팡

학습 목표

'무엇을 알고 있나요'와 '함께 생각해 볼까요'를 통하여 단원을 준비할 수 있습니다.

나눗셈에서 몫과 나머지 구하기

- $81 \div 3 = 27$
- $96 \div 4 = 24$
- $80 \div 7 = 11 \cdots 3$
- $412 \div 2 = 206$
- $345 \div 15 = 23$
- $193 \div 12 = 16 \cdots 1$

자연수와 소수의 곱셈에서 곱의 소수점 위치

- 소수에 10, 100을 곱하면 곱의 소수점이 오른쪽으로 한 칸씩 옮겨집니다.
- 자연수에 $\frac{1}{10}$, $\frac{1}{100}$을 곱하면 곱의 소수점이 왼쪽으로 한 칸씩 옮겨집니다.

분수를 소수로, 소수를 분수로 나타내기

- $\frac{6}{25} = \frac{6 \times 4}{25 \times 4} = \frac{24}{100} = 0.24$
- $\frac{9}{5} = \frac{9 \times 2}{5 \times 2} = \frac{18}{10} = 1.8$
- $3.7 = \frac{37}{10} = 3\frac{7}{10}$
- $0.83 = \frac{83}{100}$

준비 팡팡 수학익힘 31쪽

무엇을 알고 있나요

1 계산해 보세요.

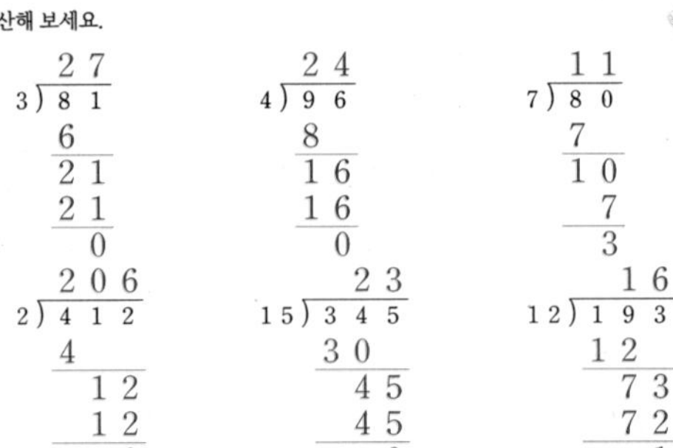
$81 \div 3 = 27$ (6, 21, 21, 0)
$96 \div 4 = 24$ (8, 16, 16, 0)
$80 \div 7 = 11 \cdots 3$ (7, 10, 7, 3)
$412 \div 2 = 206$ (4, 12, 12, 0)
$345 \div 15 = 23$ (30, 45, 45, 0)
$193 \div 12 = 16 \cdots 1$ (12, 73, 72, 1)

2 □ 안에 알맞은 자연수 또는 소수를 써넣으세요.

$2.18 \times 1 = \boxed{2.18}$ $423 \times 1 = \boxed{423}$

$2.18 \times 10 = \boxed{21.8}$ $423 \times \frac{1}{10} = \boxed{42.3}$

$2.18 \times 100 = \boxed{218}$ $423 \times \frac{1}{100} = \boxed{4.23}$

3 분수를 소수로, 소수를 분수로 나타내어 보세요.

$\frac{6}{25} = 0.24$ $\frac{9}{5} = 1.8$ $3.7 = 3\frac{7}{10}$ $0.83 = \frac{83}{100}$

58

교과서 개념 완성 | 배운 것을 다시 생각하기

213÷17의 몫과 나머지 구하기

$$\begin{array}{r} 12 \\ 17\overline{)213} \\ 170 \\ \hline 43 \\ 34 \\ \hline 9 \end{array} \quad \begin{array}{l} \leftarrow 10+2 \\ \\ \leftarrow 17 \times 10 \\ \leftarrow 213-170 \\ \leftarrow 17 \times 2 \\ \leftarrow 43-34 \end{array} \quad \rightarrow \quad \begin{array}{r} 12 \\ 17\overline{)213} \\ 17 \\ \hline 43 \\ 34 \\ \hline 9 \end{array}$$

$213 \div 17 = 12 \cdots 9$이므로 몫은 12, 나머지는 9입니다.

확인 $12 \times 17 = 204$, $204 + 9 = 213$

곱의 소수점 위치

- 소수에 1, 10, 100과 같이 곱하는 수의 0이 하나씩 늘어날 때마다 곱의 소수점이 오른쪽으로 한 자리씩 옮겨집니다.
- 자연수에 1, $\frac{1}{10}$, $\frac{1}{100}$, 즉 1, 0.1, 0.01과 같이 곱하는 소수의 소수점 아래 자리 수가 하나씩 늘어날 때마다 곱의 소수점이 왼쪽으로 한 자리씩 옮겨집니다.

어림하기

- 반올림: 구하려는 자리 바로 아래 자리의 숫자가 0, 1, 2, 3, 4이면 버리고, 5, 6, 7, 8, 9이면 올려서 나타내는 방법

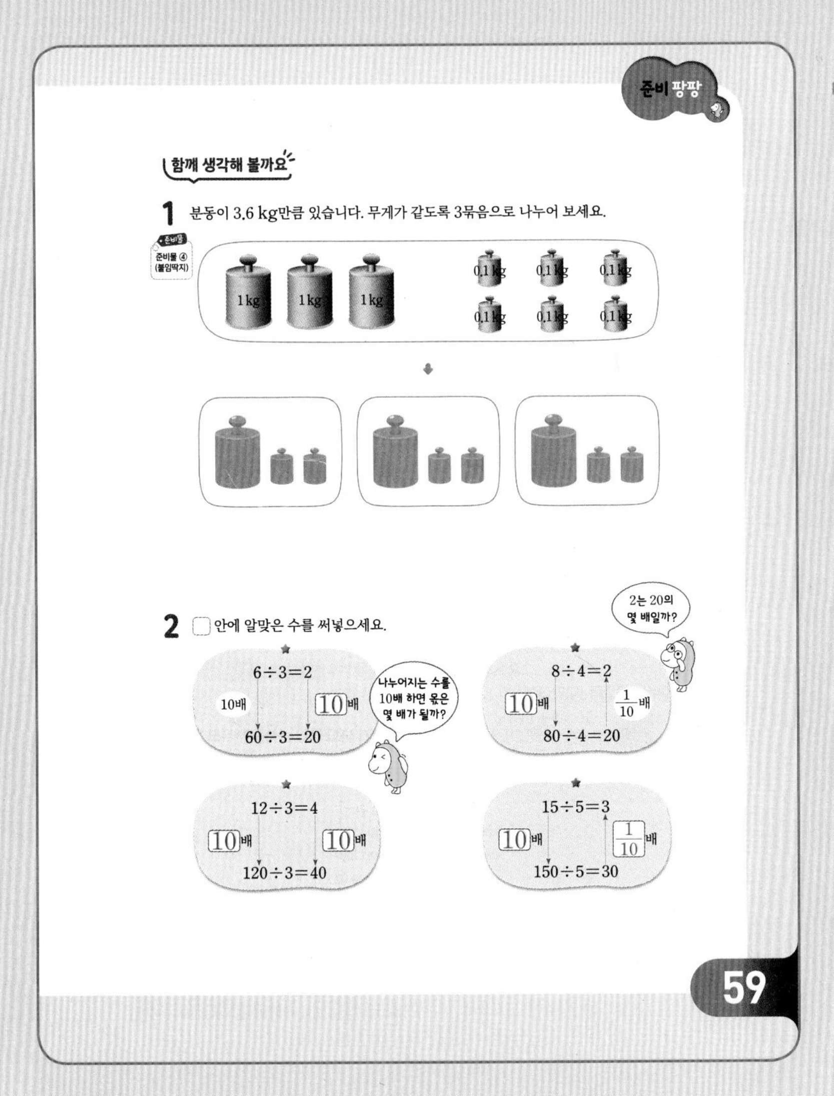

3.6 kg의 분동을 똑같이 3묶음으로 나누어 보기

- 3.6 kg은 1 kg짜리 분동 3개와 0.1 kg짜리 분동 6개이므로 1 kg짜리 분동 3개를 3묶음으로 똑같이 나누고, 0.1 kg짜리 분동 6개를 3묶음으로 똑같이 나누면 한 묶음에는 1 kg짜리 분동 1개와 0.1 kg짜리 분동 2개가 들어갑니다.

나눗셈에서 나누어지는 수와 몫의 관계 알아보기

- 나누어지는 수를 10배 하면 몫도 10배가 되므로 $6÷3=2$에서 $60÷3=20$입니다.
- 나누어지는 수를 10배 하면 몫도 10배가 되므로 $12÷3=4$에서 $120÷3=40$입니다.
- 나누어지는 수를 10배 하면 몫도 10배가 되므로 $8÷4=2$에서 $80÷4=20$입니다.
  이때, 2는 20의 $\frac{1}{10}$배입니다.
- 나누어지는 수를 10배 하면 몫도 10배가 되므로 $15÷5=3$에서 $150÷5=30$입니다.
  이때, 3은 30의 $\frac{1}{10}$배입니다.

개념 확인 문제

정답 및 풀이 225쪽

| 4-1 3. 곱셈과 나눗셈 |

1 계산해 보세요.

(1) $30\overline{)2\ 7\ 0}$ (2) $23\overline{)4\ 0\ 5}$

| 4-1 3. 곱셈과 나눗셈 |

2 나눗셈의 몫의 크기를 비교하여 ◯ 안에 >, =, <를 알맞게 써넣으세요.

$149÷16$ ◯ $173÷20$

| 5-2 1. 수의 범위와 어림하기 |

3 소수를 반올림하여 주어진 자리까지 나타내어 보세요.

소수	소수 첫째 자리까지	소수 둘째 자리까지
4.725		

| 5-2 4. 소수의 곱셈 |

4 나타내는 수가 다른 것을 찾아 기호를 써 보세요.

㉠ 145.9의 $\frac{1}{10}$배 ㉡ 1459의 $\frac{1}{100}$배

㉢ 1.459의 10배 ㉣ 14.59의 100배

( )

2 차시 1 | (소수)÷(자연수) 알아보기(1)

학습 목표

자연수의 나눗셈을 이용하여 (소수)÷(자연수)의 계산 원리를 이해하고 계산할 수 있습니다.

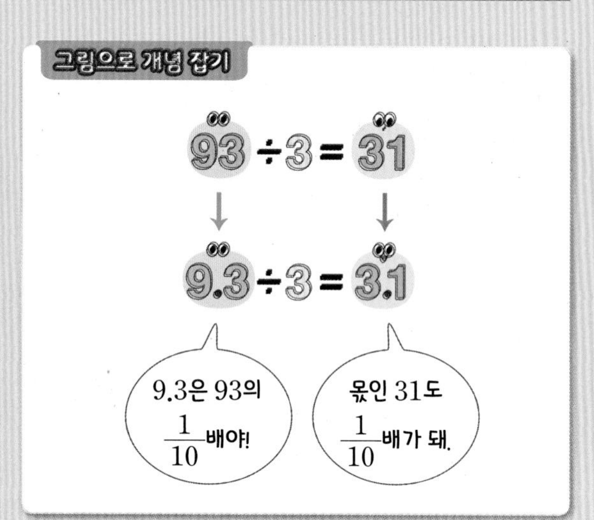

그림으로 개념 잡기
93÷3=31
9.3÷3=3.1
9.3은 93의 1/10 배야!
몫인 31도 1/10 배가 돼.

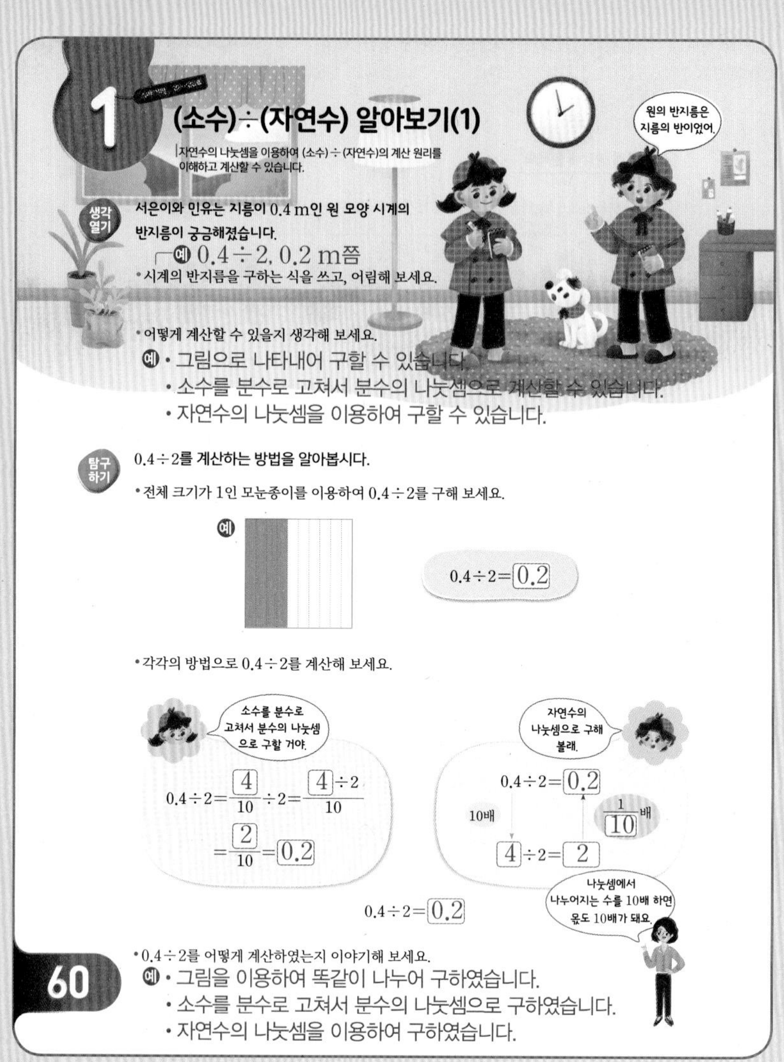

1 (소수)÷(자연수) 알아보기(1)
자연수의 나눗셈을 이용하여 (소수)÷(자연수)의 계산 원리를 이해하고 계산할 수 있습니다.
원의 반지름은 지름의 반이었어.
생각열기 서은이와 민유는 지름이 0.4 m인 원 모양 시계의 반지름이 궁금해졌습니다.
• 시계의 반지름을 구하는 식을 쓰고, 어림해 보세요.
예 0.4÷2, 0.2 m쯤
• 어떻게 계산할 수 있을지 생각해 보세요.
예 • 그림으로 나타내어 구할 수 있습니다.
• 소수를 분수로 고쳐서 분수의 나눗셈으로 계산할 수 있습니다.
• 자연수의 나눗셈을 이용하여 구할 수 있습니다.
탐구하기 0.4÷2를 계산하는 방법을 알아봅시다.
• 전체 크기가 1인 모눈종이를 이용하여 0.4÷2를 구해 보세요.
0.4÷2=0.2
• 각각의 방법으로 0.4÷2를 계산해 보세요.
소수를 분수로 고쳐서 분수의 나눗셈으로 구할 거야.
0.4÷2=4/10÷2=4÷2/10=2/10=0.2
자연수의 나눗셈으로 구해 볼래.
0.4÷2=0.2
10배
1/10배
4÷2=2
나눗셈에서 나누어지는 수를 10배 하면 몫도 10배가 돼요.
0.4÷2=0.2
• 0.4÷2를 어떻게 계산하였는지 이야기해 보세요.
예 • 그림을 이용하여 똑같이 나누어 구하였습니다.
• 소수를 분수로 고쳐서 분수의 나눗셈으로 구하였습니다.
• 자연수의 나눗셈을 이용하여 구하였습니다.
60

교과서 개념 완성

생각 열기 상황을 식으로 나타내어 어림해 보고, 구하는 방법 생각하기

• 원 모양의 시계의 지름은 0.4 m이므로 반지름을 구하는 식을 써 보면 0.4÷2입니다.

• 0.4는 0.1이 4개인 수이므로 0.4÷2는 0.1이 2개인 수인 0.2로 어림할 수 있습니다.

탐구하기 0.4÷2를 계산하는 방법 탐구하기

• 전체 크기가 1인 모눈종이에 0.4만큼 색칠하고 색칠한 부분을 2부분으로 똑같이 나누면 한 부분은 0.2입니다.

• 0.4÷2를 계산하는 방법

소수를 분수로 고쳐서 분수의 나눗셈으로 계산하였습니다.

➜ $0.4\div 2=\frac{4}{10}\div 2=\frac{4\div 2}{10}=\frac{2}{10}=0.2$

자연수의 나눗셈으로 계산하였습니다.

➜ 4÷2=2에서 나누어지는 수 4는 0.4의 10배이므로 0.4÷2의 몫은 4÷2의 몫의 $\frac{1}{10}$배인 0.2입니다.

따라서 0.4÷2=0.2입니다.

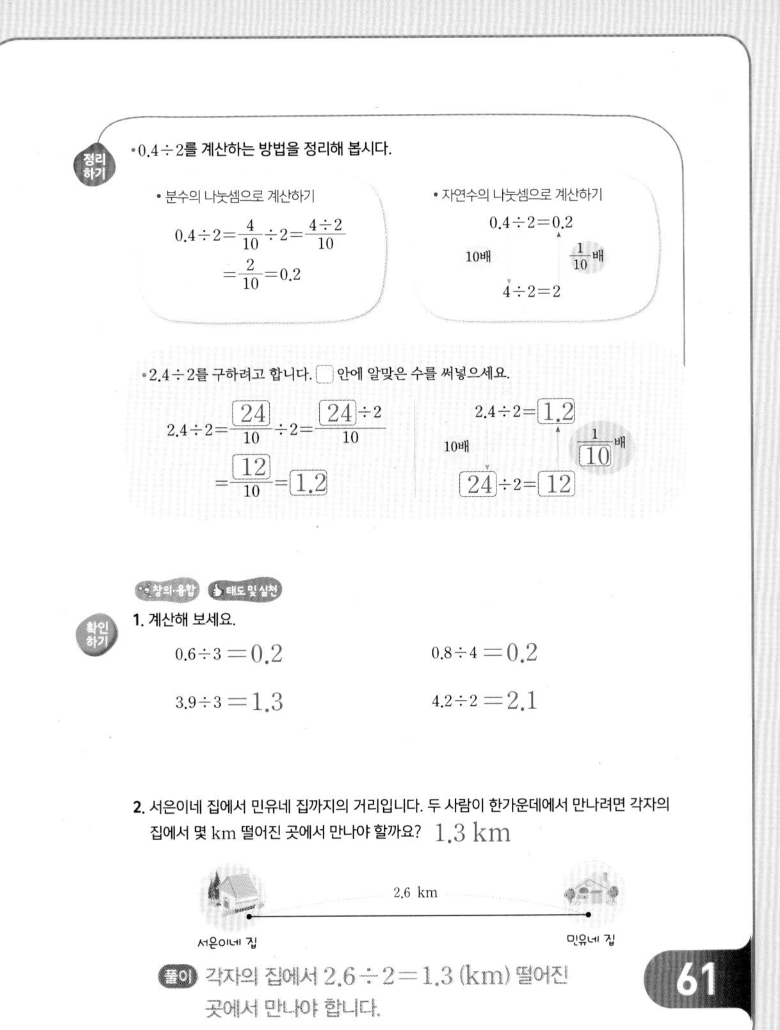

이런 문제가 서술형으로 나와요

민서가 1.1 L짜리 주스를 사서 0.3 L를 마셨습니다. 민서가 마시고 남은 주스를 아버지와 어머니께서 똑같이 나누어 마실 때, 어머니가 마실 주스의 양은 몇 L인지 풀이 과정을 쓰고, 답을 구해 보세요.

| 풀이 과정 |

❶ 민서가 마시고 남은 주스의 양 구하기

$1.1-0.3=0.8$ (L)

❷ 어머니가 마실 주스의 양 구하기

0.8 L를 어머니와 아버지 2명이 똑같이 나누어 마시는 것이므로 $0.8\div2=0.4$ (L)입니다.

답 0.4 L

수학 교과 역량 

여러 가지 방법으로 나눗셈을 해 보면서 창의·융합 능력을 기를 수 있고, 계산 방법을 이야기해 보는 활동을 통하여 다양한 의견을 수용하고 협력하는 수학적 태도를 기를 수 있습니다.

개념 확인 문제

정답 및 풀이 225쪽

1 $6.3\div3$을 2가지 방법으로 계산해 보세요.

(1) 분수의 나눗셈으로 계산하기

(2) 자연수의 나눗셈으로 계산하기

2 빈칸에 알맞은 수를 써넣으세요.

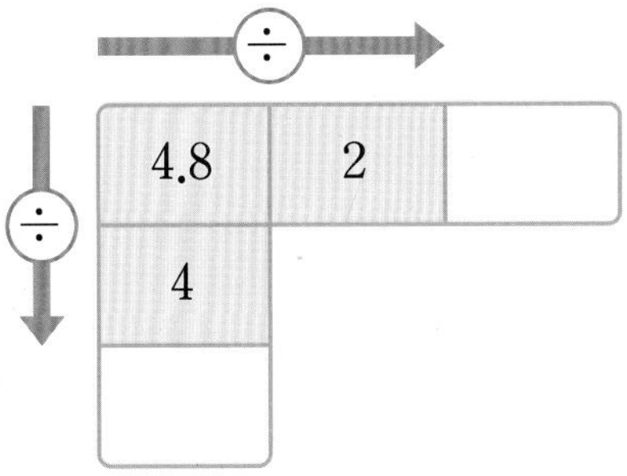

÷ →		
4.8	2	
4		

3 쌀 5.5 kg을 5병에 똑같이 나누어 담으려고 합니다. 한 병에 담을 쌀의 양은 몇 kg인지 식을 쓰고 답을 구해 보세요.

식

답 

3차시 2 | (소수)÷(자연수) 알아보기(2)

학습 목표

자연수의 나눗셈을 이용하여 (소수)÷(자연수)의 계산 원리를 이해하고 계산할 수 있습니다.

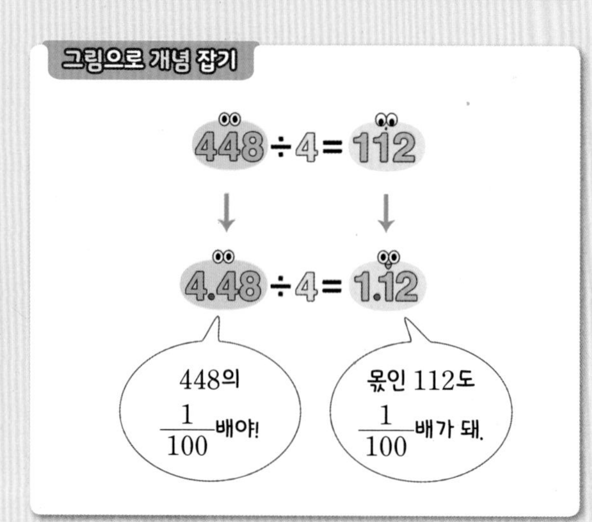

그림으로 개념 잡기
448÷4=112
4.48÷4=1.12
448의 1/100배야!
몫인 112도 1/100배가 돼.

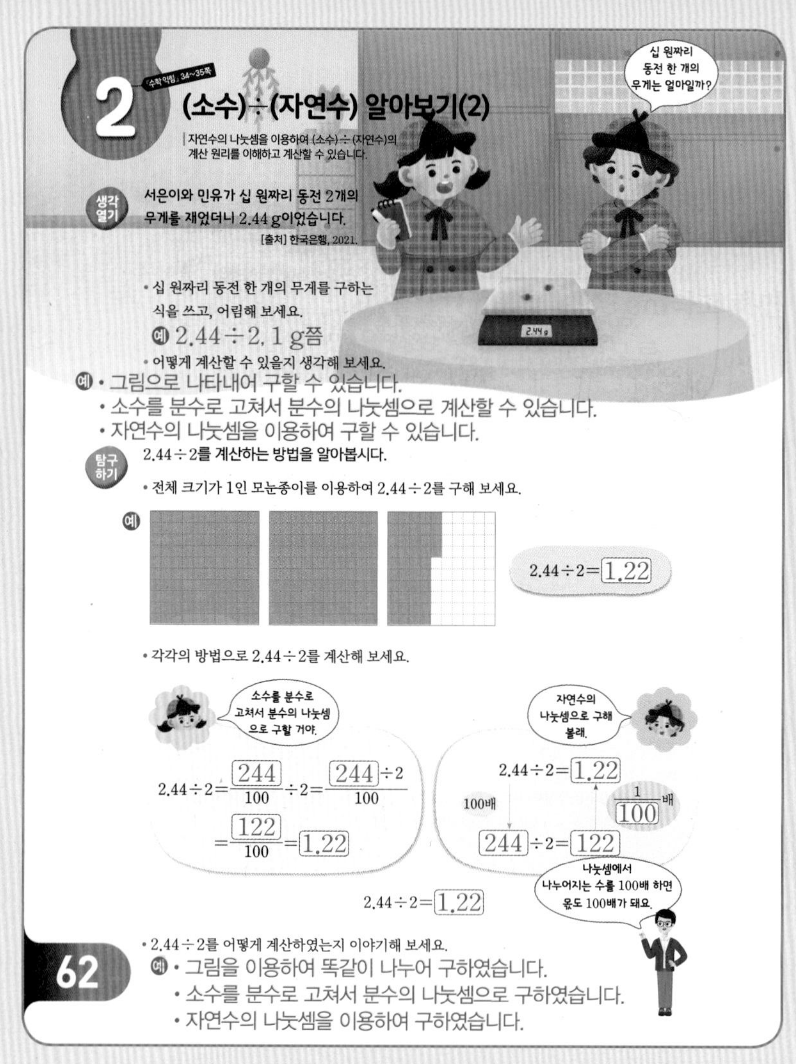

2 (소수)÷(자연수) 알아보기(2)
자연수의 나눗셈을 이용하여 (소수)÷(자연수)의 계산 원리를 이해하고 계산할 수 있습니다.
십 원짜리 동전 한 개의 무게는 얼마일까?
생각열기 서은이와 민유가 십 원짜리 동전 2개의 무게를 재었더니 2.44 g이었습니다.
[출처] 한국은행, 2021.
• 십 원짜리 동전 한 개의 무게를 구하는 식을 쓰고, 어림해 보세요.
예 2.44÷2, 1 g쯤
• 어떻게 계산할 수 있을지 생각해 보세요.
예 • 그림으로 나타내어 구할 수 있습니다.
• 소수를 분수로 고쳐서 분수의 나눗셈으로 계산할 수 있습니다.
• 자연수의 나눗셈을 이용하여 구할 수 있습니다.
탐구하기 2.44÷2를 계산하는 방법을 알아봅시다.
• 전체 크기가 1인 모눈종이를 이용하여 2.44÷2를 구해 보세요.
2.44÷2=1.22
• 각각의 방법으로 2.44÷2를 계산해 보세요.
소수를 분수로 고쳐서 분수의 나눗셈으로 구할 거야.
2.44÷2=244/100÷2=(244÷2)/100=122/100=1.22
자연수의 나눗셈으로 구해 볼래.
2.44÷2=1.22
100배 1/100배
244÷2=122
나눗셈에서 나누어지는 수를 100배 하면 몫도 100배가 돼요.
2.44÷2=1.22
• 2.44÷2를 어떻게 계산하였는지 이야기해 보세요.
예 • 그림을 이용하여 똑같이 나누어 구하였습니다.
• 소수를 분수로 고쳐서 분수의 나눗셈으로 구하였습니다.
• 자연수의 나눗셈을 이용하여 구하였습니다.
62

교과서 개념 완성

생각열기 상황을 식으로 나타내어 어림해 보고, 구하는 방법 생각하기

- 십 원짜리 동전 2개의 무게는 2.44 g이므로 동전 한 개의 무게를 구하는 식을 써 보면 2.44÷2입니다.
- 2.44는 2보다 크므로 십 원짜리 동전 한 개의 무게는 1 g보다 더 무거울 것 같습니다.

탐구하기 2.44÷2를 계산하는 방법 탐구하기

- 전체 크기가 1인 모눈종이에 2.44만큼 색칠하고 색칠한 부분을 2부분으로 똑같이 나누면 한 부분은 1.22입니다.

- 2.44÷2를 계산하는 방법

소수를 분수로 고쳐서 분수의 나눗셈으로 계산하였습니다.

➜ $2.44\div2=\frac{244}{100}\div2=\frac{244\div2}{100}=\frac{122}{100}=1.22$

자연수의 나눗셈으로 계산하였습니다.

➜ 244÷2=122에서 나누어지는 수 244는 2.44의 100배이므로 2.44÷2의 몫은 244÷2의 몫의 $\frac{1}{100}$배인 1.22입니다.

따라서 2.44÷2=1.22입니다.

정리하기

• 2.44÷2를 계산하는 방법을 정리해 봅시다.

• 분수의 나눗셈으로 계산하기

$2.44\div2=\frac{244}{100}\div2=\frac{244\div2}{100}=\frac{122}{100}=1.22$

• 자연수의 나눗셈으로 계산하기

$2.44\div2=1.22$

100배 ↓ ↑ $\frac{1}{100}$배

$244\div2=122$

• 0.36÷3을 구하려고 합니다. □ 안에 알맞은 수를 써넣으세요.

$0.36\div3=\frac{\boxed{36}}{100}\div3=\frac{\boxed{36}\div3}{100}=\frac{\boxed{12}}{100}=\boxed{0.12}$

$0.36\div3=\boxed{0.12}$

100배 ↓ ↑ $\frac{1}{\boxed{100}}$배

$\boxed{36}\div3=\boxed{12}$

1. 계산해 보세요.

$6.42\div2=3.21$ $0.24\div2=0.12$

$8.48\div4=2.12$ $0.93\div3=0.31$

2. 길이가 0.48 m인 철사를 모두 사용하여 정사각형 한 개를 만들려고 합니다. 만들려고 하는 정사각형의 한 변의 길이는 몇 m일까요?

[풀이] 예 정사각형은 네 변의 길이가 모두 같습니다. 따라서 만들려고 하는 정사각형의 한 변의 길이는 $0.48\div4=0.12$ (m)입니다.

[답] 0.12 m

63

이런 문제가 서술형으로 나와요

똑같은 시계 3개의 무게는 0.96 kg이고, 똑같은 액자 4개의 무게는 0.88 kg입니다. 시계와 액자 중 한 개의 무게가 더 무거운 것은 어느 것인지 풀이 과정을 쓰고, 답을 구해 보세요.

| 풀이 과정 |

❶ 시계 한 개의 무게

$0.96\div3=0.32$ (kg)

❷ 액자 한 개의 무게

$0.88\div4=0.22$ (kg)

❸ 한 개의 무게가 더 무거운 물건 구하기

$0.32>0.22$이므로 시계 한 개의 무게가 더 무겁습니다.

답 시계

수학 교과 역량 

실생활 문제를 소수의 나눗셈을 이용하여 해결해 보면서 문제 해결 능력을 기를 수 있습니다.

개념 확인 문제

정답 및 풀이 225쪽

1 4.28÷2를 2가지 방법으로 계산해 보세요.

(1) 분수의 나눗셈으로 계산하기

(2) 자연수의 나눗셈으로 계산하기

2 빈 곳에 알맞은 수를 써넣으세요.

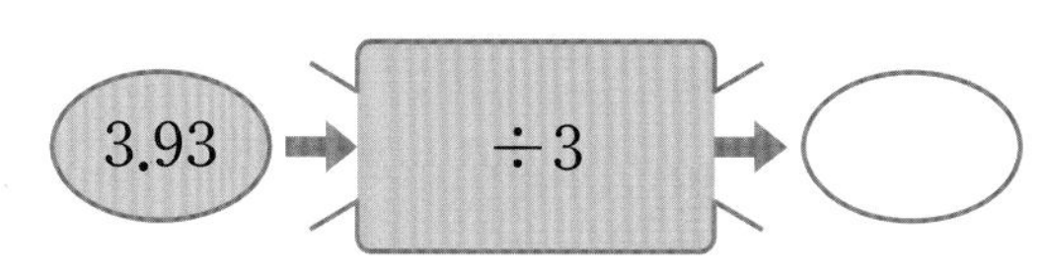

3 길이가 4.88 m인 나무토막을 4도막으로 똑같이 나누어 자르려고 합니다. 자른 나무토막 한 도막의 길이는 몇 m인지 식을 쓰고 답을 구해 보세요.

답

3 | (소수)÷(자연수)의 계산(1)

학습 목표

내림이 있는 (소수)÷(자연수)의 계산 결과를 어림하고, 계산 원리를 이해하여 계산할 수 있습니다.

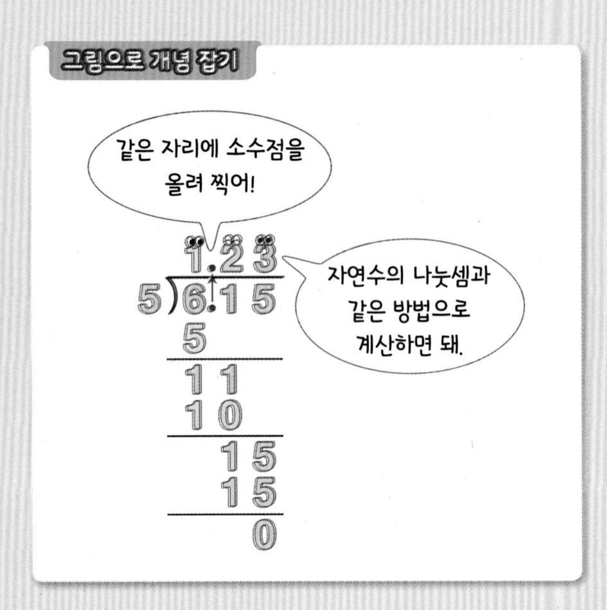

그림으로 개념 잡기
같은 자리에 소수점을 올려 찍어!
자연수의 나눗셈과 같은 방법으로 계산하면 돼.
1.23
5)6.15
5
11
10
15
15
0

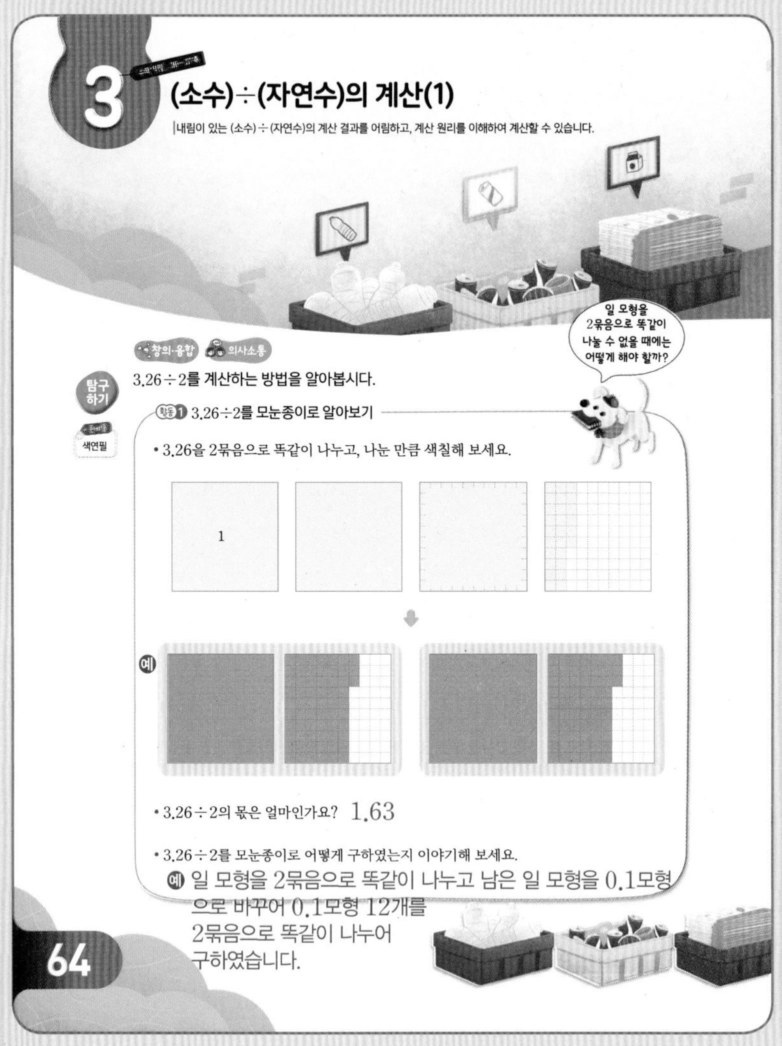

3
(소수)÷(자연수)의 계산(1)
내림이 있는 (소수)÷(자연수)의 계산 결과를 어림하고, 계산 원리를 이해하여 계산할 수 있습니다.
일 모형을 2묶음으로 똑같이 나눌 수 없을 때에는 어떻게 해야 할까?
창의·융합 의사소통
탐구하기
색연필
3.26÷2를 계산하는 방법을 알아봅시다.
활동 1 3.26÷2를 모눈종이로 알아보기
• 3.26을 2묶음으로 똑같이 나누고, 나눈 만큼 색칠해 보세요.
1
예
• 3.26÷2의 몫은 얼마인가요? 1.63
• 3.26÷2를 모눈종이로 어떻게 구하였는지 이야기해 보세요.
예 일 모형을 2묶음으로 똑같이 나누고 남은 일 모형을 0.1모형으로 바꾸어 0.1모형 12개를 2묶음으로 똑같이 나누어 구하였습니다.
64

교과서 개념 완성

탐구하기 3.26÷2를 계산하는 방법 탐구하기

활동 1 3.26÷2를 모눈종이로 알아보기

- 일 모형 3개를 2묶음으로 똑같이 나누면 한 묶음에 일 모형을 1개씩 색칠합니다. 이때 일 모형 1개가 남습니다.
- 남은 일 모형 1개를 0.1모형으로 바꾸어 0.1모형 12개를 2묶음으로 똑같이 나누면 한 묶음에 0.1모형을 6개씩 색칠합니다.
- 0.01모형 6개를 2묶음으로 똑같이 나누면 한 묶음에 0.01모형을 3개씩 색칠합니다.

활동 2 3.26÷2를 나눗셈식으로 알아보기

- 일 모형 3개를 2묶음으로 똑같이 나누면 한 묶음에 일 모형이 1개씩이고, 1개가 남습니다.
  ➜ 몫의 일의 자리에 1을 씁니다.
- 남은 일 모형 1개는 0.1모형 10개와 같으므로 0.1모형은 모두 12개입니다. 0.1모형 12개를 2묶음으로 똑같이 나누면 한 묶음에 0.1모형이 6개씩입니다.
  ➜ 몫의 소수 첫째 자리에 6을 씁니다.
- 0.01모형 6개를 2묶음으로 똑같이 나누면 한 묶음에 0.01모형이 3개씩입니다.
  ➜ 몫의 소수 둘째 자리에 3을 씁니다.
- 3.26÷2=1.63입니다.

수학 익힘 36~37쪽 수학 64~67쪽 공부한 날 월 일

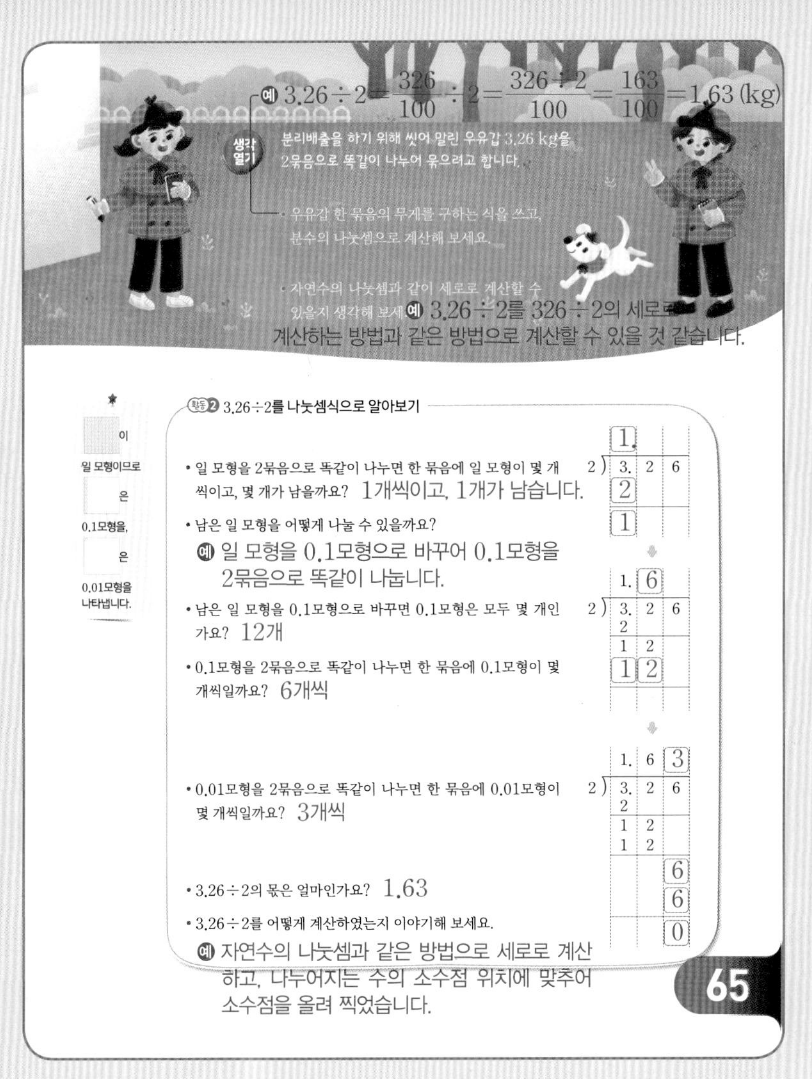

이런 문제가 서술형으로 나와요

가로 5 m, 세로 3 m인 직사각형 모양의 담장을 페인트 17.25 L를 사용하여 칠하였습니다. 담장 1 m^2를 칠하는 데 사용한 페인트의 양은 몇 L인지 풀이 과정을 쓰고, 답을 구해 보세요.

| 풀이 과정 |

❶ 담장의 넓이 구하기

직사각형 모양의 담장의 넓이는
$5\times3=15$ (m^2)입니다.

❷ 담장 1 m^2를 칠하는 데 사용한 페인트의 양 구하기

$17.25\div15=1.15$ (L)

답 1.15 L

수학 교과 역량 

- 소수의 나눗셈의 계산 원리를 이해하고 여러 가지 방법으로 계산해 보면서 창의·융합 능력을 기를 수 있습니다.
- (소수)÷(자연수)의 계산 방법을 (자연수)÷(자연수)의 계산 방법과 비교하여 설명해 보는 과정을 통하여 의사소통 능력을 기를 수 있습니다.

개념 확인 문제

정답 및 풀이 225쪽

1 □ 안에 알맞은 수를 써넣으세요.

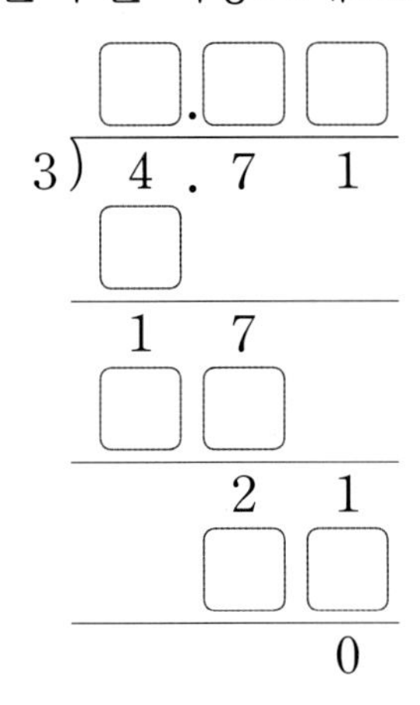

2 빈 곳에 큰 수를 작은 수로 나눈 몫을 써넣으세요.

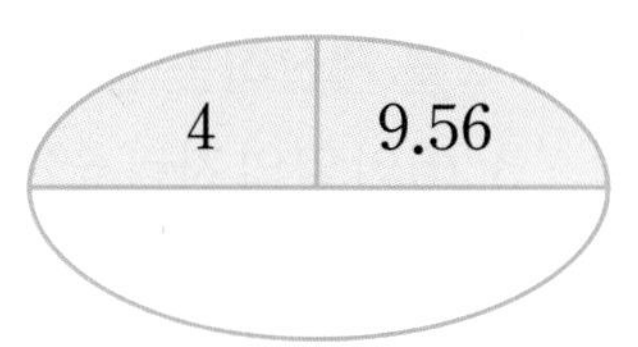

3 똑같은 책가방 7개의 무게는 8.61 kg입니다. 책가방 한 개의 무게는 몇 kg인지 식을 쓰고 답을 구해 보세요.

식

답

8.25÷3의 계산

```
      2.
3 ) 8. 2 5
    6
    2
```

8.25의 일의 자리 숫자 8을 3으로 나누어 몫의 일의 자리에 2를 씁니다. 이때, 2가 남습니다. 몫의 소수점은 나누어지는 수의 소수점을 올려 찍습니다.

➜

```
      2. 7
3 ) 8. 2 5
    6
    2  2
    2  1
       1
```

일의 자리 계산에서 남은 2를 0.1로 바꾸어 0.1이 22개인 수를 3으로 나누어 몫의 소수 첫째 자리에 7을 씁니다. 이때, 0.1이 남습니다.

➜

```
      2. 7 5
3 ) 8. 2 5
    6
    2  2
    2  1
       1 5
       1 5
         0
```

소수 첫째 자리 계산에서 남은 0.1을 0.01로 바꾸어 0.01이 15개인 수를 3으로 나누어 몫의 소수 둘째 자리에 5를 씁니다.

➜ 8.25÷3=2.75

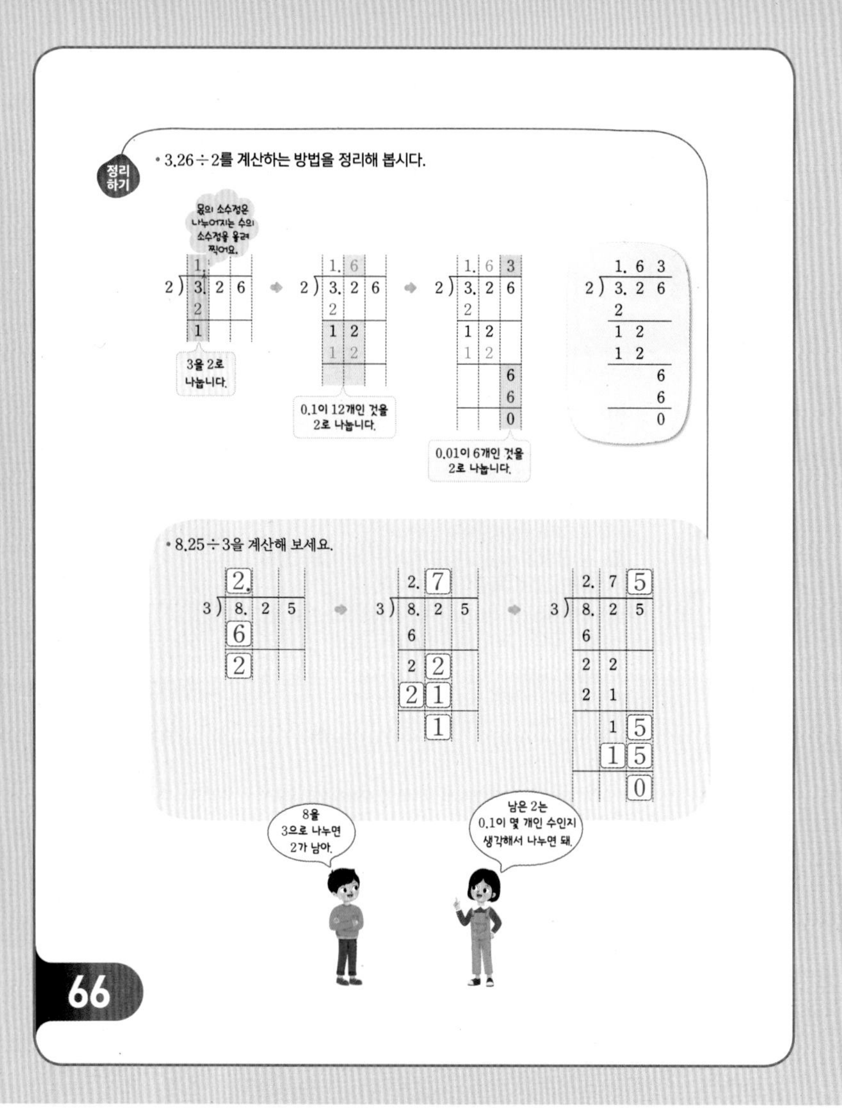

교과서 개념 완성

정리하기 **3.26÷2를 계산하는 방법 정리하기**

```
      1.
2 ) 3. 2 6
    2
    1
```

3.26의 일의 자리 숫자 3을 2로 나누어 몫의 일의 자리에 1을 씁니다. 이때, 1이 남습니다. 몫의 소수점은 나누어지는 수의 소수점을 올려 찍습니다.

➜

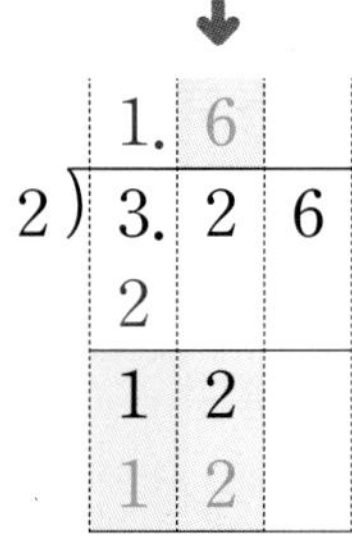

일의 자리 계산에서 남은 1을 0.1로 바꾸어 0.1이 12개인 수를 2로 나누어 몫의 소수 첫째 자리에 6을 씁니다.

➜

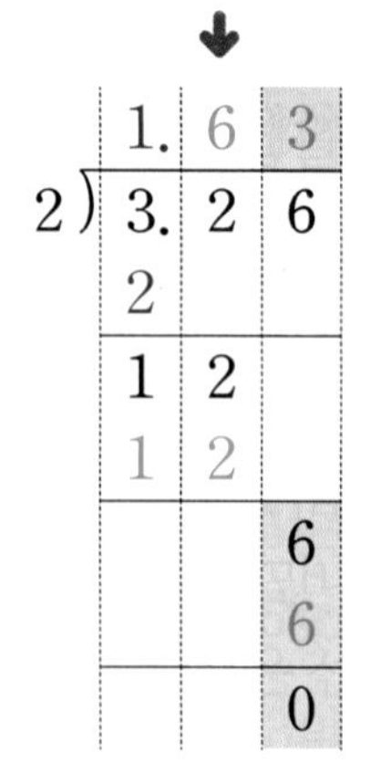

소수 둘째 자리 계산에서 0.01이 6개인 수를 2로 나누어 몫의 소수 둘째 자리에 3을 씁니다.

➜ 3.26÷2=1.63

학부모 코칭 Tip

3.26÷2를 자연수의 나눗셈 326÷2를 이용하여 세로로 계산할 수 있음을 이해하게 합니다.

1. 계산해 보세요.

$3\overline{)7.2}$ = 2.4 (6, 12, 12, 0)

$4\overline{)6.84}$ = 1.71 (4, 28, 28, 4, 4, 0)

$8.55 \div 5 = 1.71$ ($5\overline{)8.55}$: 5, 35, 35, 5, 5, 0)

$9.84 \div 8 = 1.23$ ($8\overline{)9.84}$: 8, 18, 16, 24, 24, 0)

2. 감자 8.64 kg을 상자 6개에 똑같이 나누어 담으려고 합니다. 감자를 상자 한 개에 몇 kg씩 담아야 할까요?

식 $8.64 \div 6 = 1.44$ 답 1.44 kg

창의·융합

평행사변형의 넓이는 7.56 cm²입니다. 이 평행사변형의 밑변의 길이가 3 cm일 때, 높이를 소수로 구해 보세요. 2.52 cm

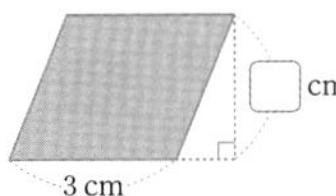

풀이 (평행사변형의 넓이)=(밑변의 길이)×(높이)
→ (높이)=(평행사변형의 넓이)÷(밑변의 길이)
$= 7.56 \div 3 = 2.52$ (cm)

이런 문제가 서술형으로 나와요

둘레가 6.84 m인 정육각형과 둘레가 6.25 m인 정오각형이 있습니다. 어느 도형의 한 변의 길이가 몇 m 더 긴지 풀이 과정을 쓰고, 답을 구해 보세요.

| 풀이 과정 |

❶ 정육각형의 한 변의 길이 구하기
$6.84 \div 6 = 1.14$ (m)

❷ 정오각형의 한 변의 길이 구하기
$6.25 \div 5 = 1.25$ (m)

❸ 어느 도형의 한 변의 길이가 몇 m 더 긴지 구하기
$1.14 < 1.25$이므로 정오각형의 한 변의 길이가 $1.25 - 1.14 = 0.11$ (m) 더 깁니다.

답 정오각형, 0.11 m

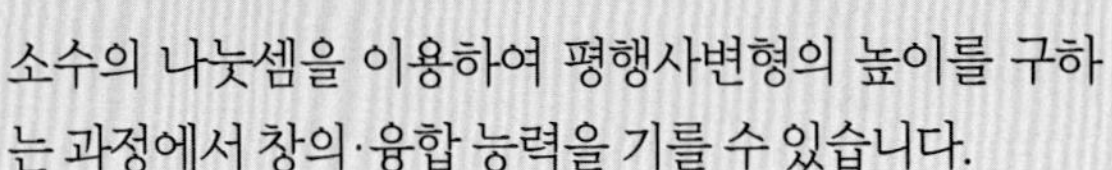

소수의 나눗셈을 이용하여 평행사변형의 높이를 구하는 과정에서 창의·융합 능력을 기를 수 있습니다.

개념 확인 문제

정답 및 풀이 226쪽

1 계산해 보세요.

(1) $7.65 \div 5$ (2) $11.16 \div 9$

2 빈칸에 알맞은 수를 써넣으세요.

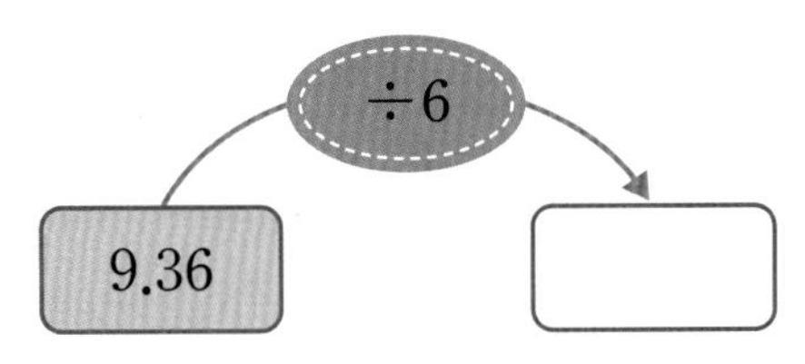

3 몫의 크기를 비교하여 ○ 안에 >, =, <를 알맞게 써넣으세요.

$4.14 \div 3$ ○ $9.52 \div 8$

4 정윤이네 가족이 2주일 동안 마신 우유의 양은 19.04 L입니다. 매일 같은 양의 우유를 마셨다면 하루에 마신 우유의 양은 몇 L인지 식을 쓰고 답을 구해 보세요.

5
차시

4 | (소수)÷(자연수)의 계산(2)

학습 목표

몫이 1보다 작고 내림이 있는 (소수)÷(자연수)의 계산 결과를 어림하고, 계산 원리를 이해하여 계산할 수 있습니다.

그림으로 개념 잡기

3을 7로 나눌 수 없으므로 몫의 일의 자리에 0을 써야 해.

$$\begin{array}{r} 0.49 \\ 7\overline{)3.43} \\ 2\,8 \\ \hline 63 \\ 63 \\ \hline 0 \end{array}$$

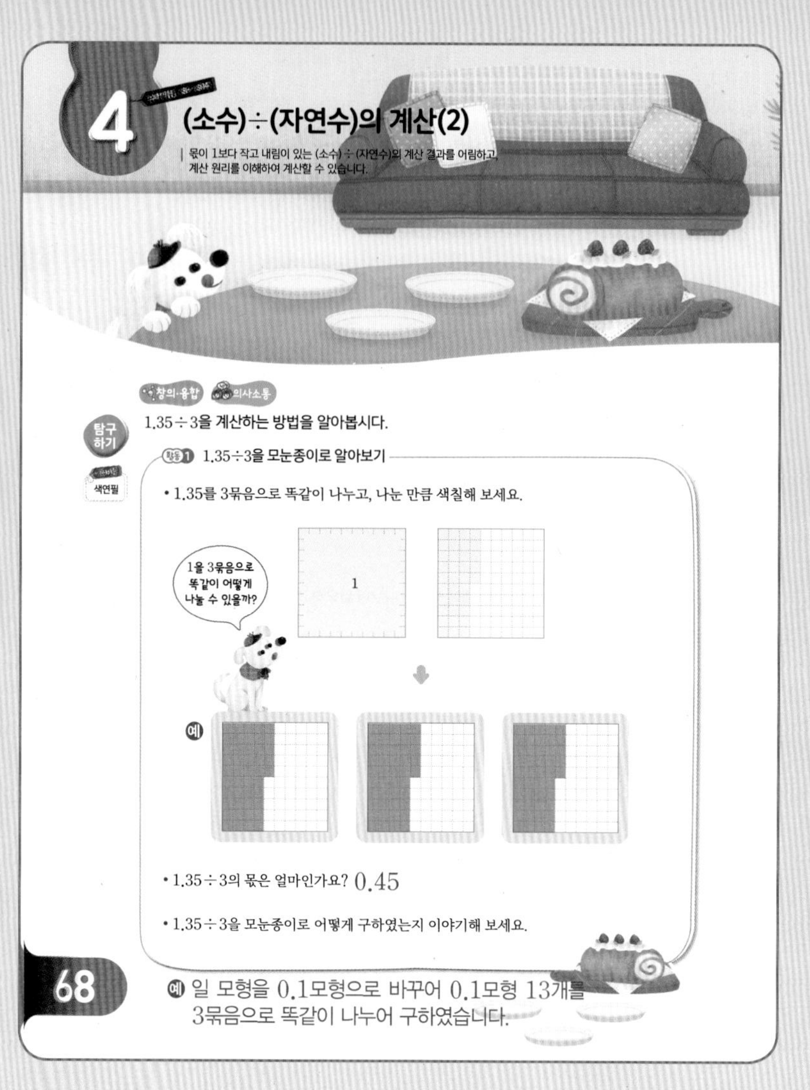
4
(소수)÷(자연수)의 계산(2)
몫이 1보다 작고 내림이 있는 (소수)÷(자연수)의 계산 결과를 어림하고, 계산 원리를 이해하여 계산할 수 있습니다.
창의·융합
의사소통
탐구하기
1.35÷3을 계산하는 방법을 알아봅시다.
활동1 1.35÷3을 모눈종이로 알아보기
색연필
• 1.35를 3묶음으로 똑같이 나누고, 나눈 만큼 색칠해 보세요.
1을 3묶음으로 똑같이 어떻게 나눌 수 있을까?
1
예
• 1.35÷3의 몫은 얼마인가요? 0.45
• 1.35÷3을 모눈종이로 어떻게 구하였는지 이야기해 보세요.
68
예 일 모형을 0.1모형으로 바꾸어 0.1모형 13개를 3묶음으로 똑같이 나누어 구하였습니다.

교과서 개념 완성

탐구하기 1.35÷3을 계산하는 방법 탐구하기

활동1 1.35÷3을 모눈종이로 알아보기

- 일 모형 1개를 3묶음으로 똑같이 나눌 수 없으므로 일 모형 1개를 0.1모형으로 바꾸어 0.1모형 13개를 3묶음으로 똑같이 나누면 한 묶음에 0.1모형을 4개씩 색칠합니다.
- 남은 0.1모형 1개를 0.01모형으로 바꾸어 0.01모형 15개를 3묶음으로 똑같이 나누면 한 묶음에 0.01모형을 5개씩 색칠합니다.
- 한 묶음에 0.1모형 4개, 0.01모형 5개씩 색칠합니다.

활동2 1.35÷3을 나눗셈식으로 알아보기

- 일 모형 1개를 3묶음으로 똑같이 나눌 수 없습니다.
  ➜ 몫의 일의 자리에 0을 씁니다.
- 일 모형을 0.1모형으로 바꾸면 0.1모형은 모두 13개이므로 3묶음으로 똑같이 나누면 한 묶음에 0.1모형이 4개씩이고, 1개가 남습니다.
  ➜ 몫의 소수 첫째 자리에 4를 씁니다.
- 남은 0.1모형을 0.01모형으로 바꾸면 0.01모형은 모두 15개이므로 3묶음으로 똑같이 나누면 한 묶음에 0.01모형이 5개씩입니다.
  ➜ 몫의 소수 둘째 자리에 5를 씁니다.
- 1.35÷3=0.45입니다.

공부한 날 월 일

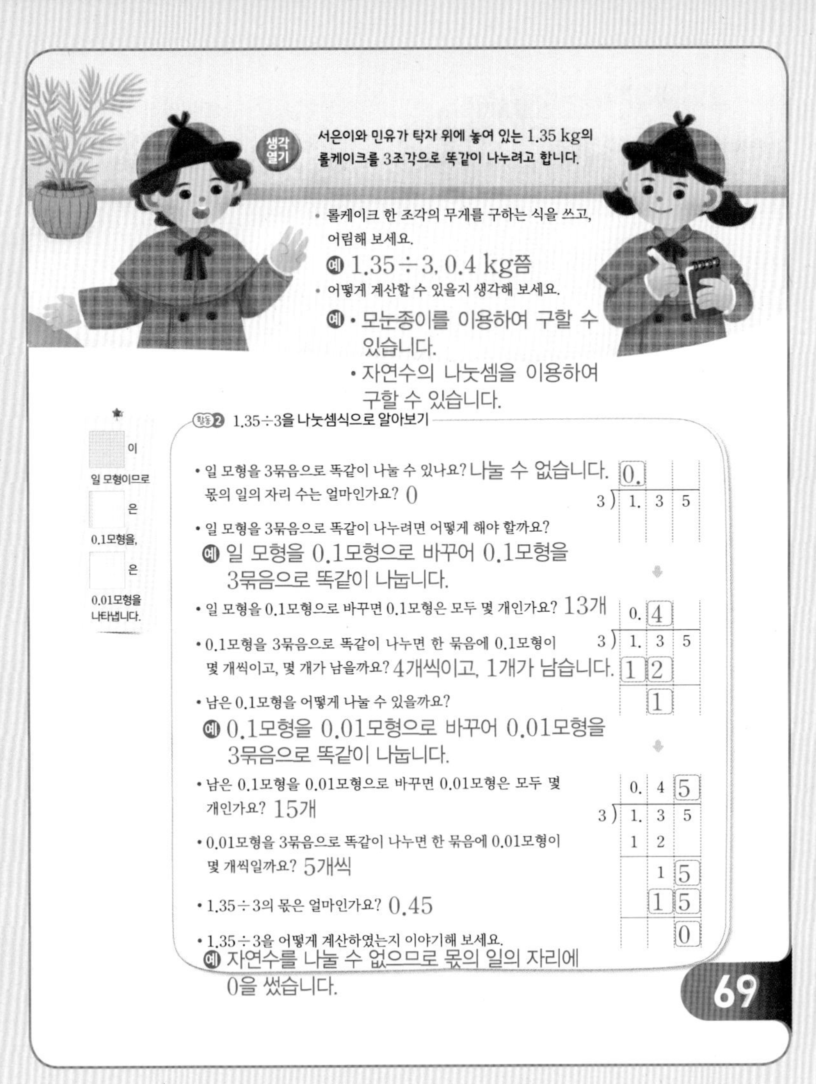
생각열기 서은이와 민유가 탁자 위에 놓여 있는 1.35 kg의 롤케이크를 3조각으로 똑같이 나누려고 합니다.

• 롤케이크 한 조각의 무게를 구하는 식을 쓰고, 어림해 보세요.
예 1.35÷3, 0.4 kg쯤
• 어떻게 계산할 수 있을지 생각해 보세요.
예 • 모눈종이를 이용하여 구할 수 있습니다.
• 자연수의 나눗셈을 이용하여 구할 수 있습니다.

활동 2 1.35÷3을 나눗셈식으로 알아보기

• 일 모형을 3묶음으로 똑같이 나눌 수 있나요? 나눌 수 없습니다.
몫의 일의 자리 수는 얼마인가요? 0
• 일 모형을 3묶음으로 똑같이 나누려면 어떻게 해야 할까요?
예 일 모형을 0.1모형으로 바꾸어 0.1모형을 3묶음으로 똑같이 나눕니다.
• 일 모형을 0.1모형으로 바꾸면 0.1모형은 모두 몇 개인가요? 13개
• 0.1모형을 3묶음으로 똑같이 나누면 한 묶음에 0.1모형이 몇 개씩이고, 몇 개가 남을까요? 4개씩이고, 1개가 남습니다.
• 남은 0.1모형을 어떻게 나눌 수 있을까요?
예 0.1모형을 0.01모형으로 바꾸어 0.01모형을 3묶음으로 똑같이 나눕니다.
• 남은 0.1모형을 0.01모형으로 바꾸면 0.01모형은 모두 몇 개인가요? 15개
• 0.01모형을 3묶음으로 똑같이 나누면 한 묶음에 0.01모형이 몇 개씩일까요? 5개씩
• 1.35÷3의 몫은 얼마인가요? 0.45
• 1.35÷3을 어떻게 계산하였는지 이야기해 보세요.
예 자연수를 나눌 수 없으므로 몫의 일의 자리에 0을 썼습니다.

이 일 모형이므로
은 0.1모형을,
은 0.01모형을 나타냅니다.

69

이런 문제가 서술형으로 나와요

㉡에 알맞은 수는 얼마인지 풀이 과정을 쓰고, 답을 구해 보세요.

$5.67\div3=㉠,\ ㉠\div7=㉡$

| 풀이 과정 |

❶ ㉠에 알맞은 수 구하기

$5.67\div3=1.89$이므로 ㉠$=1.89$입니다.

❷ ㉡에 알맞은 수 구하기

$1.89\div7=0.27$이므로 ㉡$=0.27$입니다.

답 0.27

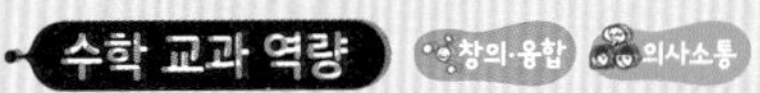

수학 교과 역량
창의·융합
의사소통

• 계산 원리를 이해하고 여러 가지 방법으로 계산해 보면서 창의·융합 능력을 기를 수 있습니다.
• 몫이 1보다 작고 내림이 있는 (소수)÷(자연수)의 계산 방법을 설명해 보는 과정을 통하여 의사소통 능력을 기를 수 있습니다.

개념 확인 문제

정답 및 풀이 226쪽

1 □ 안에 알맞은 수를 써넣으세요.

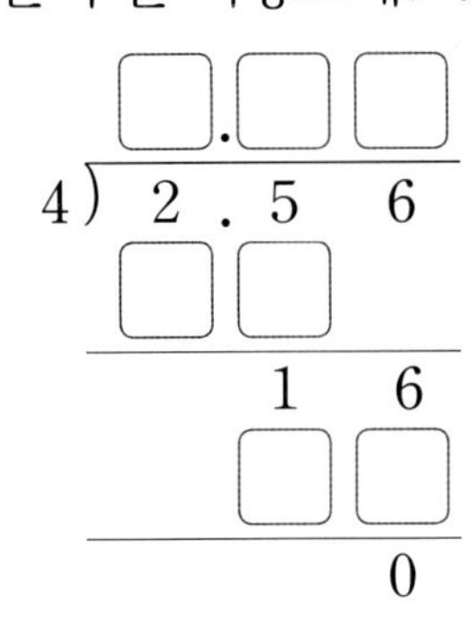

4
2 . 5 6
1 6
0

2 몫을 찾아 선으로 이어 보세요.

$3.05\div5$ •	• 0.59
$4.72\div8$ •	• 0.61

3 주스 1.65 L를 컵 3개에 똑같이 나누어 담았습니다. 컵 한 개에 담은 주스의 양은 몇 L인지 식을 쓰고 답을 구해 보세요.

식
답

2.58÷6의 계산

0.		
6) 2.	5	8

2.58의 일의 자리 숫자 2를 6으로 나눌 수 없으므로 몫의 일의 자리(자연수 부분)에 0을 씁니다. 몫의 소수점은 나누어지는 수의 소수점을 올려 찍습니다.

↓

0.	4	
6) 2.	5	8
2	4	
	1	

일의 자리 계산에서 남은 2를 0.1로 바꾸어 0.1이 25개인 수를 6으로 나누어 몫의 소수 첫째 자리에 4를 씁니다. 이때, 0.1이 남습니다.

↓

0.	4	3
6) 2.	5	8
2	4	
	1	8
	1	8
		0

소수 첫째 자리 계산에서 남은 0.1을 0.01로 바꾸어 0.01이 18개인 수를 6으로 나누어 몫의 소수 둘째 자리에 3을 씁니다.

➜ $2.58 \div 6 = 0.43$

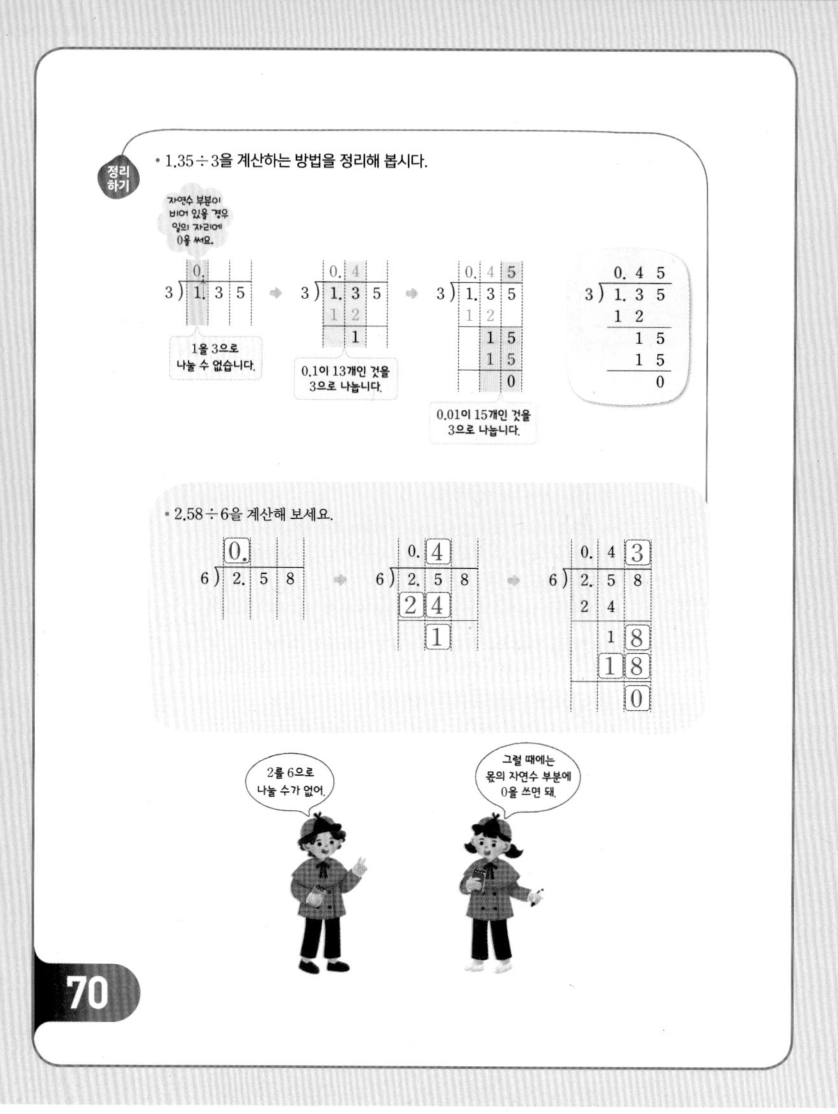
정리하기

• 1.35÷3을 계산하는 방법을 정리해 봅시다.

자연수 부분이 비어 있을 경우 일의 자리에 0을 써요.

1을 3으로 나눌 수 없습니다.

0.1이 13개인 것을 3으로 나눕니다.

0.01이 15개인 것을 3으로 나눕니다.

• 2.58÷6을 계산해 보세요.

교과서 개념 완성

정리하기 1.35÷3을 계산하는 방법 정리하기

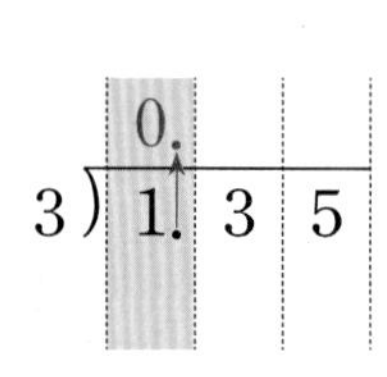

1.35의 일의 자리 숫자 1을 3으로 나눌 수 없으므로 몫의 일의 자리(자연수 부분)에 0을 씁니다. 몫의 소수점은 나누어지는 수의 소수점을 올려 찍습니다.

↓

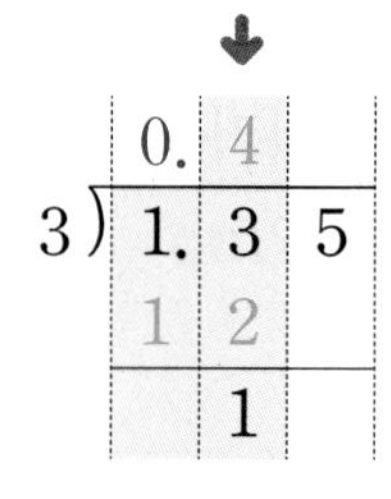

일의 자리 계산에서 남은 1을 0.1로 바꾸어 0.1이 13개인 수를 3으로 나누어 몫의 소수 첫째 자리에 4 를 씁니다. 이때, 0.1이 남습니다.

↓

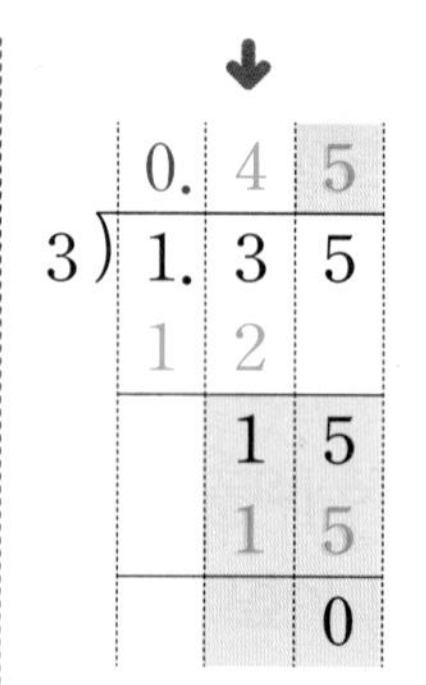

소수 첫째 자리 계산에서 남은 0.1을 0.01로 바꾸어 0.01이 15개인 수를 3으로 나누어 몫의 소수 둘째 자리에 5 를 씁니다.

➜ $1.35 \div 3 = 0.45$

학부모 코칭 Tip

1.35÷3을 자연수의 나눗셈 135÷3을 이용하여 세로로 계산할 수 있음을 이해하게 합니다.

공부한 날 월 일

확인하기 1. 계산해 보세요.

$1.44 \div 6 = 0.24$

$$\begin{array}{r} 0.24 \\ 6\overline{)1.44} \\ 12 \\ \hline 24 \\ 24 \\ \hline 0 \end{array}$$

$0.85 \div 5 = 0.17$

$$\begin{array}{r} 0.17 \\ 5\overline{)0.85} \\ 5 \\ \hline 35 \\ 35 \\ \hline 0 \end{array}$$

$6.58 \div 7 = 0.94$

$$\begin{array}{r} 0.94 \\ 7\overline{)6.58} \\ 63 \\ \hline 28 \\ 28 \\ \hline 0 \end{array}$$

$1.92 \div 12 = 0.16$

$$\begin{array}{r} 0.16 \\ 12\overline{)1.92} \\ 12 \\ \hline 72 \\ 72 \\ \hline 0 \end{array}$$

2. 크기가 비슷한 복숭아 7개의 무게를 재었더니 1.75 kg이었습니다. 복숭아의 평균 무게는 몇 kg일까요?

식 $1.75 \div 7 = 0.25$ 답 0.25 kg

생각 솔솔 창의·융합 길이가 1.08 km인 도로 한쪽에 같은 간격으로 가로수 7그루를 심으려고 합니다. 가로수를 몇 km 간격으로 심어야 할까요? (단, 가로수의 두께는 생각하지 않습니다.)

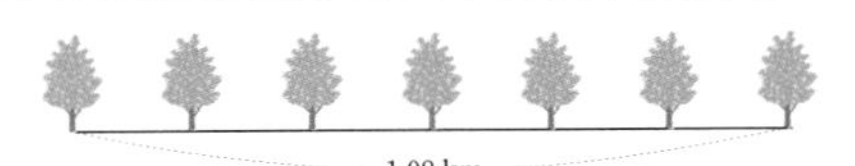

식 $1.08 \div 6 = 0.18$ 답 0.18 km

풀이 도로의 양끝에 가로수를 심어야 하므로 가로수와 가로수의 간격은 $7-1=6$(군데)입니다. 따라서 가로수를 $1.08 \div 6 = 0.18$ (km) 간격으로 심어야 합니다.

71

이런 문제가 서술형으로 나와요

어떤 수를 9로 나누어야 할 것을 잘못하여 6으로 나누었더니 0.78이 되었습니다. 바르게 계산한 값은 얼마인지 풀이 과정을 쓰고, 답을 구해 보세요.

| 풀이 과정 |

❶ 어떤 수 구하기

어떤 수를 □라고 하면 □$\div 6 = 0.78$입니다.

➔ □$= 0.78 \times 6 = 4.68$

❷ 바르게 계산한 값 구하기

어떤 수는 4.68이므로 바르게 계산하면 $4.68 \div 9 = 0.52$입니다.

답 0.52

수학 교과 역량 창의·융합

소수의 나눗셈을 이용하여 가로수와 가로수 사이의 간격을 구하는 과정에서 창의·융합 능력을 기를 수 있습니다.

개념 확인 문제

정답 및 풀이 226쪽

1 어림하여 몫이 1보다 작은 작은 나눗셈을 찾아 기호를 써 보세요.

㉠ $2.38 \div 2$ ㉡ $3.48 \div 3$ ㉢ $5.82 \div 6$

( )

2 계산해 보세요.

(1) $2\overline{)1.66}$ (2) $7\overline{)2.73}$

3 가장 작은 수를 8로 나눈 몫을 구해 보세요.

5.44	7.68	3.76

( )

4 넓이가 3.05 cm^{2}인 정오각형을 5부분으로 똑같이 나누었습니다. 색칠한 부분의 넓이는 몇 cm^{2}인가요?

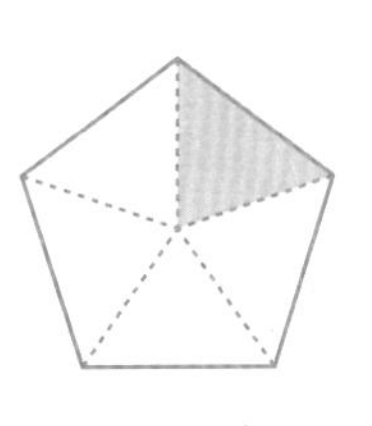

( )

6 차시 5 | (소수)÷(자연수)의 계산(3)

학습 목표

소수점 아래 0을 내려 계산해야 하는 (소수)÷(자연수)의 계산 결과를 어림하고, 계산 원리를 이해하여 계산할 수 있습니다.

그림으로 개념 잡기

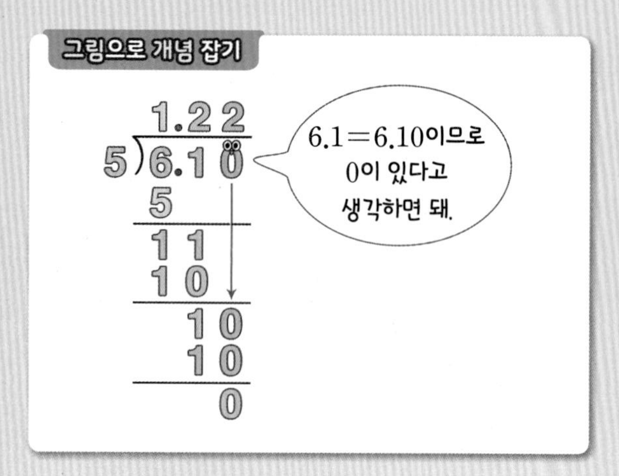

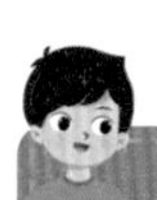

소수의 오른쪽 끝자리에 0을 여러 개 붙여도 같은 수입니다.

예 6.1=6.10=6.100=⋯

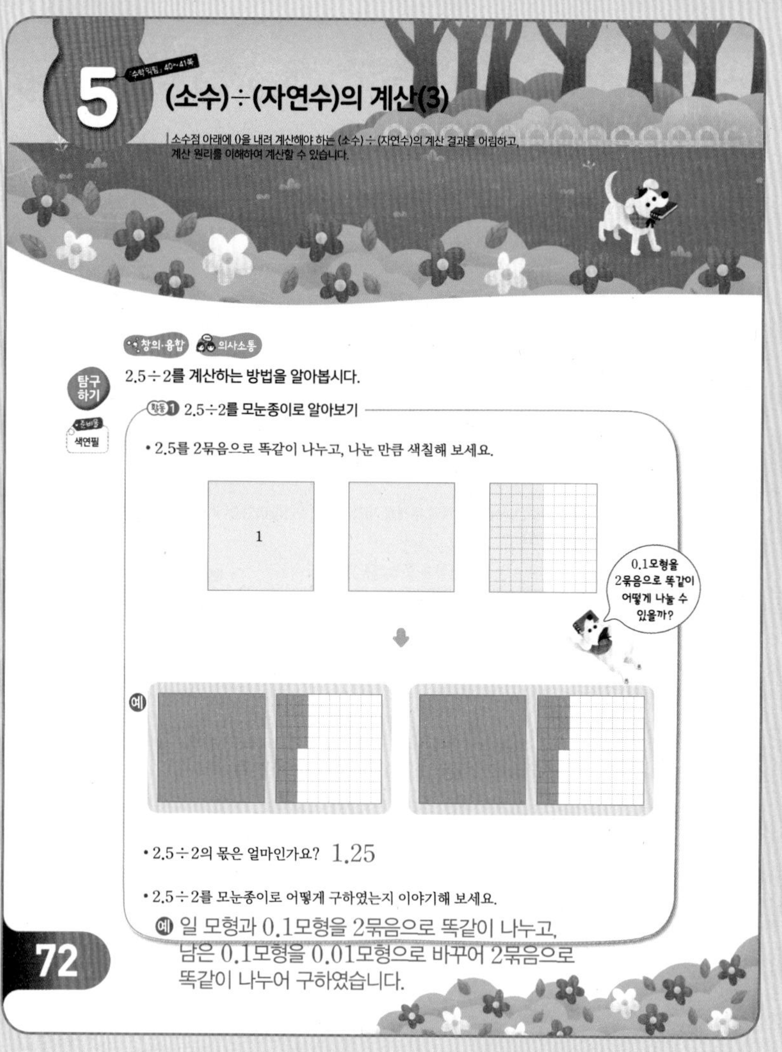

5 (소수)÷(자연수)의 계산(3)
2.5÷2를 계산하는 방법을 알아봅시다.
2.5÷2를 모눈종이로 알아보기
2.5를 2묶음으로 똑같이 나누고, 나눈 만큼 색칠해 보세요.
0.1모형을 2묶음으로 똑같이 어떻게 나눌 수 있을까?
2.5÷2의 몫은 얼마인가요? 1.25
2.5÷2를 모눈종이로 어떻게 구하였는지 이야기해 보세요.
예 일 모형과 0.1모형을 2묶음으로 똑같이 나누고, 남은 0.1모형을 0.01모형으로 바꾸어 2묶음으로 똑같이 나누어 구하였습니다.
72

교과서 개념 완성

탐구하기 2.5÷2를 계산하는 방법 탐구하기

활동 1 2.5÷2를 모눈종이로 알아보기

- 일 모형 2개를 2묶음으로 똑같이 나누면 한 묶음에 일 모형을 1개씩 색칠합니다.
- 0.1모형 5개를 2묶음으로 똑같이 나누면 한 묶음에 0.1모형을 2개씩 색칠합니다. 이때, 0.1모형 1개가 남습니다.
- 남은 0.1모형 1개를 0.01모형으로 바꾸어 0.01모형 10개를 2묶음으로 똑같이 나누면 한 묶음에 0.01모형을 5개씩 색칠합니다.

활동 2 2.5÷2를 나눗셈식으로 알아보기

- 일 모형 2개를 2묶음으로 똑같이 나누면 한 묶음에 일 모형이 1개씩입니다.
  ➜ 몫의 일의 자리에 1을 씁니다.
- 0.1모형 5개를 2묶음으로 똑같이 나누면 한 묶음에 0.1모형이 2개씩이고, 1개가 남습니다.
  ➜ 몫의 소수 첫째 자리에 2를 씁니다.
- 남은 0.1모형을 0.01모형으로 바꾸면 0.01모형은 모두 10개가 되므로 2묶음으로 똑같이 나누면 한 묶음에 0.01모형이 5개씩입니다.
  ➜ 몫의 소수 둘째 자리에 5를 씁니다.
- 2.5÷2=1.25입니다.

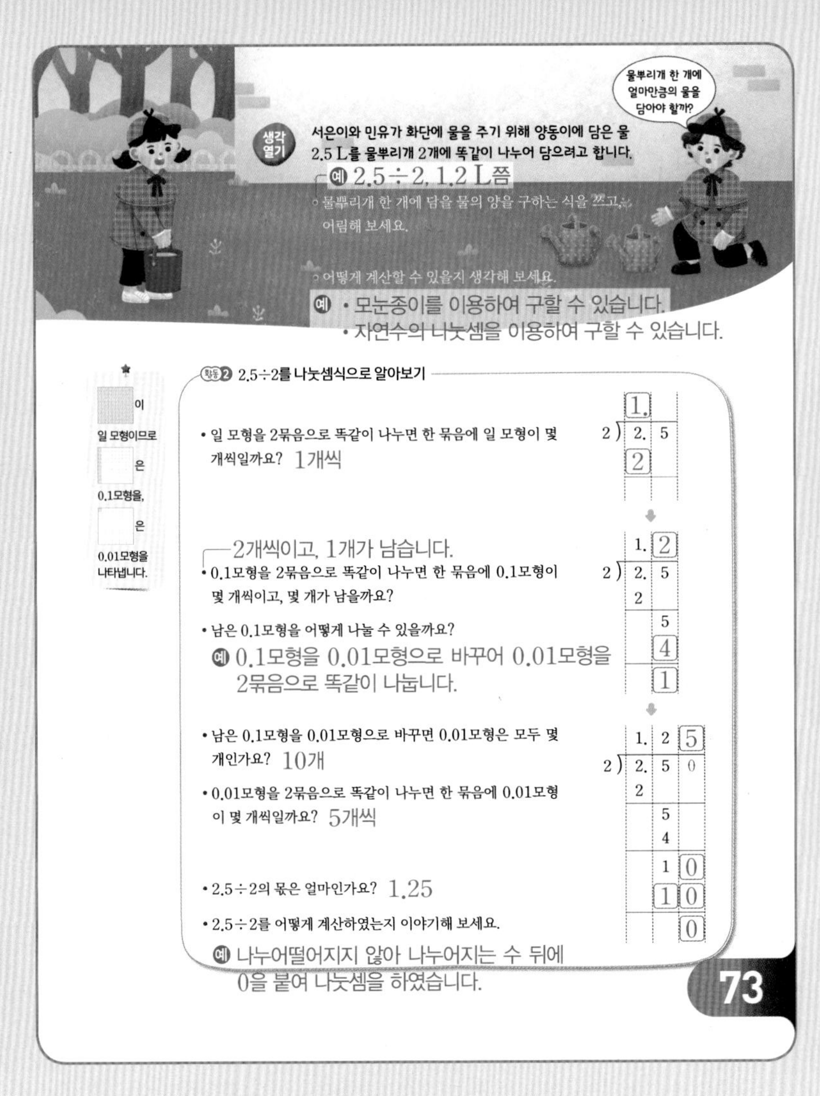

물뿌리개 한 개에 얼마만큼의 물을 담아야 할까?
생각 열기
서은이와 민유가 화단에 물을 주기 위해 양동이에 담은 물 2.5 L를 물뿌리개 2개에 똑같이 나누어 담으려고 합니다.
예 2.5÷2, 1.2 L쯤
물뿌리개 한 개에 담을 물의 양을 구하는 식을 쓰고, 어림해 보세요.
어떻게 계산할 수 있을지 생각해 보세요.
예 • 모눈종이를 이용하여 구할 수 있습니다.
• 자연수의 나눗셈을 이용하여 구할 수 있습니다.
2.5÷2를 나눗셈식으로 알아보기
• 일 모형을 2묶음으로 똑같이 나누면 한 묶음에 일 모형이 몇 개씩일까요? 1개씩
2개씩이고, 1개가 남습니다.
• 0.1모형을 2묶음으로 똑같이 나누면 한 묶음에 0.1모형이 몇 개씩이고, 몇 개가 남을까요?
• 남은 0.1모형을 어떻게 나눌 수 있을까요?
예 0.1모형을 0.01모형으로 바꾸어 0.01모형을 2묶음으로 똑같이 나눕니다.
• 남은 0.1모형을 0.01모형으로 바꾸면 0.01모형은 모두 몇 개인가요? 10개
• 0.01모형을 2묶음으로 똑같이 나누면 한 묶음에 0.01모형이 몇 개씩일까요? 5개씩
• 2.5÷2의 몫은 얼마인가요? 1.25
• 2.5÷2를 어떻게 계산하였는지 이야기해 보세요.
예 나누어떨어지지 않아 나누어지는 수 뒤에 0을 붙여 나눗셈을 하였습니다.
73

이 일 모형이므로
은 0.1모형을,
은 0.01모형을 나타냅니다.

이런 문제가 서술형으로 나와요

1부터 9까지의 자연수 중 □ 안에 들어갈 수 있는 수를 모두 구하려고 합니다. 풀이 과정을 쓰고, 답을 구해 보세요.

$$10.8 \div 8 > 1.3\square$$

| 풀이 과정 |

❶ 10.8÷8의 몫 구하기

$10.8 \div 8 = 1.35$

❷ □ 안에 들어갈 수 있는 자연수를 모두 구하기

1.35>1.3□이므로 □ 안에 들어갈 수 있는 자연수는 1, 2, 3, 4입니다.

답 1, 2, 3, 4

수학 교과 역량 창의·융합 의사소통

- 여러 가지 방법으로 계산 원리를 이해하고 계산해 보면서 창의·융합 능력을 기를 수 있습니다.
- 소수점 아래에 0을 내려 계산해야 하는 (소수)÷(자연수)의 계산 방법을 설명해 보는 과정을 통하여 의사소통 능력을 기를 수 있습니다.

개념 확인 문제

정답 및 풀이 226쪽

1 □ 안에 알맞은 수를 써넣으세요.

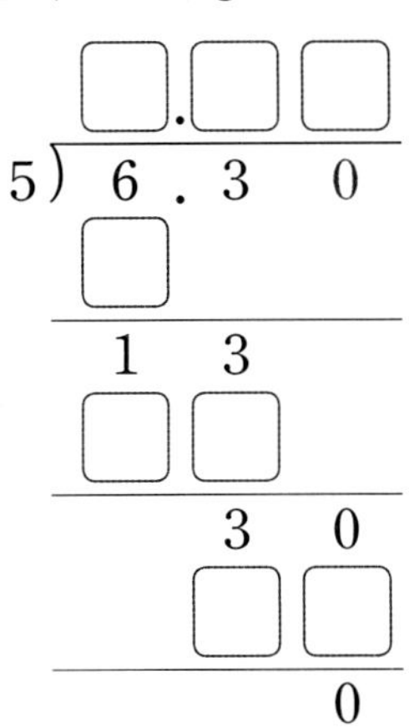

2 바르게 계산한 것에 ○표 하세요.

$11.6 \div 8 = 1.35$	$19.8 \div 15 = 1.32$
(　　)	(　　)

3 색 테이프 12.6 m를 4도막으로 똑같이 나누었습니다. 나눈 색 테이프 한 도막의 길이는 몇 m인가요?

(　　　　　)

4.7÷5의 계산

```
   0.
5) 4. 7
```

4.7의 일의 자리 숫자 4를 5로 나눌 수 없으므로 몫의 일의 자리(자연수 부분)에 0을 씁니다. 몫의 소수점은 나누어지는 수의 소수점을 올려 찍습니다.

↓

```
   0. 9
5) 4. 7
   4  5
      2
```

일의 자리 계산에서 남은 4를 0.1로 바꾸어 0.1이 47개인 수를 5로 나누어 몫의 소수 첫째 자리에 9를 씁니다. 이때, 0.2가 남습니다.

↓

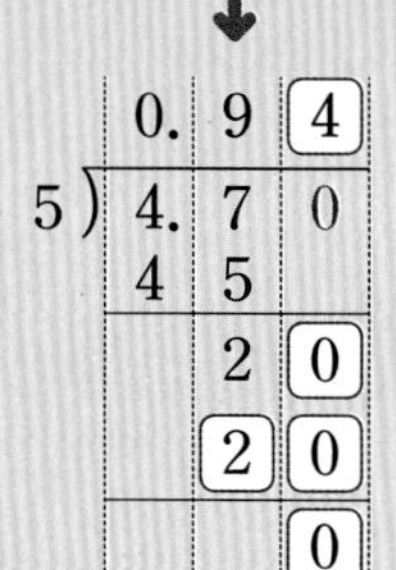

소수 첫째 자리 계산에서 남은 0.2를 0.01로 바꾸어 0.01이 20개인 수를 5로 나누어 몫의 소수 둘째 자리에 4를 씁니다.

➜ 4.7÷5=0.94

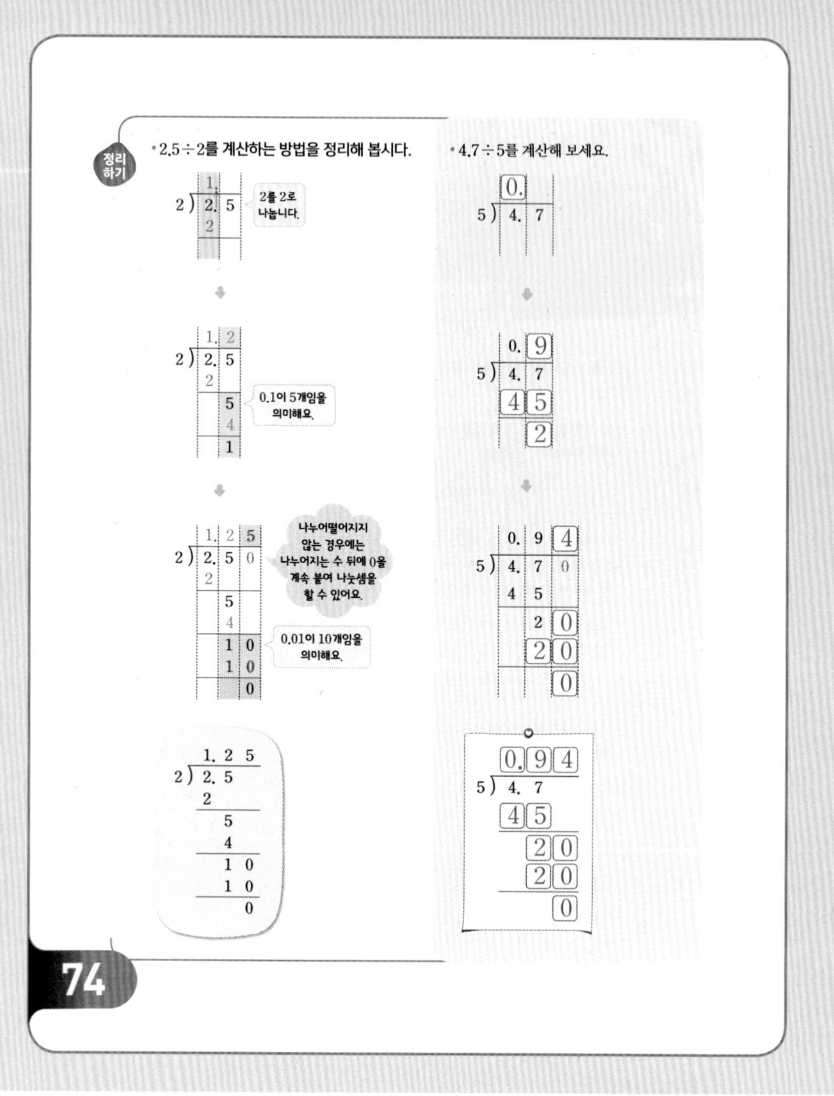

교과서 개념 완성

정리하기 **2.5÷2를 계산하는 방법 정리하기**

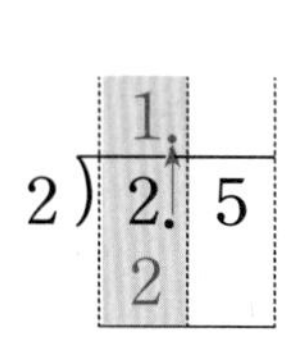

2.5의 일의 자리 숫자 2를 2로 나누어 몫의 일의 자리(자연수 부분)에 1을 씁니다. 몫의 소수점은 나누어지는 수의 소수점을 올려 찍습니다.

↓

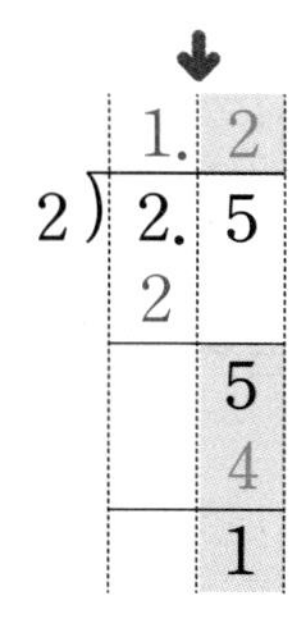

소수 첫째 자리 계산에서 0.1이 5개인 수를 2로 나누어 몫의 소수 첫째 자리에 2를 씁니다. 이때, 0.1이 남습니다.

↓

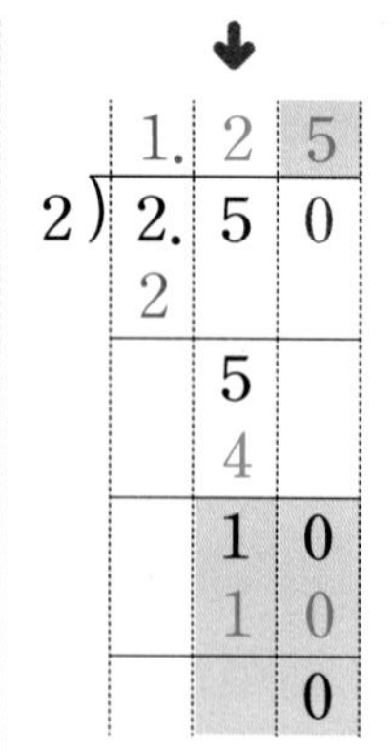

소수 첫째 자리 계산에서 남은 0.1을 0.01로 바꾸어 0.01이 10개인 수를 2로 나누어 몫의 소수 둘째 자리에 5를 씁니다.

➜ 2.5÷2=1.25

학부모 코칭 Tip

2.5÷2를 자연수의 나눗셈 25÷2를 이용하여 세로로 계산할 수 있음을 이해하게 합니다.

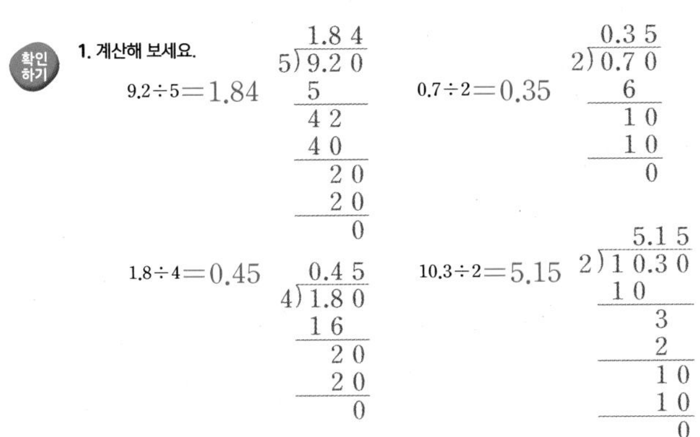

2. 서은이와 민유가 석류 1.5 kg을 땄습니다. 두 사람이 석류를 똑같이 나누어 가지려면 한 사람이 몇 kg씩 가지면 될까요?

식 1.5÷2=0.75 답 0.75 kg

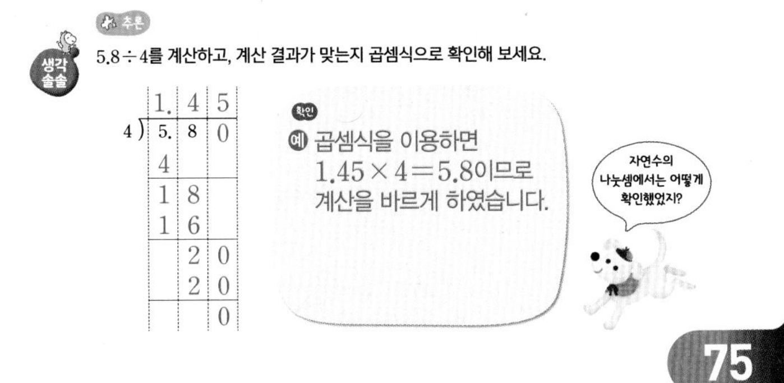

추론
생각 솜솜
5.8÷4를 계산하고, 계산 결과가 맞는지 곱셈식으로 확인해 보세요.
확인
예 곱셈식을 이용하면 1.45×4=5.8이므로 계산을 바르게 하였습니다.
자연수의 나눗셈에서는 어떻게 확인했었지?

75

이런 문제가 서술형으로 나와요

한 병에 1.5 L씩 들어 있는 식혜가 3병 있습니다. 이 식혜를 18명이 똑같이 나누어 마시려면 한 명이 마실 식혜의 양은 몇 L인지 풀이 과정을 쓰고, 답을 구해 보세요.

| 풀이 과정 |

❶ 식혜 3병의 양 구하기

1.5×3=4.5 (L)

❷ 한 명이 마실 식혜의 양 구하기

4.5÷18=0.25 (L)

답 0.25 L

수학 교과 역량 추론

자연수의 나눗셈에서 계산 결과가 맞는지 확인하는 방법을 이용하여 소수의 나눗셈에서도 계산 결과를 확인해 보는 방법을 유추해 보는 과정을 통하여 추론 능력을 기를 수 있습니다.

개념 확인 문제

정답 및 풀이 226쪽

1 계산해 보세요.

(1) 8.6÷4 (2) 16.2÷12

2 빈칸에 알맞은 수를 써넣으세요.

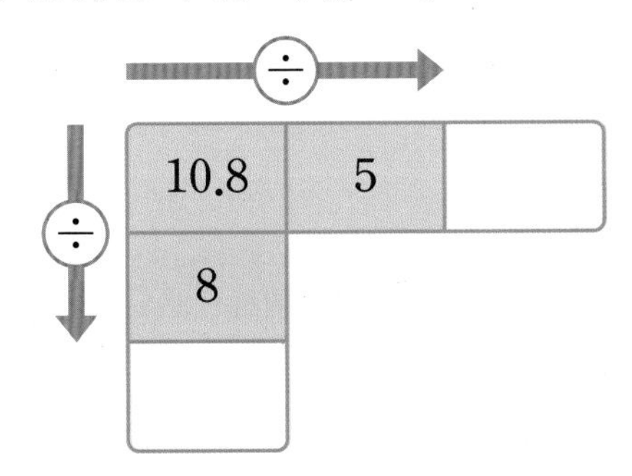

3 몫이 가장 큰 것을 찾아 기호를 써 보세요.

㉠ 5.1÷2 ㉡ 7.4÷4 ㉢ 12.9÷6

( )

4 모든 모서리의 길이가 같은 삼각뿔이 있습니다. 이 삼각뿔의 모든 모서리의 길이의 합이 32.7 cm일 때, 한 모서리의 길이는 몇 cm인가요?

( )

6 | (소수)÷(자연수)의 계산(4)

학습 목표

몫의 소수 첫째 자리가 0이 되는 (소수)÷(자연수)의 계산 결과를 어림하고, 계산 원리를 이해하여 계산할 수 있습니다.

그림으로 개념 잡기

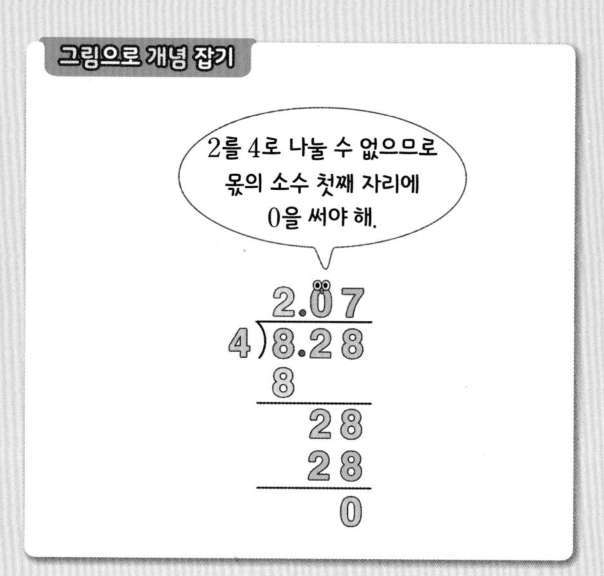

세로로 계산할 때 수를 하나 내렸음에도 나누는 수보다 작은 경우에는 몫에 0을 쓰고 수를 하나 더 내려 계산합니다.

6 (소수)÷(자연수)의 계산(4)

「수학 익힘」 42~43쪽

몫의 소수 첫째 자리가 0이 되는 (소수)÷(자연수)의 계산 결과를 어림하고, 계산 원리를 이해하여 계산할 수 있습니다.

생각 열기 라일락나무의 높이는 3 m이고, 석류나무의 높이는 3.12 m입니다.

- 석류나무의 높이는 라일락나무 높이의 몇 배인지 구하는 식을 쓰고, 어림해 보세요. 예 3.12÷3, 1배쯤
- 어떻게 계산할 수 있을지 생각해 보세요. 예 자연수의 나눗셈을 이용하여 구할 수 있습니다.

탐구하기 3.12÷3을 계산하는 방법을 알아봅시다.

- 일의 자리의 계산을 해 보세요.
- 소수 첫째 자리의 계산을 할 수 있나요? 계산을 할 수 없습니다.
  할 수 없으면 어떻게 해야 할까요?
  예 몫의 소수 첫째 자리에 0을 씁니다.
- 소수 둘째 자리의 계산을 해 보세요.
- 3.12÷3의 몫은 얼마인가요? 1.04
- 3.12÷3을 어떻게 계산하였는지 이야기해 보세요.
  예 소수 첫째 자리 수를 나눌 수 없으므로 몫의 소수 첫째 자리에 0을 썼습니다.

76

교과서 개념 완성

탐구하기 **3.12÷3을 계산하는 방법 탐구하기**

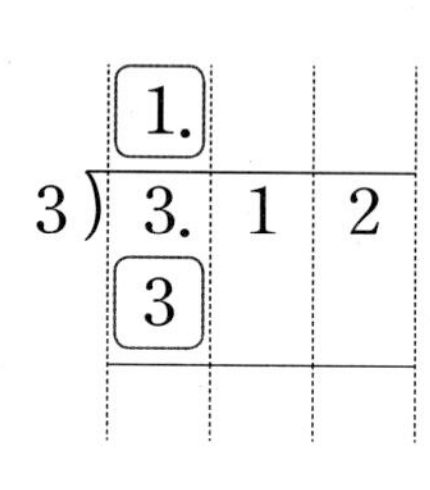

3.12의 일의 자리 숫자 3을 3으로 나누어 몫의 일의 자리(자연수 부분)에 1을 씁니다. 몫의 소수점은 나누어지는 수의 소수점을 올려 찍습니다.

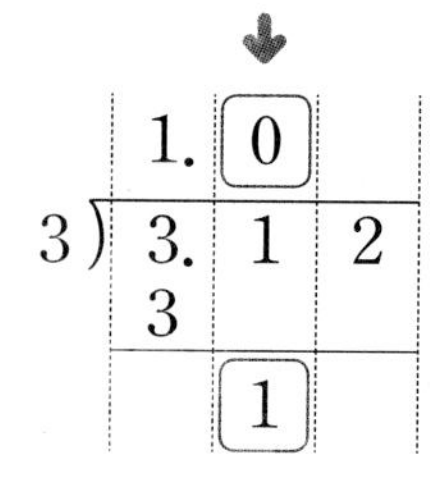

소수 첫째 자리 계산에서 0.1이 1개인 수를 3으로 나눌 수 없으므로 몫의 소수 첫째 자리에 0을 씁니다. 이때, 0.1이 남습니다.

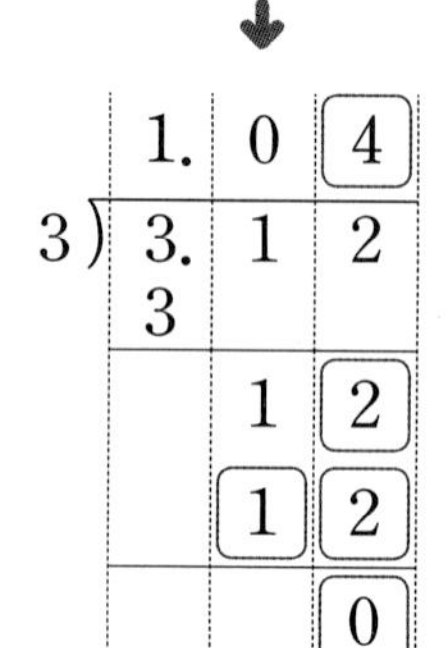

소수 첫째 자리 계산에서 남은 0.1을 0.01로 바꾸어 0.01이 12개인 수를 3으로 나누어 몫의 소수 둘째 자리에 4를 씁니다.

➜ $3.12 \div 3 = 1.04$

학부모 코칭 Tip

3.12÷3의 소수 첫째 자리 계산에서 0.1을 3으로 나눌 수 없으므로 몫의 소수 첫째 자리에 0을 쓴다는 것을 이해하게 하고, 나누어지는 수의 소수점 위치에 맞추어 소수점을 올려 찍게 합니다.

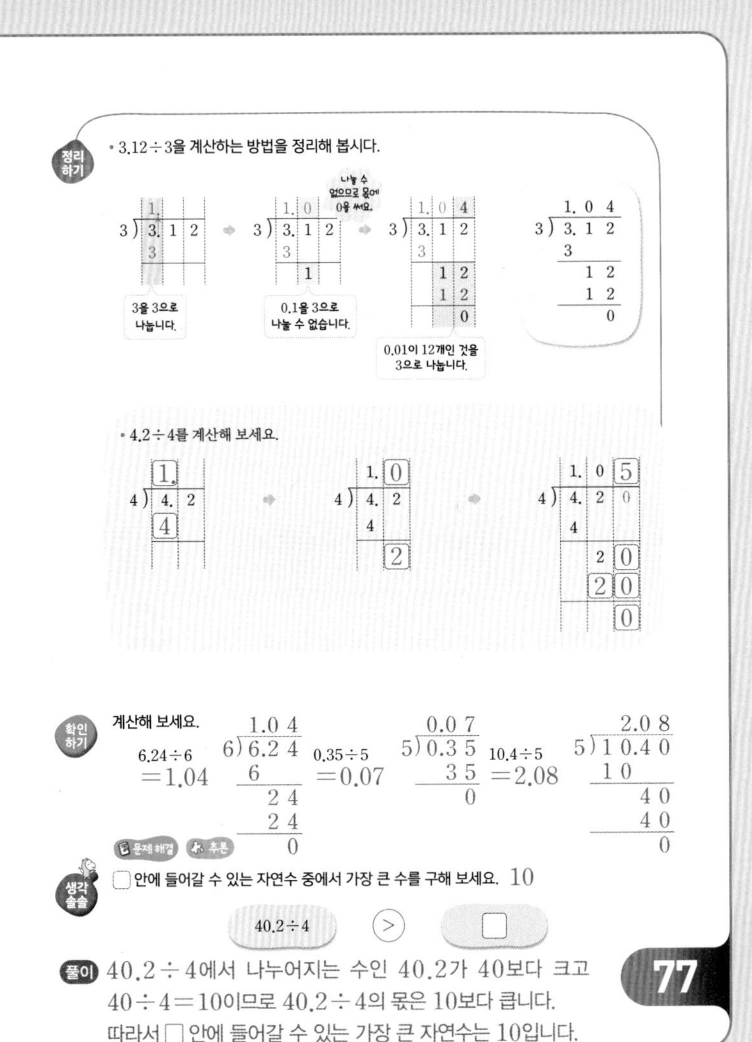

이런 문제가 서술형으로 나와요

가★나를 다음과 같이 약속할 때, 15.54★6은 얼마인지 풀이 과정을 쓰고, 답을 구해 보세요.

가★나=(가−나)÷(나+3)

| 풀이 과정 |

❶ 15.54★6을 간단한 식으로 나타내기

15.54★6=(15.54−6)÷(6+3)
=9.54÷9

❷ 15.54★6을 계산하기

9.54÷9=1.06

답 1.06

수학 교과 역량 문제 해결 추론

소수의 나눗셈의 몫을 어림해 보고 조건에 맞는 수를 찾아보는 과정을 통하여 문제 해결과 추론 능력을 기를 수 있습니다.

개념 확인 문제

정답 및 풀이 227쪽

1 721÷7을 이용하여 7.21÷7을 계산해 보세요.

721÷7=☐ ➜ 7.21÷7=☐

2 빈칸에 알맞은 수를 써넣으세요.

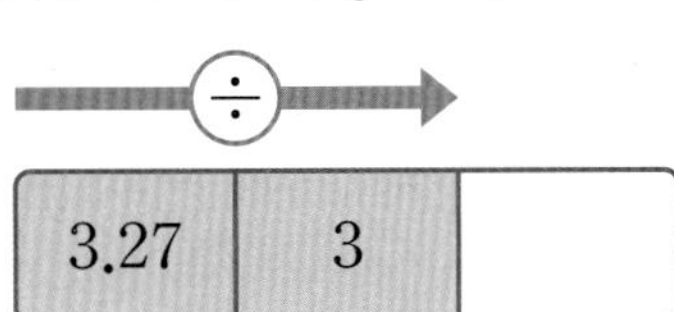

3.27	3	

3 몫이 다른 하나를 찾아 기호를 써 보세요.

㉠ 8.24÷4 ㉡ 10.25÷5 ㉢ 22.55÷11

( )

4 설탕 24.32 kg을 병 8개에 똑같이 나누어 담으려고 합니다. 병 한 개에 담을 설탕의 양은 몇 kg인가요?

( )

7 | (자연수)÷(자연수)의 몫을 소수로 나타내기

학습 목표

- (자연수)÷(자연수)의 몫을 소수로 나타낼 수 있습니다.
- (자연수)÷(자연수)의 몫을 반올림하여 나타낼 수 있습니다.

그림으로 개념 잡기

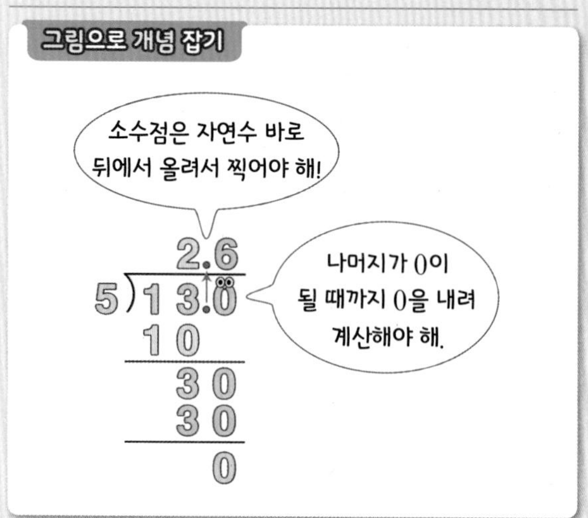

소수점은 자연수 바로 뒤에서 올려서 찍어야 해!
나머지가 0이 될 때까지 0을 내려 계산해야 해.

참고 자연수의 나눗셈을 이용하여 계산하기

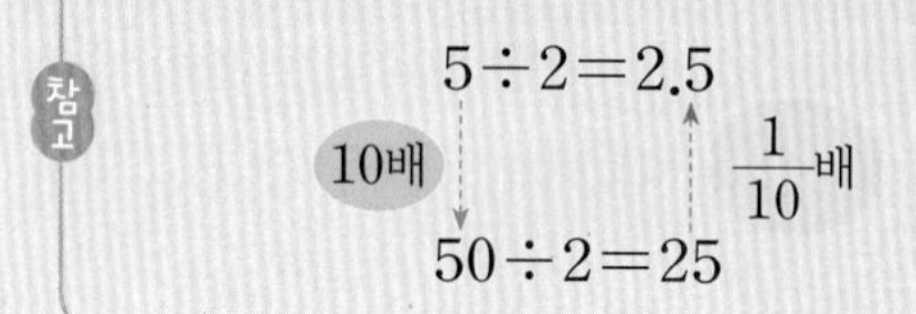

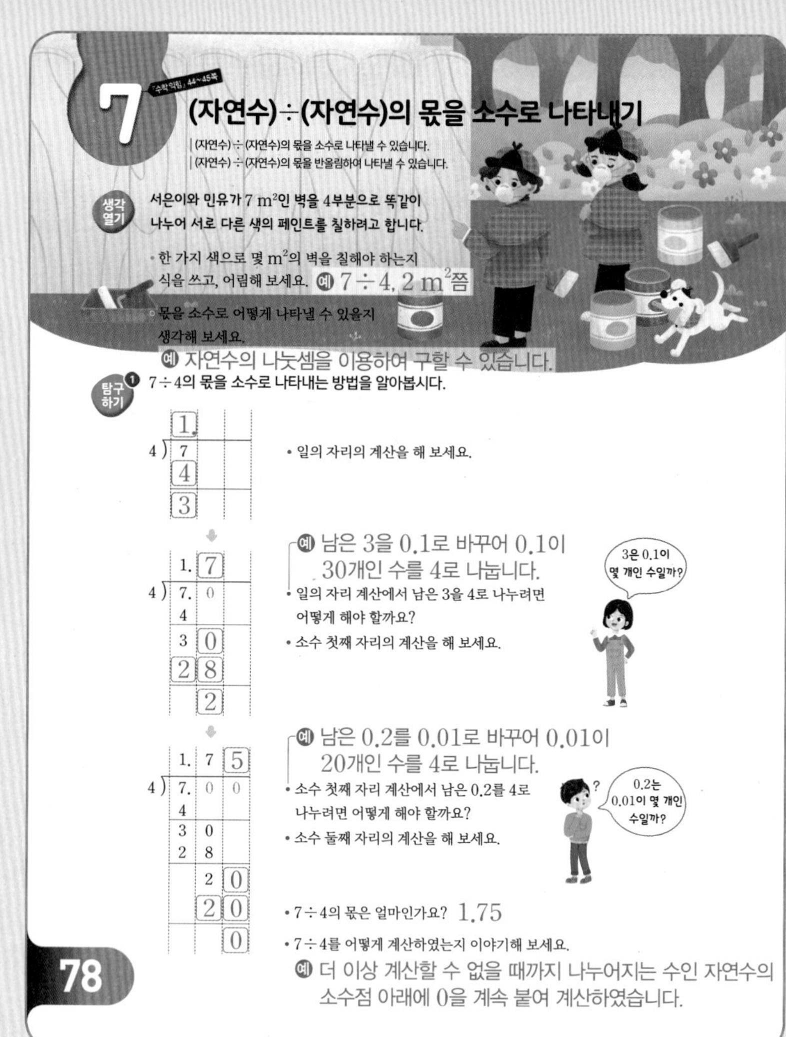

7 (자연수)÷(자연수)의 몫을 소수로 나타내기

(자연수)÷(자연수)의 몫을 소수로 나타낼 수 있습니다.
(자연수)÷(자연수)의 몫을 반올림하여 나타낼 수 있습니다.

생각열기 서은이와 민유가 $7\ m^2$인 벽을 4부분으로 똑같이 나누어 서로 다른 색의 페인트를 칠하려고 합니다.

- 한 가지 색으로 몇 m^2의 벽을 칠해야 하는지 식을 쓰고, 어림해 보세요. 예 $7\div4$, $2\ m^2$쯤
- 몫을 소수로 어떻게 나타낼 수 있을지 생각해 보세요.
예 자연수의 나눗셈을 이용하여 구할 수 있습니다.

탐구하기 ❶ 7÷4의 몫을 소수로 나타내는 방법을 알아봅시다.

- 일의 자리의 계산을 해 보세요.
- 일의 자리 계산에서 남은 3을 4로 나누려면 어떻게 해야 할까요?
예 남은 3을 0.1로 바꾸어 0.1이 30개인 수를 4로 나눕니다.
- 소수 첫째 자리의 계산을 해 보세요.
- 소수 첫째 자리 계산에서 남은 0.2를 4로 나누려면 어떻게 해야 할까요?
예 남은 0.2를 0.01로 바꾸어 0.01이 20개인 수를 4로 나눕니다.
- 소수 둘째 자리의 계산을 해 보세요.
- 7÷4의 몫은 얼마인가요? 1.75
- 7÷4를 어떻게 계산하였는지 이야기해 보세요.
예 더 이상 계산할 수 없을 때까지 나누어지는 수인 자연수의 소수점 아래에 0을 계속 붙여 계산하였습니다.

3은 0.1이 몇 개인 수일까?
0.2는 0.01이 몇 개인 수일까?

78

교과서 개념 완성

탐구하기 ❶ 7÷4의 몫을 소수로 나타내는 방법 탐구하기

```
      1.
   ┌────
 4 ) 7
     4
   ────
     3
```

7을 4로 나누어 몫의 일의 자리에 1을 씁니다. 이때, 3이 남습니다. 몫의 소수점은 나누어지는 수인 자연수의 바로 뒤에서 올려 찍습니다.

```
      1. 7
   ┌───────
 4 ) 7. 0
     4
   ───────
     3  0
     2  8
   ───────
        2
```

일의 자리 계산에서 남은 3을 0.1로 바꾸어 0.1이 30개인 수를 4로 나누어 몫의 소수 첫째 자리에 7을 씁니다. 이때, 0.2가 남습니다.

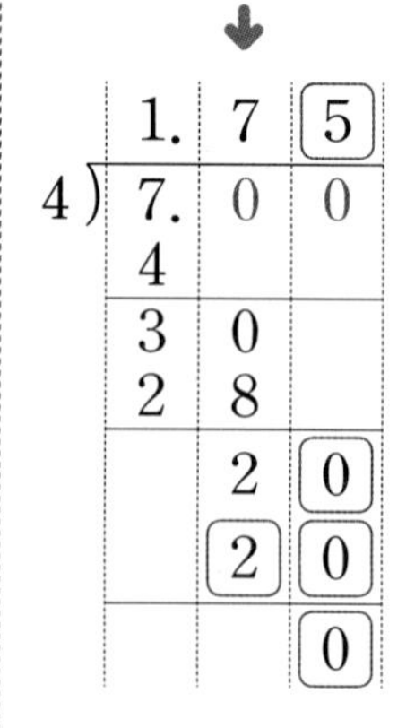

소수 첫째 자리 계산에서 남은 0.2를 0.01로 바꾸어 0.01이 20개인 수를 4로 나누어 몫의 소수 둘째 자리에 5를 씁니다.

➜ $7\div4=1.75$

학부모 코칭 Tip

7÷4의 몫의 소수점은 자연수 바로 뒤에서 올려서 찍는 것에 유의하여 소수점을 찍을 수 있도록 합니다.

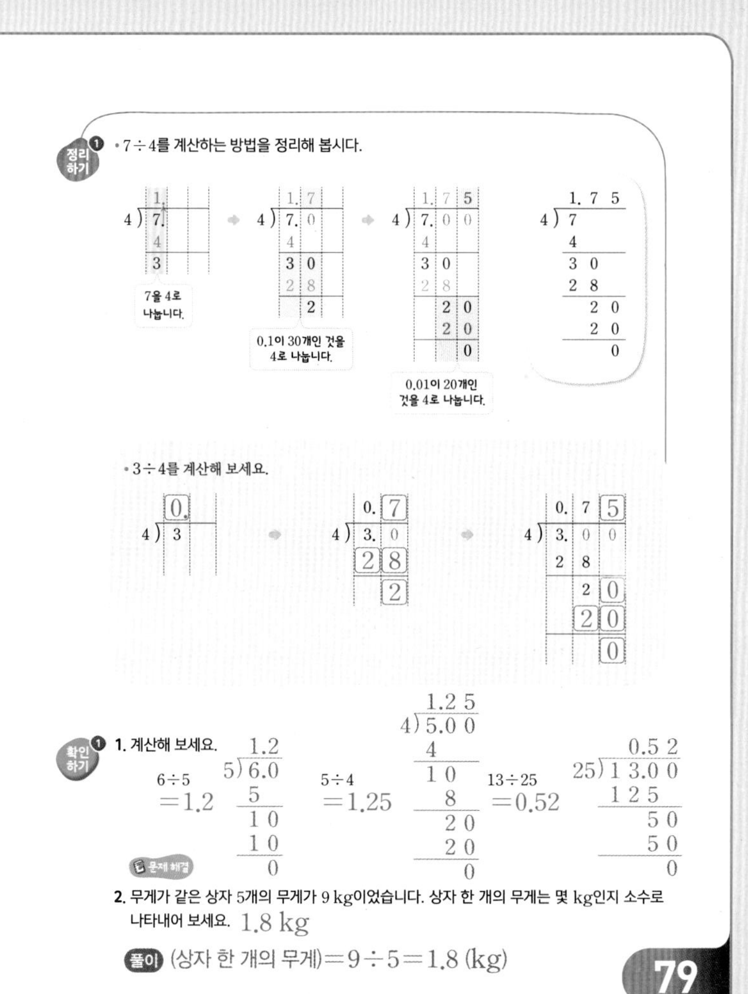

이런 문제가 서술형으로 나와요

4장의 숫자 카드 7, 5, 8, 2를 한 번씩 모두 사용하여 몫이 가장 크게 되는 (두 자리 수)÷(두 자리 수)를 만들려고 합니다. 나눗셈의 몫을 소수로 나타내면 얼마인지 풀이 과정을 쓰고, 답을 구해 보세요.

| 풀이 과정 |

❶ 몫이 가장 크게 되는 나눗셈 만들기

나눗셈의 몫이 가장 크게 되려면 가장 큰 수를 가장 작은 수로 나누어야 합니다.
숫자 카드로 만들 수 있는 가장 큰 두 자리 수 87을 나누어지는 수로 하고, 가장 작은 두 자리 수 25를 나누는 수로 하여 나눗셈 87÷25를 만듭니다.

❷ 몫이 가장 크게 되는 나눗셈의 몫을 소수로 나타내기

87÷25=3.48

답 3.48

수학 교과 역량 문제 해결

(자연수)÷(자연수)를 이용하여 여러 가지 문제를 해결해 보면서 문제 해결 능력을 기를 수 있습니다.

개념 확인 문제

정답 및 풀이 227쪽

1 계산해 보세요.

(1) 8÷5 (2) 9÷12

2 빈 곳에 알맞은 수를 써넣으세요.

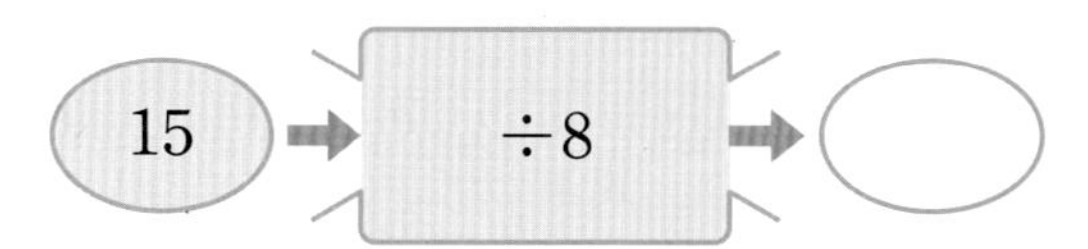

3 몫의 크기를 비교하여 ○ 안에 >, =, <를 알맞게 써넣으세요.

9÷4 ○ 12÷5

4 넓이가 21 cm^2인 평행사변형입니다. 이 평행사변형의 밑변의 길이가 6 cm일 때, 높이는 몇 cm인가요?

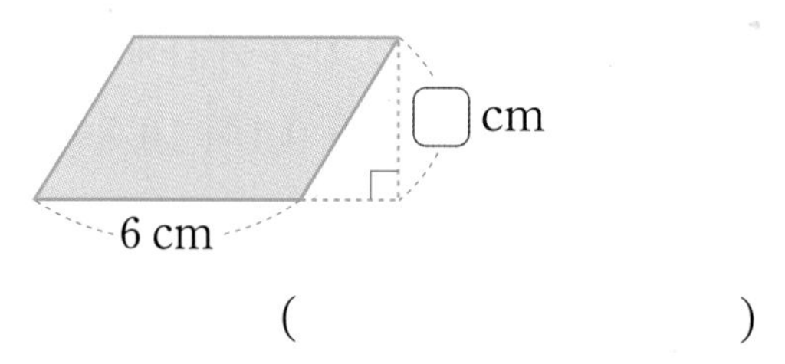

( )

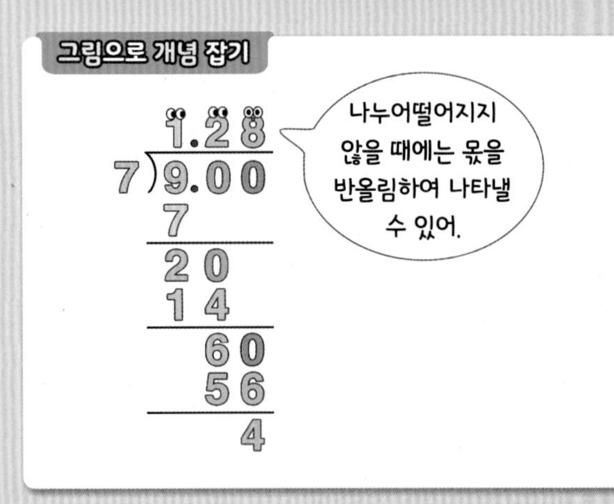
그림으로 개념 잡기
1.28
7)9.00
7
20
14
60
56
4
나누어떨어지지 않을 때에는 몫을 반올림하여 나타낼 수 있어.

(자연수)÷(자연수)의 몫을 소수로 나타낼 때 주의할 점

참고

① 몫의 소수점은 자연수 바로 뒤에서 올려서 찍습니다.

② 소수점 아래에서 내릴 수가 없는 경우 0을 내려 계산합니다.

③ 몫이 간단한 소수로 구해지지 않을 때에는 몫을 반올림하여 나타냅니다.

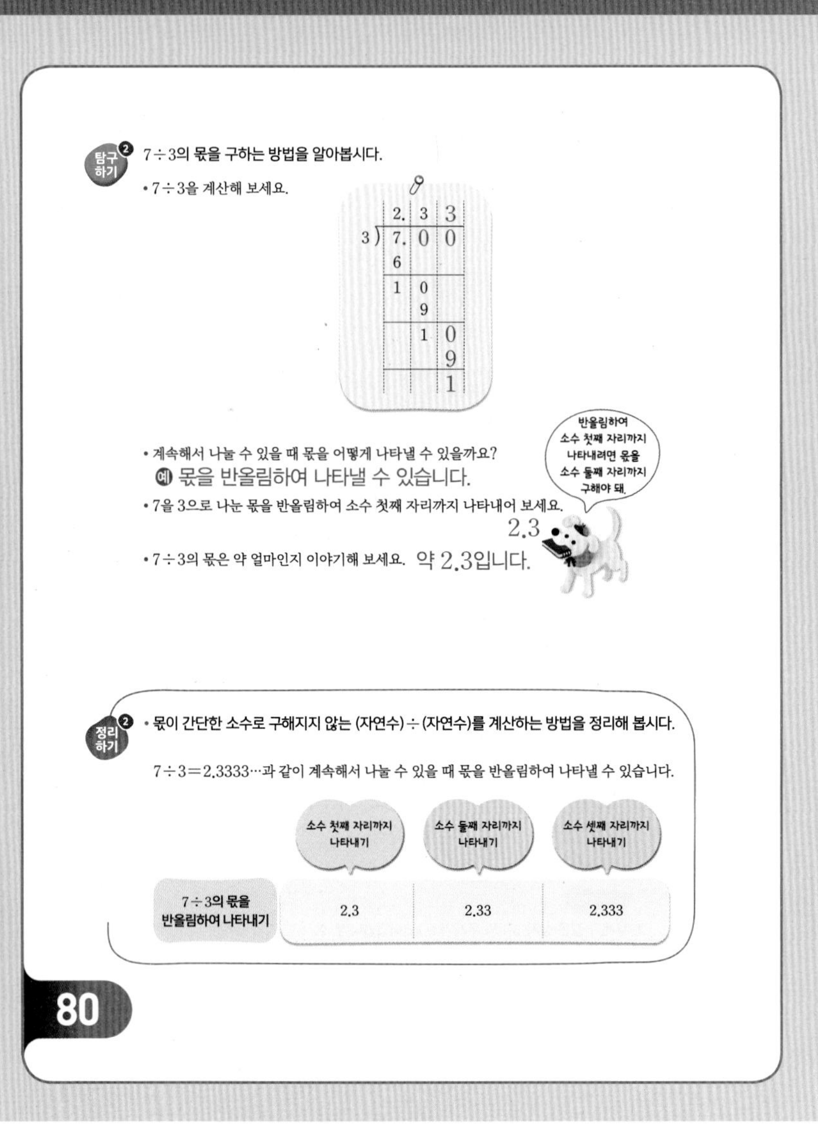

탐구하기 ② 7÷3의 몫을 구하는 방법을 알아봅시다.

• 7÷3을 계산해 보세요.

$$\begin{array}{r} 2.33 \\ 3\overline{)7.00} \\ 6 \\ \hline 1\,0 \\ 9 \\ \hline 10 \\ 9 \\ \hline 1 \end{array}$$

• 계속해서 나눌 수 있을 때 몫을 어떻게 나타낼 수 있을까요?
예 몫을 반올림하여 나타낼 수 있습니다.

• 7을 3으로 나눈 몫을 반올림하여 소수 첫째 자리까지 나타내어 보세요.
2.3

• 7÷3의 몫은 약 얼마인지 이야기해 보세요. 약 2.3입니다.

반올림하여 소수 첫째 자리까지 나타내려면 몫을 소수 둘째 자리까지 구해야 돼.

정리하기 ② • 몫이 간단한 소수로 구해지지 않는 (자연수)÷(자연수)를 계산하는 방법을 정리해 봅시다.

7÷3=2.3333…과 같이 계속해서 나눌 수 있을 때 몫을 반올림하여 나타낼 수 있습니다.

	소수 첫째 자리까지 나타내기	소수 둘째 자리까지 나타내기	소수 셋째 자리까지 나타내기
7÷3의 몫을 반올림하여 나타내기	2.3	2.33	2.333

80

교과서 개념 완성

탐구하기 ② 7÷3의 몫을 구하는 방법 탐구하기

$$\begin{array}{r} 2.3 \\ 3\overline{)7.0} \\ 6 \\ \hline 1\,0 \\ 9 \\ \hline 1 \end{array}$$

7을 3으로 나누어 몫의 일의 자리(자연수 부분)에 2를 씁니다.
이때, 1이 남습니다.
몫의 소수점은 나누어지는 수인 자연수 바로 뒤에서 올려 찍습니다.
일의 자리 계산에서 남은 1을 0.1로 바꾸어 0.1이 10개인 수를 3으로 나누어 몫의 소수 첫째 자리에 3을 씁니다. 이때, 0.1이 남습니다.

↓

$$\begin{array}{r} 2.33 \\ 3\overline{)7.00} \\ 6 \\ \hline 1\,0 \\ 9 \\ \hline 10 \\ 9 \\ \hline 1 \end{array}$$

소수 첫째 자리 계산에서 남은 0.1을 0.01로 바꾸어 0.01이 10개인 수를 3으로 나누어 몫의 소수 둘째 자리에 3을 씁니다.

➜ 7÷3=2.33…

• 7÷3의 몫을 반올림하여 소수 첫째 자리까지 나타내면 소수 둘째 자리 숫자가 3이므로 버림하여 2.3으로 나타낼 수 있습니다.
따라서 7÷3의 몫은 약 2.3입니다.

 공부한 날 　　월 　　일

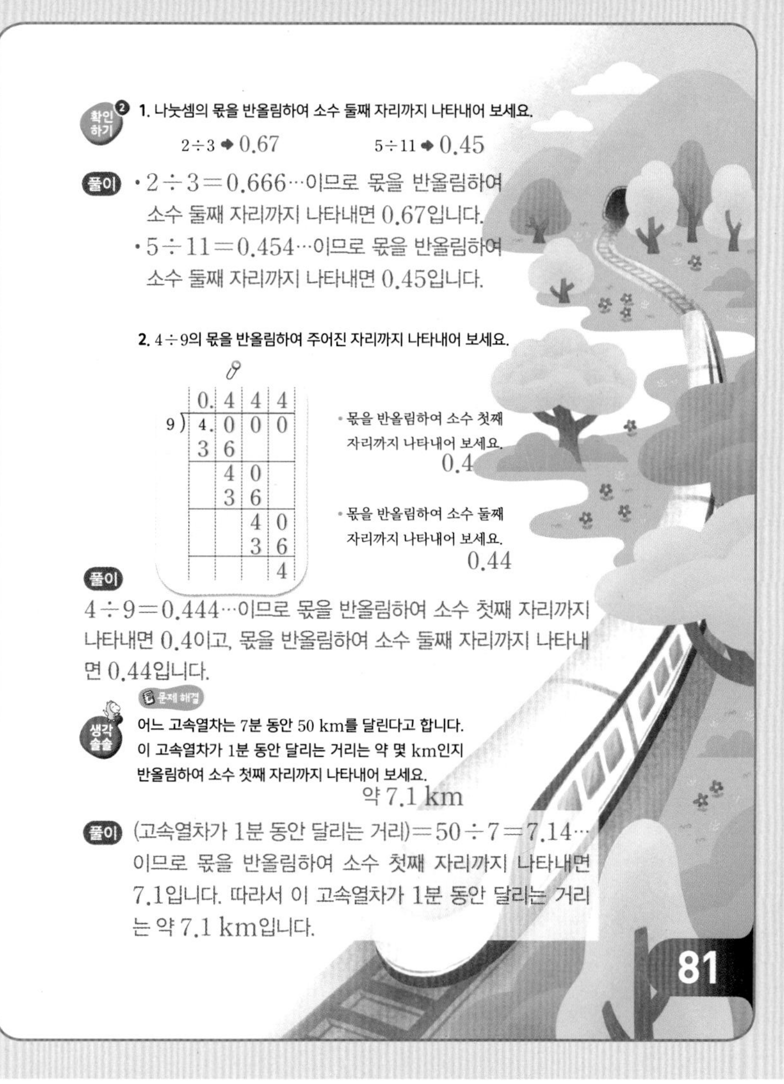

확인하기 ❷ 1. 나눗셈의 몫을 반올림하여 소수 둘째 자리까지 나타내어 보세요.

2÷3 ➡ 0.67　　　5÷11 ➡ 0.45

풀이 • 2÷3=0.666…이므로 몫을 반올림하여 소수 둘째 자리까지 나타내면 0.67입니다.
• 5÷11=0.454…이므로 몫을 반올림하여 소수 둘째 자리까지 나타내면 0.45입니다.

2. 4÷9의 몫을 반올림하여 주어진 자리까지 나타내어 보세요.

$$\begin{array}{r} 0.444 \\ 9\overline{)4.000} \\ \underline{36} \\ 40 \\ \underline{36} \\ 40 \\ \underline{36} \\ 4 \end{array}$$

• 몫을 반올림하여 소수 첫째 자리까지 나타내어 보세요. 0.4

• 몫을 반올림하여 소수 둘째 자리까지 나타내어 보세요. 0.44

풀이 4÷9=0.444…이므로 몫을 반올림하여 소수 첫째 자리까지 나타내면 0.4이고, 몫을 반올림하여 소수 둘째 자리까지 나타내면 0.44입니다.

생각술술 문제 해결 어느 고속열차는 7분 동안 50 km를 달린다고 합니다. 이 고속열차가 1분 동안 달리는 거리는 약 몇 km인지 반올림하여 소수 첫째 자리까지 나타내어 보세요.

약 7.1 km

풀이 (고속열차가 1분 동안 달리는 거리)=50÷7=7.14…이므로 몫을 반올림하여 소수 첫째 자리까지 나타내면 7.1입니다. 따라서 이 고속열차가 1분 동안 달리는 거리는 약 7.1 km입니다.

81

이런 문제가 서술형으로 나와요

몫을 반올림하여 소수 첫째 자리까지 나타내었을 때, 몫이 더 큰 것의 기호를 쓰려고 합니다. 풀이 과정을 쓰고, 답을 구해 보세요.

㉠ 11÷7　　　㉡ 32÷21

| 풀이 과정 |

❶ 몫을 반올림하여 소수 첫째 자리까지 나타내기

㉠ 11÷7=1.57…이므로 몫을 반올림하여 소수 첫째 자리까지 나타내면 1.6입니다.
㉡ 32÷21=1.52…이므로 몫을 반올림하여 소수 첫째 자리까지 나타내면 1.5입니다.

❷ 몫이 더 큰 것을 찾아 기호 쓰기

1.6>1.5이므로 몫이 더 큰 것은 ㉠입니다.

 ㉠

• **수학 교과 역량** 

여러 가지 실생활 문제를 해결해 보면서 문제 해결 능력을 기를 수 있습니다.

개념 확인 문제

정답 및 풀이 227쪽

1 20÷13의 몫을 반올림하여 주어진 자리까지 나타내어 보세요.

$$13\overline{)2\ 0}$$

소수 첫째 자리까지	소수 둘째 자리까지

2 가장 큰 수를 가장 작은 수로 나눈 몫을 반올림하여 소수 첫째 자리까지 나타내어 보세요.

17　　35　　9　　26

(　　　　　　)

3 분홍색 리본의 길이는 노란색 리본의 길이의 약 몇 배인지 반올림하여 소수 둘째 자리까지 나타내어 보세요.

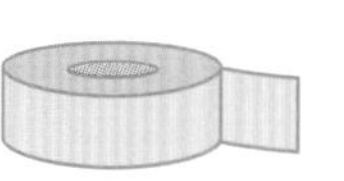

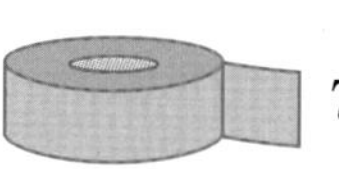

(　　　　　　)

10차시 문제해결력 | 쑥쑥

보라색 구슬의 무게는 어느 정도일까요

학습 목표

- 식 세우기 전략을 이용하여 문제를 해결하고 해결한 방법을 설명해 봅니다.
- 조건을 바꾸어 새로운 문제를 만들고, 해결해 봅니다.

문제 해결 전략 식 세우기 전략

수학 교과 역량 문제 해결 정보 처리

보라색 구슬의 무게는 어느 정도일까요

- 주어진 조건을 확인하고 문제 해결에 적절한 전략을 선택하여 해결하는 과정을 통하여 문제 해결 능력을 기를 수 있습니다.
- 주어진 여러 가지 정보를 이용하여 문제를 해결하는 과정을 통하여 정보 처리 능력을 기를 수 있습니다.

문제 해결 Tip 서은이가 가지고 있는 구슬의 평균 무게를 먼저 구하여 서은이와 민유가 가지고 있는 구슬의 평균 무게가 같은 경우를 생각합니다.

보라색 구슬의 무게는 어느 정도일까요  계산기

다음과 같이 서은이와 민유가 구슬을 가지고 있습니다. 각자 가지고 있는 구슬의 평균 무게를 구하였더니 민유가 가지고 있는 구슬의 평균 무게가 서은이보다 더 무거웠습니다. 민유가 가지고 있는 보라색 구슬의 무게는 몇 g일지 수의 범위로 나타내어 보세요.

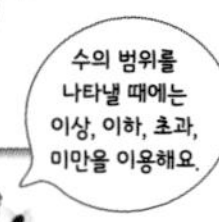

- 구하려고 하는 것은 무엇인가요? 예 보라색 구슬의 무게를 수의 범위로 나타내려고 합니다.
- 알고 있는 것은 무엇인가요?
  예 • 서은이가 가지고 있는 빨간색, 노란색, 초록색 구슬의 무게는 각각 2.5 g, 1.9 g, 3.4 g이고, 민유가 가지고 있는 주황색 구슬의 무게는 2.2 g입니다. • 가지고 있는 구슬의 평균 무게는 민유가 더 무겁습니다.

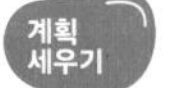

- 어떤 방법으로 문제를 해결할 수 있을지 계획을 세워 보세요.

예 서은이가 가지고 있는 구슬의 평균 무게를 구한 다음, 두 사람이 가지고 있는 구슬의 평균 무게가 같은 경우를 생각하여 보라색 구슬의 무게를 구하여 수의 범위로 나타냅니다.

82

교과서 개념 완성

문제 이해하기

» 구하려고 하는 것

보라색 구슬의 무게를 수의 범위로 나타내려고 합니다.

» 알고 있는 것

- 서은이가 가지고 있는 빨간색, 노란색, 초록색 구슬의 무게는 각각 2.5 g, 1.9 g, 3.4 g입니다.
- 민유가 가지고 있는 주황색 구슬의 무게는 2.2 g이고, 보라색 구슬의 무게는 모릅니다.
- 가지고 있는 구슬의 평균 무게는 민유가 더 무겁습니다.

계획 세우기

서은이와 민유가 가지고 있는 구슬의 평균 무게가 같은 경우를 생각하여 보라색 구슬의 무게를 구한 다음, 수의 범위로 나타냅니다.

계획대로 풀기

- (서은이가 가지고 있는 구슬의 평균 무게)
  $=(2.5+1.9+3.4)\div 3=2.6$ (g)
- 민유가 가지고 있는 구슬 2개의 무게의 합이 $2.6\times 2=5.2$ (g)이어야 하므로 보라색 구슬의 무게는 $5.2-2.2=3.0$ (g)입니다.
- 민유가 가지고 있는 보라색 구슬의 무게는 3.0 g보다 무거워야 하므로 3.0 g 초과입니다.

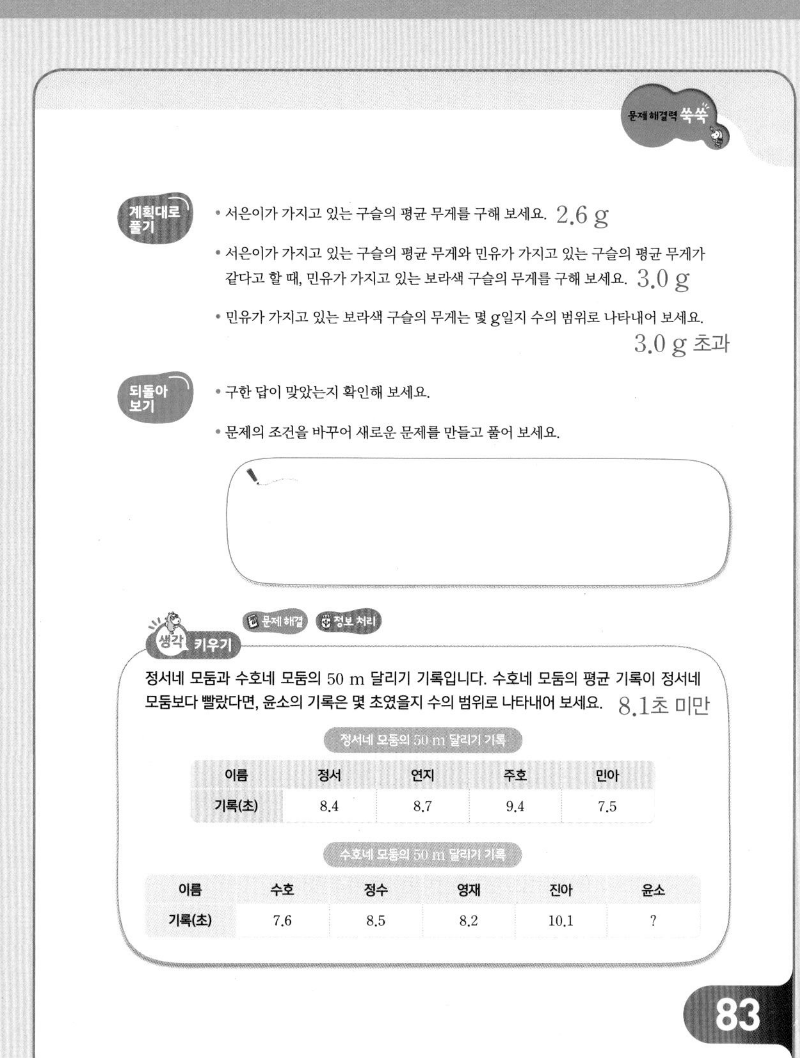

문제해결력 쑥쑥

계획대로 풀기

- 서은이가 가지고 있는 구슬의 평균 무게를 구해 보세요. 2.6 g
- 서은이가 가지고 있는 구슬의 평균 무게와 민유가 가지고 있는 구슬의 평균 무게가 같다고 할 때, 민유가 가지고 있는 보라색 구슬의 무게를 구해 보세요. 3.0 g
- 민유가 가지고 있는 보라색 구슬의 무게는 몇 g일지 수의 범위로 나타내어 보세요. 3.0 g 초과

되돌아 보기

- 구한 답이 맞았는지 확인해 보세요.
- 문제의 조건을 바꾸어 새로운 문제를 만들고 풀어 보세요.

생각 키우기 문제 해결 정보 처리

정서네 모둠과 수호네 모둠의 50 m 달리기 기록입니다. 수호네 모둠의 평균 기록이 정서네 모둠보다 빨랐다면, 윤소의 기록은 몇 초였을지 수의 범위로 나타내어 보세요. 8.1초 미만

정서네 모둠의 50 m 달리기 기록

이름	정서	연지	주호	민아
기록(초)	8.4	8.7	9.4	7.5

수호네 모둠의 50 m 달리기 기록

이름	수호	정수	영재	진아	윤소
기록(초)	7.6	8.5	8.2	10.1	?

83

문제 이해하기

>> 구하려고 하는 것

윤소의 기록을 수의 범위로 나타내려고 합니다.

>> 알고 있는 것

- 정서네 모둠과 수호네 모둠의 50 m 달리기 기록입니다.
- 수호네 모둠의 평균 기록이 정서네 모둠의 평균 기록보다 빠릅니다.

계획 세우기

정서네 모둠과 수호네 모둠의 50 m 달리기 기록의 평균이 같은 경우를 생각하여 윤소의 기록을 구한 다음, 수의 범위로 나타내어 봅니다.

계획대로 풀기

(정서네 모둠의 50 m 달리기 평균 기록)
$=(8.4+8.7+9.4+7.5)\div4=8.5$(초)
두 모둠의 50 m 달리기 평균 기록이 같다고 할 때 수호네 모둠의 50 m 달리기 기록의 합은 $8.5\times5=42.5$(초)이므로 윤소의 기록은 $42.5-7.6-8.5-8.2-10.1=8.1$(초)입니다.
따라서 수호네 모둠의 평균 기록이 정서네 모둠보다 빨랐으므로 윤소의 기록은 8.1초 미만입니다.

문제 해결력 문제

정답 및 풀이 227쪽

[1~2] 싱싱 과일 가게와 맛나 과일 가게에 있는 수박의 무게입니다. 싱싱 과일 가게에 있는 수박의 평균 무게가 맛나 과일 가게에 있는 수박의 평균 무게보다 더 무거울 때, ㉰ 수박의 무게는 몇 kg일지 수의 범위로 나타내려고 합니다. 물음에 답해 보세요.

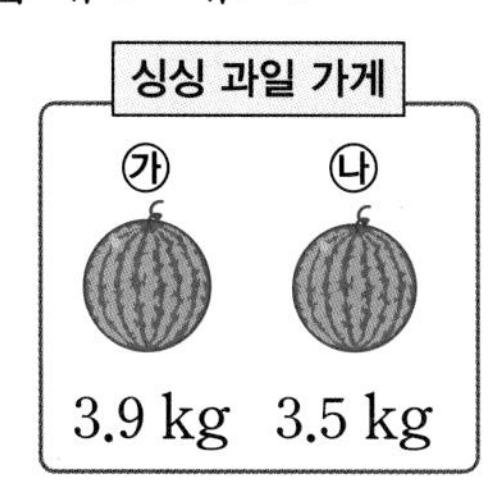

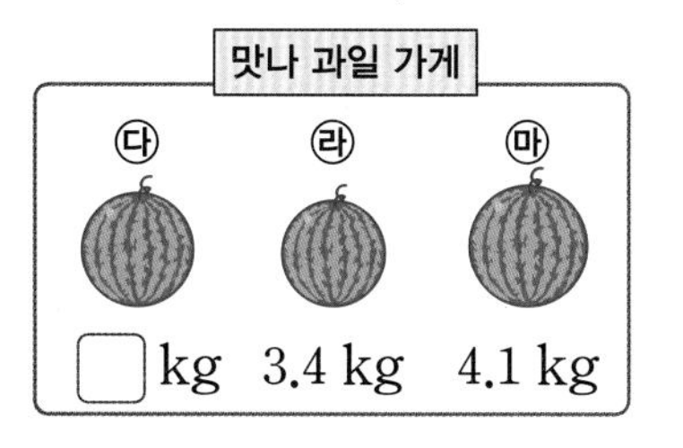

1 싱싱 과일 가게에 있는 수박의 평균 무게는 몇 kg인가요?

( )

2 맛나 과일 가게에 있는 ㉰ 수박의 무게는 몇 kg일지 수의 범위로 나타내어 보세요.

( )

단원 마무리 | 척척

추론

(소수)÷(자연수)의 몫을 소수로 나타내기

▶자습서 70~71쪽

나누어지는 수가 10배가 되면 몫도 10배가 되고, 나누어지는 수가 $\frac{1}{10}$배가 되면 몫도 $\frac{1}{10}$배가 됩니다.

1 4.6÷2를 계산하려고 합니다. □ 안에 알맞은 수를 써넣으세요.

60쪽

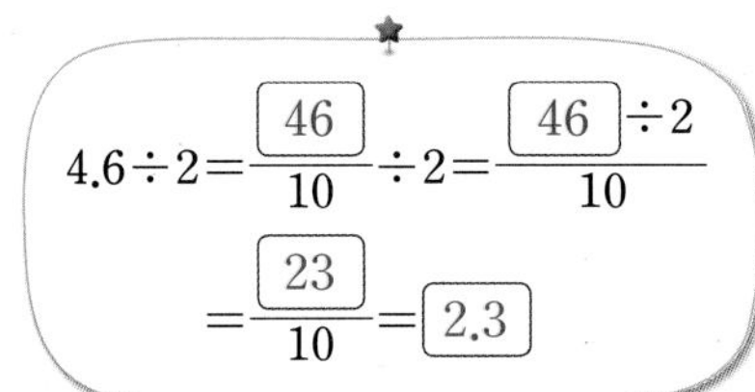

$4.6 \div 2 = \frac{46}{10} \div 2 = \frac{46 \div 2}{10} = \frac{23}{10} = 2.3$

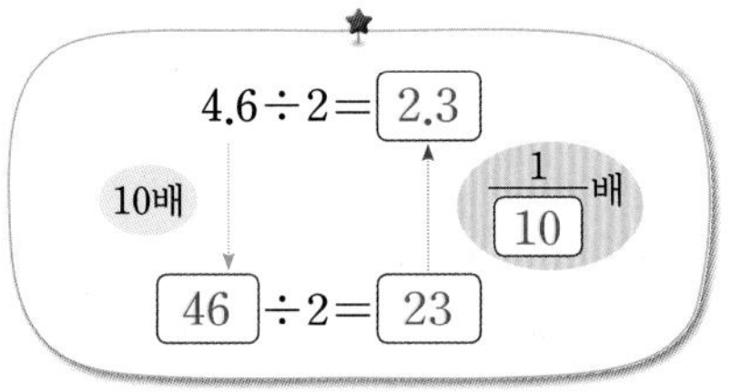

문제 해결 · 추론

(소수)÷(자연수)의 계산 결과를 어림하기

▶자습서 70~87쪽

나누어지는 수가 나누는 수보다 크면 몫이 1보다 크고, 나누어지는 수가 나누는 수보다 작으면 몫이 1보다 작습니다.

2 어림하여 몫이 1보다 작은 나눗셈에 ○표 하세요.

60~77쪽

3.15÷3　　(7.29÷9)　　8.4÷8　　12.5÷5

풀이 3.15÷3에서 3.15는 3보다 크므로 3으로 나누면 몫이 1보다 큽니다.
7.29÷9에서 7.29는 9보다 작으므로 9로 나누면 몫이 1보다 작습니다.
8.4÷8에서 8.4는 8보다 크므로 8로 나누면 몫이 1보다 큽니다.
12.5÷5에서 12.5는 5보다 크므로 5로 나누면 몫이 1보다 큽니다.

추론

(소수)÷(자연수), (자연수)÷(자연수)의 몫을 소수로 나타내기

▶자습서 74~91쪽

학부모 코칭 Tip

몫의 소수점은 나누어지는 수의 소수점을 올려 찍는다는 것을 알게 합니다.

3 계산해 보세요.

60~81쪽

$6.33 \div 3 = 2.11$ (6 / 3 / 3 / 3 / 3 / 0)

$2.08 \div 4 = 0.52$ (20 / 8 / 8 / 0)

$10.2 \div 5 = 2.04$ (10 / 20 / 20 / 0)

9.6÷8=1.2　　0.9÷2=0.45　　6÷4=1.5

풀이 $9.6 \div 8 = 1.2$ (8 / 16 / 16 / 0)　$0.90 \div 2 = 0.45$ (8 / 10 / 10 / 0)　$6.0 \div 4 = 1.5$ (4 / 20 / 20 / 0)

84

4 76쪽 오른쪽과 같은 삼각뿔 모양의 조형물이 있습니다. 이 삼각뿔의 모서리의 길이가 모두 같고 모서리의 합이 6.48 m일 때, 한 모서리의 길이는 몇 m인지 구해 보세요.

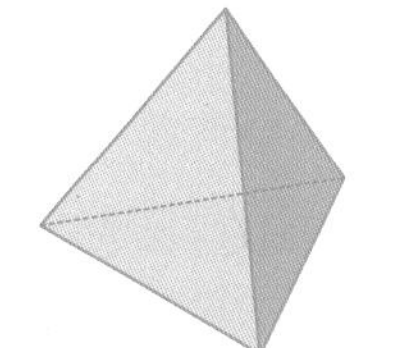

식 $6.48 \div 6 = 1.08$

1.08 m

풀이 삼각뿔은 모서리가 6개이고, 길이가 모두 같습니다.
→ (삼각뿔의 한 모서리의 길이) $= 6.48 \div 6 = 1.08$ (m)

문제해결

(소수)÷(자연수)의 몫을 소수로 나타내기
▶자습서 86~87쪽

학부모 코칭 Tip
소수 첫째 자리의 계산을 할 수 없으므로 몫의 소수 첫째 자리에 0을 써야 한다는 것을 알게 합니다.

5 78쪽 무게가 3 kg인 케이크가 있습니다. 이 케이크를 4조각으로 똑같이 나누었을 때, 나눈 한 조각의 무게는 몇 kg일지 소수로 나타내어 보세요.

(0.75 kg)

풀이 (케이크 한 조각의 무게) $= 3 \div 4 = 0.75$ (kg)

(자연수)÷(자연수)의 몫을 소수로 나타내기
▶자습서 88~89쪽

문제해결 창의·융합

6 78쪽 물 5 L를 물병 3개에 남김없이 나누어 담으려고 합니다. 5 L를 3으로 나눈 몫을 반올림하여 소수 첫째 자리까지 구한 양만큼 물병 2개에 담고, 남은 물을 나머지 물병에 담으려고 합니다. 나머지 물병에 담을 물의 양을 구해 보세요.

예 $5 \div 3 = 1.66\cdots$이고, 5 L를 3으로 나눈 몫을 반올림하여 소수 첫째 자리까지 나타낸 1.7 L만큼 물병 2개에 담으면 물병 2개에 담는 물의 양은 $1.7 \times 2 = 3.4$ (L)입니다. 따라서 담고 남은 물을 나머지 물병 한 개에 담아야 하므로 나머지 물병에 담을 물의 양은 $5 - 3.4 = 1.6$ (L)입니다.

답 1.6 L

(자연수)÷(자연수)의 몫을 소수로 나타내어 문제 해결하기
▶자습서 90~91쪽

학부모 코칭 Tip
몫을 반올림하여 어느 자리까지 나타내어야 하는지 확인하게 합니다.

• 놀이 속으로 | 풍덩

학습 목표

소수의 나눗셈 카드를 이용하여 놀이를 하며 (소수)÷(자연수)의 계산을 연습해 봅니다.

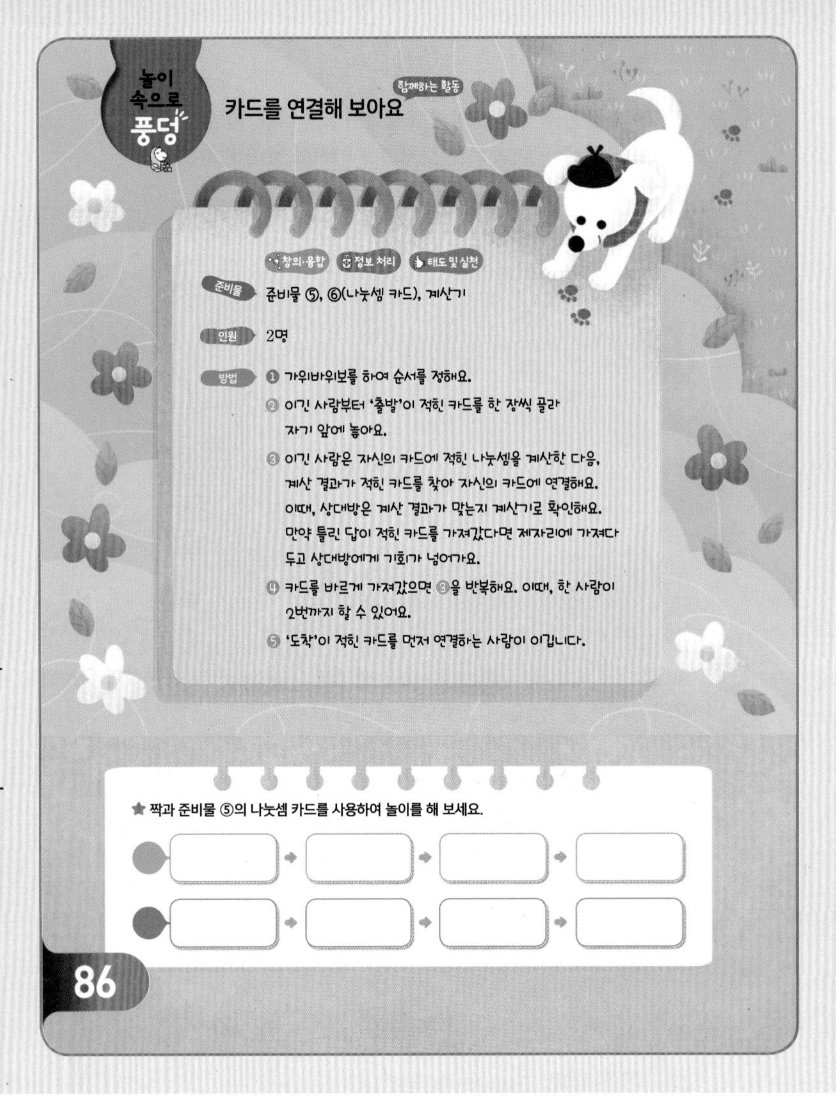
놀이 속으로 풍덩

함께하는 활동

카드를 연결해 보아요

창의·융합 / 정보 처리 / 태도 및 실천

준비물: 준비물 ⑤, ⑥(나눗셈 카드), 계산기

인원: 2명

방법:
1. 가위바위보를 하여 순서를 정해요.
2. 이긴 사람부터 '출발'이 적힌 카드를 한 장씩 골라 자기 앞에 놓아요.
3. 이긴 사람은 자신의 카드에 적힌 나눗셈을 계산한 다음, 계산 결과가 적힌 카드를 찾아 자신의 카드에 연결해요. 이때, 상대방은 계산 결과가 맞는지 계산기로 확인해요. 만약 틀린 답이 적힌 카드를 가져갔다면 제자리에 가져다 두고 상대방에게 기회가 넘어가요.
4. 카드를 바르게 가져갔으면 ③을 반복해요. 이때, 한 사람이 2번까지 할 수 있어요.
5. '도착'이 적힌 카드를 먼저 연결하는 사람이 이깁니다.

★ 짝과 준비물 ⑤의 나눗셈 카드를 사용하여 놀이를 해 보세요.

86

수학 교과 역량 창의·융합 / 정보 처리 / 태도 및 실천

카드를 연결해 보아요

- 더 재미있는 놀이가 될 수 있는 방법을 생각해 보며 창의·융합 능력을 기를 수 있습니다.
- 계산기를 사용하여 친구의 계산 결과가 맞는지 확인해 보는 과정에서 공학 도구로 정보를 처리하는 정보 처리 능력을 기를 수 있습니다.
- 놀이와 함께 소수의 나눗셈 계산 연습을 해 보는 과정에서 자신감을 갖고 수학에 대한 흥미를 느껴 보는 과정을 통하여 태도 및 실천 능력을 기를 수 있습니다.

교과서 개념 완성

1 준비물 확인하기 및 놀이 방법 살펴보기

- 나눗셈 카드와 계산기가 준비되었는지 확인합니다.
- 놀이 방법을 읽어 보고 이해합니다.
- 주어진 예를 이용하여 놀이 방법을 한 단계 한 단계 따라가면서 해 봅니다.

학부모 코칭 Tip

(소수)÷(자연수)의 계산 결과를 어림해 보고, 계산해 보게 합니다.

2 나눗셈 카드를 고르고 계산해 보기

예 서은 **출발** ➜ $4.48 \div 4 = 1.12$
➜ $5.1 \div 3 = 1.7$
➜ $2 \div 8 = 0.25$
➜ **도착**

민유 **출발** ➜ $6.99 \div 3 = 2.33$
➜ $49.6 \div 4 = 12.4$
➜ $4.1 \div 5 = 0.82$
➜ **도착**

3 짝과 실제 놀이를 해 보기

- 짝과 놀이를 합니다.
- 계산이 맞는지 서로 확인해 봅니다.

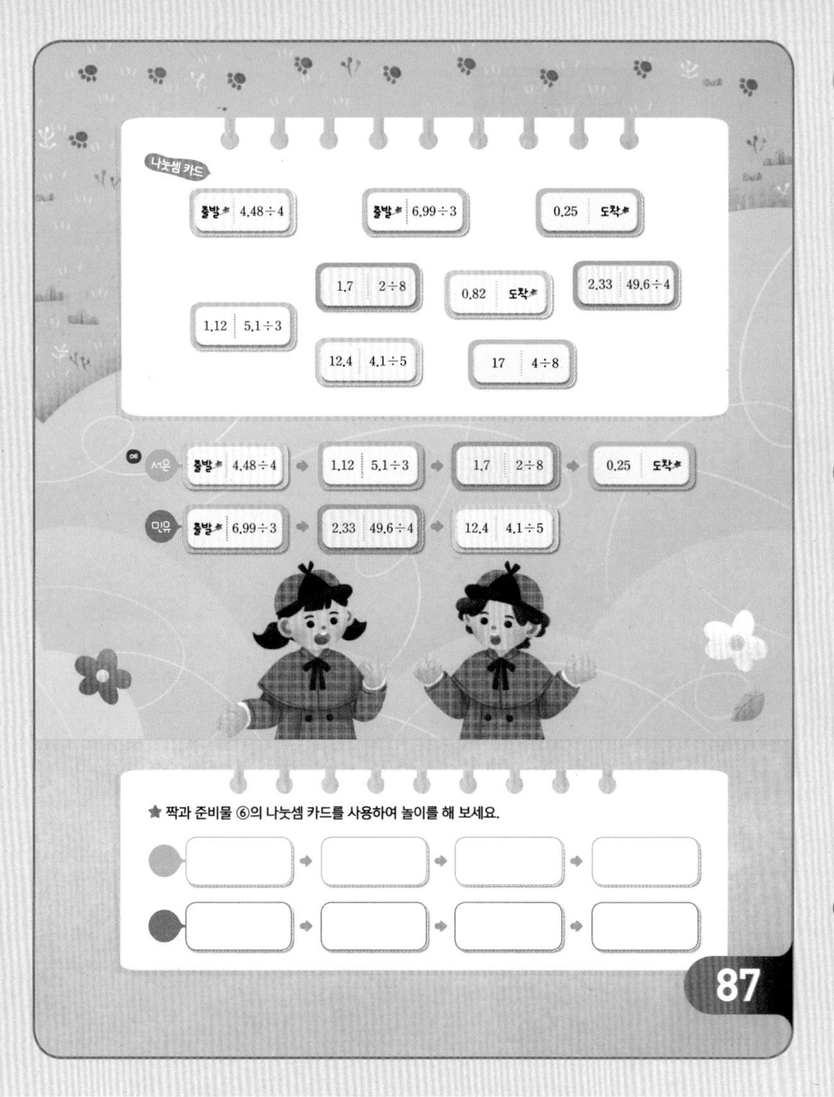

놀이하기 전

- 놀이 준비물은 모두 준비되었나요?
- 놀이 방법을 읽어 보았나요?
- 놀이 방법 중 이해가 되지 않는 부분이 있나요?

놀이 중

- 놀이 방법 중 이해가 되지 않는 부분이 있나요?
- 소수의 나눗셈의 계산 결과를 어림해 보는 과정이 놀이에 어떤 도움이 되었나요?
- 어떤 결과를 만들어 내는 것이 좋을까요?

놀이 후

- 놀이를 한 소감을 이야기해 보세요.
- 놀이 방법을 어떻게 바꾸면 더 재미있는 놀이가 될 수 있을지 생각해 보세요.

참고 자료

같은 숫자 열이 반복되는 신기한 소수

$\frac{1}{7}, \frac{2}{7}, \frac{3}{7}, \frac{4}{7}, \frac{5}{7}, \frac{6}{7}$을 소수로 나타내면 다음과 같이 숫자 배열의 순서만 다를 뿐 한없이 반복되는 숫자들이 나타납니다.

$\frac{1}{7}$=0.142857 142857 142857 142857 ⋯
$\frac{2}{7}$=0.2857 142857 142857 142857 ⋯
$\frac{3}{7}$=0.42857 142857 142857 142857 ⋯
$\frac{4}{7}$=0.57 142857 142857 142857 ⋯
$\frac{5}{7}$=0.7 142857 142857 142857 ⋯
$\frac{6}{7}$=0.857 142857 142857 142857 ⋯

$\frac{1}{7}, \frac{2}{7}, \frac{3}{7}, \frac{4}{7}, \frac{5}{7}, \frac{6}{7}$을 마주 보는 두 분수의 합이 1이 되도록 원의 안쪽에 적고, 이들 소수에서 규칙적으로 반복되는 수 142857을 원 테두리에 나타내면, 테두리에서 마주 보는 두 수의 합은 9가 되는 것을 발견할 수 있습니다.

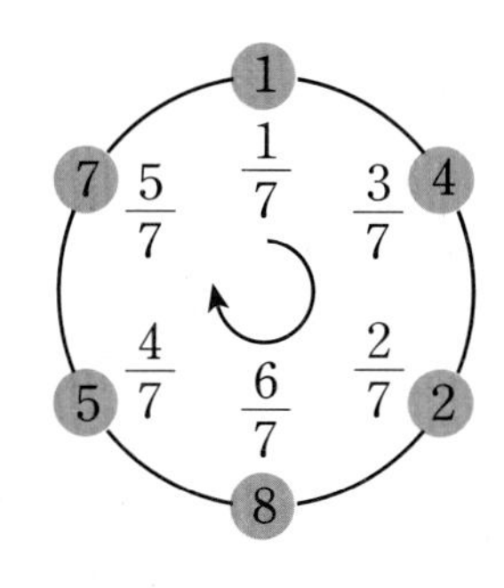

이와 같은 성질을 가진 수로는 7 외에 17, 19, 23, 29, 47 등이 있습니다. 이러한 수들은 암호문, 보안 체계 등을 만드는 데 활용되기도 합니다.

[출처] 양승갑 외, 『수학 8-가』

개념 + 확인

교과서 개념을 익히고 확인 문제를 풀면서 단원을 마무리해 보아요.

개념

(소수) ÷ (자연수) 알아보기

• 분수의 나눗셈으로 계산하기

소수 한 자리 수는 분모가 10인 분수로, 소수 두 자리 수는 분모가 100인 분수로 고쳐서 계산합니다.

예 $4.6\div2=\frac{46}{10}\div2=\frac{46\div2}{10}=\frac{23}{10}=2.3$

• 자연수의 나눗셈으로 계산하기

나누어지는 수가 10배, 100배가 되면 몫도 10배, 100배가 됩니다.

예 $4.6\div2=2.3$

10배 ↓　　↑ $\frac{1}{10}$배

$46\div2=23$

내림이 있는 (소수) ÷ (자연수)의 계산

• 3.78÷3을 계산하는 방법

$$\begin{array}{r} 1.26 \\ 3\overline{)3.78} \\ 3 \\ \hline 7 \\ 6 \\ \hline 18 \\ 18 \\ \hline 0 \end{array} \quad \Rightarrow \quad \begin{array}{r} 1.26 \\ 3\overline{)3.78} \\ 3 \\ \hline 7 \\ 6 \\ \hline 18 \\ 18 \\ \hline 0 \end{array}$$

몫이 1보다 작고 내림이 있는 (소수) ÷ (자연수)의 계산

• 2.45÷5를 계산하는 방법

$$\begin{array}{r} 0.49 \\ 5\overline{)2.45} \\ 20 \\ \hline 45 \\ 45 \\ \hline 0 \end{array} \quad \Rightarrow \quad \begin{array}{r} 0.49 \\ 5\overline{)2.45} \\ 20 \\ \hline 45 \\ 45 \\ \hline 0 \end{array}$$

확인 문제

1 □ 안에 알맞은 수를 써넣으세요.

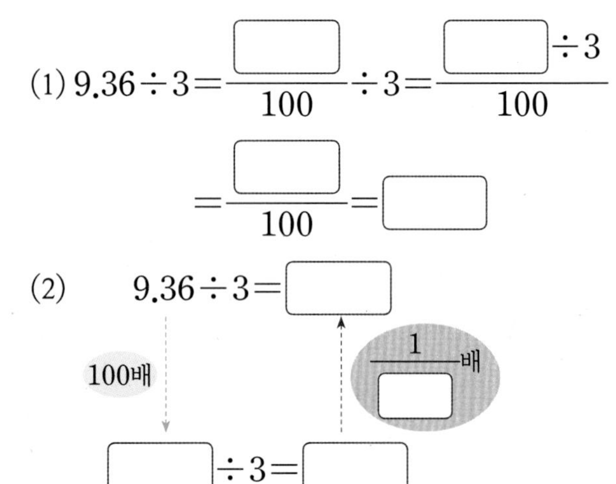

2 어림하여 몫이 1보다 작은 나눗셈을 찾아 기호를 써 보세요.

㉠ 4.28÷2　㉡ 5.65÷5　㉢ 7.84÷8

(　　　　　　　　)

3 계산해 보세요.

(1) $4\overline{)6.56}$　　(2) $7\overline{)2.73}$

4 빈칸에 알맞은 수를 써넣으세요.

6.84 → ÷9 → □

개념

소수점 아래 0을 내려 계산해야 하는 (소수)÷(자연수)의 계산

• 9.4÷4를 계산하는 방법

```
     2.3 5              2.3 5
  4)9.4 0     ➜      4)9.4
    8                  8
    1 4                1 4
    1 2                1 2
      2 0                2 0
      2 0                2 0
        0                  0
```

몫의 소수 첫째 자리가 0이 되는 (소수)÷(자연수)의 계산

• 7.28÷7을 계산하는 방법

```
     1.0 4              1.0 4
  7)7.2 8     ➜      7)7.2 8
    7                  7
      2 8                2 8
      2 8                2 8
        0                  0
```

(자연수)÷(자연수)의 몫을 소수로 나타내기

• 21÷6을 계산하는 방법

```
       3.5                3.5
  6)2 1.0     ➜      6)2 1
    1 8                1 8
      3 0                3 0
      3 0                3 0
        0                  0
```

• 13÷11을 계산하는 방법

13÷11=1.181…과 같이 계속해서 나눌 수 있을 때 몫을 반올림하여 나타낼 수 있습니다.

➜ 몫을 반올림하여 소수 첫째 자리까지 나타내면 1.2이고, 몫을 반올림하여 소수 둘째 자리까지 나타내면 1.18입니다.

확인 문제

5 잘못 계산한 곳을 찾아 바르게 계산해 보세요.

```
     1.7
  6)6.4 2     ➜   [          ]
    6
      4 2
      4 2
        0
```

6 몫의 크기를 비교하여 ○ 안에 $>$, $=$, $<$를 알맞게 써넣으세요.

13÷5 ○ 19.6÷8

7 17÷3의 몫을 반올림하여 주어진 자리까지 나타내어 보세요.

(1) 몫을 반올림하여 소수 첫째 자리까지 나타내어 보세요.

( )

(2) 몫을 반올림하여 소수 둘째 자리까지 나타내어 보세요.

( )

8 철사 8.4 m를 모두 사용하여 가장 큰 정오각형을 한 개 만들었습니다. 만든 정오각형의 한 변의 길이는 몇 m인가요?

( )

단계별로 **서술형 문제** 해결하기

과정 중심 평가 내용: □ 안에 들어갈 수 있는 가장 큰 또는 작은 수를 구할 수 있는가?

1-1 ★이 될 수 있는 자연수 중에서 가장 작은 수는 얼마인지 풀이 과정을 쓰고, 답을 구해 보세요. [8점]

$5.28 \div 3 < ★$

풀이

❶ $5.28 \div 3 = \square$ 이므로 $\square < ★$ 입니다.

❷ ★이 될 수 있는 자연수는 몫 □보다 큰 수이므로 가장 작은 자연수는 □입니다.

답

1-2 쌍둥이 □ 안에 들어갈 수 있는 자연수 중에서 가장 큰 수는 얼마인지 풀이 과정을 쓰고, 답을 구해 보세요. [12점]

$\square < 37 \div 5$

풀이

답

1-3 유사 1부터 9까지의 자연수 중에서 □ 안에 들어갈 수 있는 수는 모두 몇 개인지 풀이 과정을 쓰고, 답을 구해 보세요. [15점]

$13.3 \div 14 < 0.9\square$

풀이

답

1-4 실전 □ 안에 공통으로 들어갈 수 있는 자연수는 모두 몇 개인지 풀이 과정을 쓰고, 답을 구해 보세요. [15점]

$\square < 24.2 \div 4$　　$31 \div 8 < \square$

풀이

답

과정 중심 평가 내용 | 물건과 물건 사이의 간격을 구할 수 있는가?

➔ 정답 및 풀이 228쪽

2-1 길이가 1.25 km인 도로 한쪽에 가로등 26개를 처음부터 끝까지 같은 간격으로 세우려고 합니다. 가로등과 가로등의 간격을 몇 km로 해야 하는지 풀이 과정을 쓰고, 답을 구해 보세요. (단, 가로등의 두께는 생각하지 않습니다.) [8점]

풀이

❶ 가로등과 가로등의 간격 수는

□−1=□(군데)입니다.

❷ 가로등과 가로등의 간격은

1.25÷□=□(km)입니다.

답 ....

2-2 쌍둥이

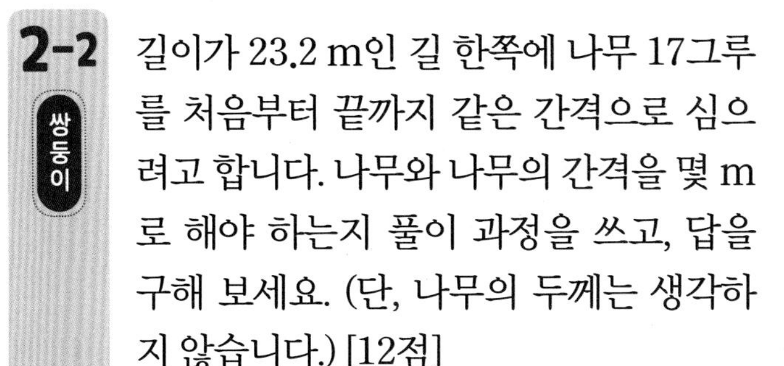

길이가 23.2 m인 길 한쪽에 나무 17그루를 처음부터 끝까지 같은 간격으로 심으려고 합니다. 나무와 나무의 간격을 몇 m로 해야 하는지 풀이 과정을 쓰고, 답을 구해 보세요. (단, 나무의 두께는 생각하지 않습니다.) [12점]

풀이

답 ....

2-3 유사

길이가 3 km인 길 한쪽에 깃발 21개를 같은 간격으로 세우려고 합니다. 길의 처음과 끝에 모두 깃발을 세운다면 13번째 깃발은 1번째 깃발로부터 몇 m 떨어진 곳에 세워야 하는지 풀이 과정을 쓰고, 답을 구해 보세요. (단, 깃발의 두께는 생각하지 않습니다.) [15점]

풀이

답 ....

2-4 실전

길이가 369.6 m인 도로 양쪽에 가로등 50개를 처음부터 끝까지 같은 간격으로 세우려고 합니다. 가로등과 가로등의 간격을 몇 m로 해야 하는지 풀이 과정을 쓰고, 답을 구해 보세요. [15점]

풀이

답 ....

| (소수)÷(자연수) 알아보기(1), (2) |

01 분수의 나눗셈으로 계산해 보세요.

하

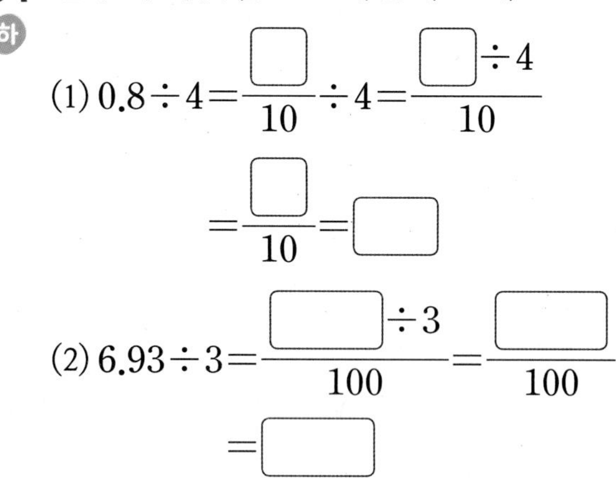

(1) $0.8 \div 4 = \frac{\square}{10} \div 4 = \frac{\square \div 4}{10} = \frac{\square}{10} = \square$

(2) $6.93 \div 3 = \frac{\square \div 3}{100} = \frac{\square}{100} = \square$

| (소수)÷(자연수)의 계산(1) |

02 85÷5를 이용하여 8.5÷5를 계산해 보세요.

하

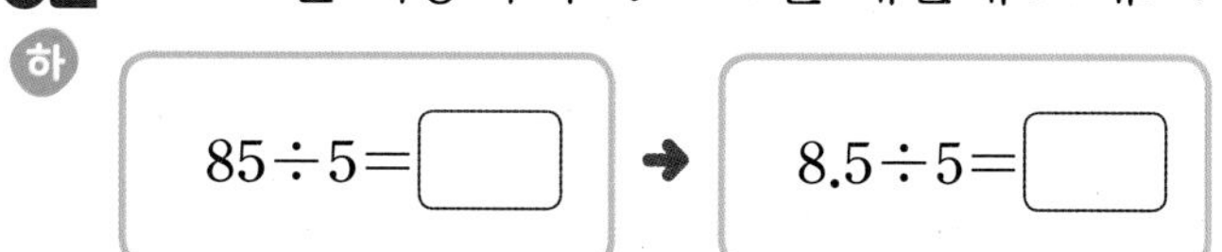

$85 \div 5 = \square$ ➜ $8.5 \div 5 = \square$

| (소수)÷(자연수)의 계산(1), (3) |

03 계산해 보세요.

하

(1) $3\overline{)7.6\ 2}$ (2) $8\overline{)9.2}$

| (소수)÷(자연수)의 계산(2), (4) |

04 어림하여 몫이 1보다 큰 것을 찾아 기호를 써 보세요.

하

㉠ 3.15÷3 ㉡ 3.88÷4 ㉢ 5.81÷7

( )

| (소수)÷(자연수)의 계산(2), (3) |

05 나눗셈의 몫을 찾아 선으로 이어 보세요.

중

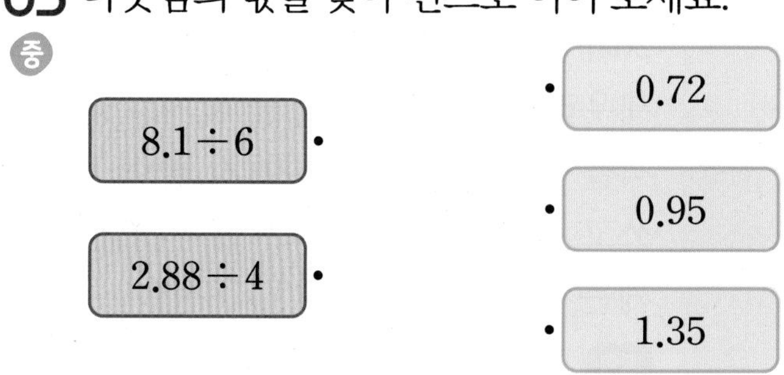

8.1÷6 •
2.88÷4 •

• 0.72
• 0.95
• 1.35

| (소수)÷(자연수)의 계산 (1), (4) |

06 빈칸에 알맞은 수를 써넣으세요.

중

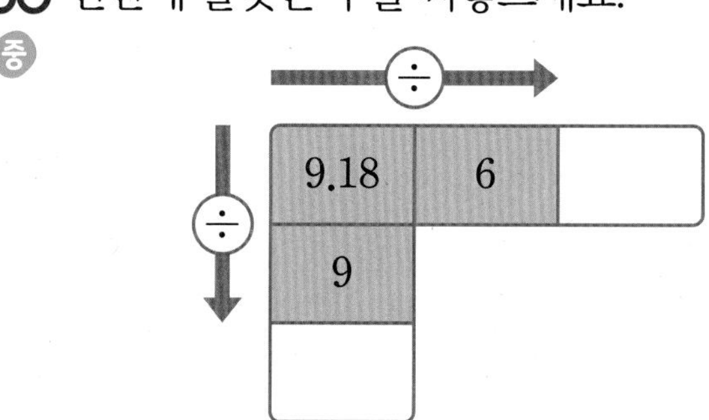

| (소수)÷(자연수)의 계산(4) |

07 나눗셈의 몫의 크기를 비교하여 ◯ 안에 >, =, <를 알맞게 써넣으세요.

중

6.21÷3 ◯ 10.4÷5

| (자연수)÷(자연수)의 몫을 소수로 나타내기 |

08 가장 작은 수를 가장 큰 수로 나눈 몫을 구해 보세요.

중

17 4 9 25

( )

➔ 정답 및 풀이 229쪽

| (소수)÷(자연수)의 계산(2) |

09 딸기주스 2.35 L를 5명이 똑같이 나누어 마시려고 합니다. 한 명이 마실 딸기주스의 양은 몇 L인가요?

중

( )

| (소수)÷(자연수)의 계산(1), (4) |

10 ㉠에 알맞은 수는 얼마인가요?

중

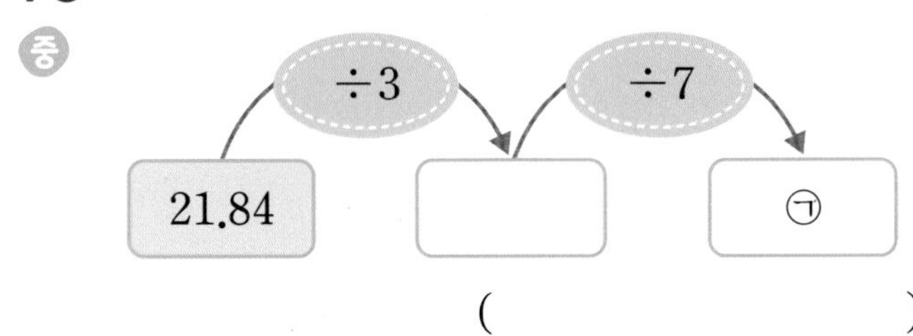

( )

| (자연수)÷(자연수)의 몫을 소수로 나타내기 |

11 □ 안에 들어갈 수 있는 가장 작은 자연수를 구해 보세요.

중

13÷4<□

( )

| (소수)÷(자연수)의 계산(1) |

12 넓이가 94.4 cm^2인 직사각형입니다. 이 직사각형의 둘레는 몇 cm인가요?

중

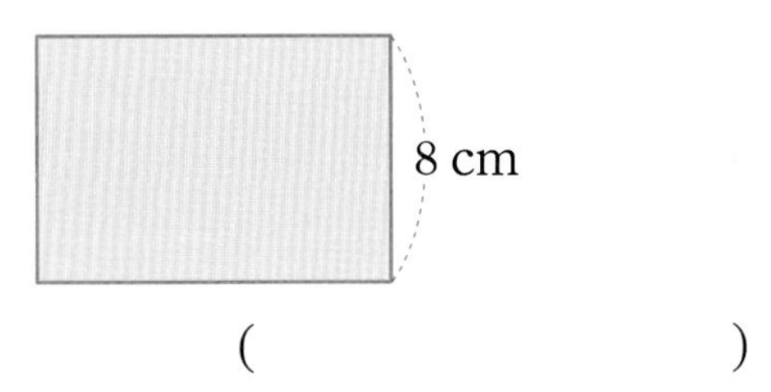

( )

| (소수)÷(자연수)의 계산(4) |

13 어떤 수를 3으로 나누어야 할 것을 잘못하여 곱하였더니 3.24가 되었습니다. 어떤 수를 구해 보세요.

중

( )

| (자연수)÷(자연수)의 몫을 소수로 나타내기 |

14 나눗셈의 몫을 반올림하여 소수 둘째 자리까지 나타내어 보세요.

중

(1) 11÷7 (2) 20÷3

| (자연수)÷(자연수)의 몫을 소수로 나타내기 |

15 ㉮ 막대의 길이는 ㉯ 막대의 길이의 약 몇 배인지 반올림하여 소수 첫째 자리까지 나타내어 보세요.

중

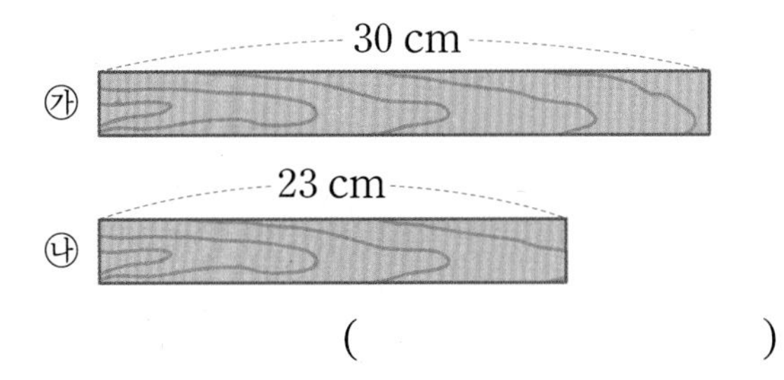

( )

| (소수)÷(자연수)의 계산(1) |

16 모든 모서리의 길이가 같은 육각기둥이 있습니다. 이 육각기둥의 모든 모서리의 길이의 합이 113.4 cm일 때, 한 모서리의 길이는 몇 cm인가요?

중

( )

➔ 정답 및 풀이 229쪽

| (자연수)÷(자연수)의 몫을 소수로 나타내기 | 서술형

17 나눗셈의 몫이 큰 것부터 차례로 기호를 쓰려고 합니다. 풀이 과정을 쓰고, 답을 구해 보세요.

중

㉠ 18÷13의 몫
㉡ 18÷13의 몫을 반올림하여 소수 첫째 자리까지 나타낸 몫
㉢ 18÷13의 몫을 반올림하여 소수 둘째 자리까지 나타낸 몫

풀이

답

| (소수)÷(자연수)의 계산(3) |

18 □ 안에 알맞은 수를 써넣으세요.

상

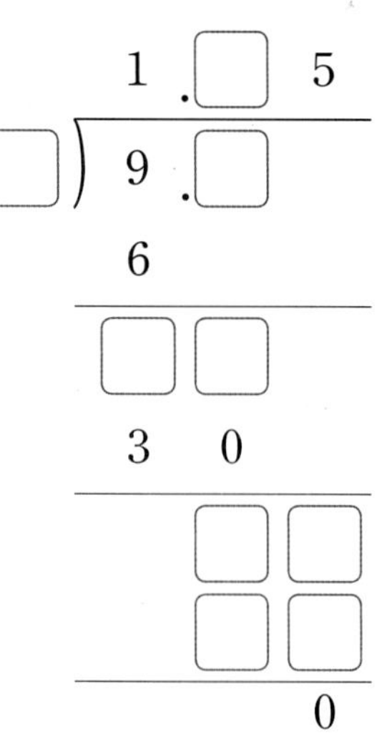

| (자연수)÷(자연수)의 몫을 소수로 나타내기 | 서술형

19 □ 안에 알맞은 수를 소수로 나타내면 얼마인지 풀이 과정을 쓰고, 답을 구해 보세요.

상

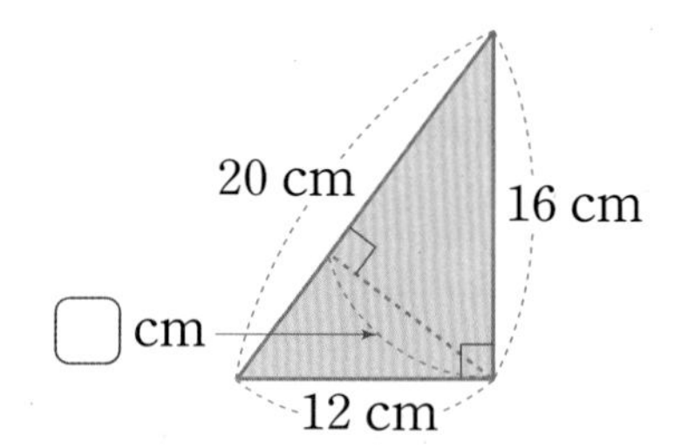

풀이

답

| (소수)÷(자연수)의 계산(3) | 서술형

20 4장의 숫자 카드 2, 5, 7, 8 중 3장을 골라 한 번씩만 사용하여 몫이 가장 크게 되는 나눗셈을 만들고, 몫을 구하려고 합니다. 풀이 과정을 쓰고, 답을 구해 보세요.

상

□.□÷□

풀이

답

재미있는
수학 이야기

화분에 흙을 얼마나 넣어야 할까?

우리 꽃나무를 심어 볼까?
배양토
1 kg

네, 좋아요~.

화분은 4개가 있고, 배양토는
5 kg이 있어. 화분 1개에 배양토를
몇 kg씩 넣어야 할까?
배양토
1 kg

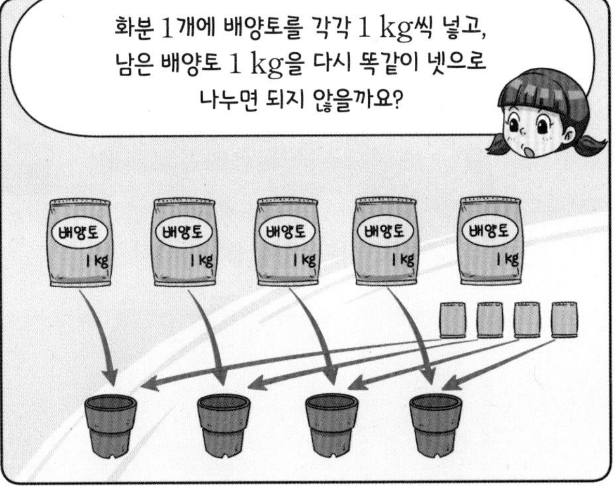
화분 1개에 배양토를 각각 1 kg씩 넣고,
남은 배양토 1 kg을 다시 똑같이 넷으로
나누면 되지 않을까요?
배양토
1 kg

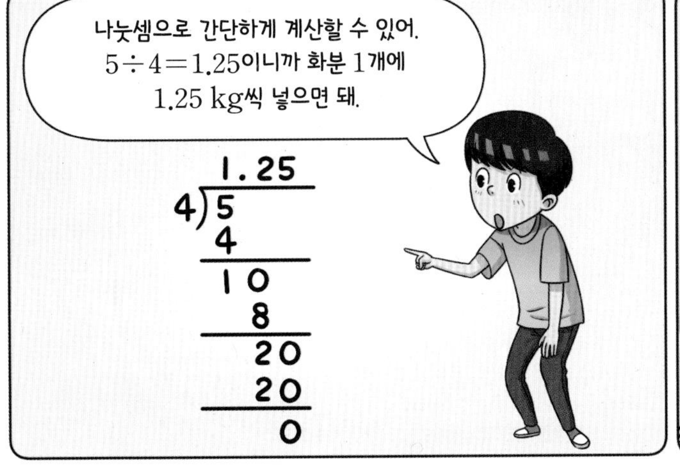
나눗셈으로 간단하게 계산할 수 있어.
5÷4=1.25이니까 화분 1개에
1.25 kg씩 넣으면 돼.
1.25
4)5
4
10
8
20
20
0

하하
완성~.
짝

4 비와 비율

이전에 배운 내용	이번에 배울 내용	다음에 배울 내용
5-1 3. 규칙과 대응 • 대응 관계에서 규칙을 찾아 설명하기 • 대응 관계를 식으로 나타내기 5-1 4. 약분과 통분 • 분수와 소수의 관계를 이해하고 크기 비교하기	• 두 양의 크기 비교 • 비의 개념 알아보기 • 비율의 개념 알아보기 • 비율을 분수와 소수로 나타내기 • 비율을 백분율로 나타내기	6-1 5. 여러 가지 그래프 • 띠그래프 • 원그래프 6-2 5. 비례식과 비례배분 • 비례식 • 비례배분

• 탁자 위에 놓인 책 중 읽은 책의 수와 읽지 않은 책의 수를 비교하는 방법을 궁금해하고 있습니다.
• 차를 이용하여 두 수를 비교하는 방법이 아닌 다른 방법을 궁금해하고 있습니다.

그림 속 상황

공부할 준비가 되었나요?

자/기/주/도/학/습

	학습 내용	계획 및 확인(공부한 날)	
예습	1차시 | 단원 도입 / 준비 팡팡	108~109쪽	월 일
진도	2차시 | 1 두 양의 크기 비교	110~111쪽	월 일
	3차시 | 2 비	112~113쪽	월 일
	4차시 | 3 비율	114~115쪽	월 일
	5차시 | 4 일상생활에서 사용되는 비율	116~117쪽	월 일
	6~7차시 | 5 백분율	118~121쪽	월 일
	8차시 | 6 백분율의 활용	122~123쪽	월 일
	9차시 | 문제 해결력 쑥쑥	124~125쪽	월 일
	10차시 | 단원 마무리 척척	126~127쪽	월 일
	11차시 | 공간 속으로 풍덩	128~129쪽	월 일
평가	개념+확인 / 서술형 문제 해결하기	130~133쪽	월 일
	단원 평가 / 재미있는 수학 이야기	134~137쪽	월 일

1 차시  준비 팡팡

학습 목표

'무엇을 알고 있나요'와 '함께 생각해 볼까요'를 통하여 단원을 준비할 수 있습니다.

분수와 소수의 관계 알아보기

- $\frac{1}{10}=0.1$, $\frac{3}{10}=0.3$, $\frac{5}{10}=0.5$, $\frac{6}{10}=0.6$, $\frac{8}{10}=0.8$
- $0.4=\frac{4}{10}$, $0.7=\frac{7}{10}$, $0.9=\frac{9}{10}$

색칠한 부분을 분수로 나타내기

- 전체를 100칸으로 똑같이 나눈 것 중의 색칠된 부분은 7칸이므로 $\frac{7}{100}$입니다.
- 전체를 100칸으로 똑같이 나눈 것 중의 색칠된 부분은 85칸이므로 $\frac{85}{100}$입니다.
- 전체를 100칸으로 똑같이 나눈 것 중의 색칠된 부분은 43칸이므로 $\frac{43}{100}$입니다.
- 전체를 100칸으로 똑같이 나눈 것 중의 색칠된 부분은 79칸이므로 $\frac{79}{100}$입니다.

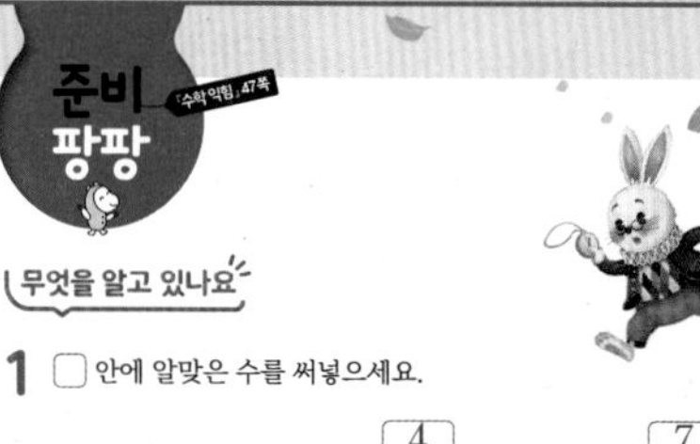

준비 팡팡 (수학 익힘 47쪽)

무엇을 알고 있나요

1 □ 안에 알맞은 수를 써넣으세요.

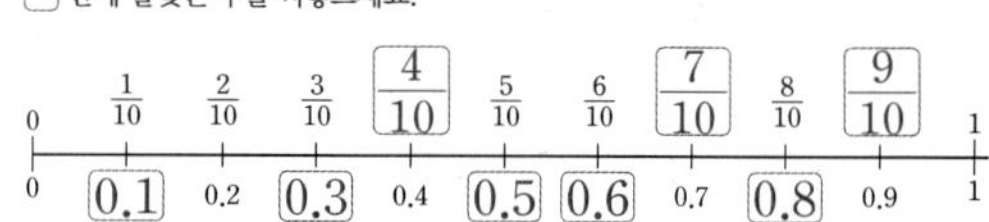

2 보기와 같이 분수로 나타내어 보세요.

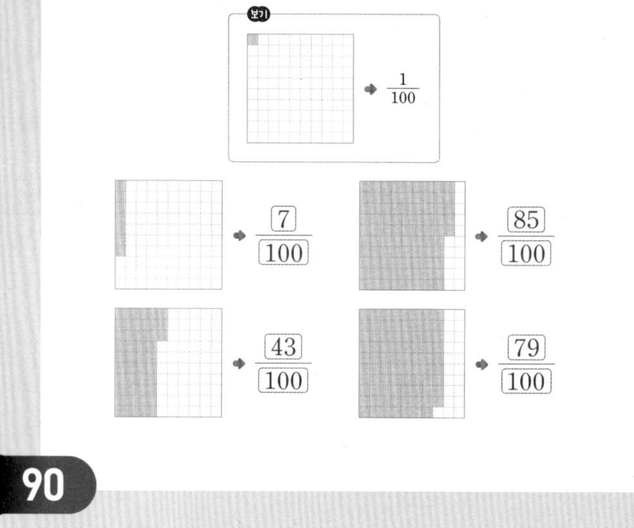

90

교과서 개념 완성 | 배운 것을 다시 생각하기

■와 ◆의 대응 관계 알아보기

■	1	2	3	4	…
◆	2	4	6	8	…

$1\times2=2$, $2\times2=4$, $3\times2=6$, $4\times2=8$, …

➜ 대응 관계를 식으로 나타내면 ■×2=◆입니다.

■	3	6	9	12	…
◆	1	2	3	4	…

$3\div3=1$, $6\div3=2$, $9\div3=3$, $12\div3=4$, …

➜ 대응 관계를 식으로 나타내면 ■÷3=◆입니다.

크기가 같은 분수 만들기

$\frac{1}{4}=\frac{2}{8}=\frac{25}{100}$ (×2, ×25)

➜ 분모와 분자에 각각 0이 아닌 같은 수를 곱해서 크기가 같은 분수를 만듭니다.

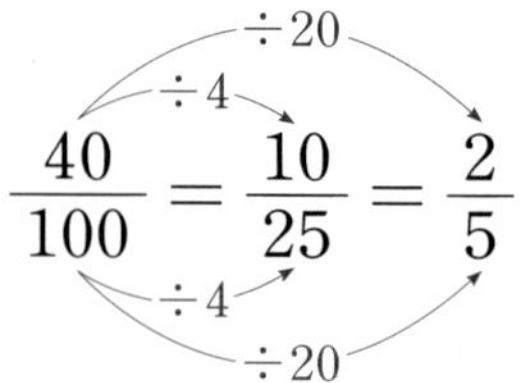

$\frac{40}{100}=\frac{10}{25}=\frac{2}{5}$ (÷4, ÷20)

➜ 분모와 분자를 각각 0이 아닌 같은 수로 나누어서 크기가 같은 분수를 만듭니다.

분수와 소수의 크기 비교하기

$\frac{4}{5}=\frac{4\times2}{5\times2}=\frac{8}{10}=0.8$ ➜ $\frac{4}{5}<0.9$

분수를 소수로 나타내기

준비 팡팡

함께 생각해 볼까요

1 분수를 각각 분모가 100인 분수로 만들어 보세요.

$\frac{3}{25}=\frac{3\times\boxed{4}}{25\times\boxed{4}}=\frac{\boxed{12}}{100}$ $\frac{11}{20}=\frac{11\times\boxed{5}}{20\times\boxed{5}}=\frac{\boxed{55}}{100}$

$\frac{1}{2}=\frac{1\times 50}{2\times 50}=\frac{50}{100}$ $\frac{7}{10}=\frac{7\times 10}{10\times 10}=\frac{70}{100}$

$\frac{4}{5}=\frac{4\times 20}{5\times 20}=\frac{80}{100}$ $\frac{3}{4}=\frac{3\times 25}{4\times 25}=\frac{75}{100}$

2 김치볶음밥을 만들려고 합니다. 각각의 재료에서 기준에 해당하는 말을 찾아 ○표 하세요.

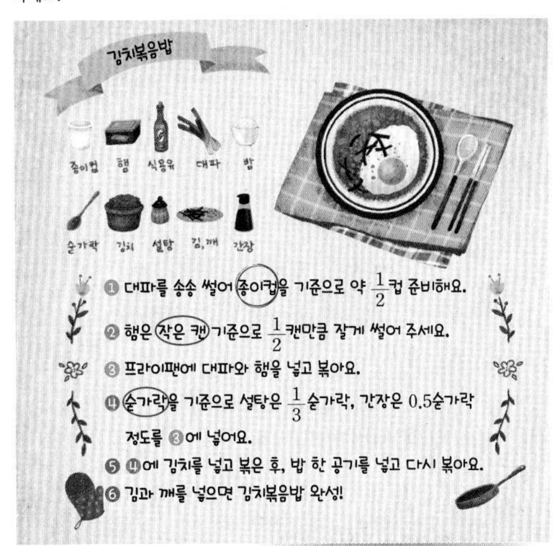

김치볶음밥
종이컵 햄 식용유 대파 밥
숟가락 김치 설탕 김,깨 간장
① 대파를 송송 썰어 종이컵을 기준으로 약 $\frac{1}{2}$컵 준비해요.
② 햄은 작은 캔 기준으로 $\frac{1}{2}$캔만큼 잘게 썰어 주세요.
③ 프라이팬에 대파와 햄을 넣고 볶아요.
④ 숟가락을 기준으로 설탕은 $\frac{1}{3}$숟가락, 간장은 0.5숟가락 정도를 ③에 넣어요.
⑤ ④에 김치를 넣고 볶은 후, 밥 한 공기를 넣고 다시 볶아요.
⑥ 김과 깨를 넣으면 김치볶음밥 완성!

91

분수를 각각 분모가 100인 분수로 만들기

$25\times4=100, 20\times5=100,$
$2\times50=100, 10\times10=100,$
$5\times20=100, 4\times25=100$입니다.

학부모 코칭 Tip

분수를 분모가 100인 분수로 만들어 보는 활동은 비율을 분모가 100인 분수로 만들어 백분율로 나타내어 보는 과정과 연계되는 학습입니다.
5학년 1학기 약분과 통분에서 배운 개념을 이용하여 해결해 보고, 분수의 분모와 분자가 바뀌어도 분수의 크기는 같다는 것을 상기시켜 줍니다.

각각의 재료에서 기준에 해당하는 말 찾기

각각의 재료에서 무엇을 기준으로 어느 정도의 양을 준비하는지 찾아봅니다.

학부모 코칭 Tip

비와 비율의 학습에 필요한 기준량에 대한 이해를 돕는 활동입니다. 다양한 상황을 제시하여 기준량의 의미를 이해할 수 있도록 합니다.

개념 확인 문제

정답 및 풀이 231쪽

| 5-1 3. 규칙과 대응 |

1 ○와 △ 사이의 대응 관계를 식으로 나타내어 보세요.

○	5	8	10	12	15	20
△	15	24	30	36	45	60

( )

| 5-1 3. 규칙과 대응 |

2 표에서 빈칸에 알맞은 수를 써넣으세요.

□	8	16	24	28	⋯	36
◇	2	4	6	7	⋯	

| 5-1 4. 약분과 통분 |

3 세 분수의 크기가 서로 같아지도록 □ 안에 알맞은 수를 써넣으세요.

(1) $\frac{7}{8}=\frac{14}{\square}=\frac{35}{\square}$

(2) $\frac{15}{45}=\frac{3}{\square}=\frac{1}{\square}$

| 5-1 4. 약분과 통분 |

4 두 수의 크기를 비교하여 ○ 안에 >, =, <를 알맞게 써넣으세요.

(1) $\frac{3}{5}$ ○ 0.2 (2) 0.5 ○ $\frac{1}{4}$

2 차시 1 | 두 양의 크기 비교

학습 목표

덧셈, 뺄셈, 곱셈, 나눗셈을 이용하여 두 양의 크기를 비교할 수 있습니다.

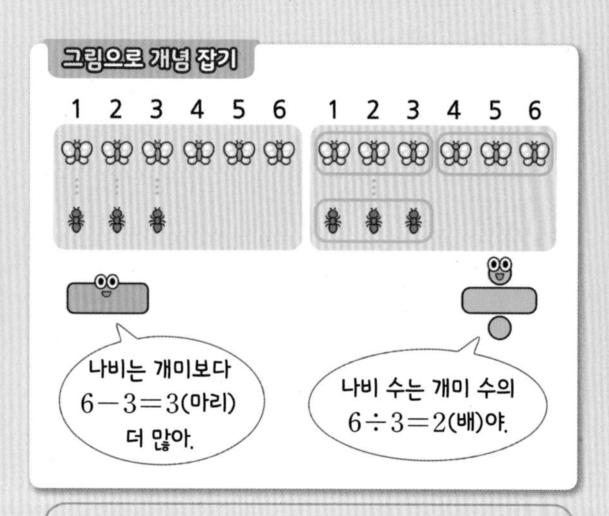

그림으로 개념 잡기
1 2 3 4 5 6
1 2 3 4 5 6
나비는 개미보다 6−3=3(마리) 더 많아.
나비 수는 개미 수의 6÷3=2(배)야.

참고
- 뺄셈으로 두 수 비교하기
  ●−▲=★
  → ●는 ▲보다 ★ 더 큽니다.
  ▲는 ●보다 ★ 더 작습니다.
- 나눗셈으로 두 수 비교하기
  ●÷▲=♥
  → ●는 ▲의 ♥배입니다.
  ▲는 ●의 $\frac{1}{♥}$배입니다.

1 두 양의 크기 비교
덧셈, 뺄셈, 곱셈, 나눗셈을 이용하여 두 양의 크기를 비교할 수 있습니다.
생각열기 탁자 위의 책 중 앨리스가 읽은 책은 8권, 읽지 않은 책은 4권입니다.
• 앨리스가 읽은 책의 수와 읽지 않은 책의 수를 어떻게 비교할 수 있을까요?
예 뺄셈이나 나눗셈을 이용하여 비교할 수 있을 것 같습니다.
탐구하기 두 양의 크기를 비교해 봅시다.
앨리스가 읽은 책은 8권이에요.
앨리스가 읽지 않은 책은 4권이에요.
• 앨리스가 읽은 책은 읽지 않은 책보다 몇 권 더 많은가요? 어떤 방법으로 비교하였는지 이야기해 보세요. 예 읽은 책이 읽지 않은 책보다 4권 더 많습니다.
예 뺄셈을 이용하여 8−4=4로 비교하였습니다.
• 앨리스가 읽은 책의 수는 읽지 않은 책의 수의 몇 배인가요? 어떤 방법으로 비교하였는지 이야기해 보세요. 예 읽은 책의 수가 읽지 않은 책의 수의 2배입니다.
예 나눗셈을 이용하여 8÷4=2로 비교하였습니다.
• 두 방법을 비교해 보고 차이점을 이야기해 보세요.
예 뺄셈을 이용하여 비교한 경우와 나눗셈을 이용하여 비교한 경우의 결과가 다릅니다.
92

교과서 개념 완성

생각열기 두 양의 크기를 비교하는 상황 생각하기

- 책은 모두 12권입니다.
- 앨리스가 읽은 책은 8권이고, 읽지 않은 책은 4권입니다.
- 두 수를 비교한다면 전체 책의 수와 읽은 책의 수, 전체 책의 수와 읽지 않은 책의 수, 읽은 책의 수와 읽지 않은 책의 수를 비교할 수 있습니다.
- 앨리스가 읽은 책의 수와 읽지 않은 책의 수는 뺄셈이나 나눗셈으로 비교할 수 있습니다.

→ 앨리스가 읽은 책이 읽지 않은 책보다 더 많습니다.

탐구하기 두 양의 크기를 비교하는 방법 탐구하기

- 앨리스가 읽은 책이 읽지 않은 책보다 4권 더 많으므로 뺄셈으로 비교하면 $8-4=4$입니다.
- 앨리스가 읽은 책의 수가 읽지 않은 책의 수의 2배이므로 나눗셈으로 비교하면 $8\div4=2$입니다.

→ 뺄셈으로 비교한 경우와 나눗셈으로 비교한 경우의 결과가 다릅니다.

학부모 코칭 Tip

비교하는 두 수의 순서가 있는 상황이 아니면 '●가 ▲보다 4권 더 많다.' 또는 '▲가 ●보다 4권 더 적다.'라고 표현하거나 '●는 ▲의 2배이다.' 또는 '▲는 ●의 $\frac{1}{2}$배이다.'라고 표현해 보게 합니다.

공부한 날 월 일

- 두 양의 크기를 비교하는 방법을 알아봅시다.
  - 뺄셈을 이용하여 두 양의 크기를 비교할 수 있습니다. 이때, 한 양이 다른 양보다 얼마나 더 많은지를 알 수 있습니다.
  - 나눗셈을 이용하여 두 양의 크기를 비교할 수 있습니다. 이때, 한 양이 다른 양의 몇 배인지를 알 수 있습니다.

- 어느 가게의 냉장고에는 포도주스 15병과 딸기주스 5병이 있습니다. 포도주스의 수와 딸기주스의 수를 비교해 보세요.
  - 예 뺄셈 (으)로 비교하면 포도주스는 딸기주스보다 10 병 더 많습니다.
  - 예 나눗셈 (으)로 비교하면 포도주스의 수는 딸기주스의 수의 3 배입니다.

1. 오늘 학교 도서관에서 2학년 학생은 20권의 책을 대출하였고, 6학년 학생은 80권의 책을 대출하였습니다. 오늘 2학년 학생이 대출한 책의 수와 6학년 학생이 대출한 책의 수를 비교하여 이야기해 보세요.
   예 • 뺄셈으로 비교하면 $80-20=60$이므로 6학년 학생이 2학년 학생보다 60권 더 많이 대출하였습니다.
   • 나눗셈으로 비교하면 $80\div20=4$이므로 6학년 학생이 2학년 학생의 4배만큼 대출하였습니다.
2. 민선이의 키는 150 cm입니다. 어느 시각에 민선이의 그림자 길이를 재어 보니 30 cm였습니다. 이 시각에 민선이의 키와 그림자의 길이를 비교해 보세요.
   예 • 뺄셈으로 비교하면 $150-30=120$이므로 민선이의 키는 그림자의 길이보다 120 cm 더 깁니다.
   • 나눗셈으로 비교하면 $150\div30=5$이므로 민선이의 키는 그림자 길이의 5배입니다.

93

이런 문제가 서술형으로 나와요

검은색 바둑돌 27개와 흰색 바둑돌 9개를 수정이와 재환이가 비교한 것을 보고, 어떤 차이가 있는지 설명해 보세요.

- 수정: 검은색 바둑돌은 흰색 바둑돌보다 18개 더 많아.
- 재환: 검은색 바둑돌 수는 흰색 바둑돌 수의 3배야.

| 풀이 과정 |

❶ 수정이가 비교한 방법 설명하기

$27-9=18$이므로 뺄셈으로 비교했습니다.

❷ 재환이가 비교한 방법 설명하기

$27\div9=3$이므로 나눗셈으로 비교했습니다.

답 수정이는 뺄셈으로 비교했고, 재환이는 나눗셈으로 비교했습니다.

개념 확인 문제

정답 및 풀이 231쪽

1 그림을 보고 □ 안에 알맞은 수를 써넣으세요.

(1) $6-2=$□

➜ 딸기는 참외보다 □개 더 많습니다.

(2) $6\div2=$□

➜ 딸기 수는 참외 수의 □배입니다.

2 놀이터에 어른이 8명, 어린이가 32명 있습니다. 놀이터에 있는 어른 수와 어린이 수를 뺄셈과 나눗셈으로 각각 비교해 보세요.

(1) 뺄셈으로 비교하기

(2) 나눗셈으로 비교하기

3 차시

2 | 비

학습 목표

비의 뜻을 알고, 기호를 사용하여 비를 나타낼 수 있습니다.

그림으로 개념 잡기

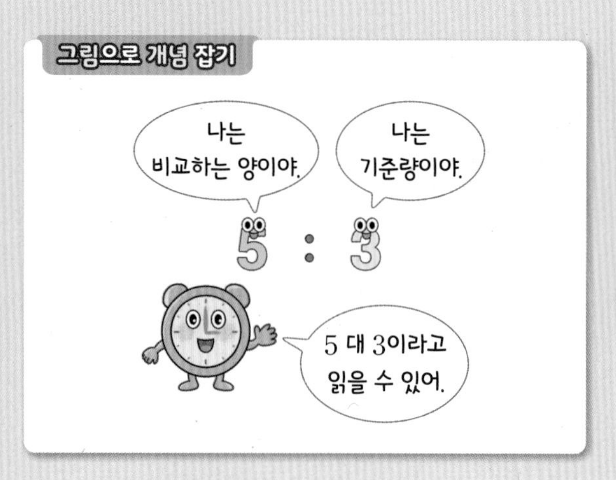

나는 비교하는 양이야.
나는 기준량이야.
5 : 3
5 대 3이라고 읽을 수 있어.

5 : 2와 2 : 5는 서로 다릅니다.
➜ 5 : 2는 2를 기준으로 하여 5를 비교한 것이고, 2 : 5는 5를 기준으로 하여 2를 비교한 것입니다.

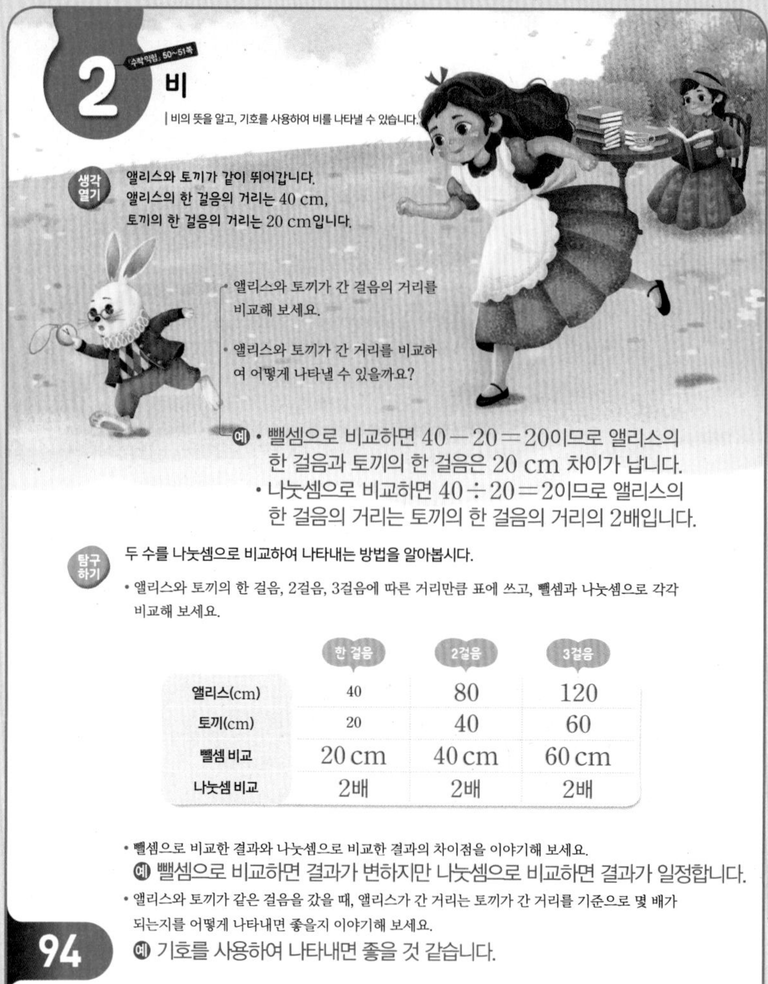

2 수학익힘 50~51쪽

비

비의 뜻을 알고, 기호를 사용하여 비를 나타낼 수 있습니다.

생각 열기 앨리스와 토끼가 같이 뛰어갑니다. 앨리스의 한 걸음의 거리는 40 cm, 토끼의 한 걸음의 거리는 20 cm입니다.

- 앨리스와 토끼가 간 걸음의 거리를 비교해 보세요.
- 앨리스와 토끼가 간 거리를 비교하여 어떻게 나타낼 수 있을까요?

예 • 뺄셈으로 비교하면 $40-20=20$이므로 앨리스의 한 걸음과 토끼의 한 걸음은 20 cm 차이가 납니다.
• 나눗셈으로 비교하면 $40\div20=2$이므로 앨리스의 한 걸음의 거리는 토끼의 한 걸음의 거리의 2배입니다.

탐구하기 두 수를 나눗셈으로 비교하여 나타내는 방법을 알아봅시다.

- 앨리스와 토끼의 한 걸음, 2걸음, 3걸음에 따른 거리만큼 표에 쓰고, 뺄셈과 나눗셈으로 각각 비교해 보세요.

	한 걸음	2걸음	3걸음
앨리스(cm)	40	80	120
토끼(cm)	20	40	60
뺄셈 비교	20 cm	40 cm	60 cm
나눗셈 비교	2배	2배	2배

- 뺄셈으로 비교한 결과와 나눗셈으로 비교한 결과의 차이점을 이야기해 보세요.
예 뺄셈으로 비교하면 결과가 변하지만 나눗셈으로 비교하면 결과가 일정합니다.
- 앨리스와 토끼가 같은 걸음을 갔을 때, 앨리스가 간 거리는 토끼가 간 거리를 기준으로 몇 배가 되는지를 어떻게 나타내면 좋을지 이야기해 보세요.
예 기호를 사용하여 나타내면 좋을 것 같습니다.

94

교과서 개념 완성

탐구하기 두 수를 나눗셈으로 비교하여 나타내는 방법 알아보기

- 뺄셈으로 비교하면 $40-20=20$, $80-40=40$, $120-60=60$이므로 거리가 20 cm, 40 cm, 60 cm 차이가 납니다.
  나눗셈으로 비교하면 $40\div20=2$, $80\div40=2$, $120\div60=2$이므로 거리가 2배로 일정합니다.
- 뺄셈으로 비교하면 결과가 20 cm, 40 cm, 60 cm로 변하지만 나눗셈으로 비교하면 결과가 2배로 일정합니다.
- 뺄셈으로 비교하면 두 수의 관계가 변하지만 나눗셈으로 비교하면 두 수의 관계가 변하지 않으므로 나눗셈으로 비교하여 기호를 사용하여 나타내면 좋을 것 같습니다.

정리하기 비 알아보기

비에서 기호 :의 오른쪽에 있는 수가 기준량, 왼쪽에 있는 수가 비교하는 양으로 각각의 의미가 서로 다릅니다.

학부모 코칭 Tip

비에서 '~에 대한'이라는 표현이 기준량을 나타낸다는 것을 이해한 다음, 비로 나타내어 볼 수 있게 합니다.

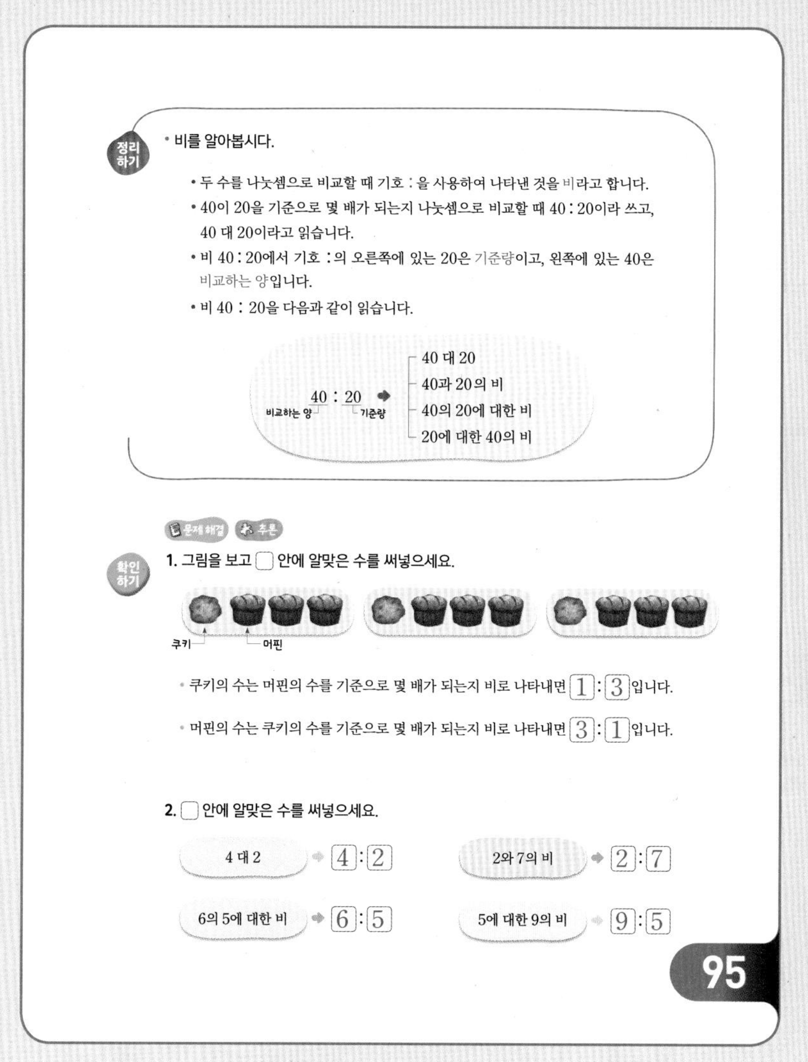

정리하기

• 비를 알아봅시다.

• 두 수를 나눗셈으로 비교할 때 기호 : 을 사용하여 나타낸 것을 비라고 합니다.
• 40이 20을 기준으로 몇 배가 되는지 나눗셈으로 비교할 때 40 : 20이라 쓰고, 40 대 20이라고 읽습니다.
• 비 40 : 20에서 기호 : 의 오른쪽에 있는 20은 기준량이고, 왼쪽에 있는 40은 비교하는 양입니다.
• 비 40 : 20을 다음과 같이 읽습니다.

40 : 20 (비교하는 양, 기준량) → 40 대 20 / 40과 20의 비 / 40의 20에 대한 비 / 20에 대한 40의 비

확인하기

문제 해결 추론

1. 그림을 보고 □ 안에 알맞은 수를 써넣으세요.

쿠키, 머핀

• 쿠키의 수는 머핀의 수를 기준으로 몇 배가 되는지 비로 나타내면 1 : 3입니다.
• 머핀의 수는 쿠키의 수를 기준으로 몇 배가 되는지 비로 나타내면 3 : 1입니다.

2. □ 안에 알맞은 수를 써넣으세요.

4 대 2 → 4 : 2
2와 7의 비 → 2 : 7
6의 5에 대한 비 → 6 : 5
5에 대한 9의 비 → 9 : 5

95

이런 문제가 서술형으로 나와요

효주네 반 학생은 20명입니다. 그중 9명은 안경을 썼고 나머지는 안경을 쓰지 않았습니다. 전체 학생 수에 대한 안경을 쓰지 않은 학생 수의 비를 구하려고 합니다. 풀이 과정을 쓰고, 답을 구해 보세요.

| 풀이 과정 |

❶ 안경을 쓰지 않은 학생 수 구하기

(안경을 쓰지 않은 학생 수)$=20-9=11$(명)

❷ 전체 학생 수에 대한 안경을 쓰지 않은 학생 수의 비 구하기

전체 학생 수에 대한 안경을 쓰지 않은 학생 수의 비는 기준량이 20, 비교하는 양이 11이므로 11 : 20입니다.

답 11 : 20

수학 교과 역량 문제 해결 추론

기준량과 비교하는 양을 알고 비로 나타내기

두 수를 나눗셈으로 비교할 때 기준량과 비교하는 양을 알고 비로 나타내어 보는 활동을 통하여 문제 해결과 추론 능력을 기를 수 있습니다.

개념 확인 문제

정답 및 풀이 231쪽

1 그림을 보고 □ 안에 알맞은 수를 써넣으세요.

(1) 가지 수와 오이 수의 비 → □ : □

(2) 오이 수에 대한 가지 수의 비 → □ : □

(3) 오이의 가지 수에 대한 비 → □ : □

2 비를 보고 □ 안에 알맞은 수를 써넣으세요.

7 : 3

(1) □ 대 □

(2) □의 □에 대한 비

3 전체에 대한 색칠한 부분의 비를 써 보세요.

(　　　　　　　　)

3 | 비율

학습 목표

비율의 뜻을 알고, 비율을 구할 수 있습니다.

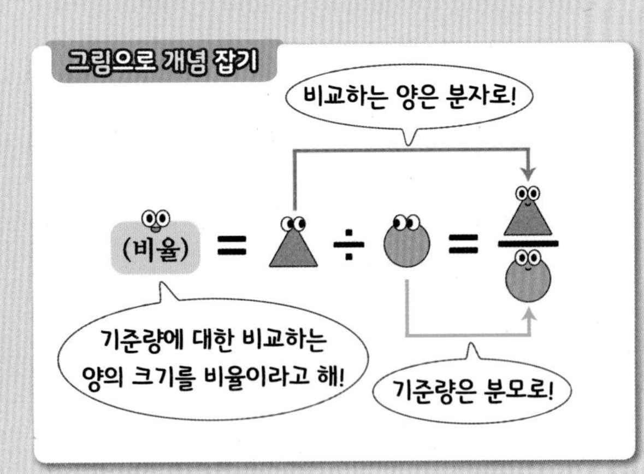

그림으로 개념 잡기
비교하는 양은 분자로!
(비율) = ▲ ÷ ● = ▲/●
기준량에 대한 비교하는 양의 크기를 비율이라고 해!
기준량은 분모로!

참고 기준량과 비교하는 양 사이의 관계 이해하기

- 기준량 비교하는 양: (기준량)<(비교하는 양) ➔ 비율은 1보다 큽니다.
- 기준량 비교하는 양: (기준량)=(비교하는 양) ➔ 비율은 1과 같습니다.
- 기준량 비교하는 양: (기준량)>(비교하는 양) ➔ 비율은 1보다 작습니다.

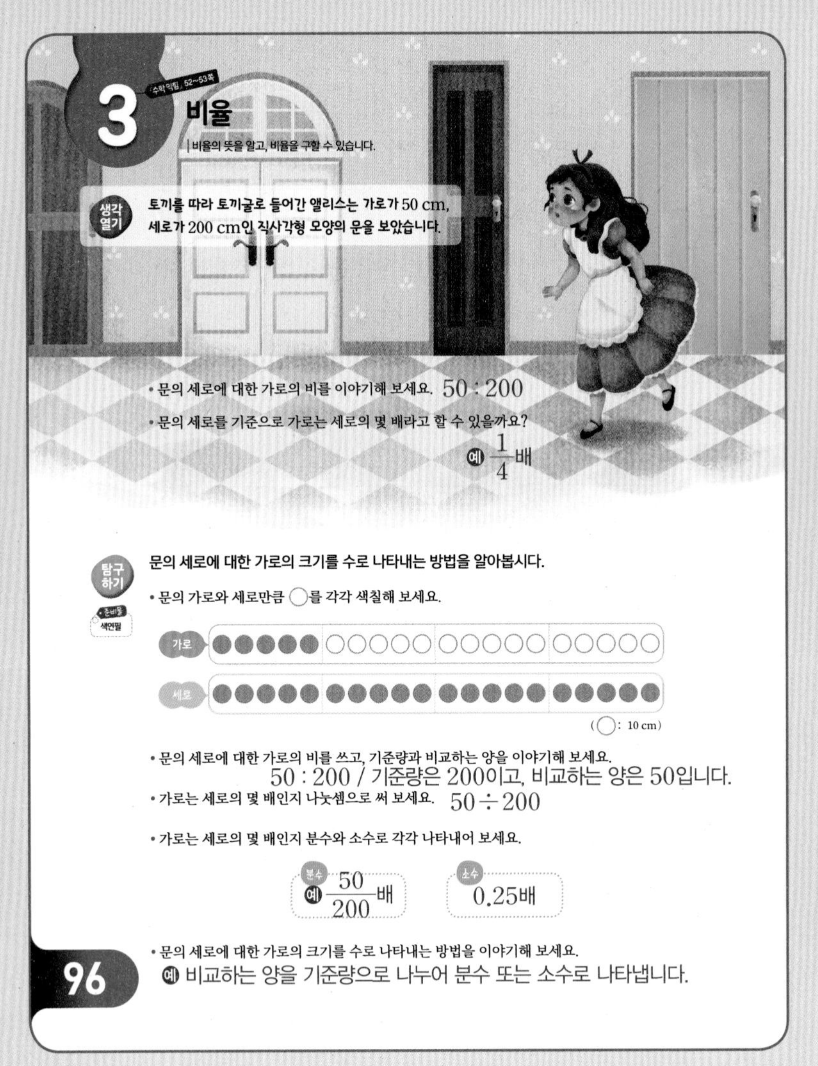

3 비율 (수학익힘 52~53쪽)

비율의 뜻을 알고, 비율을 구할 수 있습니다.

생각열기 토끼를 따라 토끼굴로 들어간 앨리스는 가로가 50 cm, 세로가 200 cm인 직사각형 모양의 문을 보았습니다.

- 문의 세로에 대한 가로의 비를 이야기해 보세요. 50 : 200
- 문의 세로를 기준으로 가로는 세로의 몇 배라고 할 수 있을까요? 예 $\frac{1}{4}$배

탐구하기 문의 세로에 대한 가로의 크기를 수로 나타내는 방법을 알아봅시다.

준비물 색연필

- 문의 가로와 세로만큼 ○를 각각 색칠해 보세요.

가로 ●●●●●○○○○○○○○○○○○○○○

세로 ●●●●●●●●●●●●●●●●●●●●

(○: 10 cm)

- 문의 세로에 대한 가로의 비를 쓰고, 기준량과 비교하는 양을 이야기해 보세요. 50 : 200 / 기준량은 200이고, 비교하는 양은 50입니다.
- 가로는 세로의 몇 배인지 나눗셈으로 써 보세요. 50 ÷ 200
- 가로는 세로의 몇 배인지 분수와 소수로 각각 나타내어 보세요.

분수 예 $\frac{50}{200}$배 소수 0.25배

- 문의 세로에 대한 가로의 크기를 수로 나타내는 방법을 이야기해 보세요.

예 비교하는 양을 기준량으로 나누어 분수 또는 소수로 나타냅니다.

96

교과서 개념 완성

생각열기 비율이 필요한 상황 이해하기

- 문의 세로에 대한 가로의 비에서 기준량은 세로이고, 비교하는 양은 가로입니다.
  문의 세로에 대한 가로의 비는 50 : 200입니다.
- 가로는 세로의 $\frac{1}{4}$배입니다.
- 가로는 세로의 0.25배입니다.

학부모 코칭 Tip

비는 두 양 사이의 관계를 나타내며, 비율은 비의 크기를 의미합니다. 비와 비율의 차이점을 알도록 합니다.

탐구하기 비를 비율로 나타내는 방법 알아보기

- 가로는 ○ 5개, 세로는 ○ 20개를 색칠합니다.
- 문의 세로에 대한 가로의 비는 50 : 200입니다.
  기준량은 200이고, 비교하는 양은 50입니다.
- $50 \div 200 = \frac{50}{200} = 0.25$이므로 가로는 세로의 $\frac{50}{200}$배 또는 0.25배입니다.
- 비교하는 양을 기준량으로 나누어 분수 또는 소수로 나타냅니다.

학부모 코칭 Tip

비율을 분수로 나타낼 때 기약분수나 대분수를 나타내지 않아도 정답으로 인정합니다.

정리하기
- 비율을 분수 또는 소수로 나타내는 방법을 알아봅시다.
  - 기준량에 대한 비교하는 양의 크기를 비율이라고 합니다.

    (비율)=(비교하는 양)÷(기준량)=$\frac{(비교하는\ 양)}{(기준량)}$
  - 비 50 : 200을 비율로 나타내면 $\frac{50}{200}$ 또는 0.25입니다.

문제 해결 정보 처리

확인하기
1. 키가 100 cm인 앨리스가 물약을 마셨더니 160 cm가 되었습니다. 물음에 답해 보세요.

- 물약을 마시기 전 앨리스의 키에 대한 물약을 마신 후 앨리스의 키의 비를 써 보세요.
  160 : 100
- 위에서 나타낸 비의 비율을 분수와 소수로 각각 나타내어 보세요.
  예 분수: $\frac{160}{100}$, 소수: 1.6

2. 키가 160 cm인 앨리스가 버섯을 먹었더니 80 cm가 되었습니다. 물음에 답해 보세요.

- 버섯을 먹기 전 앨리스의 키에 대한 버섯을 먹은 후 앨리스의 키의 비를 써 보세요.
  80 : 160
- 위에서 나타낸 비의 비율을 분수와 소수로 각각 나타내어 보세요.
  예 분수: $\frac{80}{160}$, 소수: 0.5

97

이런 문제가 서술형으로 나와요

5학년 남학생 수에 대한 여학생 수의 비율은 $\frac{5}{6}$이고, 6학년 남학생 수에 대한 여학생 수의 비는 4 : 5입니다. 남학생 수에 대한 여학생 수의 비율이 더 높은 학년은 몇 학년인지 풀이 과정을 쓰고, 답을 구해 보세요.

| 풀이 과정 |

❶ 6학년 남학생 수에 대한 여학생 수의 비율 구하기

남학생 수에 대한 여학생 수의 비는 4 : 5이므로 비율은 $\frac{4}{5}$입니다.

❷ 남학생 수에 대한 여학생 수의 비율이 더 높은 학년 구하기

$\frac{5}{6} > \frac{4}{5}$이므로 남학생 수에 대한 여학생 수의 비율이 더 높은 학년은 5학년입니다.

답 5학년

수학 교과 역량 문제 해결 정보 처리

비율을 분수와 소수로 나타내기

주어진 정보를 활용하여 비로 나타내고, 비율을 구하는 과정에서 문제 해결과 정보 처리 능력을 기를 수 있습니다.

개념 확인 문제

정답 및 풀이 231쪽

1 비를 보고 □ 안에 알맞은 수를 써넣으세요.

3 : 10

(1) 비교하는 양은 □이고, 기준량은 □입니다.

(2) 비의 비율을 분수로 나타내면 $\frac{\square}{\square}$이고, 소수로 나타내면 □입니다.

2 비를 쓰고, 비율로 나타내어 보세요.

비	비율	
	분수	소수
1 대 5 ➜ □ : □		
20에 대한 9의 비 ➜ □ : □		
17과 50의 비 ➜ □ : □		

4 | 일상생활에서 사용되는 비율

학습 목표

실생활에서 사용되는 비율을 알고, 비율을 사용하여 문제를 해결할 수 있습니다.

그림으로 개념 잡기

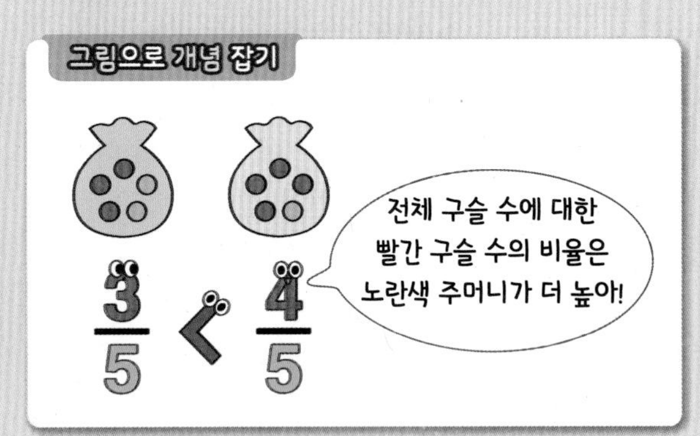

전체 구슬 수에 대한
빨간 구슬 수의 비율은
노란색 주머니가 더 높아!
3/5 < 4/5

4 일상생활에서 사용되는 비율
실생활에서 사용되는 비율을 알고, 비율을 사용하여 문제를 해결할 수 있습니다.
생각열기 토끼가 앨리스의 잔에는 과즙 80 mL와 물 200 mL를, 모자 장수의 잔에는 과즙 90 mL와 물 250 mL를 따라 주스를 만들어 주었습니다.
• 앨리스와 모자 장수의 주스 중 누구의 주스가 더 진한지 어떻게 비교할 수 있을까요?
탐구하기 비율을 비교해 봅시다.
앨리스 / 모자 장수
과즙의 양(mL) 80 90
물의 양(mL) 200 250
• 물의 양에 대한 과즙의 양의 비를 각각 나타내어 보세요. 두 비를 이용하여 누구의 주스가 더 진한지 알 수 있는지 이야기해 보세요.
앨리스 80 : 200 모자 장수 90 : 250
예 비를 이용하면 누구의 주스가 더 진한지 비교하기 어렵습니다.
• 물의 양에 대한 과즙의 양의 비율을 각각 구해 보세요. 두 비율을 이용하여 누구의 주스가 더 진한지 알 수 있는지 이야기해 보세요.
앨리스 예 80/200 또는 0.4 모자 장수 예 90/250 또는 0.36
예 비율을 이용하면 누구의 주스가 더 진한지 알 수 있습니다.
• 누구의 주스가 더 진한가요? 어떻게 비교하였는지 이야기해 보세요.
예 앨리스의 주스가 더 진합니다.
예 물의 양에 대한 과즙의 양의 비율을 비교하여 비율이 더 높은 것을 찾았습니다.
98

참고

① 걸린 시간에 대한 간 거리의 비율이 높을수록 더 빠릅니다.

② 넓이에 대한 인구의 비율이 높을수록 인구가 더 밀집해 있습니다.

③ 물의 양에 대한 원액의 양의 비율이 높을수록 주스가 더 진합니다.

교과서 개념 완성

생각열기 비율이 사용되는 상황 이해하기

주스를 앨리스의 잔에는 과즙 80 mL와 물 200 mL를 따라 만들어 주었고, 모자 장수의 잔에는 과즙 90 mL와 물 250 mL를 따라 만들어 주었습니다.

➔ 물의 양에 대한 과즙의 양의 비율을 비교하여 누구의 주스가 더 진한지 비교할 수 있습니다.

학부모 코칭 Tip

실생활에서 비율이 사용되는 경우 중 진하기와 관련된 상황으로 과즙의 양을 비교하는 양으로, 물의 양을 기준량으로 하여 비율을 구해 보게 합니다.

탐구하기 비율 비교하기

- 비로 각각 나타내면 앨리스는 80 : 200, 모자 장수는 90 : 250입니다.
  ➔ 누구의 주스가 더 진한지 비교하기 어렵습니다.
- 비율을 각각 구하면 앨리스는 $\frac{80}{200}$ 또는 0.4, 모자 장수는 $\frac{90}{250}$ 또는 0.36입니다.
  ➔ 비율은 분수나 소수와 같이 하나의 수로 나타낸 것이므로 누구의 주스가 더 진한지 알 수 있습니다.
- 비율을 비교하면 $0.4 > 0.36$이므로 물의 양에 대한 과즙의 양의 비율이 더 높은 앨리스의 주스가 더 진합니다.

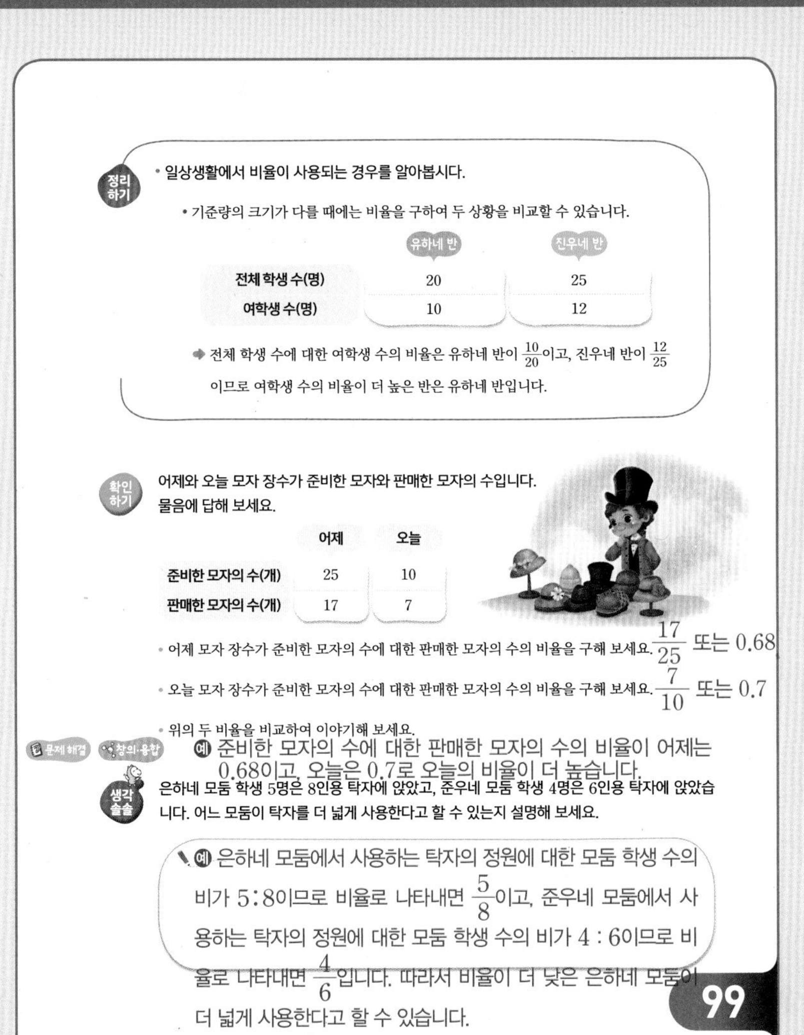

정리하기 • 일상생활에서 비율이 사용되는 경우를 알아봅시다.

• 기준량의 크기가 다를 때에는 비율을 구하여 두 상황을 비교할 수 있습니다.

	유하네 반	진우네 반
전체 학생 수(명)	20	25
여학생 수(명)	10	12

➡ 전체 학생 수에 대한 여학생 수의 비율은 유하네 반이 $\frac{10}{20}$이고, 진우네 반이 $\frac{12}{25}$이므로 여학생 수의 비율이 더 높은 반은 유하네 반입니다.

확인하기 어제와 오늘 모자 장수가 준비한 모자와 판매한 모자의 수입니다. 물음에 답해 보세요.

	어제	오늘
준비한 모자의 수(개)	25	10
판매한 모자의 수(개)	17	7

• 어제 모자 장수가 준비한 모자의 수에 대한 판매한 모자의 수의 비율을 구해 보세요. $\frac{17}{25}$ 또는 0.68

• 오늘 모자 장수가 준비한 모자의 수에 대한 판매한 모자의 수의 비율을 구해 보세요. $\frac{7}{10}$ 또는 0.7

• 위의 두 비율을 비교하여 이야기해 보세요.

문제 해결 창의·융합 예 준비한 모자의 수에 대한 판매한 모자의 수의 비율이 어제는 0.68이고, 오늘은 0.7로 오늘의 비율이 더 높습니다.

생각술술 은하네 모둠 학생 5명은 8인용 탁자에 앉았고, 준우네 모둠 학생 4명은 6인용 탁자에 앉았습니다. 어느 모둠이 탁자를 더 넓게 사용한다고 할 수 있는지 설명해 보세요.

예 은하네 모둠에서 사용하는 탁자의 정원에 대한 모둠 학생 수의 비가 5 : 8이므로 비율로 나타내면 $\frac{5}{8}$이고, 준우네 모둠에서 사용하는 탁자의 정원에 대한 모둠 학생 수의 비가 4 : 6이므로 비율로 나타내면 $\frac{4}{6}$입니다. 따라서 비율이 더 낮은 은하네 모둠이 더 넓게 사용한다고 할 수 있습니다.

99

이런 문제가 서술형으로 나와요

성윤이는 물 300 mL에 레몬 원액 200 mL를 넣어 레몬주스를 만들었습니다. 성윤이가 만든 레몬주스 양에 대한 레몬 원액 양의 비율을 소수로 나타내려고 합니다. 풀이 과정을 쓰고, 답을 구해 보세요.

| 풀이 과정 |

❶ 레몬주스 양 구하기

(레몬주스 양)$=300+200=500$ (mL)

❷ 레몬주스 양에 대한 레몬 원액 양의 비 구하기

(레몬 원액 양) : (레몬주스 양)

$=200 : 500$

❸ 레몬주스 양에 대한 레몬 원액 양의 비율을 소수로 나타내기

$\frac{200}{500}=0.4$

답 0.4

수학 교과 역량 

실생활에서 비율 비교하기

비율을 이용하여 다양한 문제를 해결해 보는 과정을 통하여 문제 해결과 창의·융합 능력을 기를 수 있습니다.

개념 확인 문제

정답 및 풀이 231쪽

1 자전거로 1300 km를 가는 데 100초가 걸렸습니다. 걸린 시간에 대한 간 거리의 비율을 구해 보세요.

( )

2 파란색 잉크 300 mL에 빨간색 잉크 200 mL를 섞어 보라색 잉크를 만들었습니다. 파란색 잉크 양의 빨간색 잉크 양에 대한 비율을 구해 보세요.

( )

3 학교 농구 경기에서 도윤이는 자유투 15번 중에서 6번 골을 넣었고, 민준이는 자유투 20번 중에서 10번 골을 넣었습니다. 물음에 답해 보세요.

(1) 도윤이와 민준이의 자유투를 던진 횟수에 대한 골을 넣은 횟수의 비율을 각각 구해 보세요.

도윤 ( )

민준 ( )

(2) 자유투를 던진 횟수에 대한 골을 넣은 횟수의 비율이 더 높은 사람은 누구인가요?

( )

5 | 백분율

학습 목표

백분율의 뜻을 알고, 비율을 백분율로 나타낼 수 있습니다.

그림으로 개념 잡기

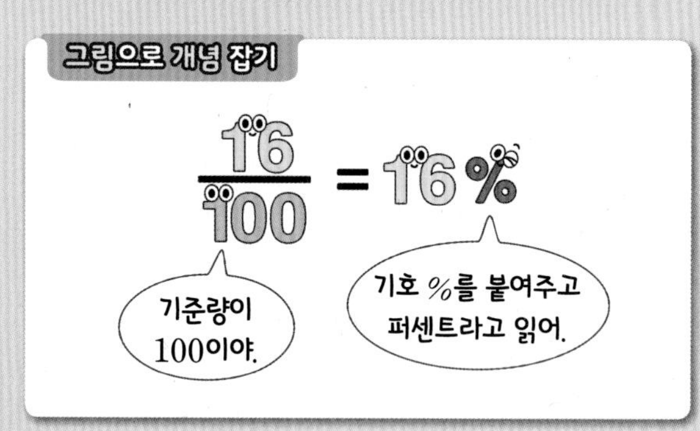

16/100 = 16 %
기준량이 100이야.
기호 %를 붙여주고 퍼센트라고 읽어.

참고

모눈종이를 이용하여 백분율 비교해 보기

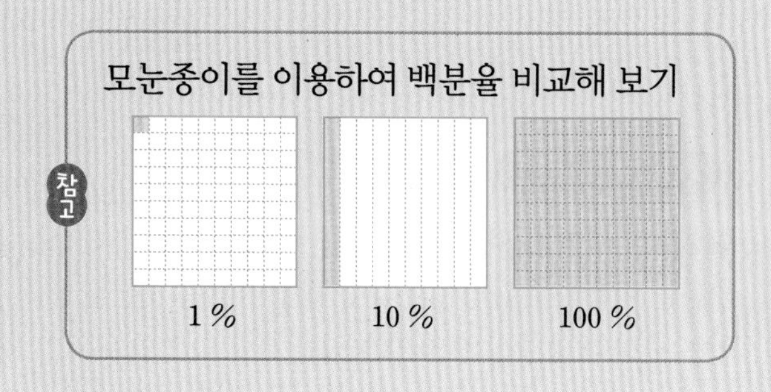

5 백분율
백분율의 뜻을 알고, 비율을 백분율로 나타낼 수 있습니다.
생각열기
다이아몬드 정원사들은 25송이의 흰색 장미 중 16송이를, 하트 정원사들은 20송이의 흰색 장미 중 13송이를 각각 빨간색으로 칠하였습니다.
• 각 나무의 전체 장미 수에 대한 색칠한 장미 수의 비율을 각각 분수로 써 보세요.
• 각 나무의 전체 장미 수에 대한 색칠한 장미 수의 비율을 비교하려면 어떻게 해야 할까요?
예 기준량인 전체 장미 수를 같게 하면 될 것 같습니다.
다이아몬드 정원사: 16/25, 하트 정원사: 13/20
탐구하기 1 기준량을 100으로 할 때의 비율을 알아봅시다.
• 만약 흰색 장미가 100송이였다면, 다이아몬드 정원사들이 색칠한 장미는 몇 송이일까요? 64송이
기준량 25를 100으로 하면, 비교하는 양 16은 얼마가 될까요?
0 16 25(송이)
0 64 100(송이)
• 만약 흰색 장미가 100송이였다면, 하트 정원사들이 색칠한 장미는 몇 송이일까요? 65송이
기준량 20을 100으로 하면, 비교하는 양 13은 얼마가 될까요?
0 13 20(송이)
0 65 100(송이)
• 기준량을 100으로 할 때 각 나무의 전체 장미 수에 대한 정원사들이 색칠한 장미 수의 비율을 각각 구하여 비교해 보세요.
다이아몬드 정원사 → 64/100 하트 정원사 → 65/100
100
예 각 나무의 전체 장미 수에 대한 정원사들이 색칠한 장미 수의 비율은 하트 정원사들이 더 높습니다.

교과서 개념 완성

탐구하기 1 기준량을 100으로 할 때의 비율 알아보기

- 25송이 중 16송이를 색칠하였으므로 100(25 × 4)송이였다면 64(16 × 4)송이를 색칠한 것입니다.
- 20송이 중 13송이를 색칠하였으므로 100(20 × 5)송이였다면 65(13 × 5)송이를 색칠한 것입니다.
- 다이아몬드 정원사: $\frac{16}{25}=\frac{16\times4}{25\times4}=\frac{64}{100}$

  하트 정원사: $\frac{13}{20}=\frac{13\times5}{20\times5}=\frac{65}{100}$

  → $\frac{64}{100}<\frac{65}{100}$이므로 하트 정원사들의 비율이 더 높습니다.

확인하기 1 비율을 백분율로 나타내기

- 전체 공이 10개이고, 색칠한 공이 3개이므로 전체 공의 수에 대한 색칠한 공의 수의 비율을 백분율로 나타내면 $\frac{3}{10}=\frac{3\times10}{10\times10}=\frac{30}{100}$ → 30 %입니다.
- 전체 공이 20개이고, 색칠한 공이 9개이므로 전체 공의 수에 대한 색칠한 공의 수의 비율을 백분율로 나타내면 $\frac{9}{20}=\frac{9\times5}{20\times5}=\frac{45}{100}$ → 45 %입니다.

학부모 코칭 Tip

비율을 백분율로 나타내기 위해서 기준량을 100으로 만들어 %를 붙이는 과정의 의미를 이해하게 한 다음, 비율을 백분율로 나타내어 보게 합니다.

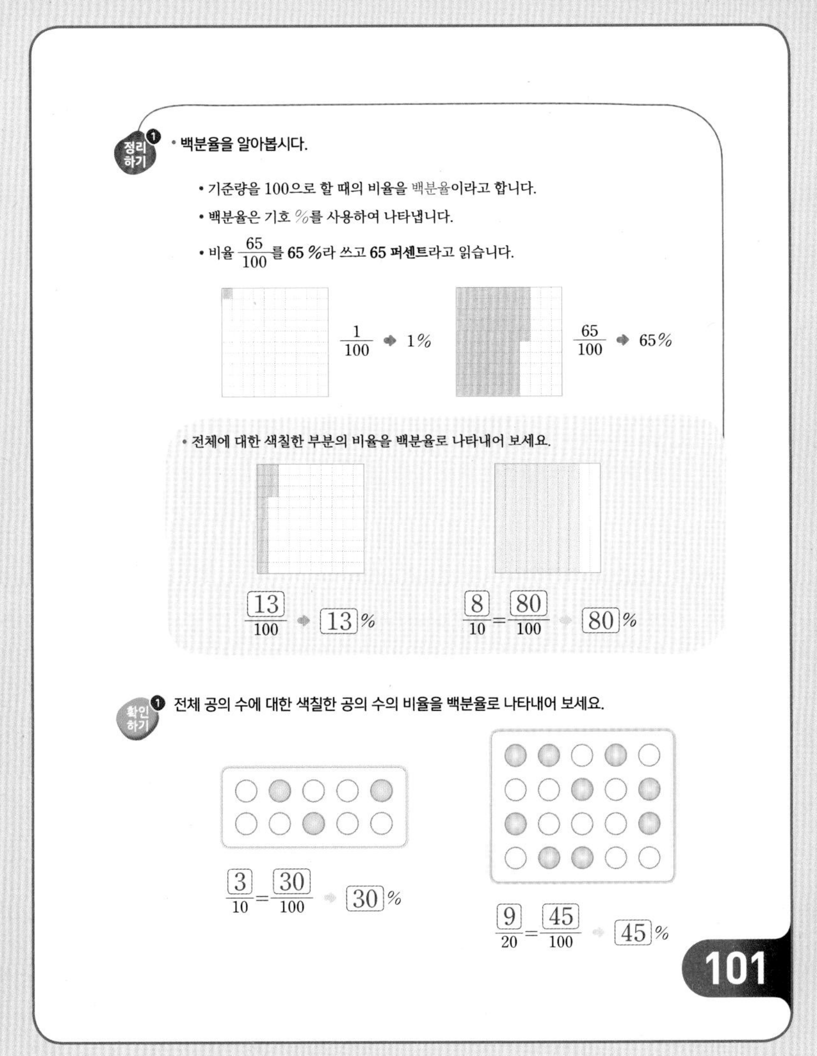
정리하기 ❶ • 백분율을 알아봅시다.

• 기준량을 100으로 할 때의 비율을 백분율이라고 합니다.

• 백분율은 기호 %를 사용하여 나타냅니다.

• 비율 $\frac{65}{100}$를 65 %라 쓰고 65 퍼센트라고 읽습니다.

$\frac{1}{100}$ ➔ 1% $\frac{65}{100}$ ➔ 65%

• 전체에 대한 색칠한 부분의 비율을 백분율로 나타내어 보세요.

$\frac{13}{100}$ ➔ 13 % $\frac{8}{10}=\frac{80}{100}$ ➔ 80 %

확인하기 ❶ 전체 공의 수에 대한 색칠한 공의 수의 비율을 백분율로 나타내어 보세요.

$\frac{3}{10}=\frac{30}{100}$ ➔ 30 % $\frac{9}{20}=\frac{45}{100}$ ➔ 45 %

101

이런 문제가 서술형으로 나와요

세영이와 진호가 백분율에 대하여 이야기한 것입니다. 바르게 이야기한 사람은 누구인지 풀이 과정을 쓰고, 답을 구해 보세요.

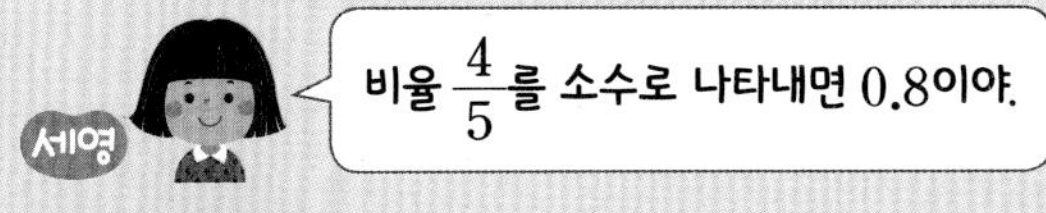

세영
비율 $\frac{4}{5}$를 소수로 나타내면 0.8이야.

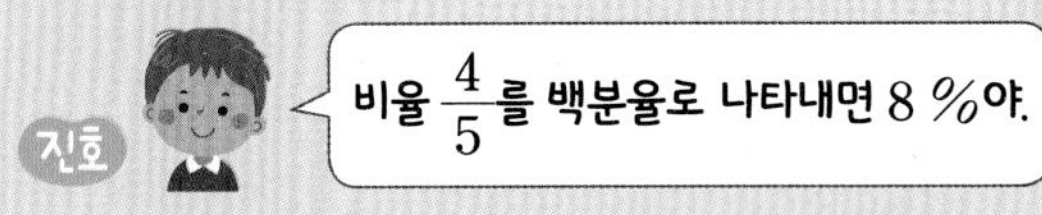

| 풀이 과정 |

❶ 비율 $\frac{4}{5}$를 소수로 나타내기

$$\frac{4}{5}=\frac{4\times2}{5\times2}=\frac{8}{10}=0.8$$

❷ 비율 $\frac{4}{5}$를 백분율로 나타내기

$\frac{4}{5}=\frac{4\times20}{5\times20}=\frac{80}{100}$ ➔ 80 %입니다.

답 세영

개념 확인 문제

정답 및 풀이 232쪽

1 백분율을 읽거나 백분율로 나타내어 보세요.

(1) 33 % ➔ (   )

(2) 57 퍼센트 ➔ (   )

2 전체에 대한 색칠한 부분의 비율을 백분율로 나타내어 보세요.

(   )

3 사탕 20개 중에서 7개를 먹었습니다. 물음에 답해 보세요.

(1) 만약 사탕이 100개 있었다면 몇 개를 먹은 것인지 □ 안에 알맞은 수를 써넣으세요.

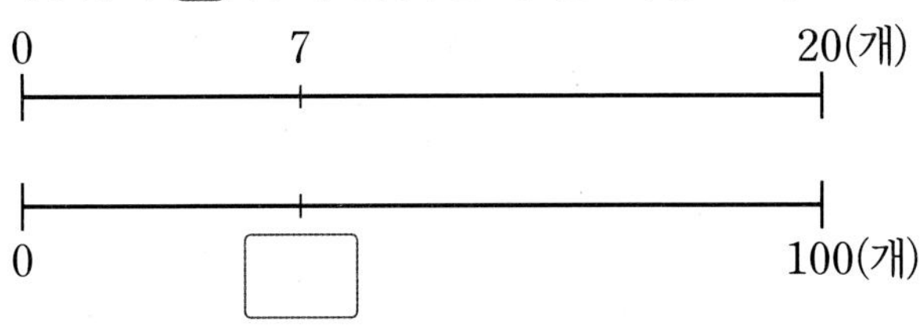

(2) 전체 사탕 수에 대한 먹은 사탕 수의 비율을 백분율로 나타내어 보세요.

$\frac{7}{20}=\frac{\square}{100}$ ➔ □ %

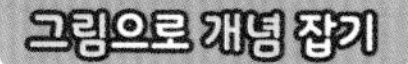

그림으로 개념 잡기

$\frac{13}{100} \times 100 = 13$

→ 13 %

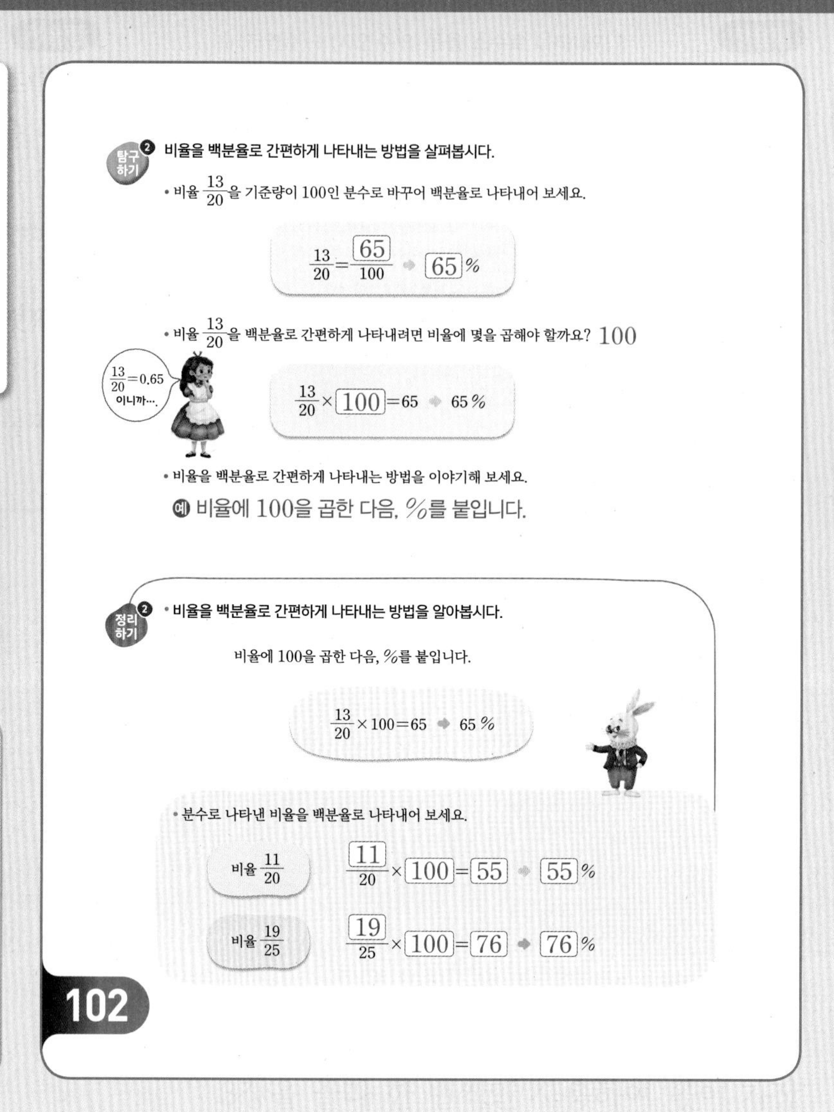

탐구하기 ② 비율을 백분율로 간편하게 나타내는 방법을 살펴봅시다.

• 비율 $\frac{13}{20}$을 기준량이 100인 분수로 바꾸어 백분율로 나타내어 보세요.

$\frac{13}{20} = \frac{65}{100}$ → 65 %

• 비율 $\frac{13}{20}$을 백분율로 간편하게 나타내려면 비율에 몇을 곱해야 할까요? 100

$\frac{13}{20} = 0.65$ 이니까…

$\frac{13}{20} \times 100 = 65$ → 65 %

• 비율을 백분율로 간편하게 나타내는 방법을 이야기해 보세요.

예 비율에 100을 곱한 다음, %를 붙입니다.

정리하기 ② • 비율을 백분율로 간편하게 나타내는 방법을 알아봅시다.

비율에 100을 곱한 다음, %를 붙입니다.

$\frac{13}{20} \times 100 = 65$ → 65 %

• 분수로 나타낸 비율을 백분율로 나타내어 보세요.

비율 $\frac{11}{20}$: $\frac{11}{20} \times 100 = 55$ → 55 %

비율 $\frac{19}{25}$: $\frac{19}{25} \times 100 = 76$ → 76 %

102

참고

기준량과 비교하는 양의 크기 비교

① 백분율이 100 %인 경우
→ (기준량)=(비교하는 양)

② 백분율이 100 %보다 큰 경우
→ (기준량)<(비교하는 양)

③ 백분율이 100 %보다 작은 경우
→ (기준량)>(비교하는 양)

교과서 개념 완성

확인하기 ② 비율을 백분율로 나타내기

1. 전체 쿠키의 수에 대한 초콜릿 맛 쿠키의 수의 비율은 $\frac{12}{25}$입니다. 비율 $\frac{12}{25}$를 백분율로 나타내면 $\frac{12}{25} \times 100 = 48$ → 48 %입니다.

2. • 전체 8칸 중 색칠한 부분은 6칸이므로 전체에 대한 색칠한 부분의 비율은 $\frac{6}{8}$이고, 백분율로 나타내면 $\frac{6}{8} \times 100 = 75$ → 75 %입니다.

• 전체 8칸 중 색칠하지 않은 부분은 2칸이므로 전체에 대한 색칠하지 않은 부분의 비율은 $\frac{2}{8}$이고, 백분율로 나타내면 $\frac{2}{8} \times 100 = 25$ → 25 %입니다.

생각솔솔 백분율을 이용하여 문제 해결하기

토끼가 전체의 $\frac{2}{5}$인 2조각을 먹었으므로 앨리스, 모자 장수, 토끼가 먹은 파이는 $1+1+2=4$(조각)입니다. 남은 파이는 전체 5조각 중 1조각이므로 비율은 $\frac{1}{5}$이고, 백분율로 나타내면 $\frac{1}{5} \times 100 = 20$ → 20 %입니다.

확인하기 ❷ 1. 윤하가 만든 쿠키의 수입니다. 전체 쿠키의 수에 대한 초콜릿 맛 쿠키의 수의 비율을 백분율로 나타내어 보세요.

전체 쿠키의 수(개)	25
초콜릿 맛 쿠키의 수(개)	12

$\frac{12}{25} \times 100 = 48$ ➜ 48 %

2. 전체에 대한 색칠한 부분과 색칠하지 않은 부분의 비율을 각각 백분율로 나타내어 보세요.

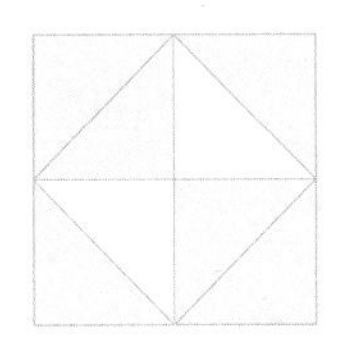

색칠한 부분 ➜ 75 %

색칠하지 않은 부분 ➜ 25 %

생각술술 파이 한 개를 5조각으로 똑같이 나누어 앨리스와 모자 장수가 각각 한 조각씩 먹고, 토끼가 전체의 $\frac{2}{5}$를 먹었습니다. 앨리스, 모자 장수, 토끼가 먹고 남은 파이는 전체의 몇 %일까요?

20 %

103

이런 문제가 서술형으로 나와요

미진이는 설탕 36 g을 녹여 설탕물 200 g을 만들었습니다. 설탕물 양에 대한 설탕 양의 비율은 몇 %인지 풀이 과정을 쓰고, 답을 구해 보세요.

| 풀이 과정 |

❶ 설탕물 양에 대한 설탕 양의 비율 구하기

설탕물 양에 대한 설탕 양의 비는 36 : 200이므로 비율을 분수로 나타내면 $\frac{36}{200}$입니다.

❷ 설탕물 양에 대한 설탕 양의 비율은 몇 %인지 구하기

$\frac{36}{200} \times 100 = 18$ ➜ 18 %

답 18 %

수학 교과 역량 문제 해결 창의·융합

백분율을 이용하여 문제 해결하기

부분과 전체를 알고, 부분은 전체의 몇 %인지 구해 보는 과정을 통하여 문제 해결과 창의·융합 능력을 기를 수 있습니다.

개념 확인 문제

정답 및 풀이 232쪽

1 비율을 백분율로 나타내어 보세요.

(1) 0.3 ➜ (   )

(2) $\frac{9}{20}$ ➜ (   )

2 백분율로 나타내면 75 %인 비율을 찾아 ○표 하세요.

$\frac{3}{4}$ $\frac{13}{20}$

(   )   (   )

3 빈칸에 알맞게 써넣으세요.

분수	소수	백분율
$\frac{9}{50}$		18 %
	0.54	

4 전체에 대한 색칠한 부분의 비율이 40 %가 되도록 색칠해 보세요.

8 차시

6 | 백분율의 활용

학습 목표

실생활에서 백분율이 사용되는 여러 가지 상황을 이해하고, 백분율을 활용하여 여러 가지 문제를 해결할 수 있습니다.

그림으로 개념 잡기

1000원
할인
500원
음료수 1개 가격이
1000원이었는데
50 % 할인을 하네!

6 백분율의 활용

「수학 익힘」 58~59쪽

백분율을 활용하여 여러 가지 문제를 해결할 수 있습니다.

익히기 수학 체험전의 도형 만들기 영역에 참여한 학생은 50명이었고, 그중 4학년은 15명, 5학년은 25명, 6학년은 10명이었습니다. 참여한 전체 학생 수에 대한 참여한 학년별 학생 수의 비와 비율을 구해 보세요.

학년	비	비율	
		분수	백분율
4학년	15 : 50	$\frac{15}{50}$	$\frac{15}{50}=\frac{30}{100}$ → 30 % $\frac{15}{50}\times 100=30$ → 30 %
5학년	25 : 50	$\frac{25}{50}$	50 %
6학년	10 : 50	$\frac{10}{50}$	20 %

적용 1. 도하네 학교 전체 학생 200명 중 안경을 쓴 학생 수는 다음과 같습니다. 물음에 답해 보세요.

안경을 쓴 여학생 수	안경을 쓴 남학생 수
54명	60명

- 전체 학생 수에 대한 안경을 쓴 여학생 수의 비율은 몇 %인가요? 27 %
- 전체 학생 수에 대한 안경을 쓴 남학생 수의 비율은 몇 %인가요? 30 %
- 전체 학생 수에 대한 안경을 쓴 학생 수의 비율은 몇 %인가요? 57 %

104

풀이

- 전체 학생이 200명이고, 안경을 쓴 여학생이 54명이므로 전체 학생 수에 대한 안경을 쓴 여학생 수의 비율은 $\frac{54}{200}\times 100=27$ → 27 %입니다.
- 전체 학생이 200명이고, 안경을 쓴 남학생이 60명이므로 전체 학생 수에 대한 안경을 쓴 남학생 수의 비율은 $\frac{60}{200}\times 100=30$ → 30 %입니다.
- 전체 학생이 200명이고, 안경을 쓴 학생이 $54+60=114$(명)이므로 전체 학생 수에 대한 안경을 쓴 학생 수의 비율은 $\frac{114}{200}\times 100=57$ → 57 %입니다.

교과서 개념 완성

도전 두 물건의 할인된 비율을 백분율로 나타내고 비교하기

- 동화책의 정가는 15000원이고, 판매가는 12000원이므로 할인된 금액은 $15000-12000=3000$(원)입니다.
  과학 잡지의 정가는 20000원이고, 판매가는 15000원이므로 할인된 금액은 $20000-15000=5000$(원)입니다.

학부모 코칭 Tip

할인된 금액은 정가에서 판매가를 뺀 금액임을 알게 합니다.

- 동화책의 정가에 대한 할인된 금액의 비율은 $\frac{3000}{15000}\times 100=20$ → 20 %입니다.
  과학 잡지의 정가에 대한 할인된 금액의 비율은 $\frac{5000}{20000}\times 100=25$ → 25 %입니다.
- 동화책은 정가의 20 %, 과학 잡지는 정가의 25 % 할인된 것이므로 과학 잡지의 할인된 금액의 비율이 더 높습니다.

학부모 코칭 Tip

기준량과 비교하는 양을 이용하여 비율을 구한 다음, 비율이 더 높은 것을 찾아보도록 합니다.

2. 연우네 반과 민서네 반이 투호 대회를 하였습니다. 성공한 학생 수의 비율이 더 높은 반은 누구네 반인지 이야기해 보세요.

우리 반 학생 25명 중 15명이 성공했어.
우리 반은 20명인데, 13명이 성공했어.
연우
민서

예 성공한 학생 수의 비율이 더 높은 반은 민서네 반입니다.

풀이
- 연우네 반 전체 학생 수에 대한 성공한 학생 수의 비율은 $\frac{15}{25}\times100=60$ → 60 %입니다.
- 민서네 반 전체 학생 수에 대한 성공한 학생 수의 비율은 $\frac{13}{20}\times100=65$ → 65 %입니다.

창의·융합 정보 처리

도전 어떤 서점에서 판매하는 동화책과 과학 잡지의 정가와 판매가입니다. 물음에 답해 보세요.

정가는 물건의 정해진 가격이고, 판매가는 물건을 판매하는 가격입니다.
₩15,000 ₩12,000 1권당
₩20,000 ₩15,000 1권당

책	정가	판매가	할인된 금액
동화책	15000원	12000원	?
과학 잡지	20000원	15000원	?

- 동화책과 과학 잡지의 할인된 금액은 각각 얼마인가요?
  동화책: 3000원, 과학 잡지: 5000원
- 동화책과 과학 잡지의 정가에 대한 할인된 금액의 비율은 각각 몇 %인가요?
  동화책: 20 %, 과학 잡지: 25 %
- 동화책과 과학 잡지 중 정가에 대한 할인된 금액의 비율이 더 높은 것은 어느 것인가요?
  과학 잡지

105

이런 문제가 서술형으로 나와요

주스 1000 mL 중에서 성진이가 300 mL를 마셨고 동생은 남은 주스 중에서 100 mL를 마셨습니다. 성진이와 동생이 마시고 남은 주스 양은 전체의 몇 %인지 풀이 과정을 쓰고, 답을 구해 보세요.

| 풀이 과정 |

❶ 성진이와 동생이 마시고 남은 주스 양 구하기

$1000-300-100=600$ (mL)

❷ 성진이와 동생이 마시고 남은 주스 양은 전체의 몇 %인지 구하기

$\frac{600}{1000}\times100=60$ → 60 %

답 60 %

수학 교과 역량 창의·융합 정보 처리

두 물건의 할인된 비율을 백분율로 나타내고 비교하기

주변에서 쉽게 접할 수 있는 물건의 정가와 판매가 등을 활용한 실생활 문제를 해결해 보는 과정을 통하여 창의·융합과 정보 처리 능력을 기를 수 있습니다.

개념 확인 문제

정답 및 풀이 232쪽

1 민수네 반 전체 학생 25명 중 6명이 미술 대회에 참여하였습니다. 민수네 반 전체 학생 수에 대한 미술 대회에 참여한 학생 수의 비율은 몇 %인가요?

( )

2 어느 공장에서 TV 600대를 만들면 불량품이 12대가 나온다고 합니다. 만든 TV 수에 대한 불량품 수의 비율은 몇 %인가요?

( )

3 놀이공원으로 체험 학습을 가는 것에 찬성하는 학생 수를 조사했습니다. 조사한 전체 학생 중 찬성한 학생 수의 비율은 몇 %인가요?

전체 학생 수(명)	찬성하는 학생 수(명)
500	380

( )

4 지연이는 원래 가격이 4000원인 과자를 할인받아 2800원에 샀습니다. 몇 % 할인받은 것인가요?

( )

9 차시 문제 해결력 | 쑥쑥 할인된 비율은 얼마일까요

학습 목표

식 세우기 전략을 이용하여 문제를 해결하고 해결한 방법을 설명해 봅니다.

문제 해결 전략 식 세우기 전략

수학 교과 역량 문제 해결 추론

할인된 비율은 얼마일까요

- 주어진 조건을 확인하고 문제 해결에 적절한 전략을 선택하여 해결하는 과정을 통하여 문제 해결 능력을 기를 수 있습니다.
- 주어진 상황을 확인하고 적절한 문제 해결 전략을 선택하여 해결하는 과정을 통하여 추론 능력을 기를 수 있습니다.

문제 해결 Tip 묶음으로 판매하는 수첩 한 권의 가격을 먼저 구해야 합니다.

문제 해결력 쑥쑥 — 할인된 비율은 얼마일까요

어느 문구점에서 판매하는 수첩 한 권의 가격은 1500원이고, 5권씩 묶음의 가격은 6000원입니다. 묶음으로 판매하는 수첩 한 권의 가격은 낱개로 판매하는 수첩 한 권의 가격보다 몇 % 할인된 것인지 구해 보세요.

문제 이해하기

- 구하려고 하는 것은 무엇인가요?

예 묶음으로 판매하는 수첩 한 권의 가격은 낱개로 판매하는 수첩 한 권의 가격보다 몇 % 할인된 것인지 구하려고 합니다.

- 알고 있는 것은 무엇인가요?

예 • 낱개로 판매하는 수첩 한 권의 가격은 1500원입니다.
• 묶음으로 판매하는 수첩 5권의 가격은 6000원입니다.

계획 세우기

- 어떤 방법으로 문제를 해결할 수 있을지 계획을 세워 보세요.

얼마만큼 할인이 된 걸까?
식을 세워서 알아보자.

예 식을 세우거나 그림으로 나타내어 문제를 해결할 수 있을 것 같습니다.

106

교과서 개념 완성

문제 이해하기

>> 구하려고 하는 것

묶음으로 판매하는 수첩 한 권의 가격은 낱개로 판매하는 수첩 한 권의 가격보다 몇 % 할인된 것인지 구하려고 합니다.

>> 알고 있는 것

낱개로 판매하는 수첩 한 권의 가격은 1500원이고, 묶음으로 판매하는 수첩 5권의 가격은 6000원입니다.

계획 세우기

주어진 조건을 이용하여 식을 세워 문제를 해결할 수 있을 것 같습니다.

계획대로 풀기

- (묶음으로 판매하는 수첩 한 권의 가격)
$=6000 \div 5=1200$(원)
(할인된 가격)$=1500-1200=300$(원)
낱개로 판매하는 수첩 한 권의 가격에 대한 할인된 가격의 비율은
$\frac{300}{1500} \times 100=20$ → 20 %입니다.
- 묶음으로 판매하는 수첩 한 권의 가격은 낱개로 사는 것보다 20 % 할인된 것입니다.

• 계획한 방법으로 문제를 해결해 보세요.

예 묶음으로 판매하는 수첩 5권의 가격이 6000원이므로 한 권의 가격은 $6000 \div 5 = 1200$(원)입니다. 따라서 묶음으로 판매하는 수첩 한 권의 가격은 낱개로 판매하는 수첩 한 권의 가격보다 $1500 - 1200 = 300$(원) 더 싸므로 낱개로 판매하는 수첩 한 권의 가격보다 $\frac{300}{1500} \times 100 = 20 \Rightarrow 20\ \%$ 할인된 것입니다.

• 묶음으로 판매하는 수첩 한 권의 가격은 몇 % 할인된 것인가요? 20 %

• 구한 답이 맞았는지 확인해 보세요.

• 친구들과 문제 해결 과정을 비교하고, 어떻게 구하였는지 이야기해 보세요.

문제 해결 추론

어느 과일 가게에서 어제는 사과 4개를 4800원에 판매하였고, 오늘은 사과 5개를 5100원에 판매하고 있습니다. 오늘 사과 한 개의 가격은 어제 사과 한 개의 가격보다 몇 % 할인된 것인지 구해 보세요.

[풀이]
예 어제 판매한 사과 4개의 가격은 4800원이므로 한 개의 가격은 $4800 \div 4 = 1200$(원)이고, 오늘 판매하는 사과 5개의 가격은 5100원이므로 한 개의 가격은 $5100 \div 5 = 1020$(원)입니다. 따라서 오늘 판매하는 사과 한 개의 가격은 어제 판매한 사과 한 개의 가격보다 $1200 - 1020 = 180$(원) 더 싸므로 어제 사과 한 개의 가격보다 $\frac{180}{1200} \times 100 = 15 \Rightarrow 15\ \%$ 할인된 것입니다.
[답] 15 %

107

문제 해결 추론

문제 이해하기

≫ 구하려고 하는 것

오늘 판매하는 사과 한 개의 가격은 어제 판매한 사과 한 개의 가격보다 몇 % 할인된 것인지 구하려고 합니다.

≫ 알고 있는 것

• 어제 판매한 사과 4개의 가격은 4800원입니다.
• 오늘 판매하는 사과 5개의 가격은 5100원입니다.

계획대로 풀기

(어제 판매한 사과 한 개의 가격)
$= 4800 \div 4 = 1200$(원)
(오늘 판매하는 사과 한 개의 가격)
$= 5100 \div 5 = 1020$(원)
(할인된 가격) $= 1200 - 1020 = 180$(원)
어제 판매한 사과 한 개의 가격에 대한 할인된 가격의 비율은 $\frac{180}{1200} \times 100 = 15 \Rightarrow 15\ \%$입니다.
따라서 오늘 사과 한 개의 가격은 어제 사과 한 개의 가격보다 15 % 할인된 것입니다.

문제 해결력 문제

정답 및 풀이 232쪽

1 어느 가게에서 판매하는 과자 한 개의 가격은 2000원이고, 3개씩 묶음의 가격은 5400원입니다. 물음에 답해 보세요.

(1) 묶음으로 판매하는 과자 한 개의 가격은 낱개로 판매하는 과자 한 개의 가격보다 얼마나 더 싼가요? (　　　　　)

(2) 묶음으로 판매하는 과자 한 개의 가격은 낱개로 판매하는 과자 한 개의 가격보다 몇 % 할인된 것인가요?

(　　　　　)

2 어느 반찬가게에서 판매하는 반찬 3개씩 묶음의 가격은 14400원이고, 2개씩 묶음의 가격은 10000원입니다. 물음에 답해 보세요.

(1) 3개씩 묶음으로 판매하는 반찬 한 개의 가격은 2개씩 묶음으로 판매하는 반찬 한 개의 가격보다 얼마나 더 싼가요?

(　　　　　)

(2) 3개씩 묶음으로 판매하는 반찬 한 개의 가격은 2개씩 묶음으로 판매하는 반찬 한 개의 가격보다 몇 % 할인된 것인가요?

(　　　　　)

추론 의사소통
비의 뜻을 이해하고, 비의 기호를 사용하여 나타내기
▶자습서 112~113쪽

학부모 코칭 Tip
비에서 '~에 대한'이라는 표현이 기준량이고, 기호 : 의 오른쪽에 있는 수가 기준량이라는 것을 이해하게 합니다.

1 동전을 던진 횟수에 대한 그림 면이 나온 횟수의 비를 알아보려고 합니다. 비교하는 양과 기준량을 쓰고, 비로 나타내어 보세요.
94쪽

비교하는 양	7
기준량	20
비	7 : 20

풀이 동전을 던진 횟수는 20번이고, 그림 면이 나온 횟수는 7번입니다. 따라서 동전을 던진 횟수에 대한 그림 면이 나온 횟수의 비에서 기준량은 20이고, 비교하는 양은 7이므로 비로 나타내면 7 : 20입니다.

추론 의사소통
비를 비율로 나타내기
▶자습서 114~115쪽

학부모 코칭 Tip
비율의 뜻을 이해하게 한 다음, 비를 비율로 나타내어 보게 합니다.

2 비를 비율로 나타내었을 때 비율이 다른 것에 ○표 하세요.
96쪽

5에 대한 4의 비	5 : 4	8 대 10
( )	(○)	( )

풀이 5에 대한 4의 비는 4 : 5이고, 비율로 나타내면 $\frac{4}{5}$(=0.8)입니다.
비 5 : 4를 비율로 나타내면 $\frac{5}{4}$(=1.25)입니다.
8 대 10은 8 : 10이고, 비율로 나타내면 $\frac{8}{10}$(=0.8)입니다.
따라서 비율이 다른 것은 5 : 4입니다.

추론 의사소통
비율을 백분율로 나타내기
▶자습서 120~121쪽

학부모 코칭 Tip
문제 상황을 비로 나타내고 비를 비율로, 비율을 백분율로 나타내어 보게 합니다.

3 학예회에서 서준이네 반 전체 학생 25명 중 14명은 악기 연주를, 7명은 연극을, 4명은 합창을 하였습니다. 서준이네 반 전체 학생 수에 대한 각각의 활동을 한 학생 수의 비율을 백분율로 나타내어 보세요.
100쪽

	악기 연주	연극	합창
백분율	56 %	28 %	16 %

풀이
• 전체 학생 수에 대한 악기 연주를 한 학생 수의 비율은 $\frac{14}{25}$이므로 백분율로 나타내면 $\frac{14}{25}\times 100=56$ → 56 %입니다.
• 전체 학생 수에 대한 연극을 한 학생 수의 비율은 $\frac{7}{25}$이므로 백분율로 나타내면 $\frac{7}{25}\times 100=28$ → 28 %입니다.
• 전체 학생 수에 대한 합창을 한 학생 수의 비율은 $\frac{4}{25}$이므로 백분율로 나타내면 $\frac{4}{25}\times 100=16$ → 16 %입니다.

108

4 은수와 민서가 다트를 하였습니다. 던진 화살의 개수에 대한 과녁을 맞힌 화살의 개수의 비율을 구하여 누가 더 잘 던졌는지 알아보세요.

98쪽

나는 20개를 던져서 12개를 맞혔어.
은수

나는 15개를 던져서 6개를 맞혔어.
민서

➡ 던진 화살의 개수에 대한 과녁을 맞힌 화살의 개수의 비율은

은수가 (예) $\frac{12}{20}$ 이고, 민서가 (예) $\frac{6}{15}$ 입니다.

따라서 은수 (이)가 더 잘 던졌습니다.

풀이 • 은수는 화살을 20개 던져서 12개를 맞혔으므로 던진 화살의 개수에 대한 과녁을 맞힌 화살의 개수의 비율은 $\frac{12}{20}$입니다.

• 민서는 화살을 15개 던져서 6개를 맞혔으므로 던진 화살의 개수에 대한 과녁을 맞힌 화살의 개수의 비율은 $\frac{6}{15}$입니다.

따라서 $\frac{12}{20} > \frac{6}{15}$이므로 은수가 민서보다 더 잘 던졌습니다.

추론 · 의사소통

실생활에서 사용되는 비율을 이해하고 문제 해결하기

▶자습서 116~117쪽

학부모 코칭 Tip

두 비율을 분모가 같은 분수로 나타내거나 분수를 소수로 바꾸어 비교할 수 있음을 이해하게 한 다음, 비율을 비교해 보게 합니다.

5 어떤 가게에서 판매하는 각 물건의 정가와 판매가입니다. 물음에 답해 보세요.

104쪽

물건	주스	과자	아이스크림
정가(원)	2000	2500	1000
판매가(원)	1800	2300	700

• □ 안에 알맞은 수를 써넣으세요.

• 정가가 2000원인 주스를 10 % 할인하여 1800원에 판매합니다.
• 정가가 2500원인 과자를 8 % 할인하여 2300원에 판매합니다.
• 정가가 1000원인 아이스크림을 30 % 할인하여 700원에 판매합니다.

• 주스, 과자, 아이스크림 중 할인하는 비율이 높은 물건부터 차례로 써 보세요.

(아이스크림, 주스, 과자)

풀이 • 주스의 할인된 금액이 $2000-1800=200$(원)이므로 할인된 비율은 $\frac{200}{2000}\times100=10$ ➡ 10 %입니다.
• 과자의 할인된 금액이 $2500-2300=200$(원)이므로 할인된 비율은 $\frac{200}{2500}\times100=8$ ➡ 8 %입니다.
• 아이스크림의 할인된 금액이 $1000-700=300$(원)이므로 할인된 비율은 $\frac{300}{1000}\times100=30$ ➡ 30 %입니다.
• 주스, 과자, 아이스크림 중 할인하는 비율이 높은 물건부터 차례로 쓰면 아이스크림, 주스, 과자입니다.

정보 처리 · 태도 및 실천

실생활에서 사용되는 백분율을 이해하고 문제 해결하기

▶자습서 122~123쪽

학부모 코칭 Tip

직관적인 문제를 제시하여 할인된 비율을 구하는 방법을 이해하고 문제를 해결해 보게 합니다.

109

•공간 속으로 | 풍덩

학습 목표

가구의 가로와 세로의 비를 구하고, 방 전체에서 각 가구가 차지하는 부분의 비율을 분수, 소수, 백분율로 나타내어 보는 과정에서 공간 배치와 수학을 연결해 보며 수학에 대한 흥미를 갖도록 합니다.

수학 교과 역량 창의·융합 태도 및 실천

가구 배치도에서 비와 비율을 찾아보아요

- 가구 배치도에서 비를 찾고 비율로 나타내어 보는 과정에서 실생활과 수학을 연결해 보며 창의·융합 능력을 기를 수 있습니다.
- 비와 비율의 개념을 실생활에 적용해 보며 수학에 대한 자신감을 갖고 흥미를 느껴 보는 과정을 통하여 태도 및 실천 능력을 기를 수 있습니다.

학부모 코칭 Tip

방에 침대, 책장, 책상, 수납장, 옷장 등이 어떻게 놓여 있는지 보여주는 그림이 가구 배치도임을 알게 하고, 가구 배치도에 그려진 가구의 비와 비율을 나타낼 때, 기준량과 비교하는 양이 무엇인지 먼저 찾아보게 합니다.

공간 속으로 풍덩 가구 배치도에서 비와 비율을 찾아보아요 함께하는 활동

활동 1 가구 배치도에서 비와 비율을 찾아보아요

① 각 가구의 가로와 세로의 비를 이야기해 보세요.

② 방 전체에 대한 각 가구가 차지하는 부분의 비율을 분수와 소수, 백분율로 나타내어 보세요.

가구	방 전체에 대한 각 가구가 차지하는 부분의 비율		
	분수	소수	백분율
침대	$\frac{20}{100}$	0.2	20 %
책장	예 $\frac{5}{100}$	0.05	5 %
책상	예 $\frac{6}{100}$	0.06	6 %
수납장	예 $\frac{6}{100}$	0.06	6 %
옷장	예 $\frac{8}{100}$	0.08	8 %

110

교과서 개념 완성

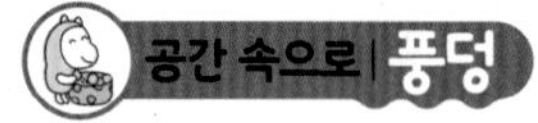

활동 1 가구 배치도에서 비와 비율 찾아보기

① 각 가구의 가로와 세로의 비 이야기하기
- 침대의 가로와 세로의 비는 5 : 4입니다.
- 책장의 가로와 세로의 비는 1 : 5입니다.
- 책상의 가로와 세로의 비는 3 : 2입니다.
- 수납장의 가로와 세로의 비는 2 : 3입니다.
- 옷장의 가로와 세로의 비는 2 : 4입니다.

② 방 전체에 대한 각 가구가 차지하는 부분의 비율을 분수, 소수, 백분율로 나타내기

- 책장 → 분수: $\frac{5}{100}$, 소수: 0.05
  백분율: $\frac{5}{100}\times100=5$ → 5 %입니다.
- 책상 → 분수: $\frac{6}{100}$, 소수: 0.06
  백분율: $\frac{6}{100}\times100=6$ → 6 %입니다.
- 수납장 → 분수: $\frac{6}{100}$, 소수: 0.06
  백분율: $\frac{6}{100}\times100=6$ → 6 %입니다.
- 옷장 → 분수: $\frac{8}{100}$, 소수: 0.08
  백분율: $\frac{8}{100}\times100=8$ → 8 %입니다.

효율적으로 공간을 활용할 수 있는 가구 배치 방법을 친구들과 이야기해 보세요.

활동2 비와 비율을 이용하여 방을 꾸며 보아요

준비물 준비물 ①(자), 색연필

방법
① 방에 놓을 가구를 골라 보세요.
② 각 가구의 가로와 세로의 비를 정하여 방의 가구 배치도에 그려 보세요.
③ 방 전체에 대한 각 가구가 차지하는 부분의 비율을 분수와 소수, 백분율로 나타내어 보세요.

방의 가구 배치도

가구	방 전체에 대한 각 가구가 차지하는 부분의 비율		
	분수	소수	백분율

111

활동하기 전

- 활동 준비물은 모두 준비되었나요?
- 활동 방법을 읽어 보았나요?
- 활동 방법 중 이해가 되지 않는 부분이 있나요?

활동 중

- 비와 비율, 백분율에 대하여 알고 있나요?
- 각 가구의 가로와 세로의 비를 구해 볼까요?
- 비율을 분수, 소수, 백분율로 나타낼 수 있나요?
- 방에 어떤 가구를 놓을까요?
- 가구의 가로와 세로의 비를 정하여 가구 배치도에 가구를 그려 볼까요?
- 가구 배치도에 그려진 가구를 보고 방 전체에 대한 각 가구가 차지하는 부분의 비율을 분수, 소수, 백분율로 나타내어 볼까요?

활동 후

- 활동을 한 소감을 이야기해 보세요.
- 효율적으로 공간을 활용하는 가구 배치 방법에 대해 이야기해 보세요.

참고 자료

아름다운 비율, 황금비

황금비란 길이를 가장 이상적으로 나누는 비율로, '황금분할'이라고도 합니다.

정확히는 길이를 두 부분으로 나눌 때, 전체 길이에 대한 긴 선분의 길이의 비, 긴 선분의 길이에 대한 짧은 선분의 길이의 비가 1 : 1.618로 같게 되는 분할입니다.

황금비는 고대 그리스에서 발견되었습니다. 고대 그리스에서는 아름다움의 본질을 비례와 질서, 조화라고 여겼기 때문에 황금비를 가장 안정감 있고 균형있는 비율로 생각하였습니다.

두 변의 길이의 비가 황금비 1 : 1.618인 직사각형을 황금사각형이라고 하는데, 완전사각형이라고도 합니다. 이 황금사각형은 시각적으로 가장 안정된 모양이라고 하여 고대의 건축, 회화, 조각 등에 많이 사용되어 왔습니다.

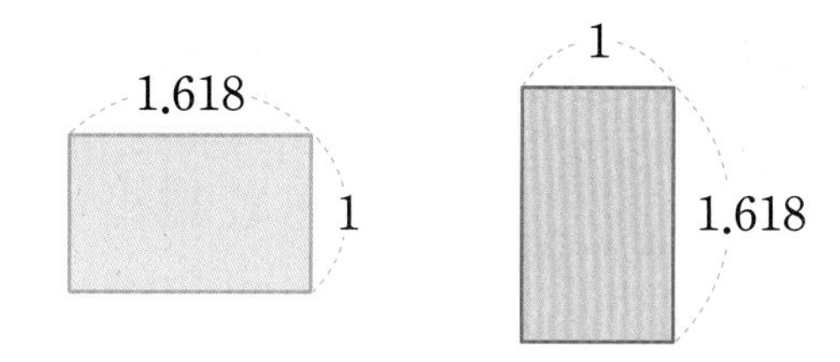

우리 주변에서는 각종 카드, 공책, 캐비닛, 거울, 계산기 등 직사각형 모양의 물건에 많이 사용되고 있습니다.

[출처] 심진경 외, 『초등수학 개념사전』

개념 + 확인

교과서 개념을 익히고 확인 문제를 풀면서 단원을 마무리해 보아요.

개념

두 양의 크기 비교

• 뺄셈을 이용하여 두 양의 크기를 비교할 수 있습니다. 이때, 한 양이 다른 양보다 얼마나 더 많은지를 알 수 있습니다.

• 나눗셈을 이용하여 두 양의 크기를 비교할 수 있습니다. 이때, 한 양이 다른 양의 몇 배인지를 알 수 있습니다.

예 사탕 2개, 젤리 4개가 있습니다.

• $4-2=2$
➜ 젤리는 사탕보다 2개 더 많습니다.

• $4\div2=2$
➜ 젤리 수는 사탕 수의 2배입니다.

비

• 두 수를 나눗셈으로 비교할 때 기호 :을 사용하여 나타낸 것을 비라고 합니다.

• 6이 15를 기준으로 몇 배가 되는지 나눗셈으로 비교할 때 6 : 15라 쓰고, 6 대 15라고 읽습니다.

• 비 6 : 15에서 기호 :의 오른쪽에 있는 15는 기준량이고, 왼쪽에 있는 6은 비교하는 양입니다.

• 비 6 : 15를 다음과 같이 읽습니다.

6 : 15 (6: 비교하는 양, 15: 기준량) ➜
- 6 대 15
- 6 과 15의 비
- 6 의 15에 대한 비
- 15에 대한 6의 비

확인 문제

1 그림을 보고 □ 안에 알맞은 수를 써넣으세요.

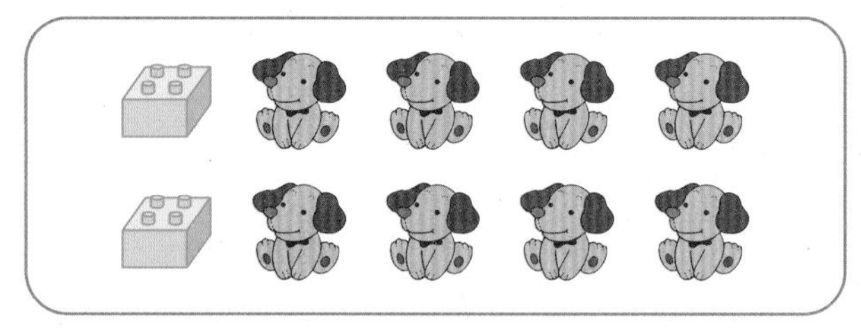

(1) 블록은 인형보다 □개 더 적습니다.

(2) 인형 수는 블록 수의 □배입니다.

2 그림을 보고 □ 안에 알맞은 수를 써넣으세요.

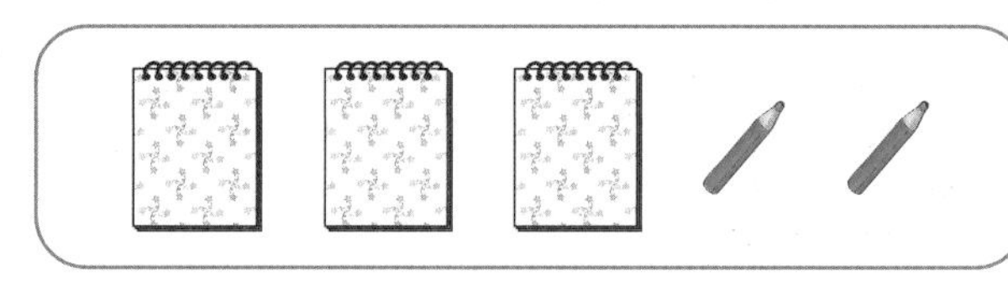

(1) 수첩과 색연필 수의 비 ➜ □ : □

(2) 수첩 수에 대한 색연필 수의 비 ➜ □ : □

3 □ 안에 알맞은 수를 써넣으세요.

(1) 5에 대한 7의 비 ➜ □ : □

(2) 13의 11에 대한 비 ➜ □ : □

4 전체에 대한 색칠한 부분의 비를 써 보세요.

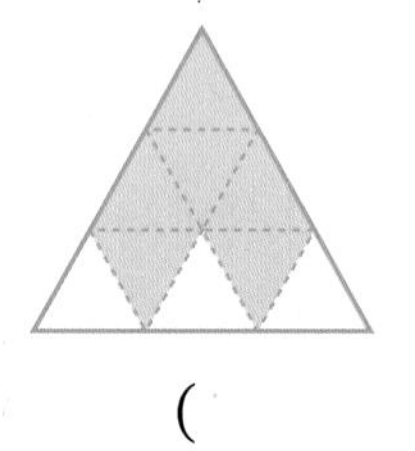

(   )

개념

비율

기준량에 대한 비교하는 양의 크기를 비율이라고 합니다.

$$(\text{비율})=(\text{비교하는 양})\div(\text{기준량})=\frac{(\text{비교하는 양})}{(\text{기준량})}$$

예 비 50 : 100을 비율로 나타내기

분수: $\frac{50}{100}$, 소수: 0.5

일상생활에서 사용되는 비율

기준량의 크기가 다를 때에는 비율을 구하여 두 상황을 비교할 수 있습니다.

예 사과주스 양에 대한 사과 원액 양의 비율 비교

사과주스	가	나
사과 원액 양(mL)	200	80
사과주스 양(mL)	400	200
사과주스 양에 대한 사과 원액 양의 비율	$\frac{200}{400}(=0.5)$	$\frac{80}{200}(=0.4)$

➔ 0.5 > 0.4이므로 더 진한 사과주스는 가입니다.

백분율

- 기준량을 100으로 할 때의 비율을 백분율이라고 합니다.
- 백분율은 기호 %를 사용하여 나타냅니다.
- 비율 $\frac{45}{100}$를 45 %라 쓰고 45 퍼센트라고 읽습니다.
- 백분율은 비율에 100을 곱한 다음, %를 붙여 나타냅니다.

예 비율 $\frac{13}{20}$을 백분율로 나타내기

$\frac{13}{20}\times100=65$ ➔ 65 %

확인 문제

5 비를 보고 비율을 분수와 소수로 각각 나타내어 보세요.

4 : 25

분수 ( )
소수 ( )

6 예슬이는 사탕 20개가 들어 있는 바구니에서 사탕 9개를 먹었습니다. 전체 사탕 수에 대한 먹은 사탕 수의 비율을 소수로 바르게 나타낸 것에 ○표 하세요.

0.45 ( ) 0.55 ( )

7 비율을 백분율로 나타내어 보세요.

(1) 0.24 ➔ ( )

(2) $\frac{18}{25}$ ➔ ( )

8 지훈이는 축구 연습을 하고 있습니다. 지훈이가 축구공을 찬 횟수에 대한 골을 넣은 횟수의 비율은 몇 %인가요?

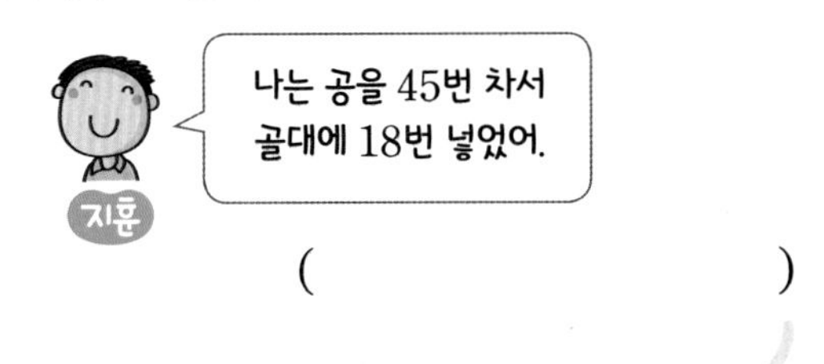

나는 공을 45번 차서 골대에 18번 넣었어.
지훈

( )

단계별로 **서술형 문제** 해결하기

과정 중심 평가 내용: 학생 수의 비를 구할 수 있는가?

1-1 희성이네 반 학생은 34명입니다. 그중에서 남학생이 15명일 때 희성이네 반 여학생 수에 대한 남학생 수의 비는 얼마인지 풀이 과정을 쓰고, 답을 구해 보세요. [8점]

풀이

❶ (여학생 수)=(전체 학생 수)−(남학생 수)

=□−15=□(명)

❷ 여학생 수에 대한 남학생 수의 비는 기준량이 □, 비교하는 양이 □이므로 □ : □입니다.

답

1-2 쌍둥이

지유네 학교 6학년 학생은 180명입니다. 그중에서 남학생이 97명일 때 지유네 학교 6학년 남학생 수에 대한 여학생 수의 비는 얼마인지 풀이 과정을 쓰고, 답을 구해 보세요. [12점]

풀이

답

1-3 유사

어느 극장에 어린이는 47명, 어른은 23명이 있습니다. 이 극장에 있는 전체 사람 수에 대한 어린이 수의 비는 얼마인지 풀이 과정을 쓰고, 답을 구해 보세요. [15점]

풀이

답

1-4 실전

봉사활동에 참가한 남학생은 50명이고 여학생은 남학생보다 13명이 더 많습니다. 이 봉사활동에 참가한 전체 학생 수에 대한 여학생 수의 비는 얼마인지 풀이 과정을 쓰고, 답을 구해 보세요. [15점]

풀이

답

과정 중심 평가 내용 | 할인율을 구할 수 있는가? | 공부한 날 월 일

➔ 정답 및 풀이 233쪽

2-1 어느 빵 가게에서 정가가 20000원인 케이크를 16000원에 판매하고 있습니다. 케이크를 몇 % 할인하여 판매하는 것인지 풀이 과정을 쓰고, 답을 구해 보세요. [8점]

풀이

❶ (할인된 금액)＝20000－☐
＝☐(원)

❷ $\frac{\square}{20000}\times100=\square$이므로
☐% 할인하여 판매하는 것입니다.

답

2-2 쌍둥이

현빈이는 정가가 30000원인 바지를 할인받아 25500원에 샀습니다. 몇 % 할인받은 것인지 풀이 과정을 쓰고, 답을 구해 보세요. [12점]

풀이

답

2-3 유사

작년에는 6개에 24000원이었던 장난감을 할인하여 올해는 5개에 18000원에 판매합니다. 올해 장난감 한 개의 가격은 작년 장난감 한 개의 가격보다 몇 % 할인된 것인지 풀이 과정을 쓰고, 답을 구해 보세요. [15점]

풀이

답

2-4 실전

작년에는 4자루에 4000원이었던 색연필이 올해는 6자루에 6300원입니다. 올해 색연필 한 자루의 가격은 작년 색연필 한 자루의 가격보다 몇 % 오른 것인지 풀이 과정을 쓰고, 답을 구해 보세요. [15점]

풀이

답

| 두 양의 크기 비교 |

01 축구공 수와 야구공 수를 비교하여 □ 안에 알맞은 수를 써넣으세요.
하

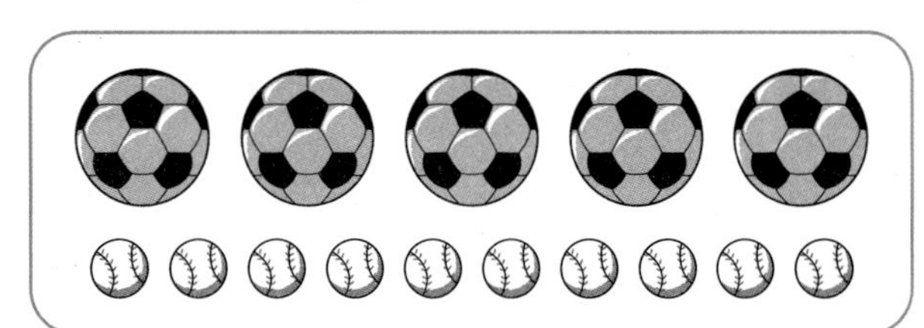

축구공은 야구공보다 □개 더 적습니다.

| 비 |

02 다음을 기호 :를 사용하여 나타내어 보세요.
하

(1) 9와 13의 비

➜ (　　　　　　　　)

(2) 17에 대한 5의 비

➜ (　　　　　　　　)

| 비 |

03 그림을 보고 물음에 답해 보세요.
하

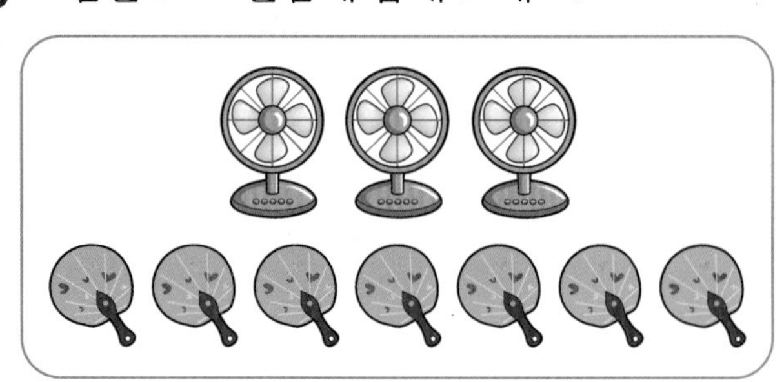

(1) 부채 수와 선풍기 수의 비를 써 보세요.

(　　　　　　　　)

(2) 부채 수에 대한 선풍기 수의 비를 써 보세요.

(　　　　　　　　)

[04~05] 삼각형 ㉮와 ㉯의 넓이를 비교하려고 합니다. 물음에 답해 보세요.

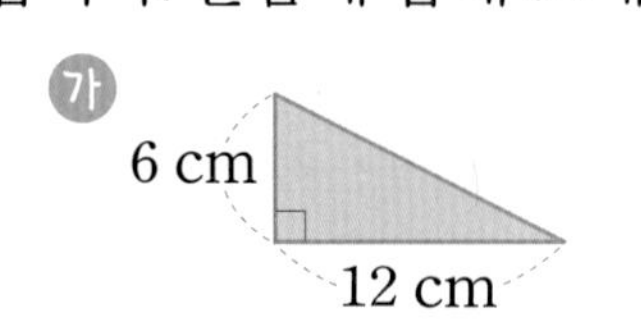

| 두 양의 크기 비교 |

04 삼각형 ㉮와 ㉯의 넓이를 각각 구해 보세요.
중

㉮ (　　　　　　　　)

㉯ (　　　　　　　　)

| 두 양의 크기 비교 | 서술형

05 두 가지 방법으로 비교해 보세요.
중

|뺄셈으로 비교하기|

|나눗셈으로 비교하기|

| 비 |

06 비교하는 양이 기준량보다 큰 것을 찾아 기호를 써 보세요.
중

㉠ 7 대 9
㉡ 15에 대한 21의 비
㉢ 8의 11에 대한 비

(　　　　　　　　)

➜ 정답 및 풀이 234쪽

| 비 |

07 초코 케이크 8개와 생크림 케이크 7개가 있습니다. 전체 케이크 수에 대한 생크림 케이크 수의 비를 써 보세요.

중

(   )

| 비율 |

08 빈칸에 알맞은 수를 써넣으세요.

중

	7과 25의 비	60에 대한 18의 비
비교하는 양		
기준량		
비율		

| 백분율 |

09 관계있는 것끼리 이어 보세요.

중

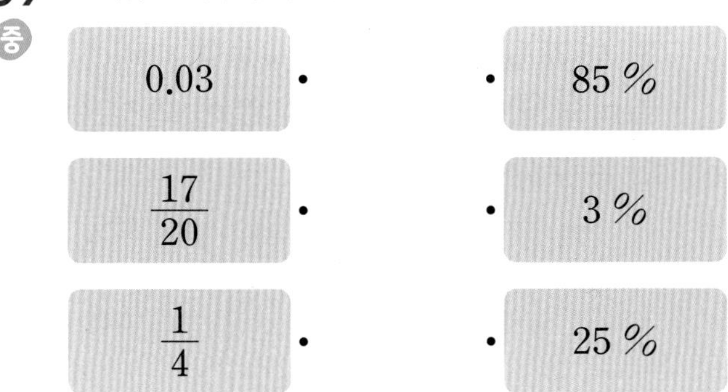

| 비율 |

10 전체에 대한 색칠한 부분의 비율을 소수로 나타내어 보세요.

중

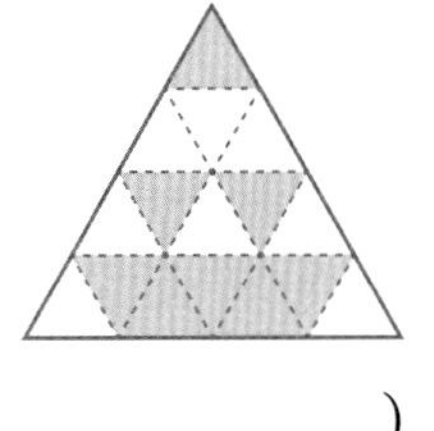

(   )

| 비율 |

11 비율이 더 낮은 것에 색칠해 보세요.

중

| 일상생활에서 사용되는 비율 |

12 지윤이네 집에서 공원까지 거리에 대한 지윤이네 집에서 학교까지 거리의 비율을 분수로 나타내어 보세요.

중

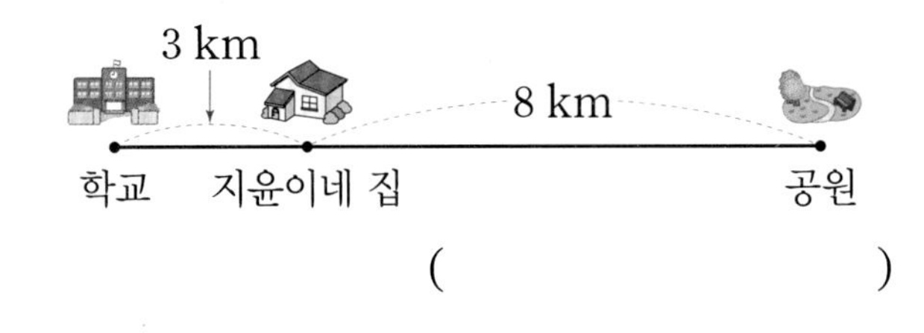

(   )

| 백분율 |

13 비율이 다른 하나를 찾아 기호를 써 보세요.

중

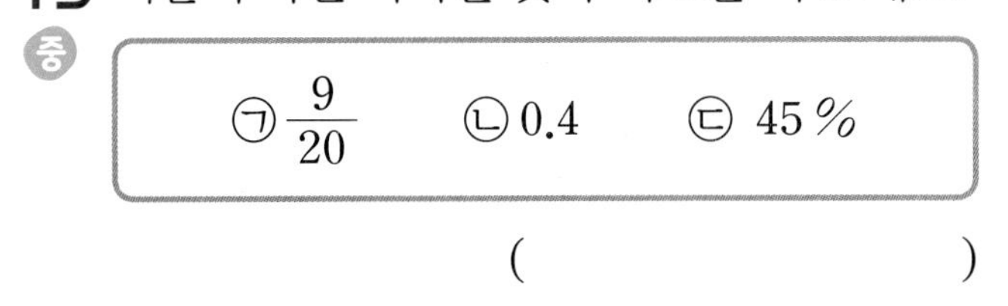

(   )

| 백분율 |

14 선희와 민수 중에서 비의 비율을 백분율로 잘못 이야기한 사람은 누구인가요?

중

18과 12의 비는 80 %야.
15의 20에 대한 비는 75 %야.
선희
민수

(   )

➜ 정답 및 풀이 234쪽

| 백분율의 활용 |

15 중 가구 공장에서 책상을 1000개 만들 때마다 불량품이 20개 나온다고 합니다. 전체 책상 수에 대한 불량품 수의 비율은 몇 %인가요?

( )

| 백분율의 활용 |

16 중 상자에 빨간색 구슬과 파란색 구슬이 60개 들어 있고, 그중에서 빨간색 구슬이 27개 입니다. 전체 구슬 수에 대한 파란색 구슬 수의 비율은 몇 %인가요?

( )

| 백분율의 활용 |

17 중 정가가 15000원인 귤 한 상자를 할인받아 12000원에 샀습니다. 몇 % 할인받은 것인가요?

( )

| 일상생활에서 사용되는 비율 |

18 상 수빈이와 지환이는 야구를 하고 있습니다. 수빈이는 15타수 중 안타를 6개 쳤고, 지환이는 20타수 중 안타를 9개 쳤습니다. 전체 타수에 대한 안타의 비율은 누가 더 높은가요?

( )

| 일상생활에서 사용되는 비율 | 서술형

19 상 같은 시각에 두 막대의 그림자 길이를 재었습니다. 가 막대와 나 막대의 길이에 대한 그림자 길이의 비율을 비교하여 알게 된 것을 설명하세요.

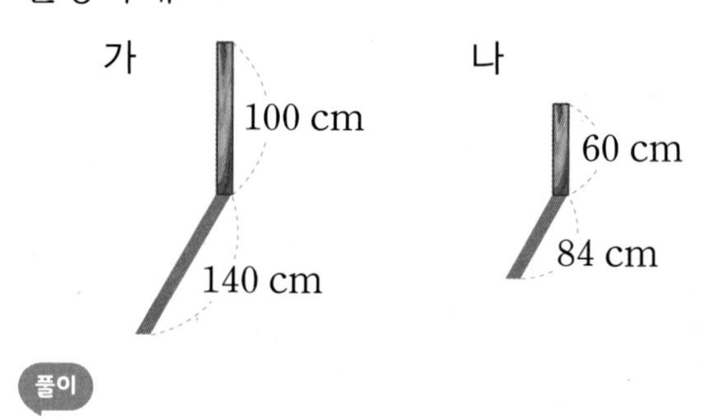

풀이

알게 된 것

| 백분율의 활용 | 서술형

20 상 정사각형 가의 둘레는 64 cm이고 정팔각형 나의 둘레는 32 cm입니다. 정사각형 가의 한 변의 길이에 대한 정팔각형 나의 한 변의 길이의 비율은 몇 %인지 풀이 과정을 쓰고, 답을 구해 보세요.

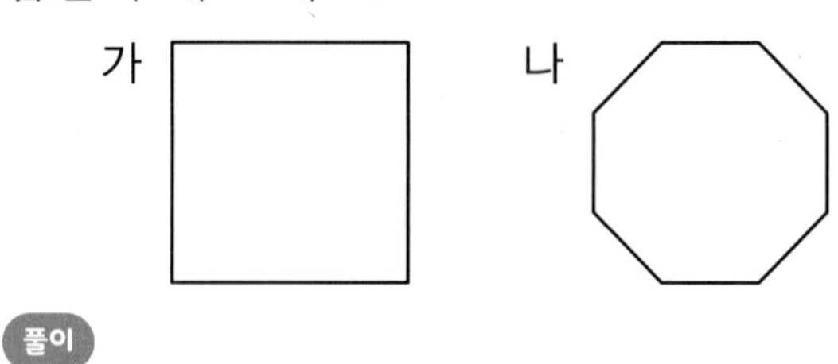

풀이

답

밀로의 비너스 조각상에서 황금비를 찾아볼까?

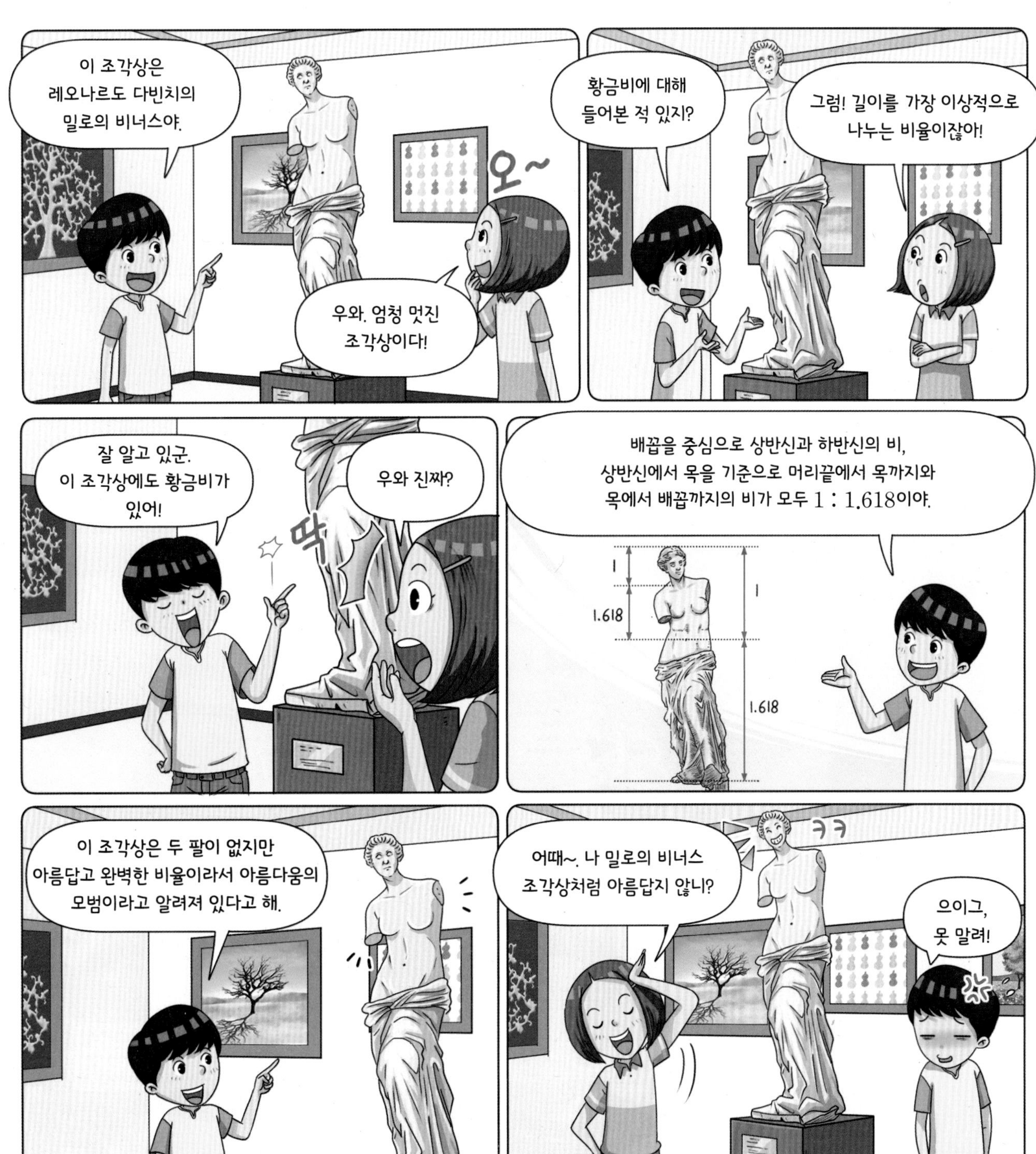

5 여러 가지 그래프

이전에 배운 내용	이번에 배울 내용	다음에 배울 내용
3-2 6. 그림그래프 • 그림그래프 이해하기 4-1 5. 막대그래프 • 막대그래프 이해하기 4-2 5. 꺾은선그래프 • 꺾은선그래프 이해하기 6-1 4. 비와 비율 • 비율을 백분율로 나타내기	• 그림그래프를 읽고 해석하기 • 띠그래프 이해하기 • 자료를 띠그래프로 나타내기 • 띠그래프를 읽고 해석하기 • 원그래프 이해하기 • 자료를 원그래프로 나타내기 • 원그래프를 읽고 해석하기 • 목적에 맞는 그래프로 나타내기	중학교 • 도수분포표 • 상대도수분포표 • 줄기와 잎 그림 • 히스토그램 • 도수분포다각형 • 상대도수분포다각형

- 권역별 전기자동차의 수와 비율을 그래프로 나타내어 보려고 합니다.
- 자료를 어떤 그래프로 나타내는 것이 좋을지 궁금해합니다.

공부할 준비가 되었나요?

휴, 난 아직 그래프에 대해서 잘 모르겠어.
각각의 그래프의 특징을 생각해 봐.
그림그래프는 그림의 크기로 수량의 많고 적음을 한눈에 알 수 있어.
• 그림그래프: 조사한 수를 그림으로 나타낸 그래프
띠그래프와 원그래프는 전체에서 각 항목이 차지하는 비율을 한눈에 알 수 있어.
• 띠그래프
전체에 대한 각 부분의 비율의 크기만큼 띠를 나누어 자료의 항목을 나타낸 그래프
• 원그래프
전체에 대한 각 부분의 비율의 크기만큼 원을 나누어 자료의 항목을 나타낸 그래프
띠그래프와 원그래프의 다른 점은 뭘까?
긁적
띠그래프는 띠 모양으로 나누어서 그린 것이고, 원그래프는 원 모양으로 나누어서 그린 것이야.
아하! 이제 알겠어!

자/기/주/도/학/습

	학습 내용	계획 및 확인(공부한 날)	
예습	1차시 | 단원 도입 / 준비 팡팡	140~141쪽	월 일
진도	2~3차시 | 1 그림그래프	142~145쪽	월 일
	4차시 | 2 띠그래프 알아보기	146~147쪽	월 일
	5차시 | 3 띠그래프 그리기	148~151쪽	월 일
	6차시 | 4 띠그래프 해석하기	152~153쪽	월 일
	7차시 | 5 원그래프 알아보기	154~155쪽	월 일
	8차시 | 6 원그래프 그리기	156~159쪽	월 일
	9차시 | 7 원그래프 해석하기	160~161쪽	월 일
	10~11차시 | 8 목적에 맞는 그래프로 나타내기	162~165쪽	월 일
	12차시 | 문제 해결력 쑥쑥	166~167쪽	월 일
	13차시 | 단원 마무리 척척	168~171쪽	월 일
	14차시 | 그래프 속으로 풍덩	172~173쪽	월 일
평가	개념+확인 / 서술형 문제 해결하기	174~177쪽	월 일
	단원 평가 / 재미있는 수학 이야기	178~181쪽	월 일

1 차시 준비 팡팡

학습 목표

'무엇을 알고 있나요'와 '함께 생각해 볼까요'를 통하여 단원을 준비할 수 있습니다.

그림그래프 알아보기

- 친구들이 1년 동안 읽은 책의 수를 조사하여 나타낸 그림그래프입니다.
- 진서가 읽은 책은 13권입니다.
- 1년 동안 책을 가장 많이 읽은 사람은 수아가 20권으로 가장 많이 읽었습니다.

막대그래프와 꺾은선그래프 비교하기

- 항목별 수량을 비교하는 데 더 편리한 그래프는 막대그래프인 (가)입니다.
- 시간의 흐름에 따른 변화를 나타내는 데 더 편리한 그래프는 꺾은선그래프인 (나)입니다.

분수로 나타낸 비율을 백분율로 나타내기

- $\frac{39}{100}$ ➜ 39 %
- $\frac{11}{20}=\frac{55}{100}$ ➜ 55 %
- $\frac{7}{25}=\frac{28}{100}$ ➜ 28 %
- $\frac{12}{16}=\frac{3}{4}=\frac{75}{100}$ ➜ 75 %

준비 팡팡 수학 익힘 61쪽

무엇을 알고 있나요

1 그림그래프를 보고 물음에 답해 보세요.

1년 동안 읽은 책의 수

이름	책의 수
진서	
수아	
주민	
은빈	

(큰 그림: 10권, 작은 그림: 1권)

> **알면 쉬워요**
> - 그림그래프: 조사한 수를 그림으로 나타낸 그래프
> - 막대그래프: 조사한 자료의 수량을 막대 모양으로 나타낸 그래프
> - 꺾은선그래프: 연속적으로 변화하는 양을 점으로 표시하고, 그 점들을 선분으로 이어 그린 그래프

- 무엇을 조사하여 나타낸 그림그래프인가요? 예 친구들이 1년 동안 읽은 책의 수를 조사하여 나타낸 그림그래프입니다.
- 진서가 읽은 책은 몇 권인가요? 13권
- 1년 동안 책을 가장 많이 읽은 사람은 누구인가요? 수아

2 그래프 (가)와 (나)를 보고 물음에 답해 보세요.

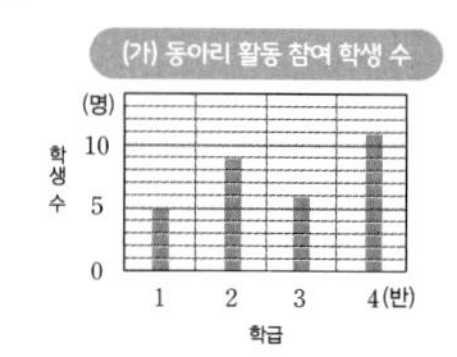

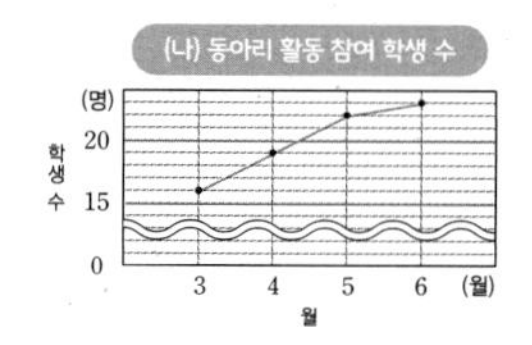

- 항목별 수량을 비교하는 데 더 편리한 그래프는 무엇인가요? (가)
- 시간의 흐름에 따른 변화를 나타내는 데 더 편리한 그래프는 무엇인가요? (나)

3 분수로 나타낸 비율을 백분율로 나타내어 보세요.

$\frac{39}{100}$ ➜ 39 %　$\frac{11}{20}$ ➜ 55 %　$\frac{7}{25}$ ➜ 28 %　$\frac{12}{16}$ ➜ 75 %

114

교과서 개념 완성 | 배운 것을 다시 생각하기

막대그래프 알아보기

조사한 자료의 수량을 막대 모양으로 나타낸 그래프를 막대그래프라고 합니다.

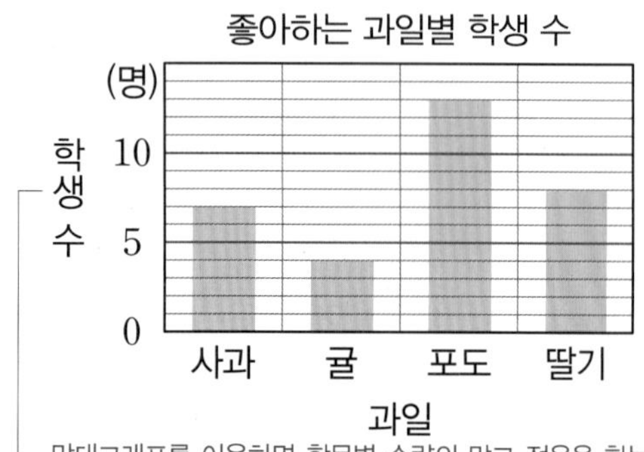

막대그래프를 이용하면 항목별 수량의 많고 적음을 한눈에 알아볼 수 있습니다.

꺾은선그래프 알아보기

연속적으로 변화하는 양을 점(•)으로 표시하고, 그 점들을 선분으로 이어 그린 그래프를 꺾은선그래프라고 합니다.

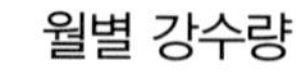

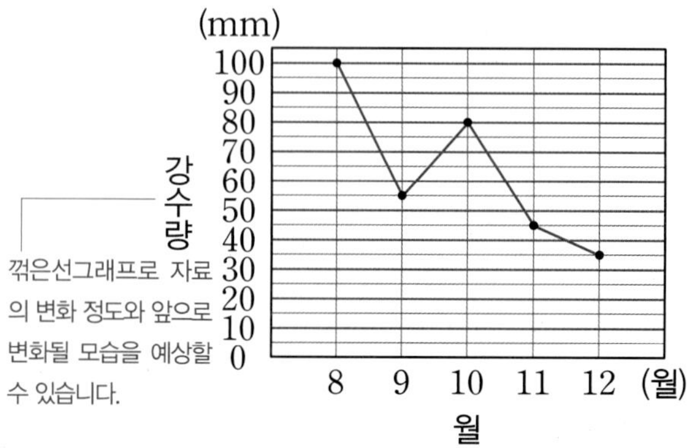

꺾은선그래프로 자료의 변화 정도와 앞으로 변화될 모습을 예상할 수 있습니다.

함께 생각해 볼까요

1 마을별 인구를 반올림하여 백의 자리까지 나타내어 보세요.

마을별 인구

마을	햇살	하늘	초록
인구(명)	1423	2165	709
어림한 값(명)	1400	2200	700

2 준기네 반 학생 25명이 좋아하는 계절을 조사하였습니다. 물음에 답해 보세요.

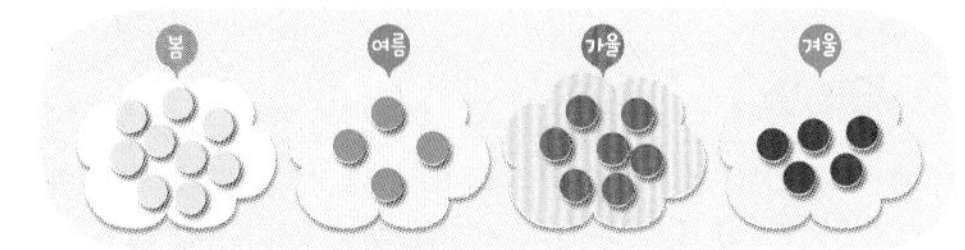

- 봄을 좋아하는 학생은 몇 명인가요? 9명
- 조사한 전체 학생 수에 대한 봄을 좋아하는 학생 수의 비율을 분수와 백분율로 나타내어 보세요. $\frac{9}{25}$, 36 %

3 전체에 대한 색칠한 부분의 비율을 각각 백분율로 나타내어 보세요.

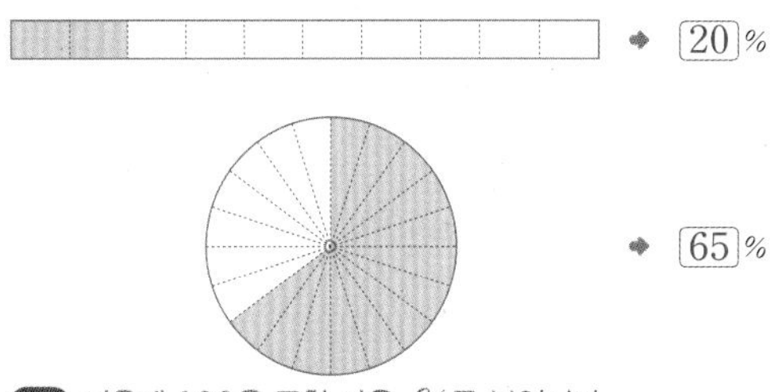

→ 20 %

→ 65 %

풀이 비율에 100을 곱한 다음, %를 붙입니다.

115

반올림하여 백의 자리까지 나타내기

그림그래프로 나타낼 때 자료의 값을 반올림하여 나타내는 경우가 있습니다.

자료 해석하기

- 봄을 좋아하는 학생은 9명입니다.
- 조사한 전체 학생이 25명이고, 봄을 좋아하는 학생이 9명이므로 조사한 전체 학생 수에 대한 봄을 좋아하는 학생 수의 비율을 분수로 나타내면 $\frac{9}{25}$입니다.

  따라서 비율 $\frac{9}{25}$를 백분율로 나타내면

  $\frac{9}{25} \times 100 = 36$ → 36 %입니다.

색칠한 부분의 비율을 백분율로 나타내기

- 10칸 중 색칠한 부분은 2칸이므로 백분율로 나타내면 $\frac{2}{10} \times 100 = 20$ → 20 %입니다.
- 20칸 중 색칠한 부분은 13칸이므로 백분율로 나타내면 $\frac{13}{20} \times 100 = 65$ → 65 %입니다.

개념 확인 문제

정답 및 풀이 236쪽

| 4-1 5. 막대그래프 |

1 막대그래프를 보고 안경을 쓴 학생이 가장 많은 반은 몇 반인지 구해 보세요.

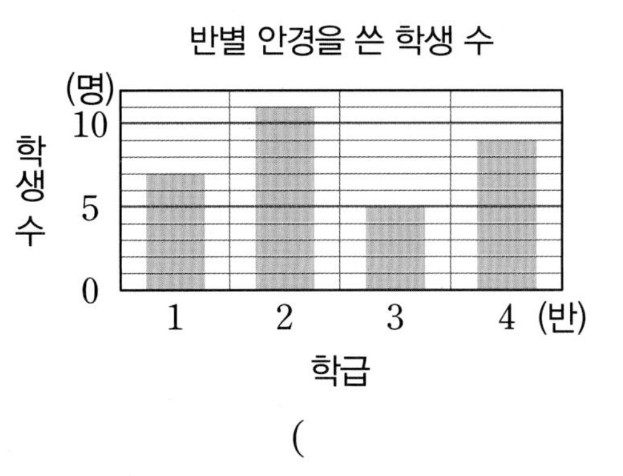

( )

| 4-2 5. 꺾은선그래프 |

2 어느 과수원의 연도별 복숭아 생산량을 조사하여 나타낸 꺾은선그래프입니다. 2019년도 복숭아 생산량은 몇 개인지 구해 보세요.

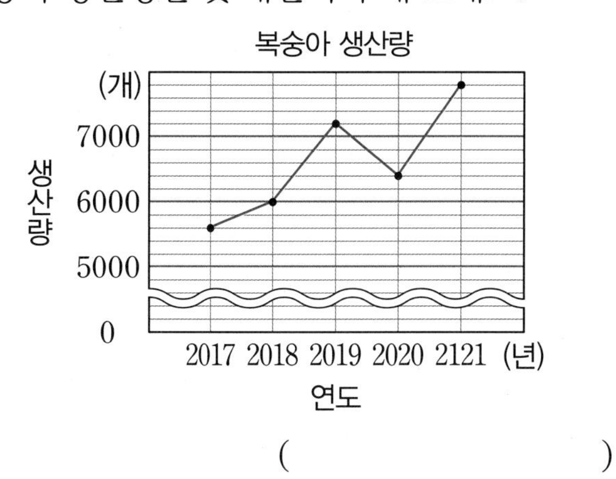

( )

1 | 그림그래프

학습 목표

자료를 그림그래프로 나타내고 해석하여 활용할 수 있습니다.

그림으로 개념 잡기

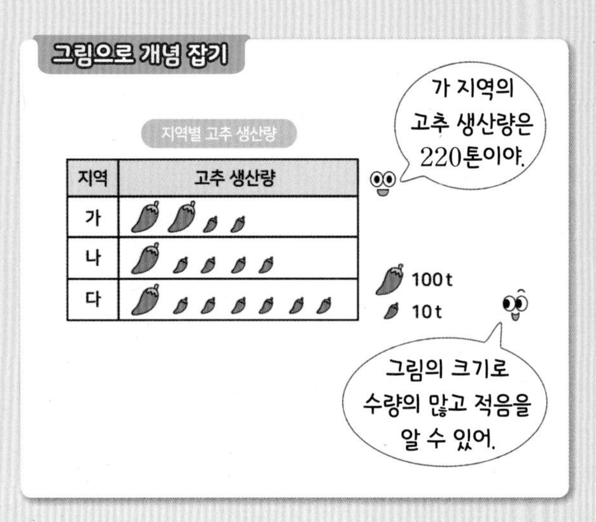

지역별 고추 생산량
지역
고추 생산량
가
나
다
100 t
10 t
가 지역의 고추 생산량은 220톤이야.
그림의 크기로 수량의 많고 적음을 알 수 있어.

참고

표와 그림그래프의 차이점

- 자료를 표로 나타내면 정확한 수치를 알 수 있습니다.
- 자료를 그림그래프로 나타내면 지역별로 많고 적음을 한눈에 알 수 있습니다.

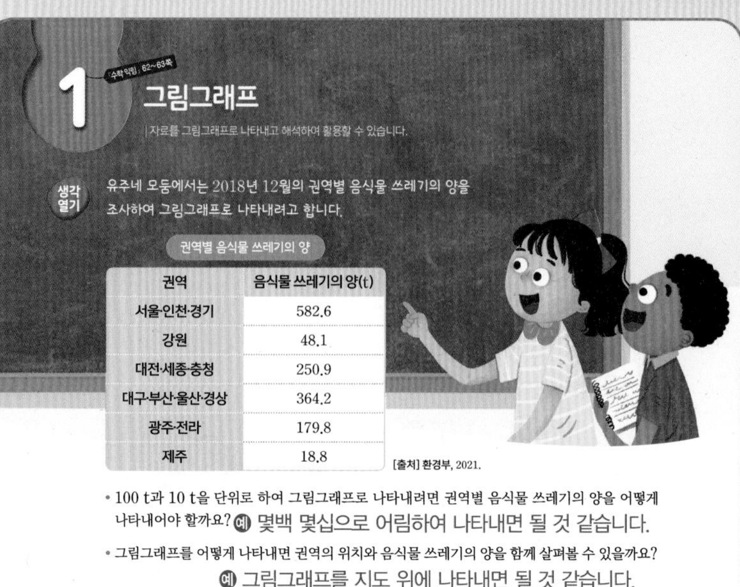

1 그림그래프

자료를 그림그래프로 나타내고 해석하여 활용할 수 있습니다.

생각열기 유주네 모둠에서는 2018년 12월의 권역별 음식물 쓰레기의 양을 조사하여 그림그래프로 나타내려고 합니다.

권역별 음식물 쓰레기의 양

권역	음식물 쓰레기의 양(t)
서울·인천·경기	582.6
강원	48.1
대전·세종·충청	250.9
대구·부산·울산·경상	364.2
광주·전라	179.8
제주	18.8

[출처] 환경부, 2021.

- 100 t과 10 t을 단위로 하여 그림그래프로 나타내려면 권역별 음식물 쓰레기의 양을 어떻게 나타내어야 할까요? 예 몇백 몇십으로 어림하여 나타내면 될 것 같습니다.
- 그림그래프를 어떻게 나타내면 권역의 위치와 음식물 쓰레기의 양을 함께 살펴볼 수 있을까요? 예 그림그래프를 지도 위에 나타내면 될 것 같습니다.

탐구하기 그림그래프로 나타내고 알 수 있는 내용을 살펴봅시다.

- 100 t과 10 t을 단위로 하여 그림그래프로 나타내려면 음식물 쓰레기의 양을 반올림하여 어느 자리까지 나타내어야 할까요? 음식물 쓰레기의 양을 반올림하여 나타내어 보세요. 예 반올림하여 십의 자리까지 나타내어야 합니다.

권역별 음식물 쓰레기의 양

권역	음식물 쓰레기의 양(t)	어림한 값(t)
서울·인천·경기	582.6	580
강원	48.1	50
대전·세종·충청	250.9	250
대구·부산·울산·경상	364.2	360
광주·전라	179.8	180
제주	18.8	20

116

풀이 582.6 → 580, 48.1 → 50, 250.9 → 250, 364.2 → 360, 179.8 → 180, 18.8 → 20

교과서 개념 완성

탐구하기 그림그래프로 나타내고 알 수 있는 내용 살펴보기

- 10 t이 가장 작은 단위이므로 반올림하여 십의 자리까지 나타내어야 합니다.
- 서울·인천·경기 권역의 음식물 쓰레기의 양을 어림한 값이 580 t이므로 큰 그림 5개와 작은 그림 8개로 나타내었습니다.
- 대전·세종·충청 권역의 음식물 쓰레기의 양을 어림한 값이 250 t이므로 큰 그림 2개와 작은 그림 5개로 나타내었습니다.
- 대구·부산·울산·경상 권역의 음식물 쓰레기의 양을 어림한 값이 360 t이므로 큰 그림 3개와 작은 그림 6개로 나타내었습니다.
- 광주·전라 권역의 음식물 쓰레기의 양을 어림한 값이 180 t이므로 큰 그림 1개와 작은 그림 8개로 나타내었습니다.
- 제주 권역의 음식물 쓰레기의 양을 어림한 값이 20 t이므로 작은 그림 2개로 나타내었습니다.

학부모 코칭 Tip

지도 위에 나타낸 그림그래프에서는 수량의 정보와 지리적 정보를 함께 살펴볼 수 있습니다. 탐구하기 의 그림그래프를 보고 권역별 음식물 쓰레기의 양, 권역의 위치와 면적 등의 정보를 결합하여 '서울·인천·경기 권역은 땅의 넓이에 비해 음식물 쓰레기의 양이 많다.'와 같이 해석할 수 있음을 이해하도록 합니다.

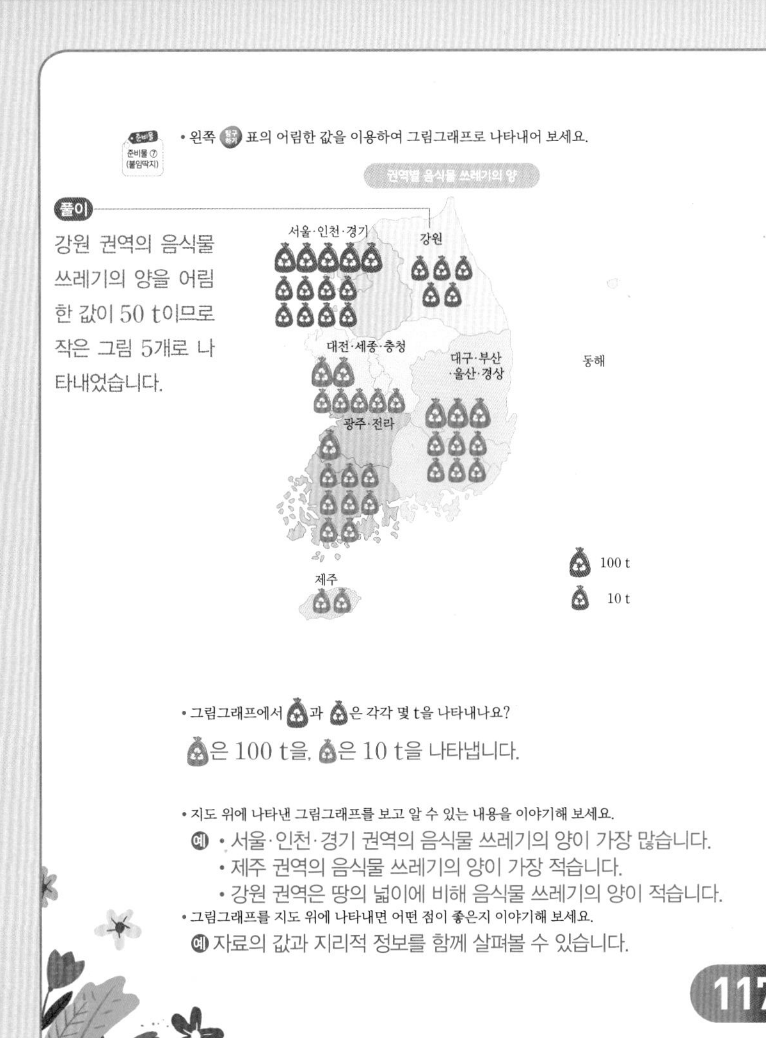
준비물 ⑦ (붙임딱지)
• 왼쪽 표의 어림한 값을 이용하여 그림그래프로 나타내어 보세요.

권역별 음식물 쓰레기의 양

풀이
강원 권역의 음식물 쓰레기의 양을 어림한 값이 50 t이므로 작은 그림 5개로 나타내었습니다.

• 그림그래프에서 과 은 각각 몇 t을 나타내나요?
은 100 t을, 은 10 t을 나타냅니다.

• 지도 위에 나타낸 그림그래프를 보고 알 수 있는 내용을 이야기해 보세요.
예 • 서울·인천·경기 권역의 음식물 쓰레기의 양이 가장 많습니다.
• 제주 권역의 음식물 쓰레기의 양이 가장 적습니다.
• 강원 권역은 땅의 넓이에 비해 음식물 쓰레기의 양이 적습니다.
• 그림그래프를 지도 위에 나타내면 어떤 점이 좋은지 이야기해 보세요.
예 자료의 값과 지리적 정보를 함께 살펴볼 수 있습니다.

117

이런 문제가 서술형으로 나와요

도시별 자동차 수를 조사하여 나타낸 그림그래프입니다. 자동차 수가 가장 많은 도시와 가장 적은 도시의 자동차 수의 차는 몇 대인지 풀이 과정을 쓰고, 답을 구해 보세요.

도시별 자동차 수

가	나	다

1000대 500대 100대

| 풀이 과정 |

❶ 자동차 수가 가장 많은 도시와 가장 적은 도시 각각 구하기

가 도시는 가 2개, 가 2개이므로 2200대입니다. 나 도시는 가 3개, 가 1개이므로 3100대입니다. 다 도시는 가 2개 가 1개, 가 2개이므로 2700대입니다.
따라서 자동차 수가 가장 많은 도시는 나 도시이고, 가장 적은 도시는 가 도시입니다.

❷ 자동차 수의 차 구하기

$3100-2200=900$(대)입니다.

답 900대

개념 확인 문제

정답 및 풀이 236쪽

[1~3] 지역별 초등학교 수를 조사하여 나타낸 그림그래프입니다. 물음에 답해 보세요.

지역별 초등학교 수

지역	초등학교 수
가	
나	
다	
라	

10개
1개

1 그림그래프에서 과 은 각각 몇 개를 나타내나요?

( ), ( )

2 초등학교 수가 가장 적은 지역은 어디인가요?

( )

3 다 지역의 초등학교 수는 몇 개인가요?

( )

그림으로 개념 잡기

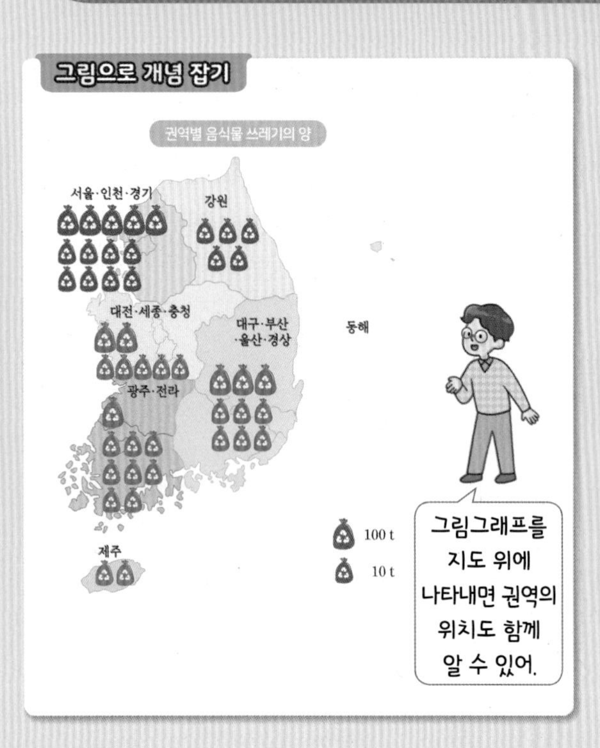

참고 그림그래프는 그림의 크기와 개수를 이용하여 수량의 많고 적음을 한눈에 알 수 있습니다.

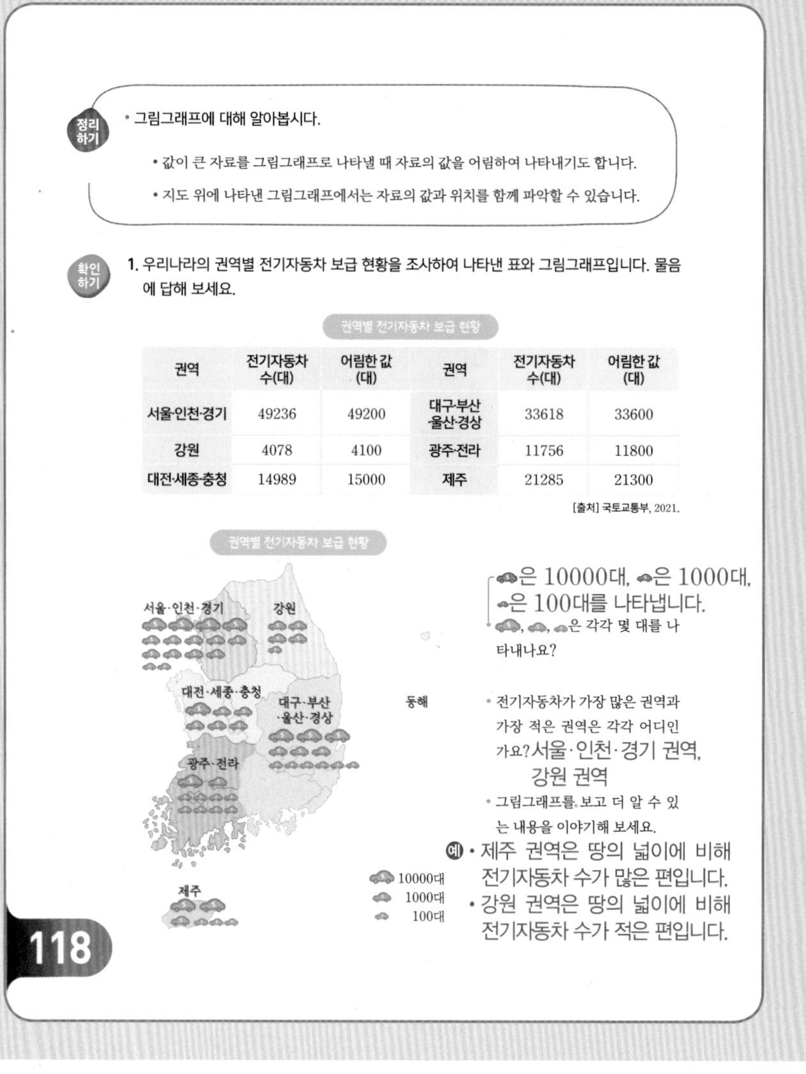

정리하기 • 그림그래프에 대해 알아봅시다.

- 값이 큰 자료를 그림그래프로 나타낼 때 자료의 값을 어림하여 나타내기도 합니다.
- 지도 위에 나타낸 그림그래프에서는 자료의 값과 위치를 함께 파악할 수 있습니다.

확인하기 1. 우리나라의 권역별 전기자동차 보급 현황을 조사하여 나타낸 표와 그림그래프입니다. 물음에 답해 보세요.

권역별 전기자동차 보급 현황

권역	전기자동차 수(대)	어림한 값 (대)	권역	전기자동차 수(대)	어림한 값 (대)
서울·인천·경기	49236	49200	대구·부산·울산·경상	33618	33600
강원	4078	4100	광주·전라	11756	11800
대전·세종·충청	14989	15000	제주	21285	21300

[출처] 국토교통부, 2021.

은 10000대, 은 1000대, 은 100대를 나타냅니다.

- , , 은 각각 몇 대를 나타내나요?
- 전기자동차가 가장 많은 권역과 가장 적은 권역은 각각 어디인가요? 서울·인천·경기 권역, 강원 권역
- 그림그래프를 보고 더 알 수 있는 내용을 이야기해 보세요.

예 • 제주 권역은 땅의 넓이에 비해 전기자동차 수가 많은 편입니다.
• 강원 권역은 땅의 넓이에 비해 전기자동차 수가 적은 편입니다.

118

교과서 개념 완성

확인하기 그림그래프 이해하고 나타내기

1. • 전기자동차가 가장 많은 권역은 서울·인천·경기 권역이고, 가장 적은 권역은 강원 권역입니다.
   • 광주·전라 권역과 제주 권역의 전기자동차 수를 더하면 대구·부산·울산·경상 권역의 전기자동차 수와 비슷합니다.

학부모 코칭 Tip

- 큰 그림의 수가 많을수록 수량이 많습니다.
- 큰 그림의 수가 같을 때에는 작은 그림의 수를 비교합니다.

2. • 자료의 값을 반올림하여 백의 자리까지 나타내었으므로 그림그래프의 단위를 나타내는 그림을 2개로 하려면 큰 그림은 1000개, 작은 그림은 100개로 하면 좋을 것 같습니다.

생각솔솔 그림그래프를 활용하여 의견 말하기

- 서울·인천·경기 권역은 전기자동차 수가 가장 많은 권역이므로 충전소를 더 설치하면 좋을 것 같습니다.
- 제주 권역은 전기자동차 수에 비해 충전소의 수가 적고, 강원 권역은 땅의 넓이에 비해 충전소의 수가 적은 것 같으므로 두 권역에 충전소를 더 설치하면 좋을 것 같습니다.

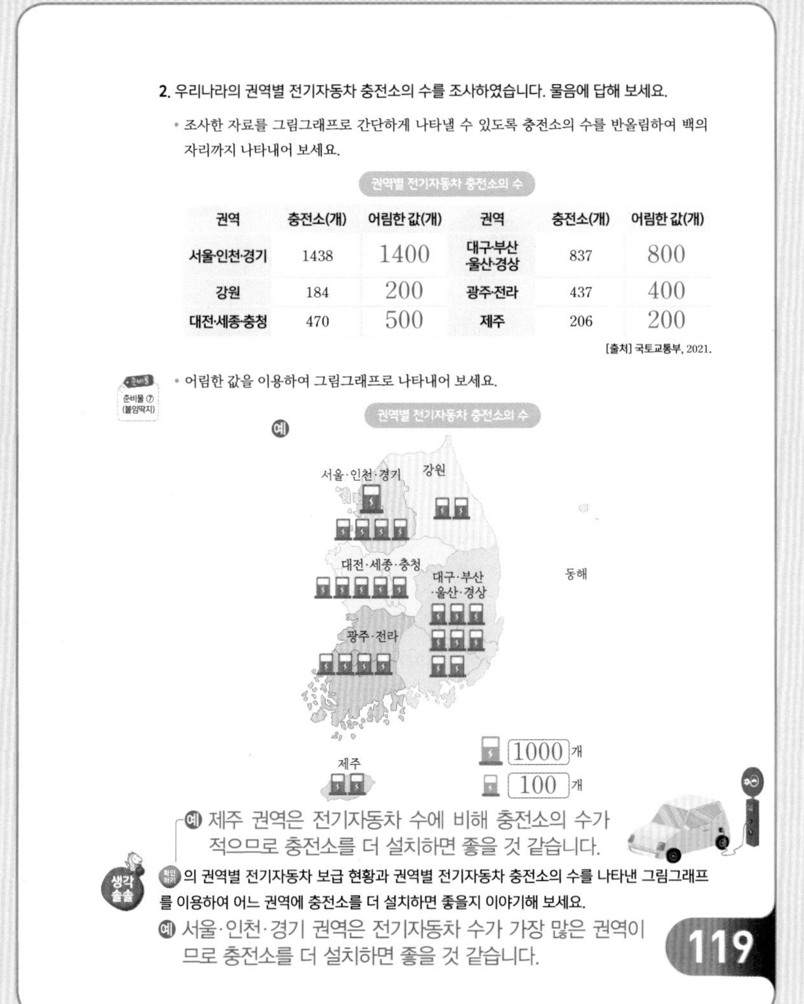

2. 우리나라의 권역별 전기자동차 충전소의 수를 조사하였습니다. 물음에 답해 보세요.

• 조사한 자료를 그림그래프로 간단하게 나타낼 수 있도록 충전소의 수를 반올림하여 백의 자리까지 나타내어 보세요.

권역별 전기자동차 충전소의 수

권역	충전소(개)	어림한 값(개)	권역	충전소(개)	어림한 값(개)
서울·인천·경기	1438	1400	대구·부산 울산·경상	837	800
강원	184	200	광주·전라	437	400
대전·세종·충청	470	500	제주	206	200

[출처] 국토교통부, 2021.

• 어림한 값을 이용하여 그림그래프로 나타내어 보세요.

권역별 전기자동차 충전소의 수

예

예 제주 권역은 전기자동차 수에 비해 충전소의 수가 적으므로 충전소를 더 설치하면 좋을 것 같습니다.

생각 솜솜 의 권역별 전기자동차 보급 현황과 권역별 전기자동차 충전소의 수를 나타낸 그림그래프를 이용하여 어느 권역에 충전소를 더 설치하면 좋을지 이야기해 보세요.

예 서울·인천·경기 권역은 전기자동차 수가 가장 많은 권역이므로 충전소를 더 설치하면 좋을 것 같습니다.

119

이런 문제가 서술형으로 나와요

지역별 쓰레기 배출량을 조사하여 나타낸 그림그래프입니다. 어느 지역에 쓰레기 처리장을 더 만들면 좋을지 풀이 과정을 쓰고, 답을 구해 보세요.

지역별 쓰레기 배출량

지역	배출량
가	(1000t 2개, 100t 4개)
나	(1000t 3개, 100t 2개)
다	(1000t 2개, 100t 3개)

1000 t, 100 t

| 풀이 과정 |

❶ 지역별 쓰레기 배출량 구하기

가 지역의 쓰레기 배출량은 2400 t,
나 지역의 쓰레기 배출량은 3200 t,
다 지역의 쓰레기 배출량은 2300 t입니다.

❷ 어느 지역에 쓰레기 처리장을 더 만들면 좋을지 구하기

쓰레기 배출량이 가장 많은 지역은 나 지역이므로 나 지역에 쓰레기 처리장을 더 만들면 좋을 것 같습니다.

답 나 지역

[1~2] 도시별 병원 수를 조사하여 나타낸 표입니다. 물음에 답해 보세요.

도시별 병원 수

도시	가	나	다	라
병원 수(개)	1564	2015	3160	1927
어림한 값(개)				

1 그림그래프로 간단하게 나타낼 수 있도록 병원 수를 반올림하여 백의 자리까지 나타내어 위의 표를 완성해 보세요.

2 어림한 값을 이용하여 그림그래프로 나타내어 보세요.

도시별 병원 수

가 도시	나 도시
다 도시	라 도시

1000개
100개

2 | 띠그래프 알아보기

학습 목표

전체에 대한 각 부분의 비율을 나타낼 수 있는 띠그래프를 알고 특징을 말할 수 있습니다.

그림으로 개념 잡기

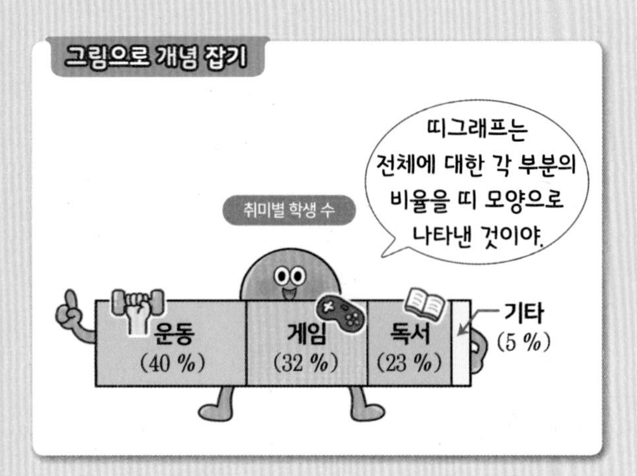

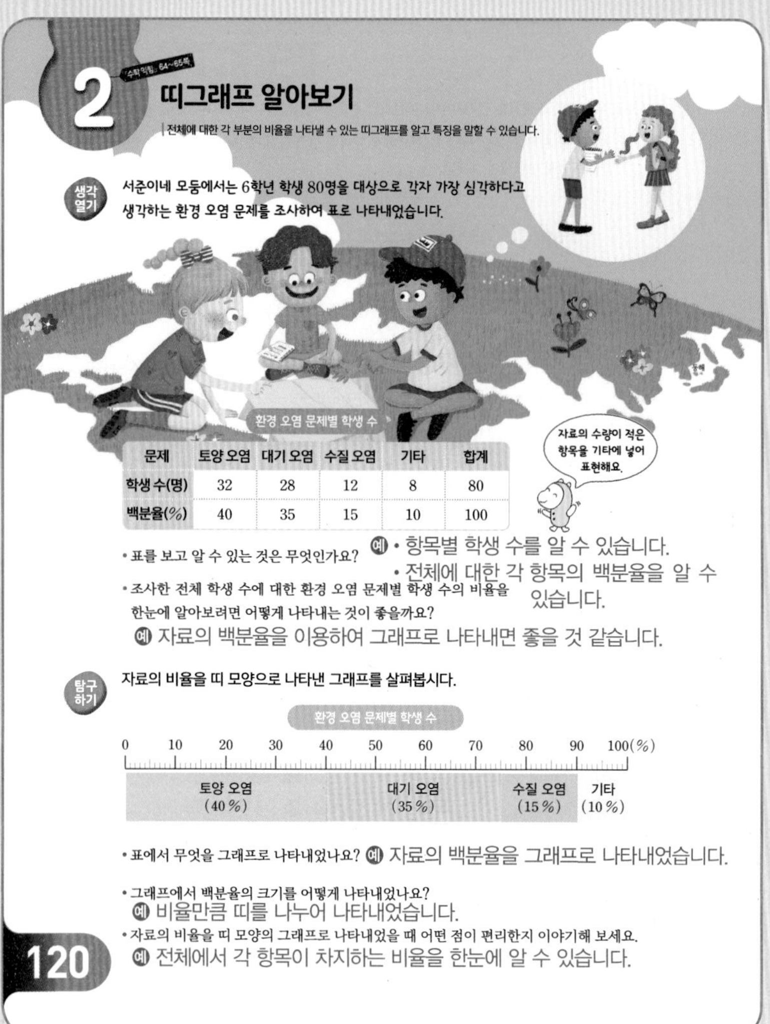

2 수학 익힘 64~65쪽 띠그래프 알아보기

전체에 대한 각 부분의 비율을 나타낼 수 있는 띠그래프를 알고 특징을 말할 수 있습니다.

생각열기 서준이네 오둥에서는 6학년 학생 80명을 대상으로 각자 가장 심각하다고 생각하는 환경 오염 문제를 조사하여 표로 나타내었습니다.

환경 오염 문제별 학생 수

문제	토양 오염	대기 오염	수질 오염	기타	합계
학생 수(명)	32	28	12	8	80
백분율(%)	40	35	15	10	100

자료의 수량이 적은 항목을 기타에 넣어 표현해요.

- 표를 보고 알 수 있는 것은 무엇인가요? 예 • 항목별 학생 수를 알 수 있습니다. • 전체에 대한 각 항목의 백분율을 알 수 있습니다.
- 조사한 전체 학생 수에 대한 환경 오염 문제별 학생 수의 비율을 한눈에 알아보려면 어떻게 나타내는 것이 좋을까요? 예 자료의 백분율을 이용하여 그래프로 나타내면 좋을 것 같습니다.

탐구하기 자료의 비율을 띠 모양으로 나타낸 그래프를 살펴봅시다.

환경 오염 문제별 학생 수

0 10 20 30 40 50 60 70 80 90 100(%)

토양 오염 (40 %) | 대기 오염 (35 %) | 수질 오염 (15 %) | 기타 (10 %)

- 표에서 무엇을 그래프로 나타내었나요? 예 자료의 백분율을 그래프로 나타내었습니다.
- 그래프에서 백분율의 크기를 어떻게 나타내었나요? 예 비율만큼 띠를 나누어 나타내었습니다.
- 자료의 비율을 띠 모양의 그래프로 나타내었을 때 어떤 점이 편리한지 이야기해 보세요. 예 전체에서 각 항목이 차지하는 비율을 한눈에 알 수 있습니다.

120

참고 띠그래프에서 띠의 길이가 길수록 비율이 높고, 띠의 길이가 짧을수록 비율이 낮습니다.

교과서 개념 완성

탐구하기 자료의 비율을 띠 모양으로 나타낸 그래프 탐구하기

- 항목별 비율(백분율)을 그래프로 나타내었습니다. 그래프 위쪽에 0부터 100까지 눈금을 표시하여 백분율을 나타내었습니다.
- 비율만큼 띠를 나누어 나타내었습니다. 비율이 높은 것은 띠의 길이를 길게, 비율이 낮은 것은 띠의 길이를 짧게 나타내었습니다.
- 전체에서 각 항목이 차지하는 비율을 한눈에 알 수 있습니다.
- 어느 항목의 비율이 높은지, 낮은지 비교하기 쉽습니다.

확인하기 띠그래프의 특징 알아보기

- □ 안에 알맞은 수는 차례로 25, 20, 15, 10입니다.
- 비율이 높은 항목부터 왼쪽에서 오른쪽으로 나타내었습니다.
- 표와 띠그래프 중 비율을 한눈에 알아보기 편리한 것은 띠그래프입니다.

학부모 코칭 Tip

띠그래프에 비율이 높은 순서로 항목을 나타내면 어떤 항목의 비율이 높은지, 낮은지 한눈에 파악할 수 있습니다. 또, 기타는 자료의 수량이 적은 항목을 넣은 것이므로 항목의 크기와 관계없이 마지막에 나타낸다는 것을 이해하게 합니다.

정리하기

• 띠그래프를 알아봅시다.

• 전체에 대한 각 부분의 비율의 크기만큼 띠를 나누어 자료의 항목을 나타낸 그래프를 띠그래프라고 합니다.

• 띠그래프로 나타내면 전체에서 각 항목이 차지하는 비율을 한눈에 알 수 있습니다.

확인하기 우리네 학교 학생 160명을 대상으로 참여하고 싶어 하는 동아리 활동을 조사하여 나타낸 표와 띠그래프입니다. 물음에 답해 보세요.

참여하고 싶어 하는 동아리별 학생 수

동아리	연극부	축구부	만화부	댄스부	기타	합계
학생 수(명)	48	32	24	40	16	160
백분율(%)	30	20	15	25	10	100

참여하고 싶어 하는 동아리별 학생 수

0 10 20 30 40 50 60 70 80 90 100(%)

연극부 (30 %)	댄스부 (25 %)	축구부 (20 %)	만화부 (15 %)	기타 (10%)

• 띠그래프의 □ 안에 알맞은 수를 써넣으세요.

• 표를 띠그래프로 나타낼 때 각 항목을 어떤 차례로 나타내었나요?
예 비율이 높은 항목부터 왼쪽에서 오른쪽으로 나타내었습니다.

• 표와 띠그래프 중 조사한 전체 학생 수에 대한 참여하고 싶어 하는 동아리별 학생 수의 비율을 한눈에 알아보기 편리한 것은 어느 것인가요? 띠그래프

생각솔솔 실생활에서 띠그래프를 본 경험을 이야기해 보세요.

풀이 뉴스, 인터넷, 신문, 사회 교과서 등에서 띠그래프를 본 경험을 이야기합니다.

121

이런 문제가 서술형으로 나와요

표를 보고 띠그래프의 □ 안에 알맞은 수를 써넣고, 양파 또는 오이 수는 전체 채소 수의 몇 %인지 풀이 과정을 쓰고, 답을 구해 보세요.

종류별 채소 수

종류	양파	오이	무	기타	합계
채소 수(개)	20	15	10	5	50
백분율(%)	40	30	20	10	100

종류별 채소 수

0 10 20 30 40 50 60 70 80 90 100 (%)

양파 (40 %)	오이 (30 %)	무 (20 %)	기타 (10 %)

| 풀이 과정 |

❶ □ 안에 알맞은 수 구하기

양파의 백분율은 40 %, 오이의 백분율은 30 % 이므로 □ 안에 알맞은 수는 차례로 40, 30입니다.

❷ 양파 또는 오이 수는 전체 채소 수의 몇 %인지 구하기

$40+30=70$ (%)

답 70 %

개념 확인 문제

정답 및 풀이 236쪽

[1~3] 유림이네 학교 6학년 전체 학생 200명을 대상으로 좋아하는 과목을 조사하여 나타낸 띠그래프입니다. 물음에 답해 보세요.

좋아하는 과목별 학생 수

0 10 20 30 40 50 60 70 80 90 100 (%)

체육 (30 %)	음악 (25 %)	과학 (20 %)	수학 (10 %)	기타 (15 %)

1 가장 많은 학생이 좋아하는 과목은 무엇인가요?

( )

2 수학을 좋아하는 학생 수는 전체 학생 수의 몇 %인가요?

( )

3 좋아하는 학생이 전체의 25 %를 차지하는 과목은 무엇인가요?

( )

3 | 띠그래프 그리기

학습 목표

자료의 비율을 띠그래프로 나타낼 수 있습니다.

그림으로 개념 잡기

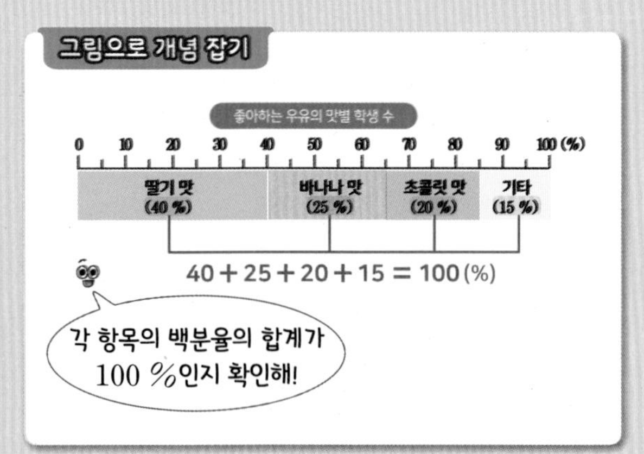

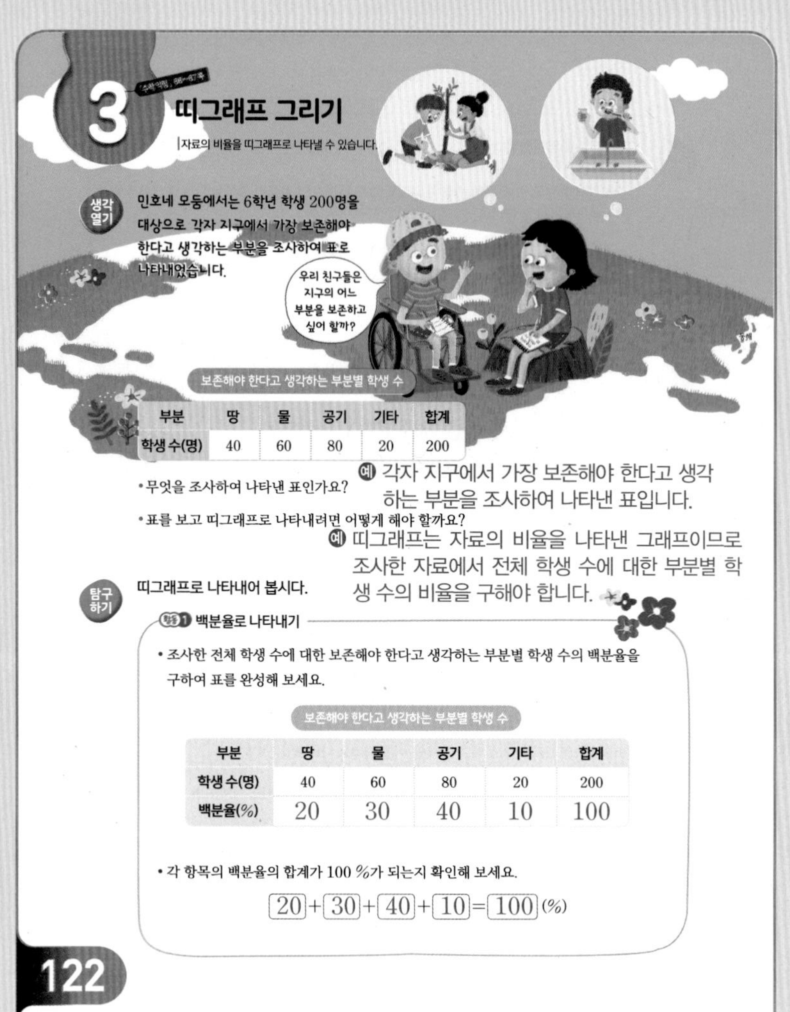

3 띠그래프 그리기
자료의 비율을 띠그래프로 나타낼 수 있습니다.
생각 열기
민호네 모둠에서는 6학년 학생 200명을 대상으로 각자 지구에서 가장 보존해야 한다고 생각하는 부분을 조사하여 표로 나타내었습니다.
우리 친구들은 지구의 어느 부분을 보존하고 싶어 할까?
보존해야 한다고 생각하는 부분별 학생 수
부분 땅 물 공기 기타 합계
학생 수(명) 40 60 80 20 200
• 무엇을 조사하여 나타낸 표인가요?
예 각자 지구에서 가장 보존해야 한다고 생각하는 부분을 조사하여 나타낸 표입니다.
• 표를 보고 띠그래프로 나타내려면 어떻게 해야 할까요?
예 띠그래프는 자료의 비율을 나타낸 그래프이므로 조사한 자료에서 전체 학생 수에 대한 부분별 학생 수의 비율을 구해야 합니다.
탐구 하기
띠그래프로 나타내어 봅시다.
활동1 백분율로 나타내기
• 조사한 전체 학생 수에 대한 보존해야 한다고 생각하는 부분별 학생 수의 백분율을 구하여 표를 완성해 보세요.
보존해야 한다고 생각하는 부분별 학생 수
부분 땅 물 공기 기타 합계
학생 수(명) 40 60 80 20 200
백분율(%) 20 30 40 10 100
• 각 항목의 백분율의 합계가 100 %가 되는지 확인해 보세요.
20 + 30 + 40 + 10 = 100 (%)
122

참고 띠그래프로 나타낼 때 띠에 빈 공간이 없도록 각 항목의 백분율의 크기만큼 이어서 띠를 나누어야 합니다.

교과서 개념 완성

탐구하기 자료의 백분율을 구하고 띠그래프로 나타내기

활동1 백분율로 나타내기

- 땅: $\frac{40}{200}\times100=20 \rightarrow 20\ \%$

  물: $\frac{60}{200}\times100=30 \rightarrow 30\ \%$

  공기: $\frac{80}{200}\times100=40 \rightarrow 40\ \%$

  기타: $\frac{20}{200}\times100=10 \rightarrow 10\ \%$

- $20+30+40+10=100$이므로 각 항목의 백분율의 합계가 100 %입니다.

활동2 띠그래프로 나타내기

- 각 항목이 차지하는 백분율의 크기만큼 선을 그어 띠를 나눕니다.
- 띠를 나눈 부분에 차례로 공기, 물, 땅, 기타를 쓰고 백분율을 씁니다.
- 제목에 '보존해야 한다고 생각하는 부분별 학생 수'를 씁니다.

활동1, 활동2에서 알게 된 띠그래프를 그리는 방법

- 각 항목의 백분율을 구하여 각 항목이 차지하는 백분율의 크기만큼 선을 그어 띠를 나눕니다.
- 나눈 부분에 각 항목의 내용과 백분율을 씁니다.
- 띠그래프의 제목을 씁니다.

 공부한 날 월 일

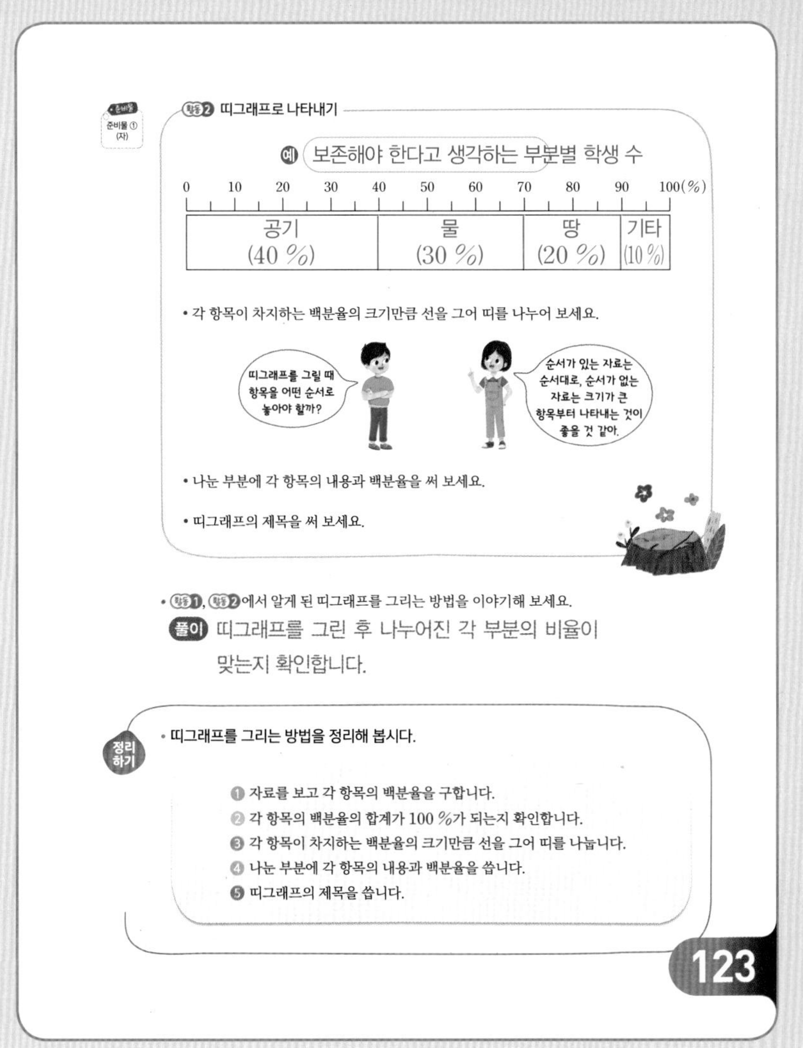
활동2 띠그래프로 나타내기

예 보존해야 한다고 생각하는 부분별 학생 수

0 10 20 30 40 50 60 70 80 90 100(%)

공기 (40 %)	물 (30 %)	땅 (20 %)	기타 (10 %)

• 각 항목이 차지하는 백분율의 크기만큼 선을 그어 띠를 나누어 보세요.

띠그래프를 그릴 때 항목을 어떤 순서로 놓아야 할까?
순서가 있는 자료는 순서대로, 순서가 없는 자료는 크기가 큰 항목부터 나타내는 것이 좋을 것 같아.

• 나눈 부분에 각 항목의 내용과 백분율을 써 보세요.

• 띠그래프의 제목을 써 보세요.

• 활동1, 활동2에서 알게 된 띠그래프를 그리는 방법을 이야기해 보세요.

풀이 띠그래프를 그린 후 나누어진 각 부분의 비율이 맞는지 확인합니다.

정리하기 • 띠그래프를 그리는 방법을 정리해 봅시다.

① 자료를 보고 각 항목의 백분율을 구합니다.
② 각 항목의 백분율의 합계가 100 %가 되는지 확인합니다.
③ 각 항목이 차지하는 백분율의 크기만큼 선을 그어 띠를 나눕니다.
④ 나눈 부분에 각 항목의 내용과 백분율을 씁니다.
⑤ 띠그래프의 제목을 씁니다.

123

이런 문제가 서술형으로 나와요

컴퓨터를 받고 싶은 학생 수는 전체 학생 수의 몇 %인지 풀이 과정과 답을 쓰고, 띠그래프로 나타내어 보세요.

선물 받고 싶은 물건별 학생 수

물건	휴대 전화	컴퓨터	장난감	인형	합계
백분율(%)	55		15	5	100

선물 받고 싶은 물건별 학생 수

0 10 20 30 40 50 60 70 80 90 100(%)

휴대전화 (55 %)	컴퓨터 (25 %)	장난감 (15 %)	인형 (5 %)

| 풀이 과정 |

❶ 컴퓨터를 받고 싶은 학생 수는 전체 학생 수의 몇 %인지 구하기

$100-55-15-5=25$이므로 컴퓨터를 받고 싶은 학생 수는 전체 학생 수의 25 %입니다.

❷ 백분율을 이용하여 띠그래프로 나타내기

답 25 %

개념 확인 문제

정답 및 풀이 236쪽

[1~3] 진영이네 반 학생들이 좋아하는 동물을 조사하여 나타낸 표입니다. 물음에 답해 보세요.

좋아하는 동물별 학생 수

동물	강아지	고양이	햄스터	병아리	합계
학생 수(명)	8	6	5	1	20

1 전체 학생 수에 대한 좋아하는 동물별 학생 수의 백분율을 각각 구해 보세요.

강아지 □ %, 고양이 □ %,
햄스터 □ %, 병아리 □ %

2 각 항목의 백분율의 합계는 몇 %인가요?

( )

3 백분율을 이용하여 띠그래프로 나타내어 보세요.

좋아하는 동물별 학생 수

0 10 20 30 40 50 60 70 80 90 100(%)

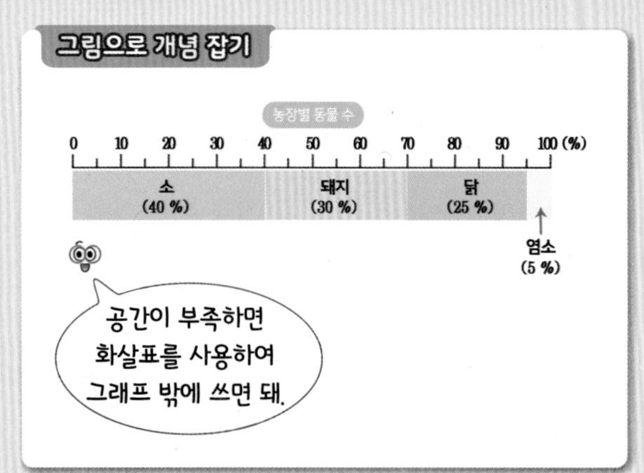

확인하기

희진이네 학교 6학년 학생 120명을 대상으로 참여하고 싶어 하는 체험 활동을 조사하여 나타낸 표입니다. 표를 보고 띠그래프로 나타내어 보세요.

참여하고 싶어 하는 체험 활동별 학생 수

체험 활동	가상 체험	코딩 체험	드론 체험	기타	합계
학생 수(명)	60	30	18	12	120

• 조사한 전체 학생 수에 대한 항목별 학생 수의 백분율을 구하여 표를 완성해 보세요.

참여하고 싶어 하는 체험 활동별 학생 수

체험 활동	가상 체험	코딩 체험	드론 체험	기타	합계
학생 수(명)	60	30	18	12	120
백분율(%)	50	25	15	10	100

• 백분율을 이용하여 띠그래프로 나타내어 보세요.

학부모 코칭 Tip

생각솔솔에서 띠그래프를 그릴 때 백분율의 크기가 큰 항목부터 그리면 1학년과 6학년에서 지키지 않은 안전 수칙의 순서를 파악하기 쉽고, 항목의 순서를 같게 하여 그리면 1학년과 6학년에서 항목별 비율이 어떻게 다르게 나타나는지 파악하기 쉽습니다. 항목의 순서를 다르게 하여 그린 그래프를 비교해 보며 각각의 특징을 발견해 보도록 합니다.

교과서 개념 완성

생각솔솔 반올림하여 나타낸 백분율을 이용하여 띠그래프로 나타내기

• $\frac{110}{200}\times100=55 \rightarrow 55\ \%$ — 1학년 학생들이 지키지 않은 안전 수칙에 따른 사고 수의 백분율을 차례로 나타내면 다음과 같습니다.

$\frac{40}{200}\times100=20 \rightarrow 20\ \%$

$\frac{30}{200}\times100=15 \rightarrow 15\ \%$

$\frac{16}{200}\times100=8 \rightarrow 8\ \%$

$\frac{4}{200}\times100=2 \rightarrow 2\ \%$

• 6학년 학생들이 지키지 않은 안전 수칙에 따른 사고 수의 백분율을 차례로 나타내면 다음과 같습니다.

$\frac{80}{280}\times100=28.5\cdots \rightarrow 29\ \%$

$\frac{90}{280}\times100=32.1\cdots \rightarrow 32\ \%$

$\frac{40}{280}\times100=14.2\cdots \rightarrow 14\ \%$

$\frac{50}{280}\times100=17.8\cdots \rightarrow 18\ \%$

$\frac{20}{280}\times100=7.1\cdots \rightarrow 7\ \%$

• 1학년: $55+20+15+8+2=100\ (\%)$

6학년: $29+32+14+18+7=100\ (\%)$

공부한 날 월 일

소민이는 학생들이 자전거나 킥보드와 같은 것을 탈 때 지켜야 할 안전 수칙 중에서 무엇을 지키지 않아 사고가 났는지 조사하였습니다. 물음에 답해 보세요.

준비물 ① (자), 계산기

• 계산기를 사용하여 학년별 전체 사고 수에 대한 항목별 사고 수의 백분율을 각각 구하여 표를 완성해 보세요. (단, 반올림하여 일의 자리까지 나타냅니다.)

1학년 학생들이 지키지 않은 안전 수칙에 따른 사고 수

지키지 않은 안전 수칙	보호 장구 착용하기	밤에 밝은색 옷 입기	내리막 길에서는 내려서 걷기	헤드폰이나 이어폰 쓰지 않기	기타	합계
사고 수(건)	110	40	30	16	4	200
백분율(%)	55	20	15	8	2	100

6학년 학생들이 지키지 않은 안전 수칙에 따른 사고 수

지키지 않은 안전 수칙	보호 장구 착용하기	밤에 밝은색 옷 입기	내리막 길에서는 내려서 걷기	헤드폰이나 이어폰 쓰지 않기	기타	합계
사고 수(건)	80	90	40	50	20	280
백분율(%)	29	32	14	18	7	100

• 백분율을 이용하여 띠그래프로 각각 나타내어 보세요.

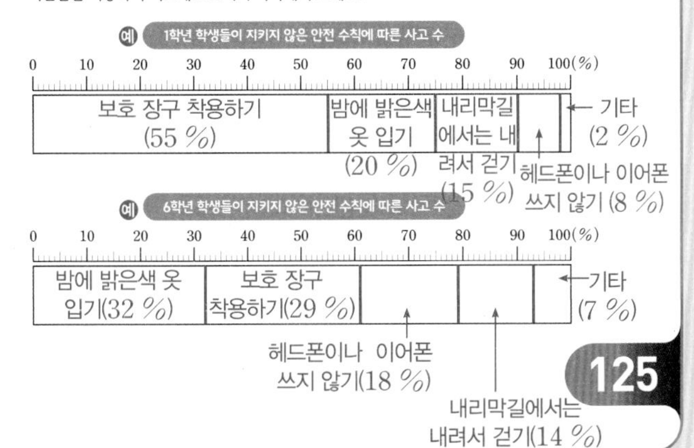

125

이런 문제가 서술형으로 나와요

표를 보고 여행하고 싶은 나라별 학생 수를 띠그래프로 나타내려고 합니다. 풀이 과정을 쓰고, 띠그래프로 나타내어 보세요. (단, 반올림하여 일의 자리까지 나타냅니다.)

여행하고 싶은 나라별 학생 수

나라	프랑스	미국	영국	합계
학생 수(명)	12	7	11	30

여행하고 싶은 나라별 학생 수

0 10 20 30 40 50 60 70 80 90 100(%)

프랑스 (40 %)	영국 (37 %)	미국 (23 %)

| 풀이 과정 |

❶ 여행하고 싶은 나라별 학생 수의 백분율 차례로 구하기

프랑스: $\frac{12}{30} \times 100 = 40$ ➔ 40 %

미국: $\frac{7}{30} \times 100 = 23.3\cdots$ ➔ 23 %

영국: $\frac{11}{30} \times 100 = 36.6\cdots$ ➔ 37 %

합계: $40 + 23 + 37 = 100$ (%)

❷ 백분율을 이용하여 띠그래프로 나타내기

개념 확인 문제

정답 및 풀이 237쪽

[1~2] 지은이는 학생들이 좋아하는 꽃을 조사하였습니다. 물음에 답해 보세요.

5학년 학생들이 좋아하는 꽃별 학생 수

꽃	국화	장미	튤립	개나리	합계
학생 수(명)	16	36	8	20	80
백분율(%)					

6학년 학생들이 좋아하는 꽃별 학생 수

꽃	국화	장미	튤립	개나리	합계
학생 수(명)	32	10	13	5	60
백분율(%)					

1 위의 표를 완성해 보세요. (단, 반올림하여 일의 자리까지 나타냅니다.)

2 띠그래프로 각각 나타내어 보세요.

5학년 학생들이 좋아하는 꽃별 학생 수

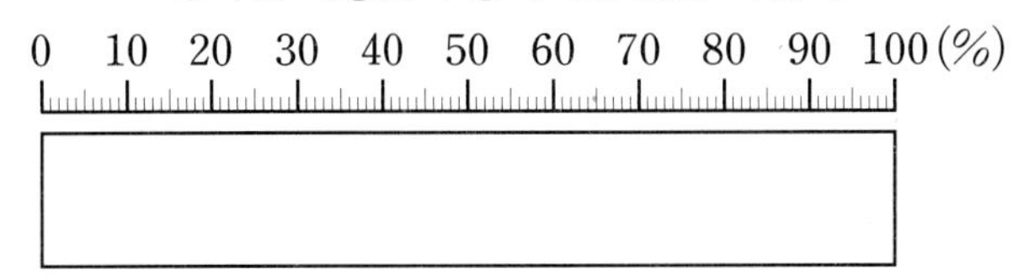

6학년 학생들이 좋아하는 꽃별 학생 수

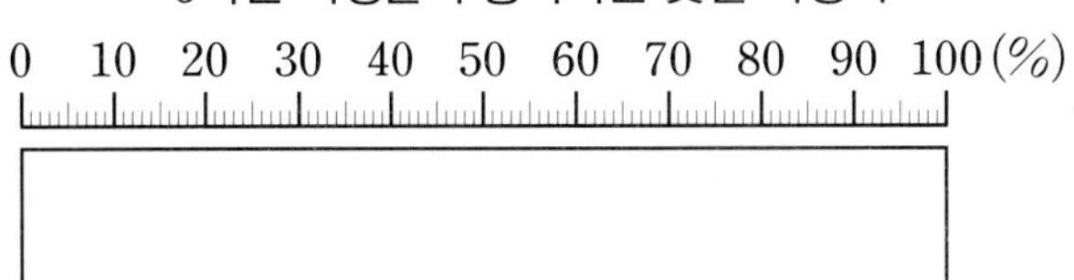

4 띠그래프 해석하기

학습 목표

띠그래프를 해석하여 여러 가지 내용을 말할 수 있습니다.

그림으로 개념 잡기

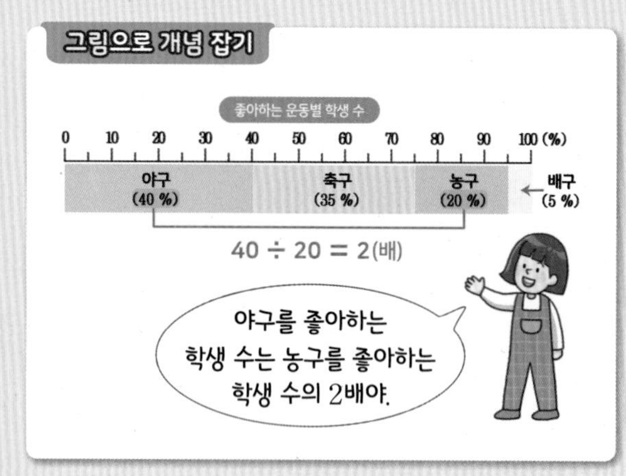

참고
- 띠그래프는 여러 개의 띠그래프를 사용하여 비율의 변화 상황을 나타내는 데 편리합니다.
- 띠그래프에서 각 항목의 수량은 전체 자료의 크기와 항목의 비율을 곱하여 구할 수 있습니다.

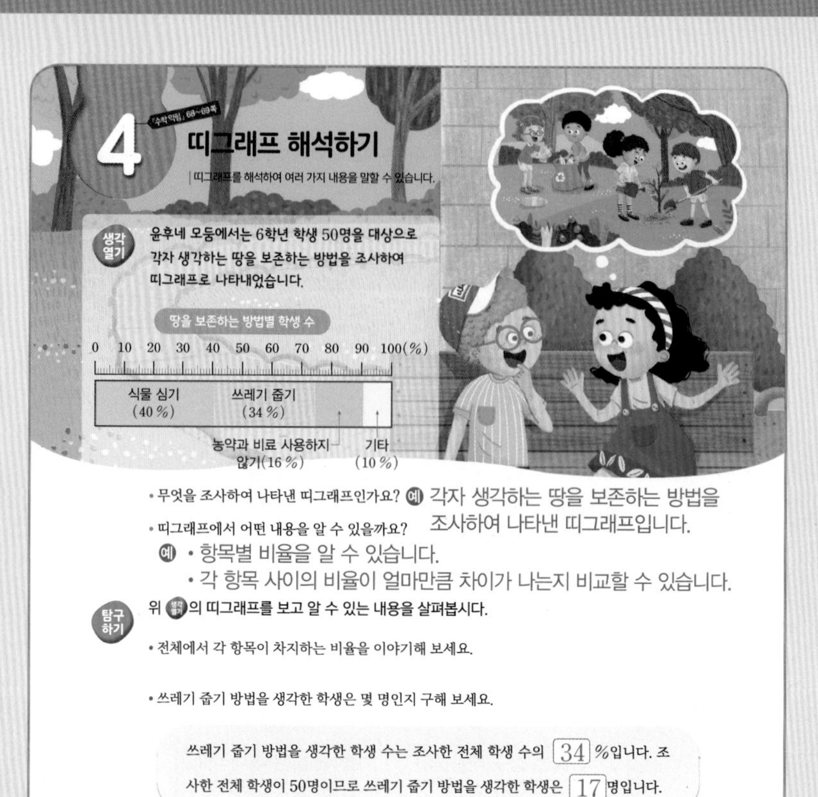

- 무엇을 조사하여 나타낸 띠그래프인가요? 예 각자 생각하는 땅을 보존하는 방법을 조사하여 나타낸 띠그래프입니다.
- 띠그래프에서 어떤 내용을 알 수 있을까요?
  예 • 항목별 비율을 알 수 있습니다.
  • 각 항목 사이의 비율이 얼마만큼 차이가 나는지 비교할 수 있습니다.

탐구하기 위 생각열기의 띠그래프를 보고 알 수 있는 내용을 살펴봅시다.

- 전체에서 각 항목이 차지하는 비율을 이야기해 보세요.
- 쓰레기 줍기 방법을 생각한 학생은 몇 명인지 구해 보세요.

쓰레기 줍기 방법을 생각한 학생 수는 조사한 전체 학생 수의 34 %입니다. 조사한 전체 학생이 50명이므로 쓰레기 줍기 방법을 생각한 학생은 17명입니다.

- 항목별 비율을 비교하여 알 수 있는 내용을 이야기해 보세요.

가장 많은 학생들이 생각한 방법은 무엇일까? — 식물 심기입니다.

식물 심기 방법을 생각한 학생 수의 비율은 기타를 생각한 학생 수의 비율의 몇 배일까? — 4배입니다.

126

교과서 개념 완성

탐구하기 띠그래프를 보고 알 수 있는 내용 살펴보기

- 전체에서 각 항목이 차지하는 비율은 식물 심기: 40 %, 쓰레기 줍기: 34 %, 농약과 비료 사용하지 않기: 16 %, 기타: 10 %입니다.
- 쓰레기 줍기 방법을 생각한 학생은 조사한 전체 학생 수와 쓰레기 줍기 방법을 생각한 학생 수의 비율을 곱하여 구합니다. ➜ $50\times\frac{34}{100}=17$(명)
- 가장 많은 학생들이 생각한 방법은 식물 심기입니다.
- 식물 심기 방법을 생각한 학생 수의 비율은 기타를 생각한 학생 수의 비율의 4배입니다.

확인하기 띠그래프를 해석하기

- 조사한 전체 학생이 200명이므로 여행을 하고 싶어 하는 학생은 $200\times\frac{36}{100}=72$(명)입니다.
- 운동을 하고 싶어 하는 학생 수의 비율은 복습을 하고 싶어 하는 학생 수의 비율의 2배입니다.
- 여행과 운동을 하고 싶어 하는 학생 수의 비율이 전체의 절반을 넘습니다.

학부모 코칭 Tip

비교할 때 비율 그래프의 특성을 이용하여 '어느 항목들은 절반이 넘는다.', '어느 항목은 몇 명 중에서 몇 명이다.'와 같이 표현할 수 있음을 알도록 합니다.

정리하기 • 띠그래프에서 알 수 있는 내용을 정리해 봅시다.

- 띠그래프의 각 항목이 차지하는 부분을 이용하여 전체에서 각 항목이 차지하는 비율을 알 수 있습니다.
- 각 항목의 비율과 전체 자료의 크기를 이용하여 각 항목의 수량을 알 수 있습니다.
- 항목별 비율을 비교하여 여러 가지 내용을 알 수 있습니다.

확인하기 지오네 학교 학생 200명을 대상으로 여름 방학 동안 하고 싶어 하는 활동을 조사하여 나타낸 띠그래프입니다. 물음에 답해 보세요.

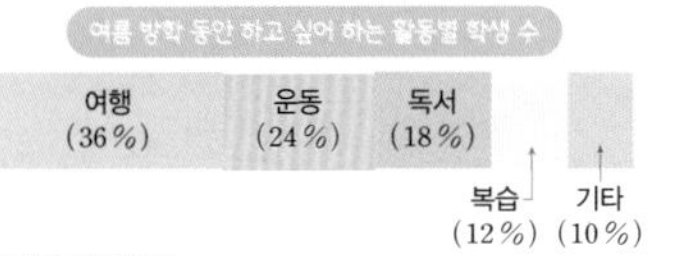

- 전체에서 각 항목이 차지하는 비율을 이야기해 보세요.
- 여름 방학 동안 하고 싶어 하는 활동이 여행인 학생은 몇 명인지 구해 보세요. 72명
- 항목별 비율을 비교하여 알 수 있는 내용을 이야기해 보세요.

  예 운동을 하고 싶어 하는 학생 수의 비율은 복습을 하고 싶어 하는 학생 수의 비율의 2배입니다.

생각 솔솔 우리나라의 연령별 인구 구성비의 변화를 나타낸 띠그래프입니다. 연령별 인구 구성비가 어떻게 변화되었는지 살펴보고, 앞으로 연령별 인구 구성비가 어떻게 변화될 것인지 이야기해 보세요.

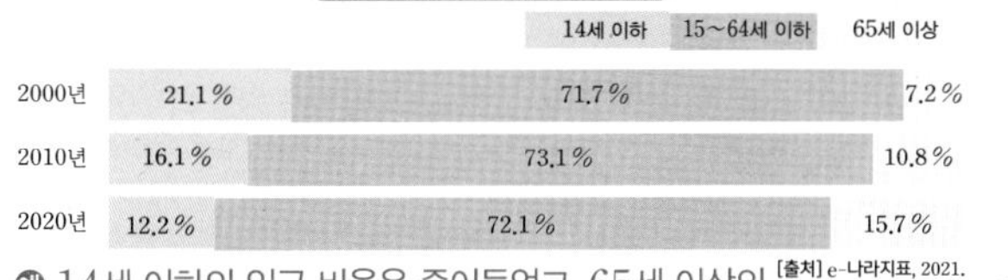

예 14세 이하의 인구 비율은 줄어들었고, 65세 이상의 인구 비율은 늘었습니다.

예 앞으로 14세 이하의 인구 비율은 더 줄어들고, 65세 이상의 인구 비율은 더 늘어날 것 같습니다.

127

이런 문제가 서술형으로 나와요

연아네 학교 학생 300명이 배우고 싶은 악기를 조사하여 나타낸 띠그래프입니다. 플루트를 배우고 싶은 학생은 몇 명인지 풀이 과정을 쓰고, 답을 구해 보세요.

악기별 배우고 싶은 학생 수

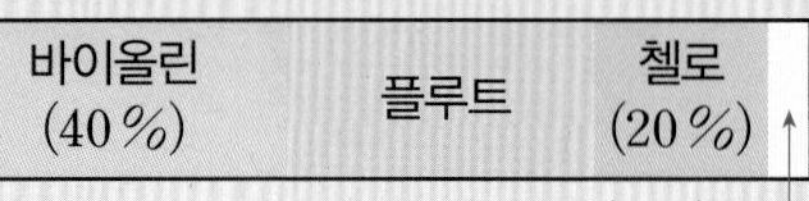

| 풀이 과정 |

❶ 플루트를 배우고 싶은 학생 수의 백분율 구하기

(플루트를 배우고 싶은 학생 수의 백분율)

$=100-40-20-5=35$ (%)

❷ 플루트를 배우고 싶은 학생 수 구하기

(플루트를 배우고 싶은 학생 수)

$=300\times\frac{35}{100}=105$(명)

답 105명

개념 확인 문제

정답 및 풀이 237쪽

[1~3] 어느 가구점에서 작년에 판매한 가구 200개를 조사하여 나타낸 띠그래프입니다. 물음에 답해 보세요.

판매한 종류별 가구 수

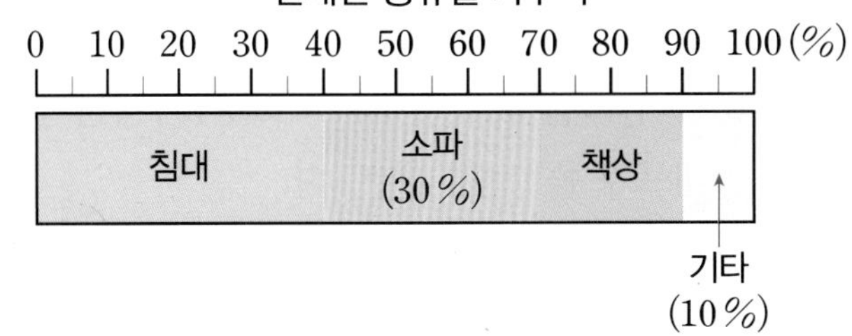

1 작년에 판매한 책상은 전체의 몇 %인가요?

( )

2 작년에 판매한 소파 또는 책상은 전체의 몇 % 인가요?

( )

3 작년에 판매한 소파는 모두 몇 개인가요?

( )

5 | 원그래프 알아보기

학습 목표

전체에 대한 각 부분의 비율을 나타낼 수 있는 원그래프를 알고 특징을 말할 수 있습니다.

그림으로 개념 잡기

물을 절약하는 방법별 학생 수

기타(10 %)
샤워 시간 줄이기 (20 %)
이를 닦을 때 컵 사용하기 (40 %)
세수할 때 물 받아서 하기 (30 %)

원그래프는 전체에 대한 각 부분의 비율을 원 모양으로 나타낸 거야.

참고

띠그래프와 원그래프

- 같은 점: 전체에 대한 각 부분의 비율을 나타낸 그래프입니다.
- 다른 점: 띠그래프는 띠 모양으로 그린 것이고, 원그래프는 원 모양으로 그린 것입니다.

5
수학익힘 70~71쪽
원그래프 알아보기
전체에 대한 각 부분의 비율을 나타낼 수 있는 원그래프를 알고 특징을 말할 수 있습니다.
생각열기
서우네 모둠에서는 6학년 학생 150명을 대상으로 각자 생각하는 물을 절약하는 방법을 조사하여 표로 나타내었습니다.

물을 절약하는 방법별 학생 수

방법	이를 닦을 때 컵 사용하기	세수할 때 물 받아서 하기	샤워 시간 줄이기	기타	합계
학생 수(명)	60	45	30	15	150
백분율(%)	40	30	20	10	100

- 표를 보고 알 수 있는 것은 무엇인가요? 예 • 항목별 학생 수를 알 수 있습니다. • 전체에 대한 각 항목의 백분율을 알 수 있습니다.
- 조사한 전체 학생 수에 대한 물을 절약하는 방법별 학생 수의 비율을 띠그래프가 아닌 다른 어떤 모양의 그래프로 나타낼 수 있을까요?

예 항목들이 가까이 모여 있는 모양의 그래프로 나타내면 좋을 것 같습니다.

탐구하기 자료의 비율을 원 모양으로 나타낸 그래프를 살펴봅시다.

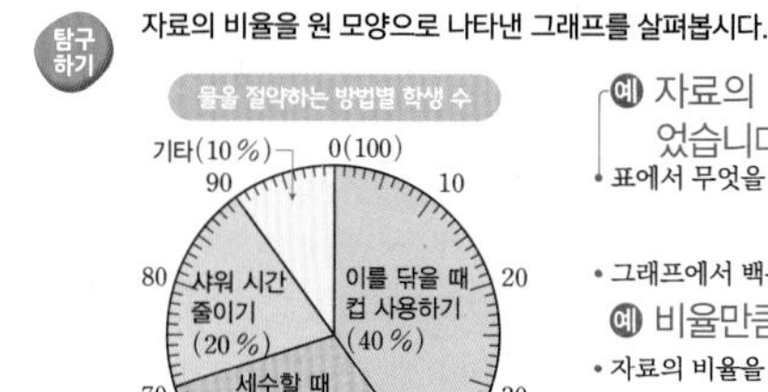

- 표에서 무엇을 그래프로 나타내었나요?

예 자료의 백분율을 그래프로 나타내었습니다.

- 그래프에서 백분율의 크기를 어떻게 나타내었나요?

예 비율만큼 원을 나누어 나타내었습니다.

- 자료의 비율을 원 모양의 그래프로 나타내었을 때 어떤 점이 편리한지 이야기해 보세요.

예 나눈 부분이 원의 중심에 모여 있어 각 항목의 비율을 쉽게 비교할 수 있습니다.

교과서 개념 완성

탐구하기 **자료의 비율을 원 모양으로 나타낸 그래프 탐구하기**

- 그래프에서 백분율의 크기를 비율만큼 원을 나누어 나타내었습니다. — 원의 중심을 기준으로 하여 반지름으로 나누어 그래프를 나타내었습니다.
- 원 전체를 똑같이 눈금 100칸으로 나누어 비율이 높은 것은 넓게, 비율이 낮은 것은 좁게 나타내었습니다.
- 원에서 $\frac{1}{2}$, $\frac{1}{4}$만큼은 알아보기 쉬우므로 항목별 비율의 대략적인 크기를 한눈에 알 수 있습니다.

학부모 코칭 Tip

원그래프는 나눈 부분이 원의 중심에 모여 있는 형태입니다. 띠그래프에 비해 전체에 대한 부분을 직관적으로 파악하기 쉬워 항목별 비율을 한눈에 비교하기에 좀 더 편리합니다.

생각솔솔 **띠그래프와 원그래프 비교하기**

- 같은 점: 두 그래프 모두 전체에 대한 각 항목의 비율을 나타내었습니다. — 그래프에 같은 정보가 나타나 있습니다.
- 다른 점: 여러 비율을 한꺼번에 비교하기에는 원그래프가 좀 더 편리합니다.

학부모 코칭 Tip

띠그래프와 원그래프의 모양, 항목을 나타낸 순서 등을 비교해 보며 같은 점과 다른 점을 발견하여 비율 그래프의 특징에 대해 알아봅니다.

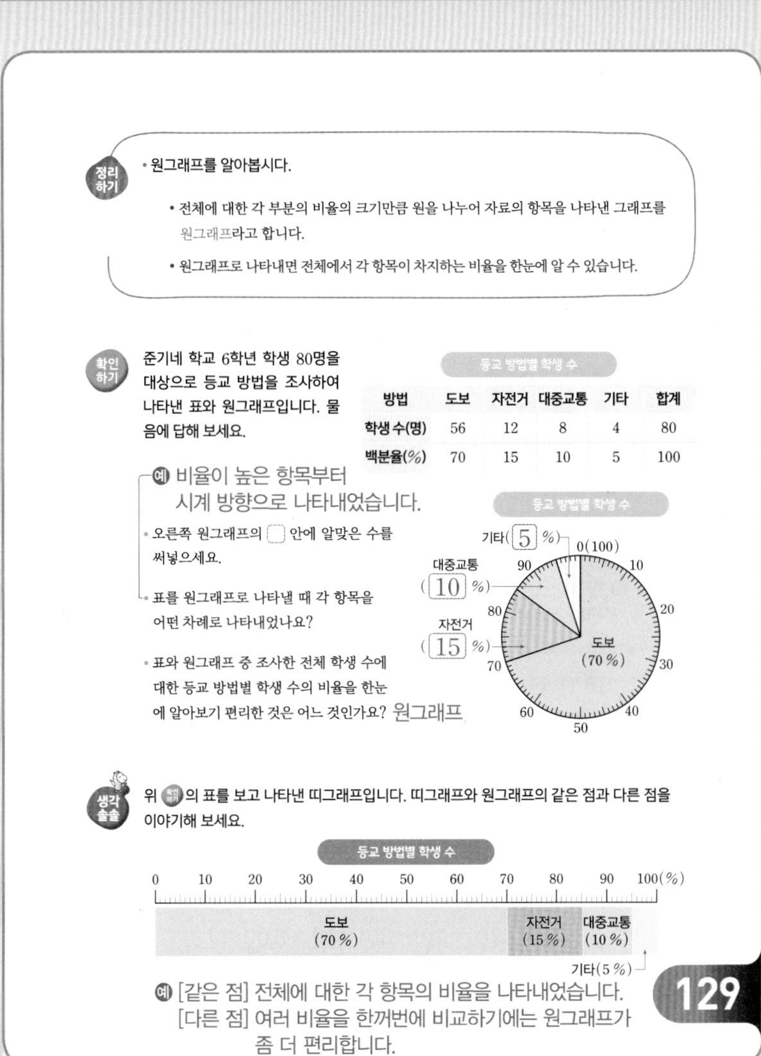
정리하기
- 원그래프를 알아봅시다.
  - 전체에 대한 각 부분의 비율의 크기만큼 원을 나누어 자료의 항목을 나타낸 그래프를 원그래프라고 합니다.
  - 원그래프로 나타내면 전체에서 각 항목이 차지하는 비율을 한눈에 알 수 있습니다.

확인하기
준기네 학교 6학년 학생 80명을 대상으로 등교 방법을 조사하여 나타낸 표와 원그래프입니다. 물음에 답해 보세요.

등교 방법별 학생 수

방법	도보	자전거	대중교통	기타	합계
학생 수(명)	56	12	8	4	80
백분율(%)	70	15	10	5	100

- 오른쪽 원그래프의 □ 안에 알맞은 수를 써넣으세요.
- 표를 원그래프로 나타낼 때 각 항목을 어떤 차례로 나타내었나요?
  예 비율이 높은 항목부터 시계 방향으로 나타내었습니다.
- 표와 원그래프 중 조사한 전체 학생 수에 대한 등교 방법별 학생 수의 비율을 한눈에 알아보기 편리한 것은 어느 것인가요? 원그래프

생각 솔솔
위 확인하기의 표를 보고 나타낸 띠그래프입니다. 띠그래프와 원그래프의 같은 점과 다른 점을 이야기해 보세요.

예 [같은 점] 전체에 대한 각 항목의 비율을 나타내었습니다.
[다른 점] 여러 비율을 한꺼번에 비교하기에는 원그래프가 좀 더 편리합니다.

129

이런 문제가 서술형으로 나와요

희선이네 학교 학생들이 좋아하는 운동을 조사하여 나타낸 원그래프입니다. 가장 많은 학생들이 좋아하는 운동은 무엇인지 풀이 과정을 쓰고, 답을 구해 보세요.

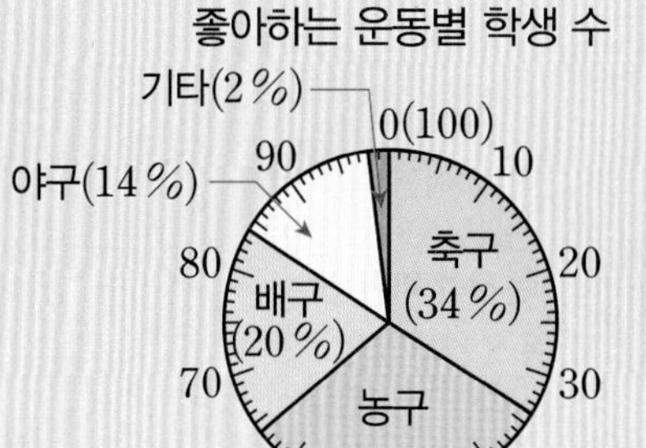

| 풀이 과정 |

❶ 농구를 좋아하는 학생 수의 백분율 구하기

$100-34-20-14-2=30$ (%)

❷ 가장 많은 학생들이 좋아하는 운동 구하기

원그래프에서 차지하는 부분이 가장 넓은 항목을 찾으면 축구입니다.

 축구

개념 확인 문제

정답 및 풀이 237쪽

[1~3] 지성이네 학교 학생들이 좋아하는 햄버거를 조사하여 나타낸 원그래프입니다. 물음에 답해 보세요.

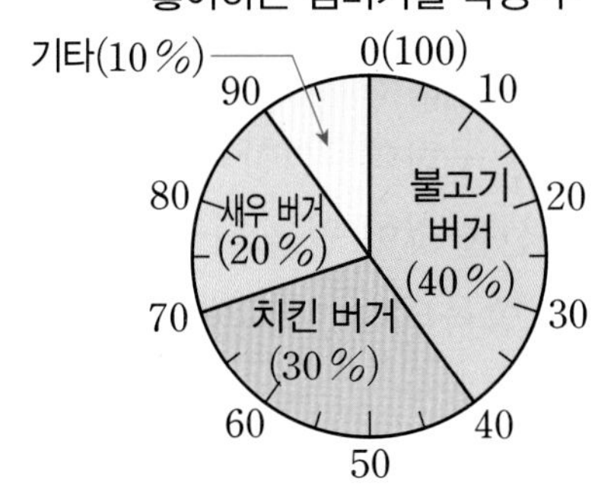

1 치킨 버거를 좋아하는 학생 수는 전체 학생 수의 몇 %인가요?

( )

2 가장 많은 학생들이 좋아하는 햄버거는 무엇인가요?

( )

3 불고기 버거 또는 새우 버거를 좋아하는 학생 수는 전체 학생 수의 몇 %인가요?

( )

8 차시

6 | 원그래프 그리기

학습 목표

자료의 비율을 원그래프로 나타낼 수 있습니다.

그림으로 개념 잡기

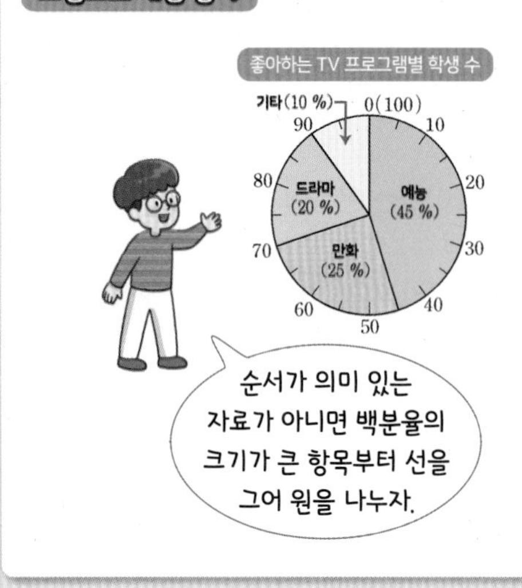

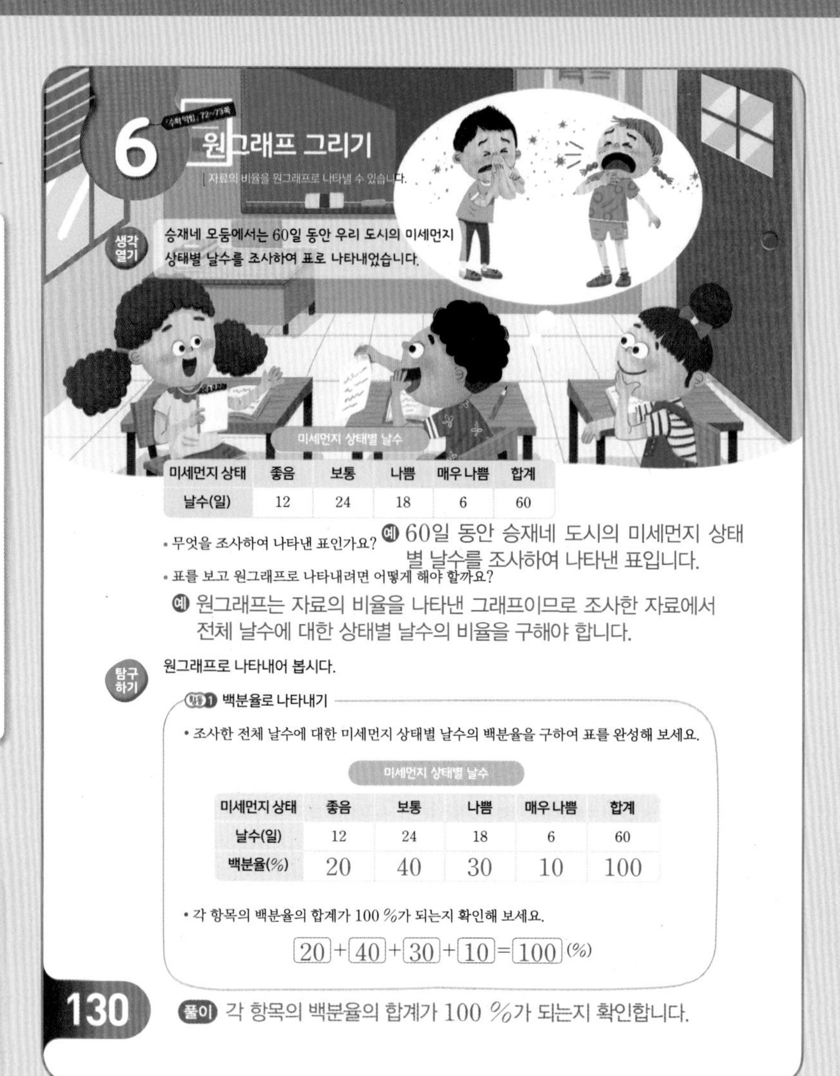

6 원그래프 그리기

자료의 비율을 원그래프로 나타낼 수 있습니다.

생각 열기 승재네 모둠에서는 60일 동안 우리 도시의 미세먼지 상태별 날수를 조사하여 표로 나타내었습니다.

미세먼지 상태별 날수

미세먼지 상태	좋음	보통	나쁨	매우 나쁨	합계
날수(일)	12	24	18	6	60

• 무엇을 조사하여 나타낸 표인가요? 예 60일 동안 승재네 도시의 미세먼지 상태별 날수를 조사하여 나타낸 표입니다.

• 표를 보고 원그래프로 나타내려면 어떻게 해야 할까요?

예 원그래프는 자료의 비율을 나타낸 그래프이므로 조사한 자료에서 전체 날수에 대한 상태별 날수의 비율을 구해야 합니다.

탐구하기 원그래프로 나타내어 봅시다.

활동 1 백분율로 나타내기

• 조사한 전체 날수에 대한 미세먼지 상태별 날수의 백분율을 구하여 표를 완성해 보세요.

미세먼지 상태별 날수

미세먼지 상태	좋음	보통	나쁨	매우 나쁨	합계
날수(일)	12	24	18	6	60
백분율(%)	20	40	30	10	100

• 각 항목의 백분율의 합계가 100 %가 되는지 확인해 보세요.

20 + 40 + 30 + 10 = 100 (%)

130

풀이 각 항목의 백분율의 합계가 100 %가 되는지 확인합니다.

학부모 코칭 Tip

원그래프와 띠그래프를 그리는 방법을 비교하여 공통점을 찾아보게 합니다. 띠 모양으로 나타내는 것과 원 모양으로 나타내는 것에서 차이가 있음을 알게 되면 두 그래프를 그리는 방법을 관련지어 쉽게 이해할 수 있습니다.

교과서 개념 완성

탐구하기 자료의 백분율을 구하고 원그래프로 나타내기

활동 1 백분율로 나타내기

• 좋음: $\frac{12}{60} \times 100 = 20 \rightarrow 20\ \%$

보통: $\frac{24}{60} \times 100 = 40 \rightarrow 40\ \%$

나쁨: $\frac{18}{60} \times 100 = 30 \rightarrow 30\ \%$

매우 나쁨: $\frac{6}{60} \times 100 = 10 \rightarrow 10\ \%$

• $20 + 40 + 30 + 10 = 100$이므로 각 항목의 백분율의 합계가 100 %입니다.

활동 2 원그래프로 나타내기

• 순서가 의미 있는 자료가 아니므로 백분율의 크기가 큰 항목부터 나타냅니다.

• 원을 나눈 부분에 차례로 보통, 나쁨, 좋음, 매우 나쁨을 쓰고 백분율을 씁니다.

• 제목에 '미세먼지 상태별 날수'를 씁니다.

활동 1, 활동 2에서 알게 된 원그래프를 그리는 방법

• 항목별 백분율을 구하여 각 항목이 차지하는 백분율의 크기만큼 선을 그어 원을 나눕니다.

• 나눈 부분에 각 항목의 내용과 백분율을 쓰고, 원그래프의 제목을 씁니다.

• 띠그래프를 그리는 방법과 비슷합니다.

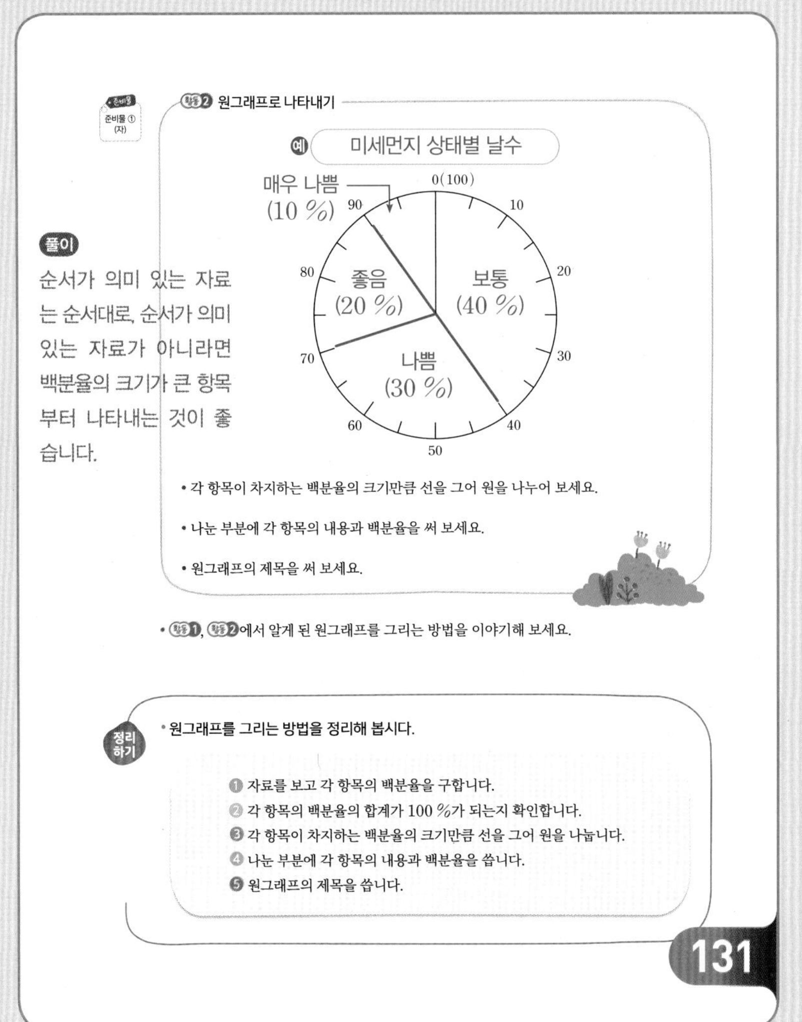

활동2 원그래프로 나타내기
예 미세먼지 상태별 날수
매우 나쁨 (10 %)
좋음 (20 %)
보통 (40 %)
나쁨 (30 %)
풀이
순서가 의미 있는 자료는 순서대로, 순서가 의미 있는 자료가 아니라면 백분율의 크기가 큰 항목부터 나타내는 것이 좋습니다.
• 각 항목이 차지하는 백분율의 크기만큼 선을 그어 원을 나누어 보세요.
• 나눈 부분에 각 항목의 내용과 백분율을 써 보세요.
• 원그래프의 제목을 써 보세요.
• 활동1, 활동2에서 알게 된 원그래프를 그리는 방법을 이야기해 보세요.
정리하기
• 원그래프를 그리는 방법을 정리해 봅시다.
① 자료를 보고 각 항목의 백분율을 구합니다.
② 각 항목의 백분율의 합계가 100 %가 되는지 확인합니다.
③ 각 항목이 차지하는 백분율의 크기만큼 선을 그어 원을 나눕니다.
④ 나눈 부분에 각 항목의 내용과 백분율을 씁니다.
⑤ 원그래프의 제목을 씁니다.
131

이런 문제가 서술형으로 나와요

색종이 수는 전체 학용품 수의 몇 %인지 풀이 과정과 답을 쓰고, 원그래프로 나타내어 보세요.

종류별 학용품 수

종류	연필	지우개	색종이	가위	합계
백분율(%)	50	25		10	100

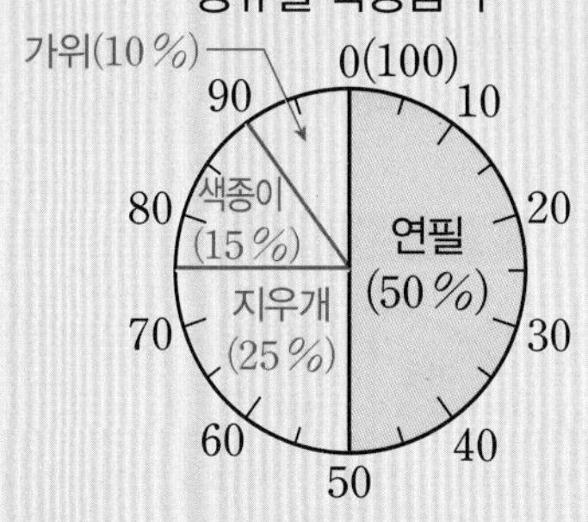

| 풀이 과정 |

❶ 색종이 수는 전체 학용품 수의 몇 %인지 구하기

$100-50-25-10=15$이므로

색종이 수는 전체 학용품 수의 15 %입니다.

❷ 백분율을 이용하여 원그래프로 나타내기

답 15 %

개념 확인 문제

정답 및 풀이 237쪽

[1~3] 태희네 학교 학생들의 취미 활동을 조사하여 나타낸 표입니다. 물음에 답해 보세요.

취미 활동별 학생 수

취미	게임	음악 감상	독서	기타	합계
학생 수(명)	81	45	36	18	180
백분율(%)					

1 전체 학생 수에 대한 취미 활동별 학생 수의 백분율을 구하여 위의 표를 완성해 보세요.

2 각 항목의 백분율의 합계는 몇 %인가요?

( )

3 백분율을 이용하여 원그래프로 나타내어 보세요.

취미 활동별 학생 수

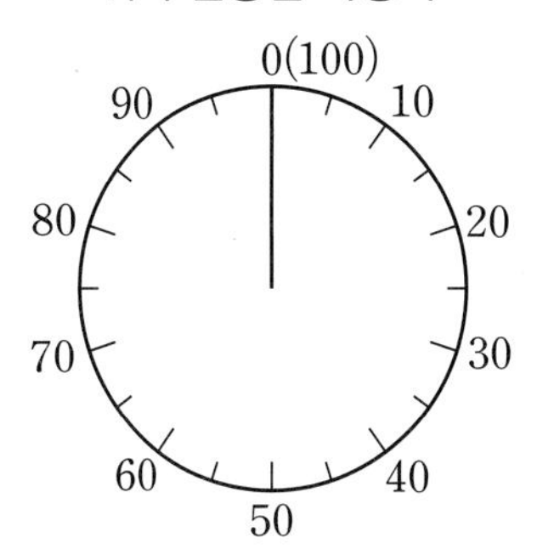

그림으로 개념 잡기

좋아하는 계절별 학생 수

계절	봄	여름	가을	겨울	합계
학생 수(명)	10	3	12	5	30
백분율(%)	33	10	40	17	100

$\frac{10}{30}\times100=33.3\cdots \rightarrow 33\ \%$ 　 $\frac{5}{30}\times100=16.6\cdots \rightarrow 17\ \%$

(합계)$=33+10+40+17=100$ (%)

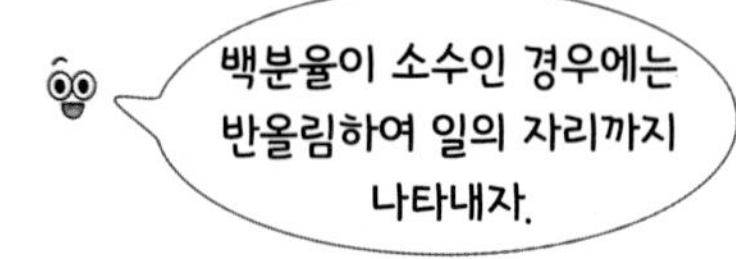

백분율이 소수인 경우에는
반올림하여 일의 자리까지
나타내자.

좋아하는 계절별 학생 수

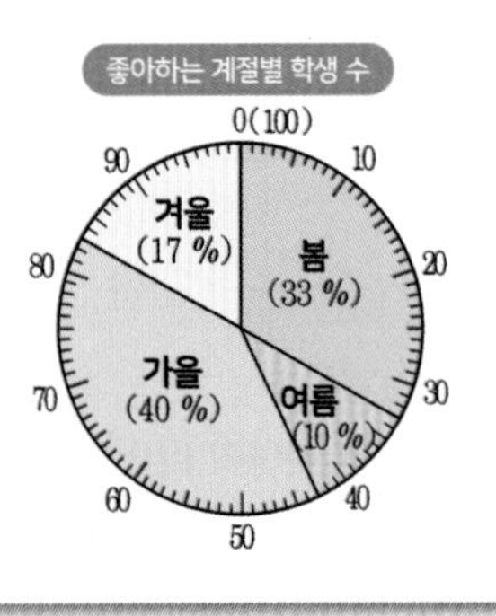

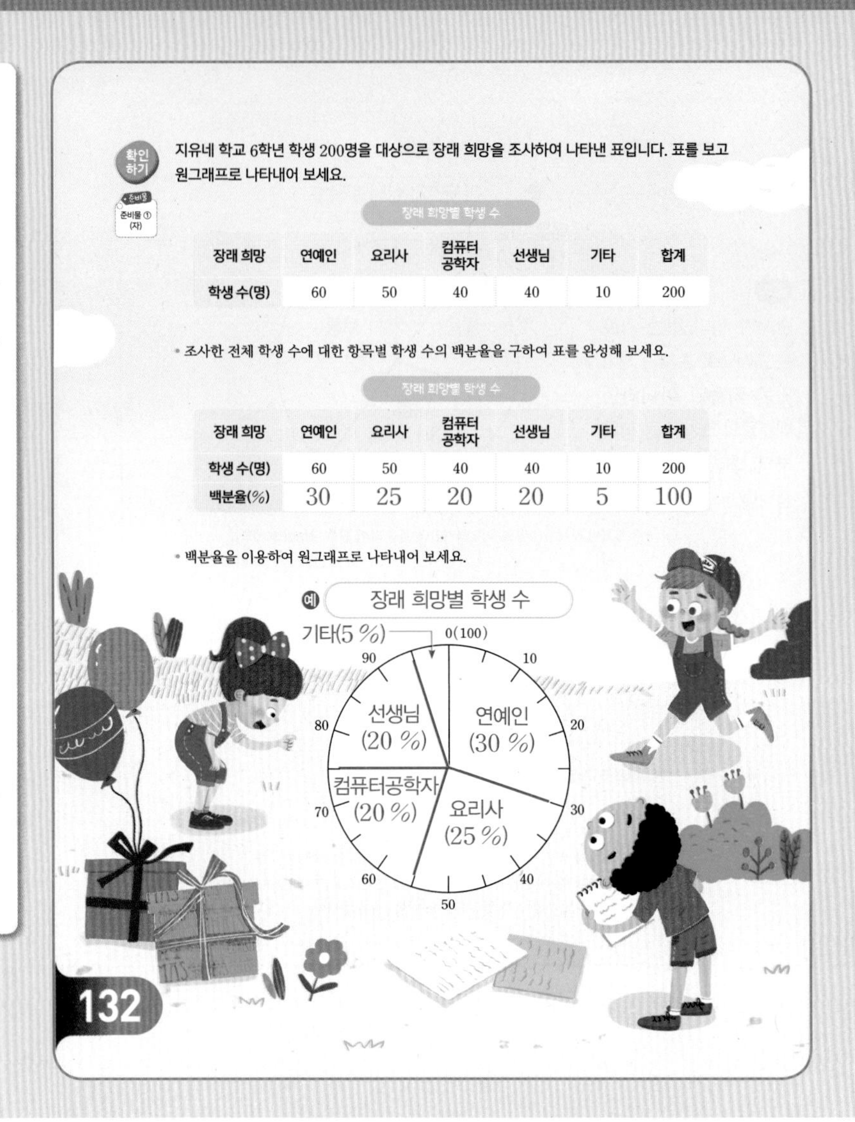
확인하기 지유네 학교 6학년 학생 200명을 대상으로 장래 희망을 조사하여 나타낸 표입니다. 표를 보고 원그래프로 나타내어 보세요.

준비물 ① (자)

장래 희망별 학생 수

장래 희망	연예인	요리사	컴퓨터 공학자	선생님	기타	합계
학생 수(명)	60	50	40	40	10	200

• 조사한 전체 학생 수에 대한 항목별 학생 수의 백분율을 구하여 표를 완성해 보세요.

장래 희망별 학생 수

장래 희망	연예인	요리사	컴퓨터 공학자	선생님	기타	합계
학생 수(명)	60	50	40	40	10	200
백분율(%)	30	25	20	20	5	100

• 백분율을 이용하여 원그래프로 나타내어 보세요.

교과서 개념 완성

생각 솔솔 반올림하여 나타낸 백분율을 이용하여 원그래프로 나타내기

• 슬아: $\frac{193}{527}\times100=36.6\cdots \rightarrow 37\ \%$

희은: $\frac{118}{527}\times100=22.3\cdots \rightarrow 22\ \%$

민수: $\frac{85}{527}\times100=16.1\cdots \rightarrow 16\ \%$

유수: $\frac{73}{527}\times100=13.8\cdots \rightarrow 14\ \%$

서진: $\frac{58}{527}\times100=11.0\cdots \rightarrow 11\ \%$

$37+22+16+14+11=100$이므로 각 항목의 백분율의 합계가 100 %입니다.

• 순서가 의미 있는 자료가 아니므로 백분율의 크기가 큰 항목부터 선을 그어 원을 나눕니다.
원을 나눈 부분에 차례로 슬아, 희은, 민수, 유수, 서진을 쓰고 백분율을 씁니다.

• 제목에 '후보자별 득표수'를 씁니다.

학부모 코칭 Tip

실제 자료의 비율을 반올림하여 비율 그래프로 나타내는 경우에 백분율의 합계가 99 %, 101 %, 99.9 %, 100.1 %와 같이 100 %가 아닌 경우가 존재합니다. 이와 같은 경우에는 비율이 100 %가 되도록 비율이 높은 항목이 나타내는 부분의 크기를 조정하여 그래프를 그려 보게 합니다.

슬아네 학교 임원 선거 후보자별 득표수를 조사하여 나타낸 표입니다. 표를 보고 원그래프로 나타내어 보세요.
후보자별 득표수
후보자 슬아 희은 민수 유수 서진 합계
득표수(표) 193 118 85 73 58 527
• 계산기를 사용하여 전체 득표수에 대한 후보자별 득표수의 백분율을 구하여 표를 완성해 보세요. (단, 반올림하여 일의 자리까지 나타냅니다.)
후보자별 득표수
후보자 슬아 희은 민수 유수 서진 합계
득표수(표) 193 118 85 73 58 527
백분율(%) 37 22 16 14 11 100
• 백분율을 이용하여 원그래프로 나타내어 보세요.
예 후보자별 득표수
서진 (11 %)
유수 (14 %)
민수 (16 %)
희은 (22 %)
슬아 (37 %)
133

이런 문제가 서술형으로 나와요

표를 보고 좋아하는 음식별 학생 수를 원그래프로 나타내려고 합니다. 풀이 과정을 쓰고, 원그래프로 나타내어 보세요. (단, 반올림하여 일의 자리까지 나타냅니다.)

좋아하는 음식별 학생 수

음식	치킨	피자	떡볶이	라면	합계
학생 수(명)	10	9	6	5	30
백분율(%)	33	30	20		100

좋아하는 음식별 학생 수

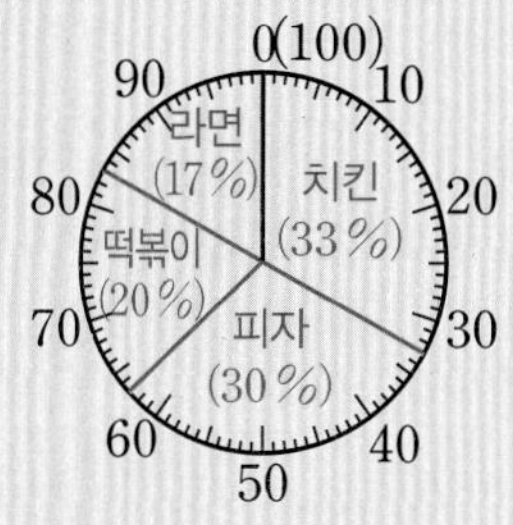

| 풀이 과정 |

❶ 라면을 좋아하는 학생 수의 백분율 구하기

$\frac{5}{30} \times 100 = 16.6 \cdots \rightarrow 17\ \%$

❷ 백분율을 이용하여 원그래프로 나타내기

개념 확인 문제

정답 및 풀이 238쪽

[1~3] 재호네 학교 학생들이 가고 싶은 산을 조사하여 나타낸 표입니다. 물음에 답해 보세요.

가고 싶은 산별 학생 수

산	한라산	설악산	덕유산	기타	합계
학생 수(명)	62	53	10	25	150
백분율(%)					

1 전체 학생 수에 대한 가고 싶은 산별 학생 수의 백분율을 구하여 위의 표를 완성해 보세요. (단, 반올림하여 일의 자리까지 나타냅니다.)

2 각 항목의 백분율의 합계는 몇 %인가요?

( )

3 백분율을 이용하여 원그래프로 나타내어 보세요.

가고 싶은 산별 학생 수

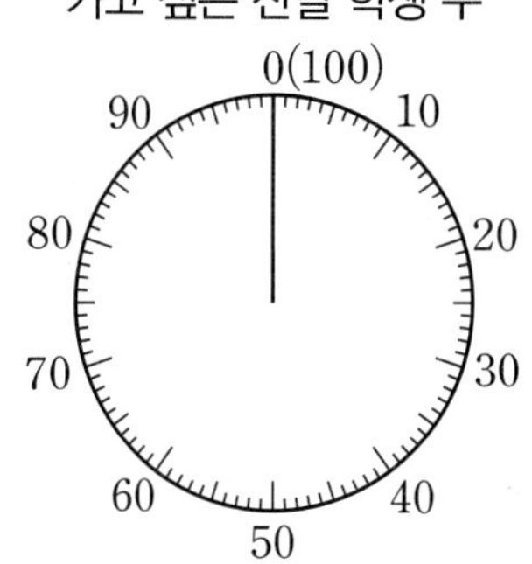

9 차시

7 | 원그래프 해석하기

학습 목표

원그래프를 해석하여 여러 가지 내용을 말할 수 있습니다.

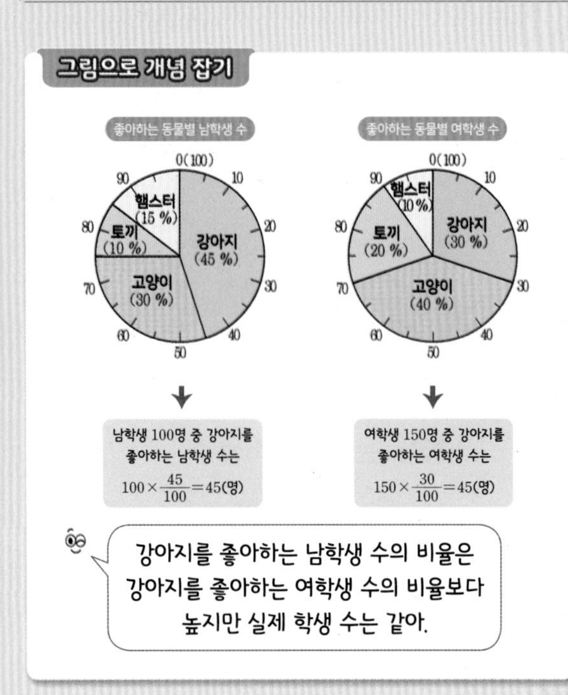

그림으로 개념 잡기
좋아하는 동물별 남학생 수
햄스터 (15 %)
토끼 (10 %)
강아지 (45 %)
고양이 (30 %)
좋아하는 동물별 여학생 수
햄스터 (10 %)
강아지 (30 %)
토끼 (20 %)
고양이 (40 %)
남학생 100명 중 강아지를 좋아하는 남학생 수는
100×45/100=45(명)
여학생 150명 중 강아지를 좋아하는 여학생 수는
150×30/100=45(명)
강아지를 좋아하는 남학생 수의 비율은 강아지를 좋아하는 여학생 수의 비율보다 높지만 실제 학생 수는 같아.

참고 띠그래프와 원그래프는 비율을 나타내므로 띠그래프나 원그래프만으로는 각 항목의 정확한 수량을 알 수 없습니다.

7 원그래프 해석하기
원그래프를 해석하여 여러 가지 내용을 말할 수 있습니다.
생각열기 현준이네 모둠에서는 6학년 학생 200명을 대상으로 각자 생각하는 탄소 발자국 줄이는 방법을 조사하여 원그래프로 나타내었습니다.
탄소 발자국 줄이는 방법별 학생 수
기타(7 %)
걷거나 자전거 타기 (10 %)
쓰지 않는 플러그 뽑기 (17 %)
계단 이용하기 (22 %)
일회용품 사용 줄이기 (44 %)
• 무엇을 조사하여 나타낸 원그래프인가요?
예 탄소 발자국을 줄이는 방법을 조사하여 나타낸 원그래프입니다.
• 원그래프에서 어떤 내용을 알 수 있을까요?
예 • 항목별 비율을 알 수 있습니다.
• 각 항목 사이의 비율이 얼마만큼 차이가 나는지 비교할 수 있습니다.
탐구하기 위 생각열기의 원그래프를 보고 알 수 있는 내용을 살펴봅시다.
• 전체에서 각 항목이 차지하는 비율을 이야기해 보세요.
• 계단 이용하기 방법을 생각한 학생은 몇 명인지 구해 보세요.
계단 이용하기 방법을 생각한 학생 수는 조사한 전체 학생 수의 22 %입니다. 조사한 전체 학생이 200명이므로 계단 이용하기 방법을 생각한 학생은 44명입니다.
• 항목별 비율을 비교하여 알 수 있는 내용을 이야기해 보세요.
가장 많은 학생들이 생각한 방법은 무엇일까?
일회용품 사용 줄이기입니다.
일회용품 사용 줄이기 방법을 생각한 학생 수의 비율은 계단 이용하기 방법을 생각한 학생 수의 비율의 몇 배일까?
2배입니다.
134

교과서 개념 완성

탐구하기 **원그래프를 보고 알 수 있는 내용 살펴보기**

• 조사한 전체 학생이 200명입니다.

• 계단 이용하기 방법을 생각한 학생은 $200\times\frac{22}{100}=44$(명)입니다.

• 가장 많은 학생들이 생각한 방법은 일회용품 사용 줄이기입니다.

• 일회용품 사용 줄이기 방법을 생각한 학생 수의 비율은 계단 이용하기 방법을 생각한 학생 수의 비율의 $44\div22=2$(배)입니다.

생각솔솔 **원그래프에서 항목의 수량을 찾아 비교하기**

• 조사한 전체 남학생이 100명이므로 봄에 태어난 남학생은 $100\times\frac{50}{100}=50$(명)입니다.

• 조사한 전체 여학생이 130명이므로 봄에 태어난 여학생은 $130\times\frac{40}{100}=52$(명)입니다.

➜ 봄에 태어난 여학생 수의 비율은 봄에 태어난 남학생 수의 비율보다 낮지만 실제 학생 수는 더 많습니다.

학부모 코칭 Tip

두 비율 그래프를 비교할 때 비율을 비교하는 경우와 실제 수량을 비교하는 경우를 구분하고, 비율이 높더라도 실제 수량은 적을 수 있음을 이해합니다.

정리하기 • 원그래프에서 알 수 있는 내용을 정리해 봅시다.

- 원그래프의 각 항목이 차지하는 부분을 이용하여 전체에서 각 항목이 차지하는 비율을 알 수 있습니다.
- 각 항목의 비율과 전체 자료의 크기를 이용하여 각 항목의 수량을 알 수 있습니다.
- 항목별 비율을 비교하여 여러 가지 내용을 알 수 있습니다.

확인하기 우리가 살아가는 데 필요한 공기에 포함된 기체의 양을 조사하여 나타낸 원그래프입니다. 물음에 답해 보세요.

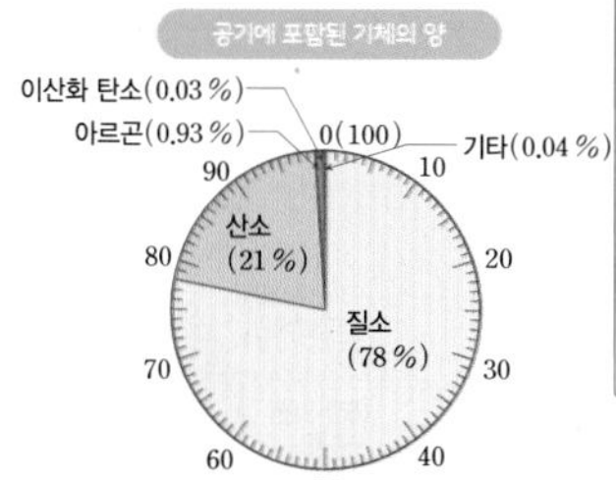

[출처] 네이버 지식백과, 2021.

예 • 질소, 산소가 대부분을 차지합니다.
• 질소는 산소의 약 4배입니다.

- 공기 중에서 이산화 탄소가 차지하는 비율은 몇 %인가요? 0.03 %
- 공기 중에서 가장 많은 양을 차지하는 기체는 무엇이고, 그 기체가 차지하는 비율을 써 보세요. 질소, 78 %
- 항목별 비율을 비교하여 알 수 있는 내용을 이야기해 보세요.

생각슝슝 주하네 학교 학생들이 태어난 계절을 조사하여 나타낸 원그래프입니다. 조사한 남학생이 100명이고 여학생이 130명일 때, 봄에 태어난 남학생 수와 여학생 수를 비교해 보세요.

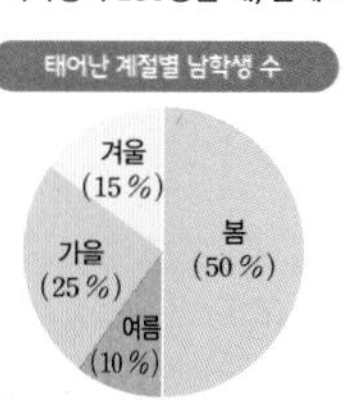

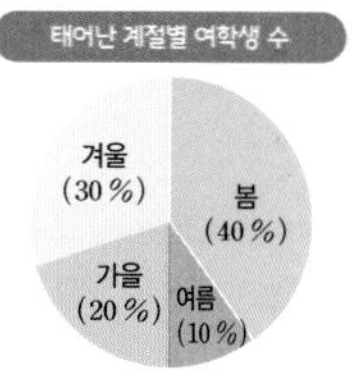

예 봄에 태어난 여학생 수의 비율은 봄에 태어난 남학생 수의 비율보다 낮지만 실제 학생 수는 더 많습니다.

135

이런 문제가 서술형으로 나와요

여행을 하고 싶은 학생 수의 비율은 게임을 하고 싶은 학생 수의 비율의 몇 배인지 풀이 과정을 쓰고, 답을 구해 보세요.

하고 싶은 일별 학생 수

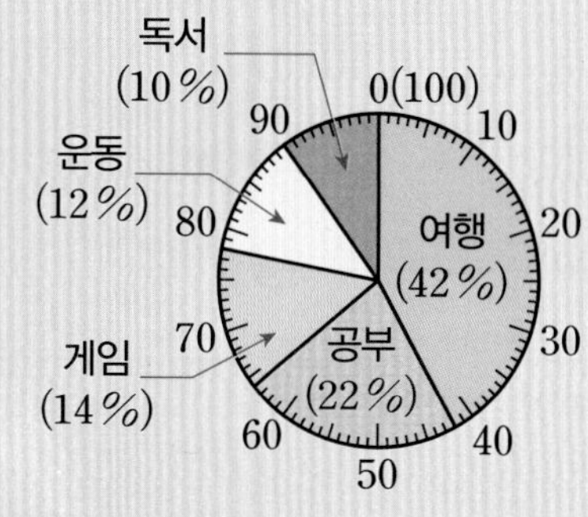

| 풀이 과정 |

❶ 여행과 게임을 하고 싶은 학생 수는 전체 학생 수의 몇 %인지 각각 구하기

여행: 42 %, 게임: 14 %

❷ 여행을 하고 싶은 학생 수의 비율은 게임을 하고 싶은 학생 수의 비율의 몇 배인지 구하기

$42 \div 14 = 3$(배)

답 3배

개념 확인 문제

정답 및 풀이 238쪽

[1~3] 혜진이네 학교 6학년 학생 200명이 하루에 게임을 하는 시간을 조사하여 나타낸 원그래프입니다. 물음에 답해 보세요.

게임 시간별 학생 수

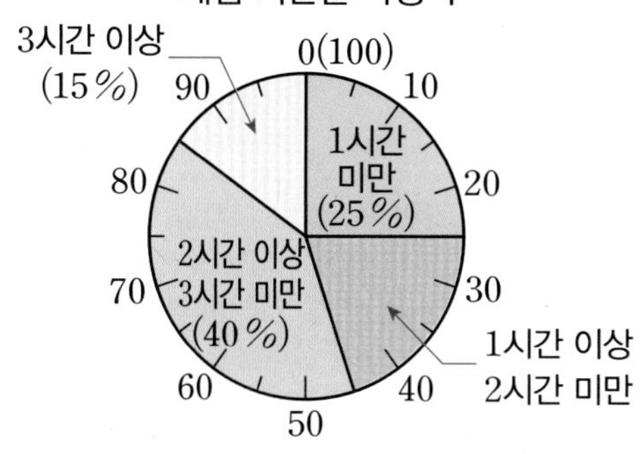

1 게임 시간이 1시간 이상 2시간 미만인 학생 수는 전체 학생 수의 몇 %인가요?

( )

2 게임 시간이 2시간 이상인 학생 수는 전체 학생 수의 몇 %인가요?

( )

3 게임 시간이 3시간 이상인 학생은 몇 명인가요?

( )

8 목적에 맞는 그래프로 나타내기

학습 목표

목적에 맞는 그래프를 선택하여 나타낼 수 있습니다.

그림으로 개념 잡기
목적이 무엇인지 살펴보고
어떤 그래프를 선택하는 것이
좋을지 생각해 봅니다.
그림그래프
막대그래프
꺾은선그래프
띠그래프
원그래프

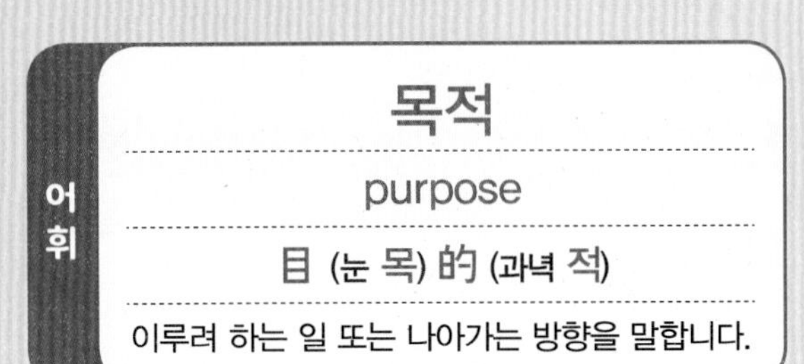

목적
purpose
目 (눈 목) 的 (과녁 적)
이루려 하는 일 또는 나아가는 방향을 말합니다.

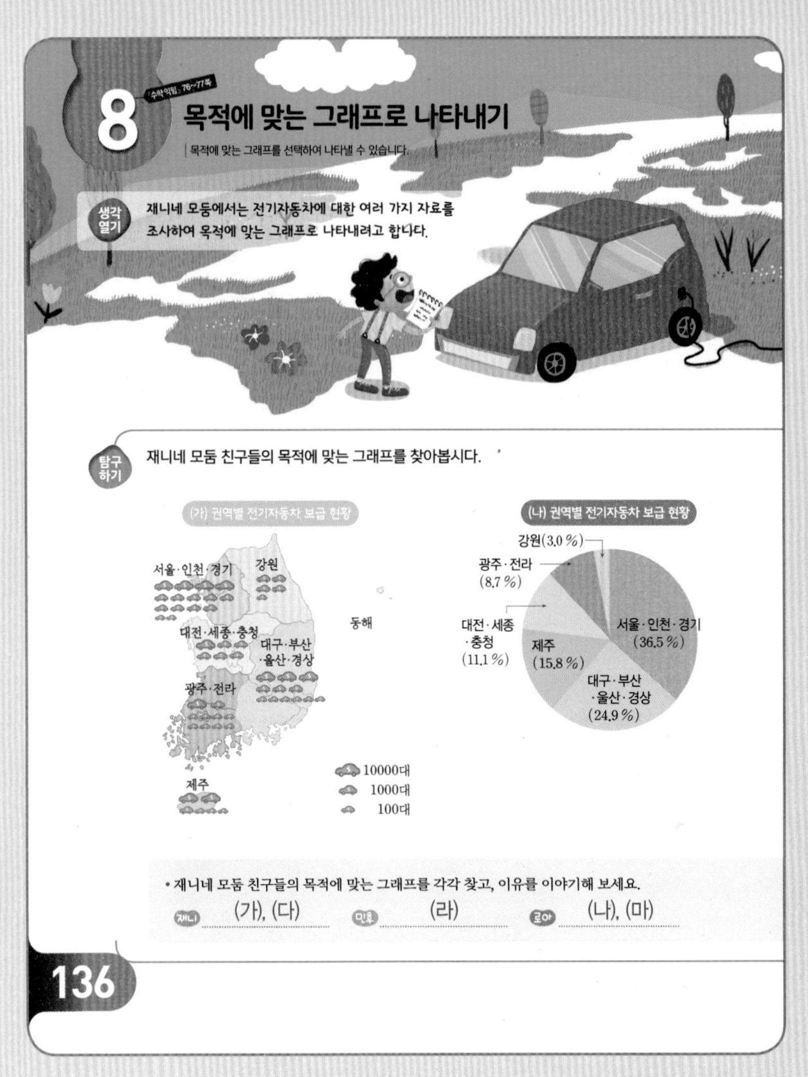

8 목적에 맞는 그래프로 나타내기
목적에 맞는 그래프를 선택하여 나타낼 수 있습니다.
생각열기 재니네 모둠에서는 전기자동차에 대한 여러 가지 자료를 조사하여 목적에 맞는 그래프로 나타내려고 합니다.
탐구하기 재니네 모둠 친구들의 목적에 맞는 그래프를 찾아봅시다.
(가) 권역별 전기자동차 보급 현황
서울·인천·경기
강원
대전·세종·충청
대구·부산·울산·경상
광주·전라
제주
동해
10000대
1000대
100대
(나) 권역별 전기자동차 보급 현황
강원(3.0 %)
광주·전라 (8.7 %)
대전·세종·충청 (11.1 %)
제주 (15.8 %)
서울·인천·경기 (36.5 %)
대구·부산·울산·경상 (24.9 %)
• 재니네 모둠 친구들의 목적에 맞는 그래프를 각각 찾고, 이유를 이야기해 보세요.
재니 (가), (다)
민후 (라)
로아 (나), (마)
136

교과서 개념 완성

탐구하기 조사 목적에 맞는 그래프 찾아보기

- 그래프 (가), (나), (다), (마)의 제목이 같습니다.
- 그림그래프 (가)와 막대그래프 (다)의 내용이 같습니다. 원그래프 (나)와 띠그래프 (마)의 내용이 같습니다.
- 재니: 권역별 전기자동차 수를 알아보아야 하므로 그림그래프 (가) 또는 막대그래프 (다)가 알맞습니다.
  민후: 연도별 전기자동차 수의 변화를 알아보아야 하므로 꺾은선그래프 (라)가 알맞습니다.
  로아: 권역별 전기자동차 수의 비율을 알아보아야 하므로 원그래프 (나) 또는 띠그래프 (마)가 알맞습니다.

참고

- 권역별 전기자동차 수를 비교하려면 그림그래프 또는 막대그래프가 알맞습니다.
- 연도별 전기자동차 수의 변화를 알아보려면 꺾은선그래프가 알맞습니다.
- 권역별 전기자동차 수의 비율을 비교하려면 띠그래프 또는 원그래프가 알맞습니다.

학부모 코칭 Tip

같은 목적이라도 여러 가지 그래프로 나타낼 수 있습니다. 재니의 경우, 막대그래프와 그림그래프로 나타낼 수 있으며 막대그래프는 어느 항목이 얼마만큼 더 많은지를 쉽게 살펴볼 수 있고 그림그래프는 지역의 위치와 분포를 쉽게 살펴볼 수 있습니다. 그래프 각각의 특징을 이해하고 목적에 맞게 선택할 수 있도록 합니다.

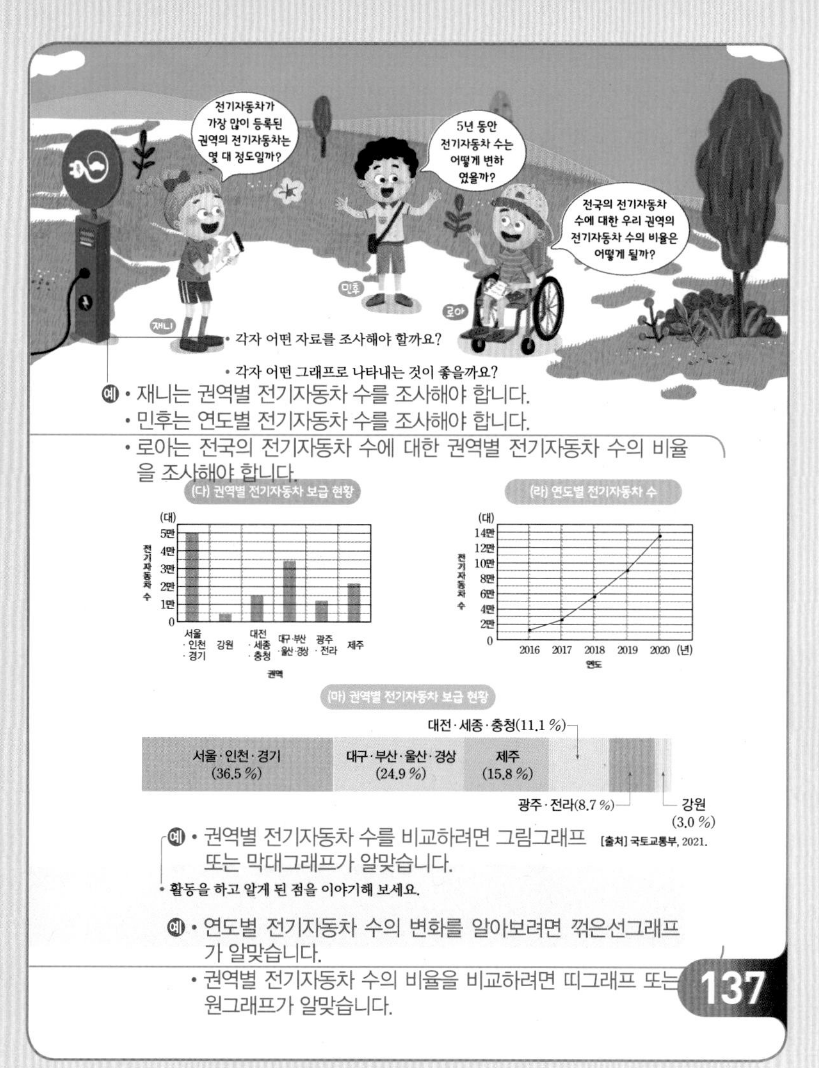

• 각자 어떤 자료를 조사해야 할까요?

• 각자 어떤 그래프로 나타내는 것이 좋을까요?

예 • 재니는 권역별 전기자동차 수를 조사해야 합니다.
• 민후는 연도별 전기자동차 수를 조사해야 합니다.
• 로아는 전국의 전기자동차 수에 대한 권역별 전기자동차 수의 비율을 조사해야 합니다.

[출처] 국토교통부, 2021.

예 • 권역별 전기자동차 수를 비교하려면 그림그래프 또는 막대그래프가 알맞습니다.

• 활동을 하고 알게 된 점을 이야기해 보세요.

예 • 연도별 전기자동차 수의 변화를 알아보려면 꺾은선그래프가 알맞습니다.
• 권역별 전기자동차 수의 비율을 비교하려면 띠그래프 또는 원그래프가 알맞습니다.

이런 문제가 서술형으로 나와요

어느 지역에서 구독하는 신문을 조사하여 나타낸 표입니다. 전체 신문 구독 부수에 대한 신문별 구독 부수의 비율을 그래프로 나타낼 때 그림그래프, 꺾은선그래프, 원그래프 중에서 어느 그래프로 나타내면 좋을지 그 이유를 써 보세요.

신문별 구독 부수

종류	가	나	다	라	합계
구독 부수(부)	50	80	30	40	200

| 이유 |

이유 쓰기

전체에서 각 항목이 차지하는 비율을 한눈에 알 수 있는 그래프는 원그래프이므로 원그래프로 나타내면 좋을 것 같습니다.

참고 같은 자료라도 목적에 따라 다른 형태의 그래프로 나타낼 수 있습니다.

개념 확인 문제

정답 및 풀이 238쪽

[1~2] 오른쪽은 예준이네 반 학생들의 봉사 활동 장소를 조사하여 나타낸 그래프입니다. 물음에 답해 보세요.

1 (가) 그래프와 (나) 그래프 중에서 학생들의 봉사 활동 장소의 비율을 비교할 수 있는 그래프의 기호를 써 보세요.

( )

2 학교로 봉사 활동을 간 학생 수를 알 수 있는 그래프의 기호를 써 보세요.

( )

(가) 봉사 활동 장소별 학생 수

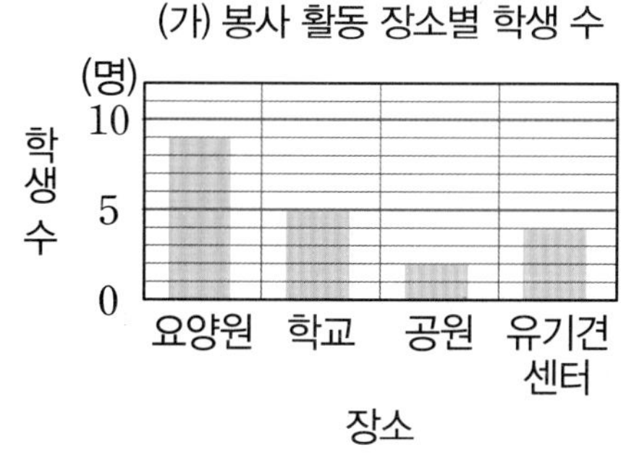

(나) 봉사 활동 장소별 학생 수

0 10 20 30 40 50 60 70 80 90 100(%)

요양원 (45 %)	학교 (25 %)	유기견센터 (20 %)	공원 (10 %)

그림으로 개념 잡기

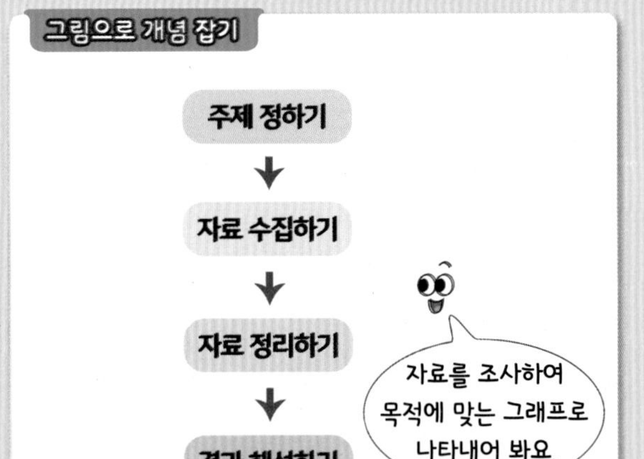

정리하기 목적에 따라 어떤 그래프로 나타낼 수 있는지 정리해 봅시다.

- 그림그래프와 막대그래프는 항목별 수량을 비교하기에 편리합니다.
- 꺾은선그래프는 시간의 흐름에 따른 변화를 나타내기에 편리합니다.
- 띠그래프와 원그래프는 전체에서 각 항목이 차지하는 비율을 비교하기에 편리합니다.

확인하기 자료를 조사하여 목적에 맞는 그래프로 나타내어 보세요.

스마트폰은 생활의 편의에 도움이 되지만 스마트폰 중독, 게임 중독 등에 빠질 위험이 있습니다. 은우네 학교 학생들을 대상으로 스마트폰을 주로 사용하는 용도를 조사해 보기로 하였습니다. 조사 결과를 바탕으로 스마트폰을 주로 사용하는 용도별 비율을 비교하며 스마트폰 사용 습관을 되돌아봅시다.

1. 주제 정하기

은우네 학교 학생들이 스마트폰을 주로 사용하는 용도별 비율

2. 자료 수집하기

- 조사 대상: 은우네 학교 학생 50명
- 조사 방법: 설문(붙임딱지 붙이기)
- 조사 시기: 지난주 목요일 점심시간
- 조사한 자료

동영상 시청 / 정보 검색 / 게임 / 누리 소통망 / 기타

138

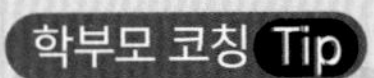

- 원그래프는 전체에 대한 항목별 비율을 파악하고 비교하기 편리합니다.
- 띠그래프와 비교하였을 때 그래프가 차지하는 공간이 다르므로 그래프를 놓을 공간에 따라 선택적으로 활용할 수 있습니다.

참고 원그래프로 나타낸 자료는 띠그래프로 나타낼 수 있습니다.

교과서 개념 완성

확인하기 자료를 조사하여 목적에 맞는 그래프로 나타내기

- 동영상 시청은 20명, 정보 검색은 15명, 게임은 5명, 누리 소통망은 7명, 기타는 3명이고, 합계는 $20+15+5+7+3=50$(명)으로 조사한 학생 수와 같습니다.
- 조사한 전체 학생 수에 대한 스마트폰을 주로 사용하는 용도별 학생 수의 비율을 나타내어야 하므로 띠그래프나 원그래프로 나타내면 좋을 것 같습니다.

$\frac{20}{50}\times 100=40\ (\%)$, $\frac{15}{50}\times 100=30\ (\%)$,
$\frac{5}{50}\times 100=10\ (\%)$, $\frac{7}{50}\times 100=14\ (\%)$,
$\frac{3}{50}\times 100=6\ (\%)$ — $40+30+10+14+6=100\ (\%)$

- 띠그래프로 나타내면 다음과 같습니다.

스마트폰을 주로 사용하는 용도별 학생 수

0 10 20 30 40 50 60 70 80 90 100(%)

동영상 시청 (40 %)	정보 검색 (30 %)	누리 소통망(14 %)	게임(10 %)	기타 (6 %)

3. 자료 정리하기

• 조사한 자료를 표로 나타냅니다.

스마트폰을 주로 사용하는 용도별 학생 수

용도	동영상 시청	정보 검색	게임	누리 소통망	기타	합계
학생 수(명)	20	15	5	7	3	50

• 목적에 맞는 그래프로 나타냅니다.

예 스마트폰을 주로 사용하는 용도별 학생 수

4. 결과 해석하기

은우네 학교 학생들이 스마트폰을 주로 사용하는 용도는

예 동영상 시청(40 %)과 정보 검색(30 %)입니다.
스마트폰 사용 습관을 되돌아보려면 스마트폰의 사용 시간도 조사하면 좋을 것 같습니다.

139

이런 문제가 서술형으로 나와요

주하와 보성이 중에서 잘못 설명한 사람은 누구인지 풀이 과정을 쓰고, 답을 구해 보세요.

월별 최고 기온의 변화를 나타내기에 알맞은 그래프는 띠그래프야.

공장별 연필 생산량을 나타내기에 알맞은 그래프는 그림그래프야.

| 풀이 과정 |

❶ 주하가 설명한 내용이 맞는지 틀린지 설명하기

월별 최고 기온의 변화는 꺾은선그래프로 나타내는 것이 좋습니다.
따라서 주하가 설명한 내용은 틀립니다.

❷ 보성이가 설명한 내용이 맞는지 틀린지 설명하기

공장별 연필 생산량은 그림그래프로 나타내는 것이 좋습니다.
따라서 보성이가 설명한 내용은 맞습니다.

❸ 잘못 설명한 사람은 누구인지 구하기

잘못 설명한 사람은 주하입니다.

답 주하

개념 확인 문제

정답 및 풀이 238쪽

[1~2] 은주네 반 학생들이 좋아하는 날씨를 조사하여 정리한 것입니다. 물음에 답해 보세요.

좋아하는 날씨

은주	맑음	영우	비	예진	비
지수	눈	세빈	맑음	지훈	맑음
미연	맑음	재석	눈	혜윤	눈
해인	비	솔미	눈	민기	맑음
태형	눈	현빈	맑음	설화	눈

1 조사한 자료를 표로 나타내어 보세요.

좋아하는 날씨별 학생 수

날씨	맑음	눈	비	합계
학생 수(명)				

2 조사한 자료를 원그래프로 나타내어 보세요.

좋아하는 날씨별 학생 수

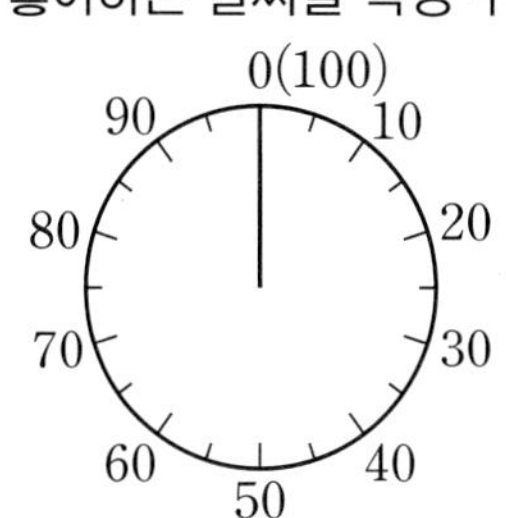

12
차시

문제 해결력 | 쑥쑥

● 수학을 좋아하는 학생은 몇 명일까요

학습 목표

- 식 세우기 전략을 이용하여 문제를 해결하고 해결한 방법을 설명해 봅니다.
- 조건을 바꾸어 새로운 문제를 만들고, 해결해 봅니다.

문제 해결 전략 식 세우기 전략

수학 교과 역량 문제 해결 정보 처리

수학을 좋아하는 학생은 몇 명일까요

- 주어진 조건을 확인하고 문제 해결에 적절한 전략을 선택하여 해결하는 과정을 통하여 문제 해결 능력을 기를 수 있습니다.
- 여러 가지 정보를 이용하여 문제를 해결해 보는 과정을 통하여 정보 처리 능력을 기를 수 있습니다.

문제 해결 Tip 먼저 체육을 좋아하는 학생 수의 백분율을 구한 다음, 비율을 이용하여 식을 세워 구해 봅니다.

참고 띠그래프에서 전체 길이에 대한 각 항목의 길이의 비율이 전체에 대한 각 항목의 비율과 일치합니다.

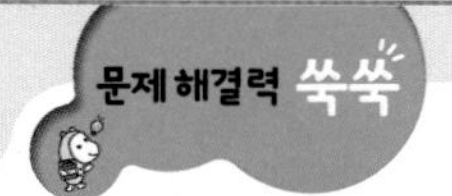
문제 해결력 쑥쑥

수학을 좋아하는 학생은 몇 명일까요

문제 해결 정보 처리

민호네 학교 6학년 학생 160명을 대상으로 좋아하는 과목을 조사하여 나타낸 띠그래프입니다. 전체 길이가 20 cm인 띠그래프로 그렸을 때, 체육을 좋아하는 학생 수를 나타낸 부분의 길이가 8 cm였습니다. 민호네 학교 6학년 학생 중 수학을 좋아하는 학생은 몇 명인지 구해 보세요.

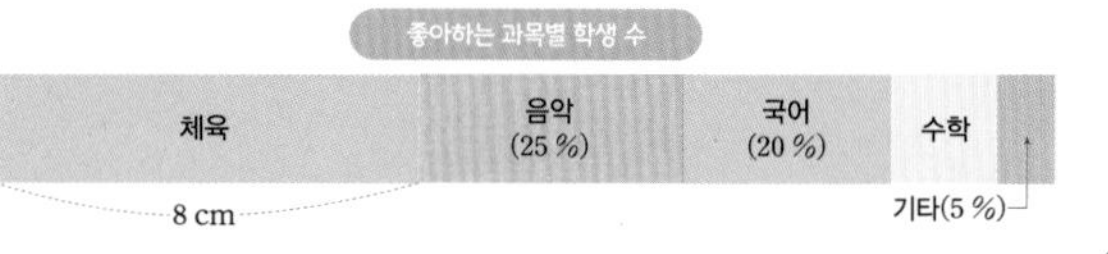
좋아하는 과목별 학생 수
체육
음악 (25 %)
국어 (20 %)
수학
8 cm
기타(5 %)

문제 이해하기

- 구하려고 하는 것은 무엇인가요?
  예 수학을 좋아하는 학생 수를 구하려고 합니다.
- 알고 있는 것은 무엇인가요?
  예 • 전체 길이가 20 cm인 띠그래프로 나타내었고, 체육을 좋아하는 학생 수를 나타낸 부분의 길이는 8 cm입니다.
  • 음악, 국어, 기타 과목을 좋아하는 학생 수는 각각 전체 학생 수의 25 %, 20 %, 5 %입니다.

계획 세우기

- 어떤 방법으로 문제를 해결할 수 있을지 계획을 세워 보세요.

띠그래프의 전체 길이에 대한 각 항목의 길이의 비율을 이용하면 될 것 같아.

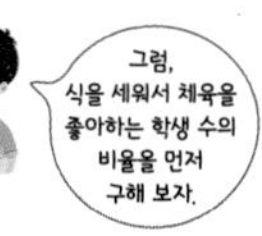
그럼, 식을 세워서 체육을 좋아하는 학생 수의 비율을 먼저 구해 보자.

예 체육을 좋아하는 학생 수의 백분율을 구한 다음, 수학을 좋아하는 학생 수의 백분율을 구하여 수학을 좋아하는 학생 수를 구하면 될 것 같습니다.

140

교과서 개념 완성

문제 이해하기

» 구하려고 하는 것

수학을 좋아하는 학생 수를 구하려고 합니다.

» 알고 있는 것

- 160명을 조사하여 전체 길이가 20 cm인 띠그래프로 나타내었습니다.
- 체육을 좋아하는 학생 수를 나타낸 부분의 길이는 8 cm입니다.
- 음악, 국어, 기타 과목을 좋아하는 학생 수는 각각 전체 학생 수의 25 %, 20 %, 5 %입니다.

계획 세우기

- 비율을 이용하여 식을 세워 구해 봅니다.
- 체육을 좋아하는 학생 수의 백분율을 구한 다음, 수학을 좋아하는 학생 수의 백분율을 구하여 수학을 좋아하는 학생 수를 구해 봅니다.

계획대로 풀기

- 체육을 좋아하는 학생 수는 전체 학생 수의 $\frac{8}{20}\times 100=40$ ➜ 40 %입니다.
- 따라서 수학을 좋아하는 학생 수는 전체 학생 수의 $100-40-25-20-5=10$ (%)이므로 수학을 좋아하는 학생은 $160\times\frac{10}{100}=16$(명)입니다.

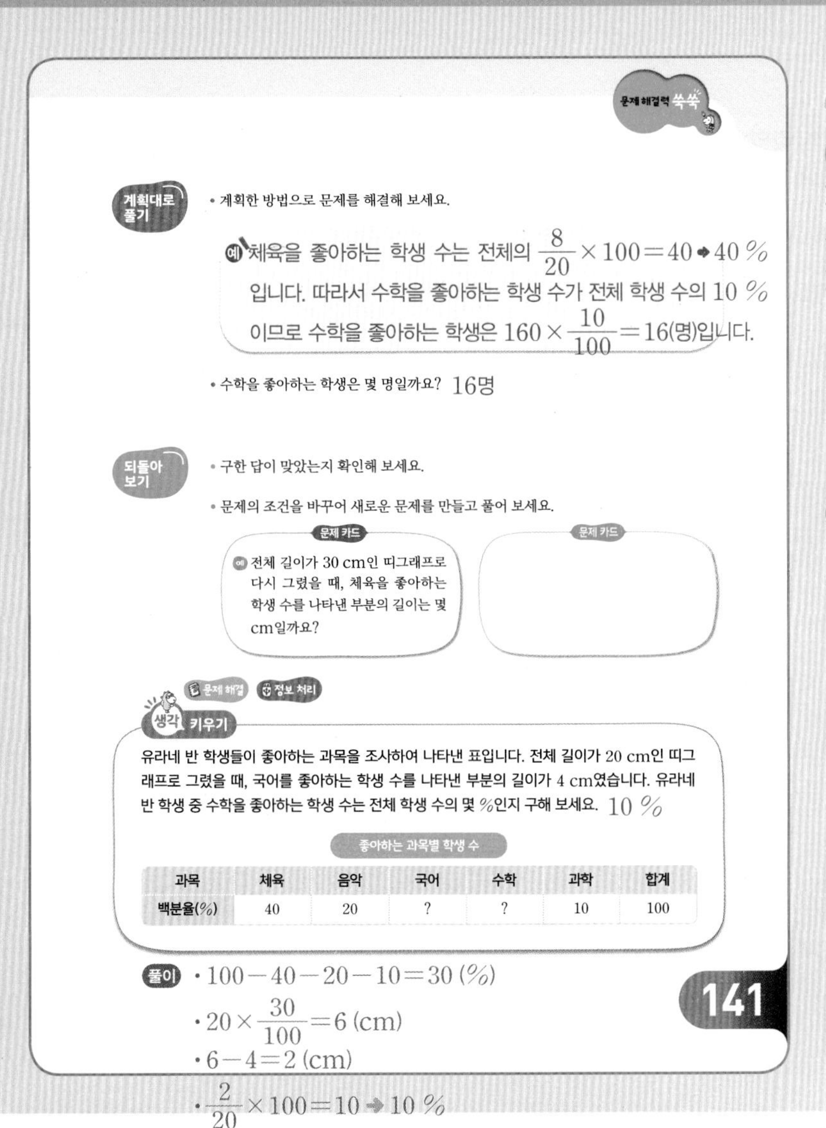

문제 해결력 쑥쑥
계획대로 풀기
• 계획한 방법으로 문제를 해결해 보세요.
예 체육을 좋아하는 학생 수는 전체의 8/20 × 100 = 40 ➔ 40 %
입니다. 따라서 수학을 좋아하는 학생 수가 전체 학생 수의 10 %
이므로 수학을 좋아하는 학생은 160 × 10/100 = 16(명)입니다.
• 수학을 좋아하는 학생은 몇 명일까요? 16명
되돌아 보기
• 구한 답이 맞았는지 확인해 보세요.
• 문제의 조건을 바꾸어 새로운 문제를 만들고 풀어 보세요.
문제 카드
예 전체 길이가 30 cm인 띠그래프로 다시 그렸을 때, 체육을 좋아하는 학생 수를 나타낸 부분의 길이는 몇 cm일까요?
문제 카드
문제 해결 정보 처리
생각 키우기
유라네 반 학생들이 좋아하는 과목을 조사하여 나타낸 표입니다. 전체 길이가 20 cm인 띠그래프로 그렸을 때, 국어를 좋아하는 학생 수를 나타낸 부분의 길이가 4 cm였습니다. 유라네 반 학생 중 수학을 좋아하는 학생 수는 전체 학생 수의 몇 %인지 구해 보세요. 10 %
좋아하는 과목별 학생 수
과목 체육 음악 국어 수학 과학 합계
백분율(%) 40 20 ? ? 10 100
풀이 • 100 − 40 − 20 − 10 = 30 (%)
• 20 × 30/100 = 6 (cm)
• 6 − 4 = 2 (cm)
• 2/20 × 100 = 10 ➔ 10 %
141

문제 해결 · 정보 처리

문제 이해하기

» 구하려고 하는 것

수학을 좋아하는 학생 수의 백분율을 구하려고 합니다.

» 알고 있는 것

- 띠그래프의 전체 길이는 20 cm, 국어를 좋아하는 학생 수를 나타낸 부분의 길이는 4 cm입니다.
- 체육, 음악, 과학 과목을 좋아하는 학생 수는 각각 전체 학생 수의 40 %, 20 %, 10 %입니다.

계획 세우기

- 띠그래프에서 국어와 수학을 좋아하는 학생 수를 나타내는 부분의 길이의 합을 구해 봅니다.
- 수학을 좋아하는 학생 수의 백분율을 구해 봅니다.

계획대로 풀기

- 국어와 수학을 좋아하는 학생 수는 전체 학생 수의 30 %이므로 국어와 수학을 좋아하는 학생 수를 나타낸 부분의 길이의 합은 6 cm입니다.
- 띠그래프에서 수학을 좋아하는 학생 수를 나타낸 부분의 길이는 $6-4=2$ (cm)이므로 수학을 좋아하는 학생 수는 전체 학생 수의 $\frac{2}{20}\times100=10$ ➔ 10 %입니다.

문제 해결력 문제

정답 및 풀이 238쪽

1 어느 도서관에 있는 책 120권을 조사하여 전체 길이가 10 cm인 띠그래프로 그렸을 때, 위인전을 나타내는 부분의 길이가 2 cm였습니다. 이 도서관에 있는 책 중 역사책은 몇 권인지 구해 보세요.

종류별 책 수

자기 계발 (30 %)	소설책 (25 %)	위인전	역사책	기타 (10 %)

(위인전: 2 cm)

(　　　　　　　　)

2 지윤이네 학교 학생들이 좋아하는 배우를 조사하여 나타낸 표입니다. 전체 길이가 20 cm인 띠그래프로 그렸을 때, 다 배우를 좋아하는 학생 수를 나타내는 부분의 길이가 5 cm였습니다. 지윤이네 학교 학생 중 가 배우를 좋아하는 학생 수를 나타내는 부분의 길이는 몇 cm인지 구해 보세요.

좋아하는 배우별 학생 수

배우	가	나	다	라	합계
백분율(%)	?	20	?	15	100

(　　　　　　　　)

13 차시 단원 마무리 | 척척

값이 큰 자료를 그림그래프로 나타낼 때 자료의 값을 어림하여 나타내기도 합니다.

[①~②] 우리나라의 권역별 폐기물 재활용 가동 업체 수를 조사하여 나타낸 표입니다. 물음에 답해 보세요.

권역별 폐기물 재활용 가동 업체 수

권역	서울·인천·경기	강원	대전·세종·충청	대구·부산·울산·경상	광주·전라	제주
가동 업체 수(개)	5187	654	2994	5929	2617	296
어림한 값(개)	5200	700	3000	5900	2600	300

[출처] 한국환경공단, 2019.

정보 처리
실생활 자료를 어림하여 나타내기
▶자습서 142~145쪽

학부모 코칭 Tip
어느 자리의 숫자를 반올림해야 하는지 생각해 보고 반올림을 해 보게 합니다.

1 폐기물 재활용 가동 업체 수를 반올림하여 백의 자리까지 나타내어 위의 표를 완성해 보세요.

116쪽

풀이 2994 → 3000, 2617 → 2600, 296 → 300

정보 처리
자료를 그림그래프로 나타내기
▶자습서 142~145쪽
지도 위에 나타낸 그림그래프에서는 자료의 값과 위치를 함께 파악할 수 있습니다.

학부모 코칭 Tip
지도에서 권역의 위치를 확인해 보게 한 다음, 그림그래프로 그려 보게 합니다. 또 어림한 값을 확인하여 큰 그림과 작은 그림을 구분하여 그려 보게 합니다.

2 어림한 값을 이용하여 그림그래프를 완성해 보세요.

116쪽

권역별 폐기물 재활용 가동 업체 수

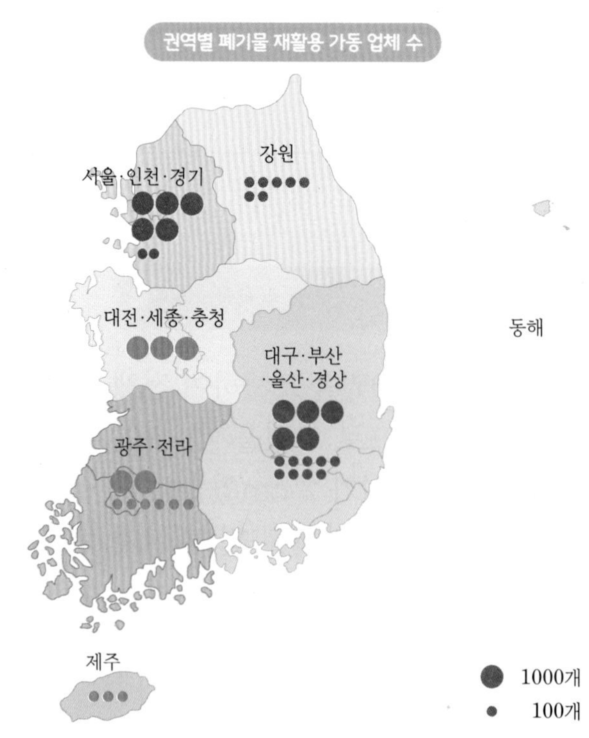

풀이 대전 · 세종 · 충청 권역은 3000개이므로 큰 그림 3개로, 광주 · 전라 권역은 2600개이므로 큰 그림 2개와 작은 그림 6개로, 제주 권역은 300개이므로 작은 그림 3개로 나타냅니다.

142

[❸~❺] 하율이네 반 전체 학급 문고의 종류별 책의 수를 조사하여 나타낸 표입니다. 물음에 답해 보세요.

종류별 책의 수

종류	위인전	과학 잡지	소설책	기타	합계
책의 수(권)	48	36	30	6	120
백분율(%)	40	30	25	5	100

3 전체 책의 수에 대한 종류별 책의 수의 백분율을 구하여 위의 표를 완성해 보세요.

122쪽

풀이 과학 잡지: $\frac{36}{120} \times 100 = 30 \rightarrow 30\%$

기타: $\frac{6}{120} \times 100 = 5 \rightarrow 5\%$

합계: $40+30+25+5=100$ (%)

4 백분율을 이용하여 띠그래프로 나타내어 보세요.

122쪽

준비물 ① (자)

예 종류별 책의 수

0 10 20 30 40 50 60 70 80 90 100(%)

위인전 (40 %)	과학 잡지 (30 %)	소설책 (25 %)	기타 (5 %)

5 □ 안에 알맞은 수를 써넣으세요.

126쪽

- 하율이네 반 학급 문고에 있는 위인전은 전체의 [40] %, 과학 잡지는 전체의 [30] %, 소설책은 전체의 [25] %, 기타는 전체의 [5] %입니다.
- 하율이네 반 학급 문고의 책의 수가 150권으로 늘어 위인전이 전체의 40 %가 되었다면, 늘어난 위인전은 [12] 권입니다.

풀이 • 위인전은 전체의 40 %, 과학 잡지는 전체의 30 %, 소설책은 전체의 25 %, 기타는 전체의 5 %입니다.
• 전체 책이 150권으로 늘어 위인전이 전체의 40 %가 되었으므로 위인전은 $150 \times \frac{40}{100} = 60$(권)입니다.
따라서 늘어난 위인전은 $60-48=12$(권)입니다.

전체에 대한 각 부분의 비율의 크기만큼 띠를 나누어 자료의 항목을 나타낸 그래프를 띠그래프라고 합니다.

정보 처리
자료의 비율을 백분율로 나타내기
▶자습서 148~151쪽

학부모 코칭 Tip
백분율이 주어진 항목을 이용하여 백분율을 구하는 방법을 설명한 다음, 다른 항목의 백분율을 구해 보게 합니다.

정보 처리
자료를 띠그래프로 나타내기
▶자습서 148~151쪽

학부모 코칭 Tip
표에서 각 항목의 내용과 백분율을 확인하여 각 항목이 차지하는 백분율의 크기만큼 선을 그어 띠를 나누어 보게 합니다.
또 각 항목의 내용과 백분율을 쓴 다음, 띠그래프의 제목을 쓰게 합니다.

추론 정보 처리
띠그래프 해석하기
▶자습서 146~153쪽

학부모 코칭 Tip
띠그래프를 보고 각 항목의 내용과 비율을 확인하게 합니다.
또 문제에서 구하려고 하는 것과 주어진 조건을 이해하여 알맞은 답을 구해 보게 합니다.

전체에 대한 각 부분의 비율의 크기만큼 원을 나누어 자료의 항목을 나타낸 그래프를 원그래프라고 합니다.

[❻~❼] 지난주 세호네 학교의 쓰레기 및 재활용품 종류별 배출량을 조사하여 나타낸 원그래프입니다. 물음에 답해 보세요.

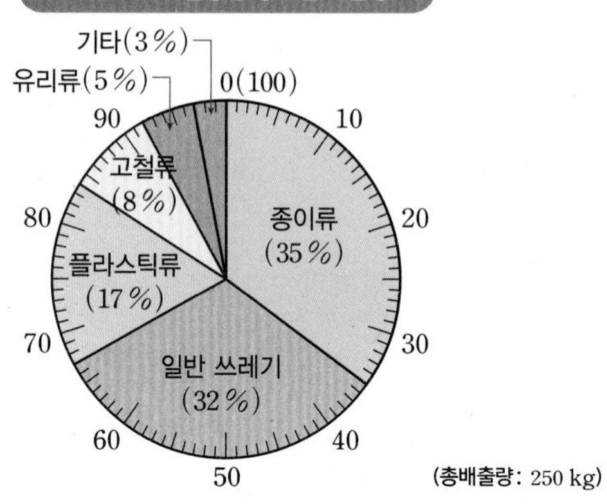

(총배출량: 250 kg)

정보 처리
원그래프 해석하기
▶자습서 154~155쪽

학부모 코칭 Tip
원그래프를 보고 각 항목의 내용과 비율을 확인하게 합니다.

6 전체에서 각 항목이 차지하는 비율을 알아보세요.

128쪽

지난주 세호네 학교의 쓰레기 및 재활용품 배출량 중 종이류는 전체의 35 %, 일반 쓰레기는 전체의 32 %, 플라스틱류는 전체의 17 %, 고철류는 전체의 8 %, 유리류는 전체의 5 %, 기타는 전체의 3 %입니다.

추론 정보 처리
원그래프에서 항목의 수량 구하기
▶자습서 160~161쪽

학부모 코칭 Tip
- 종이류, 고철류와 같이 다른 항목을 이용하여 배출량을 구하는 방법을 설명한 다음, 일반 쓰레기의 배출량을 구해 보게 합니다.
- 그래프에서 항목의 비율을 찾아보게 한 다음, 전체 자료의 크기에 항목의 비율을 곱하여 배출량을 구해 보게 합니다.

7 일반 쓰레기의 배출량은 얼마인지 구해 보세요.

134쪽

일반 쓰레기는 전체의 32 %입니다. 쓰레기 및 재활용품 총배출량이 250 kg이므로 일반 쓰레기의 배출량은 80 kg입니다.

풀이 일반 쓰레기는 전체의 32 %입니다. 쓰레기 및 재활용품 총배출량이 250 kg이므로 일반 쓰레기의 배출량은 $250 \times \frac{32}{100} = 80$ (kg)입니다.

144

8 각각의 목적에 맞는 그래프를 보기에서 찾아 기호를 써 보세요.

136쪽

보기
㉠ 그림그래프
㉡ 막대그래프
㉢ 꺾은선그래프
㉣ 띠그래프
㉤ 원그래프

목적	그래프
학생 수가 가장 많은 마을과 그 학생 수가 궁금할 때	㉠, ㉡
마을별 학생 수의 비율이 궁금할 때	㉣, ㉤
지난 4년간 학생 수의 변화가 궁금할 때	㉢

풀이
• 학생 수가 가장 많은 마을과 그 학생 수가 궁금할 때에는 그림그래프(㉠) 또는 막대그래프(㉡)가 알맞습니다.
• 마을별 학생 수의 비율이 궁금할 때에는 띠그래프(㉣) 또는 원그래프(㉤)가 알맞습니다.
• 지난 4년간 학생 수의 변화가 궁금할 때에는 꺾은선그래프(㉢)가 알맞습니다.

창의·융합 정보 처리

목적에 맞는 그래프 찾기

▶자습서 162~165쪽

그림그래프: 그림의 크기와 수량으로 많고 적음을 쉽게 알 수 있습니다.
막대그래프: 막대의 길이로 수량의 많고 적음을 쉽게 알 수 있습니다.

학부모 코칭 Tip

그래프 각각의 특징을 생각해 보게 한 다음, 목적에 맞는 그래프를 모두 찾아보게 합니다.

생각 넓히기 의사소통 정보 처리

9 어느 초등학교의 2018년도와 2021년도의 학년별 학생 수를 조사하여 나타낸 띠그래프입니다. 물음에 답해 보세요.

126쪽

학년별 학생 수

연도						
2018년	1학년 (15 %)	2학년 (18 %)	3학년 (18 %)	4학년 (16 %)	5학년 (17 %)	6학년 (16 %)
2021년	1학년 (12 %)	2학년 (13 %)	3학년 (19 %)	4학년 (16 %)	5학년 (20 %)	6학년 (20 %)

• 전체 학생 수에 대한 3학년 학생 수의 비율은 어떻게 변하였나요? 예 2018년도에 비해 2021년도의 전체 학생 수에 대한 3학년 학생 수의 비율이 늘었습니다.

• 바름이의 설명이 옳다고 할 수 있는지 자신의 생각을 써 보세요.

바름 2018년도에 비해 2021년도의 3학년 학생 수가 늘었어.

예 2018년도에 비해 2021년도의 전체 학생 수에 대한 3학년 학생 수의 비율은 늘었으나 2018년도와 2021년도의 전체 학생 수를 알 수 없으므로 학생 수가 반드시 늘었다고 할 수 없습니다.

의사소통 정보 처리

띠그래프를 비교하여 해석하기

▶자습서 152~153쪽

여러 개의 띠그래프를 사용하여 비율의 변화 상황을 나타낼 수 있습니다.

학부모 코칭 Tip

• 그래프에 나타난 정보가 항목의 수량인지, 비율인지를 확인하게 한 다음, 설명해 보게 합니다.
• 연도별 전체 학생 수에 대한 학년별 학생 수의 비율의 변화를 나타낸 그래프에서 학생 수에 대한 정보를 알 수 있는지 확인해 보게 한 다음, 자신의 생각을 정리하여 설명해 보게 합니다.

145

• 그래프 속으로 | 풍덩

학습 목표

주제를 정하고 자료를 조사하여 그래프로 나타내어 보고 자료에 적합한 그래프를 탐구하는 활동을 통하여 통계적 소양을 기를 수 있습니다.

그래프 속으로 풍덩

여러 가지 그래프를 그려 보아요 (함께하는 활동)

★ 우리 반, 우리 학교 친구들을 대상으로 주제를 정하고 자료를 조사하여 여러 가지 그래프로 나타내어 보세요.

1단계 자료 수집하기
'친구들이 좋아하는 반려동물별 비율'에 맞게 자료를 수집합니다.

친구들이 좋아하는 반려동물

서아	고양이	기윤	강아지
민우	강아지	소율	고양이
정하	강아지	다현	햄스터
유민	햄스터	성재	강아지
지훈	고양이	현석	고양이
하진	강아지	지오	새
승오	고양이	연우	고양이
윤서	강아지	하율	햄스터
도희	햄스터	미소	강아지
지민	고양이	준서	강아지

2단계 자료 정리하기
조사한 자료를 정리하여 표로 나타냅니다.

좋아하는 반려동물

항목	수량	백분율(%)
강아지	8	40
고양이	7	35
햄스터	4	20
새	1	5
합계	20	100

146

수학 교과 역량 정보 처리 / 태도 및 실천

여러 가지 그래프를 그려 보아요

- 조사한 자료를 정리하여 여러 가지 그래프로 나타내어 보는 과정을 통하여 정보 처리 능력을 기를 수 있습니다.
- 통계적 탐구 과정에서 조사한 자료를 그래프로 나타내어 보는 활동을 통하여 통계적 소양을 기를 수 있습니다.

교과서 개념 완성

1 주제 정하기

우리 반 또는 우리 학교 친구들을 대상으로 여러 가지 주제를 정합니다.

예 우리 반 친구들이 좋아하는 반려동물별 비율을 알아보려고 합니다.

2 그래프로 나타내기

1단계 자료 수집하기

조사 대상, 조사 시기, 조사 방법 등을 정하여 주제에 맞게 설문 조사합니다.

2단계 자료 정리하기

조사한 자료를 표로 나타내고 각 항목의 백분율을 구합니다.

3단계 그래프로 나타내기

목적에 맞는 그래프를 선택하여 그래프로 나타냅니다.

학부모 코칭 Tip

학생들이 선택한 그래프에 대한 이유를 설명해 보게 하고, 다른 학생들이 선택한 그래프와 비교해 보며 목적에 맞는 적합한 그래프에 대해 이해하게 합니다.

예 우리 반 친구들이 좋아하는 반려동물 중 강아지의 비율이 가장 높습니다. / 강아지를 좋아하는 학생 수의 비율은 햄스터를 좋아하는 학생 수의 비율의 2배입니다.

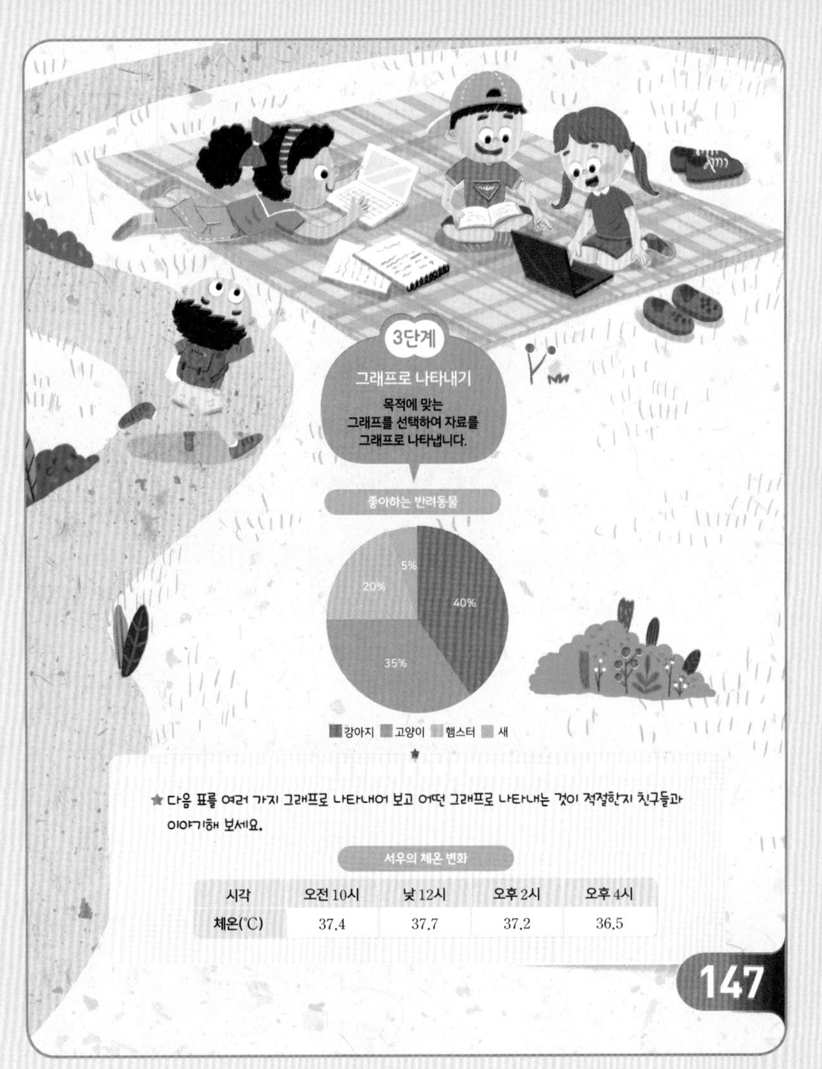

활동하기 전

- 활동 준비물은 모두 준비되었나요?
- 활동 방법을 읽어 보세요.
- 활동 방법 중 이해가 되지 않는 부분이 있나요?

활동 중

- 우리 반 또는 우리 학교 친구들을 대상으로 어떤 주제로 자료를 조사하려고 하나요?
- 자료를 어떻게 수집할까요?
- 수집한 자료를 어떻게 나타내면 한눈에 알아볼 수 있을까요?
- 목적에 맞는 그래프를 선택하여 그래프로 나타내어 볼까요?
- 그래프를 보고 알 수 있는 내용을 이야기해 볼까요?

활동 후

- 활동을 한 소감을 이야기해 보세요.
- 주어진 자료를 목적에 맞게 표현하는 데 적절한 그래프를 생각해 보세요.

참고 자료

정보의 시각적 표현, 인포그래픽(Infographic)

인간은 언어와 문자 이전부터 시각에 의존해서 정보를 수집하고 이해해 왔습니다. 인포그래픽은 복합적인 정보를 분석·정리하여 시각적으로 밀도 있게 설명하려는 것으로 정보를 쉽고 빠르게 표현하기 위해 정보, 자료, 지식을 디자인 요소를 활용하여 차트, 그래프, 아이콘, 그래픽스, 이미지 등의 시각적 이미지로 전달하는 그래픽입니다.

우리가 잘 알고 있는 그림그래프, 막대그래프, 꺾은선그래프, 띠그래프, 원그래프 등도 정보를 시각화하는 인포그래픽에 포함됩니다.

빅 데이터가 전문가의 영역에서 활용되는 반면 인포그래픽은 일반인을 대상으로 특정 정보와 메시지를 전달하기에 적합합니다. 일상에서 볼 수 있는 일기 예보, 텔레비전 프로그램 편성표, 주식 시세표 등은 물론이고 기사 중간에 삽입되는 수많은 도표(연도별 가계 부채 추이, 국가별 기대 수명 등)가 모두 이에 기반을 두고 있습니다.

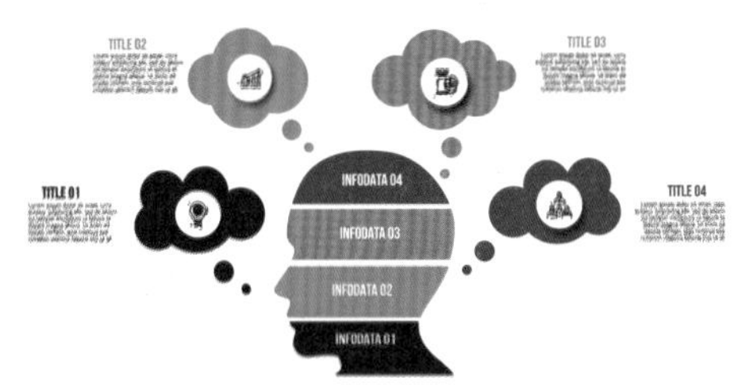

[출처] 김광철, 『광고사전』 위키백과, 2021.

개념 + 확인

교과서 개념을 익히고 확인 문제를 풀면서 단원을 마무리해 보아요.

개념

그림그래프

- 값이 큰 자료를 그림그래프로 나타낼 때 자료의 값을 어림하여 나타내기도 합니다.
- 지도 위에 나타낸 그림그래프에서는 자료의 값과 위치를 함께 파악할 수 있습니다.

띠그래프

- 전체에 대한 각 부분의 비율의 크기만큼 띠를 나누어 자료의 항목을 나타낸 그래프를 띠그래프라고 합니다.
- 띠그래프로 나타내면 전체에서 각 항목이 차지하는 비율을 한눈에 알 수 있습니다.
- 띠그래프 그리는 방법

좋아하는 위인별 학생 수

위인	이황	이이	세종대왕	신사임당	합계
학생 수(명)	8	6	16	10	40
백분율(%)	20	15	40	25	100

① 각 항목의 백분율 구하기
② 백분율의 합계 확인하기
⑤ 제목 쓰기 — 좋아하는 위인별 학생 수

0 10 20 30 40 50 60 70 80 90 100(%)

세종대왕 (40 %)	신사임당 (25 %)	이황 (20 %)	이이 (15 %)

③ 백분율의 크기만큼 띠 나누기
④ 각 항목의 내용과 백분율 쓰기

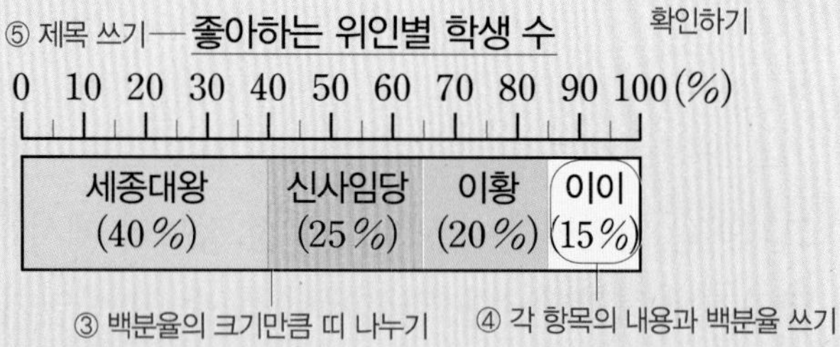

- 띠그래프에서 알 수 있는 내용
  ① 띠그래프의 각 항목이 차지하는 부분을 이용하여 전체에서 각 항목이 차지하는 비율을 알 수 있습니다.
  ② 각 항목의 비율과 전체 자료의 크기를 이용하여 각 항목의 수량을 알 수 있습니다.
  ③ 항목별 비율을 비교하여 여러 가지 내용을 알 수 있습니다.

확인 문제

[1~2] 마을별 애완견 수를 조사하여 나타낸 그림그래프입니다. 물음에 답해 보세요.

마을별 애완견 수

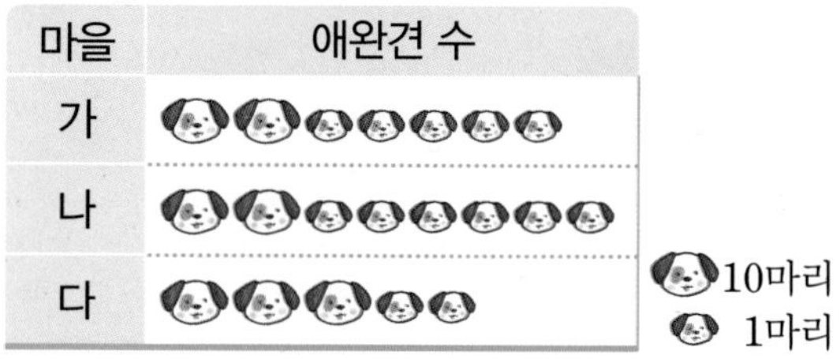

마을	애완견 수
가	(큰 그림 2개, 작은 그림 5개)
나	(큰 그림 2개, 작은 그림 6개)
다	(큰 그림 3개, 작은 그림 2개)

(큰 그림) 10마리
(작은 그림) 1마리

1 (큰 그림)와 (작은 그림)은 각각 몇 마리를 나타내나요?

(큰 그림) (　　　　　　), (작은 그림) (　　　　　　)

2 애완견 수가 적은 마을부터 차례로 써 보세요.

(　　　　　　　　　　)

[3~4] 연재네 반 학생들이 좋아하는 과일을 조사하여 나타낸 표입니다. 물음에 답해 보세요.

좋아하는 과일별 학생 수

과일	사과	귤	포도	복숭아	합계
학생 수(명)	3	5	8	4	20
백분율(%)					100

3 전체 학생 수에 대한 과일별 학생 수의 백분율을 구하여 위의 표를 완성해 보세요.

4 띠그래프의 □ 안에 알맞은 수를 써넣으세요.

좋아하는 과일별 학생 수

0 10 20 30 40 50 60 70 80 90 100(%)

포도 (40 %)		복숭아 (20 %)	

귤(□ %) 사과(□ %)

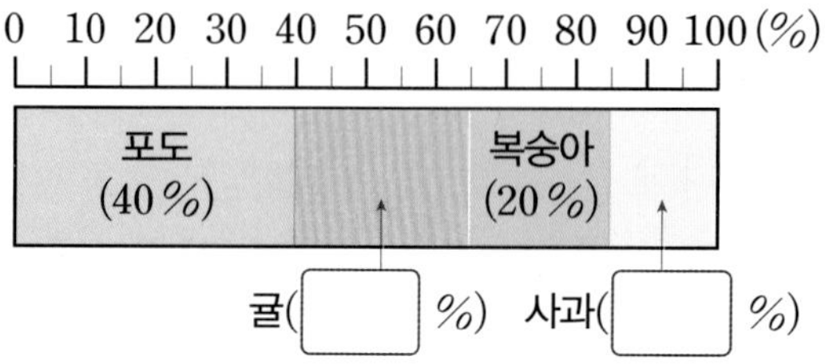

개념

원그래프

- 전체에 대한 각 부분의 비율의 크기만큼 원을 나누어 자료의 항목을 나타낸 그래프를 원그래프라고 합니다.
- 원그래프로 나타내면 전체에서 각 항목이 차지하는 비율을 한눈에 알 수 있습니다.
- 원그래프 그리는 방법

하고 싶은 운동별 학생 수

운동	테니스	탁구	축구	수영	합계
학생 수(명)	15	7	18	10	50
백분율(%)	30	14	36	20	100

① 각 항목의 백분율 구하기

② 백분율의 합계 확인하기

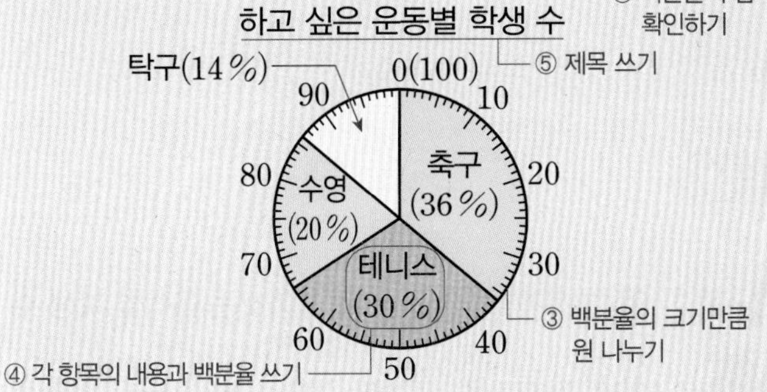

- 원그래프에서 알 수 있는 내용
  ① 원그래프의 각 항목이 차지하는 부분을 이용하여 전체에서 각 항목이 차지하는 비율을 알 수 있습니다.
  ② 각 항목의 비율과 전체 자료의 크기를 이용하여 각 항목의 수량을 알 수 있습니다.
  ③ 항목별 비율을 비교하여 여러 가지 내용을 알 수 있습니다.

목적에 맞는 그래프로 나타내기

- 항목별 수량을 비교 ➜ 그림그래프, 막대그래프
- 시간의 흐름에 따른 변화 ➜ 꺾은선그래프
- 전체에서 각 항목이 차지하는 비율
  ➜ 띠그래프, 원그래프

확인 문제

[5~7] 은영이네 학교 6학년 학생들이 배우고 싶어 하는 외국어를 조사하여 나타낸 표입니다. 물음에 답해 보세요.

배우고 싶어 하는 외국어별 학생 수

외국어	영어	중국어	일본어	독일어	합계
학생 수(명)	28	16	24	12	80
백분율(%)					100

5 전체 학생 수에 대한 외국어별 학생 수의 백분율을 구하여 위의 표를 완성해 보세요.

6 원그래프의 □ 안에 알맞은 수를 써넣으세요.

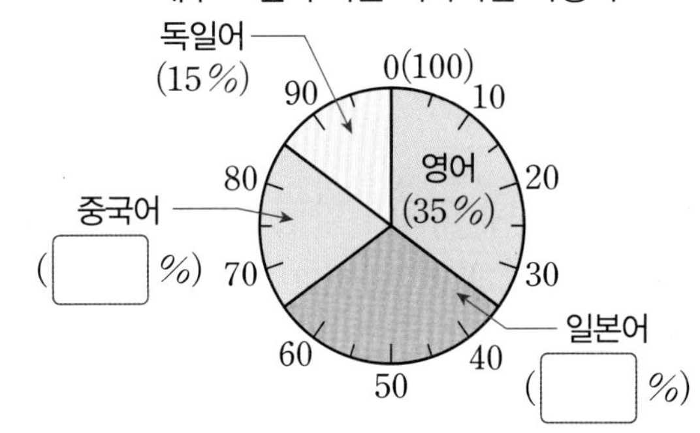

7 가장 많은 학생들이 배우고 싶어 하는 외국어는 무엇인가요?

( )

8 나영이의 1년 동안 몸무게의 변화를 그래프로 나타낼 때 그림그래프, 꺾은선그래프, 원그래프 중 가장 알맞은 그래프는 무엇인가요?

( )

과정 중심 평가 내용 | 그래프에서 비율을 이용하여 학생 수를 구할 수 있는가?

1-1 지현이네 학교 6학년 학생은 160명입니다. 원그래프를 보고 안경을 쓴 학생은 몇 명인지 풀이 과정을 쓰고, 답을 구해 보세요. [8점]

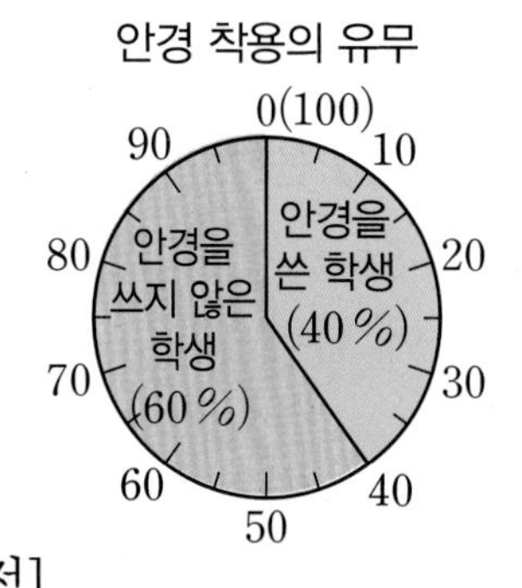

풀이

❶ 안경을 쓴 학생은 전체 학생 수의 ☐ % 입니다.

❷ 안경을 쓴 학생은

$160 \times \frac{\square}{100} = \square$ (명)입니다.

답

1-2 쌍둥이

민정이네 반 학생은 40명입니다. 띠그래프를 보고 하루에 손을 씻는 횟수가 10회~12회인 학생은 몇 명인지 풀이 과정을 쓰고, 답을 구해 보세요. [12점]

하루에 손을 씻는 횟수

0 10 20 30 40 50 60 70 80 90 100(%)

4회~6회 (20 %) | 7회~9회 (50 %)

4회 미만 (10 %) | 10회~12회(15 %) | 12회 초과(5 %)

풀이

답

1-3 유사

주영이네 학교 6학년 학생은 200명입니다. 띠그래프를 보고 자전거를 타고 등교하는 학생은 몇 명인지 풀이 과정을 쓰고, 답을 구해 보세요. [15점]

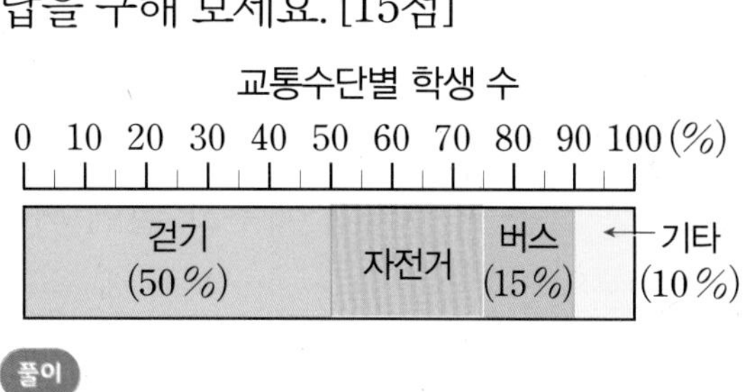

풀이

답

1-4 실전

원그래프를 보고 삼겹살을 좋아하는 학생이 75명이라면 치킨을 좋아하는 학생은 몇 명인지 풀이 과정을 쓰고, 답을 구해 보세요. [15점]

좋아하는 음식별 학생 수

0(100) 10 20 30 40 50 60 70 80 90

갈비찜 (10 %) | 치킨 (30 %) | 피자 (25 %) | 햄버거 (20 %) | 삼겹살

풀이

답

과정 중심 평가 내용 | 두 그래프의 항목을 비교할 수 있는가? | 공부한 날 월 일

➔ 정답 및 풀이 239쪽

2-1

소고기를 좋아하는 남학생과 여학생 수의 차는 몇 명인지 풀이 과정을 쓰고, 답을 구해 보세요. [8점]

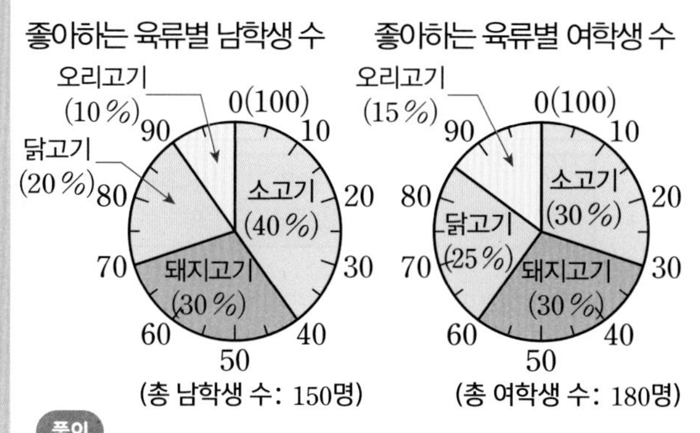

풀이

❶ 남학생 수: $150 \times \frac{40}{100} = \square$(명)

여학생 수: $180 \times \frac{30}{100} = \square$(명)

❷ $\square - \square = \square$(명)입니다.

답 ....

2-2 쌍둥이

서윤이와 지오의 영어 공부 시간의 차는 몇 시간인지 풀이 과정을 쓰고, 답을 구해 보세요. [12점]

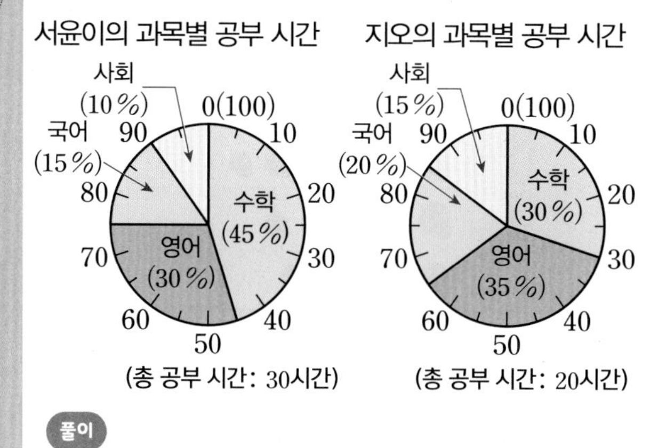

풀이

답 ....

2-3 유사

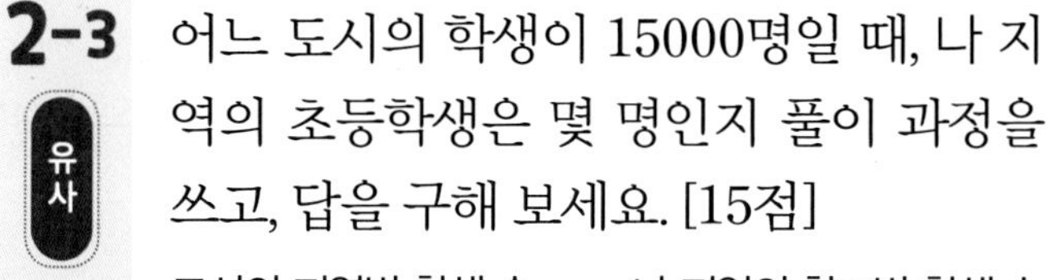

어느 도시의 학생이 15000명일 때, 나 지역의 초등학생은 몇 명인지 풀이 과정을 쓰고, 답을 구해 보세요. [15점]

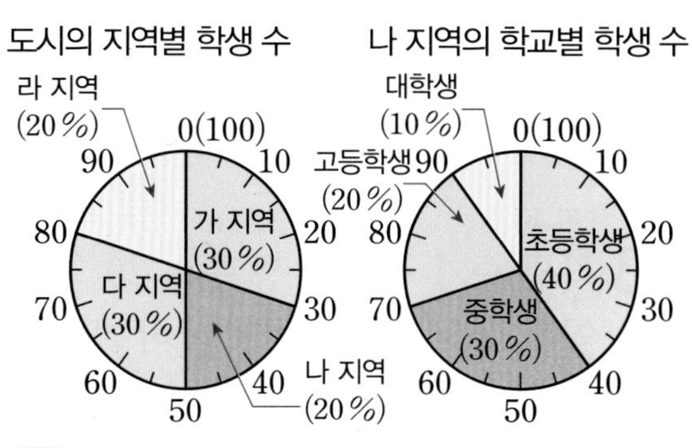

풀이

답 ....

2-4 실전

어느 지역의 토지 넓이가 400 km^2일 때, 밭의 넓이는 몇 km^2인지 풀이 과정을 쓰고, 답을 구해 보세요. [15점]

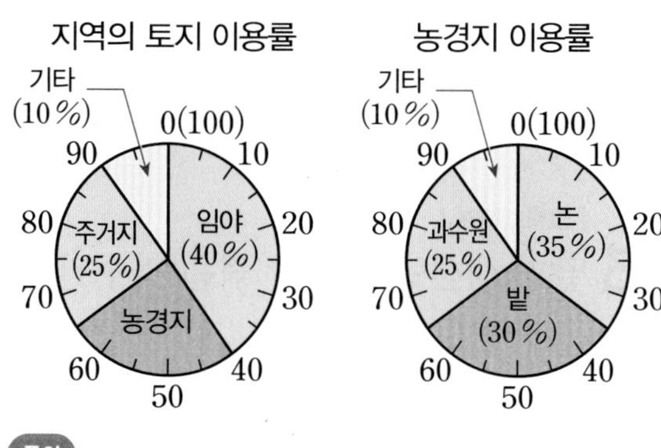

풀이

답 ....

[01 ~ 04] 과수원별 딸기 생산량을 조사하여 나타낸 그림그래프입니다. 물음에 답해 보세요.

과수원별 딸기 생산량

과수원	생산량
가	●●●•••
나	●●••••
다	●●•••
라	●●●●

● 1000 kg
• 100 kg

| 그림그래프 |

01 ●와 •은 각각 몇 kg을 나타내나요?

하

● (　　　　　　), • (　　　　　　)

| 그림그래프 |

02 딸기 생산량이 가장 많은 과수원은 어느 과수원인가요?

하

(　　　　　　　　　　)

| 그림그래프 |

03 딸기 생산량이 가장 적은 과수원은 어느 과수원인가요?

하

(　　　　　　　　　　)

| 그림그래프 |

04 가 과수원의 딸기 생산량은 몇 kg인가요?

중

(　　　　　　　　　　)

[05 ~ 08] 경민이네 학교 6학년 학생들이 좋아하는 과일을 조사하여 나타낸 그래프입니다. 물음에 답해 보세요.

좋아하는 과일별 학생 수

0 10 20 30 40 50 60 70 80 90 100(%)

딸기 (40 %)	수박 (25 %)	바나나 (20 %)	포도 (15 %)

| 띠그래프 |

05 위와 같은 그래프를 무엇이라고 하나요?

하

(　　　　　　　　　　)

| 띠그래프 |

06 가장 많은 학생들이 좋아하는 과일은 무엇인가요?

중

(　　　　　　　　　　)

| 띠그래프 |

07 수박 또는 바나나를 좋아하는 학생 수는 전체 학생 수의 몇 %인가요?

중

(　　　　　　　　　　)

| 띠그래프 | 서술형

08 학생 수가 전체 학생 수의 20 % 이상인 과일은 모두 몇 종류인지 풀이 과정을 쓰고, 답을 구해 보세요.

중

풀이

답

➔ 정답 및 풀이 240쪽

[09 ~ 12] 글을 읽고 물음에 답해 보세요.

지은이네 반 학급 문고를 조사하였습니다.
위인전은 30권, 동화책은 48권, 소설책은 24권, 시집은 18권이었습니다.

| 띠그래프 |

09 조사한 책은 모두 몇 권인가요?
중

( )

| 띠그래프 |

10 조사한 내용을 보고 전체 책 수에 대한 종류별 책 수의 백분율을 구하여 표를 완성해 보세요.
중

종류별 책 수

종류	위인전	동화책	소설책	시집	합계
책 수(권)	30	48	24	18	120
백분율(%)	25				100

| 띠그래프 |

11 10의 표를 보고 백분율을 이용하여 띠그래프로 나타내어 보세요.
중

종류별 책 수

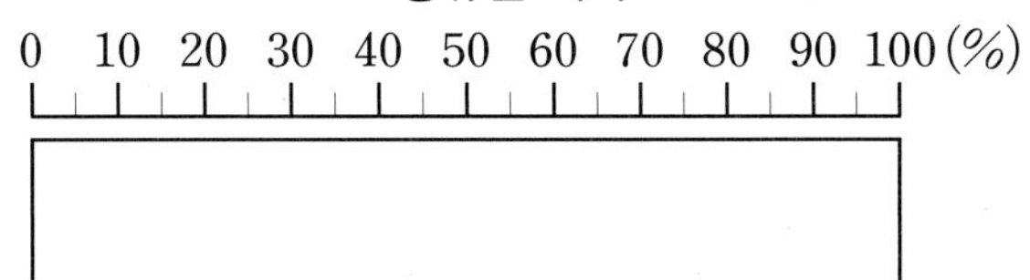

| 띠그래프 |

12 11의 띠그래프를 보고 알 수 있는 내용을 두 가지 써 보세요.
중

[13 ~ 15] 소희가 일주일 동안 공부한 과목의 시간을 조사하여 나타낸 원그래프입니다. 물음에 답해 보세요.

공부한 과목별 시간

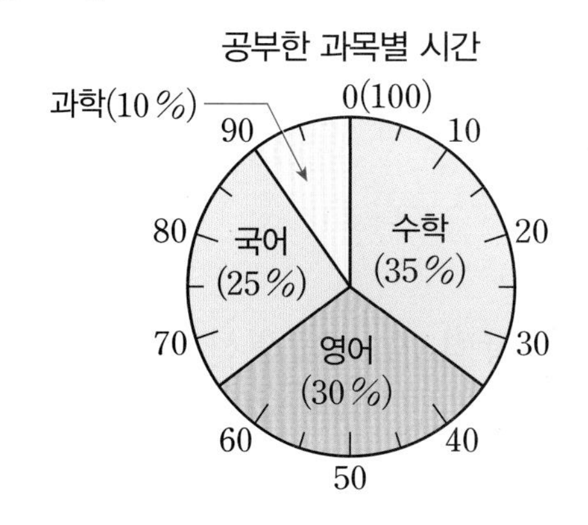

| 원그래프 |

13 공부한 시간이 가장 적은 과목은 무엇인가요?
중

( )

| 원그래프 |

14 영어를 공부한 시간은 과학을 공부한 시간의 몇 배인가요?
중

( )

| 원그래프 |

15 소희가 일주일 동안 20시간 공부했다면 수학을 공부한 시간은 몇 시간인가요?
중

( )

➜ 정답 및 풀이 240쪽

| 목적에 맞는 그래프로 나타내기 |

16 우리나라의 권역별 양파 생산량을 나타내기에 가장 알맞은 그래프를 보기 에서 찾아 써 보세요.
중

보기
그림그래프   꺾은선그래프   띠그래프

(   )

[17 ~ 18] 공장별 자동차 생산량을 조사하여 나타낸 그림그래프입니다. 물음에 답해 보세요.

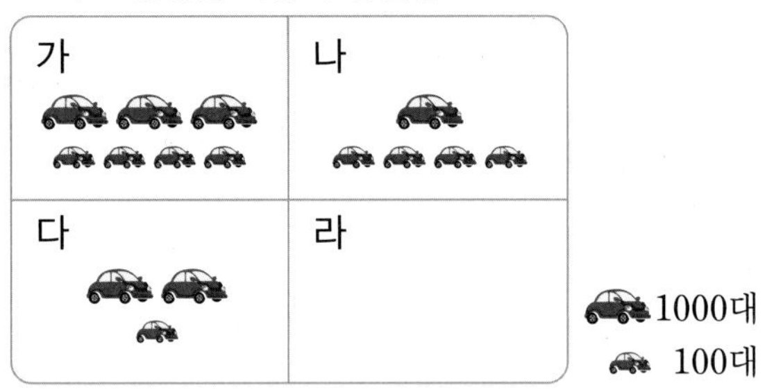

| 그림그래프 | 서술형

17 전체 자동차 수가 8000대일 때, 라 공장의 자동차는 몇 대인지 풀이 과정을 쓰고, 답을 구해 보세요.
상

답

| 그림그래프 |

18 자동차 생산량이 가장 많은 공장과 가장 적은 공장의 자동차 수의 차는 몇 대인가요?
중

(   )

[19 ~ 20] 유나네 학교 학생들이 방학 동안에 가고 싶은 곳과 그중 가고 싶은 바다를 조사하여 나타낸 원그래프와 띠그래프입니다. 동물원에 가고 싶은 학생들이 200명일 때, 물음에 답해 보세요.

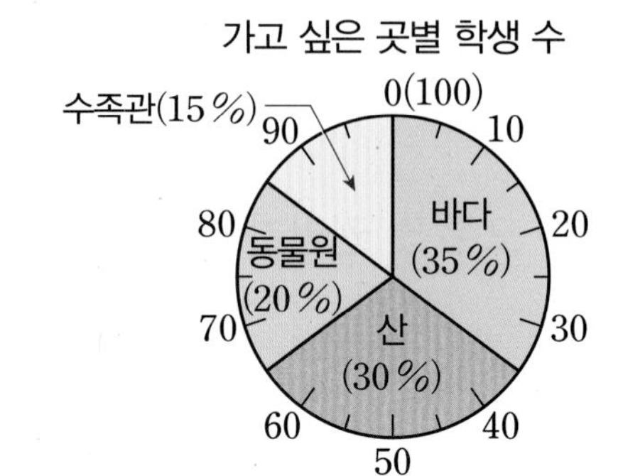

가고 싶은 바다별 학생 수

0 10 20 30 40 50 60 70 80 90 100(%)

동해 (50 %)	남해 (30 %)	서해 (20 %)

| 띠그래프, 원그래프 |

19 유나네 학교 전체 학생 수는 몇 명인가요?
상

(   )

| 띠그래프, 원그래프 | 서술형

20 바다에 가고 싶은 학생 중 남해에 가고 싶은 학생은 몇 명인지 풀이 과정을 쓰고, 답을 구해 보세요.
상

답

그래프는 누가 만들었을까?

6 직육면체의 부피와 겉넓이

이전에 배운 내용	이번에 배울 내용	다음에 배울 내용
5-1 6. 다각형의 둘레와 넓이 • 넓이의 표준 단위 cm^2, m^2 • 다각형의 넓이 구하기 **5-2** 5. 직육면체와 정육면체 • 직육면체의 전개도 **6-1** 2. 각기둥과 각뿔 • 각기둥의 구성 요소	• 임의 단위를 사용하여 직육면체의 부피 비교하기 • 부피의 표준 단위 $1\ \mathrm{cm}^3$ • 직육면체의 부피를 구하는 방법 • 부피의 큰 단위 $1\ \mathrm{m}^3$, $1\ \mathrm{cm}^3$와 $1\ \mathrm{m}^3$ 사이의 관계 • 직육면체의 겉넓이를 구하는 방법	**6-2** 2. 공간과 입체 • 쌓기나무로 쌓은 모양 알아보기 • 쌓기나무로 쌓은 모양의 개수 알아보기 **중학교** • 입체도형의 부피

• 인하네 가족이, 친구 진우가 살고 있는 제주도에 가서 여행하고 있습니다.
• 선물 상자의 크기를 비교하여 직접 맞대어 비교할 수 없는 것들은 어떻게 비교할 수 있을지 궁금해하고 있습니다.

공부할 준비가 되었나요?

자/기/주/도/학/습

	학습 내용	계획 및 확인(공부한 날)	
예습	**1차시** | 단원 도입 / 준비 **팡팡**	184~185쪽	월 일
진도	**2차시** | **1** 직육면체의 부피 비교	186~187쪽	월 일
	3~4차시 | **2** 직육면체의 부피	188~191쪽	월 일
	5차시 | **3** 부피의 단위 $1\ m^3$	192~193쪽	월 일
	6~7차시 | **4** 직육면체와 정육면체의 겉넓이	194~197쪽	월 일
	8차시 | 문제 해결력 **쑥쑥**	198~199쪽	월 일
	9차시 | 단원 마무리 **척척**	200~201쪽	월 일
	10~11차시 | 놀이 속으로 **풍덩** / 이야기로 키우는 **생각**	202~203쪽	월 일
평가	개념+확인 / 서술형 문제 해결하기	204~207쪽	월 일
	단원 평가 / 재미있는 수학 이야기	208~211쪽	월 일

1 차시 준비 팡팡

학습 목표

'무엇을 알고 있나요'와 '함께 생각해 볼까요'를 통하여 단원을 준비할 수 있습니다.

넓이의 단위 알아보기

- 한 변의 길이가 1 cm인 정사각형의 넓이를 $1\ \mathrm{cm}^2$라 쓰고, 1 제곱센티미터라고 읽습니다.
- 한 변의 길이가 1 m인 정사각형의 넓이를 $1\ \mathrm{m}^2$라 쓰고, 1 제곱미터라고 읽습니다.
- $1\ \mathrm{m}=100\ \mathrm{cm}$이므로 $1\ \mathrm{m}^2=10000\ \mathrm{cm}^2$입니다.

학부모 코칭 Tip

$1\ \mathrm{m}^2$에 $1\ \mathrm{cm}^2$를 한 줄에 100개씩 100줄로 놓을 수 있으므로 $1\ \mathrm{m}^2=10000\ \mathrm{cm}^2$라는 것을 알도록 합니다.

사각기둥의 높이 알아보기

각기둥에서 두 밑면 사이의 거리를 알아봅니다.

직사각형과 정사각형의 넓이 구하기

- 직사각형의 넓이는 $6\times4=24\ (\mathrm{cm}^2)$입니다.
- 정사각형의 넓이는 $5\times5=25\ (\mathrm{cm}^2)$입니다.

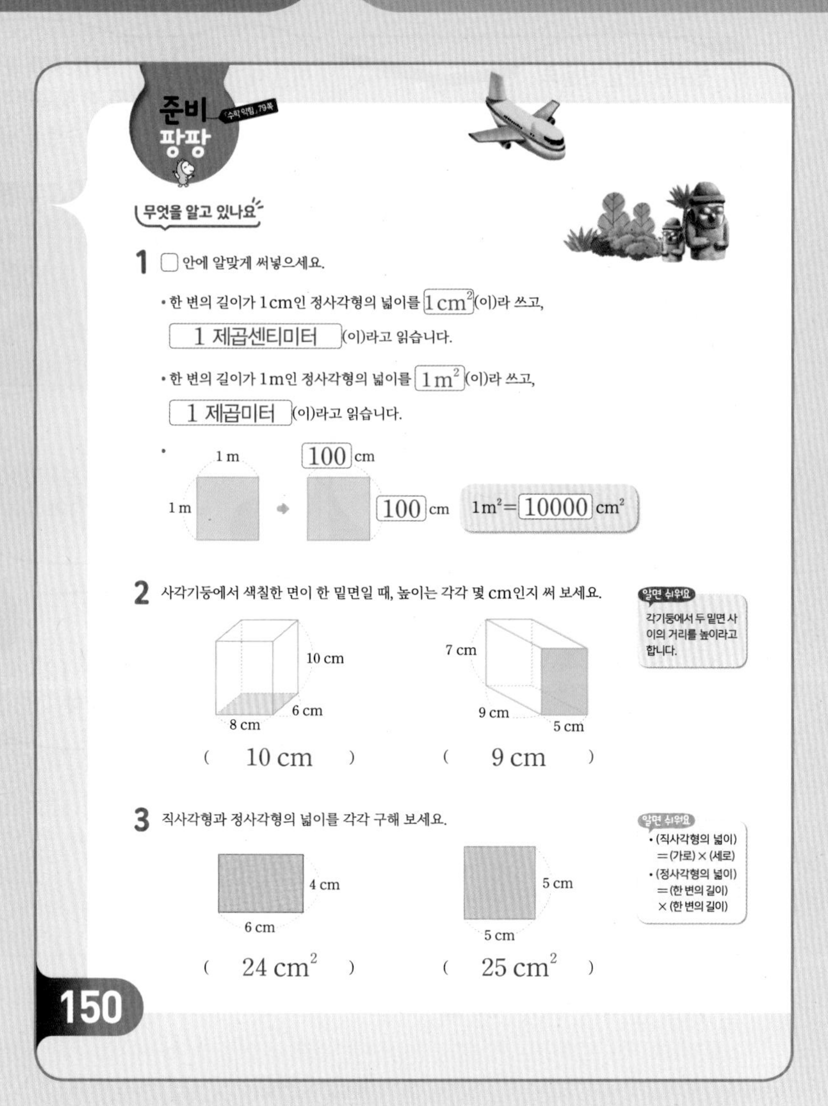

준비 팡팡

무엇을 알고 있나요

1 □ 안에 알맞게 써넣으세요.

- 한 변의 길이가 1 cm인 정사각형의 넓이를 $1\ \mathrm{cm}^2$(이)라 쓰고, 1 제곱센티미터(이)라고 읽습니다.
- 한 변의 길이가 1 m인 정사각형의 넓이를 $1\ \mathrm{m}^2$(이)라 쓰고, 1 제곱미터(이)라고 읽습니다.
- 1 m, 1 m → 100 cm, 100 cm, $1\ \mathrm{m}^2=10000\ \mathrm{cm}^2$

2 사각기둥에서 색칠한 면이 한 밑면일 때, 높이는 각각 몇 cm인지 써 보세요.

10 cm, 6 cm, 8 cm (10 cm)　　7 cm, 9 cm, 5 cm (9 cm)

알면 쉬워요: 각기둥에서 두 밑면 사이의 거리를 높이라고 합니다.

3 직사각형과 정사각형의 넓이를 각각 구해 보세요.

4 cm, 6 cm ($24\ \mathrm{cm}^2$)　　5 cm, 5 cm ($25\ \mathrm{cm}^2$)

알면 쉬워요: • (직사각형의 넓이) = (가로) × (세로) • (정사각형의 넓이) = (한 변의 길이) × (한 변의 길이)

150

교과서 개념 완성 | 배운 것을 다시 생각하기

직사각형, 정사각형의 넓이 구하기

- (직사각형의 넓이) = (가로) × (세로)

예)

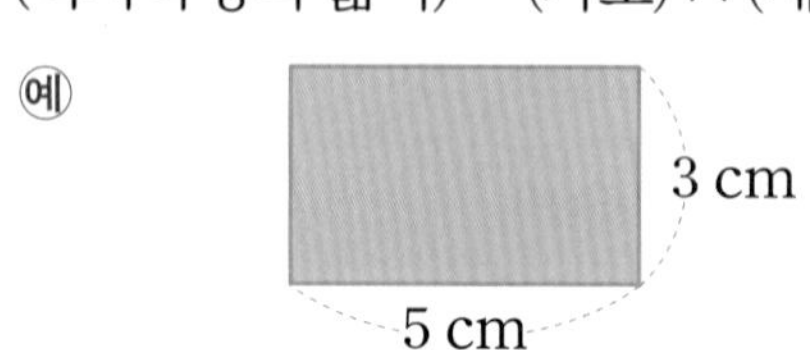

→ 직사각형에서 가로는 5 cm, 세로는 3 cm입니다. 직사각형의 넓이는 (가로) × (세로)이므로 $5\times3=15\ (\mathrm{cm}^2)$입니다.

- (정사각형의 넓이)
 = (한 변의 길이) × (한 변의 길이)

직육면체와 정육면체

직육면체는 직사각형 모양의 면 6개로, 정육면체는 정사각형 모양의 면 6개로 각각 둘러싸인 도형입니다.

직육면체의 전개도

오른쪽 직육면체의 전개도에서 같은 색으로 색칠된 부분은 서로 평행한 면입니다.

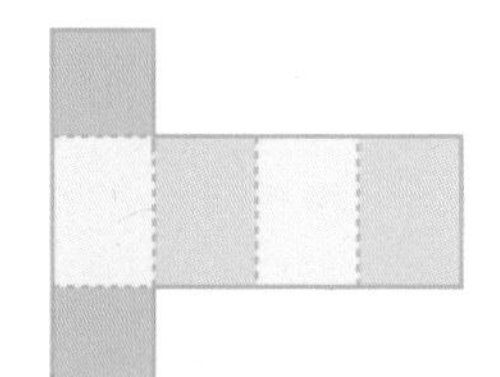

각기둥의 높이

각기둥의 높이는 두 밑면 사이의 거리입니다.

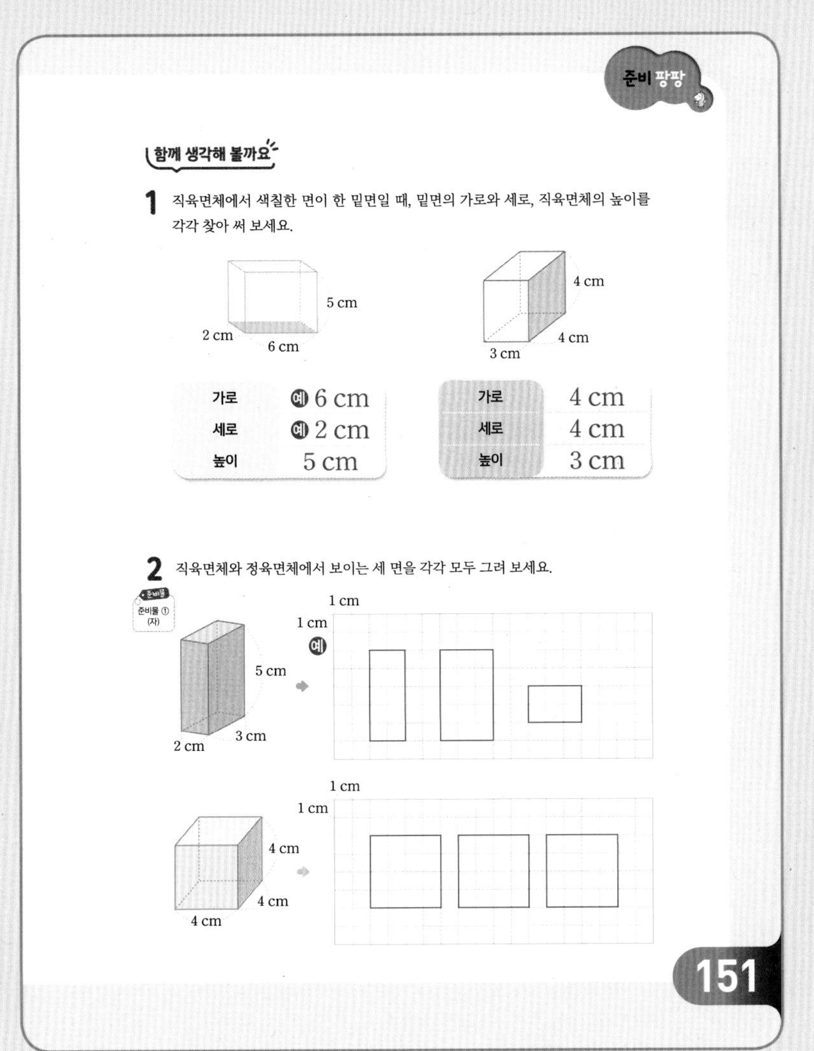

직육면체의 높이 이해하기

- 왼쪽 직육면체의 밑면의 가로는 6 cm, 세로는 2 cm이고, 높이는 5 cm입니다. 직육면체의 밑면의 가로를 2 cm, 세로를 6 cm라고 할 수도 있습니다.
- 오른쪽 직육면체의 밑면의 가로는 4 cm, 세로는 4 cm이고, 높이는 3 cm입니다.

학부모 코칭 Tip

직육면체에서 한 밑면이 정해질 때 가로, 세로, 높이가 무엇인지 알고 찾을 수 있게 합니다.

직육면체와 정육면체에서 보이는 면 그리기

직육면체와 정육면체에서 보이는 세 면을 각각 모두 그려 봅니다.

학부모 코칭 Tip

직육면체의 합동인 면을 찾아보게 합니다.

개념 확인 문제

정답 및 풀이 242쪽

| 5-1 6. 다각형의 둘레와 넓이 |

1 직사각형과 정사각형의 넓이를 구해 보세요.

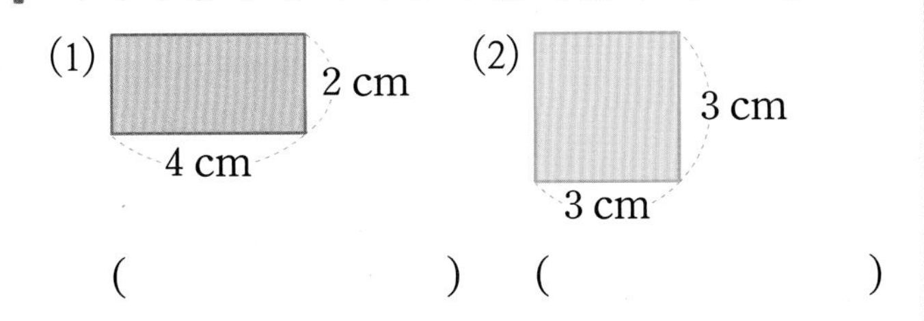

(　　　　　　) (　　　　　　)

| 5-2 5. 직육면체와 정육면체 |

2 오른쪽 직육면체에서 색칠한 면과 평행한 면을 찾아 빗금을 그어 보세요.

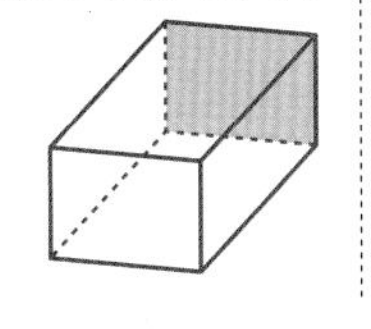

| 5-2 5. 직육면체와 정육면체 |

3 그림을 보고 □ 안에 알맞은 수를 써넣으세요.

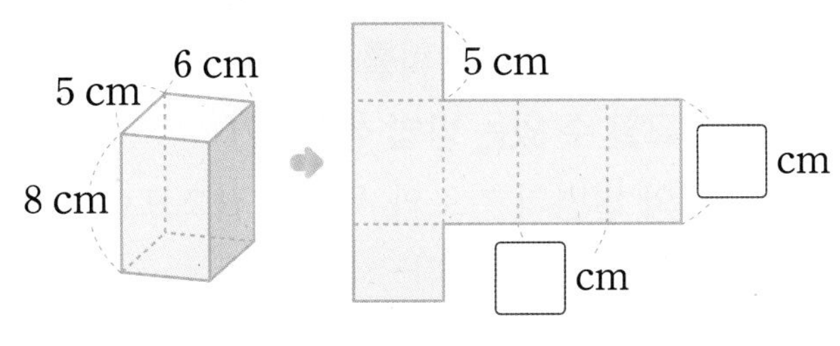

| 5-2 5. 직육면체와 정육면체 |

4 모든 모서리의 길이의 합이 36 cm인 정육면체의 한 모서리의 길이는 몇 cm인가요?

(　　　　　　)

1 | 직육면체의 부피 비교

상자의 크기가 모두 다르구나.
진우네 귤 농장에 도착한 인하가 직육면체 모양의 선물 상자를 탁자 위에 올려놓았습니다.

비교할 수 없습니다.; 예 모양과 크기가 다른 상자를 사용하였기 때문입니다.

학습 목표

직육면체의 부피를 이해하고, 비교할 수 있습니다.

그림으로 개념 잡기

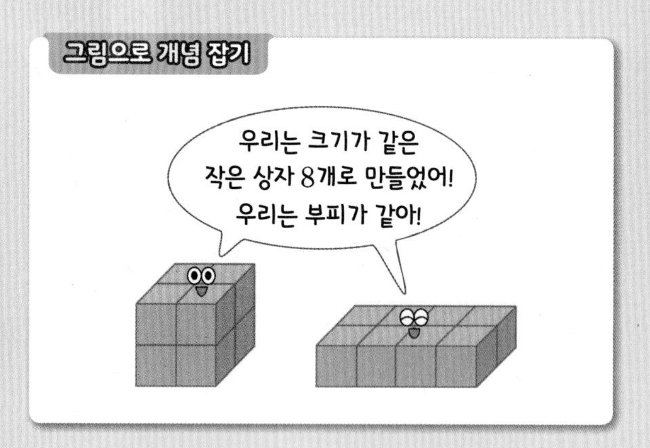

우리는 크기가 같은
작은 상자 8개로 만들었어!
우리는 부피가 같아!

참고

- 어떤 물건이 공간에서 차지하는 크기를 부피라고 합니다.
- 직육면체의 부피를 면끼리 직접 맞대어 비교하려면 가로, 세로, 높이 중 두 종류 이상의 길이가 같아야 합니다.

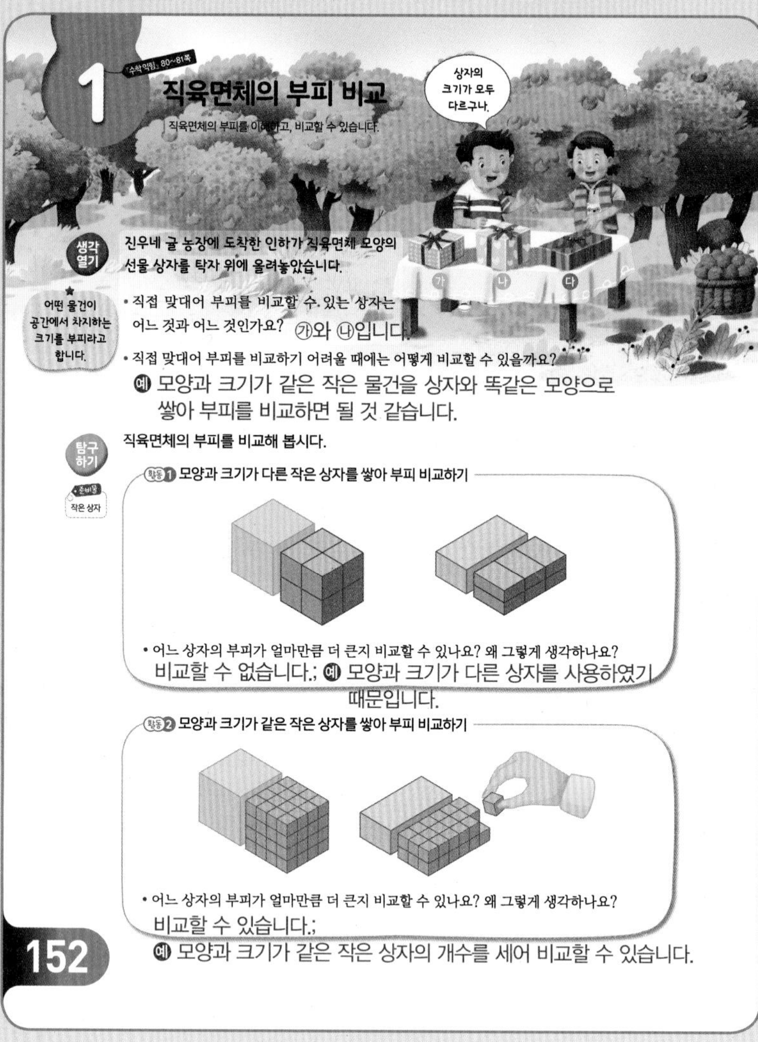

교과서 개념 완성

생각열기 직접 맞대어 부피를 비교하기 어려울 때 부피를 비교할 수 있는 방법 생각하기

- ㉮와 ㉯의 밑면의 가로와 세로가 같으므로 직접 맞대어 높이를 비교합니다.
  높이가 더 높은 ㉯ 상자의 부피가 더 큽니다.
- 상자 ㉮, ㉯와 ㉰는 밑면의 가로와 세로가 다르고 높이가 달라 직접 맞대어 부피를 비교하기가 어렵습니다.
- 모양과 크기가 같은 작은 물건을 상자와 똑같은 모양으로 쌓아 부피를 비교할 수 있습니다.

확인하기 크기가 같은 작은 상자를 사용하여 만든 직육면체의 부피 비교하기

- ㉮는 작은 상자 9개를 사용하여 만들었고, ㉯는 작은 상자 12개를 사용하여 만들었습니다.
- 사용한 작은 상자의 개수가 더 많은 ㉯가 ㉮보다 작은 상자 $12-9=3$(개)만큼 부피가 더 큽니다.

학부모 코칭 Tip

두 직육면체 모양의 부피를 비교하기 위해 사용한 작은 상자의 개수를 비교하여 어느 직육면체 모양의 부피가 얼마만큼 더 큰지, 작은지 표현해 보게 합니다. 또, 크기가 같은 작은 상자를 사용하여 직육면체 모양의 부피를 비교할 때의 편리한 점과 불편한 점을 생각하여 이야기해 보게 합니다.

• 활동1, 활동2에서 알게 된 직육면체의 부피를 비교하는 방법을 이야기해 보세요.

모양과 크기가 같은 작은 상자를 단위로 하여 부피를 비교할 수 있어.

부피를 비교할 때 같은 단위를 사용하니까 좋은 점이 있구나.

예 모양과 크기가 같은 작은 상자를 단위로 하여 두 상자의 부피를 비교할 수 있습니다.

정리하기
• 부피를 비교하는 방법을 알아봅시다.
• 부피를 비교할 때에는 단위가 필요합니다.
• 부피를 비교할 때 같은 단위를 사용하면 어느 것의 부피가 얼마만큼 더 큰지 알 수 있습니다.

확인하기
크기가 같은 작은 상자를 사용하여 ㉮, ㉯와 같은 모양을 각각 만들었습니다. ㉮와 ㉯의 부피를 비교해 보세요.

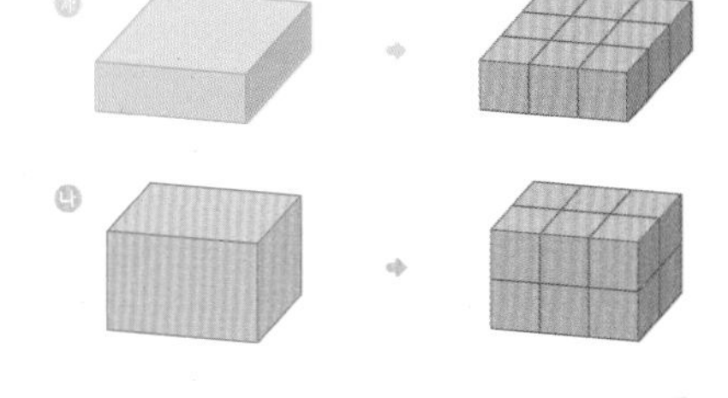

㉯가 ㉮보다 작은 상자 3 개만큼 부피가 더 큽니다.

153

이런 문제가 서술형으로 나와요

세 직육면체 중 부피가 가장 큰 직육면체는 무엇인지 풀이 과정을 쓰고, 답을 구해 보세요.

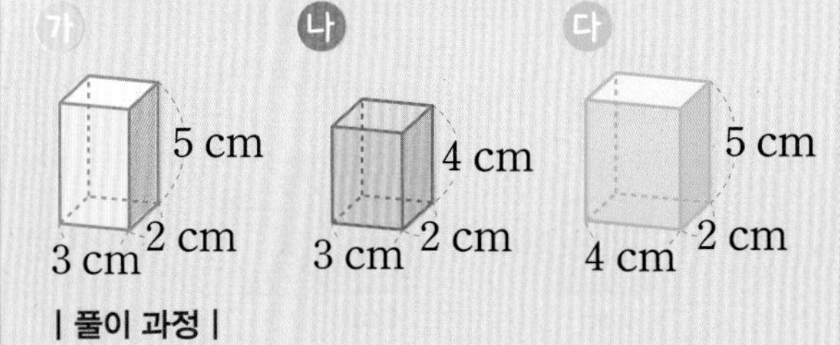

| 풀이 과정 |

❶ 가와 나의 부피 비교하기

가와 나는 밑면의 가로와 세로가 각각 같으므로 높이를 비교하면 $5>4$, 가의 부피 > 나의 부피입니다.

❷ 가와 다의 부피를 비교하기

가와 다는 밑면의 세로와 높이가 각각 같으므로 가로를 비교하면 $3<4$, 다의 부피 > 가의 부피입니다.

❸ 부피가 가장 큰 직육면체 구하기

다의 부피 > 가의 부피 > 나의 부피이므로 부피가 가장 큰 직육면체는 다입니다.

개념 확인 문제

정답 및 풀이 242쪽

1 크기가 같은 작은 상자를 사용하여 직육면체 가와 나를 각각 만들었습니다. 물음에 답해 보세요.

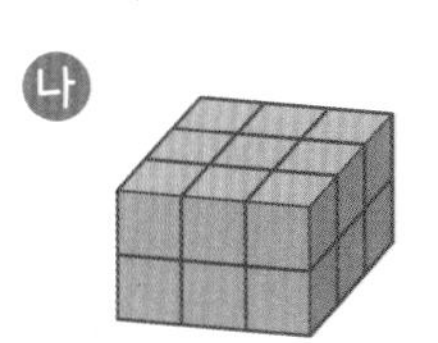

(1) 가와 나의 작은 상자는 각각 몇 개인가요?

가 (　　　　　　), 나 (　　　　　　)

(2) ◯ 안에 >, =, <를 알맞게 써넣으세요.

가의 부피 ◯ 나의 부피

2 모양과 크기가 같은 작은 상자를 담아 두 상자의 부피를 비교하려고 합니다. 물음에 답해 보세요.

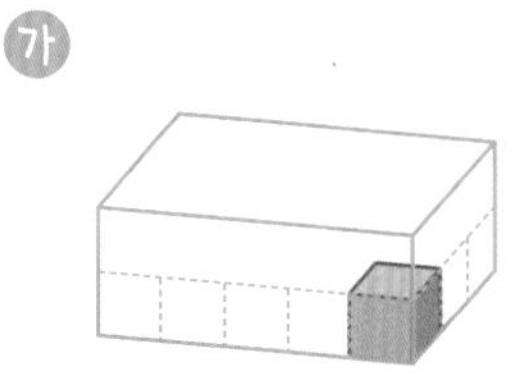

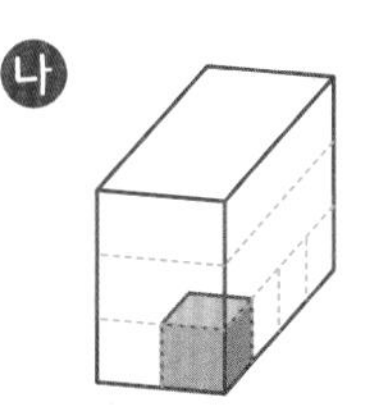

(1) 가와 나에 담을 수 있는 작은 상자는 각각 몇 개인가요?

가 (　　　　　　), 나 (　　　　　　)

(2) 부피가 더 큰 상자의 기호를 써 보세요.

(　　　　　　)

2 | 직육면체의 부피

학습 목표

부피의 단위 $1\ cm^3$를 알고, 직육면체와 정육면체의 부피를 구하는 방법을 이해하고 구할 수 있습니다.

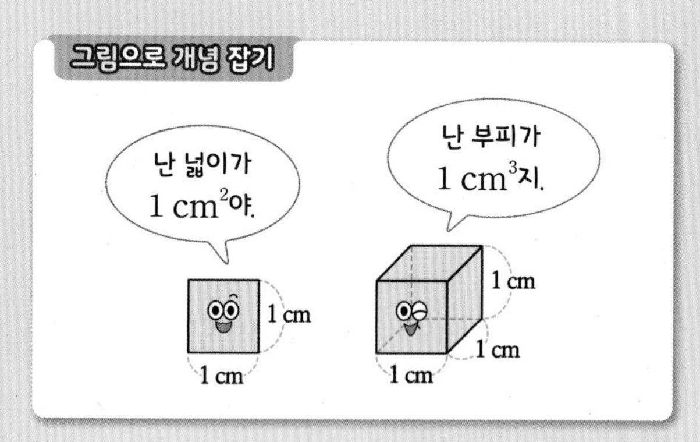

참고: 직육면체의 밑면의 가로, 세로가 같을 때 높이가 2배, 3배가 되면 부피도 2배, 3배가 됩니다.

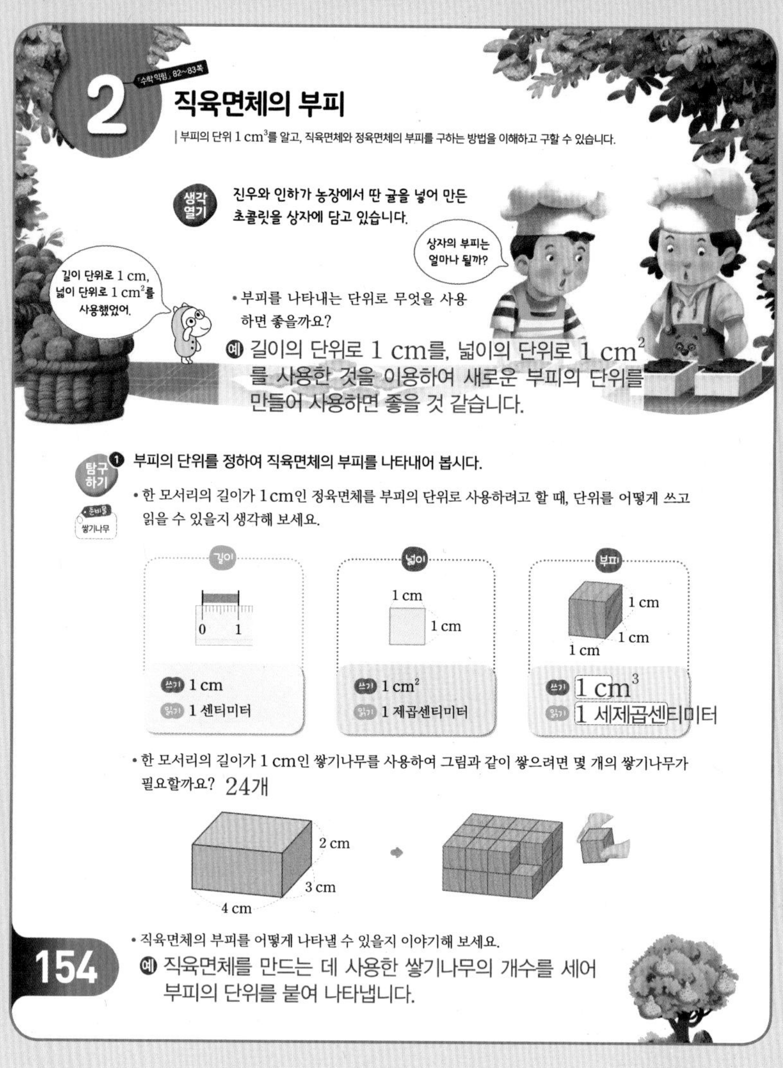

교과서 개념 완성

탐구하기 1 부피의 단위 탐구하기

- 한 모서리의 길이가 $1\ cm$인 정육면체를 부피의 단위로 사용하려고 할 때 $1\ cm^3$라 쓰고, 1 세제곱센티미터라고 읽습니다.
- 

  한층에 가로로 4개, 세로로 3개씩 2층으로 쌓았으므로 사용한 쌓기나무는 $4 \times 3 \times 2 = 24$(개)입니다.
- 직육면체의 부피는 직육면체를 만드는 데 사용한 쌓기나무의 개수를 세어 부피의 단위를 붙여 나타냅니다.

확인하기 1 부피가 $1\ cm^3$인 쌓기나무를 사용하여 직육면체의 부피 알아보기

1. 쌓기나무 60개이므로 직육면체의 부피는 $60\ cm^3$입니다.

   쌓기나무 63개이므로 직육면체의 부피는 $63\ cm^3$입니다.

2. 부피가 $16\ cm^3$인 직육면체

   예

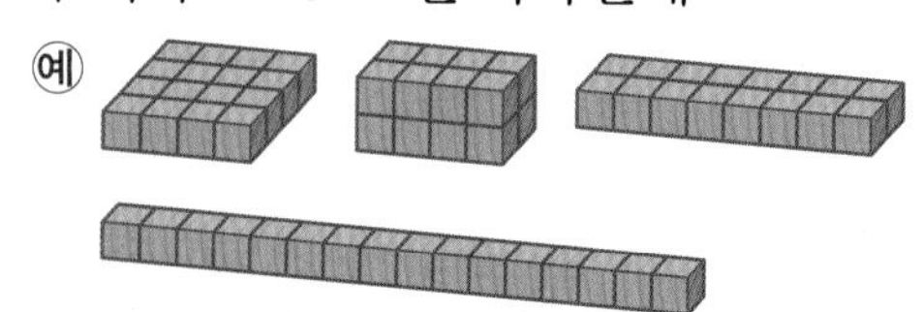

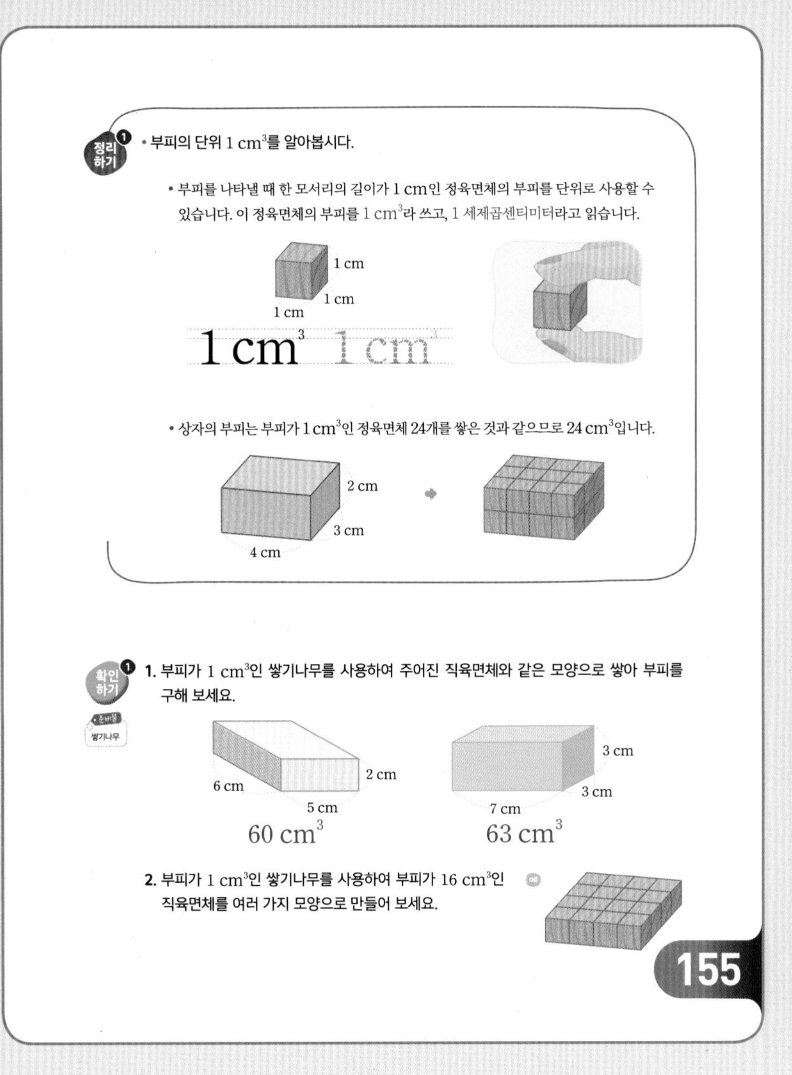
정리하기 1 • 부피의 단위 1 cm^{3}를 알아봅시다.

• 부피를 나타낼 때 한 모서리의 길이가 1 cm인 정육면체의 부피를 단위로 사용할 수 있습니다. 이 정육면체의 부피를 1 cm^{3}라 쓰고, 1 세제곱센티미터라고 읽습니다.

1 cm 1 cm 1 cm

1 cm^3 1 cm^3

• 상자의 부피는 부피가 1 cm^{3}인 정육면체 24개를 쌓은 것과 같으므로 24 cm^{3}입니다.

2 cm 3 cm 4 cm

확인하기 1 1. 부피가 1 cm^{3}인 쌓기나무를 사용하여 주어진 직육면체와 같은 모양으로 쌓아 부피를 구해 보세요.

6 cm 5 cm 2 cm 60 cm^3

7 cm 3 cm 3 cm 63 cm^3

2. 부피가 1 cm^{3}인 쌓기나무를 사용하여 부피가 16 cm^{3}인 직육면체를 여러 가지 모양으로 만들어 보세요.

155

이런 문제가 서술형으로 나와요

부피가 1 cm^{3}인 쌓기나무로 오른쪽과 같은 모양을 만들었습니다. 이 모양을 5층으로 쌓아 직육면체를 만들었다면 만든 직육면체의 부피는 몇 cm^{3}인지 풀이 과정을 쓰고, 답을 구해 보세요.

| 풀이 과정 |

❶ 1층에 쌓은 쌓기나무의 개수 구하기

1층에 쌓은 쌓기나무는 가로로 3개, 세로로 3개씩이므로 $3 \times 3 = 9$(개)입니다.

❷ 5층으로 쌓은 쌓기나무의 개수 구하기

높이가 5층이므로 쌓기나무는 $9 \times 5 = 45$(개)입니다.

❸ 직육면체의 부피 구하기

부피가 1 cm^{3}인 쌓기나무 45개를 쌓았으므로 직육면체의 부피는 45 cm^{3}입니다.

답 45 cm^3

개념 확인 문제

정답 및 풀이 242쪽

1 부피가 1 cm^{3}인 쌓기나무를 사용하여 만든 직육면체의 부피를 구하려고 합니다. 물음에 답해 보세요.

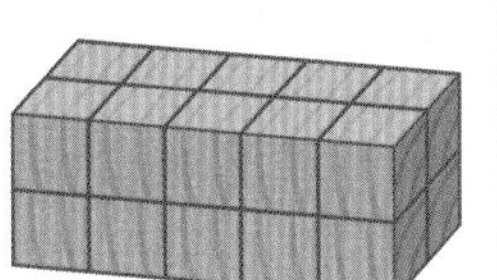
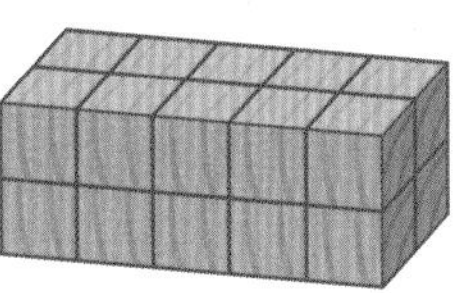

(1) 쌓기나무는 모두 몇 개인가요?

( )

(2) 직육면체의 부피는 몇 cm^{3}인가요?

( )

2 부피가 1 cm^{3}인 쌓기나무를 사용하여 만든 직육면체의 부피를 구해 보세요.

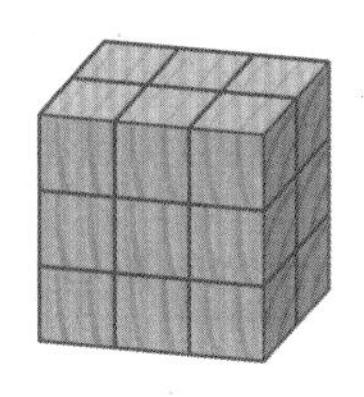

( )

3 부피가 1 cm^{3}인 쌓기나무로 부피가 42 cm^{3}인 직육면체를 만들었습니다. 이 직육면체를 만드는 데 사용한 쌓기나무는 몇 개인가요?

( )

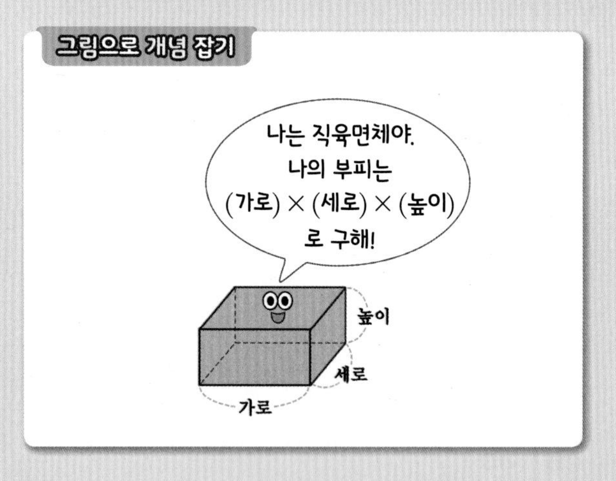

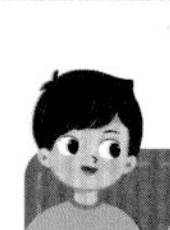

정육면체는 가로, 세로, 높이가 모두 같으므로 한 모서리의 길이를 3번 곱하여 부피를 구합니다.

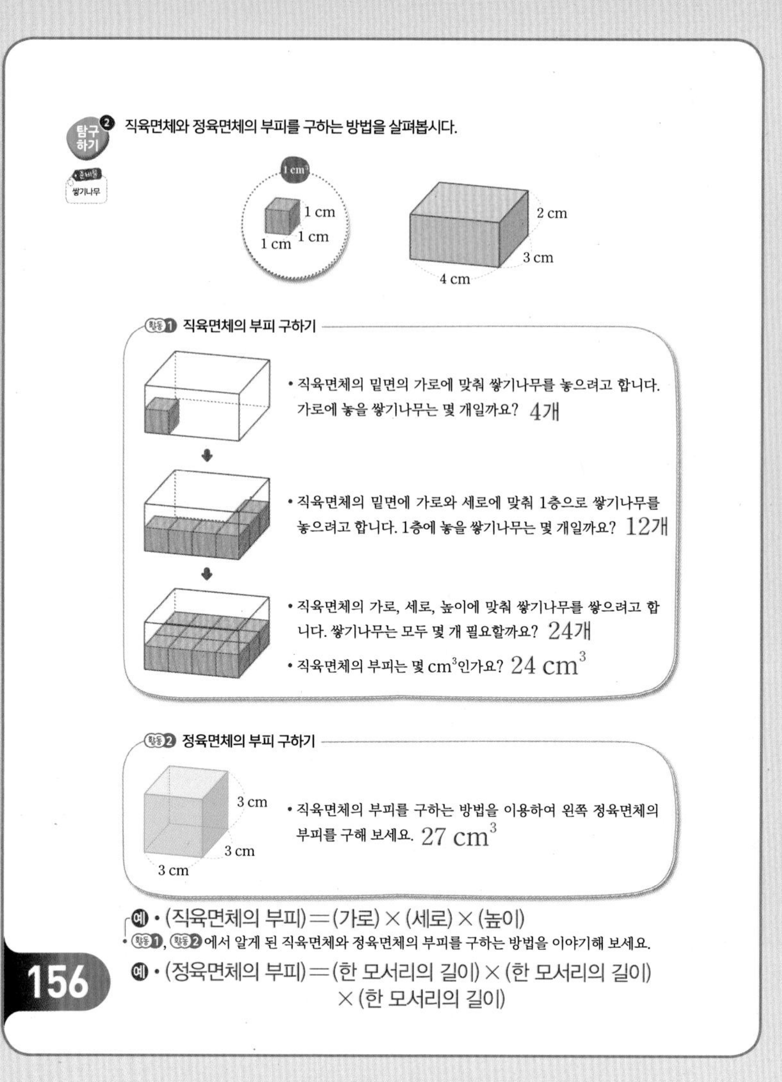

탐구하기 2 직육면체와 정육면체의 부피를 구하는 방법을 살펴봅시다.
준비물 쌓기나무
1 cm
1 cm
1 cm
1 cm
2 cm
3 cm
4 cm
활동 1 직육면체의 부피 구하기
• 직육면체의 밑면의 가로에 맞춰 쌓기나무를 놓으려고 합니다. 가로에 놓을 쌓기나무는 몇 개일까요? 4개
• 직육면체의 밑면에 가로와 세로에 맞춰 1층으로 쌓기나무를 놓으려고 합니다. 1층에 놓을 쌓기나무는 몇 개일까요? 12개
• 직육면체의 가로, 세로, 높이에 맞춰 쌓기나무를 쌓으려고 합니다. 쌓기나무는 모두 몇 개 필요할까요? 24개
• 직육면체의 부피는 몇 cm³인가요? 24 cm³
활동 2 정육면체의 부피 구하기
3 cm
3 cm
3 cm
• 직육면체의 부피를 구하는 방법을 이용하여 왼쪽 정육면체의 부피를 구해 보세요. 27 cm³
예 • (직육면체의 부피)=(가로)×(세로)×(높이)
• 활동 1, 활동 2 에서 알게 된 직육면체와 정육면체의 부피를 구하는 방법을 이야기해 보세요.
예 • (정육면체의 부피)=(한 모서리의 길이)×(한 모서리의 길이)×(한 모서리의 길이)
156

교과서 개념 완성

탐구하기 2 부피가 1 cm³인 쌓기나무를 사용하여 직육면체와 정육면체의 부피 구하는 방법 탐구하기

활동 1 직육면체의 부피 구하기

부피가 1 cm³인 쌓기나무를 가로로 4개, 세로로 3개씩 2층으로 $4 \times 3 \times 2 = 24$(개) 쌓아야 하므로 직육면체의 부피는 24 cm³입니다.

➔ (직육면체의 부피) $= 4 \times 3 \times 2 = 24\ (\text{cm}^3)$

활동 2 정육면체의 부피 구하기

직육면체의 부피를 구하는 방법을 이용하면 (정육면체의 부피) $= 3 \times 3 \times 3 = 27\ (\text{cm}^3)$입니다.

확인하기 2 직육면체와 정육면체의 부피 구하기

1. (왼쪽 직육면체의 부피) $= 7 \times 3 \times 4$
$= 84\ (\text{cm}^3)$
(오른쪽 직육면체의 부피) $= 10 \times 5 \times 2$
$= 100\ (\text{cm}^3)$

2. (왼쪽 정육면체의 부피) $= 4 \times 4 \times 4$
$= 64\ (\text{cm}^3)$
(오른쪽 정육면체의 부피) $= 6 \times 6 \times 6$
$= 216\ (\text{cm}^3)$

학부모 코칭 Tip

정육면체의 부피를 구하는 과정에서 '한 모서리의 길이'라는 정확한 표현을 사용하도록 합니다.

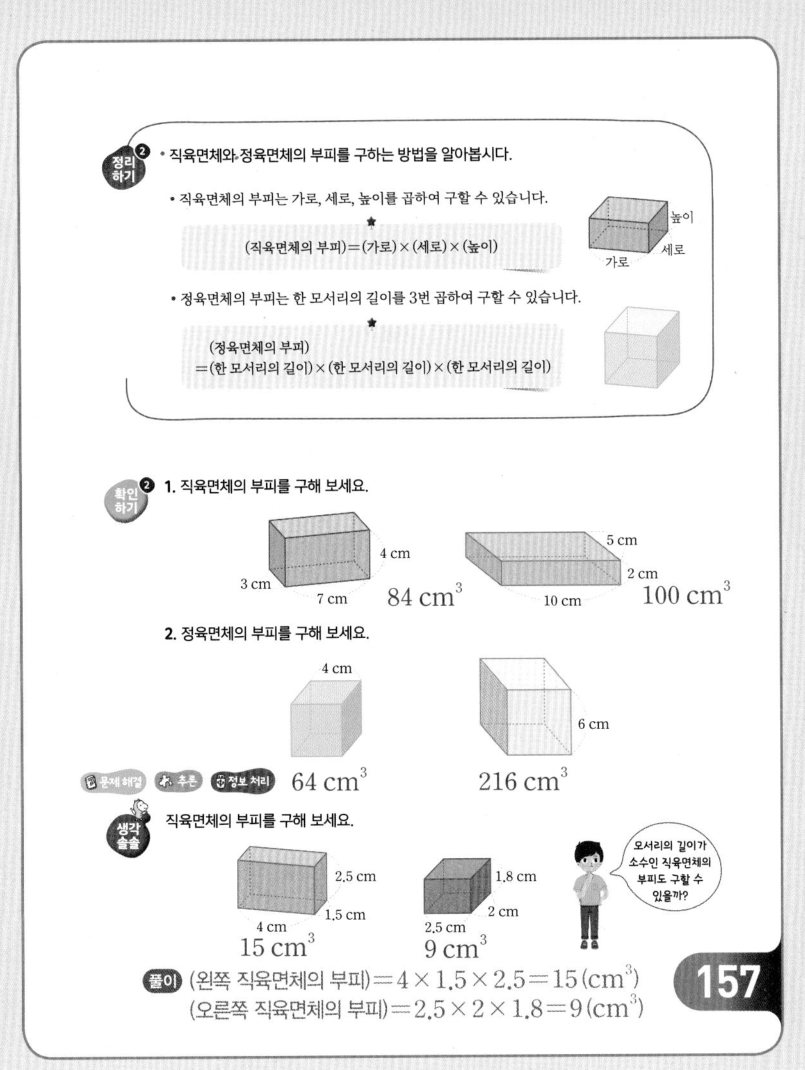
정리하기 ❷ • 직육면체와 정육면체의 부피를 구하는 방법을 알아봅시다.

• 직육면체의 부피는 가로, 세로, 높이를 곱하여 구할 수 있습니다.

(직육면체의 부피)=(가로)×(세로)×(높이)

• 정육면체의 부피는 한 모서리의 길이를 3번 곱하여 구할 수 있습니다.

(정육면체의 부피)
=(한 모서리의 길이)×(한 모서리의 길이)×(한 모서리의 길이)

확인하기 ❷ 1. 직육면체의 부피를 구해 보세요.

3 cm, 7 cm, 4 cm — $84\ cm^3$ / 10 cm, 2 cm, 5 cm — $100\ cm^3$

2. 정육면체의 부피를 구해 보세요.

4 cm — $64\ cm^3$ / 6 cm — $216\ cm^3$

문제 해결 추론 정보 처리

생각 솔솔 직육면체의 부피를 구해 보세요.

4 cm, 1.5 cm, 2.5 cm — $15\ cm^3$ / 2.5 cm, 2 cm, 1.8 cm — $9\ cm^3$

모서리의 길이가 소수인 직육면체의 부피도 구할 수 있을까?

풀이 (왼쪽 직육면체의 부피)$=4\times1.5\times2.5=15\,(cm^3)$
(오른쪽 직육면체의 부피)$=2.5\times2\times1.8=9\,(cm^3)$

157

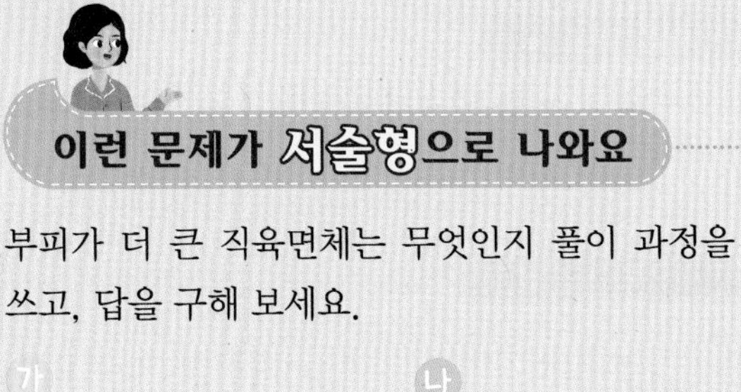

이런 문제가 서술형으로 나와요

부피가 더 큰 직육면체는 무엇인지 풀이 과정을 쓰고, 답을 구해 보세요.

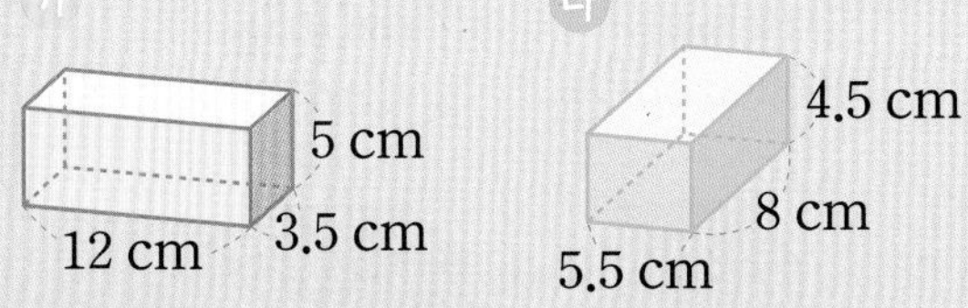

| 풀이 과정 |

❶ 가와 나의 부피 각각 구하기

(가의 부피)$=12\times3.5\times5=210\,(cm^3)$

(나의 부피)$=5.5\times8\times4.5=198\,(cm^3)$

❷ 부피가 더 큰 직육면체 구하기

$210>198$이므로 부피가 더 큰 직육면체는 가입니다.

답 가

수학 교과 역량 문제 해결 추론 정보 처리

직육면체의 부피 구하기

가로, 세로, 높이가 소수로 제시된 직육면체의 부피를 구해 보는 활동을 통하여 문제 해결, 추론, 정보 처리 능력을 기를 수 있습니다.

개념 확인 문제

정답 및 풀이 242쪽

1 직육면체의 부피를 구해 보세요.

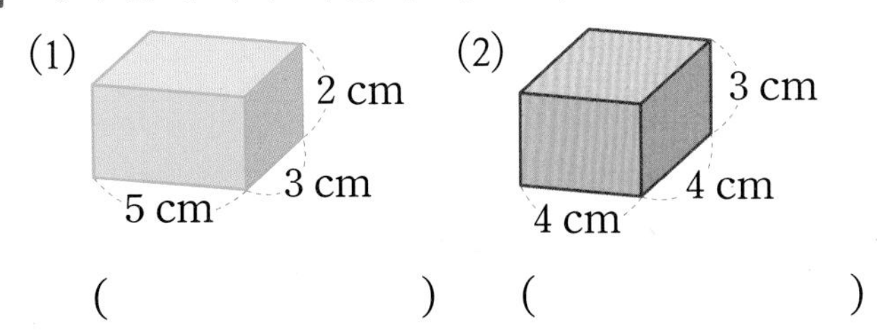

( ) ( )

2 오른쪽 정육면체의 부피는 몇 cm^3인가요?

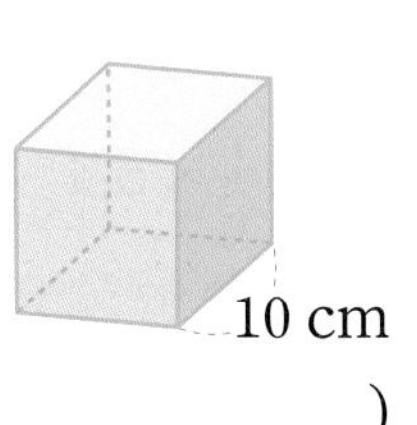

( )

3 수진이는 가로가 15 cm, 세로가 5 cm, 높이가 6 cm인 직육면체 모양의 식빵을 만들었습니다. 이 식빵의 부피는 몇 cm^3인가요?

( )

4 부피가 480 cm^3인 직육면체입니다. □ 안에 알맞은 수를 써넣으세요.

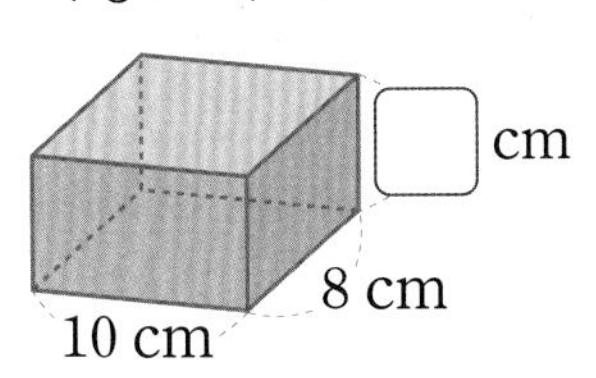

5 차시 3 | 부피의 단위 1 m³

학습 목표

부피의 단위 $1\ m^3$를 알고, $1\ cm^3$와 $1\ m^3$ 사이의 관계를 이해합니다.

그림으로 개념 잡기

나의 부피는 $1000000\ cm^3$야.

나의 부피는 $1\ m^3$지.

100 cm, 100 cm, 100 cm

1 m, 1 m, 1 m

우리의 부피는 서로 같아!

학부모 코칭 Tip

한 모서리의 길이가 1 cm인 정육면체의 부피를 $1\ cm^3$로 나타내었던 것을 떠올려서 한 모서리의 길이가 1 m인 정육면체의 부피를 $1\ m^3$로 나타낸다는 것을 생각해 보게 합니다.

참고

m^3와 cm^3의 관계

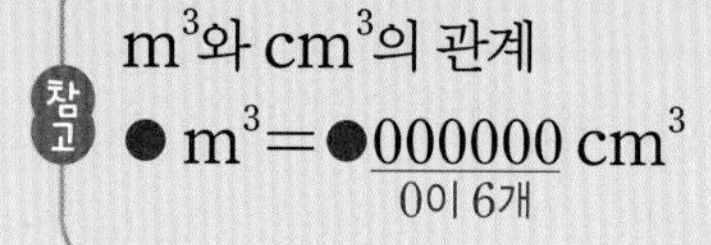

$● \ m^3 = ●000000\ cm^3$

0이 6개

3 부피의 단위 1 m³
부피의 단위 1 m³를 알고, 1 cm³와 1 m³ 사이의 관계를 이해합니다.
상점들이 직육면체 모양이야.
저 상점의 부피는 얼마나 될까?
생각열기 제주도의 다양한 특산물을 판매하는 행사장에 직육면체 모양 상점들이 늘어서 있습니다.
• 가로가 200 cm, 세로가 200 cm, 높이가 300 cm인 직육면체 모양 상점의 부피를 cm³ 단위로 나타내어 보고, 불편한 점을 이야기해 보세요. 12000000 cm³,
예 부피를 나타내는 수가 커서 쓰고, 읽기가 불편합니다.
• 상점의 부피를 간단히 나타내려면 어떻게 해야 할까요?
예 cm³보다 더 큰 단위를 사용하여 나타내면 좋을 것 같습니다.
탐구하기 cm³보다 큰 부피의 단위를 알아봅시다.
• 직육면체의 가로, 세로, 높이를 m 단위로 나타내어 보세요.
300 cm
200 cm
200 cm
3 m
2 m
2 m
한 모서리가 1 cm인 정육면체의 부피는 1 cm³라고 했는데, 한 모서리가 1 m인 정육면체의 부피는…
• 한 모서리의 길이가 1 m인 정육면체의 부피를 어떻게 나타낼 수 있을까요?
예 1 m³라고 나타내면 될 것 같습니다.
• 직육면체의 부피를 새로 만든 단위로 나타내어 보세요. 예 12 m³
• cm³보다 큰 부피의 단위를 사용할 때의 편리한 점을 이야기해 보세요.
예 cm³ 단위로 나타낸 부피보다 작은 수로 표현할 수 있습니다.
158

교과서 개념 완성

탐구하기 cm^3보다 큰 부피의 단위 알아보기

- 한 모서리의 길이가 1 m인 정육면체의 부피
  → $1\ m^3$
- $200\ cm = 2\ m$, $300\ cm = 3\ m$이므로 가로가 200 cm, 세로가 200 cm, 높이가 300 cm인 직육면체의 부피는 $2 \times 2 \times 3 = 12\ (m^3)$입니다.
- cm^3보다 큰 부피의 단위를 사용하면 cm^3 단위로 나타낸 부피보다 작은 수로 표현할 수 있습니다.
  큰 직육면체의 부피를 나타낼 때에는 cm^3 단위보다 m^3 단위로 나타내는 것이 좀 더 간편합니다.

확인하기 컨테이너의 부피 구하기

- (왼쪽 컨테이너의 부피)
  $= 3 \times 3 \times 3 = 27\ (m^3)$
- (오른쪽 컨테이너의 부피)
  $= 100 \times 340 \times 200$
  $= 6800000\ (cm^3) = 6.8\ (m^3)$
- $100\ cm = 1\ m$, $340\ cm = 3.4\ m$, $200\ cm = 2\ m$이므로
  (오른쪽 컨테이너의 부피)
  $= 1 \times 3.4 \times 2 = 6.8\ (m^3)$

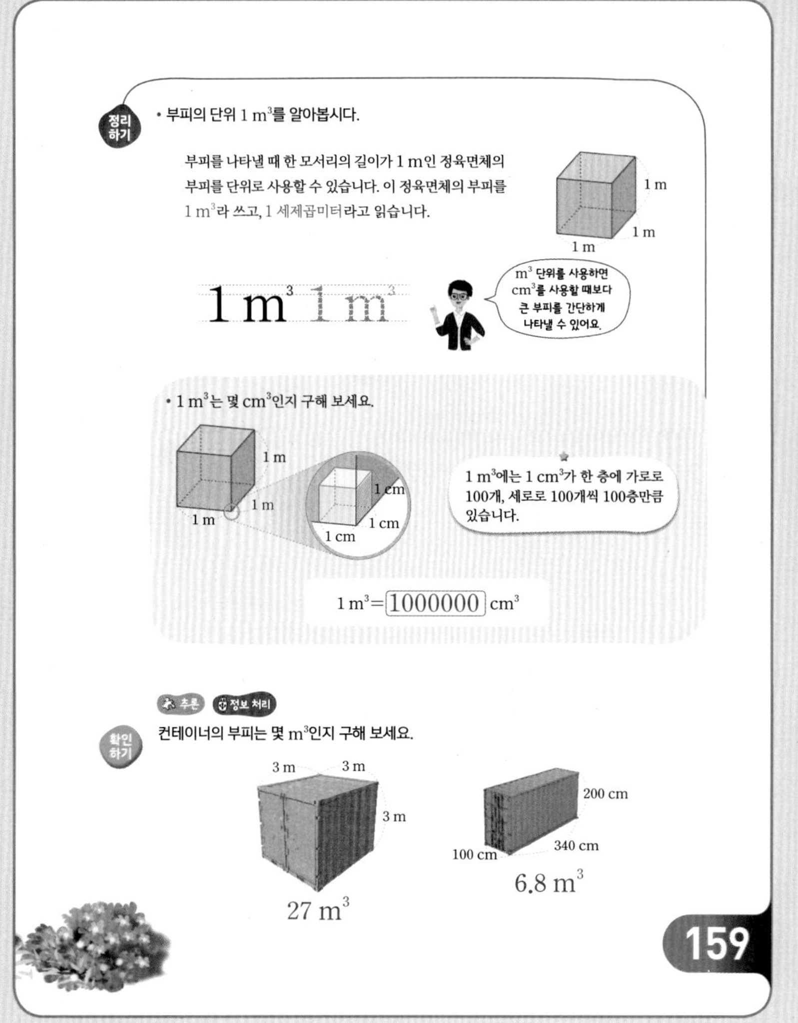
정리하기
• 부피의 단위 1 m^3를 알아봅시다.

부피를 나타낼 때 한 모서리의 길이가 1 m인 정육면체의 부피를 단위로 사용할 수 있습니다. 이 정육면체의 부피를 1 m^3라 쓰고, 1 세제곱미터라고 읽습니다.

1 m^3 1 m^3

• 1 m^3는 몇 cm^3인지 구해 보세요.

1 m^3=1000000 cm^3

추론 정보 처리

확인하기 컨테이너의 부피는 몇 m^3인지 구해 보세요.

27 m^3 6.8 m^3

159

이런 문제가 서술형으로 나와요

직육면체의 부피는 몇 m^3인지 풀이 과정을 쓰고, 답을 구해 보세요.

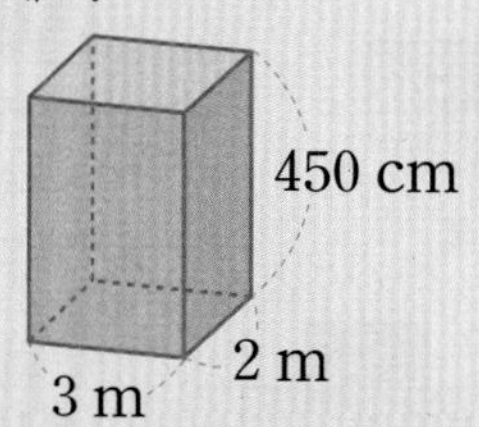

| 풀이 과정 |

❶ 450 cm를 m로 나타내기

450 cm=4.5 m입니다.

❷ 직육면체의 부피 구하기

(직육면체의 부피)=3×2×4.5=27 (m^3)

답 27 m^3

수학 교과 역량 추론 정보 처리

1 cm^3와 1 m^3 사이의 관계 이해하기

가로, 세로, 높이가 cm 단위로 제시된 컨테이너의 부피를 1 cm^3와 1 m^3 사이의 관계를 이용하여 단위에 맞게 구해 보는 과정을 통하여 추론과 정보 처리 능력을 기를 수 있습니다.

개념 확인 문제

정답 및 풀이 242쪽

1 □ 안에 알맞은 수를 써넣으세요.

(1) 8 m^3= □ cm^3

(2) 1200000 cm^3= □ m^3

2 직육면체의 부피는 몇 m^3인지 구해 보세요.

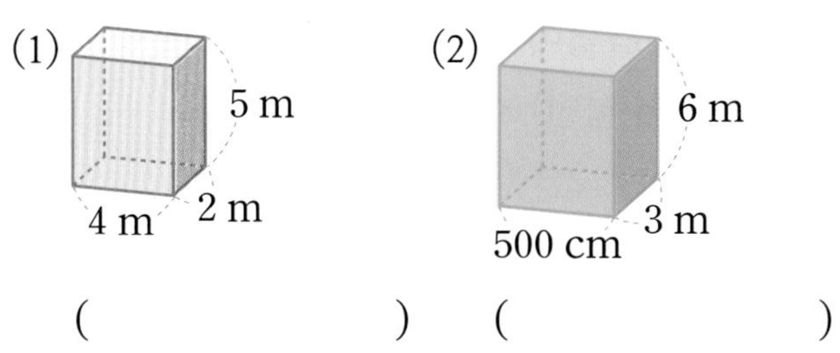

( ) ( )

3 오른쪽 정육면체의 부피를 cm^3와 m^3로 각각 나타내어 보세요.

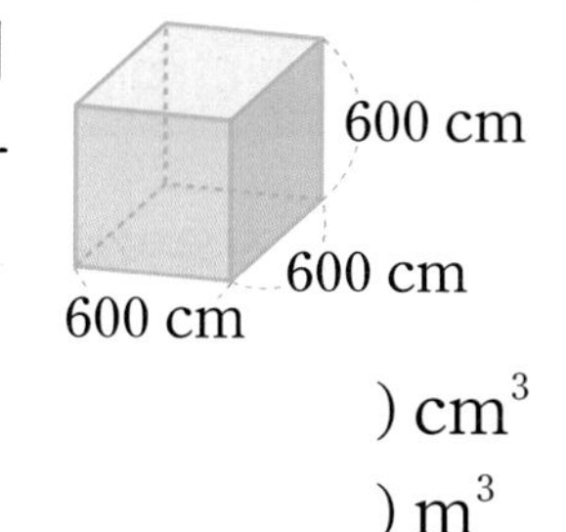

( ) cm^3

( ) m^3

4 부피가 더 큰 직육면체에 ○표 하세요.

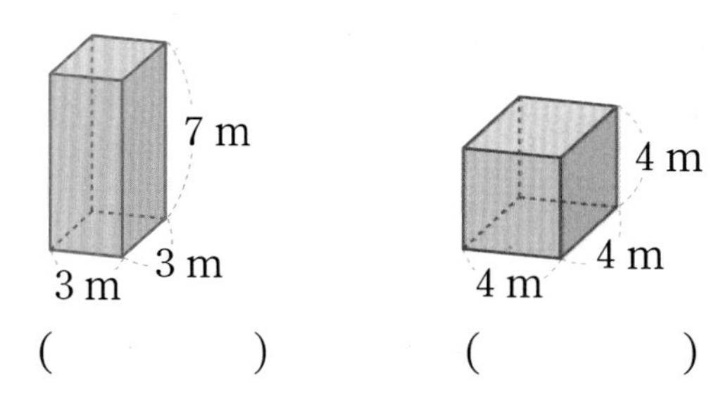

( ) ( )

6~7
차시

4 | 직육면체와 정육면체의 겉넓이

학습 목표

직육면체와 정육면체의 겉넓이를 구하는 방법을 이해하고 구할 수 있습니다.

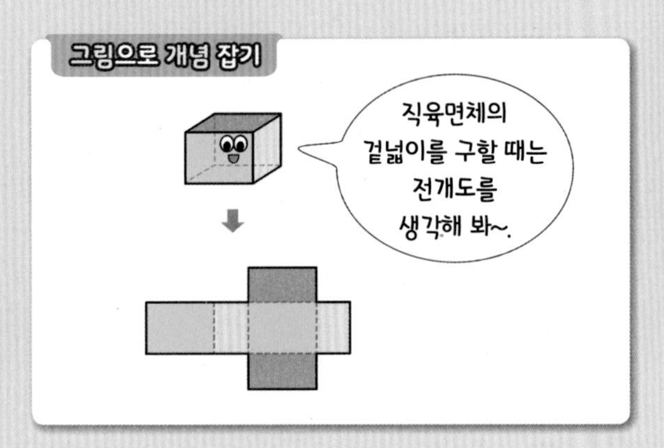
그림으로 개념 잡기
직육면체의
겉넓이를 구할 때는
전개도를
생각해 봐~.

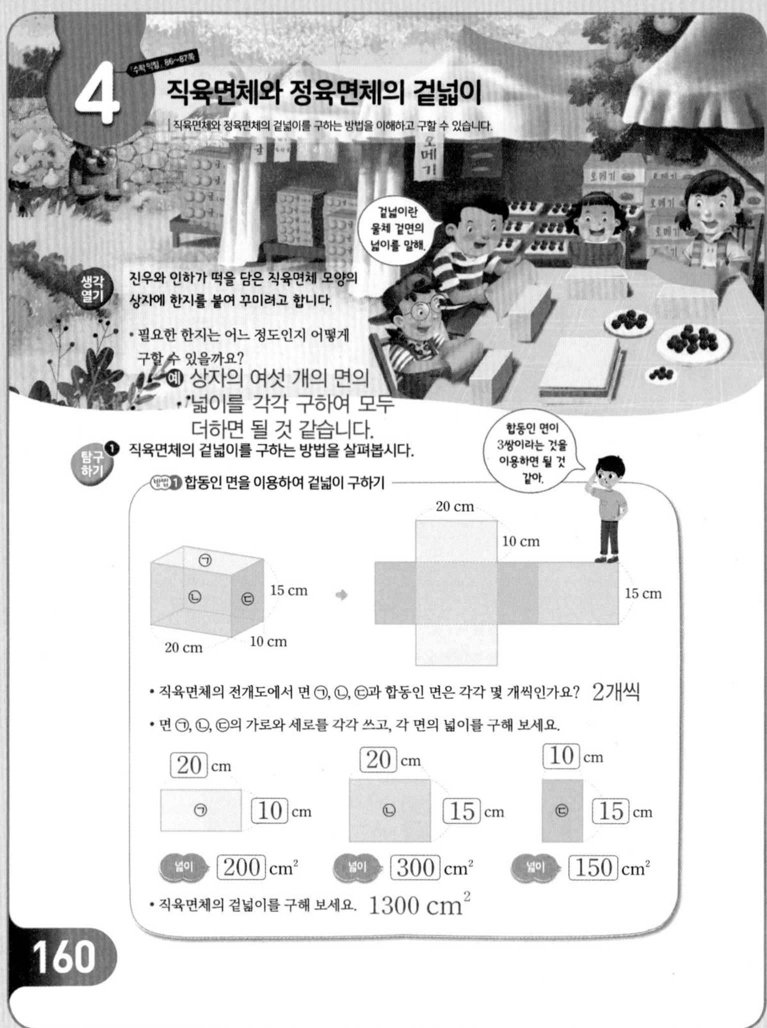

4 직육면체와 정육면체의 겉넓이

직육면체와 정육면체의 겉넓이를 구하는 방법을 이해하고 구할 수 있습니다.

겉넓이란 물체 겉면의 넓이를 말해.

생각열기 진우와 인하가 떡을 담은 직육면체 모양의 상자에 한지를 붙여 꾸미려고 합니다.

• 필요한 한지는 어느 정도인지 어떻게 구할 수 있을까요?
예 상자의 여섯 개의 면의 넓이를 각각 구하여 모두 더하면 될 것 같습니다.

탐구하기 ❶ 직육면체의 겉넓이를 구하는 방법을 살펴봅시다.

합동인 면이 3쌍이라는 것을 이용하면 될 것 같아.

방법1 합동인 면을 이용하여 겉넓이 구하기

20 cm, 10 cm, 15 cm

• 직육면체의 전개도에서 면 ㉠, ㉡, ㉢과 합동인 면은 각각 몇 개씩인가요? 2개씩

• 면 ㉠, ㉡, ㉢의 가로와 세로를 각각 쓰고, 각 면의 넓이를 구해 보세요.

㉠: 20 cm, 10 cm, 넓이 200 cm²
㉡: 20 cm, 15 cm, 넓이 300 cm²
㉢: 10 cm, 15 cm, 넓이 150 cm²

• 직육면체의 겉넓이를 구해 보세요. 1300 cm²

160

교과서 개념 완성

탐구하기 ❶ 직육면체의 겉넓이를 구하는 방법 탐구하기

방법 1 합동인 면을 이용하여 겉넓이 구하기

한 꼭짓점에서 만나는 세 면의 넓이의 합을 구한 다음, 2배 하여 구할 수 있습니다.

(직육면체의 겉넓이)
=(면 ㉠, ㉡, ㉢의 넓이의 합) $\times 2$
$=(20\times10+20\times15+10\times15)\times2$
$=(200+300+150)\times2$
$=650\times2$
$=1300\ (\mathrm{cm}^2)$

학부모 코칭 Tip

직육면체에서 합동인 면은 서로 마주 보는 면이므로 한 꼭짓점에서 만나는 세 면의 넓이를 더한 다음, 2배 하면 직육면체의 겉넓이를 구할 수 있다는 것은 스스로 알게 합니다.

방법 2 전개도에서 밑면과 옆면을 이용하여 겉넓이 구하기

두 밑면의 넓이와 옆면의 넓이를 더하여 구할 수 있습니다.

(직육면체의 겉넓이)
=(한 밑면의 넓이) $\times 2+$(옆면의 넓이)
$=(20\times10)\times2+(10+20+10+20)\times15$
$=200\times2+60\times15$
$=400+900=1300\ (\mathrm{cm}^2)$

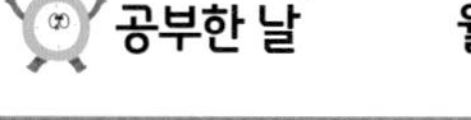

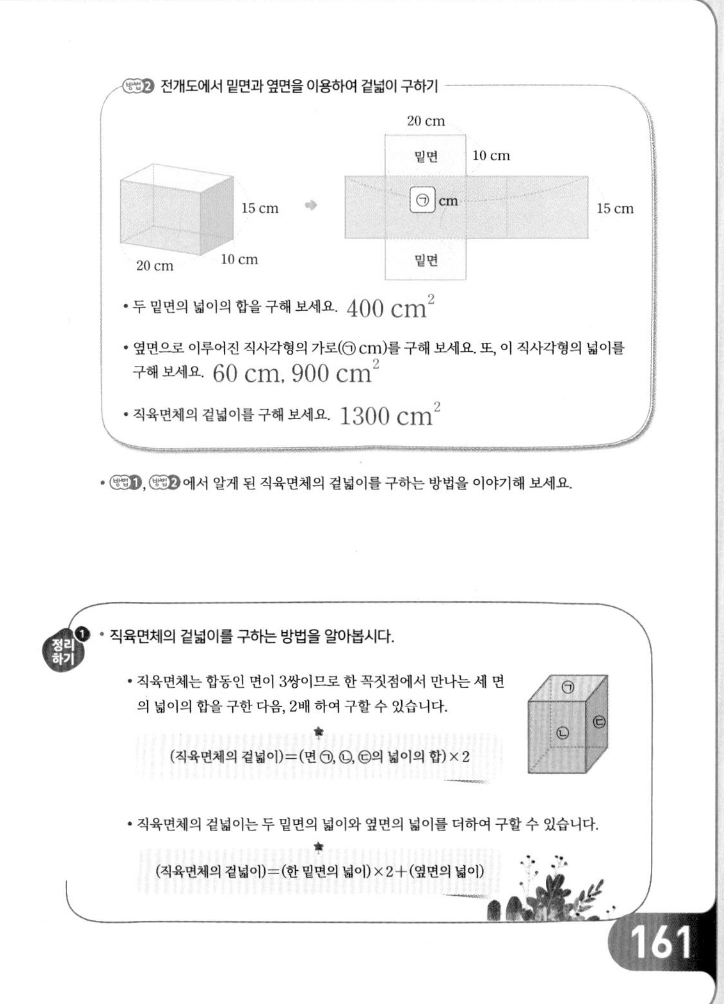
전개도에서 밑면과 옆면을 이용하여 겉넓이 구하기
20 cm
밑면
10 cm
15 cm
㉠ cm
15 cm
20 cm
10 cm
밑면
• 두 밑면의 넓이의 합을 구해 보세요. 400 cm²
• 옆면으로 이루어진 직사각형의 가로(㉠ cm)를 구해 보세요. 또, 이 직사각형의 넓이를 구해 보세요. 60 cm, 900 cm²
• 직육면체의 겉넓이를 구해 보세요. 1300 cm²
• ①, ②에서 알게 된 직육면체의 겉넓이를 구하는 방법을 이야기해 보세요.
정리하기
• 직육면체의 겉넓이를 구하는 방법을 알아봅시다.
• 직육면체는 합동인 면이 3쌍이므로 한 꼭짓점에서 만나는 세 면의 넓이의 합을 구한 다음, 2배 하여 구할 수 있습니다.
(직육면체의 겉넓이)=(면 ㉠, ㉡, ㉢의 넓이의 합)×2
• 직육면체의 겉넓이는 두 밑면의 넓이와 옆면의 넓이를 더하여 구할 수 있습니다.
(직육면체의 겉넓이)=(한 밑면의 넓이)×2+(옆면의 넓이)
161

이런 문제가 서술형으로 나와요

재석이와 지효가 만든 직육면체 모양의 상자의 겉넓이의 차는 몇 cm^2인지 풀이 과정을 쓰고, 답을 구해 보세요.

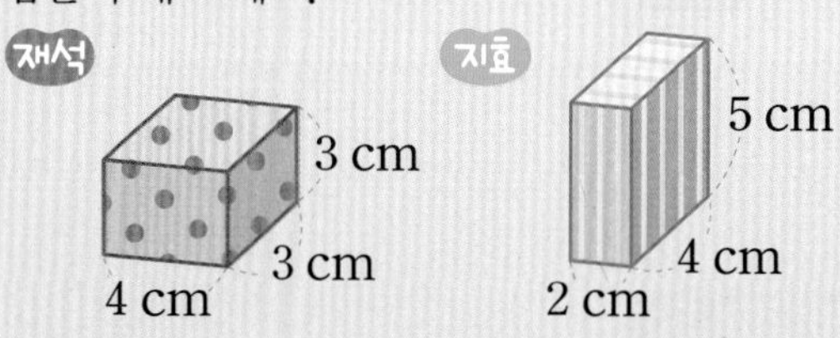
재석
3 cm
3 cm
4 cm
지효
5 cm
4 cm
2 cm

| 풀이 과정 |

❶ 재석이가 만든 상자의 겉넓이 구하기

(재석이가 만든 상자의 겉넓이)

$=(4\times3+4\times3+3\times3)\times2$

$=33\times2=66\,(cm^2)$

❷ 지효가 만든 상자의 겉넓이 구하기

(지효가 만든 상자의 겉넓이)

$=(2\times4+2\times5+4\times5)\times2$

$=38\times2=76\,(cm^2)$

❸ 겉넓이의 차 구하기

(겉넓이의 차)$=76-66=10\,(cm^2)$

답 $10\ cm^2$

개념 확인 문제

정답 및 풀이 243쪽

1 오른쪽 직육면체의 겉넓이를 구하려고 합니다. □ 안에 알맞은 수를 써넣으세요.

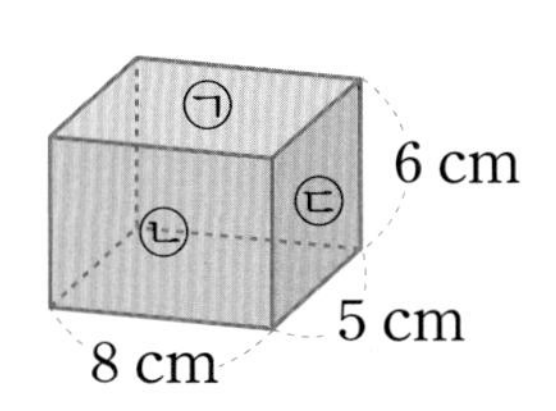
㉠
㉡
㉢
6 cm
5 cm
8 cm

(1) (면 ㉠의 넓이)$=8\times$□$=$□(cm^2)

(2) (면 ㉡의 넓이)$=$□$\times6=$□(cm^2)

(3) (면 ㉢의 넓이)$=5\times$□$=$□(cm^2)

(4) (직육면체의 겉넓이)

$=(40+$□$+$□$)\times2=$□(cm^2)

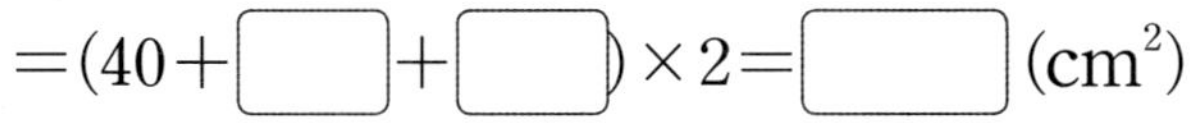

2 오른쪽 전개도를 접었을 때 만들어지는 직육면체의 겉넓이는 몇 cm^2인가요?

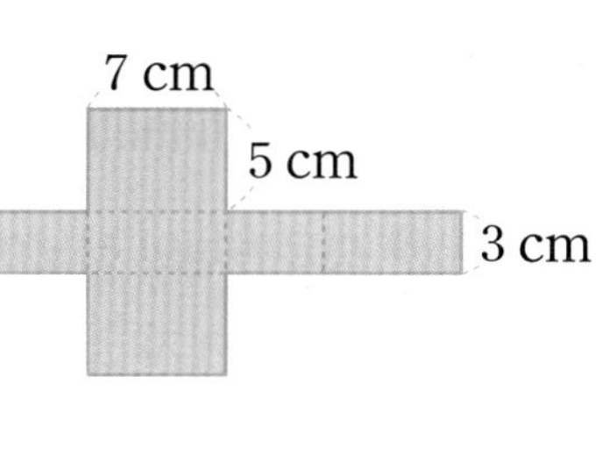
7 cm
5 cm
3 cm

(　　　　　　)

3 오른쪽 직육면체의 겉넓이는 몇 cm^2인가요?

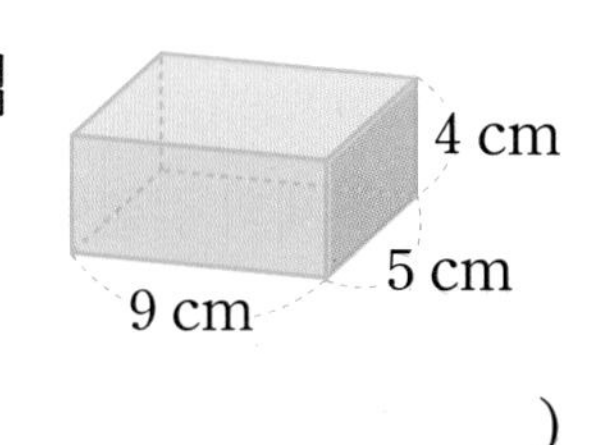
4 cm
5 cm
9 cm

(　　　　　　)

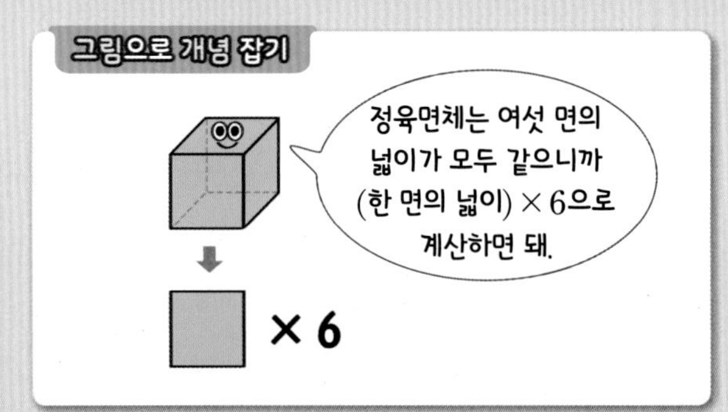

그림으로 개념 잡기
정육면체는 여섯 면의 넓이가 모두 같으니까 (한 면의 넓이) × 6으로 계산하면 돼.
× 6

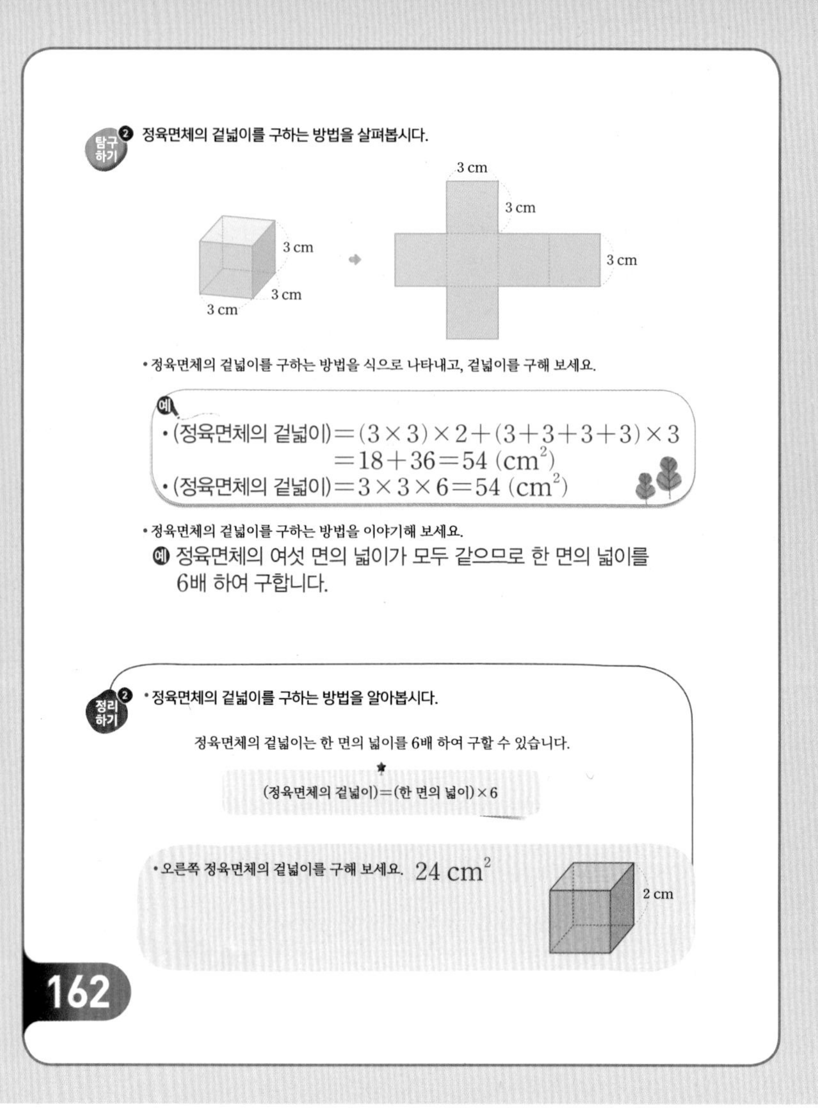
탐구하기 ❷ 정육면체의 겉넓이를 구하는 방법을 살펴봅시다.

3 cm, 3 cm, 3 cm → 3 cm, 3 cm, 3 cm

• 정육면체의 겉넓이를 구하는 방법을 식으로 나타내고, 겉넓이를 구해 보세요.

예 • (정육면체의 겉넓이) $=(3\times3)\times2+(3+3+3+3)\times3$
$=18+36=54$ (cm^2)
• (정육면체의 겉넓이) $=3\times3\times6=54$ (cm^2)

• 정육면체의 겉넓이를 구하는 방법을 이야기해 보세요.
예 정육면체의 여섯 면의 넓이가 모두 같으므로 한 면의 넓이를 6배 하여 구합니다.

정리하기 ❷ • 정육면체의 겉넓이를 구하는 방법을 알아봅시다.

정육면체의 겉넓이는 한 면의 넓이를 6배 하여 구할 수 있습니다.

(정육면체의 겉넓이) = (한 면의 넓이) × 6

• 오른쪽 정육면체의 겉넓이를 구해 보세요. 24 cm^2

2 cm

162

학부모 코칭 Tip

정육면체의 겉넓이를 직육면체의 겉넓이를 구하는 방법을 이용하여 구하는 경우도 인정해 줍니다. 정답을 구하는 것에서 나아가 자신의 생각을 수학적으로 표현하고, 친구들과 서로 다른 해결 과정과 결과를 비교하여 검토하는 과정을 통하여 더 나은 방법을 추구하려는 태도 및 실천 능력을 기를 수 있도록 합니다.

(정육면체의 겉넓이)
=(여섯 면의 넓이의 합)
=(한 면의 넓이) × 6

교과서 개념 완성

탐구하기 ❷ 정육면체의 겉넓이를 구하는 방법 탐구하기

• 한 모서리의 길이가 3 cm인 정육면체의 겉넓이 구하는 방법

$(3\times3+3\times3+3\times3)\times2=54$ (cm^2)

$(3\times3)\times2+(3+3+3+3)\times3=54$ (cm^2)

$3\times3\times6=54$ (cm^2)

• (정육면체의 겉넓이)
=(한 면의 넓이) × 6
=(한 모서리의 길이) × (한 모서리의 길이) × 6

생각솔솔 부피가 같은 직육면체와 정육면체의 겉넓이 비교하기

• (직육면체 ㉮의 부피) $=4\times2\times8=64$ (cm^3)
(정육면체 ㉯의 부피) $=4\times4\times4=64$ (cm^3)
➜ 직육면체 ㉮와 정육면체 ㉯의 부피는 같습니다.

• (직육면체 ㉮의 겉넓이)
$=(4\times2+4\times8+2\times8)\times2$
$=(8+32+16)\times2$
$=56\times2=112$ (cm^2)
(정육면체 ㉯의 겉넓이) $=4\times4\times6=96$ (cm^2)
➜ 직육면체 ㉮의 겉넓이가 정육면체 ㉯의 겉넓이보다 $112-96=16$ (cm^2)만큼 더 넓습니다.

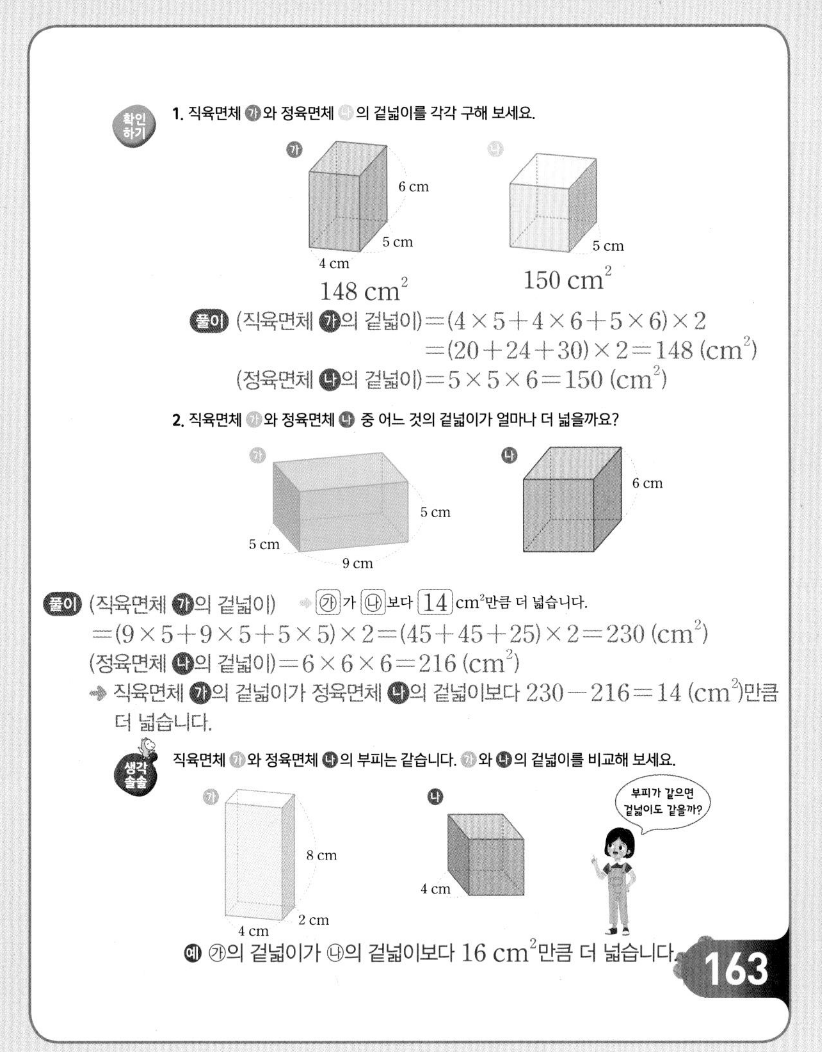
확인하기 1. 직육면체 ㉮와 정육면체 ㉯의 겉넓이를 각각 구해 보세요.

㉮ 6 cm, 5 cm, 4 cm ㉯ 5 cm

148 cm^2 150 cm^2

풀이 (직육면체 ㉮의 겉넓이)$=(4\times5+4\times6+5\times6)\times2$
$=(20+24+30)\times2=148\ (cm^2)$
(정육면체 ㉯의 겉넓이)$=5\times5\times6=150\ (cm^2)$

2. 직육면체 ㉮와 정육면체 ㉯ 중 어느 것의 겉넓이가 얼마나 더 넓을까요?

㉮ 5 cm, 5 cm, 9 cm ㉯ 6 cm

풀이 (직육면체 ㉮의 겉넓이) ➡ ㉮가 ㉯보다 14 cm^2만큼 더 넓습니다.
$=(9\times5+9\times5+5\times5)\times2=(45+45+25)\times2=230\ (cm^2)$
(정육면체 ㉯의 겉넓이)$=6\times6\times6=216\ (cm^2)$
➡ 직육면체 ㉮의 겉넓이가 정육면체 ㉯의 겉넓이보다 $230-216=14\ (cm^2)$만큼 더 넓습니다.

생각 술술 직육면체 ㉮와 정육면체 ㉯의 부피는 같습니다. ㉮와 ㉯의 겉넓이를 비교해 보세요.

㉮ 8 cm, 2 cm, 4 cm ㉯ 4 cm

부피가 같으면 겉넓이도 같을까?

예 ㉮의 겉넓이가 ㉯의 겉넓이보다 16 cm^2만큼 더 넓습니다.

163

이런 문제가 서술형으로 나와요

다음 직육면체와 겉넓이가 같은 정육면체의 한 모서리의 길이는 얼마인지 풀이 과정을 쓰고, 답을 구해 보세요.

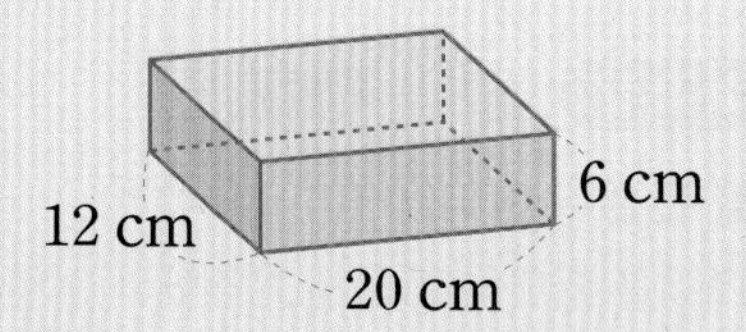

| 풀이 과정 |

❶ 직육면체의 겉넓이 구하기

(직육면체의 겉넓이)
$=(20\times12+20\times6+12\times6)\times2$
$=(240+120+72)\times2=864\ (cm^2)$

❷ 정육면체의 한 면의 넓이 구하기

(정육면체의 한 면의 넓이)
$=864\div6=144\ (cm^2)$

❸ 정육면체의 한 모서리의 길이 구하기

$12\times12=144$이므로 정육면체의 한 모서리의 길이는 12 cm입니다.

답 12 cm

개념 확인 문제

정답 및 풀이 243쪽

1 오른쪽 정육면체의 겉넓이는 몇 cm^2인가요?

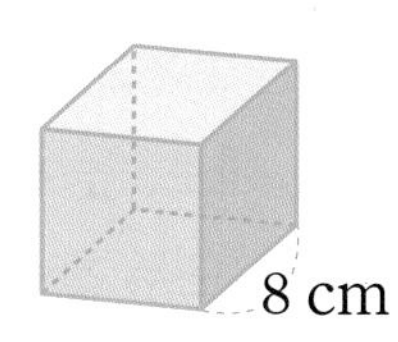

( )

2 오른쪽 전개도를 접었을 때 만들어지는 정육면체의 겉넓이는 몇 cm^2인가요?

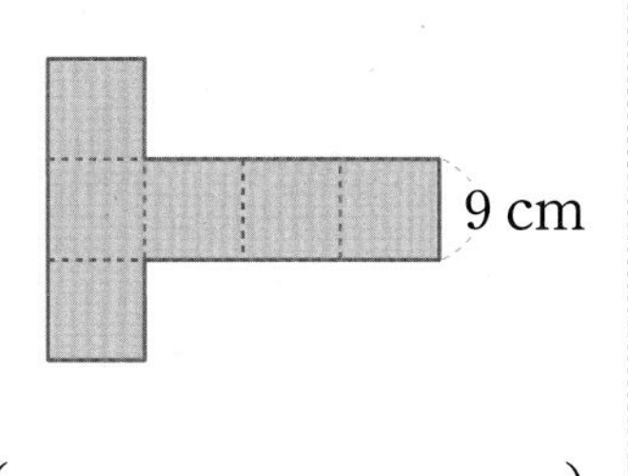

( )

3 한 면의 모양이 오른쪽과 같은 정육면체가 있습니다. 이 정육면체의 겉넓이는 몇 cm^2인가요?

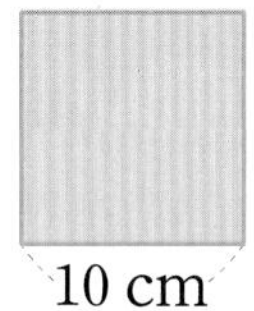

( )

4 직육면체와 정육면체 중 어느 것의 겉넓이가 몇 cm^2만큼 더 넓은가요?

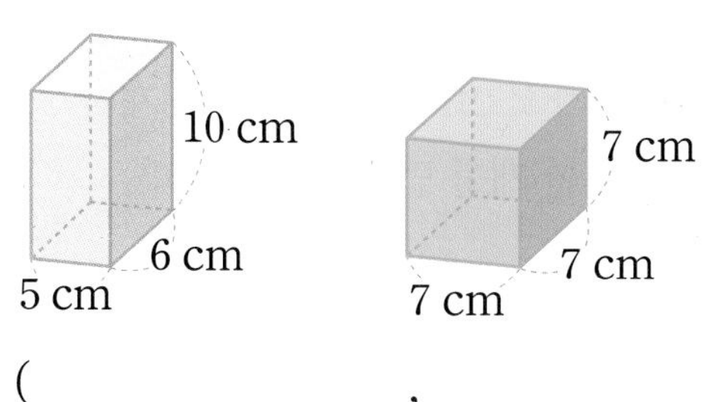

(,)

문제 해결력 | 쑥쑥

• 직육면체를 만들어 보아요

학습 목표

표 만들기 전략을 이용하여 문제를 해결하고 해결한 방법을 설명해 봅니다.

문제 해결 전략 표 만들기 전략

수학 교과 역량 문제 해결 추론

직육면체를 만들어 보아요

- 주어진 조건을 확인하고 문제 해결에 적절한 전략을 선택하여 해결하는 과정을 통하여 문제 해결 능력을 기를 수 있습니다.
- 문제 해결을 위한 조건을 확인하고 가능 여부를 판단하는 과정을 통하여 추론 능력을 기를 수 있습니다.

문제 해결 Tip 먼저 한 모서리의 길이가 1 cm인 쌓기나무 24개와 한 모서리의 길이가 2 cm인 쌓기나무 3개를 모두 사용하여 만든 직육면체의 부피를 구해야 합니다.

학부모 코칭 Tip

만들 수 있는 직육면체의 모양이 많다고 생각하여 부담을 느끼는 학생들에게는 쌓기나무를 모두 사용하였을 때 만들 수 있는 직육면체의 한 모서리의 길이가 2 cm 이상이라는 것을 먼저 생각할 수 있게 합니다.

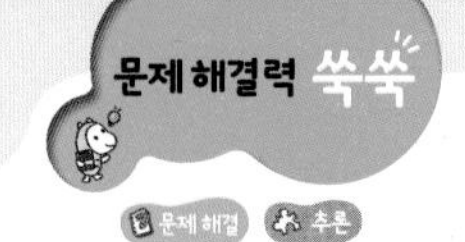

직육면체를 만들어 보아요

문제 해결 추론

한 모서리의 길이가 1 cm인 쌓기나무 24개와 한 모서리의 길이가 2 cm인 쌓기나무 3개가 있습니다. 쌓기나무를 모두 사용하여 한 모서리의 길이가 2 cm 이상인 직육면체 한 개를 만들려고 합니다. 모양이 다른 직육면체를 모두 몇 가지 만들 수 있을까요? (단, 뒤집거나 돌렸을 때 같은 모양은 한 가지로 봅니다.)

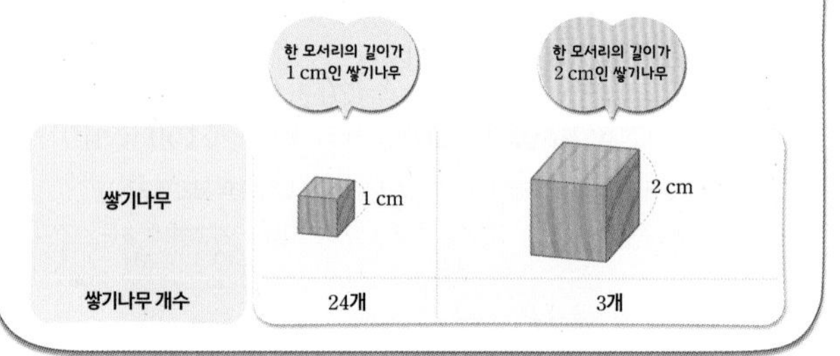

- 구하려고 하는 것은 무엇인가요? 예 조건에 맞게 만들 수 있는 모양이 다른 직육면체의 개수를 구하려고 합니다.
- 알고 있는 것은 무엇인가요?
  예 한 모서리의 길이가 1 cm인 쌓기나무 24개와 한 모서리의 길이가 2 cm인 쌓기나무 3개를 모두 사용하여 직육면체 한 개를 만들어야 합니다.

계획 세우기

- 어떤 방법으로 문제를 해결할 수 있을지 계획을 세워 보세요.

쌓기나무의 부피를 모두 더하면 얼마가 될까?

직접 쌓아 보지 않고도 알 수 있을까?

예 조건을 이용하여 표를 만들어 만들 수 있는 직육면체의 모양을 모두 찾으면 될 것 같습니다.

164

교과서 개념 완성

문제 이해하기

» 구하려고 하는 것

조건에 맞게 만들 수 있는 모양이 다른 직육면체의 개수를 구하려고 합니다.

» 알고 있는 것

한 모서리의 길이가 1 cm인 쌓기나무 24개와 한 모서리의 길이가 2 cm인 쌓기나무 3개를 모두 사용하여 직육면체 한 개를 만들어야 합니다.

계획 세우기

표를 만들어 봅니다.

계획대로 풀기

쌓기나무를 모두 사용하여 만들 수 있는 직육면체의 부피는 $1\times24+8\times3=48$ (cm^3)입니다.

가로, 세로, 높이의 곱인 부피가 48 cm^{3}인 직육면체 모양을 모두 찾습니다.

가로 (cm)	2	2	2	3
세로 (cm)	2	3	4	4
높이 (cm)	12	8	6	4
부피 (cm^3)	48	48	48	48

➜ 모양이 다른 직육면체를 모두 4가지 만들 수 있습니다.

• 계획한 방법으로 문제를 해결해 보세요.

예 쌓기나무를 모두 사용하여 만들 수 있는 직육면체의 부피는 $1\times24+8\times3=48$ (cm³)입니다. 가로, 세로, 높이의 곱인 부피가 48 cm³인 직육면체 모양을 모두 찾습니다.

가로 (cm)	2	2	2	3
세로 (cm)	2	3	4	4
높이 (cm)	12	8	6	4
부피 (cm³)	48	48	48	48

➜ 4가지

• 모양이 다른 직육면체를 모두 몇 가지 만들 수 있을까요? 4가지

• 구한 답이 맞았는지 확인해 보세요.

• 문제를 해결하는 데 가장 도움이 되었던 정보는 무엇이고, 필요 없는 정보는 무엇인지 친구들과 이야기해 보세요.

생각 키우기 문제 해결 추론

한 모서리의 길이가 1 cm인 쌓기나무 16개와 한 모서리의 길이가 2 cm인 쌓기나무 2개를 모두 사용하여 직육면체 한 개를 만들려고 합니다. 만들 수 있는 직육면체를 모두 찾아 부피와 겉넓이를 각각 구해 보세요. (단, 뒤집거나 돌렸을 때 같은 모양은 한 가지로 봅니다.)

[풀이] 예 쌓기나무를 모두 사용하여 만들 수 있는 직육면체의 부피는 $1\times16+8\times2=32$ (cm³)입니다. 가로, 세로, 높이의 곱인 부피가 32 cm³인 직육면체 모양을 모두 찾아 겉넓이를 구합니다.

가로 (cm)	2	2
세로 (cm)	2	4
높이 (cm)	8	4
부피 (cm³)	32	32
겉넓이 (cm²)	72	64

[답] 부피: 32 cm³, 겉넓이: 72 cm² / 부피: 32 cm³, 겉넓이: 64 cm²

165

생각 키우기

문제 해결 추론

문제 이해하기

≫ 구하려고 하는 것

조건에 맞게 만들 수 있는 직육면체의 부피와 겉넓이를 구하려고 합니다.

≫ 알고 있는 것

쌓기나무를 모두 사용하여 직육면체 한 개를 만들어야 합니다.

계획 세우기

표를 만들어 만들 수 있는 직육면체의 모양을 모두 찾아봅니다.

계획대로 풀기

• 쌓기나무를 모두 사용하여 만들 수 있는 직육면체의 부피는 $1\times16+8\times2=32$ (cm³)입니다.

• 가로, 세로, 높이의 곱인 부피가 32 cm³인 직육면체 모양을 모두 찾아 겉넓이를 구합니다.

가로, 세로, 높이가 각각 2 cm, 2 cm, 8 cm일 때

부피: $2\times2\times8=32$ (cm³)

겉넓이: $(2\times2+2\times8+2\times8)\times2=72$ (cm²)

가로, 세로, 높이가 각각 2 cm, 4 cm, 4 cm일 때

부피: $2\times4\times4=32$ (cm³)

겉넓이: $(2\times4+2\times4+4\times4)\times2=64$ (cm²)

문제 해결력 문제

정답 및 풀이 243쪽

1 한 모서리의 길이가 1 cm인 쌓기나무 48개와 한 모서리의 길이가 2 cm인 쌓기나무 4개를 모두 사용하여 한 모서리의 길이가 2 cm 이상인 직육면체 한 개를 만들려고 합니다. 모양이 다른 직육면체를 모두 몇 가지 만들 수 있을까요? (단, 뒤집거나 돌렸을 때 같은 모양은 한 가지로 봅니다.)

( )

2 한 모서리의 길이가 1 cm인 쌓기나무 8개와 한 모서리의 길이가 2 cm인 쌓기나무 2개를 모두 사용하여 직육면체 한 개를 만들려고 합니다. 만들 수 있는 직육면체를 모두 찾아 겉넓이를 구해 보세요. (단, 뒤집거나 돌렸을 때 같은 모양은 한 가지로 봅니다.)

(,)

단원 마무리 | 척척

6. 직육면체의 부피와 걸넓이

추론 의사소통

$1\ cm^3$, $1\ m^3$의 단위와 그 관계 이해하기

▶자습서 188~193쪽

학부모 코칭 Tip

$1\ cm^3$와 $1\ m^3$의 단위를 알고, 부피가 $1\ cm^3$인 쌓기나무를 한 층에 가로로 100개, 세로로 100개씩 100층으로 1000000개를 쌓아야 부피가 $1\ m^3$인 정육면체가 된다는 것을 이해하게 합니다.

1 □ 안에 알맞게 써넣으세요.

154, 158쪽

• 한 모서리의 길이가 1 cm인 정육면체의 부피를 [$1\ cm^3$](이)라 쓰고, 1 세제곱센티미터라고 읽습니다.

• 한 모서리의 길이가 1 m인 정육면체의 부피를 $1\ m^3$라 쓰고, [1 세제곱미터](이)라고 읽습니다.

• $1\ m^3$=[1000000]cm^3

직육면체와 정육면체의 부피와 겉넓이 구하기

▶자습서 188~197쪽

학부모 코칭 Tip

직육면체와 정육면체의 부피와 겉넓이를 구하는 방법을 알고 구해 보게 합니다.

2 직육면체와 정육면체입니다. 부피와 겉넓이를 각각 구해 보세요.

154, 160쪽

(직육면체: 6 cm, 5 cm, 7 cm) (정육면체: 7 cm, 7 cm, 7 cm)

부피 (210) cm^3 부피 (343) cm^3

겉넓이 (214) cm^2 겉넓이 (294) cm^2

풀이 • [직육면체] 부피: $6\times5\times7=210\ (cm^3)$

겉넓이: $(6\times5+6\times7+5\times7)\times2=107\times2=214\ (cm^2)$

• [정육면체] 부피: $7\times7\times7=343\ (cm^3)$

겉넓이: $7\times7\times6=294\ (cm^2)$

문제 해결 의사소통

$1\ cm^3$, $1\ m^3$ 사이의 관계 이해하기

▶자습서 192~193쪽

학부모 코칭 Tip

직육면체의 부피를 구하는 방법을 알고 구해 보게 한 다음, $1\ cm^3$와 $1\ m^3$ 사이의 관계를 이해하게 합니다.

3 직육면체의 부피를 구해 보세요.

158쪽

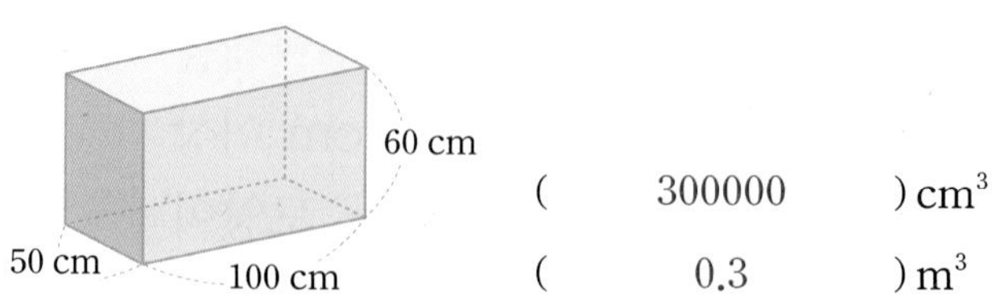

(300000) cm^3

(0.3) m^3

풀이 • (직육면체 부피)$=50\times100\times60=300000\ (cm^3)=0.3\ (m^3)$

• 50 cm=0.5 m, 100 cm=1 m, 60 cm=0.6 m이므로

(직육면체의 부피)$=0.5\times1\times0.6=0.3\ (m^3)=300000\ (cm^3)$

166

4 정육면체 ㉮와 직육면체 ㉯의 부피가 같습니다. 물음에 답해 보세요.

154, 160쪽

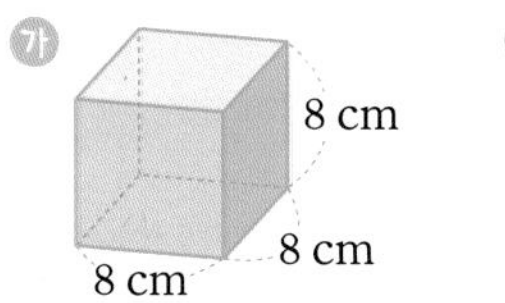

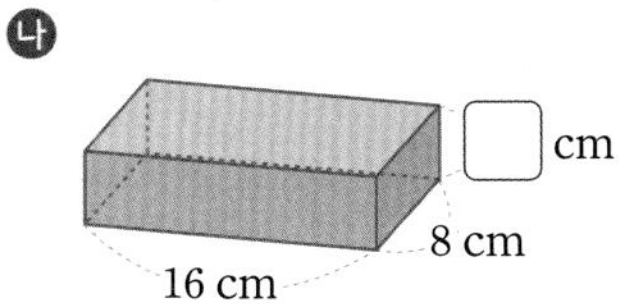

• 직육면체 ㉯의 부피는 몇 cm^3인가요?

(512 cm^3)

• 직육면체 ㉯에서 □를 구해 보세요.

(4)

• 직육면체 ㉯의 겉넓이는 몇 cm^2인가요?

(448 cm^2)

풀이 • 직육면체 ㉯의 부피는 정육면체 ㉮의 부피와 같으므로 $8 \times 8 \times 8 = 512$ (cm^3)입니다.
• $16 \times 8 \times □ = 512$, $128 \times □ = 512$, $□ = 512 \div 128 = 4$입니다.
• (직육면체 ㉯의 겉넓이)$=(16 \times 8 + 16 \times 4 + 8 \times 4) \times 2 = 224 \times 2 = 448$ (cm^2)

직육면체와 정육면체의 부피와 겉넓이를 구하여 문제 해결하기 (문제 해결, 추론)
▶자습서 188~197쪽

학부모 코칭 Tip
직육면체와 정육면체의 부피와 겉넓이를 구하는 방법을 알고 구해 보게 합니다.

생각 넓히기 추론 창의·융합

5 그림과 같이 수조에 넣은 돌이 물에 완전히 잠기게 되면 돌의 부피만큼 물의 높이가 높아집니다. 수조에 넣은 돌의 부피는 몇 cm^3인지 구해 보세요. (단, 수조의 두께는 생각하지 않습니다.)

154쪽

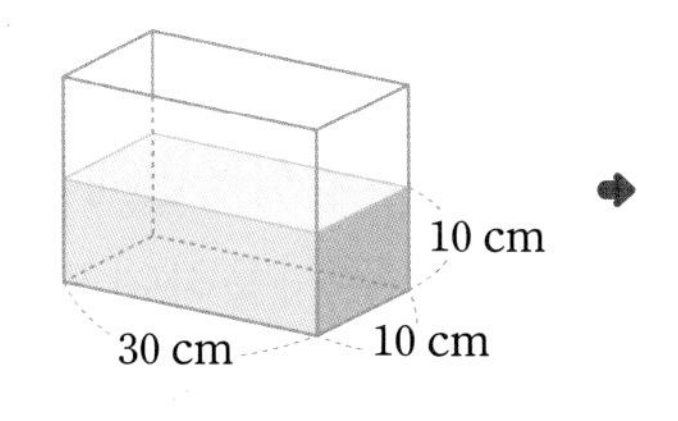

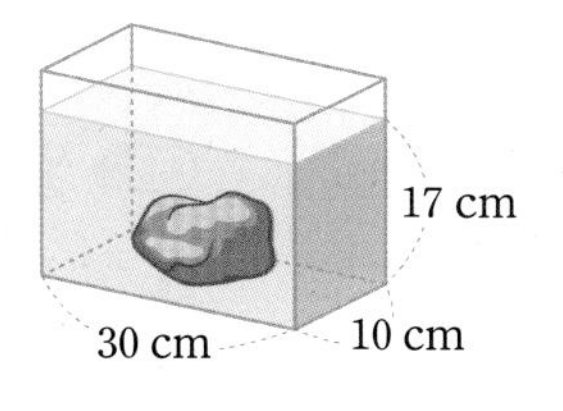

(2100 cm^3)

풀이 (돌의 부피)$=30 \times 10 \times 7 = 2100$ (cm^3)

돌의 부피 구하기 (추론, 창의·융합)
▶자습서 188~191쪽

학부모 코칭 Tip
직육면체의 부피를 구하는 방법을 이용하여 돌의 부피를 구해 보게 합니다.

10~11 차시 • 놀이 속으로 | 풍덩 • 이야기로 키우는 | 생각

놀이 속으로 풍덩

부피가 같으면 겉넓이도 같을까요 (함께하는 활동)

활동1 쌓기나무 20개로 직육면체 모양을 만들어 보아요

준비물: 쌓기나무 20개

방법
① 부피가 1 cm³인 쌓기나무 20개를 준비해요.
② 쌓기나무 20개를 모두 사용하여 직육면체 모양 한 개를 만들어요.
③ 만들 수 있는 직육면체 모양을 모두 찾고, 부피와 겉넓이를 각각 구해요.
이때, 뒤집거나 돌렸을 때 같은 모양은 한 가지로 봅니다.

	가로	세로	높이	직육면체의 부피	직육면체의 겉넓이
예	2 cm	2 cm	5 cm	20 cm³	48 cm²
예	1 cm	1 cm	20 cm	20 cm³	82 cm²
	1 cm	2 cm	10 cm	20 cm³	64 cm²
	1 cm	4 cm	5 cm	20 cm³	58 cm²

활동2 쌓기나무 개수에 따라 직육면체 모양을 만들어 보아요

준비물: 크기가 같은 쌓기나무 여러 개

방법
① 보기의 수 중 하나를 골라 그 수만큼 쌓기나무를 준비해요.
② 준비한 쌓기나무를 모두 사용하여 직육면체 모양 한 개를 만들어요.
③ 만들 수 있는 직육면체 모양을 모두 찾고, 부피와 겉넓이를 각각 구해요.
이때, 뒤집거나 돌렸을 때 같은 모양은 한 가지로 봅니다.

	가로	세로	높이	직육면체의 부피	직육면체의 겉넓이
예	1	1	27	27	110
	1	3	9	27	78
	3	3	3	27	54

부피가 같은 직육면체 중 겉넓이가 가장 작은 직육면체의 모양은 어떤 특징이 있는지 친구들과 이야기해 보세요.

168 169

교과서 개념 완성

활동1 쌓기나무 20개로 직육면체 모양 만들기

부피가 1 cm³인 쌓기나무 20개를 모두 사용하여 만들 수 있는 직육면체의 부피는 20 cm³입니다.

예 직육면체의 가로, 세로, 높이가 각각

- 2 cm, 2 cm, 5 cm이면 부피: 20 cm³,
  겉넓이: $(2\times2+2\times5+2\times5)\times2=48$ (cm²)
- 1 cm, 1 cm, 20 cm이면 부피: 20 cm³,
  겉넓이: $(1\times1+1\times20+1\times20)\times2=82$ (cm²)

활동2 쌓기나무 개수에 따라 직육면체 모양 만들기

예 쌓기나무 125개를 모두 사용하여 만들 수 있는 직육면체의 부피는 125입니다.

직육면체의 가로, 세로, 높이가 각각

- 1, 1, 125이면 부피: $1\times1\times125=125$,
  겉넓이: $(1\times1+1\times125+1\times125)\times2=502$
- 1, 5, 25이면 부피: $1\times5\times25=125$,
  겉넓이: $(1\times5+1\times25+5\times25)\times2=310$
- 5, 5, 5이면 부피: $5\times5\times5=125$,
  겉넓이: $(5\times5+5\times5+5\times5)\times2=150$

➜ 부피가 같은 직육면체 중 가로, 세로, 높이가 같은 직육면체의 겉넓이가 가장 작습니다.

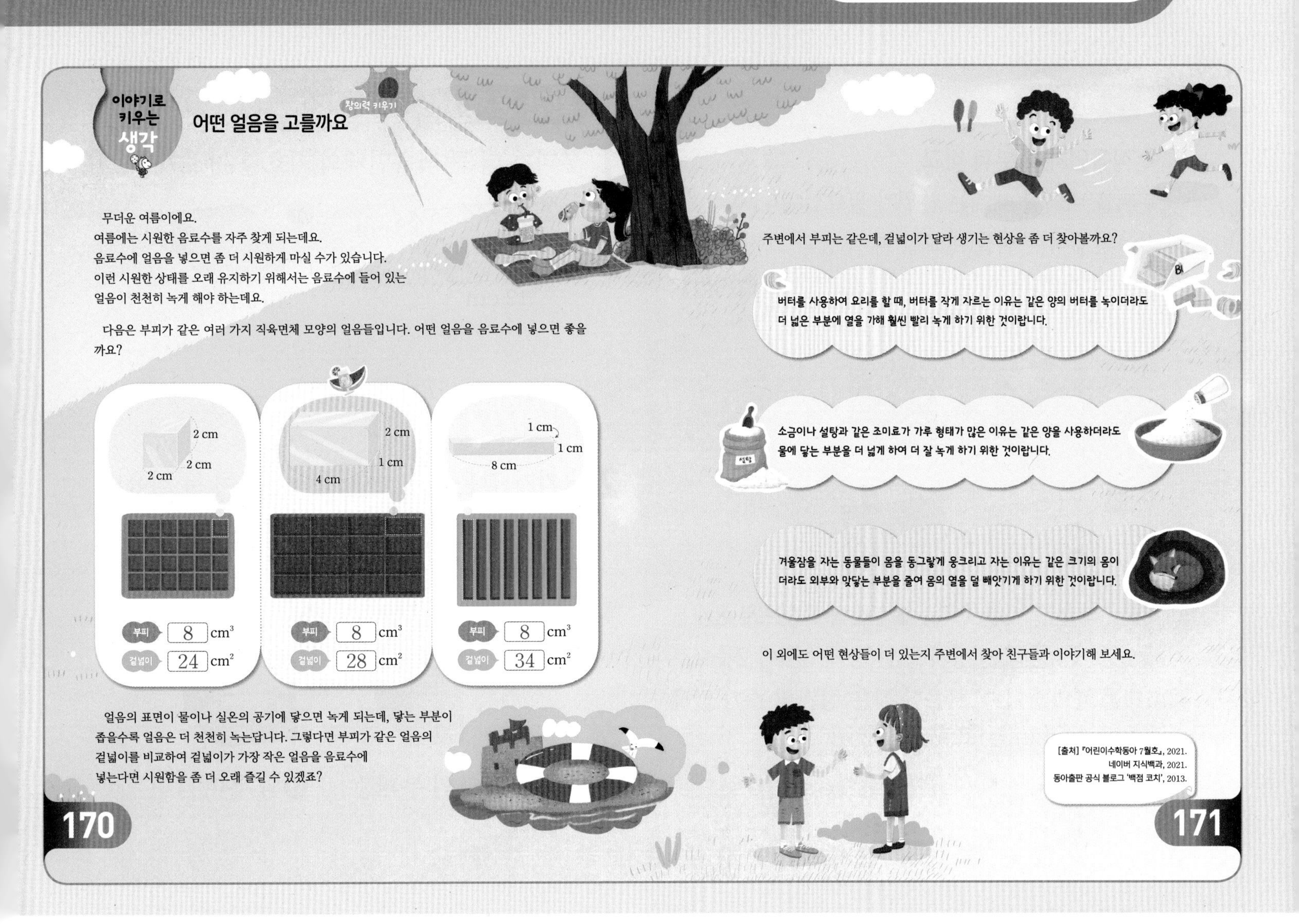
수학 168~171쪽 공부한 날 월 일

이야기로 키우는 생각 창의력 키우기 어떤 얼음을 고를까요

무더운 여름이에요.
여름에는 시원한 음료수를 자주 찾게 되는데요.
음료수에 얼음을 넣으면 좀 더 시원하게 마실 수가 있습니다.
이런 시원한 상태를 오래 유지하기 위해서는 음료수에 들어 있는
얼음이 천천히 녹게 해야 하는데요.

다음은 부피가 같은 여러 가지 직육면체 모양의 얼음들입니다. 어떤 얼음을 음료수에 넣으면 좋을까요?

얼음의 표면이 물이나 실온의 공기에 닿으면 녹게 되는데, 닿는 부분이 좁을수록 얼음은 더 천천히 녹는답니다. 그렇다면 부피가 같은 얼음의 겉넓이를 비교하여 겉넓이가 가장 작은 얼음을 음료수에 넣는다면 시원함을 좀 더 오래 즐길 수 있겠죠?

170

주변에서 부피는 같은데, 겉넓이가 달라 생기는 현상을 좀 더 찾아볼까요?

버터를 사용하여 요리를 할 때, 버터를 작게 자르는 이유는 같은 양의 버터를 녹이더라도 더 넓은 부분에 열을 가해 훨씬 빨리 녹게 하기 위한 것이랍니다.

소금이나 설탕과 같은 조미료가 가루 형태가 많은 이유는 같은 양을 사용하더라도 물에 닿는 부분을 더 넓게 하여 더 잘 녹게 하기 위한 것이랍니다.

겨울잠을 자는 동물들이 몸을 동그랗게 웅크리고 자는 이유는 같은 크기의 몸이더라도 외부와 맞닿는 부분을 줄여 몸의 열을 덜 빼앗기게 하기 위한 것이랍니다.

이 외에도 어떤 현상들이 더 있는지 주변에서 찾아 친구들과 이야기해 보세요.

[출처] 『어린이수학동아 7월호』, 2021.
네이버 지식백과, 2021.
동아출판 공식 블로그 '백점 코치', 2013.

171

이야기로 키우는 생각

국제단위계

예전에는 나라마다 사용하는 단위가 조금씩 달라 혼란을 초래하였습니다. 이에 전 세계에서는 상거래 질서 유지, 과학과 산업 발전을 위해 '국제단위계'라는 표준을 사용하고 있습니다.

국제단위계는 여러 가지 장점이 있습니다.

- 각각의 물리량에 대해서 한 가지 단위만 사용합니다.
- 분야를 뛰어넘어 상호 교류나 이해가 쉽습니다.
- 일관성 있고, 배우고, 사용하기 쉽습니다.

우리나라는 1961년 국제단위계를 채택하였고, 다음과 같이 비법정단위 사용을 금지하고 있습니다.

구분	사용해야 하는 단위	사용 금지 단위
길이	센티미터(cm), 미터(m), 킬로미터(km)	자, 마, 리, 피트, 인치, 마일, 야드
넓이	제곱미터(m^2), 제곱킬로미터 (km^2), 헥타아르(ha)	평, 마지기, 에이커
부피	세제곱센티미터(cm^3), 세제곱미터(m^3), 리터(L)	홉, 되, 말, 석(섬), 가마, 갤런
무게	그램(g), 킬로그램(kg), 톤(t)	돈, 냥, 근, 관, 파운드, 온스

[출처] 국가기술표준원, 2021.

개념 + 확인

교과서 개념을 익히고 확인 문제를 풀면서 단원을 마무리해 보아요.

개념

직육면체의 부피 비교

부피를 비교할 때에는 단위가 필요합니다.
직육면체의 부피를 비교할 때 모양과 크기가 같은 작은 상자를 사용하면 어느 것의 부피가 얼마만큼 더 큰지 알 수 있습니다.

예

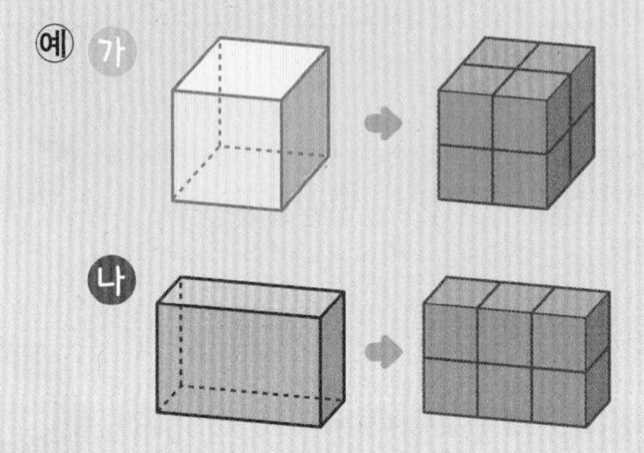

가는 작은 상자를 한 층에 4개씩 2층으로 8개를 쌓았고, 나는 작은 상자를 한 층에 3개씩 2층으로 6개를 쌓았습니다. 사용한 작은 상자의 수가 많을수록 부피가 더 큽니다.
➜ 가의 부피 > 나의 부피

직육면체의 부피

• 부피의 단위 $1\ cm^3$
한 모서리의 길이가 1 cm인 정육면체의 부피를 $1\ cm^3$라 쓰고, 1 세제곱센티미터라고 읽습니다.

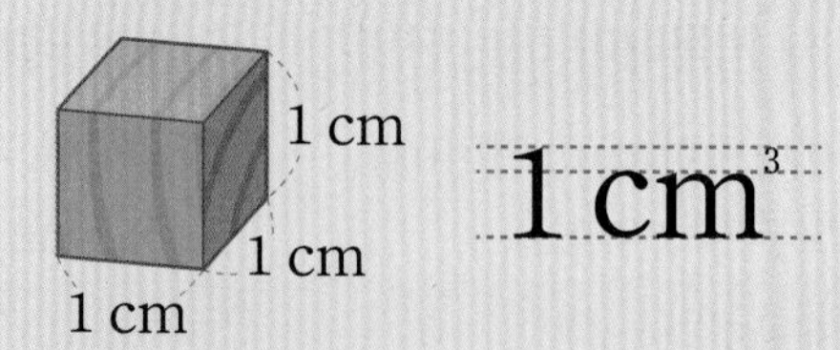

• 직육면체와 정육면체의 부피를 구하는 방법
(직육면체의 부피) = (가로) × (세로) × (높이)
(정육면체의 부피)
= (한 모서리의 길이) × (한 모서리의 길이) × (한 모서리의 길이)

확인 문제

1 부피가 더 큰 직육면체의 기호를 써 보세요.

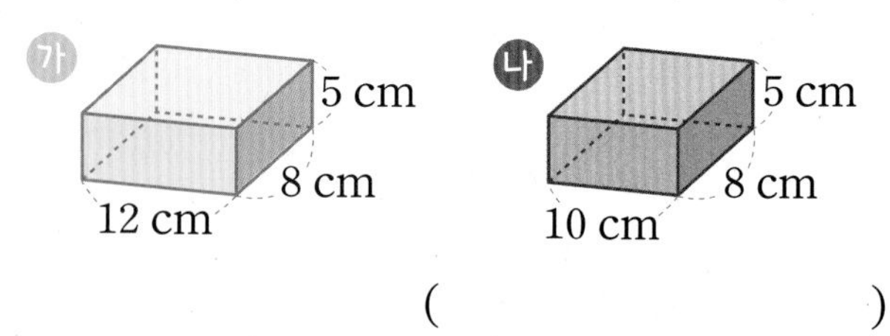

(　　　　　　　　)

2 크기가 같은 작은 상자를 사용하여 두 직육면체의 부피를 비교하려고 합니다. ○ 안에 >, =, <를 알맞게 써넣으세요.

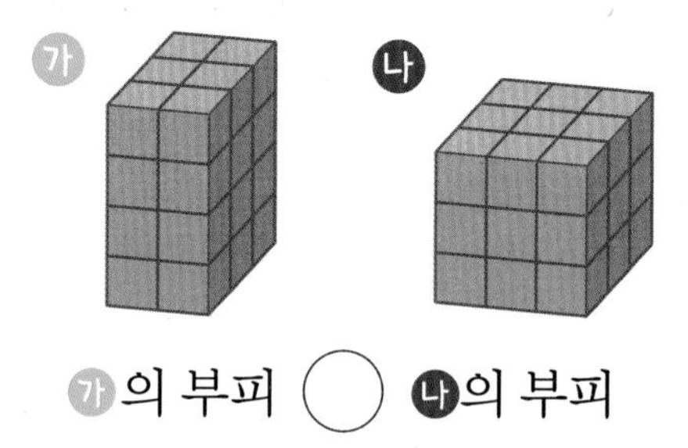

가의 부피 ○ 나의 부피

3 부피가 $1\ cm^3$인 쌓기나무를 사용하여 만든 직육면체의 부피는 몇 cm^3인가요?

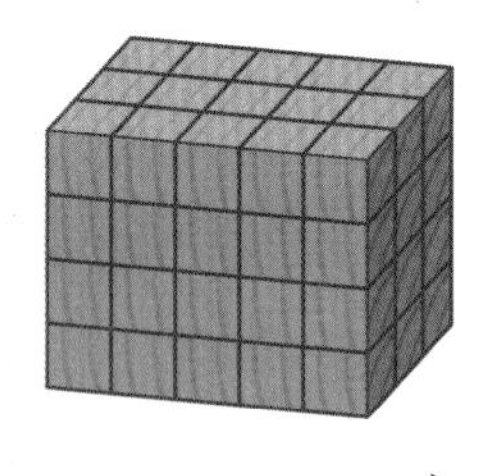

(　　　　　　　　)

4 오른쪽 직육면체의 부피는 몇 cm^3인가요?

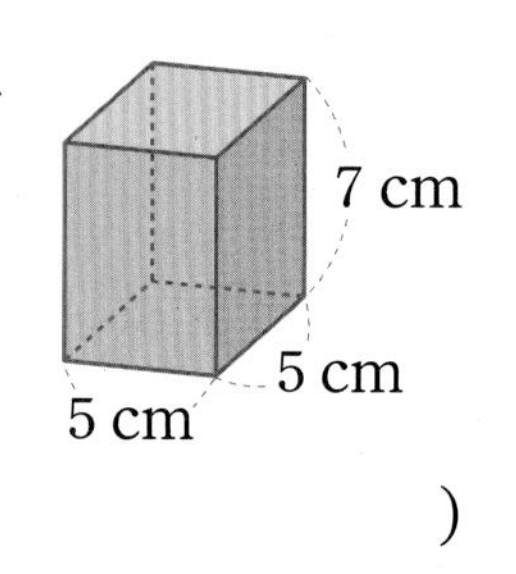

(　　　　　　　　)

개념

부피의 단위 1 m^3

• 부피의 단위 1 m^3

➔ 한 모서리의 길이가 1 m인 정육면체의 부피를 1 m^3라 쓰고, 1 세제곱미터라고 읽습니다.

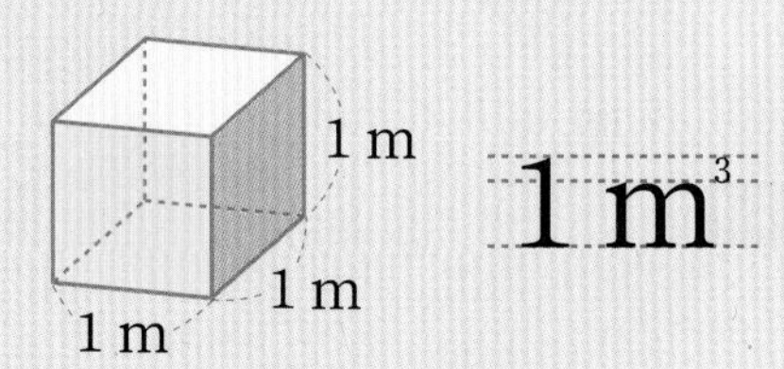

• 1 cm^3와 1 m^3 사이의 관계

1 m^3=1000000 cm^3

직육면체와 정육면체의 겉넓이

• 직육면체의 겉넓이를 구하는 방법

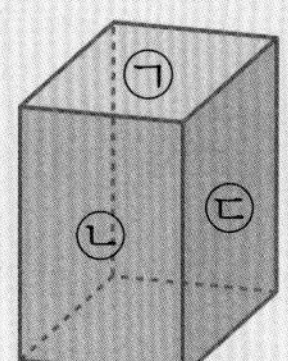

➔ (직육면체의 겉넓이)
=(면 ㉠, ㉡, ㉢의 넓이의 합)×2

➔ (직육면체의 겉넓이)
=(한 밑면의 넓이)×2+(옆면의 넓이)

예

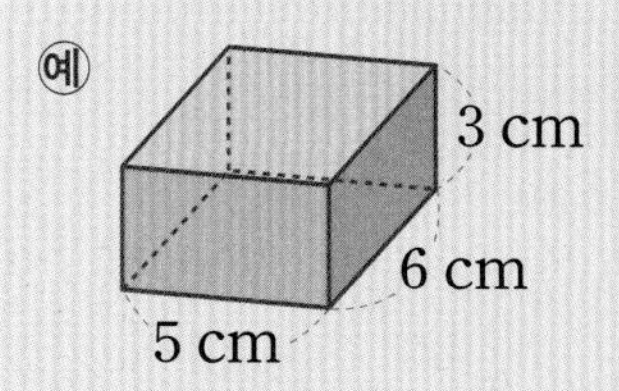

➔ (직육면체의 겉넓이)
=(5×6+5×3+6×3)×2=126 (cm^2)

➔ (직육면체의 겉넓이)
=(5×6)×2+(5+6+5+6)×3
=126 (cm^2)

• 정육면체의 겉넓이를 구하는 방법

➔ (정육면체의 겉넓이)=(한 면의 넓이)×6

확인 문제

5 직육면체의 부피는 몇 m^3인가요?

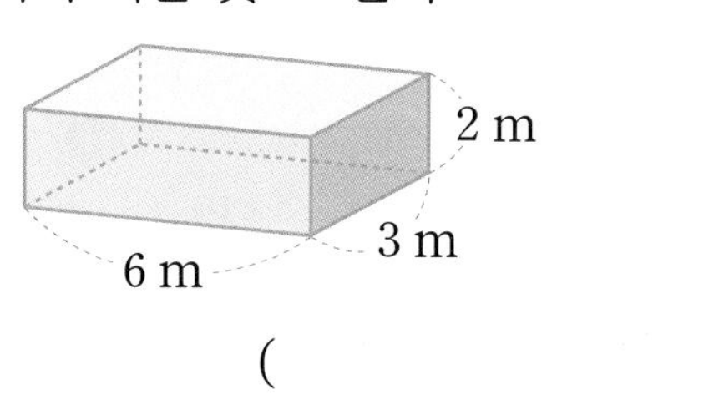

(   )

6 □ 안에 알맞은 수를 써넣으세요.

(1) 5 m^3=□ cm^3

(2) 1.3 m^3=□ cm^3

(3) 9000000 cm^3=□ m^3

(4) 400000 cm^3=□ m^3

7 오른쪽 직육면체의 겉넓이는 몇 cm^2인가요?

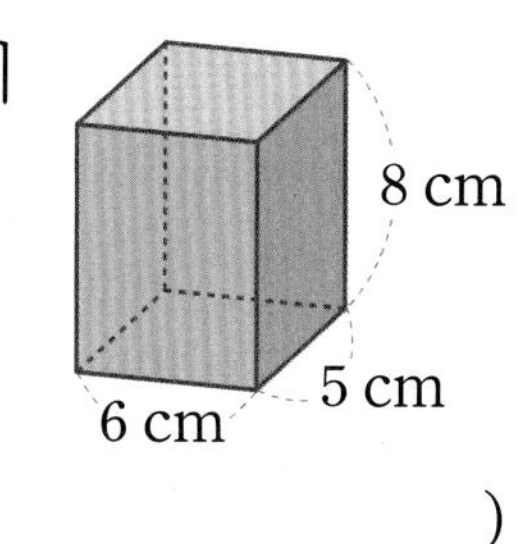

(   )

8 한 모서리의 길이가 13 cm인 정육면체 모양의 상자가 있습니다. 이 상자의 겉넓이는 몇 cm^2인가요?

(   )

단계별로

서술형 문제 해결하기

과정 중심 평가 내용: 직육면체의 부피가 주어질 때, 모서리의 길이를 구할 수 있는가?

1-1 두 직육면체는 부피가 같습니다. 직육면체 ㉯의 높이는 몇 cm인지 풀이 과정을 쓰고, 답을 구해 보세요. [8점]

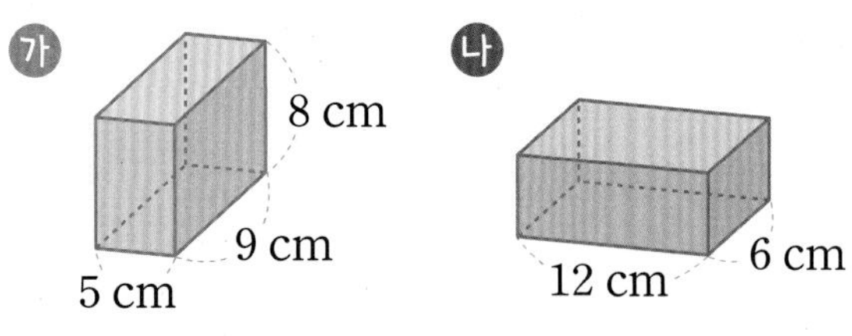

풀이 ❶ (직육면체 ㉮의 부피)

$=5\times\square\times8=\square$ (cm^3)

❷ 직육면체 ㉯의 높이를 ● cm라고 하면

(직육면체 ㉯의 부피)

$=12\times6\times$ ● $=\square$ (cm^3)

$72\times$ ● $=\square$, ● $=\square$

직육면체 ㉯의 높이는 $\square$ cm입니다.

답

1-2 쌍둥이

두 직육면체는 부피가 같습니다. 직육면체 ㉮의 세로는 몇 m인지 풀이 과정을 쓰고, 답을 구해 보세요. [12점]

가
12 m
7 m
나
6 m
14 m
10 m

풀이

답

1-3 유사

정육면체와 직육면체의 부피가 같을 때, 직육면체의 가로는 몇 cm인지 풀이 과정을 쓰고, 답을 구해 보세요. [15점]

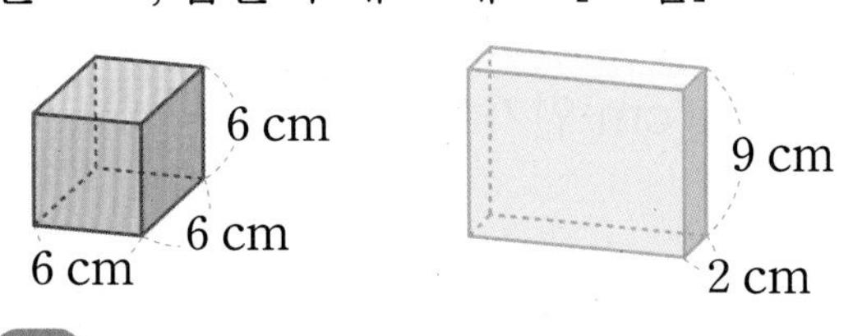

풀이

답

1-4 실전

직육면체와 부피가 같은 정육면체의 한 모서리의 길이는 몇 m인지 풀이 과정을 쓰고, 답을 구해 보세요. [15점]

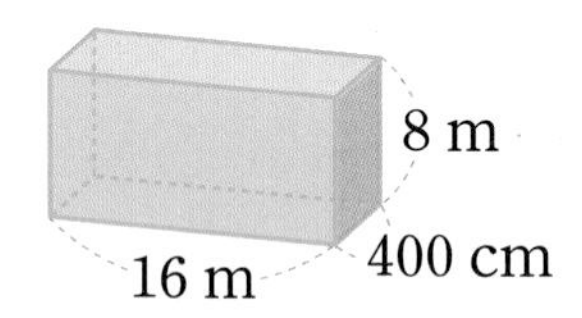

풀이

답

과정 중심 평가 내용 | 직육면체의 겉넓이와 부피를 이용하여 문제를 해결할 수 있는가?

공부한 날 월 일

➜ 정답 및 풀이 244쪽

2-1 직육면체의 부피가 160 cm^3일 때, 이 직육면체의 겉넓이는 몇 cm^2인지 풀이 과정을 쓰고, 답을 구해 보세요. [8점]

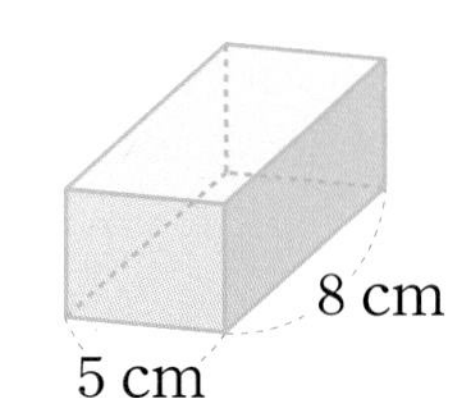

풀이 ❶ 직육면체의 높이를 ■ cm라고 하면

(직육면체의 부피)

$=5\times8\times■=160\ (cm^3)$

$40\times■=160$, $■=4$

직육면체의 높이는 □ cm입니다.

❷ (직육면체의 겉넓이)

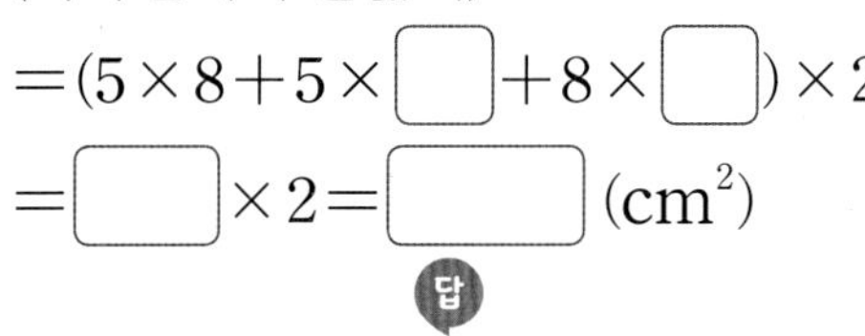

$=(5\times8+5\times□+8\times□)\times2$

$=□\times2=□\ (cm^2)$

답

2-2 쌍둥이 직육면체의 부피가 336 cm^3일 때, 이 직육면체의 겉넓이는 몇 cm^2인지 풀이 과정을 쓰고, 답을 구해 보세요. [12점]

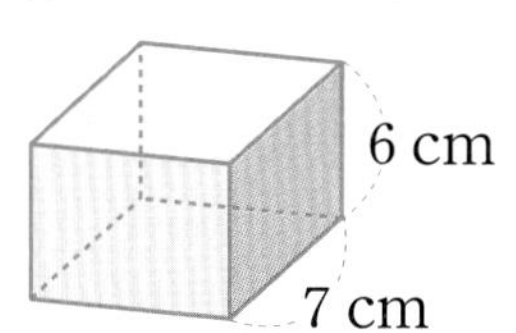

풀이

답

2-3 유사 정육면체의 부피가 729 cm^3일 때, 이 정육면체의 겉넓이는 몇 cm^2인지 풀이 과정을 쓰고, 답을 구해 보세요. [15점]

풀이

답

2-4 실전 직육면체의 겉넓이가 220 cm^2일 때, 이 직육면체의 부피는 몇 cm^3인지 풀이 과정을 쓰고, 답을 구해 보세요. [15점]

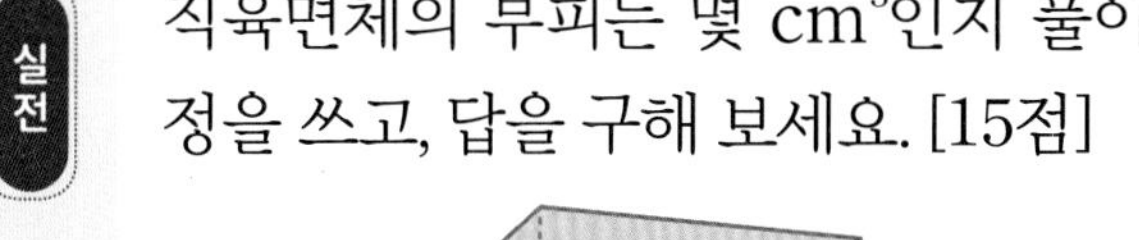

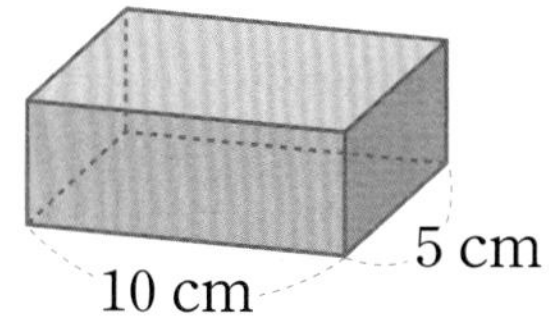

풀이

답

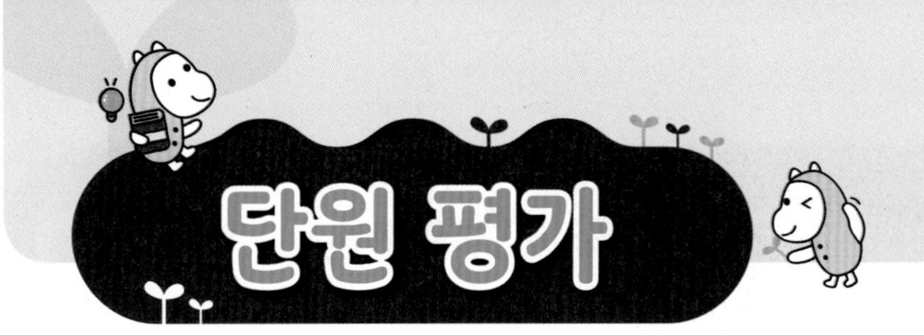

| 직육면체의 부피 비교 |

01 부피가 더 작은 직육면체의 기호를 써 보세요.

하

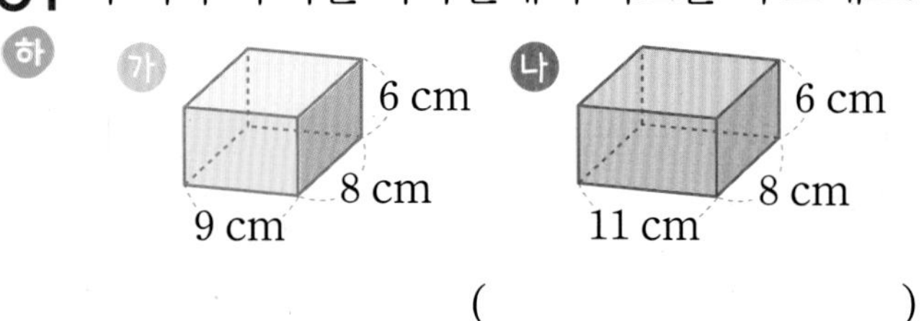

( )

| 직육면체의 부피 비교 |

02 크기가 같은 작은 상자를 사용하여 두 직육면체의 부피를 비교하려고 합니다. ◯ 안에 >, =, <를 알맞게 써넣으세요.

하

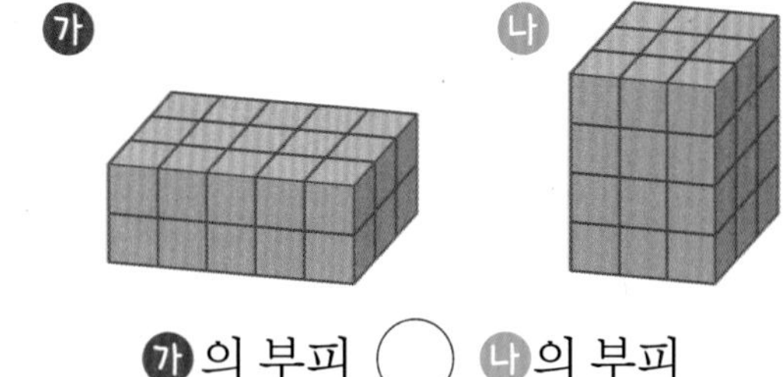

가의 부피 ◯ 나의 부피

| 직육면체의 부피 비교 |

03 직육면체 모양의 두 상자에 모양과 크기가 같은 작은 상자를 담아 부피를 비교하려고 합니다. 부피가 더 큰 상자의 기호를 써 보세요.

하

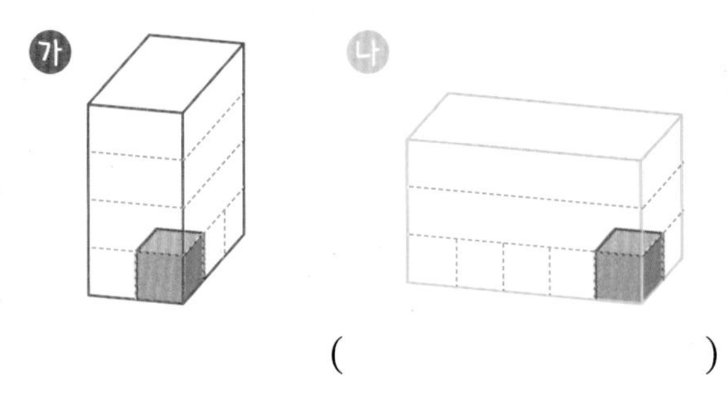

( )

| 직육면체의 부피 |

04 오른쪽 직육면체의 부피는 몇 cm^3인가요?

하

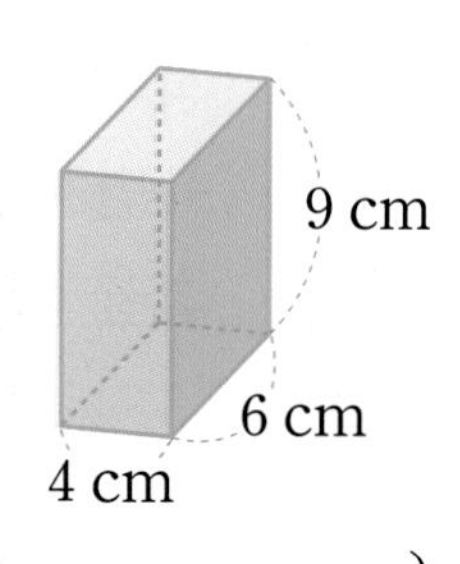

( )

| 직육면체의 부피 |

05 부피가 1 cm^3인 쌓기나무로 다음과 같은 모양을 만들었습니다. 이 모양을 8층으로 쌓아 직육면체를 만들었다면 만든 직육면체의 부피는 몇 cm^3인가요?

중

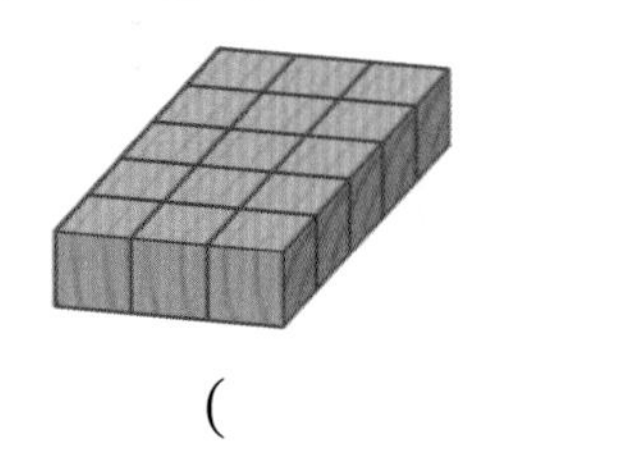

( )

| 직육면체와 정육면체의 겉넓이 |

06 한 꼭짓점에서 만나는 세 면의 넓이가 각각 72 cm^2, 88 cm^2, 99 cm^2인 직육면체의 겉넓이는 몇 cm^2인가요?

중

( )

| 직육면체의 부피 |

07 오른쪽 직육면체에서 색칠한 면의 넓이가 40 cm^2일 때, 이 직육면체의 부피는 몇 cm^3인가요?

중

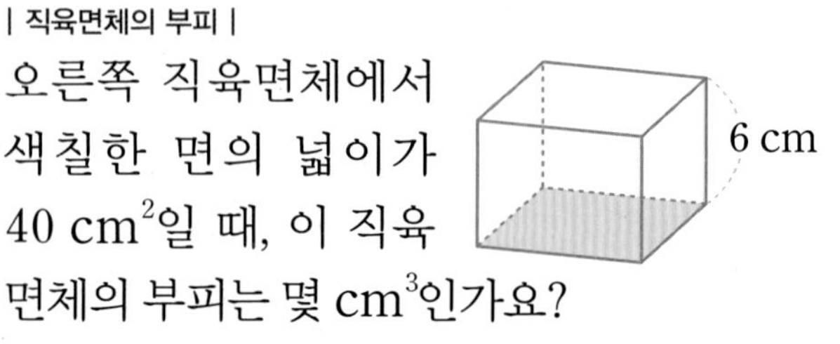

( )

| 부피의 단위 $1\ m^3$ |

08 가로가 700 cm, 세로가 600 cm, 높이가 5 m인 직육면체의 부피를 m^3와 cm^3로 각각 나타내어 보세요.

중

( ) m^3

( ) cm^3

| 직육면체와 정육면체의 겉넓이 |

09 오른쪽 전개도를 접어서 만든 직육면체의 겉넓이는 몇 cm^2인가요?

중

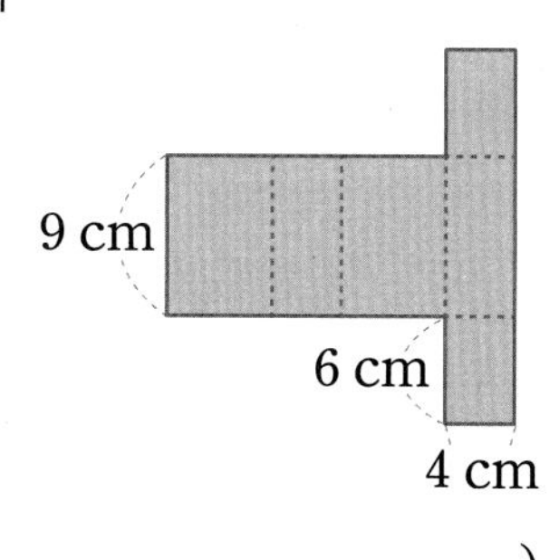

( )

| 직육면체의 부피 |

10 정육면체 ㉮와 직육면체 ㉯ 중에서 어느 것의 부피가 몇 cm^3 더 큰가요?

중

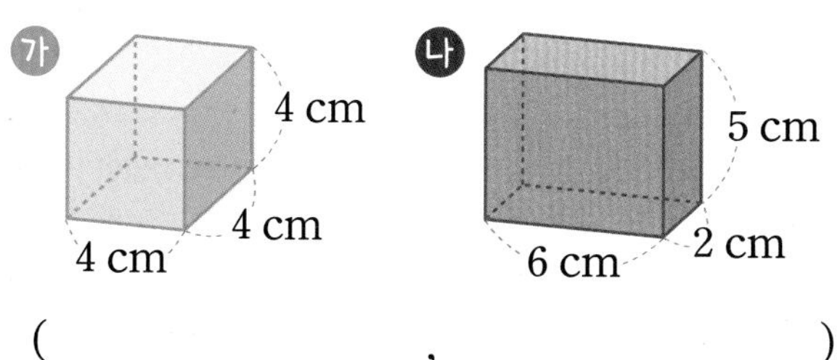

(,)

| 부피의 단위 $1\ m^3$ |

11 부피가 더 큰 것의 기호를 써 보세요.

중

㉮ 가로가 650 cm, 세로가 550 cm, 높이가 800 cm인 직육면체

㉯ 한 모서리의 길이가 6 m인 정육면체

( )

| 직육면체의 부피 |

12 오른쪽 직육면체의 부피가 336 cm^3일 때, □ 안에 알맞은 수를 써넣으세요.

중

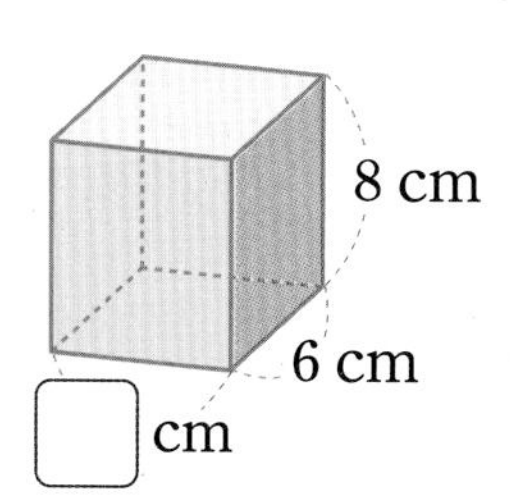

| 부피의 단위 $1\ m^3$ |

13 직육면체 ㉮와 직육면체 ㉯의 부피가 같습니다. □ 안에 알맞은 수를 써넣으세요.

중

㉮ 3 m, 4 m, 150 cm

㉯ □ m, 3 m, 1 m

| 부피의 단위 $1\ m^3$ | 서술형

14 한 면의 둘레가 1200 cm인 정육면체가 있습니다. 이 정육면체의 부피는 몇 m^3인지 풀이 과정을 쓰고, 답을 구해 보세요.

중

풀이

답

➔ 정답 및 풀이 245쪽

| 직육면체와 정육면체의 겉넓이 |

15 중 정육면체와 직육면체의 겉넓이의 합은 몇 cm^2인가요?

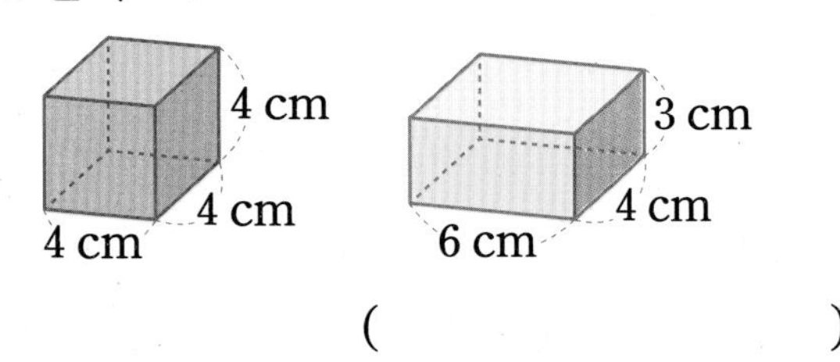

(　　　　　　　　)

| 직육면체와 정육면체의 겉넓이 |

16 중 오른쪽 직육면체에서 색칠한 면의 넓이가 20 cm^2일 때, 이 직육면체의 겉넓이는 몇 cm^2인가요?

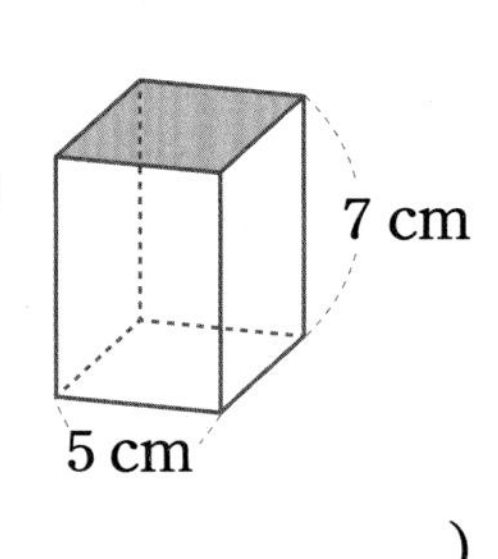

(　　　　　　　　)

| 직육면체의 부피 |, | 직육면체와 정육면체의 겉넓이 |

17 중 부피가 27 cm^3인 정육면체 모양의 주사위 12개로 오른쪽과 같은 직육면체를 만들었습니다. 만든 직육면체의 겉넓이는 몇 cm^2인가요?

(　　　　　　　　)

| 부피의 단위 1 m^3 |

18 상 오른쪽과 같이 직육면체 2개를 붙여서 만든 입체도형의 부피는 몇 m^3인가요?

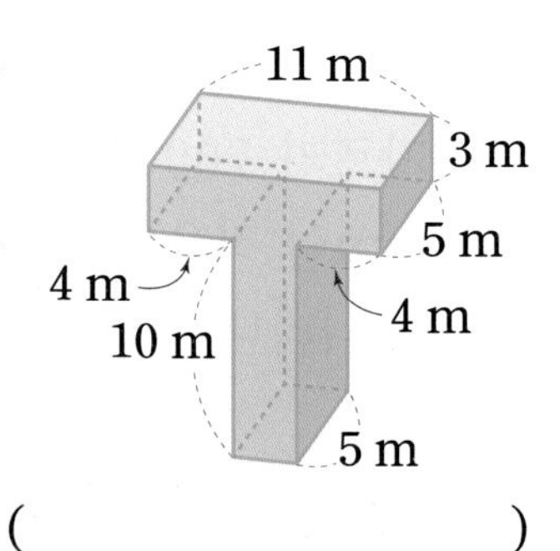

(　　　　　　　　)

| 직육면체의 부피 | 서술형

19 상 오른쪽과 같은 직육면체 모양의 비누를 잘라서 정육면체 모양으로 만들려고 합니다. 만들 수 있는 가장 큰 정육면체 모양의 부피는 몇 cm^3인지 풀이 과정을 쓰고, 답을 구해 보세요.

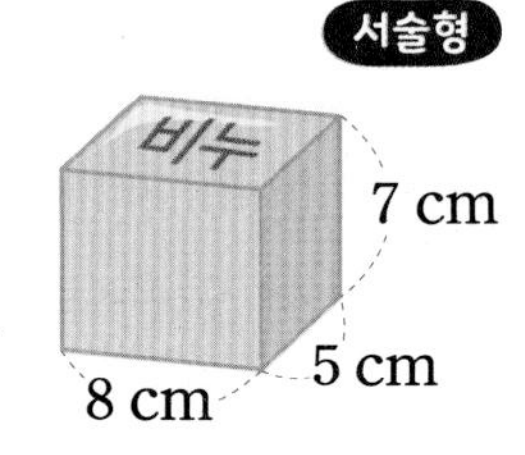

풀이

답 ....

| 직육면체의 부피 |, | 직육면체와 정육면체의 겉넓이 | 서술형

20 상 오른쪽 직육면체의 부피가 576 cm^3일 때, 이 직육면체의 겉넓이는 몇 cm^2인지 풀이 과정을 쓰고, 답을 구해 보세요.

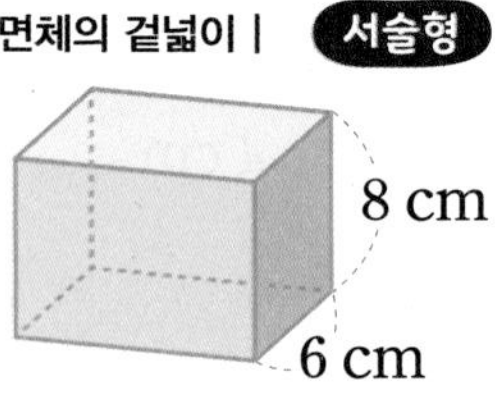

풀이

답 ....

부피가 2배인 정육면체를 만들 수 있을까?

내가 문제를 하나 낼게. 한 모서리의 길이가 1 cm인 정육면체가 있어. 이 정육면체의 부피의 2배가 되는 정육면체를 만들 수 있을까?
음… 부피가 2배가 되려면… 한 모서리의 길이를 1×2=2 (cm)로 하면 되겠네.

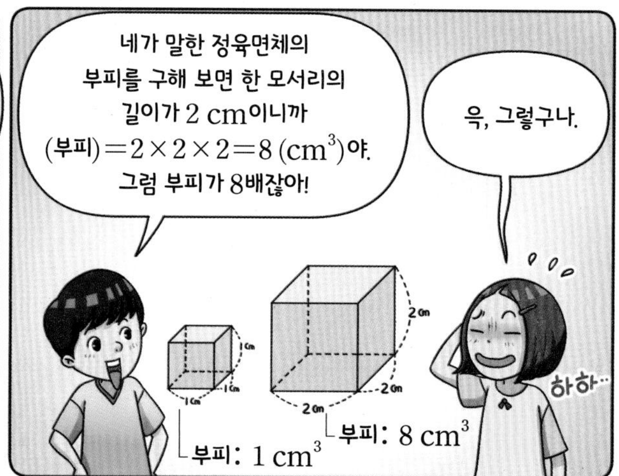

네가 말한 정육면체의 부피를 구해 보면 한 모서리의 길이가 2 cm이니까 (부피)=2×2×2=8 (cm³)야. 그럼 부피가 8배잖아!
윽, 그렇구나.
하하…
부피: 1 cm³
부피: 8 cm³

기원전 약 430년경, 그리스 델로스 섬에는 전염병이 돌고 있었대. 델로스 사람들이 아폴로 신에게 간절히 기도했고, 아폴로 신은 '신전에 있는 정육면체 모양의 제단과 모양은 같지만 부피가 2배인 제단을 만들라!'고 말했대.
우쭐
오~
아 진짜? 그럼 제단을 만들어서 전염병이 없어졌어?

아니야~. 델로스 사람들은 너처럼 정육면체의 한 모서리의 길이를 2배로 늘인 정육면체 제단을 만들었어. 사람들은 결국 이 문제를 풀지 못했고, 전염병도 멈추지 않았지. 이후 이 문제를 '델로스의 문제'라고 불렀지.
NO
NO

아. 너무 어려운 문제였네.
응. 실제로 이 문제는 약 2000년 동안 풀리지 않다가 19세기 현대 수학자에 의해 해결되었어.
스윽
야! 이렇게 어려운 문제를 나한테 내면 어떻게 해!
미안, 미안해~.
움찔
쾅

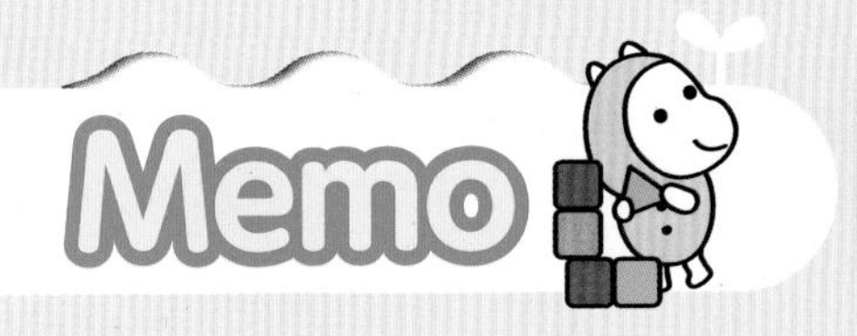
Memo

5~6학년군

수학 6-1

수학 다잡기

정답 및 풀이

1 분수의 나눗셈

★ 기약분수 또는 대분수로 나타내지 않아도 정답으로 인정합니다.

개념 확인 문제 9쪽

1 (1) 6 ⋯ 1 (2) 16 ⋯ 4 **2** >

3 $18\frac{2}{3}\left(=\frac{56}{3}\right)$ **4** $11\frac{1}{4}\left(=\frac{45}{4}\right)$ m

풀이

1 (1) 13 ÷ 2: 2)13, 12, 1 → 몫 6, 나머지 1 (2) 84 ÷ 5: 5)84, 5, 34, 30, 4 → 몫 16, 나머지 4

2 $60\div4=15$, $99\div7=14 \cdots 1$

따라서 몫을 비교하면 $15>14$입니다.

3 $1\frac{5}{9}\times12=\frac{14}{9}\times12=\frac{14\times\overset{4}{\cancel{12}}}{\underset{3}{\cancel{9}}}=\frac{56}{3}=18\frac{2}{3}$

4 (이어 붙인 색 테이프의 전체 길이)

$=2\frac{1}{4}\times5=\frac{9}{4}\times5=\frac{9\times5}{4}=\frac{45}{4}=11\frac{1}{4}$ (m)

개념 확인 문제 11쪽

1 (1) $\frac{1}{3}$ (2) $\frac{1}{12}$ (3) $\frac{4}{5}$ (4) $\frac{8}{11}$

2 $\frac{7}{15}$ **3** ㉡

4 $\frac{3}{7}$ L

풀이

2 $7\div15=\frac{7}{15}$

3 ㉠ $1\div2=\frac{1}{2}$ ㉡ $5\div9=\frac{5}{9}$ ㉢ $1\div8=\frac{1}{8}$

$\frac{1}{2}>\frac{1}{8}$이고, $\frac{1}{2}=\frac{9}{18}$, $\frac{5}{9}=\frac{10}{18}$이므로 $\frac{1}{2}<\frac{5}{9}$입니다.

따라서 나눗셈의 몫이 가장 큰 것은 ㉡입니다.

4 (한 병에 담을 식초의 양)$=3\div7=\frac{3}{7}$ (L)

개념 확인 문제 13쪽

1 1, 1, 1, $2\frac{1}{4}$

2 (1) $2\frac{2}{3}\left(=\frac{8}{3}\right)$ (2) $1\frac{4}{11}\left(=\frac{15}{11}\right)$

3 $2\frac{7}{9}\left(=\frac{25}{9}\right)$ **4** $3\frac{1}{3}\left(=\frac{10}{3}\right)$ L

풀이

2 (1) $8\div3=\frac{8}{3}=2\frac{2}{3}$

(2) $15\div11=\frac{15}{11}=1\frac{4}{11}$

3 가장 큰 수는 25이고, 가장 작은 수는 9입니다.

➜ $25\div9=\frac{25}{9}=2\frac{7}{9}$

4 (한 병에 담을 물의 양)$=10\div3=\frac{10}{3}=3\frac{1}{3}$ (L)

개념 확인 문제 15쪽

1 (1) 8, $\frac{4}{9}$ (2) 20, 20, $\frac{4}{35}$ (3) 10, 10, $\frac{5}{12}$

2 $\frac{2}{13}$ **3** $\frac{11}{90}$ L

풀이

1 (1) 분수의 분자가 나누는 수로 나누어떨어질 때에는 분자를 나누는 수로 나누어 계산합니다.

(2), (3) 분수의 분자가 나누는 수로 나누어떨어지지 않을 때에는 분자가 나누는 수의 배수가 되는 분수로 바꾸어 계산합니다.

2 $4>\frac{8}{13}$이므로 $\frac{8}{13}\div4=\frac{8\div4}{13}=\frac{2}{13}$입니다.

3 (비커 한 개에 담을 용액의 양)

$=\frac{11}{15}\div6=\frac{66}{90}\div6=\frac{66\div6}{90}=\frac{11}{90}$ (L)

개념 확인 문제 17쪽

1 $\frac{5}{8}\div3=\frac{5}{8}\times\frac{1}{3}=\frac{5}{24}$

2 $\frac{6}{77}$

3 $>$

4 $\frac{7}{20}$ kg

풀이

1 나누는 수인 자연수를 $\frac{1}{(\text{자연수})}$로 바꾼 다음, 곱하여 계산합니다.

2 $\frac{6}{11}\div7=\frac{6}{11}\times\frac{1}{7}=\frac{6}{77}$

3 $\frac{9}{4}\div5=\frac{9}{4}\times\frac{1}{5}=\frac{9}{20}$, $\frac{7}{10}\div2=\frac{7}{10}\times\frac{1}{2}=\frac{7}{20}$

➜ $\frac{9}{20}>\frac{7}{20}$

4 (한 팩에 담을 돼지고기의 양)

$=\frac{7}{5}\div4=\frac{7}{5}\times\frac{1}{4}=\frac{7}{20}$ (kg)

개념 확인 문제 19쪽

1 (1) 4, 4, 2 (2) 4, 4, $\frac{1}{2}$, 2

2 $3\frac{4}{5}\div2$에 ○표

3 $\frac{6}{7}$

4 $1\frac{22}{27}\left(=\frac{49}{27}\right)$ m^2

풀이

1 (2) $1\frac{1}{3}\div2=\frac{4}{3}\div2=\frac{\overset{2}{\cancel{4}}}{3}\times\frac{1}{\underset{1}{\cancel{2}}}=\frac{2}{3}$

2 $5\frac{3}{5}\div4=\frac{28}{5}\div4=\frac{28\div4}{5}=\frac{7}{5}=1\frac{2}{5}$

$3\frac{4}{5}\div2=\frac{19}{5}\div2=\frac{19}{5}\times\frac{1}{2}=\frac{19}{10}=1\frac{9}{10}$

$8\frac{2}{5}\div6=\frac{42}{5}\div6=\frac{42\div6}{5}=\frac{7}{5}=1\frac{2}{5}$

3 가장 큰 수는 $5\frac{1}{7}$입니다.

➜ $5\frac{1}{7}\div6=\frac{36}{7}\div6=\frac{36\div6}{7}=\frac{6}{7}$

참고 대분수의 자연수가 클수록 더 큰 수입니다.

4 (페인트 한 통으로 색칠한 벽면의 넓이)

$=5\frac{4}{9}\div3=\frac{49}{9}\div3=\frac{49}{9}\times\frac{1}{3}$

$=\frac{49}{27}=1\frac{22}{27}$ (m^2)

문제 해결력 문제 21쪽

1 (1) $1\frac{1}{2}\left(=\frac{3}{2}\right)$ L (2) $\frac{3}{10}$ L

2 (1) $3\frac{5}{24}\left(=\frac{77}{24}\right)$ kg (2) $\frac{11}{24}$ kg

풀이

1 (1) (5명이 마시고 남은 주스의 양)

$=1\frac{3}{4}\times\frac{1}{7}=\frac{\overset{1}{\cancel{7}}}{4}\times\frac{1}{\underset{1}{\cancel{7}}}=\frac{1}{4}$ (L)

(5명이 마신 주스의 양)

$=1\frac{3}{4}-\frac{1}{4}=1\frac{2}{4}=1\frac{1}{2}$ (L)

(2) (한 명이 마신 주스의 양)

$=1\frac{1}{2}\div5=\frac{3}{2}\times\frac{1}{5}=\frac{3}{10}$ (L)

2 (1) (부족한 보리의 양)

$=2\frac{5}{8}\times\frac{2}{9}=\frac{\overset{7}{\cancel{21}}}{\underset{4}{\cancel{8}}}\times\frac{\overset{1}{\cancel{2}}}{\underset{3}{\cancel{9}}}=\frac{7}{12}$ (kg)

(7병에 가득 담은 보리의 양)

$=2\frac{5}{8}+\frac{7}{12}=2\frac{15}{24}+\frac{14}{24}=2\frac{29}{24}=3\frac{5}{24}$ (kg)

(2) (한 병을 가득 담은 보리의 양)

$=3\frac{5}{24}\div7=\frac{77}{24}\div7=\frac{77\div7}{24}=\frac{11}{24}$ (kg)

개념 + 확인 26~27쪽

1 (1) $\frac{1}{4}$ (2) $\frac{3}{4}$

2 (1) $\frac{2}{7}$ (2) $1\frac{2}{3}\left(=\frac{5}{3}\right)$ (3) $2\frac{1}{4}\left(=\frac{9}{4}\right)$

(4) $1\frac{7}{8}\left(=\frac{15}{8}\right)$

3 ㉡

4 $<$

5 $\frac{7}{10}\times\frac{1}{3}=\frac{7}{30}$

6 (○)( )

7 $\frac{5}{6}$, $\frac{5}{24}$

8 $5\frac{1}{4}\left(=\frac{21}{4}\right)$ cm

풀이

1 (1) 1÷4는 1을 똑같이 4로 나눈 것 중의 하나입니다.

➜ $1\div4=\frac{1}{4}$

(2) 3÷4는 $\frac{1}{4}$이 3개입니다.

➜ $3\div4=\frac{3}{4}$

2 (1) $2\div7=\frac{2}{7}$ (2) $5\div3=\frac{5}{3}=1\frac{2}{3}$

(3) $9\div4=\frac{9}{4}=2\frac{1}{4}$ (4) $15\div8=\frac{15}{8}=1\frac{7}{8}$

3 ㉠ $7\div8=\frac{7}{8}$이므로 몫이 1보다 작습니다.

㉡ $10\div9=\frac{10}{9}=1\frac{1}{9}$이므로 몫이 1보다 큽니다.

㉢ $11\div20=\frac{11}{20}$이므로 몫이 1보다 작습니다.

4 $\frac{8}{15}\div2=\frac{8\div2}{15}=\frac{4}{15}$

$\frac{5}{6}\div3=\frac{15}{18}\div3=\frac{15\div3}{18}=\frac{5}{18}$

➜ $\frac{4}{15}=\frac{24}{90}$, $\frac{5}{18}=\frac{25}{90}$이므로 $\frac{4}{15}<\frac{5}{18}$입니다.

5 분수의 곱셈으로 나타내어 계산합니다.

6 $1\frac{3}{5}\div8=\frac{8}{5}\div8=\frac{8\div8}{5}=\frac{1}{5}$

$2\frac{1}{9}\div3=\frac{19}{9}\div3=\frac{19}{9}\times\frac{1}{3}=\frac{19}{27}$

7 $5\frac{5}{6}\div7=\frac{35}{6}\div7=\frac{35\div7}{6}=\frac{5}{6}$

$\frac{5}{6}\div4=\frac{5}{6}\times\frac{1}{4}=\frac{5}{24}$

8 (직사각형의 세로)

$=31\frac{1}{2}\div6=\frac{63}{2}\div6=\frac{\overset{21}{\cancel{63}}}{2}\times\frac{1}{\underset{2}{\cancel{6}}}$

$=\frac{21}{4}=5\frac{1}{4}$ (cm)

서술형 문제 해결하기 28~29쪽

1-1 ❶ 6, 6, 45 ❷ 5, 45, 5, 9, 4, 1

/ $4\frac{1}{2}\left(=\frac{9}{2}\right)$ cm

1-2 예 ❶ 정오각형은 변 5개의 길이가 같습니다.

(정오각형의 둘레)

$=\frac{12}{\underset{1}{\cancel{5}}}\times\overset{1}{\cancel{5}}=12$ (cm)

❷ 정칠각형은 변 7개의 길이가 같습니다.

(정칠각형의 한 변의 길이)

$=12\div7=\frac{12}{7}=1\frac{5}{7}$ (cm)

/ $1\frac{5}{7}\left(=\frac{12}{7}\right)$ cm

1-3 예 ❶ (직사각형의 둘레)

$=\left(3\frac{5}{8}+6\frac{1}{2}\right)\times2=\left(3\frac{5}{8}+6\frac{4}{8}\right)\times2$

$=10\frac{1}{8}\times2=\frac{81}{\underset{4}{\cancel{8}}}\times\overset{1}{\cancel{2}}=\frac{81}{4}$ (cm)

❷ 정오각형은 변 5개의 길이가 같습니다.

(정오각형의 한 변의 길이)

$=\frac{81}{4}\div5=\frac{81}{4}\times\frac{1}{5}=\frac{81}{20}$

$=4\frac{1}{20}$ (cm)

/ $4\frac{1}{20}\left(=\frac{81}{20}\right)$ cm

1-4 예 ❶ 정사각형의 한 변의 길이를 □cm라고 하면
(정사각형의 넓이)
$=\square\times\square=25\ (cm^2)$입니다.
$5\times5=25$이므로 □$=5$입니다.
❷ (정사각형의 둘레)
$=5\times4=20\ (cm)$
❸ 정삼각형은 변 3개의 길이가 같습니다.
(정삼각형의 한 변의 길이)
$=20\div3=\frac{20}{3}=6\frac{2}{3}\ (cm)$
/ $6\frac{2}{3}\left(=\frac{20}{3}\right)$ cm

2-1 ❶ $3, 3, \frac{13}{15}$ ❷ $\frac{13}{15}, \frac{13}{15}, \frac{13}{45}$
/ $\frac{13}{45}$

2-2 예 ❶ 어떤 수를 □라고 하면
$\square\times8=\frac{12}{7}$이므로
$\square=\frac{12}{7}\div8=\frac{\overset{3}{\cancel{12}}}{7}\times\frac{1}{\underset{2}{\cancel{8}}}=\frac{3}{14}$입니다.
❷ 어떤 수는 $\frac{3}{14}$이므로 8로 나누면
$\frac{3}{14}\div8=\frac{3}{14}\times\frac{1}{8}=\frac{3}{112}$입니다.
/ $\frac{3}{112}$

2-3 예 ❶ 어떤 수를 □라고 하면
$\square\times10=3\frac{1}{8}$이므로
$\square=3\frac{1}{8}\div10=\frac{25}{8}\div10$
$=\frac{\overset{5}{\cancel{25}}}{8}\times\frac{1}{\underset{2}{\cancel{10}}}=\frac{5}{16}$입니다.
❷ 어떤 수는 $\frac{5}{16}$이므로 15로 나누면
$\frac{5}{16}\div15=\frac{\overset{1}{\cancel{5}}}{16}\times\frac{1}{\underset{3}{\cancel{15}}}=\frac{1}{48}$입니다.
/ $\frac{1}{48}$

2-4 예 ❶ 어떤 수를 □라고 하면
$\frac{14}{15}\div\square=6$이므로
$\square=\frac{14}{15}\div6=\frac{\overset{7}{\cancel{14}}}{15}\times\frac{1}{\underset{3}{\cancel{6}}}=\frac{7}{45}$입니다.
❷ 어떤 수는 $\frac{7}{45}$이므로 5로 나누면
$\frac{7}{45}\div5=\frac{7}{45}\times\frac{1}{5}=\frac{7}{225}$입니다.
/ $\frac{7}{225}$

풀이

1-1

채점 기준		
	❶ 정육각형의 둘레 구하기	4점
	❷ 정오각형의 한 변의 길이 구하기	4점

참고 정■각형은 ■개의 변의 길이가 같습니다.

1-2

채점 기준		
	❶ 정오각형의 둘레 구하기	6점
	❷ 정칠각형의 한 변의 길이 구하기	6점

1-3

채점 기준		
	❶ 직사각형의 둘레 구하기	7점
	❷ 정오각형의 한 변의 길이 구하기	8점

참고 (직사각형의 둘레)
=(가로+세로)×2

1-4

채점 기준		
	❶ 정사각형의 한 변의 길이 구하기	6점
	❷ 정사각형의 둘레 구하기	3점
	❸ 정삼각형의 한 변의 길이 구하기	6점

참고 (정사각형의 넓이)
=(한 변의 길이)×(한 변의 길이)

2-1

채점 기준		
	❶ 어떤 수 구하기	4점
	❷ 바르게 계산한 값 구하기	4점

2-2

채점 기준		
	❶ 어떤 수 구하기	6점
	❷ 바르게 계산한 값 구하기	6점

2-3

채점 기준		
	❶ 어떤 수 구하기	8점
	❷ 어떤 수를 15로 나눈 몫 구하기	7점

참고 대분수는 가분수로 고쳐서 계산합니다.

2-4

채점 기준		
	❶ 어떤 수 구하기	8점
	❷ 어떤 수를 5로 나눈 몫 구하기	7점

단원 평가 30~32쪽

01 예 0 1 / $\frac{1}{8}$

02 (1) $6, \frac{2}{7}$ (2) $36, 36, \frac{9}{40}$

03 ㉢

04 (1) $\frac{2}{5}$ (2) $\frac{5}{27}$

05

06 예 $4\frac{2}{5} \div 3 = \frac{22}{5} \div 3 = \frac{66}{15} \div 3 = \frac{66 \div 3}{15}$
$= \frac{22}{15} = 1\frac{7}{15}$

예 $4\frac{2}{5} \div 3 = \frac{22}{5} \div 3 = \frac{22}{5} \times \frac{1}{3} = \frac{22}{15} = 1\frac{7}{15}$

07 (위에서부터) $\frac{7}{11}, \frac{35}{66}$

08 $1\frac{2}{7}\left(=\frac{9}{7}\right)$

09 $>$

10 $1\frac{2}{5}\left(=\frac{7}{5}\right)$ kg

11 예 ❶ ㉠ $\frac{7}{8} \div 5 = \frac{7}{8} \times \frac{1}{5} = \frac{7}{40}$

㉡ $\frac{3}{10} \div 2 = \frac{3}{10} \times \frac{1}{2} = \frac{3}{20}$

㉢ $1\frac{4}{5} \div 6 = \frac{9}{5} \div 6 = \frac{\overset{3}{\cancel{9}}}{5} \times \frac{1}{\underset{2}{\cancel{6}}} = \frac{3}{10}$

❷ $\frac{7}{40}$, $\frac{3}{20} = \frac{6}{40}$, $\frac{3}{10} = \frac{12}{40}$이므로 몫이 큰 것부터 차례로 기호를 쓰면 ㉢, ㉠, ㉡입니다.

/ ㉢, ㉠, ㉡

12 2

13 $\frac{5}{32}$

14 $\frac{9}{55}$

15 $\frac{3}{40}$

16 $4\frac{1}{6}\left(=\frac{25}{6}\right)$ cm

17 $\frac{43}{70}$ kg

18 $3\frac{4}{5}\left(=\frac{19}{5}\right)$

19 예 ❶ $4\frac{13}{20} \div 3 = \frac{93}{20} \div 3 = \frac{93 \div 3}{20}$
$= \frac{31}{20} = 1\frac{11}{20}$

$1\frac{11}{20} < \square$이므로 $\square$ 안에는 1보다 큰 수인 2, 3, 4, ...가 들어갈 수 있습니다.

❷ $9\frac{5}{7} \div 2 = \frac{68}{7} \div 2 = \frac{68 \div 2}{7} = \frac{34}{7} = 4\frac{6}{7}$

$\square < 4\frac{6}{7}$이므로 $\square$ 안에는 5보다 작은 수 1, 2, 3, 4가 들어갈 수 있습니다.

❸ $\square$ 안에 공통으로 들어갈 수 있는 자연수는 2, 3, 4입니다.

/ 2, 3, 4

20 예 ❶ 어떤 수를 $\square$라고 하면 $\square \times 8 = \frac{6}{7}$이므로

$\square = \frac{6}{7} \div 8 = \frac{\overset{3}{\cancel{6}}}{7} \times \frac{1}{\underset{4}{\cancel{8}}} = \frac{3}{28}$입니다.

❷ 어떤 수는 $\frac{3}{28}$이므로 바르게 계산하면

$\frac{3}{28} \div 8 = \frac{3}{28} \times \frac{1}{8} = \frac{3}{224}$입니다.

/ $\frac{3}{224}$

풀이

01 $1 \div 8$은 1을 똑같이 8로 나눈 것 중의 하나이므로 8칸 중 1칸을 색칠합니다.

➜ $1 \div 8 = \frac{1}{8}$

02 (1) 분수의 분자를 나누는 수로 나누어 계산합니다.

(2) 분수의 분자를 나누는 수의 배수가 되는 수로 바꾸어 계산합니다.

03 (분수)÷(자연수)를 분수의 곱셈으로 나타낼 때에는 나누는 수인 자연수를 $\frac{1}{(\text{자연수})}$로 바꾼 다음, 곱하여 계산해야 합니다.

➜ $\frac{3}{7} \div 4 = \frac{3}{7} \times \frac{1}{4}$

04 (1) $\frac{4}{5} \div 2 = \frac{4 \div 2}{5} = \frac{2}{5}$

(2) $\frac{5}{9} \div 3 = \frac{15}{27} \div 3 = \frac{15 \div 3}{27} = \frac{5}{27}$

05 $5\div11=\frac{5}{11}$, $11\div5=\frac{11}{5}=2\frac{1}{5}$

06 대분수를 가분수로 바꾸어 계산합니다.

07 $3\frac{2}{11}\div5=\frac{35}{11}\div5=\frac{35\div5}{11}=\frac{7}{11}$

$3\frac{2}{11}\div6=\frac{35}{11}\div6=\frac{35}{11}\times\frac{1}{6}=\frac{35}{66}$

08 $7\frac{5}{7}>6$이므로

$7\frac{5}{7}\div6=\frac{54}{7}\div6=\frac{54\div6}{7}=\frac{9}{7}=1\frac{2}{7}$입니다.

09 $11\div4=\frac{11}{4}=2\frac{3}{4}$, $16\div7=\frac{16}{7}=2\frac{2}{7}$

➜ $2\frac{3}{4}=2\frac{21}{28}$, $2\frac{2}{7}=2\frac{8}{28}$이므로 $2\frac{3}{4}>2\frac{2}{7}$입니다.

10 (한 명이 가질 찰흙의 양)

$=5\frac{3}{5}\div4=\frac{28}{5}\div4=\frac{28\div4}{5}=\frac{7}{5}=1\frac{2}{5}$ (kg)

11

채점 기준		
	❶ ㉠, ㉡, ㉢의 몫 구하기	3점
	❷ 몫이 큰 것부터 차례로 기호 쓰기	2점

12 $\frac{25}{8}\div3=\frac{25}{8}\times\frac{1}{3}=\frac{25}{24}=1\frac{1}{24}$이므로

$1\frac{1}{24}<\square$입니다.

따라서 □ 안에 들어갈 수 있는 가장 작은 자연수는 2입니다.

13 $\square=\frac{15}{8}\div12=\frac{\overset{5}{\cancel{15}}}{8}\times\frac{1}{\underset{4}{\cancel{12}}}=\frac{5}{32}$

14 $9\div11=\frac{9}{11}$이므로 ♥$=\frac{9}{11}$입니다.

➜ ★$=\frac{9}{11}\div5=\frac{45}{55}\div5=\frac{45\div5}{55}=\frac{9}{55}$

15 거꾸로 생각하여 계산합니다.

$2\frac{7}{10}\div9=\frac{27}{10}\div9=\frac{27\div9}{10}=\frac{3}{10}$,

$\frac{3}{10}\div4=\frac{3}{10}\times\frac{1}{4}=\frac{3}{40}$

16 삼각형의 높이를 □ cm라고 하면

(삼각형의 넓이)$=3\times\square\div2=\frac{25}{4}$ (cm^2)입니다.

$3\times\square=\frac{25}{\underset{2}{\cancel{4}}}\times\overset{1}{\cancel{2}}=\frac{25}{2}$

$\square=\frac{25}{2}\div3=\frac{25}{2}\times\frac{1}{3}=\frac{25}{6}=4\frac{1}{6}$ (cm)

17 (장난감 8개의 무게)

$=5\frac{1}{5}-\frac{2}{7}=5\frac{7}{35}-\frac{10}{35}=4\frac{42}{35}-\frac{10}{35}$

$=4\frac{32}{35}$ (kg)

(장난감 한 개의 무게)

$=4\frac{32}{35}\div8=\frac{172}{35}\div8=\frac{\overset{43}{\cancel{172}}}{35}\times\frac{1}{\underset{2}{\cancel{8}}}$

$=\frac{43}{70}$ (kg)

18 나눗셈의 몫이 가장 크게 되는 경우는 가장 큰 수를 가장 작은 수로 나누는 경우입니다.
가장 작은 숫자인 2를 나누는 수로 하고, 남은 숫자로 만든 가장 큰 대분수 $7\frac{3}{5}$을 나누어지는 수로 합니다.

➜ $7\frac{3}{5}\div2=\frac{38}{5}\div2=\frac{38\div2}{5}=\frac{19}{5}=3\frac{4}{5}$

19

채점 기준		
	❶ $4\frac{13}{20}\div3<\square$에서 □ 안에 들어갈 수 있는 자연수 구하기	2점
	❷ $\square<9\frac{5}{7}\div2$에서 □ 안에 들어갈 수 있는 자연수 구하기	2점
	❸ □ 안에 공통으로 들어갈 수 있는 자연수 구하기	1점

20

채점 기준		
	❶ 어떤 수 구하기	3점
	❷ 바르게 계산한 값 구하기	2점

2 각기둥과 각뿔

개념 확인 문제 37쪽

1 나, 다, 라 **2** 12개
3 면 가, 면 나, 면 라, 면 바

풀이

1 다각형은 선분으로만 둘러싸인 도형입니다.
2 직육면체는 모서리가 12개입니다.
3 전개도를 접었을 때 만들어지는 직육면체에서 면 마와 수직인 면은 면 마와 만나는 면이므로 면 가, 면 나, 면 라, 면 바입니다.

개념 확인 문제 39쪽

1 (1) 가, 다 (2) 각기둥
2 ( )(○)( )( )
3 2개

풀이

1 두 면이 서로 평행하고 합동인 다각형으로 이루어진 기둥 모양의 입체도형을 각기둥이라고 합니다.
2 각기둥은 두 면이 서로 평행하고 합동인 다각형으로 이루어진 기둥 모양의 입체도형입니다.
3    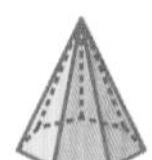 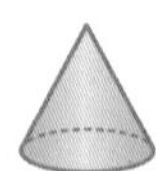 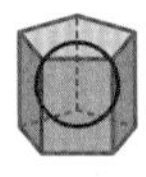
두 면이 서로 평행하고 합동인 다각형으로 이루어진 기둥 모양의 입체도형을 찾으면 모두 2개입니다.

개념 확인 문제 41쪽

1 밑면: 면 ㄱㄴㄷㄹㅁ, 면 ㅂㅅㅇㅈㅊ
옆면: 면 ㄱㄴㅅㅂ, 면 ㄴㅅㅇㄷ, 면 ㄷㅇㅈㄹ, 면 ㄹㅈㅊㅁ, 면 ㄱㅂㅊㅁ
2 6개 **3** ⑤

풀이

1 각기둥에서 밑면은 서로 평행하고 합동인 두 면이고, 옆면은 밑면과 만나는 면입니다.
2 각기둥에서 밑면에 수직인 면은 옆면이므로 모두 6개입니다.
3 옆면은 밑면과 만나는 면이므로 면 ㄱㄴㄷㄹ과 만나지 않는 면을 찾습니다.

개념 확인 문제 43쪽

1 칠각형, 칠각기둥 **2** 6 cm
3 8, 18, 12 **4** 팔각기둥

풀이

1 밑면의 모양이 칠각형이므로 칠각기둥입니다.
2 두 밑면 사이의 거리는 6 cm이므로 각기둥의 높이는 6 cm입니다.
3 밑면의 모양이 육각형이므로 육각기둥입니다.
육각기둥은 면이 8개, 모서리가 18개, 꼭짓점이 12개입니다.
4 면이 10개인 각기둥의 밑면은 2개, 옆면은 8개입니다. 각기둥의 한 밑면의 변의 수와 옆면의 수는 같습니다.
따라서 밑면이 팔각형인 각기둥은 팔각기둥입니다.

개념 확인 문제 45쪽

1 (1) 삼각기둥 (2) 팔각기둥
2 (1) 선분 ㅈㅇ (2) 면 ㅅㅇㅈㅊ

풀이

1 (1) 밑면의 모양이 삼각형인 각기둥의 전개도이므로 삼각기둥입니다.
(2) 밑면의 모양이 팔각형인 각기둥의 전개도이므로 팔각기둥입니다.

2 (1) 전개도를 접었을 때 점 ㅁ과 만나는 점은 점 ㅈ, 점 ㅂ과 만나는 점은 점 ㅇ이므로 선분 ㅁㅂ과 맞닿는 선분은 선분 ㅈㅇ입니다.

(2) 전개도를 접었을 때 면 ㄱㄴㅍㅎ과 마주 보는 면은 면 ㅅㅇㅈㅊ입니다.

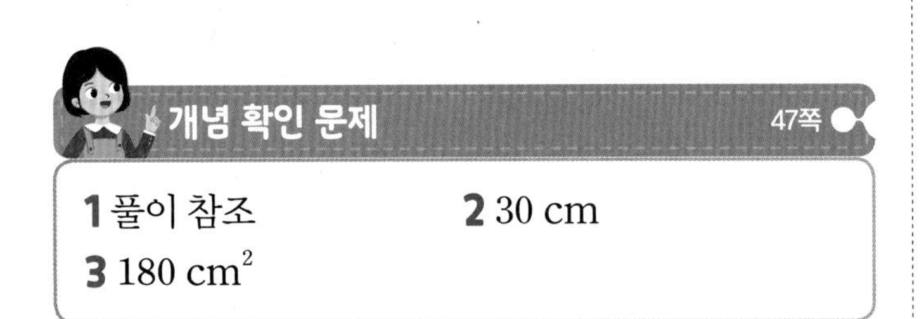

개념 확인 문제 47쪽

1 풀이 참조 **2** 30 cm

3 180 cm^2

풀이

1

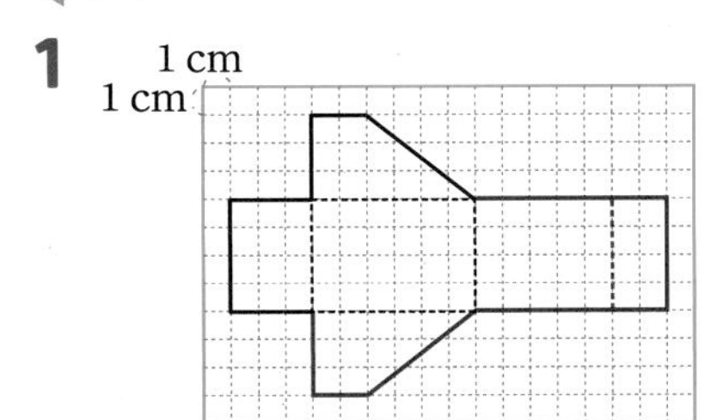

전개도는 모서리를 자르는 방법에 따라 다양하게 그릴 수 있습니다.

2 오각기둥의 밑면의 한 변의 길이는 옆면의 한 변의 길이와 같으므로 6 cm입니다.

➜ (오각기둥의 한 밑면의 둘레) $=6\times5=30$ (cm)

3 (모든 옆면의 넓이의 합) $=$ (한 면의 넓이) $\times 5$

$=6\times6\times5=180$ (cm^2)

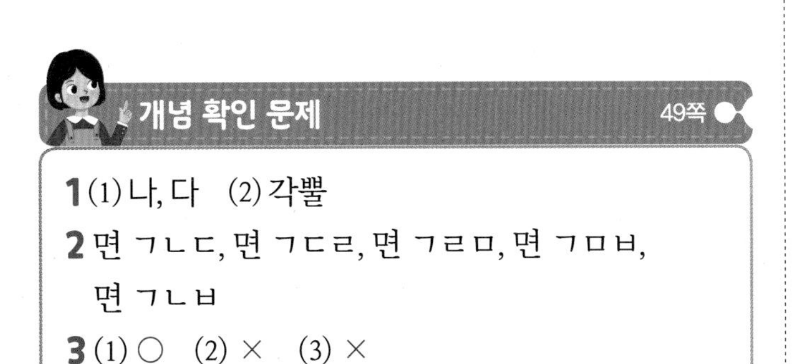

개념 확인 문제 49쪽

1 (1) 나, 다 (2) 각뿔

2 면 ㄱㄴㄷ, 면 ㄱㄷㄹ, 면 ㄱㄹㅁ, 면 ㄱㅁㅂ, 면 ㄱㄴㅂ

3 (1) ○ (2) × (3) ×

풀이

1 한 면이 다각형이고, 다른 면이 모두 삼각형인 뿔 모양의 입체도형을 각뿔이라고 합니다.

2 옆면은 삼각형인 면입니다.

3 (2) 각뿔의 옆면은 삼각형입니다.

(3) 각뿔의 모든 옆면은 한 점에서 만나므로 밑면과 수직으로 만나지 않습니다.

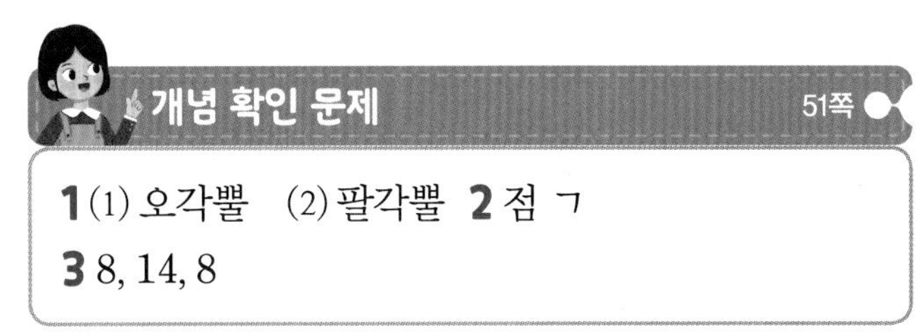

개념 확인 문제 51쪽

1 (1) 오각뿔 (2) 팔각뿔 **2** 점 ㄱ

3 8, 14, 8

풀이

1 (1) 밑면의 모양이 오각형인 각뿔은 오각뿔입니다.

(2) 밑면의 모양이 팔각형인 각뿔은 팔각뿔입니다.

2 옆면이 모두 만나는 꼭짓점을 각뿔의 꼭짓점이라고 합니다.

3 밑면의 모양이 칠각형이므로 칠각뿔입니다.

칠각뿔은 면이 8개, 모서리가 14개, 꼭짓점이 8개입니다.

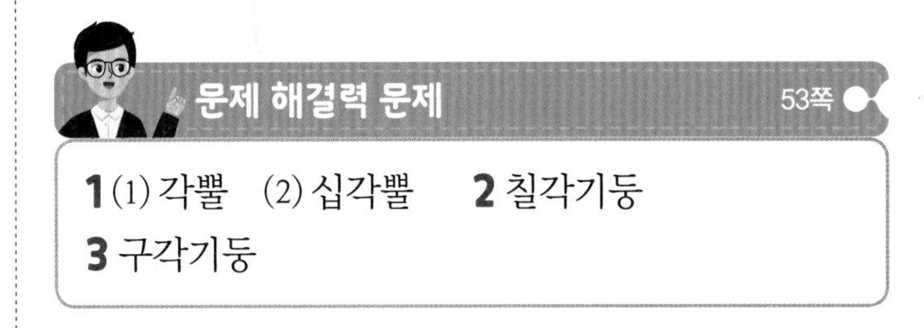

문제 해결력 문제 53쪽

1 (1) 각뿔 (2) 십각뿔 **2** 칠각기둥

3 구각기둥

풀이

1 (1) 밑면이 다각형이고 옆면이 모두 삼각형인 입체도형은 각뿔입니다.

(2) 모서리가 20개인 각뿔은 밑면이 십각형이므로 십각뿔입니다.

2 옆면이 모두 직사각형인 입체도형은 각기둥입니다. 옆면이 7개이므로 밑면이 칠각형인 칠각기둥입니다. 칠각기둥의 꼭짓점은 14개이므로 조건을 만족합니다.

3 면이 11개인 각기둥은 구각기둥이고, 각뿔은 십각뿔입니다. 구각기둥은 모서리가 27개이므로 조건을 만족하고, 십각뿔은 모서리가 20개이므로 조건을 만족하지 않습니다.

정답 및 풀이

개념+확인 58~59쪽

1 다, 라, 바

2 가 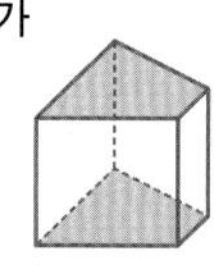 나 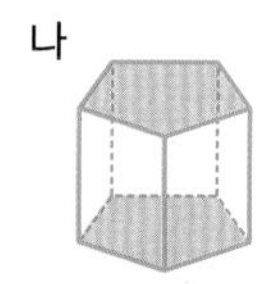 다 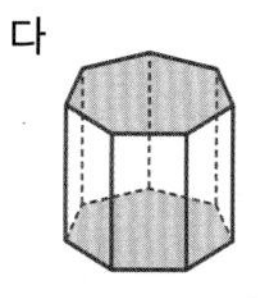

3 사각기둥, 오각기둥, 칠각기둥

4 8, 18, 12

5 나, 육각기둥

6 2개

7 9, 16, 9

풀이

1 두 면이 서로 평행하고 합동인 다각형으로 이루어진 기둥 모양의 입체도형을 찾습니다.

2 각기둥에서 서로 평행하고 합동인 두 면을 찾아 색칠합니다.

3 가: 밑면의 모양이 사각형이므로 사각기둥입니다.
나: 밑면의 모양이 오각형이므로 오각기둥입니다.
다: 밑면의 모양이 칠각형이므로 칠각기둥입니다.

4 육각기둥은 면이 8개, 모서리가 18개, 꼭짓점이 12개입니다.

5 가: 접었을 때 겹치는 부분이 있습니다.
다: 밑면의 모양이 사각형이므로 밑면이 2개, 옆면이 4개로 모두 6개이어야 하는데 면이 7개입니다.
라: 밑면의 모양이 오각형이므로 옆면이 5개이어야 하는데 4개로 1개가 부족합니다.

6 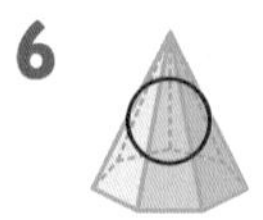 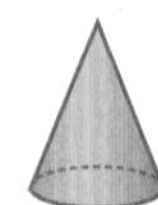 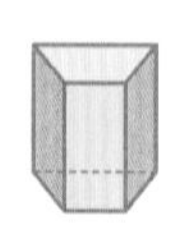 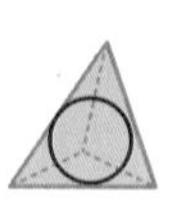

한 면이 다각형이고, 다른 면이 모두 삼각형인 뿔 모양의 입체도형을 찾으면 모두 2개입니다.

7 밑면의 모양이 팔각형이므로 팔각뿔입니다.
팔각뿔은 면이 9개, 모서리가 16개, 꼭짓점이 9개입니다.

서술형 문제 해결하기 60~61쪽

1-1 ❶ 12, 6 ❷ 12, 6, 90
/ 90 cm

1-2 예 ❶ 5 cm인 모서리는 5개, 8 cm인 모서리는 5개입니다.
❷ (모든 모서리의 길이의 합)
$=5\times5+8\times5=25+40=65$ (cm)
/ 65 cm

1-3 예 ❶ 밑면의 모양이 삼각형이므로 삼각기둥입니다.
삼각기둥에서 3 cm인 모서리는 6개, 5 cm인 모서리는 3개입니다.
❷ (모든 모서리의 길이의 합)
$=3\times3+5\times3=18+15=33$ (cm)
/ 33 cm

1-4 예 ❶ 각뿔은 밑면의 변의 수와 옆면의 수가 같으므로 삼각형 7개로 이루어진 각뿔은 밑면이 칠각형인 칠각뿔입니다.
칠각뿔에서 4 cm인 모서리는 7개, 9 cm인 모서리는 7개입니다.
❷ (모든 모서리의 길이의 합)
$=4\times7+9\times7=28+63=91$ (cm)
/ 91 cm

2-1 ❶ 9, 구각형 ❷ 구각형, 구각뿔, 10
/ 10개

2-2 예 ❶ 면이 8개인 각뿔은 밑면이 1개, 옆면이 7개이므로 밑면의 모양이 칠각형인 각뿔입니다.
❷ 각기둥의 밑면의 모양이 칠각형이므로 칠각기둥입니다. 따라서 칠각기둥은 모서리가 21개입니다.
/ 21개

2-3 예 ❶ 십이각뿔은 면이 13개이므로 어떤 각기둥의 면은 13개입니다.
❷ 면이 13개인 각기둥은 밑면이 2개, 옆면이 11개이므로 밑면의 모양이 십일각형인 각기둥입니다.

❸ 각기둥의 밑면의 모양이 십일각형이므로 십일각기둥입니다. 따라서 십일각기둥의 꼭짓점은 22개입니다.
/ 22개

2-4 예 ❶ 팔각기둥은 꼭짓점이 16개이므로 어떤 각뿔의 꼭짓점은 16개입니다.
❷ 꼭짓점이 16개인 각뿔의 밑면의 모양은 십오각형입니다.
❸ 각뿔의 밑면의 모양이 십오각형이므로 십오각뿔입니다. 따라서 십오각뿔은 면이 16개, 모서리가 30개이므로 면의 수와 모서리의 수의 합은 $16+30=46$(개)입니다.
/ 46개

풀이

1-1

채점 기준		
	❶ 4 cm인 모서리의 수와 7 cm인 모서리의 수 각각 구하기	4점
	❷ 모든 모서리의 길이의 합 구하기	4점

1-2

채점 기준		
	❶ 5 cm인 모서리의 수와 8 cm인 모서리의 수 각각 구하기	6점
	❷ 모든 모서리의 길이의 합 구하기	6점

1-3

채점 기준		
	❶ 3 cm인 모서리의 수와 5 cm인 모서리의 수 각각 구하기	10점
	❷ 모든 모서리의 길이의 합 구하기	5점

1-4

채점 기준		
	❶ 4 cm인 모서리의 수와 9 cm인 모서리의 수 각각 구하기	10점
	❷ 모든 모서리의 길이의 합 구하기	5점

2-1

채점 기준		
	❶ 각기둥의 밑면의 모양 구하기	4점
	❷ 각뿔의 꼭짓점의 수 구하기	4점

2-2

채점 기준		
	❶ 각뿔의 밑면의 모양 구하기	6점
	❷ 각기둥의 모서리의 수 구하기	6점

2-3

채점 기준		
	❶ 각기둥의 면의 수 구하기	5점
	❷ 각기둥의 밑면의 모양 구하기	5점
	❸ 각기둥의 꼭짓점의 수 구하기	5점

2-4

채점 기준		
	❶ 각뿔의 꼭짓점의 수 구하기	5점
	❷ 각뿔의 밑면의 모양 구하기	5점
	❸ 각뿔의 면의 수와 모서리의 수의 합 구하기	5점

단원 평가

62~64쪽

01 다, 마
02 라, 바
03 (1) 오각기둥 (2) 칠각뿔
04
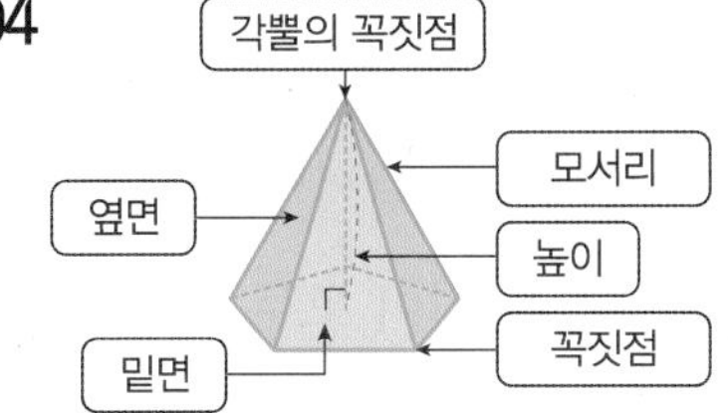

05 면 ㄱㄴㄷㄹ, 면 ㄷㅅㅇㄹ, 면 ㅁㅂㅅㅇ, 면 ㄱㄴㅂㅁ
06 답 예 각기둥이 아닙니다.
이유 예 두 밑면이 다각형이 아닙니다.
07 6개
08 ㉠, ㉣
09 사각기둥
10 선분 ㅈㅇ, 선분 ㅇㅅ
11 나
12
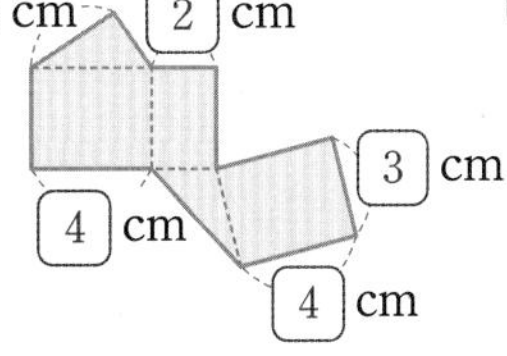

13 풀이 참조
14 (위에서부터) 6, 5 / 12, 8 / 8, 5
15 예 ❶ ㉠ 사각기둥은 모서리가 12개입니다.
➜ □=12
㉡ 육각뿔은 꼭짓점이 7개입니다.
➜ □=7
㉢ 칠각기둥은 면이 9개입니다.
➜ □=9
❷ □ 안에 들어갈 수가 큰 것부터 차례로 기호를 쓰면 ㉠, ㉢, ㉡입니다.
/ ㉠, ㉢, ㉡
16 7개
17 6 cm
18 십각기둥

19 예 ❶ 밑면인 정오각형의 한 변의 길이가 6 cm이므로 직사각형 ㄱㄴㄷㄹ의 가로는 $6\times5=30$ (cm)입니다.
❷ 직사각형의 ㄱㄴㄷㄹ의 세로를 □cm라고 하면 $30\times\square=270$이므로 $\square=9$입니다.
따라서 각기둥의 높이는 9 cm입니다.
/ 9 cm

20 48 cm

풀이

01 두 면이 서로 평행하고 합동인 다각형으로 이루어진 기둥 모양의 입체도형을 찾습니다.

02 한 면이 다각형이고, 다른 면이 모두 삼각형인 뿔 모양의 입체도형을 찾습니다.

03 (1) 밑면의 모양이 오각형이므로 오각기둥입니다.
(2) 밑면의 모양이 칠각형이므로 칠각뿔입니다.

04 꼭짓점 중에서도 옆면이 모두 만나는 점을 각뿔의 꼭짓점이라고 합니다.

05 면 ㄴㅂㅅㄷ과 만나는 면을 찾습니다.

07 각기둥의 높이는 두 밑면 사이의 거리이므로 두 밑면이 만나는 모서리를 찾으면 모두 6개입니다.

08

입체도형	팔각기둥	팔각뿔
㉠ 밑면의 모양	팔각형	팔각형
㉡ 옆면의 모양	직사각형	삼각형
㉢ 밑면의 개수	2개	1개
㉣ 옆면의 개수	8개	8개

09 밑면의 모양이 사각형이므로 전개도를 접었을 때 만들어지는 각기둥은 사각기둥입니다.

10 • 전개도를 접었을 때 점 ㄱ과 만나는 점은 점 ㅈ, 점 ㄴ과 만나는 점은 점 ㅇ이므로 선분 ㄱㄴ과 맞닿는 선분은 선분 ㅈㅇ입니다.
• 전개도를 접었을 때 점 ㄹ과 만나는 점은 점 ㅇ, 점 ㅁ과 만나는 점은 점 ㅅ이므로 선분 ㄹㅁ과 맞닿는 선분은 선분 ㅇㅅ입니다.

11 나: 밑면의 모양이 육각형이므로 옆면이 6개이어야 하는데 5개이므로 각기둥의 전개도가 아닙니다.

12 각기둥의 전개도를 접었을 때 맞닿는 선분의 길이는 서로 같습니다.

13 예

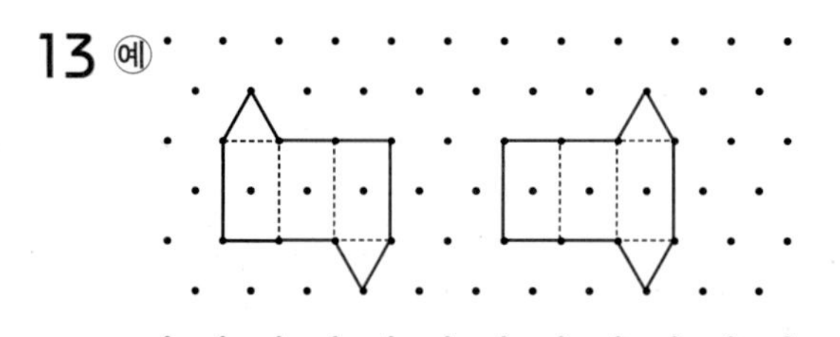

어느 모서리를 자르는가에 따라 여러 가지 모양이 나올 수 있습니다.

14 • 사각기둥은 면이 6개, 모서리가 12개, 꼭짓점이 8개입니다.
• 사각뿔은 면이 5개, 모서리가 8개, 꼭짓점이 5개입니다.

15

채점 기준		
	❶ □ 안에 들어갈 수 각각 구하기	3점
	❷ □ 안에 들어갈 수가 큰 것부터 차례로 기호 쓰기	2점

16 밑면의 모양이 육각형이므로 육각뿔입니다.
육각뿔은 면이 7개입니다.

17 각기둥의 높이를 □cm라고 하면 3 cm인 모서리는 4개, 5 cm인 모서리는 4개, □cm인 모서리는 4개입니다.
(모든 모서리의 길이의 합)
$=3\times4+5\times4+\square\times4=56$ (cm)
➔ $12+20+\square\times4=56$, $\square\times4=24$, $\square=6$

18 면이 12개인 각기둥은 밑면이 2개, 옆면이 10개이므로 밑면이 십각형인 십각기둥입니다. 십각기둥은 꼭짓점이 20개, 모서리가 30개이므로 조건을 모두 만족합니다.

19

채점 기준		
	❶ 직사각형 ㄱㄴㄷㄹ의 가로의 길이 구하기	2점
	❷ 각기둥의 높이 구하기	3점

20 정삼각형 4개로 이루어진 입체도형은 삼각뿔입니다. 삼각뿔은 모서리가 6개입니다.
➔ (모든 모서리의 길이의 합)$=8\times6=48$ (cm)

3 소수의 나눗셈

개념 확인 문제 69쪽

1 (1) 9 (2) 17 ⋯ 14　　**2** >

3 4.7, 4.73　　**4** ㉣

풀이

1 (1)
```
        9
30 ) 2 7 0
     2 7 0
         0
```
(2)
```
        1 7
23 ) 4 0 5
     2 3
     1 7 5
     1 6 1
        1 4
```

2 $149 \div 16 = 9 \cdots 5$, $173 \div 20 = 8 \cdots 13$
따라서 몫을 비교하면 $9 > 8$입니다.

3 • 소수 둘째 자리 숫자가 2이므로 반올림하여 소수 첫째 자리까지 나타내면 4.7입니다.
• 소수 셋째 자리 숫자가 5이므로 반올림하여 소수 둘째 자리까지 나타내면 4.73입니다.

4 ㉠, ㉡, ㉢ 14.59 ㉣ 1459
따라서 나타내는 수가 다른 것은 ㉣입니다.

개념 확인 문제 71쪽

1 (1) 예 $6.3 \div 3 = \frac{63}{10} \div 3 = \frac{63 \div 3}{10} = \frac{21}{10} = 2.1$

(2) 예 $6.3 \div 3 = 2.1$
10배 ↓ ↑ $\frac{1}{10}$배
$63 \div 3 = 21$

2 (위에서부터) 2.4, 1.2

3 식 $5.5 \div 5 = 1.1$　답 1.1 kg

풀이

1 (1) 소수 한 자리 수는 분모가 10인 분수로 고칠 수 있습니다.
(2) 나누어지는 수를 10배 하면 몫도 10배가 됩니다.

2 $4.8 \div 2 = 2.4$, $4.8 \div 4 = 1.2$

3 (한 병에 담을 쌀의 양)$= 5.5 \div 5 = 1.1$ (kg)

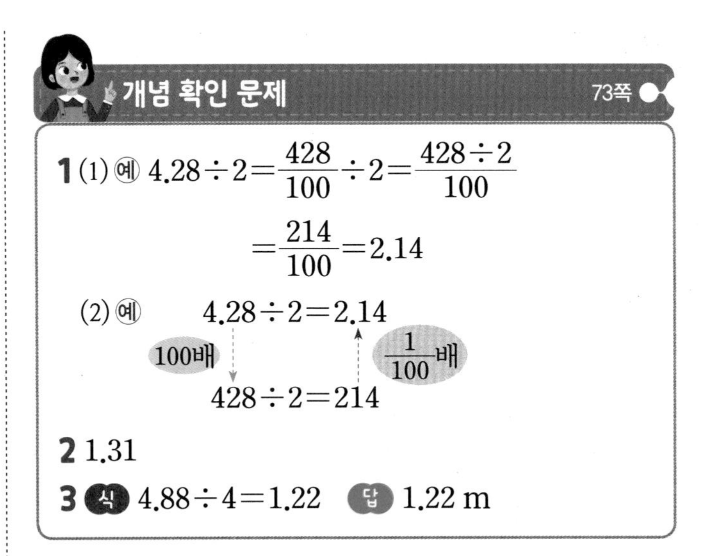

개념 확인 문제 73쪽

1 (1) 예 $4.28 \div 2 = \frac{428}{100} \div 2 = \frac{428 \div 2}{100}$
$= \frac{214}{100} = 2.14$

(2) 예 $4.28 \div 2 = 2.14$
100배 ↓ ↑ $\frac{1}{100}$배
$428 \div 2 = 214$

2 1.31

3 식 $4.88 \div 4 = 1.22$　답 1.22 m

풀이

1 (1) 소수 두 자리 수는 분모가 100인 분수로 고칠 수 있습니다.
(2) 나누어지는 수를 100배 하면 몫도 100배가 됩니다.

2 $3.93 \div 3 = 1.31$

3 (자른 나무토막 한 도막의 길이)
$= 4.88 \div 4 = 1.22$ (m)

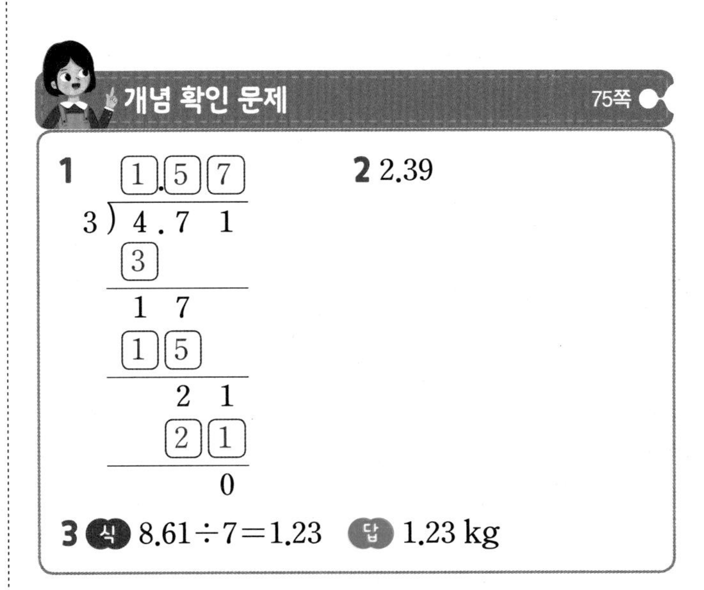

개념 확인 문제 75쪽

1
```
     1 . 5 7
3 ) 4 . 7 1
    3
    1 7
    1 5
       2 1
       2 1
         0
```

2 2.39

3 식 $8.61 \div 7 = 1.23$　답 1.23 kg

풀이

1 자연수의 나눗셈과 같은 방법으로 계산하고, 나누어지는 수의 소수점 위치에 맞추어 소수점을 올려 찍습니다.

2 $4 < 9.56$이므로 $9.56 \div 4 = 2.39$입니다.

3 (책가방 한 개의 무게)$= 8.61 \div 7 = 1.23$ (kg)

정답 및 풀이

개념 확인 문제 77쪽

1 (1) 1.53 (2) 1.24 **2** 1.56 **3** >

4 식 $19.04 \div 14 = 1.36$ 답 1.36 L

풀이

1 (1)

```
     1.5 3
 5 ) 7.6 5
     5
     2 6
     2 5
       1 5
       1 5
         0
```

(2)

```
      1.2 4
 9 ) 1 1.1 6
       9
       2 1
       1 8
         3 6
         3 6
           0
```

2 $9.36 \div 6 = 1.56$

3 $4.14 \div 3 = 1.38$, $9.52 \div 8 = 1.19$ ➜ $1.38 > 1.19$

4 2주일은 14일입니다.

➜ (하루에 마신 우유의 양) $= 19.04 \div 14 = 1.36$ (L)

개념 확인 문제 79쪽

1

```
      0.6 4
 4 ) 2 . 5  6
     2  4
        1  6
        1  6
           0
```

2 (선 잇기: X자 모양)

3 식 $1.65 \div 3 = 0.55$ 답 0.55 L

풀이

2 $3.05 \div 5 = 0.61$, $4.72 \div 8 = 0.59$

3 (컵 한 개에 담은 주스의 양) $= 1.65 \div 3 = 0.55$ (L)

개념 확인 문제 81쪽

1 ㉢ **2** (1) 0.83 (2) 0.39

3 0.47 **4** 0.61 cm^2

풀이

1 ㉠ 2.38은 2보다 크므로 2로 나누면 몫이 1보다 큽니다.

㉡ 3.48은 3보다 크므로 3으로 나누면 몫이 1보다 큽니다.

㉢ 5.82는 6보다 작으므로 6으로 나누면 몫이 1보다 작습니다.

2 (1)

```
     0.8 3
 2 ) 1.6 6
     1 6
         6
         6
         0
```

(2)

```
     0.3 9
 7 ) 2.7 3
     2 1
       6 3
       6 3
         0
```

3 가장 작은 수는 3.76입니다. ➜ $3.76 \div 8 = 0.47$

4 (색칠한 부분의 넓이) $= 3.05 \div 5 = 0.61$ (cm^2)

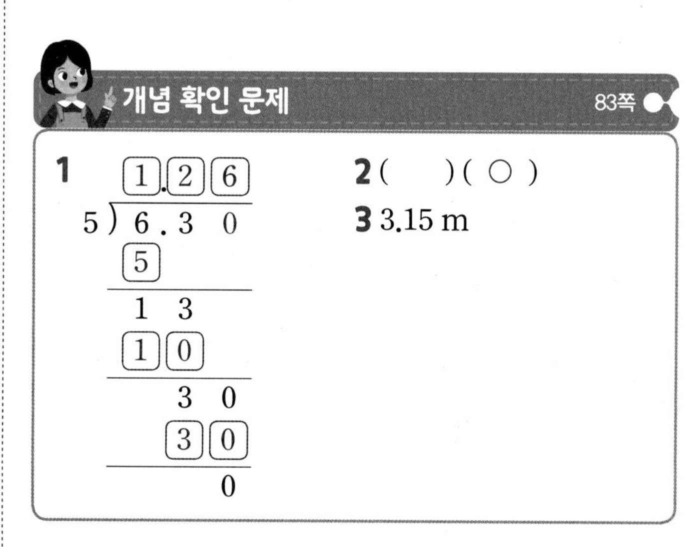

개념 확인 문제 83쪽

1

```
      1.2 6
 5 ) 6 . 3  0
     5
     1  3
     1  0
        3  0
        3  0
           0
```

2 ( ) (○)

3 3.15 m

풀이

2 $11.6 \div 8 = 1.45$, $19.8 \div 15 = 1.32$

3 (색 테이프 한 도막의 길이) $= 12.6 \div 4 = 3.15$ (m)

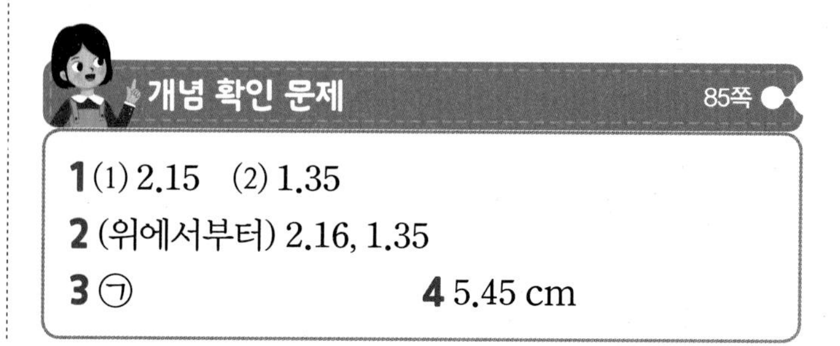

개념 확인 문제 85쪽

1 (1) 2.15 (2) 1.35

2 (위에서부터) 2.16, 1.35

3 ㉠ **4** 5.45 cm

풀이

1 (1)
```
     2.1 5
  4)8.6 0
    8
    ---
      6
      4
    ---
      2 0
      2 0
    -----
        0
```
(2)
```
       1.3 5
  12)1 6.2 0
     1 2
     -------
       4 2
       3 6
     -------
         6 0
         6 0
     -------
           0
```
2 $10.8 \div 5 = 2.16$, $10.8 \div 8 = 1.35$

3 ㉠ $5.1 \div 2 = 2.55$　㉡ $7.4 \div 4 = 1.85$
㉢ $12.9 \div 6 = 2.15$
따라서 몫이 가장 큰 것은 ㉠입니다.

4 삼각뿔은 모서리가 6개입니다.
➜ (한 모서리의 길이)$= 32.7 \div 6 = 5.45$ (cm)

개념 확인 문제 87쪽

1 103, 1.03　**2** 1.09
3 ㉠　**4** 3.04 kg

풀이

1 나눗셈에서 나누어지는 수를 $\frac{1}{100}$배 하면 몫도 $\frac{1}{100}$배가 됩니다. $721 \div 7 = 103$이고, 7.21은 721의 $\frac{1}{100}$배이므로 $7.21 \div 7$의 몫은 103의 $\frac{1}{100}$배인 1.03입니다.

2 $3.27 \div 3 = 1.09$

3 ㉠ $8.24 \div 4 = 2.06$　㉡ $10.25 \div 5 = 2.05$
㉢ $22.55 \div 11 = 2.05$
따라서 몫이 다른 하나는 ㉠입니다.

4 (병 한 개에 담을 설탕의 양)
$= 24.32 \div 8 = 3.04$ (kg)

개념 확인 문제 89쪽

1 (1) 1.6　(2) 0.75　**2** 1.875
3 <　**4** 3.5 cm

풀이

1 (1)
```
     1.6
  5)8.0
    5
    ---
    3 0
    3 0
    ---
      0
```
(2)
```
      0.7 5
  12)9.0 0
     8 4
     -----
       6 0
       6 0
     -----
         0
```
2 $15 \div 8 = 1.875$

3 $9 \div 4 = 2.25$, $12 \div 5 = 2.4$ ➜ $2.25 < 2.4$

4 (평행사변형의 넓이)=(밑변의 길이)×(높이)
➜ $21 = 6 \times \square$, $\square = 21 \div 6 = 3.5$

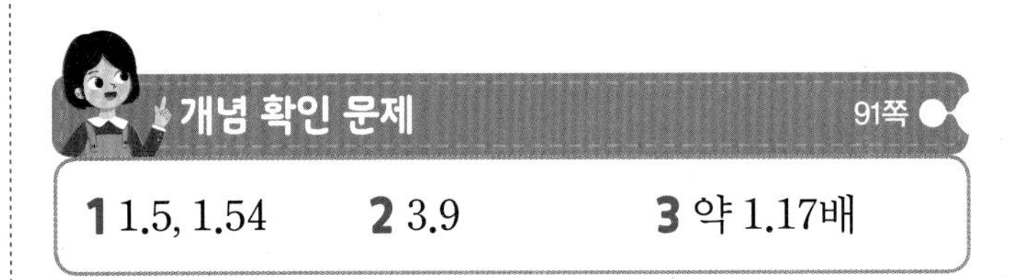

개념 확인 문제 91쪽

1 1.5, 1.54　**2** 3.9　**3** 약 1.17배

풀이

1 $20 \div 13 = 1.538\cdots$이므로 몫을 반올림하여 소수 첫째 자리까지 나타내면 1.5이고, 반올림하여 소수 둘째 자리까지 나타내면 1.54입니다.

2 가장 큰 수는 35이고, 가장 작은 수는 9입니다.
따라서 $35 \div 9 = 3.88\cdots$이므로 몫을 반올림하여 소수 첫째 자리까지 나타내면 3.9입니다.

3 $7 \div 6 = 1.166\cdots$이므로 몫을 반올림하여 소수 둘째 자리까지 나타내면 1.17입니다.
따라서 분홍색 리본의 길이는 노란색 리본의 길이의 약 1.17배입니다.

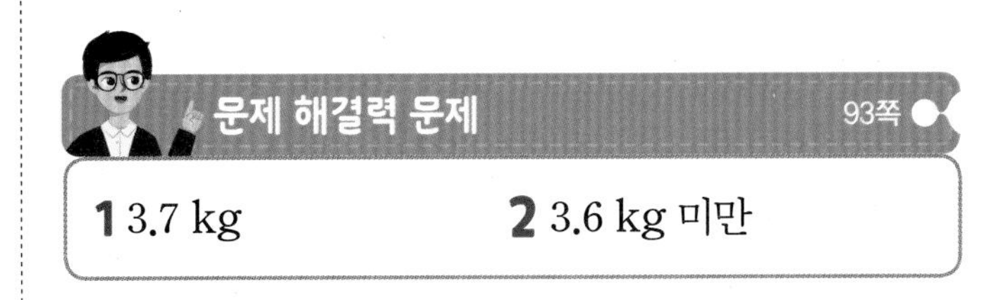

문제 해결력 문제 93쪽

1 3.7 kg　**2** 3.6 kg 미만

풀이

1 (싱싱 과일 가게에 있는 수박의 평균 무게)
$= (3.9 + 3.5) \div 2 = 3.7$ (kg)

2 싱싱 과일 가게와 맛나 과일 가게에 있는 수박의 평균 무게가 같다고 하면 맛나 과일 가게에 있는 수박의 평균 무게는 3.7 kg입니다.
맛나 과일 가게의 수박 무게의 합은
$3.7\times3=11.1$ (kg)이므로 ㉰ 수박의 무게는
$11.1-3.4-4.1=3.6$ (kg)입니다.
따라서 싱싱 과일 가게에 있는 수박의 평균 무게가 맛나 과일 가게보다 무거우므로 ㉰ 수박의 무게는 3.6 kg 미만입니다.

개념 확인 98~99쪽

1 (1) 936, 936, 312, 3.12
(2) (위에서부터) 3.12, 100, 936, 312

2 ㉢

3 (1) 1.64 (2) 0.39

4 0.76

5
```
    1.0 7
 6)6.4 2
   6
   ───
     4 2
     4 2
     ───
       0
```

6 >

7 (1) 5.7 (2) 5.67

8 1.68 m

풀이

2 ㉠ 4.28은 2보다 크므로 2로 나누면 몫이 1보다 큽니다.
㉡ 5.65는 5보다 크므로 5로 나누면 몫이 1보다 큽니다.
㉢ 7.84는 8보다 작으므로 8로 나누면 몫이 1보다 작습니다.

3 (1)
```
    1.6 4
 4)6.5 6
   4
   ───
   2 5
   2 4
   ───
     1 6
     1 6
     ───
       0
```
(2)
```
    0.3 9
 7)2.7 3
   2 1
   ───
     6 3
     6 3
     ───
       0
```

4 $6.84\div9=0.76$

5 소수 첫째 자리 계산에서 4를 6으로 나눌 수 없으므로 몫의 소수 첫째 자리에 0을 써야 합니다.

6 $13\div5=2.6$, $19.6\div8=2.45$
➜ $2.6>2.45$

7 $17\div3=5.666\cdots$
(1) 몫을 반올림하여 소수 첫째 자리까지 나타내면 5.7입니다.
(2) 몫을 반올림하여 소수 둘째 자리까지 나타내면 5.67입니다.

8 정오각형은 변 5개의 길이가 모두 같습니다.
➜ (정오각형의 한 변의 길이)$=8.4\div5=1.68$ (m)

서술형 문제 해결하기 100~101쪽

1-1 ❶ 1.76, 1.76 ❷ 1.76, 2
/ 2

1-2 예 ❶ $37\div5=7.4$이므로 □<7.4입니다.
❷ □ 안에는 7.4보다 작은 자연수가 들어갈 수 있으므로 가장 큰 자연수는 7입니다.
/ 7

1-3 예 ❶ $13.3\div14=0.95$이므로 $0.95<0.9$□입니다.
❷ □ 안에 들어갈 수 있는 자연수는 6, 7, 8, 9이므로 모두 4개입니다.
/ 4개

1-4 예 ❶ $24.2\div4=6.05$이므로 □<6.05입니다. □ 안에 들어갈 수 있는 자연수는 1, 2, 3, 4, 5, 6입니다.
❷ $31\div8=3.875$이므로 $3.875<$□입니다. □ 안에 들어갈 수 있는 자연수는 4, 5, 6, 7, ...입니다.
❸ □ 안에 공통으로 들어갈 수 있는 자연수는 4, 5, 6으로 모두 3개입니다.
/ 3개

2-1 ❶ 26, 25 ❷ 25, 0.05
/ 0.05 km

2-2 예 ❶ 나무와 나무의 간격 수는
$17-1=16$(군데)입니다.
❷ 나무와 나무의 간격은
$23.2\div16=1.45$ (m)입니다.
/ 1.45 m

2-3 예 ❶ 깃발과 깃발의 간격 수는
$21-1=20$(군데)입니다.
❷ 깃발과 깃발의 간격은
$3\div20=0.15$ (km)입니다.
❸ 1번째 깃발과 13번째 깃발의 간격은 12군데이므로 13번째 깃발은 1번째 깃발로부터 $0.15\times12=1.8$ (km) 떨어진 곳에 세워야 합니다.
/ 1.8 km

2-4 예 ❶ 도로 양쪽에 가로등 50개를 세우려고 하므로 도로 한쪽에는 가로등을
$50\div2=25$(개) 세워야 합니다.
❷ 가로등과 가로등의 간격 수는
$25-1=24$(군데)입니다.
❸ 가로등과 가로등의 간격은
$369.6\div24=15.4$ (m)입니다.
/15.4 m

풀이

1-1

채점 기준		
	❶ $5.28\div3$의 몫을 소수로 나타내기	4점
	❷ ★이 될 수 있는 가장 작은 자연수 구하기	4점

1-2

채점 기준		
	❶ $37\div5$의 몫을 소수로 나타내기	6점
	❷ □ 안에 들어갈 수 있는 가장 큰 자연수 구하기	6점

1-3

채점 기준		
	❶ $13.3\div14$의 몫을 소수로 나타내기	8점
	❷ □ 안에 들어갈 수 있는 자연수의 개수 구하기	7점

1-4

채점 기준		
	❶ $24.2\div4$의 몫보다 작은 자연수 구하기	6점
	❷ $31\div8$의 몫보다 큰 자연수 구하기	6점
	❸ □ 안에 공통으로 들어갈 수 있는 자연수의 개수 구하기	3점

2-1

채점 기준		
	❶ 가로등과 가로등의 간격 수 구하기	4점
	❷ 가로등과 가로등의 간격 구하기	4점

2-2

채점 기준		
	❶ 나무와 나무의 간격 수 구하기	6점
	❷ 나무와 나무의 간격 구하기	6점

2-3

채점 기준		
	❶ 깃발과 깃발의 간격 수 구하기	5점
	❷ 깃발과 깃발의 간격 구하기	5점
	❸ 13번째 깃발은 1번째 깃발로부터 몇 m 떨어진 곳에 세워야 하는지 구하기	5점

2-4

채점 기준		
	❶ 도로 한쪽에 세울 가로등의 수 구하기	5점
	❷ 가로등과 가로등의 간격 수 구하기	5점
	❸ 가로등과 가로등의 간격 구하기	5점

단원 평가

102~104쪽

01 (1) 8, 8, 2, 0.2 (2) 693, 231, 2.31
02 17, 1.7
03 (1) 2.54 (2) 1.15
04 ㉠
05 (선 잇기)
06 (위에서부터) 1.53, 1.02
07 <
08 0.16
09 0.47 L
10 1.04
11 4
12 39.6 cm
13 1.08
14 (1) 1.57 (2) 6.67
15 약 1.3배
16 6.3 cm
17 예 ❶ ㉠ $18\div13=1.384\cdots$
㉡ 몫을 반올림하여 소수 첫째 자리까지 나타내면 1.4입니다.
㉢ 몫을 반올림하여 소수 둘째 자리까지 나타내면 1.38입니다.
❷ 몫이 가장 큰 것은 ㉡이고, 가장 작은 것은 ㉢입니다. 따라서 몫이 큰 것부터 차례로 기호를 쓰면 ㉡, ㉠, ㉢입니다
/ ㉡, ㉠, ㉢

18

```
      1 .[5] 5
    ----------
[6]) 9 .[3]
     6
    ----------
    [3][3]
     3  0
    ----------
       [3][0]
       [3][0]
    ----------
           0
```

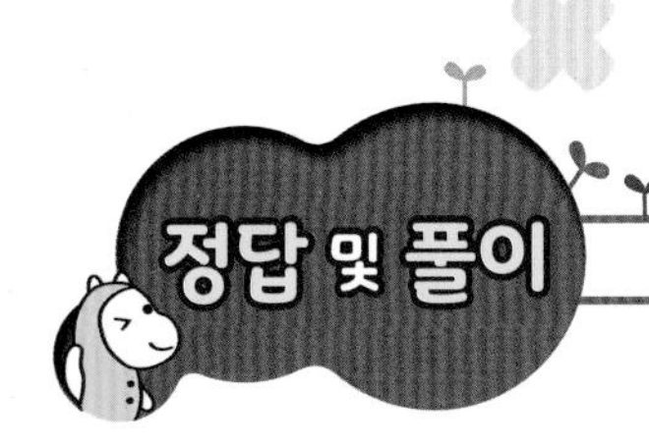

19 예 ❶ 밑변의 길이가 12 cm이고, 높이가 16 cm일 때 삼각형의 넓이는 $12\times16\div2=96$ (cm²)입니다.

❷ 밑변의 길이가 20 cm이고, 높이가 □ cm일 때 삼각형의 넓이는 96 cm²입니다.

➜ $20\times□\div2=96$, $20\times□=192$, $□=9.6$

/ 9.6

20 예 ❶ 나눗셈의 몫이 가장 크게 되려면 가장 큰 수를 가장 작은 수로 나누어야 합니다.
숫자 카드로 만들 수 있는 가장 큰 소수 한 자리 수 8.7을 나누어지는 수로 하고, 가장 작은 숫자 2를 나누는 수로 하여 나눗셈 $8.7\div2$를 만듭니다.

❷ $8.7\div2=4.35$이므로 만든 나눗셈의 몫은 4.35입니다.

/ 4.35

풀이

03 (1)
```
     2.5 4
 3 ) 7.6 2
     6
     1 6
     1 5
       1 2
       1 2
         0
```
(2)
```
     1.1 5
 8 ) 9.2 0
     8
     1 2
       8
       4 0
       4 0
         0
```

04 ㉠ 3.15는 3보다 크므로 3으로 나누면 몫이 1보다 큽니다.

㉡ 3.88은 4보다 작으므로 4로 나누면 몫이 1보다 작습니다.

㉢ 5.81은 7보다 작으므로 7로 나누면 몫이 1보다 작습니다.

05 $8.1\div6=1.35$, $2.88\div4=0.72$

06 $9.18\div6=1.53$, $9.18\div9=1.02$

07 $6.21\div3=2.07$, $10.4\div5=2.08$

➜ $2.07<2.08$

08 가장 작은 수는 4이고, 가장 큰 수는 25입니다.

➜ $4\div25=0.16$

09 (한 명이 마실 딸기주스의 양)$=2.35\div5=0.47$ (L)

10 $21.84\div3=7.28$, $7.28\div7=1.04$이므로 ㉠$=1.04$입니다.

11 $13\div4=3.25$이므로 $3.25<□$입니다.
따라서 □ 안에는 3.25보다 큰 수가 들어갈 수 있으므로 가장 작은 자연수는 4입니다.

12 직사각형의 가로를 □ cm, 세로를 8 cm라고 하면 직사각형의 넓이는 $□\times8=94.4$이므로 $□=94.4\div8=11.8$입니다.

➜ (직사각형의 둘레)
$=(11.8+8)\times2=39.6$ (cm)

13 어떤 수를 □라고 하면 $□\times3=3.24$이므로 $□=3.24\div3=1.08$입니다.

14 (1) $11\div7=1.571\cdots$이므로 몫을 반올림하여 소수 둘째 자리까지 나타내면 1.57입니다.

(2) $20\div3=6.666\cdots$이므로 몫을 반올림하여 소수 둘째 자리까지 나타내면 6.67입니다.

15 $30\div23=1.30\cdots$이므로 몫을 반올림하여 소수 첫째 자리까지 나타내면 1.3입니다. 따라서 ㉮ 막대의 길이는 ㉯ 막대의 길이의 약 1.3배입니다.

16 육각기둥은 모서리가 18개입니다.

➜ (한 모서리의 길이)$=113.4\div18=6.3$ (cm)

17

채점 기준		
	❶ ㉠, ㉡, ㉢의 몫을 구하기	3점
	❷ 몫이 큰 것부터 차례로 기호 쓰기	2점

18
```
       1 . ㉡ 5
 ㉠ ) 9 . ㉢ 0
      6
      ㉣ ㉤
      3  0
         ㉥ ㉦
         ㉧ ㉨
             0
```
• ㉠$\times1=6$이므로 ㉠$=6$입니다.
• $9-6=$㉣이므로 ㉣$=3$입니다.
• $6\times$㉡$=30$이므로 ㉡$=5$입니다.
• $6\times5=30$이므로 ㉥$=$㉧$=3$, ㉦$=$㉨$=0$입니다.
• ㉤은 그대로 내려 쓴 것이므로 ㉤$=$㉢$=3$입니다.

19

채점 기준		
	❶ 밑변의 길이가 12 cm이고, 높이가 16 cm일 때 삼각형의 넓이 구하기	2점
	❷ □ 안에 알맞은 수 구하기	3점

20

채점 기준		
	❶ 몫이 가장 크게 되는 나눗셈 만들기	3점
	❷ 만든 나눗셈의 몫 구하기	2점

4 비와 비율

개념 확인 문제 109쪽

1 예 ○×3=△ **2** 9
3 (1) 16, 40 (2) 9, 3 **4** (1) > (2) >

풀이

1 $5\times3=15, 8\times3=24, 10\times3=30, 12\times3=36, 15\times3=45, 20\times3=60$ ➜ ○×3=△

2 $8\div4=2, 16\div4=4, 24\div4=6, 28\div4=7$에서 □÷4=◇입니다.
➜ □가 36일 때 $36\div4=9$이므로 ◇=9입니다.

3 (1) $\frac{7}{8}=\frac{7\times2}{8\times2}=\frac{14}{16}, \frac{7}{8}=\frac{7\times5}{8\times5}=\frac{35}{40}$
(2) $\frac{15}{45}=\frac{15\div5}{45\div5}=\frac{3}{9}, \frac{15}{45}=\frac{15\div15}{45\div15}=\frac{1}{3}$

4 (1) $\frac{3}{5}=\frac{3\times2}{5\times2}=\frac{6}{10}=0.6$ ➜ $\frac{3}{5}>0.2$
(2) $\frac{1}{4}=\frac{1\times25}{4\times25}=\frac{25}{100}=0.25$ ➜ $0.5>\frac{1}{4}$

개념 확인 문제 111쪽

1 (1) 4, 4 (2) 3, 3
2 (1) 예 어린이는 어른보다 24명 더 많습니다.
(2) 예 어린이 수는 어른 수의 4배입니다.

풀이

2 (1) 어린이는 어른보다 $32-8=24$(명) 더 많습니다.
(2) 어린이 수는 어른 수의 $32\div8=4$(배)입니다.

개념 확인 문제 113쪽

1 (1) 6, 5 (2) 6, 5 (3) 5, 6
2 (1) 7, 3 (2) 7, 3 **3** 5 : 8

풀이

2 7 : 3에서 7은 비교하는 양, 3은 기준량입니다.

3 전체 8칸 중에서 색칠한 부분이 5칸이므로 전체에 대한 색칠한 부분의 비는 5 : 8입니다.

개념 확인 문제 115쪽

1 (1) 3, 10 (2) $\frac{3}{10}$, 0.3

2

비	비율	
	분수	소수
1 대 5 ➜ 1 : 5	$\frac{1}{5}$	0.2
20에 대한 9의 비 ➜ 9 : 20	$\frac{9}{20}$	0.45
17과 50의 비 ➜ 17 : 50	$\frac{17}{50}$	0.34

풀이

2 1 대 5 ➜ 1 : 5 ➜ $\frac{1}{5}=0.2$
20에 대한 9의 비 ➜ 9 : 20 ➜ $\frac{9}{20}=0.45$
17과 50의 비 ➜ 17 : 50 ➜ $\frac{17}{50}=0.34$

개념 확인 문제 117쪽

1 예 $\frac{1300}{100}$ 또는 13 **2** 예 $\frac{300}{200}$ 또는 1.5
3 (1) 예 $\frac{6}{15}$ 또는 0.4 / 예 $\frac{10}{20}$ 또는 0.5
(2) 민준

풀이

1 걸린 시간에 대한 간 거리의 비는 1300 : 100이고 비율로 나타내면 $\frac{1300}{100}=13$입니다.

2 파란색 잉크 양의 빨간색 잉크 양에 대한 비는 300 : 200이고 비율로 나타내면 $\frac{300}{200}=1.5$입니다.

3 (1) 도윤 ➜ 6 : 15 ➜ $\frac{6}{15}=0.4$

민준 ➜ 10 : 20 ➜ $\frac{10}{20}=0.5$

(2) $0.4<0.5$이므로 자유투를 던진 횟수에 대한 골을 넣은 횟수의 비율이 더 높은 사람은 민준입니다.

개념 확인 문제 119쪽

1 (1) 33 퍼센트 (2) 57 %
2 48 %
3 (1) 35 (2) 35, 35

풀이

2 전체 25칸 중에서 색칠한 부분이 12칸입니다.

$\frac{12}{25}=\frac{12\times4}{25\times4}=\frac{48}{100}$ ➜ 48 %

3 (1) 20개 중에서 7개를 먹었으므로 100(20×5)개였다면 35(7×5)개를 먹은 것입니다.

(2) $\frac{7}{20}=\frac{7\times5}{20\times5}=\frac{35}{100}$ ➜ 35 %

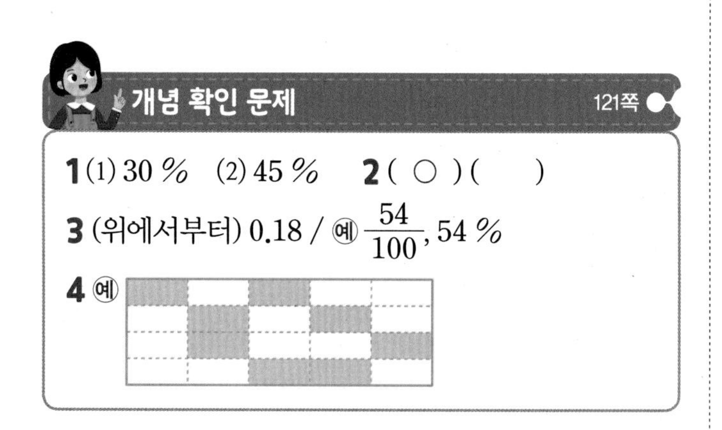

개념 확인 문제 121쪽

1 (1) 30 % (2) 45 %
2 (○)( )
3 (위에서부터) 0.18 / 예 $\frac{54}{100}$, 54 %
4 예

풀이

2 $\frac{3}{4}\times100=75$ ➜ 75 %, $\frac{13}{20}\times100=65$ ➜ 65 %

3 • 비율 $\frac{9}{50}$를 소수로 나타내면 $\frac{18}{100}=0.18$입니다.

• 비율 0.54를 분수로 나타내면 $\frac{54}{100}=\frac{27}{50}$이고 백분율로 나타내면 $0.54\times100=54$ ➜ 54 %입니다.

4 전체 20칸에 대한 색칠한 부분의 비율이 40 %가 되어야 하므로 $20\times\frac{40}{100}=8$(칸)을 색칠합니다.

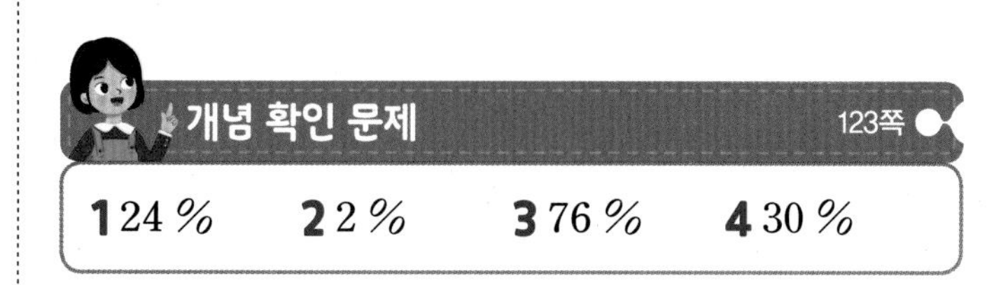

개념 확인 문제 123쪽

1 24 % **2** 2 % **3** 76 % **4** 30 %

풀이

1 민수네 반 전체 학생 수에 대한 미술 대회에 참여한 학생 수의 비율은 $\frac{6}{25}$입니다. $\frac{6}{25}\times100=24$이므로 백분율로 나타내면 24 %입니다.

2 만든 TV 수에 대한 불량품 수의 비율은 $\frac{12}{600}$입니다.

$\frac{12}{600}\times100=2$이므로 백분율로 나타내면 2 %입니다.

3 조사한 전체 학생 중 찬성한 학생 수의 비율은 $\frac{380}{500}$입니다. $\frac{380}{500}\times100=76$이므로 백분율로 나타내면 76 %입니다.

4 (과자의 할인된 금액)$=4000-2800=1200$(원)

$\frac{1200}{4000}\times100=30$이므로 지연이는 30 % 할인받은 것입니다.

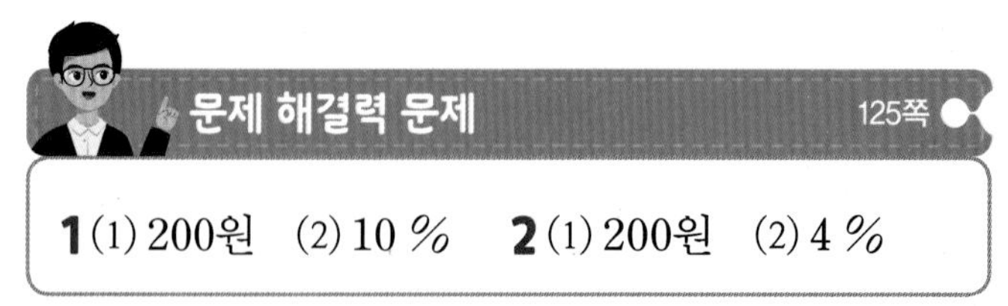

문제 해결력 문제 125쪽

1 (1) 200원 (2) 10 %
2 (1) 200원 (2) 4 %

풀이

1 (1) 묶음으로 판매하는 과자 한 개의 가격은 $5400\div3=1800$(원)이고 낱개로 판매하는 과자 한 개의 가격은 2000원이므로 $2000-1800=200$(원) 더 쌉니다.

(2) $\frac{200}{2000}\times100=10$ ➜ 10 % 할인된 것입니다.

2 (1) (3개씩 묶음으로 판매하는 반찬 한 개의 가격)
$=14400\div3=4800$(원)
(2개씩 묶음으로 판매하는 반찬 한 개의 가격)
$=10000\div2=5000$(원)
3개씩 묶음으로 판매하는 반찬 한 개의 가격은 2개씩 묶음으로 판매하는 반찬 한 개의 가격보다 $5000-4800=200$(원) 더 쌉니다.
(2) $\frac{200}{5000}\times100=4$ ➔ 4 % 할인된 것입니다.

개념+확인 130~131쪽

1 (1) 6 (2) 4 **2** (1) 3, 2 (2) 2, 3
3 (1) 7, 5 (2) 13, 11 **4** 6 : 9
5 $\frac{4}{25}$, 0.16 **6** (○)( )
7 (1) 24 % (2) 72 % **8** 40 %

풀이

2 (1) 수첩과 색연필 수의 비는 기준량이 2, 비교하는 양이 3이므로 3 : 2입니다.
(2) 수첩 수에 대한 색연필 수의 비는 기준량이 3, 비교하는 양이 2이므로 2 : 3입니다.

4 전체 9칸 중에서 색칠한 부분이 6칸이므로 전체에 대한 색칠한 부분의 비는 6 : 9입니다.

5 비 4 : 25의 비율을 분수로 나타내면 $\frac{4}{25}$,
소수로 나타내면 $\frac{4}{25}=\frac{16}{100}=0.16$입니다.

6 전체 사탕 수에 대한 먹은 사탕 수의 비는 9 : 20입니다.
9 : 20을 비율로 나타내면 $\frac{9}{20}=0.45$입니다.

7 (1) $0.24\times100=24$ ➔ 24 %
(2) $\frac{18}{25}\times100=72$ ➔ 72 %

8 지훈이가 축구공을 찬 횟수에 대한 골을 넣은 횟수의 비율은 $\frac{18}{45}$입니다. $\frac{18}{45}\times100=40$이므로 백분율로 나타내면 40 %입니다.

서술형 문제 해결하기 132~133쪽

1-1 ❶ 34, 19 ❷ 19, 15, 15, 19
/ 15 : 19

1-2 예 ❶ (여학생 수)=(전체 학생 수)−(남학생 수)
$=180-97=83$(명)
❷ 남학생 수에 대한 여학생 수의 비는 기준량이 97, 비교하는 양이 83이므로 83 : 97입니다.
/ 83 : 97

1-3 예 ❶ (전체 사람 수)=(어린이 수)+(어른 수)
$=47+23=70$(명)
❷ 전체 사람 수에 대한 어린이 수의 비는 기준량이 70, 비교하는 양이 47이므로 47 : 70입니다.
/ 47 : 70

1-4 예 ❶ (여학생 수)=(남학생 수)+13
$=50+13=63$(명)
❷ (전체 학생 수)=(남학생 수)+(여학생 수)
$=50+63=113$(명)
❸ 전체 학생 수에 대한 여학생 수의 비는 기준량이 113, 비교하는 양이 63이므로 63 : 113입니다.
/ 63 : 113

2-1 ❶ 16000, 4000 ❷ 4000, 20, 20
/ 20 %

2-2 예 ❶ (할인된 금액)$=30000-25500$
$=4500$(원)
❷ $\frac{4500}{30000}\times100=15$이므로 15 % 할인받은 것입니다.
/ 15 %

2-3 예 ❶ (작년 장난감 한 개의 가격)
$=24000\div6=4000$(원)
(올해 장난감 한 개의 가격)
$=18000\div5=3600$(원)
❷ 올해 장난감 한 개의 가격은 작년 장난감 한 개의 가격보다
$4000-3600=400$(원) 더 쌉니다.

❸ $\frac{400}{4000}\times100=10$이므로 10 % 할인된 것입니다.

/ 10 %

2-4 예 ❶ (작년 색연필 한 자루의 가격)
$=4000\div4=1000$(원)
(올해 색연필 한 자루의 가격)
$=6300\div6=1050$(원)

❷ 올해 색연필 한 자루의 가격은 작년 색연필 한 자루의 가격보다
$1050-1000=50$(원) 더 비쌉니다.

❸ $\frac{50}{1000}\times100=5$이므로 5 % 오른 것입니다.

/ 5 %

풀이

1-1

채점 기준		
	❶ 여학생 수 구하기	4점
	❷ 여학생 수에 대한 남학생 수의 비 구하기	4점

1-2

채점 기준		
	❶ 여학생 수 구하기	6점
	❷ 남학생 수에 대한 여학생 수의 비 구하기	6점

1-3

채점 기준		
	❶ 전체 사람 수 구하기	7점
	❷ 전체 사람 수에 대한 어린이 수의 비 구하기	8점

1-4

채점 기준		
	❶ 여학생 수 구하기	5점
	❷ 전체 학생 수 구하기	5점
	❸ 전체 학생 수에 대한 여학생 수의 비 구하기	5점

2-1

채점 기준		
	❶ 할인된 금액 구하기	4점
	❷ 몇 % 할인하여 판매하는 것인지 구하기	4점

2-2

채점 기준		
	❶ 할인된 금액 구하기	6점
	❷ 몇 % 할인받은 것인지 구하기	6점

2-3

채점 기준		
	❶ 작년과 올해의 장난감 한 개의 가격 각각 구하기	6점
	❷ 올해와 작년의 장난감 한 개의 가격의 차 구하기	3점
	❸ 올해 장난감 한 개의 가격은 작년 장난감 한 개의 가격보다 몇 % 할인된 것인지 구하기	6점

2-4

채점 기준		
	❶ 작년과 올해의 색연필 한 자루의 가격 각각 구하기	6점
	❷ 올해와 작년의 색연필 한 자루의 가격의 차 구하기	3점
	❸ 올해 색연필 한 자루의 가격은 작년 색연필 한 자루의 가격보다 몇 % 오른 것인지 구하기	6점

단원 평가

134~136쪽

01 5
02 (1) 9 : 13 (2) 5 : 17
03 (1) 7 : 3 (2) 3 : 7
04 36 cm^2, 72 cm^2
05 (1) 예 ㉯의 넓이는 ㉮의 넓이보다 36 cm^2 더 넓습니다.
(2) 예 ㉯의 넓이는 ㉮의 넓이의 2배입니다.
06 ㉡
07 7 : 15
08 (위에서부터) 7 , 18 / 25 , 60
/ $\frac{7}{25}$(=0.28), 예 $\frac{18}{60}$(=0.3)
09 (선 잇기)
10 0.5
11 21 : 35에 색칠
12 $\frac{3}{8}$
13 ㉡
14 선희
15 2 %
16 55 %
17 20 %
18 지환
19 예 ❶ 가 막대의 길이에 대한 그림자 길이의 비는 140 : 100이므로 비율로 나타내면
$\frac{140}{100}=1.4$입니다.
❷ 나 막대의 길이에 대한 그림자 길이의 비는 84 : 60이므로 비율로 나타내면
$\frac{84}{60}=1.4$입니다.
/ 예 같은 시각에 막대의 길이에 대한 그림자 길이의 비율은 같습니다.
20 예 ❶ (정사각형 가의 한 변의 길이)
$=64\div4=16$ (cm)
(정팔각형 나의 한 변의 길이)
$=32\div8=4$ (cm)
❷ 정사각형 가의 한 변의 길이에 대한 정팔각형 나의 한 변의 길이의 비율은 $\frac{4}{16}$입니다.
$\frac{4}{16}\times100=25$이므로 백분율로 나타내면 25 %입니다.
/ 25 %

풀이

02 (1) 9와 13의 비는 기준량이 13, 비교하는 양이 9이므로 9 : 13입니다.
(2) 5의 17에 대한 비는 기준량이 17, 비교하는 양이 5이므로 5 : 17입니다.

03 (1) 부채 수와 선풍기 수의 비는 기준량이 3, 비교하는 양이 7이므로 7 : 3입니다.
(2) 부채 수에 대한 선풍기 수의 비는 기준량이 7, 비교하는 양이 3이므로 3 : 7입니다.

04 (㉮의 넓이)$=12\times6\div2=36\ (cm^2)$
(㉯의 넓이)$=18\times8\div2=72\ (cm^2)$

05

채점 기준		
	❶ 뺄셈으로 비교하기	3점
	❷ 나눗셈으로 비교하기	2점

06 ㉠ 7 : 9 ➜ 비교하는 양: 7, 기준량: 9
㉡ 21 : 15 ➜ 비교하는 양: 21, 기준량: 15
㉢ 8 : 11 ➜ 비교하는 양: 8, 기준량: 11

07 (전체 케이크 수)$=8+7=15$(개)
전체 케이크 수에 대한 생크림 케이크 수의 비는 기준량이 15, 비교하는 양이 7이므로 7 : 15입니다.

08 7과 25의 비 ➜ 7 : 25 ➜ $\frac{7}{25}=0.28$
60에 대한 18의 비 ➜ 18 : 60 ➜ $\frac{18}{60}=0.3$

09 $0.03\times100=3$ ➜ 3 %, $\frac{17}{20}\times100=85$ ➜ 85 %,
$\frac{1}{4}\times100=25$ ➜ 25 %

10 전체 16칸 중에서 색칠한 부분이 8칸이므로 전체에 대한 색칠한 부분의 비는 8 : 16이므로 비율로 나타내면 $\frac{8}{16}=0.5$입니다.

11 13 : 20 ➜ $\frac{13}{20}=0.65$, 21 : 35 ➜ $\frac{21}{35}=0.6$
$0.65>0.6$이므로 비율이 더 낮은 것은 21 : 35입니다.

12 지윤이네 집에서 공원까지 거리에 대한 지윤이네 집에서 학교까지 거리의 비는 3 : 8이므로 비율을 분수로 나타내면 $\frac{3}{8}$입니다.

13 ㉠ $\frac{9}{20}\times100=45$ ➜ 45 %
㉡ $0.4\times100=40$ ➜ 40 %
따라서 비율이 다른 하나는 ㉡입니다.

14 선희: 18과 12의 비는 18 : 12입니다.
➜ $\frac{18}{12}\times100=150$이므로 150 %입니다.
민수: 15의 20에 대한 비는 15 : 20입니다.
➜ $\frac{15}{20}\times100=75$이므로 75 %입니다.
따라서 잘못 이야기한 사람은 선희입니다.

15 전체 책상 수에 대한 불량품 수의 비율은 $\frac{20}{1000}$입니다. $\frac{20}{1000}\times100=2$이므로 백분율로 나타내면 2 %입니다.

16 (파란색 구슬 수)$=60-27=33$(개)
전체 구슬 수에 대한 파란색 구슬 수의 비율은 $\frac{33}{60}$입니다. $\frac{33}{60}\times100=55$이므로 백분율로 나타내면 55 %입니다.

17 (할인된 금액)$=15000-12000=3000$(원)
$\frac{3000}{15000}\times100=20$이므로 20 % 할인받은 것입니다.

18 수빈이의 전체 타수에 대한 안타의 비는 6 : 15이므로 비율로 나타내면 $\frac{6}{15}=0.4$입니다.
지환이의 전체 타수에 대한 안타의 비는 9 : 20이므로 비율로 나타내면 $\frac{9}{20}=0.45$입니다.
$0.4<0.45$이므로 전체 타수에 대한 안타의 비율은 지환이가 더 높습니다.

19

채점 기준		
	❶ 가 막대의 길이에 대한 그림자 길이의 비율 구하기	2점
	❷ 나 막대의 길이에 대한 그림자 길이의 비율 구하기	2점
	❸ 알게 된 것 설명하기	1점

20

채점 기준		
	❶ 정사각형 가와 정팔각형 나의 한 변의 길이 각각 구하기	2점
	❷ 정사각형 가의 한 변의 길이에 대한 정팔각형 나의 한 변의 길이의 비율은 몇 %인지 구하기	3점

5 여러 가지 그래프

개념 확인 문제 141쪽

1 2반 **2** 7200개

풀이

1 막대의 길이가 가장 긴 것을 찾으면 2반입니다.

2 꺾은선그래프에서 한 눈금의 크기는 200개이므로 2019년도 복숭아 생산량은 7200개입니다.

개념 확인 문제 143쪽

1 10개, 1개 **2** 라 지역 **3** 23개

풀이

1 큰 그림(🏫)은 10개, 작은 그림(🏫)은 1개를 나타냅니다.

2 10개를 나타내는 그림이 가장 적은 곳은 가, 나, 라 지역이고 1개를 나타내는 그림이 가장 적은 곳은 라 지역이므로 초등학교 수가 가장 적은 지역은 라 지역입니다.

3 다 지역은 🏫가 2개, 🏫가 3개이므로 23개입니다.

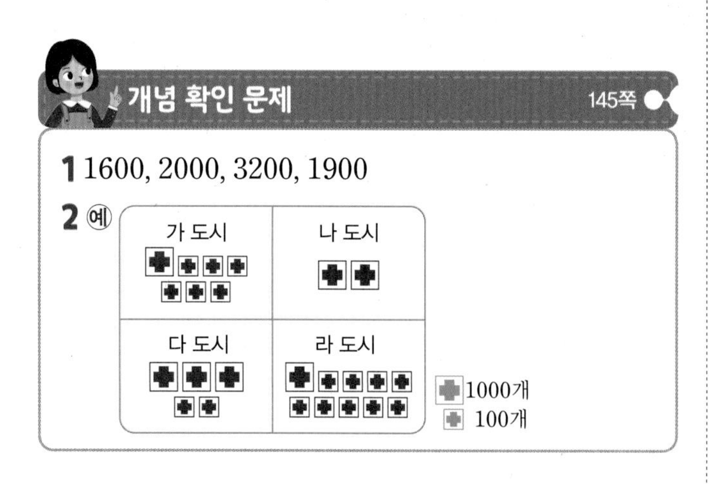
개념 확인 문제 145쪽

1 1600, 2000, 3200, 1900

2 예

풀이

1 1564 → 1600, 2015 → 2000, 3160 → 3200, 1927 → 1900

2 가 도시: 1600개 ➜ 큰 그림 1개, 작은 그림 6개
나 도시: 2000개 ➜ 큰 그림 2개
다 도시: 3200개 ➜ 큰 그림 3개, 작은 그림 2개
라 도시: 1900개 ➜ 큰 그림 1개, 작은 그림 9개

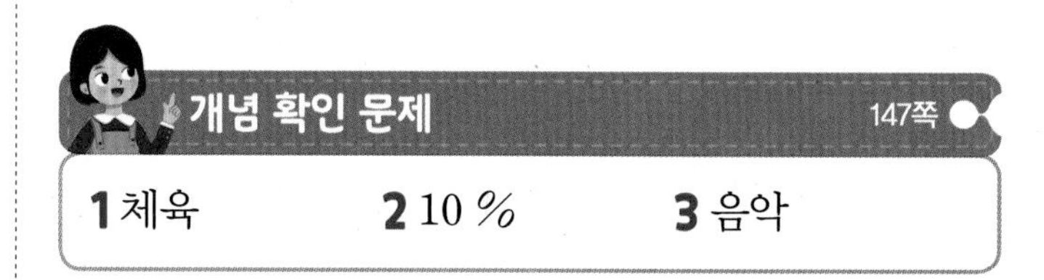
개념 확인 문제 147쪽

1 체육 **2** 10 % **3** 음악

풀이

1 가장 많은 학생이 좋아하는 과목은 띠그래프에서 가장 높은 비율을 차지하는 체육입니다.

2 수학을 좋아하는 학생 수는 전체 학생 수의 10 %입니다.

3 좋아하는 학생이 전체의 25 %를 차지하는 과목은 음악입니다.

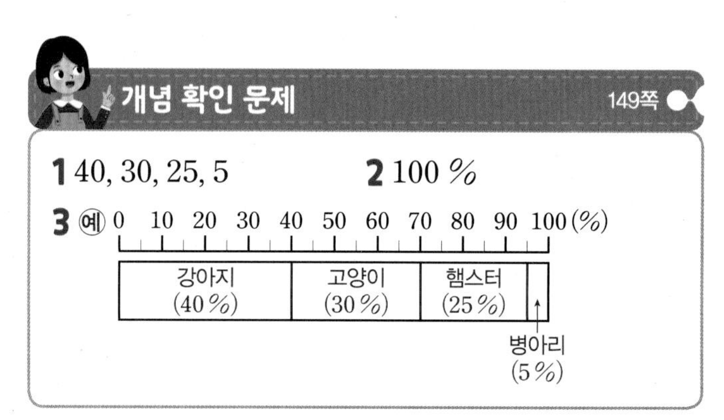
개념 확인 문제 149쪽

1 40, 30, 25, 5 **2** 100 %

3 예

풀이

1 강아지: $\frac{8}{20}\times100=40$ ➜ 40 %
고양이: $\frac{6}{20}\times100=30$ ➜ 30 %
햄스터: $\frac{5}{20}\times100=25$ ➜ 25 %
병아리: $\frac{1}{20}\times100=5$ ➜ 5 %

2 $40+30+25+5=100$이므로 100 %입니다.

3 좋아하는 동물별 학생 수의 백분율을 이용하여 띠그래프로 나타냅니다.

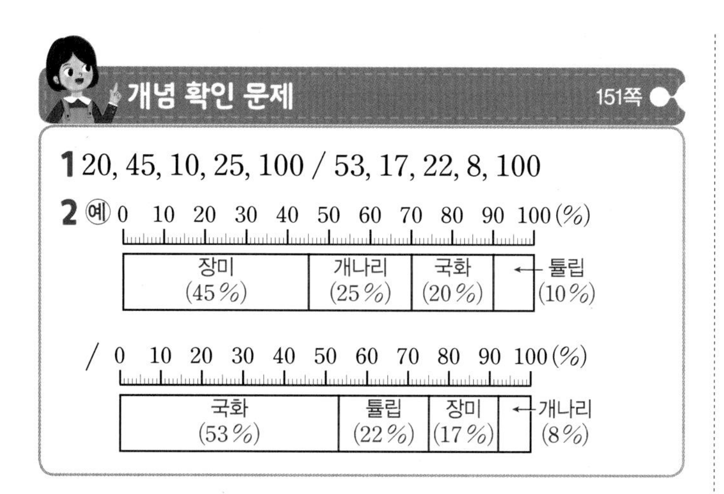

풀이

1 · $\frac{16}{80}\times100=20 \rightarrow 20\ \%$

$\frac{36}{80}\times100=45 \rightarrow 45\ \%$

$\frac{8}{80}\times100=10 \rightarrow 10\ \%$

$\frac{20}{80}\times100=25 \rightarrow 25\ \%$

5학년: $20+45+10+25=100\ (\%)$

· $\frac{32}{60}\times100=53.3\cdots \rightarrow 53\ \%$

$\frac{10}{60}\times100=16.6\cdots \rightarrow 17\ \%$

$\frac{13}{60}\times100=21.6\cdots \rightarrow 22\ \%$

$\frac{5}{60}\times100=8.3\cdots \rightarrow 8\ \%$

6학년: $53+17+22+8=100\ (\%)$

2 5학년과 6학년 학생들이 좋아하는 꽃별 학생 수의 백분율을 이용하여 띠그래프로 나타냅니다.

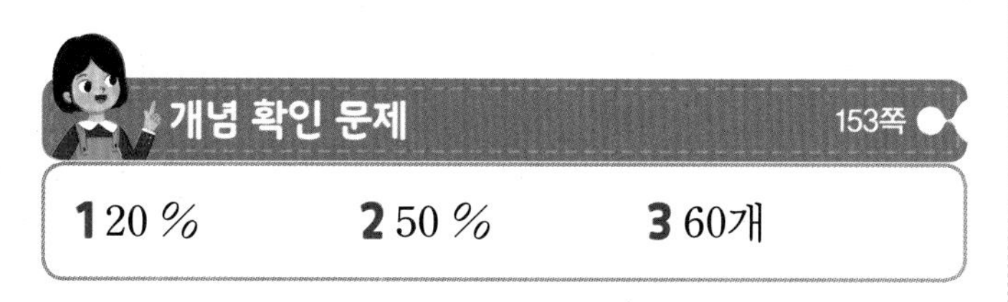

풀이

1 작년에 판매한 책상은 전체 가구의 20 %입니다.

2 소파는 전체 가구의 30 %, 책상은 전체 가구의 20 %이므로 $30+20=50\ (\%)$입니다.

3 작년에 판매한 가구는 200개이므로 작년에 판매한 소파는 $200\times\frac{30}{100}=60$(개)입니다.

풀이

1 치킨 버거를 좋아하는 학생 수는 전체 학생 수의 30 %입니다.

2 원그래프에서 차지하는 부분이 가장 넓은 항목을 찾으면 불고기 버거입니다.

3 불고기 버거를 좋아하는 학생 수는 전체 학생 수의 40 %, 새우 버거를 좋아하는 학생 수는 전체 학생 수의 20 %이므로 $40+20=60\ (\%)$입니다.

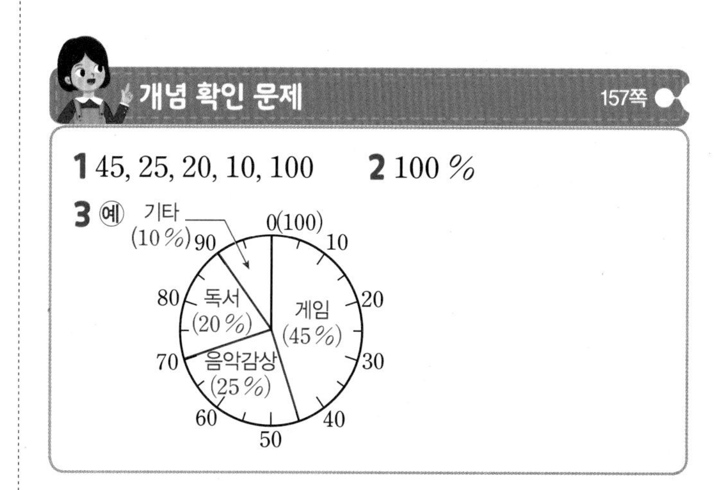

풀이

1 게임: $\frac{81}{180}\times100=45 \rightarrow 45\ \%$

음악감상: $\frac{45}{180}\times100=25 \rightarrow 25\ \%$

독서: $\frac{36}{180}\times100=20 \rightarrow 20\ \%$

기타: $\frac{18}{180}\times100=10 \rightarrow 10\ \%$

2 $45+25+20+10=100$이므로 100 %입니다.

3 취미 활동별 학생 수의 백분율을 이용하여 원그래프로 나타냅니다.

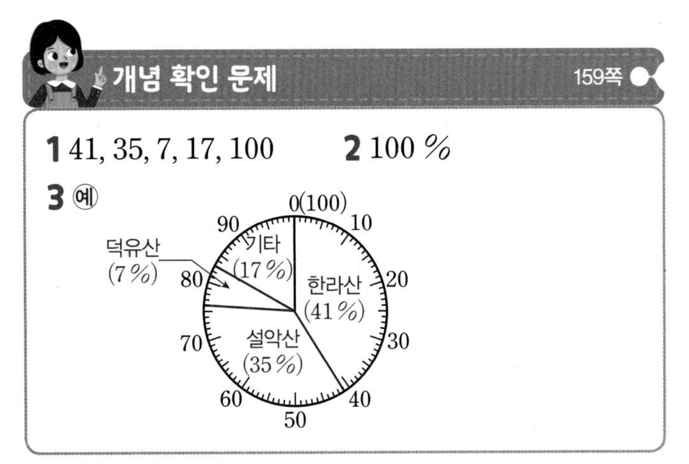

1 41, 35, 7, 17, 100 **2** 100 %

3 예

풀이

1 한라산: $\frac{62}{150}\times100=41.3\cdots \rightarrow 41\ \%$

설악산: $\frac{53}{150}\times100=35.3\cdots \rightarrow 35\ \%$

덕유산: $\frac{10}{150}\times100=6.6\cdots \rightarrow 7\ \%$

기타: $\frac{25}{150}\times100=16.6\cdots \rightarrow 17\ \%$

2 $41+35+7+17=100$이므로 100 %입니다.

3 가고 싶은 산별 학생 수의 백분율을 이용하여 원그래프로 나타냅니다.

개념 확인 문제 161쪽

1 20 % **2** 55 % **3** 30명

풀이

1 $100-25-40-15=20\ (\%)$

2 게임 시간이 2시간 이상 3시간 미만인 학생 수는 전체 학생 수의 40 %, 3시간 이상인 학생 수는 전체 학생 수의 15 %이므로 $40+15=55\ (\%)$입니다.

3 전체 학생 수는 200명이므로 게임 시간이 3시간 이상인 학생은 $200\times\frac{15}{100}=30$(명)입니다.

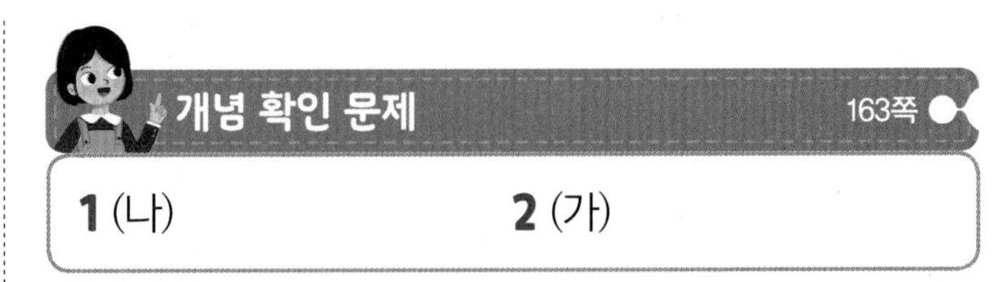

1 (나) **2** (가)

풀이

1 전체에서 각 항목이 차지하는 비율을 한눈에 알 수 있는 그래프는 (나)입니다.

2 수량의 많고 적음을 알 수 있는 그래프는 (가)입니다.

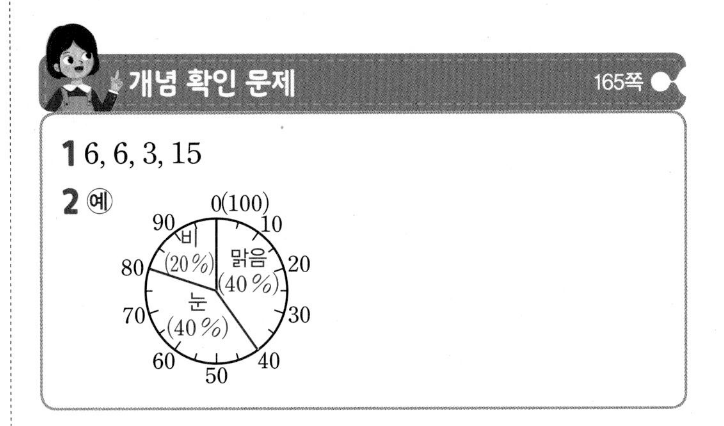

1 6, 6, 3, 15

2 예

풀이

1 맑음: 6명, 눈: 6명, 비: 3명

합계: $6+6+3=15$(명)

2 맑음: $\frac{6}{15}\times100=40 \rightarrow 40\ \%$

눈: $\frac{6}{15}\times100=40 \rightarrow 40\ \%$

비: $\frac{3}{15}\times100=20 \rightarrow 20\ \%$

(합계)$=40+40+20=100\ (\%)$

좋아하는 날씨별 학생 수의 백분율을 이용하여 원그래프로 나타냅니다.

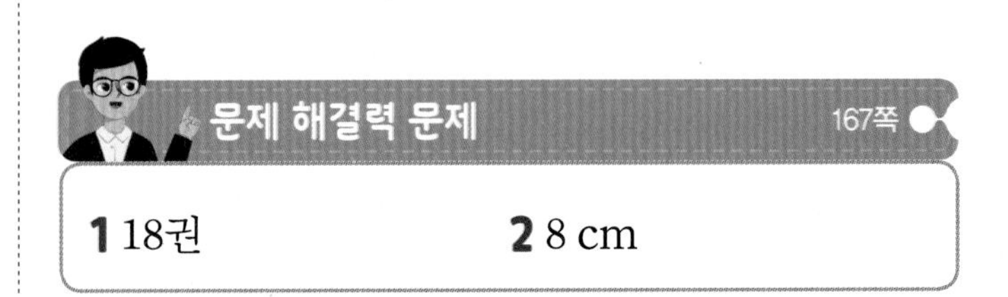

1 18권 **2** 8 cm

풀이

1 · 위인전은 전체 책 수의 $\frac{2}{10}\times100=20$ ➔ 20 %입니다.
· 역사책은 전체 책 수의 $100-30-25-20-10=15$ (%)이므로 역사책은 $120\times\frac{15}{100}=18$(권)입니다.

2 · 가 배우와 다 배우를 좋아하는 학생 수는 전체 학생 수의 $100-20-15=65$ (%)입니다.
· 가 배우와 다 배우를 좋아하는 학생 수를 나타내는 부분의 길이의 합은 $20\times\frac{65}{100}=13$ (cm)입니다.
· 띠그래프에서 다 배우를 좋아하는 학생 수를 나타내는 부분의 길이가 5 cm이므로 가 배우를 좋아하는 학생 수를 나타내는 부분의 길이는 $13-5=8$ (cm)입니다.

개념 확인 174~175쪽

1 10마리, 1마리	**2** 가, 나, 다
3 15, 25, 40, 20	**4** 25, 15
5 35, 20, 30, 15	**6** (시계 방향으로) 30, 20
7 영어	**8** 꺾은선그래프

풀이

1 큰 그림(🐶)은 10마리, 작은 그림(🐶)은 1마리를 나타냅니다.

2 가 마을: 25마리, 나 마을: 26마리, 다 마을: 32마리
$25<26<32$이므로 애완견 수가 적은 마을부터 차례로 쓰면 가, 나, 다입니다.

3 사과: $\frac{3}{20}\times100=15$ ➔ 15 %
귤: $\frac{5}{20}\times100=25$ ➔ 25 %
포도: $\frac{8}{20}\times100=40$ ➔ 40 %
복숭아: $\frac{4}{20}\times100=20$ ➔ 20 %
(합계)$=15+25+40+20=100$ (%)

5 영어: $\frac{28}{80}\times100=35$ ➔ 35 %
중국어: $\frac{16}{80}\times100=20$ ➔ 20 %
일본어: $\frac{24}{80}\times100=30$ ➔ 30 %
독일어: $\frac{12}{80}\times100=15$ ➔ 15 %
(합계)$=35+20+30+15=100$ (%)

7 원그래프에서 차지하는 부분이 가장 넓은 항목을 찾으면 영어입니다.

8 1년 동안 몸무게의 변화는 꺾은선그래프로 나타내는 것이 좋습니다.

서술형 문제 해결하기 176~177쪽

1-1 ❶ 40 ❷ 40, 64 / 64명

1-2 예 ❶ 손을 씻는 횟수가 10회~12회인 학생 수는 전체 학생 수의 15 %입니다.
❷ 손을 씻는 횟수가 10회~12회인 학생은 $40\times\frac{15}{100}=6$(명)입니다. / 6명

1-3 예 ❶ 자전거를 타고 등교하는 학생 수는 전체 학생 수의 $100-50-15-10=25$ (%)입니다.
❷ 자전거를 타고 등교하는 학생은 $200\times\frac{25}{100}=50$(명)입니다. / 50명

1-4 예 ❶ 삼겹살을 좋아하는 학생 수는 전체 학생 수의 $100-30-25-20-10=15$ (%)이고, 치킨을 좋아하는 학생 수는 전체 학생 수의 30 %입니다.
❷ 치킨을 좋아하는 학생 수는 삼겹살을 좋아하는 학생 수의 $30\div15=2$(배)이므로 치킨을 좋아하는 학생은 $75\times2=150$(명)입니다. / 150명

2-1 ❶ 60, 54 ❷ 60, 54, 6 / 6명

2-2 예 ❶ 서윤: $30 \times \frac{30}{100} = 9$(시간)

지오: $20 \times \frac{35}{100} = 7$(시간)

❷ 두 사람의 영어 공부 시간의 차는 $9-7=2$(시간)입니다. / 2시간

2-3 예 ❶ 나 지역의 학생 수는 도시의 전체 학생 수의 20 %이므로 나 지역의 학생은 $15000 \times \frac{20}{100} = 3000$(명)입니다.

❷ 나 지역의 초등학생 수는 나 지역 전체 학생 수의 40 %이므로 나 지역의 초등학생은 $3000 \times \frac{40}{100} = 1200$(명)입니다.

/ 1200명

2-4 예 ❶ 농경지는 전체 토지의 $100-40-25-10=25$ (%)이므로 농경지의 넓이는 $400 \times \frac{25}{100} = 100$ (km^2)입니다.

❷ 밭은 전체 농경지의 30 %이므로 밭의 넓이는 $100 \times \frac{30}{100} = 30$ (km^2)입니다.

/ 30 km^2

풀이

1-1

채점 기준		
	❶ 안경을 쓴 학생 수는 전체 학생 수의 몇 %인지 구하기	4점
	❷ 안경을 쓴 학생 수 구하기	4점

1-2

채점 기준		
	❶ 손을 씻는 횟수가 10~12회인 학생 수는 전체 학생 수의 몇 %인지 구하기	6점
	❷ 손을 씻는 횟수가 10~12회인 학생 수 구하기	6점

1-3

채점 기준		
	❶ 자전거를 타고 등교하는 학생 수는 전체 학생 수의 몇 %인지 구하기	7점
	❷ 자전거를 타고 등교하는 학생 수 구하기	8점

1-4

채점 기준		
	❶ 삼겹살과 치킨을 좋아하는 학생 수는 전체 학생 수의 몇 %인지 각각 구하기	7점
	❷ 치킨을 좋아하는 학생 수 구하기	8점

2-1

채점 기준		
	❶ 남학생과 여학생 수 각각 구하기	4점
	❷ 소고기를 좋아하는 남학생과 여학생 수의 차 구하기	4점

2-2

채점 기준		
	❶ 서윤이와 지오의 영어 공부 시간 각각 구하기	8점
	❷ 두 사람의 영어 공부 시간의 차 구하기	4점

2-3

채점 기준		
	❶ 나 지역의 학생 수 구하기	8점
	❷ 나 지역의 초등학생 수 구하기	7점

2-4

채점 기준		
	❶ 농경지의 넓이 구하기	8점
	❷ 밭의 넓이 구하기	7점

단원 평가

178~180쪽

01 1000 kg, 100 kg **02** 라 과수원

03 다 과수원 **04** 3300 kg

05 띠그래프 **06** 딸기

07 45 %

08 예 ❶ 학생 수가 전체 학생 수의 20 % 이상인 과일은 딸기(40 %), 수박(25 %), 바나나(20 %)입니다.

❷ 학생 수가 전체 학생 수의 20 % 이상인 과일은 3종류입니다. / 3종류

09 120권

10

종류	위인전	동화책	소설책	시집	합계
책 수(권)	30	48	24	18	120
백분율(%)	25	40	20	15	100

11 예 0 10 20 30 40 50 60 70 80 90 100(%)

동화책 (40 %)	위인전 (25 %)	소설책 (20 %)	시집 (15 %)

12 예 • 책의 수가 가장 많은 것은 동화책입니다.

• 동화책 수의 비율은 소설책 수의 비율의 2배입니다.

13 과학 **14** 3배

15 7시간 **16** 그림그래프

17 예 ❶ 가 공장은 가 3개, 가 4개이므로 3400대입니다.

나 공장은 가 1개, 가 4개이므로 1400대입니다.

다 공장은 가 2개, 가 1개이므로 2100대입니다.

❷ (라 공장의 자동차 수)
$=8000-3400-1400-2100=1100$(대)
/ 1100대

18 2300대

19 1000명

20 예 ❶ 전체 학생 수는 1000명이고 바다에 가고 싶은 학생 수는 전체 학생 수의 35 %이므로 바다에 가고 싶은 학생은
$1000\times\frac{35}{100}=350$(명)입니다.
❷ 남해에 가고 싶은 학생 수는 바다에 가고 싶은 전체 학생 수의 30 %이므로 남해에 가고 싶은 학생은 $350\times\frac{30}{100}=105$(명)입니다. / 105명

풀이

01 큰 그림(●)은 1000 kg, 작은 그림 (●)은 100 kg을 나타냅니다.

02 큰 그림(●)의 수가 가장 많은 과수원은 라 과수원입니다.

03 큰 그림(●)의 수가 가장 적은 과수원은 나 과수원, 다 과수원입니다. 이 중에서 작은 그림(●)의 수가 가장 적은 과수원은 다 과수원입니다.

04 가 과수원은 ●가 3개, ●가 3개이므로 3300 kg입니다.

05 전체에 대한 각 부분의 비율의 크기만큼 띠를 나누어 자료의 항목을 나타낸 그래프를 띠그래프라고 합니다.

06 띠그래프에서 차지하는 길이가 가장 긴 항목을 찾으면 딸기입니다.

07 수박을 좋아하는 학생 수는 전체 학생 수의 25 %, 바나나를 좋아하는 학생 수는 전체 학생 수의 20 %이므로 $25+20=45$ (%)입니다.

08

채점 기준		
	❶ 학생 수가 전체 학생 수의 20 % 이상인 과일을 모두 찾기	3점
	❷ 학생 수가 전체 학생 수의 20 % 이상인 과일은 모두 몇 종류인지 구하기	2점

09 $30+48+24+18=120$(권)

10 위인전: $\frac{30}{120}\times100=25$ ➔ 25 %
동화책: $\frac{48}{120}\times100=40$ ➔ 40 %
소설책: $\frac{24}{120}\times100=20$ ➔ 20 %
시집: $\frac{18}{120}\times100=15$ ➔ 15 %
(합계)$=25+40+20+15=100$ (%)

11 종류별 책 수의 백분율을 이용하여 띠그래프로 나타냅니다.

12 띠그래프를 보고 여러 가지 통계적 사실을 알아봅니다.

13 원그래프에서 차지하는 부분이 가장 좁은 항목을 찾으면 과학입니다.

14 영어를 공부한 시간은 전체 공부한 시간의 30 %, 과학을 공부한 시간은 전체 공부한 시간의 10 %이므로 $30\div10=3$(배)입니다.

15 수학을 공부한 시간은 전체 공부한 시간의 35 %이므로 $20\times\frac{35}{100}=7$(시간)입니다.

16 우리나라의 권역별 양파 생산량은 그림그래프로 나타내는 것이 좋습니다.

17

채점 기준		
	❶ 가, 나, 다 공장의 자동차 수 각각 구하기	3점
	❷ 라 공장의 자동차 수 각각 구하기	2점

18 자동차 생산량이 가장 많은 공장은 가 공장이고, 가장 적은 공장은 라 공장입니다.
➔ (자동차 수의 차)$=3400-1100=2300$(대)

19 동물원에 가고 싶은 학생 수는 전체 학생 수의 20 %, 즉 $\frac{20}{100}=\frac{1}{5}$이고, 전체의 $\frac{1}{5}$이 200명이므로
(전체 학생 수)$=5\times200=1000$(명)입니다.

20

채점 기준		
	❶ 바다에 가고 싶은 학생 수 구하기	2점
	❷ 남해에 가고 싶은 학생 수 구하기	3점

6 직육면체의 부피와 겉넓이

개념 확인 문제 185쪽

1 (1) 8 cm^2 (2) 9 cm^2

2 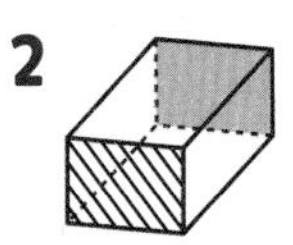

3 (위에서부터) 8, 6

4 3 cm

풀이

1 (1) (직사각형의 넓이) $=4\times2=8$ (cm^2)
(2) (정사각형의 넓이) $=3\times3=9$ (cm^2)

2 색칠한 면과 평행한 면에 빗금을 긋습니다.

4 정육면체는 모든 모서리의 길이가 같고, 정육면체의 모서리는 12개입니다.
따라서 정육면체의 한 모서리의 길이는 $36\div12=3$ (cm)입니다.

개념 확인 문제 187쪽

1 (1) 12개, 18개 (2) <

2 (1) 30개, 24개 (2) ㉮

풀이

1 (1) ㉮는 작은 상자를 한 층에 4개씩 3층으로 12개를 사용하여 만들었습니다.
㉯는 작은 상자를 한 층에 9개씩 2층으로 18개를 사용하여 만들었습니다.
(2) $12<18$이므로 ㉮의 부피<㉯의 부피입니다.

2 (1) ㉮: $5\times3\times2=30$(개)
㉯: $2\times4\times3=24$(개)
(2) $30>24$이므로 ㉮의 부피가 더 큽니다.

개념 확인 문제 189쪽

1 (1) 20개 (2) 20 cm^3

2 18 cm^3 3 42개

풀이

1 (1) 한 층에 가로로 5개, 세로로 2개씩 2층으로 쌓았으므로 사용한 쌓기나무는 $5\times2\times2=20$(개)입니다.
(2) 부피가 1 cm^3인 쌓기나무 20개를 쌓았으므로 직육면체의 부피는 20 cm^3입니다.

2 부피가 1 cm^3인 쌓기나무 $3\times2\times3=18$(개)를 쌓았으므로 직육면체의 부피는 18 cm^3입니다.

3 $42\div1=42$이므로 부피가 42 cm^3인 직육면체를 만드는 데 사용한 쌓기나무는 42개입니다.

개념 확인 문제 191쪽

1 (1) 30 cm^3 (2) 48 cm^3

2 1000 cm^3 3 450 cm^3

4 6

풀이

1 (1) (직육면체의 부피) $=5\times3\times2=30$ (cm^3)
(2) (직육면체의 부피) $=4\times4\times3=48$ (cm^3)

2 (정육면체의 부피) $=10\times10\times10=1000$ (cm^3)

3 (식빵의 부피) $=15\times5\times6=450$ (cm^3)

4 (직육면체의 부피) $=10\times8\times\square=480$ (cm^3)
$80\times\square=480$, $\square=6$

개념 확인 문제 193쪽

1 (1) 8000000 (2) 1.2 2 (1) 40 m^3 (2) 90 m^3

3 216000000, 216 4 ( ) (○)

풀이

2 (1) (직육면체의 부피) $=4\times2\times5=40$ (m^3)

(2) 500 cm = 5 m이므로

(직육면체의 부피) $=5\times3\times6=90$ (m^3)

3 (정육면체의 부피) $=600\times600\times600$

$=216000000$ (cm^3) $=216$ (m^3)

4 (왼쪽 직육면체의 부피) $=3\times3\times7=63$ (m^3)

(오른쪽 직육면체의 부피) $=4\times4\times4=64$ (m^3)

$63<64$이므로 오른쪽 직육면체의 부피가 더 큽니다.

개념 확인 문제 195쪽

1 (1) 5, 40 (2) 8, 48 (3) 6, 30 (4) 48, 30, 236
2 142 cm^2 **3** 202 cm^2

풀이

2 (직육면체의 겉넓이)

$=(7\times5)\times2+(5+7+5+7)\times3$

$=35\times2+24\times3$

$=70+72=142$ (cm^2)

3 (직육면체의 겉넓이)

$=(9\times5+9\times4+5\times4)\times2$

$=101\times2=202$ (cm^2)

개념 확인 문제 197쪽

1 384 cm^2 **2** 486 cm^2
3 600 cm^2 **4** 정육면체, 14 cm^2

풀이

1 (정육면체의 겉넓이) $=8\times8\times6=384$ (cm^2)

2 (정육면체의 겉넓이) $=9\times9\times6=486$ (cm^2)

3 정육면체의 한 모서리의 길이가 10 cm이므로

(정육면체의 겉넓이) $=10\times10\times6=600$ (cm^2)

4 (직육면체의 겉넓이)

$=(5\times6+5\times10+6\times10)\times2=280$ (cm^2)

(정육면체의 겉넓이) $=7\times7\times6=294$ (cm^2)

➔ 정육면체의 겉넓이가 직육면체의 겉넓이보다 $294-280=14$ (cm^2) 만큼 더 넓습니다.

문제 해결력 문제 199쪽

1 4가지 **2** 56 cm^2, 52 cm^2

풀이

1

가로 (cm)	2	2	2	4
세로 (cm)	2	4	5	4
높이 (cm)	20	10	8	5
부피 (cm^3)	80	80	80	80

➔ 모양이 다른 직육면체를 모두 4가지 만들 수 있습니다.

2

가로 (cm)	2	2
세로 (cm)	2	3
높이 (cm)	6	4
부피 (cm^3)	24	24
겉넓이 (cm^2)	56	52

➔ 만들 수 있는 직육면체의 겉넓이는 56 cm^2, 52 cm^{2}입니다.

개념+확인 204~205쪽

1 ㉮ **2** <
3 60 cm^3 **4** 175 cm^3
5 36 m^3
6 (1) 5000000 (2) 1300000 (3) 9 (4) 0.4
7 236 cm^2 **8** 1014 cm^2

풀이

1 ㉮와 ㉯는 밑면의 세로, 높이가 각각 같으므로 가로가 길수록 부피가 큽니다.
밑면의 가로를 비교하면 $12>10$이므로 ㉮의 부피가 더 큽니다.

2 ㉮는 작은 상자를 한 층에 6개씩 4층으로 24개를 쌓았습니다.

㉯는 작은 상자를 한 층에 9개씩 3층으로 27개를 쌓았습니다.
$24<27$이므로 ㉮의 부피<㉯의 부피입니다.

3 쌓기나무의 수는 $5\times3\times4=60$(개)이므로 직육면체의 부피는 60 cm^3입니다.

4 (직육면체의 부피)$=5\times5\times7=175\ (\text{cm}^3)$

5 (직육면체의 부피)$=6\times3\times2=36\ (\text{m}^3)$

7 (직육면체의 겉넓이)$=(6\times5+6\times8+5\times8)\times2$
$=118\times2=236\ (\text{cm}^2)$

8 (상자의 겉넓이)$=13\times13\times6$
$=169\times6=1014\ (\text{cm}^2)$

서술형 문제 해결하기 206~207쪽

1-1 ❶ 9, 360 ❷ 360, 360, 5, 5 / 5 cm

1-2 예 ❶ (직육면체 ㉯의 부피)
$=10\times14\times6=840\ (\text{m}^3)$
❷ 직육면체 ㉮의 세로를 □ m라고 하면
(직육면체 ㉮의 부피)
$=7\times□\times12=840\ (\text{m}^3)$
$84\times□=840$, $□=10$
직육면체 ㉮의 세로는 10 m입니다.
/ 10 m

1-3 예 ❶ (정육면체의 부피)
$=6\times6\times6=216\ (\text{cm}^3)$
❷ 정육면체와 직육면체의 부피가 같으므로 직육면체의 가로를 □ cm라고 하면
(직육면체의 부피)
$=□\times2\times9=216\ (\text{cm}^3)$
$18\times□=216$, $□=12$
직육면체의 가로는 12 cm입니다.
/ 12 cm

1-4 예 ❶ 400 cm=4 m입니다.
❷ (직육면체의 부피)
$=16\times4\times8=512\ (\text{m}^3)$
❸ 정육면체의 한 모서리의 길이를 □ m라고 하면
(정육면체의 부피)
$=□\times□\times□=512\ (\text{m}^3)$
$□=8$
정육면체의 한 모서리의 길이는 8 m입니다.
/ 8 m

2-1 ❶ 4 ❷ 4, 4, 92, 184 / 184 cm^2

2-2 예 ❶ 직육면체의 가로를 □ cm라고 하면
(직육면체의 부피)
$=□\times7\times6=336\ (\text{cm}^3)$
$42\times□=336$, $□=8$
직육면체의 가로는 8 cm입니다.
❷ (직육면체의 겉넓이)
$=(8\times7+8\times6+7\times6)\times2$
$=146\times2=292\ (\text{cm}^2)$
/ 292 cm^2

2-3 예 ❶ 정육면체의 한 모서리의 길이를 □ cm라고 하면
(정육면체의 부피)
$=□\times□\times□=729\ (\text{cm}^3)$
$□=9$
정육면체의 한 모서리의 길이는 9 cm입니다.
❷ (정육면체의 겉넓이)
$=9\times9\times6=486\ (\text{cm}^2)$
/ 486 cm^2

2-4 예 ❶ 직육면체의 높이를 □ cm라고 하면
(직육면체의 겉넓이)
$=(10\times5+10\times□+5\times□)\times2$
$=220\ (\text{cm}^2)$
❷ $(50+15\times□)\times2=220$
$50+15\times□=110$, $15\times□=60$, $□=4$
직육면체의 높이는 4 cm입니다.
❸ (직육면체의 부피)
$=10\times5\times4=200\ (\text{cm}^3)$
/ 200 cm^3

풀이

1-1

채점 기준		
	❶ 직육면체의 ㉮의 부피 구하기	3점
	❷ 직육면체의 ㉯의 높이 구하기	5점

1-2

채점 기준		
	❶ 직육면체 ㉯의 부피 구하기	5점
	❷ 직육면체 ㉮의 세로 구하기	7점

1-3

채점 기준		
	❶ 정육면체의 부피 구하기	6점
	❷ 직육면체의 가로 구하기	9점

1-4

채점 기준		
	❶ 400 cm를 4 m로 나타내기	3점
	❷ 직육면체의 부피 구하기	3점
	❸ 정육면체의 한 모서리의 길이 구하기	9점

2-1

채점 기준		
	❶ 직육면체의 높이 구하기	5점
	❷ 직육면체의 겉넓이 구하기	3점

2-2

채점 기준		
	❶ 직육면체의 가로 구하기	7점
	❷ 직육면체의 겉넓이 구하기	5점

2-3

채점 기준		
	❶ 정육면체의 한 모서리의 길이 구하기	9점
	❷ 정육면체의 겉넓이 구하기	6점

2-4

채점 기준		
	❶ 직육면체의 높이를 □ cm라 하고 직육면체의 겉넓이를 구하는 식 세우기	5점
	❷ 직육면체의 높이 구하기	5점
	❸ 직육면체의 부피 구하기	5점

단원 평가

208~210쪽

01 ㉮ 02 <

03 ㉯ 04 216 cm^3

05 120 cm^3 06 518 cm^2

07 240 cm^3 08 210, 210000000

09 228 cm^2 10 ㉮, 4 cm^3

11 ㉮ 12 7

13 6

14 예 ❶ 정육면체의 한 모서리의 길이는 $1200 \div 4 = 300\text{ (cm)} = 3\text{ (m)}$입니다.

❷ (정육면체의 부피)$=3 \times 3 \times 3 = 27\text{ (m}^3)$

/ 27 m^3

15 204 cm^2 16 166 cm^2

17 288 cm^2 18 315 m^3

19 예 ❶ 정육면체의 한 모서리의 길이는 직육면체의 가장 짧은 모서리의 길이인 5 cm이어야 합니다.

❷ 만들 수 있는 가장 큰 정육면체 모양의 부피는 $5 \times 5 \times 5 = 125\text{ (cm}^3)$입니다.

/ 125 cm^3

20 예 ❶ 직육면체의 가로를 □ cm라고 하면

(직육면체의 부피)

$= \square \times 6 \times 8 = 576\text{ (cm}^3)$

$48 \times \square = 576$, $\square = 12$

❷ (직육면체의 겉넓이)

$=(12 \times 6 + 12 \times 8 + 6 \times 8) \times 2$

$=216 \times 2 = 432\text{ (cm}^2)$

/ 432 cm^2

풀이

01 ㉮와 ㉯는 밑면의 세로, 높이가 각각 같으므로 가로가 짧을수록 부피가 작습니다.
밑면의 가로를 비교하면 $9 < 11$이므로 ㉮의 부피가 더 작습니다.

02 ㉮는 작은 상자를 한 층에 15개씩 2층으로 30개를 쌓았습니다.
㉯는 작은 상자를 한 층에 9개씩 4층으로 36개를 쌓았습니다.
$30 < 36$이므로 ㉮의 부피 < ㉯의 부피입니다.

03 ㉮에는 작은 상자를 가로로 2개, 세로로 3개씩 4층으로 24개를 담을 수 있습니다.
㉯에는 작은 상자를 가로로 5개, 세로로 2개씩 3층으로 30개를 담을 수 있습니다.
$24 < 30$이므로 ㉯의 부피가 더 큽니다.

04 (직육면체의 부피)$=4 \times 6 \times 9 = 216\text{ (cm}^3)$

05 1층에 쌓은 쌓기나무는 $3 \times 5 = 15$(개)이고 높이는 8층이므로 쌓기나무는 모두 $15 \times 8 = 120$(개)입니다.
따라서 만든 직육면체의 부피는 120 cm^3입니다.

06 (직육면체의 겉넓이)
$=$(한 꼭짓점에서 만나는 세 면의 넓이의 합)$\times 2$
$=(72+88+99)\times 2$
$=259\times 2$
$=518\ (\text{cm}^2)$

07 (직육면체의 부피)$=$(밑면의 넓이)$\times$(높이)
$=40\times 6$
$=240\ (\text{cm}^3)$

08 $700\text{ cm}=7\text{ m}$, $600\text{ cm}=6\text{ m}$이므로
(직육면체의 부피)$=7\times 6\times 5=210\ (\text{m}^3)$
$1\text{ m}^3=1000000\text{ cm}^3$이므로
$210\text{ m}^3=210000000\text{ cm}^3$입니다.

09 (직육면체의 겉넓이)
$=(6\times 4)\times 2+(6+4+6+4)\times 9$
$=48+180$
$=228\ (\text{cm}^2)$

10 (정육면체 ㉮의 부피)$=4\times 4\times 4=64\ (\text{cm}^3)$
(직육면체 ㉯의 부피)$=6\times 2\times 5=60\ (\text{cm}^3)$
따라서 ㉮의 부피가 $64-60=4\ (\text{cm}^3)$ 더 큽니다.

11 $650\text{ cm}=6.5\text{ m}$,
$550\text{ cm}=5.5\text{ m}$,
$800\text{ cm}=8\text{ m}$이므로
(직육면체의 ㉮의 부피)
$=6.5\times 5.5\times 8=286\ (\text{m}^3)$
(정육면체의 ㉯의 부피)$=6\times 6\times 6$
$=216\ (\text{m}^3)$
$286>216$이므로 ㉮의 부피가 더 큽니다.

12 (직육면체의 부피)$=\square\times 6\times 8=336\ (\text{cm}^3)$
$48\times\square=336$, $\square=7$

13 $150\text{ cm}=1.5\text{ m}$이므로
(직육면체 ㉮의 부피)$=4\times 1.5\times 3=18\ (\text{m}^3)$
(직육면체 ㉯의 부피)$=3\times 1\times\square=18\ (\text{m}^3)$
$3\times\square=18$, $\square=6$

14

채점 기준		
	❶ 정육면체의 한 모서리의 길이 구하기	3점
	❷ 정육면체의 부피 구하기	2점

15 (정육면체의 겉넓이)$=4\times 4\times 6$
$=96\ (\text{cm}^2)$
(직육면체의 겉넓이)
$=(6\times 4+6\times 3+4\times 3)\times 2$
$=54\times 2$
$=108\ (\text{cm}^2)$
(겉넓이의 합)$=96+108$
$=204\ (\text{cm}^2)$

16 색칠한 면의 세로는 $20\div 5=4$ (cm)입니다.
(직육면체의 겉넓이)
$=(5\times 4+5\times 7+4\times 7)\times 2$
$=83\times 2$
$=166\ (\text{cm}^2)$

17 $3\times 3\times 3=27$이므로 주사위의 한 모서리의 길이는 3 cm입니다.
만든 직육면체는 가로가 9 cm, 세로가 6 cm, 높이가 6 cm이므로
(직육면체의 겉넓이)
$=(9\times 6+9\times 6+6\times 6)\times 2$
$=144\times 2$
$=288\ (\text{cm}^2)$

18

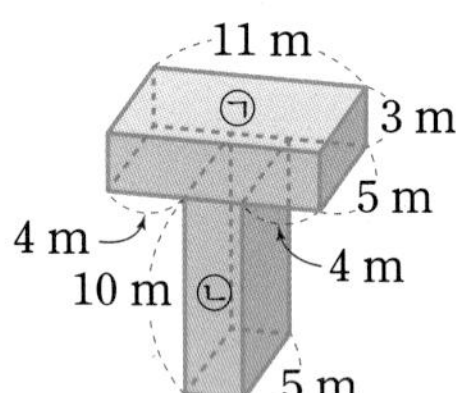

(입체도형의 부피)
$=$(직육면체 ㉠의 부피)$+$(직육면체 ㉡의 부피)
$=11\times 5\times 3+3\times 5\times 10$
$=165+150$
$=315\ (\text{m}^3)$

19

채점 기준		
	❶ 정육면체의 한 모서리의 길이 구하기	3점
	❷ 만들 수 있는 가장 큰 정육면체 모양의 부피 구하기	2점

20

채점 기준		
	❶ 직육면체의 가로 구하기	3점
	❷ 직육면체의 겉넓이 구하기	2점

Memo

Memo

2015 개정 교육과정

초등 수학

자습서&평가문제집

평가문제 다잡기

금성출판사

초등 수학

6-1

자습서&평가문제집

평가문제 다잡기

금성출판사

구성과 특징

[교과서 핵심 개념], [쪽지시험], [단원 평가], [서술형 평가]로 자신의 실력을 점검하고
다양해지는 학교 시험에 대비할 수 있습니다.

1 교과서 핵심 개념

교과서에 나온 핵심 개념을 모아서 정리했습니다.

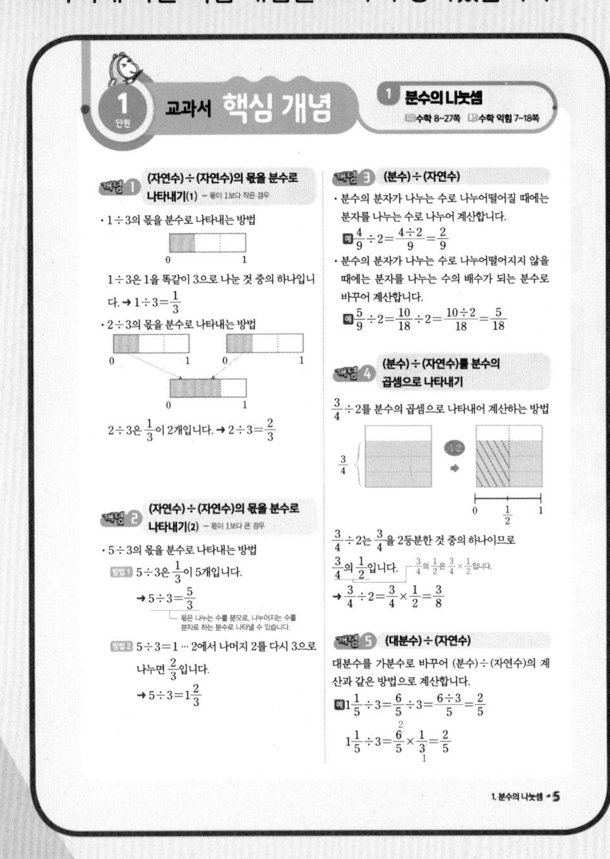

1 단원 교과서 핵심 개념

1 분수의 나눗셈 수학 8~27쪽 수학 익힘 7~18쪽

개념 1 (자연수)÷(자연수)의 몫을 분수로 나타내기(1) – 몫이 1보다 작은 경우

• 1÷3의 몫을 분수로 나타내는 방법

1÷3은 1을 똑같이 3으로 나눈 것 중의 하나입니다. → $1÷3=\frac{1}{3}$

• 2÷3의 몫을 분수로 나타내는 방법

2÷3은 $\frac{1}{3}$이 2개입니다. → $2÷3=\frac{2}{3}$

개념 2 (자연수)÷(자연수)의 몫을 분수로 나타내기(2) – 몫이 1보다 큰 경우

• 5÷3의 몫을 분수로 나타내는 방법

방법 1 5÷3은 $\frac{1}{3}$이 5개입니다.
→ $5÷3=\frac{5}{3}$

몫은 나누는 수를 분모로, 나누어지는 수를 분자로 하는 분수로 나타낼 수 있습니다.

방법 2 5÷3=1 … 2에서 나머지 2를 다시 3으로 나누면 $\frac{2}{3}$입니다.
→ $5÷3=1\frac{2}{3}$

개념 3 (분수)÷(자연수)

• 분수의 분자가 나누는 수로 나누어떨어질 때에는 분자를 나누는 수로 나누어 계산합니다.

예 $\frac{4}{9}÷2=\frac{4÷2}{9}=\frac{2}{9}$

• 분수의 분자가 나누는 수로 나누어떨어지지 않을 때에는 분자를 나누는 수의 배수가 되는 분수로 바꾸어 계산합니다.

예 $\frac{5}{9}÷2=\frac{10}{18}÷2=\frac{10÷2}{18}=\frac{5}{18}$

개념 4 (분수)÷(자연수)를 분수의 곱셈으로 나타내기

$\frac{3}{4}÷2$를 분수의 곱셈으로 나타내어 계산하는 방법

$\frac{3}{4}÷2$는 $\frac{3}{4}$을 2등분한 것 중의 하나이므로 $\frac{3}{4}$의 $\frac{1}{2}$입니다. ($\frac{3}{4}$의 $\frac{1}{2}$은 $\frac{3}{4}×\frac{1}{2}$입니다.)

→ $\frac{3}{4}÷2=\frac{3}{4}×\frac{1}{2}=\frac{3}{8}$

개념 5 (대분수)÷(자연수)

대분수를 가분수로 바꾸어 (분수)÷(자연수)의 계산과 같은 방법으로 계산합니다.

예 $1\frac{1}{5}÷3=\frac{6}{5}÷3=\frac{6÷3}{5}=\frac{2}{5}$

$1\frac{1}{5}÷3=\frac{6}{5}×\frac{1}{3}=\frac{2}{5}$

1. 분수의 나눗셈 5

2 쪽지시험

한 회에 10문제씩 총 4회로 구성되어 있습니다.

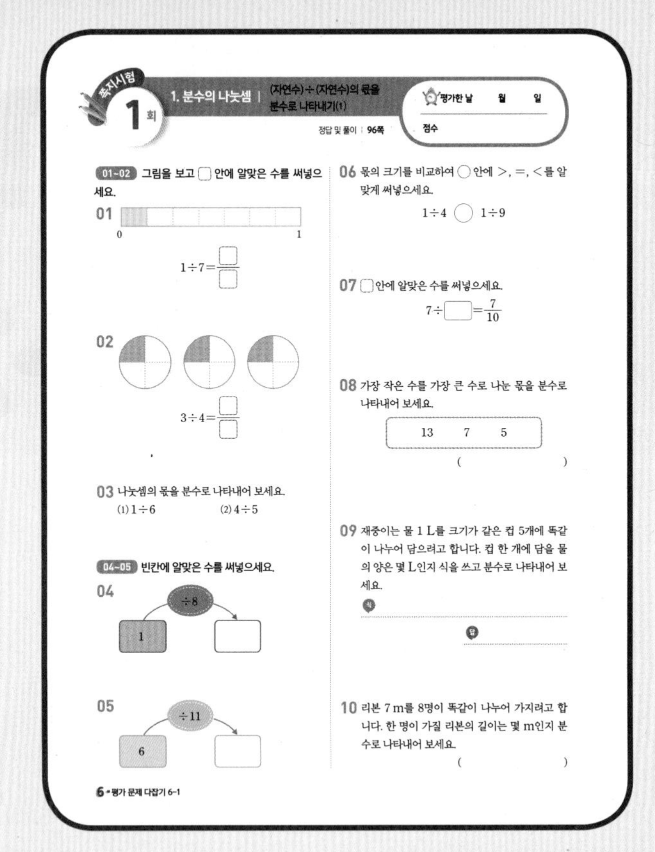

쪽지시험 1회 1. 분수의 나눗셈 | (자연수)÷(자연수)의 몫을 분수로 나타내기(1)

평가한 날 월 일 / 점수

정답 및 풀이 | 96쪽

01~02 그림을 보고 □ 안에 알맞은 수를 써넣으세요.

01 1÷7=□/□

02 3÷4=□/□

03 나눗셈의 몫을 분수로 나타내어 보세요.
(1) 1÷6 (2) 4÷5

04~05 빈칸에 알맞은 수를 써넣으세요.

04 ÷8 1

05 ÷11 6

06 몫의 크기를 비교하여 ○ 안에 >, =, <를 알맞게 써넣으세요.
1÷4 ○ 1÷9

07 □ 안에 알맞은 수를 써넣으세요.
$7÷□=\frac{7}{10}$

08 가장 작은 수를 가장 큰 수로 나눈 몫을 분수로 나타내어 보세요.
13 7 5
( )

09 재중이는 물 1 L를 크기가 같은 컵 5개에 똑같이 나누어 담으려고 합니다. 컵 한 개에 담을 물의 양은 몇 L인지 식을 쓰고 분수로 나타내어 보세요.
식
답

10 리본 7 m를 8명이 똑같이 나누어 가지려고 합니다. 한 명이 가질 리본의 길이는 몇 m인지 분수로 나타내어 보세요.
( )

6 • 평가 문제 다잡기 6-1

3 단원 평가 기본 실력

난이도별로 기본 단원 평가, 실력 단원 평가 2회가 제공됩니다.

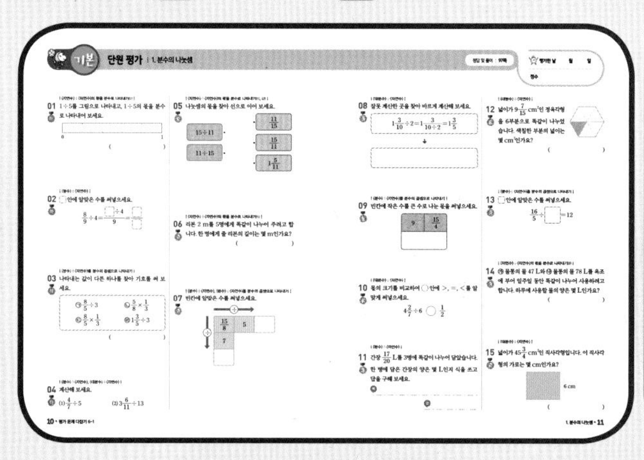

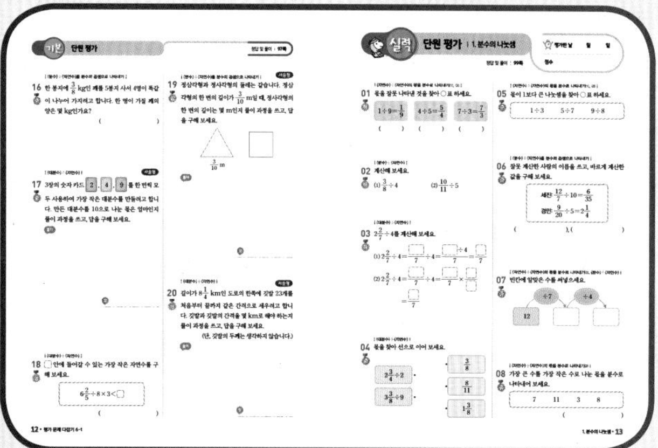

4 서술형 평가 연습 실전

난이도별로 연습 서술형 평가, 실전 서술형 평가 2회가 제공됩니다.

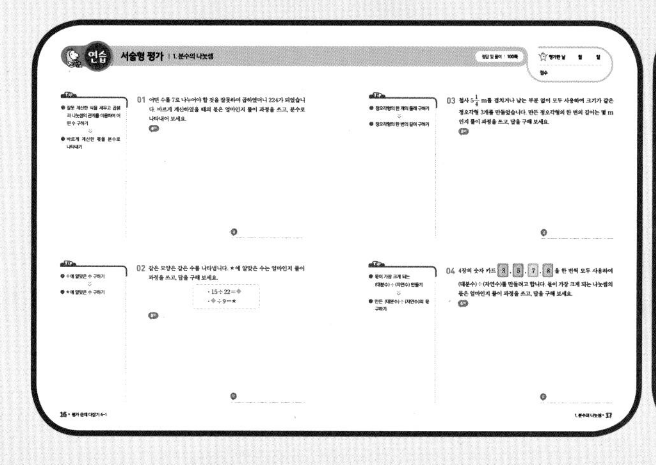

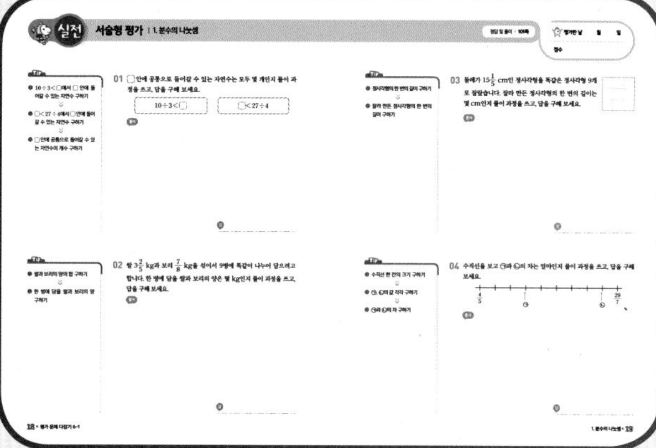

5 정답 및 풀이

자세한 풀이와 참고, 주의, 다른 풀이 등을 실어 학습 가이드로 활용할 수 있습니다.

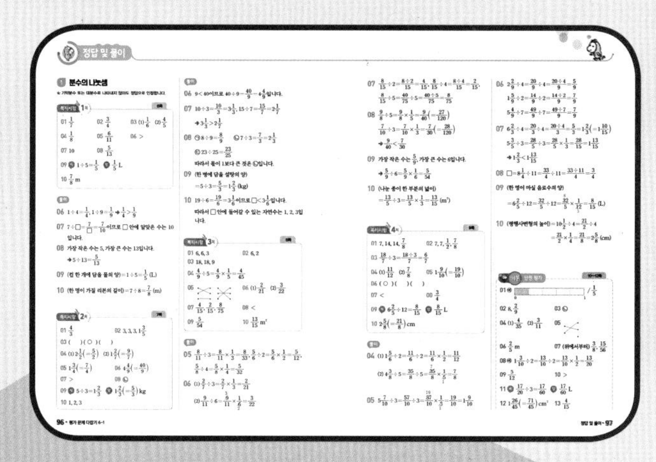

차례

1 단원 교과서 핵심 개념

1 분수의 나눗셈

수학 8~27쪽 수학 익힘 7~18쪽

개념 1 (자연수)÷(자연수)의 몫을 분수로 나타내기(1) – 몫이 1보다 작은 경우

• 1÷3의 몫을 분수로 나타내는 방법

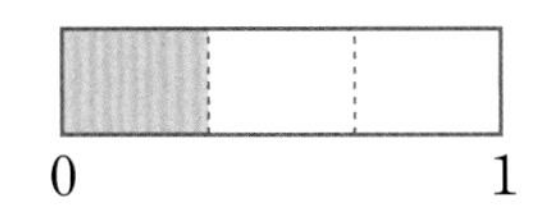

1÷3은 1을 똑같이 3으로 나눈 것 중의 하나입니다. ➜ $1\div3=\frac{1}{3}$

• 2÷3의 몫을 분수로 나타내는 방법

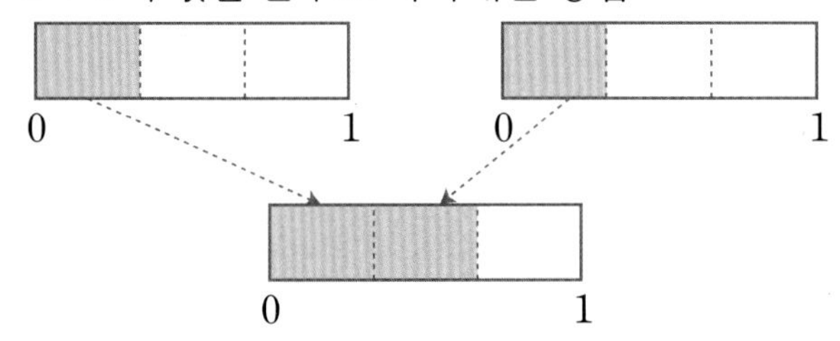

2÷3은 $\frac{1}{3}$이 2개입니다. ➜ $2\div3=\frac{2}{3}$

개념 2 (자연수)÷(자연수)의 몫을 분수로 나타내기(2) – 몫이 1보다 큰 경우

• 5÷3의 몫을 분수로 나타내는 방법

방법 1 5÷3은 $\frac{1}{3}$이 5개입니다.

➜ $5\div3=\frac{5}{3}$

└ 몫은 나누는 수를 분모로, 나누어지는 수를 분자로 하는 분수로 나타낼 수 있습니다.

방법 2 5÷3=1 … 2에서 나머지 2를 다시 3으로 나누면 $\frac{2}{3}$입니다.

➜ $5\div3=1\frac{2}{3}$

개념 3 (분수)÷(자연수)

• 분수의 분자가 나누는 수로 나누어떨어질 때에는 분자를 나누는 수로 나누어 계산합니다.

예 $\frac{4}{9}\div2=\frac{4\div2}{9}=\frac{2}{9}$

• 분수의 분자가 나누는 수로 나누어떨어지지 않을 때에는 분자를 나누는 수의 배수가 되는 분수로 바꾸어 계산합니다.

예 $\frac{5}{9}\div2=\frac{10}{18}\div2=\frac{10\div2}{18}=\frac{5}{18}$

개념 4 (분수)÷(자연수)를 분수의 곱셈으로 나타내기

$\frac{3}{4}\div2$를 분수의 곱셈으로 나타내어 계산하는 방법

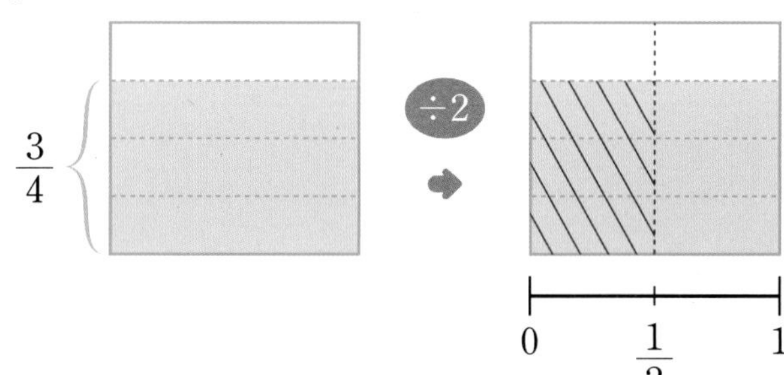

$\frac{3}{4}\div2$는 $\frac{3}{4}$을 2등분한 것 중의 하나이므로 $\frac{3}{4}$의 $\frac{1}{2}$입니다. ─ $\frac{3}{4}$의 $\frac{1}{2}$은 $\frac{3}{4}\times\frac{1}{2}$입니다.

➜ $\frac{3}{4}\div2=\frac{3}{4}\times\frac{1}{2}=\frac{3}{8}$

개념 5 (대분수)÷(자연수)

대분수를 가분수로 바꾸어 (분수)÷(자연수)의 계산과 같은 방법으로 계산합니다.

예 $1\frac{1}{5}\div3=\frac{6}{5}\div3=\frac{6\div3}{5}=\frac{2}{5}$

$1\frac{1}{5}\div3=\frac{\overset{2}{\cancel{6}}}{5}\times\frac{1}{\underset{1}{\cancel{3}}}=\frac{2}{5}$

1. 분수의 나눗셈 | (자연수)÷(자연수)의 몫을 분수로 나타내기(1)

정답 및 풀이 | 96쪽

평가한 날 월 일

점수

01~02 그림을 보고 □ 안에 알맞은 수를 써넣으세요.

01

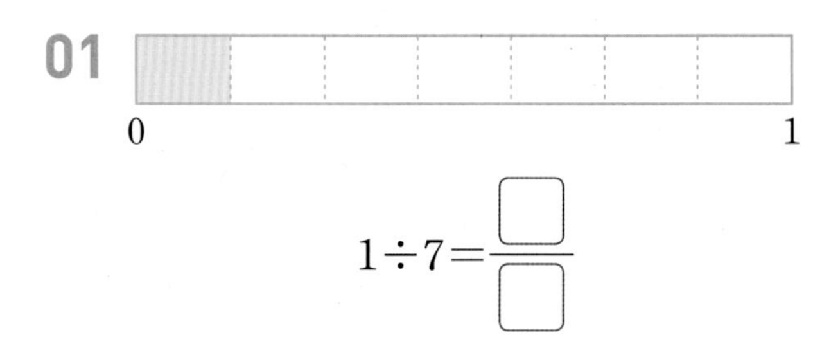

$1 \div 7 = \frac{\square}{\square}$

02

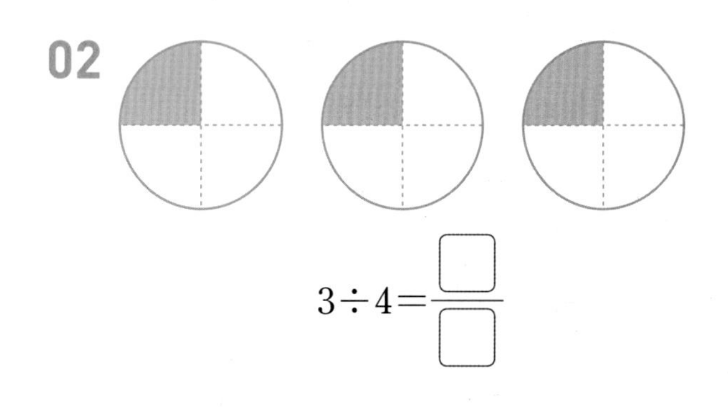

$3 \div 4 = \frac{\square}{\square}$

03 나눗셈의 몫을 분수로 나타내어 보세요.

(1) $1 \div 6$　　　(2) $4 \div 5$

04~05 빈칸에 알맞은 수를 써넣으세요.

04

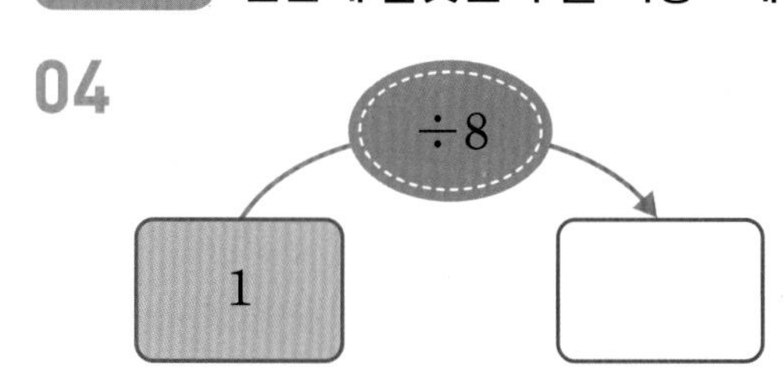

05

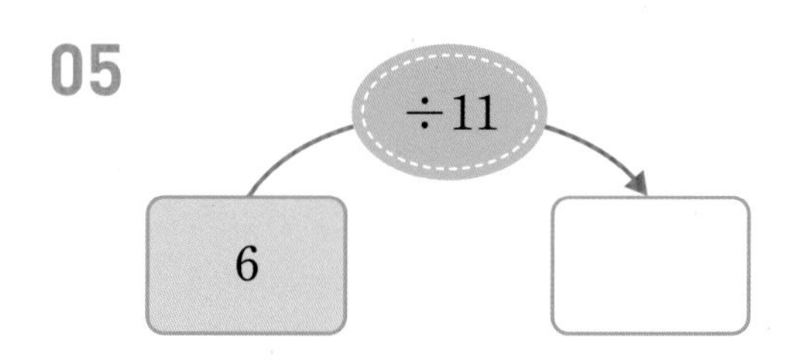

06 몫의 크기를 비교하여 ○ 안에 >, =, <를 알맞게 써넣으세요.

$1 \div 4$ ○ $1 \div 9$

07 □ 안에 알맞은 수를 써넣으세요.

$7 \div \square = \frac{7}{10}$

08 가장 작은 수를 가장 큰 수로 나눈 몫을 분수로 나타내어 보세요.

(　　　　　　　　)

09 재중이는 물 1 L를 크기가 같은 컵 5개에 똑같이 나누어 담으려고 합니다. 컵 한 개에 담을 물의 양은 몇 L인지 식을 쓰고 분수로 나타내어 보세요.

식 ....

답 ....

10 리본 7 m를 8명이 똑같이 나누어 가지려고 합니다. 한 명이 가질 리본의 길이는 몇 m인지 분수로 나타내어 보세요.

(　　　　　　　　)

1. 분수의 나눗셈 | (자연수)÷(자연수)의 몫을 분수로 나타내기(2)

정답 및 풀이 | 96쪽

평가한 날 월 일

점수

01 그림을 보고 □ 안에 알맞은 수를 써넣으세요.

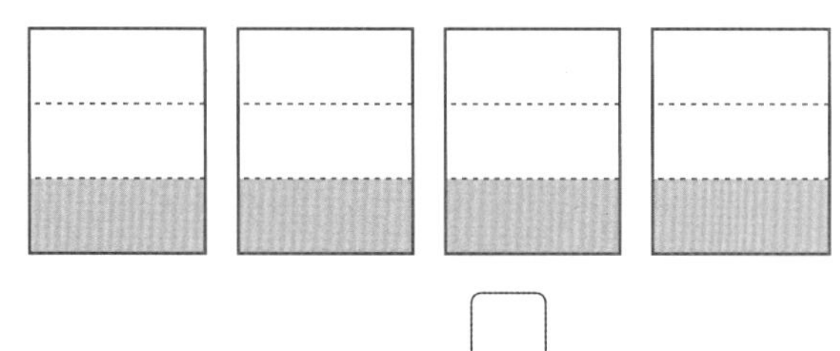

$4 \div 3 = \frac{\square}{\square}$

02 $8 \div 5$의 몫을 구하려고 합니다. □ 안에 알맞은 수를 써넣으세요.

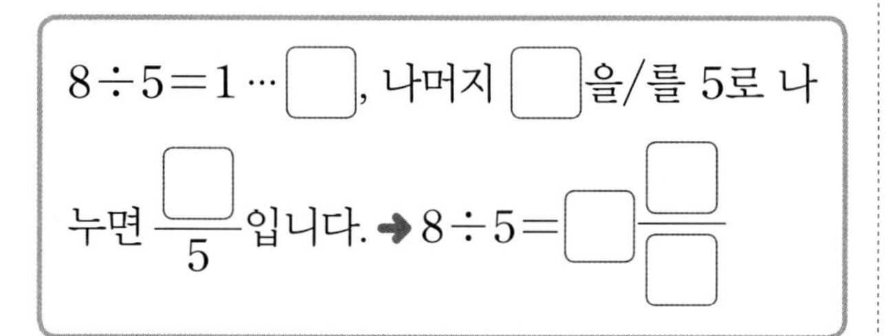

$8 \div 5 = 1 \cdots \square$, 나머지 □을/를 5로 나누면 $\frac{\square}{5}$입니다. ➜ $8 \div 5 = \square\frac{\square}{\square}$

03 $12 \div 7$의 몫을 잘못 나타낸 것에 ○표 하세요.

$1\frac{5}{7}$	$\frac{7}{12}$	$\frac{12}{7}$
( )	( )	( )

04 나눗셈의 몫을 분수로 나타내어 보세요.

(1) $5 \div 2$ (2) $9 \div 7$

05 빈칸에 알맞은 수를 써넣으세요.

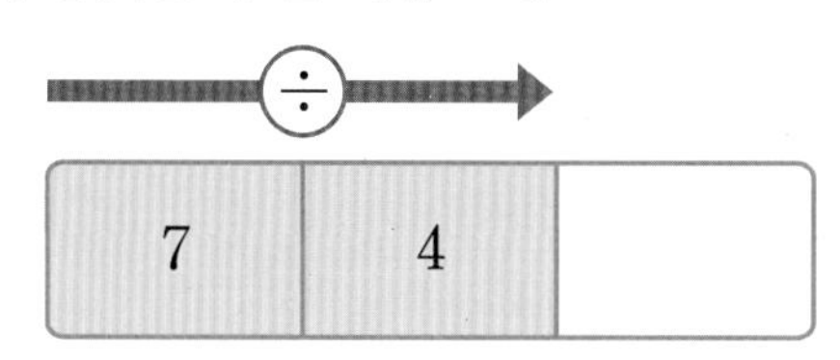

06 큰 수를 작은 수로 나눈 몫을 분수로 나타내어 보세요.

( )

07 몫의 크기를 비교하여 ○ 안에 >, =, <를 알맞게 써넣으세요.

$10 \div 3$ ○ $15 \div 7$

08 몫이 1보다 큰 것을 찾아 기호를 써 보세요.

㉠ $8 \div 9$ ㉡ $7 \div 3$ ㉢ $23 \div 25$

( )

09 설탕 5 kg을 3병에 똑같이 나누어 담으려고 합니다. 한 병에 담을 설탕의 양은 몇 kg인지 식을 쓰고 분수로 나타내어 보세요.

식

답

10 □ 안에 들어갈 수 있는 자연수를 모두 구해 보세요.

$\square < 19 \div 6$

( )

정답 및 풀이 | 96쪽

평가한 날 월 일

점수

01 그림을 이용하여 $\frac{3}{5}\div 2$를 구해 보세요.

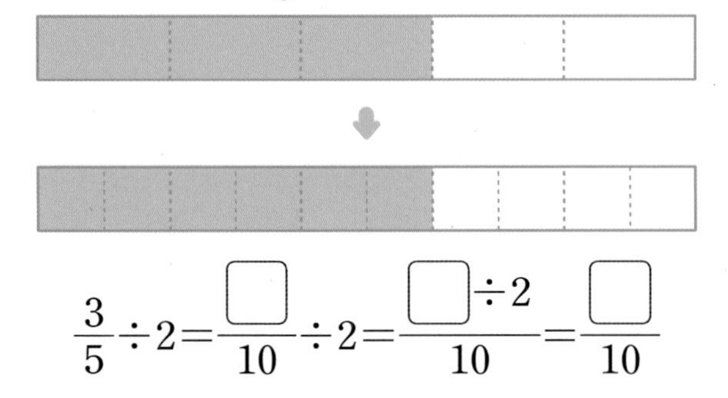

$\frac{3}{5}\div 2=\frac{\square}{10}\div 2=\frac{\square\div 2}{10}=\frac{\square}{10}$

02~03 □ 안에 알맞은 수를 써넣으세요.

02 $\frac{6}{7}\div 3=\frac{\square\div 3}{7}=\frac{\square}{7}$

03 $\frac{9}{13}\div 2=\frac{\square}{26}\div 2=\frac{\square\div 2}{26}=\frac{\square}{26}$

04 잘못 계산한 곳을 찾아 바르게 계산해 보세요.

$\frac{4}{9}\div 5=\frac{9}{4}\times\frac{1}{5}=\frac{9}{20}$

➜

05 관계있는 것끼리 선으로 이어 보세요.

$\frac{8}{11}\div 3$ •	• $\frac{5}{6}\times\frac{1}{2}$ •	• $\frac{5}{32}$
$\frac{5}{6}\div 2$ •	• $\frac{8}{11}\times\frac{1}{3}$ •	• $\frac{8}{33}$
$\frac{5}{8}\div 4$ •	• $\frac{5}{8}\times\frac{1}{4}$ •	• $\frac{5}{12}$

06 계산해 보세요.

(1) $\frac{2}{7}\div 3$ (2) $\frac{9}{11}\div 6$

07 빈칸에 분수를 자연수로 나눈 몫을 써넣으세요.

÷	2	4	5
$\frac{8}{15}$			

08 몫의 크기를 비교하여 ○ 안에 >, =, <를 알맞게 써넣으세요.

$\frac{9}{8}\div 5$ ○ $\frac{7}{10}\div 3$

09 가장 작은 수를 가장 큰 수로 나눈 몫을 구해 보세요.

6 $\frac{7}{4}$ 3 $\frac{5}{9}$

( )

10 넓이가 $\frac{13}{5}$ m^2인 종이를 3부분으로 똑같이 나누었습니다. 나눈 종이 한 부분의 넓이는 몇 m^2인가요?

( )

1. 분수의 나눗셈 | (대분수)÷(자연수)

정답 및 풀이 | 97쪽

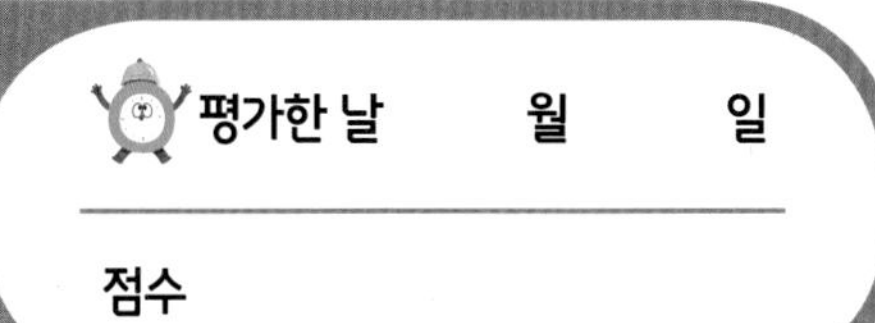

01~02 $1\frac{3}{4}\div 2$를 2가지 방법으로 계산하려고 합니다. □ 안에 알맞은 수를 써넣으세요.

01 $1\frac{3}{4}\div 2=\frac{\square}{4}\div 2=\frac{\square}{8}\div 2$

$=\frac{\square\div 2}{8}=\frac{\square}{\square}$

02 $1\frac{3}{4}\div 2=\frac{\square}{4}\div 2=\frac{\square}{4}\times\frac{\square}{\square}=\frac{\square}{\square}$

03 보기 와 같이 계산해 보세요.

보기

$3\frac{1}{5}\div 4=\frac{16}{5}\div 4=\frac{16\div 4}{5}=\frac{4}{5}$

$2\frac{4}{7}\div 3=$

04 계산해 보세요.

(1) $1\frac{5}{6}\div 2$

(2) $4\frac{3}{8}\div 5$

05 빈칸에 알맞은 수를 써넣으세요.

$5\frac{7}{10}$ → $\div 3$ → ○

06 몫이 다른 하나에 ○표 하세요.

$2\frac{2}{9}\div 4$	$1\frac{5}{9}\div 2$	$5\frac{4}{9}\div 7$
(　　)	(　　)	(　　)

07 몫의 크기를 비교하여 ○ 안에 >, =, <를 알맞게 써넣으세요.

$6\frac{2}{3}\div 4$ ○ $5\frac{3}{5}\div 3$

08 □ 안에 알맞은 수를 써넣으세요.

$\square\times 11=8\frac{1}{4}$

09 음료수 $6\frac{2}{5}$ L를 12명이 똑같이 나누어 마시려고 합니다. 한 명이 마실 음료수의 양은 몇 L인지 식을 쓰고 답을 구해 보세요.

10 넓이가 $10\frac{1}{2}$ cm^2인 평행사변형입니다. 이 평행사변형의 높이는 몇 cm인가요?

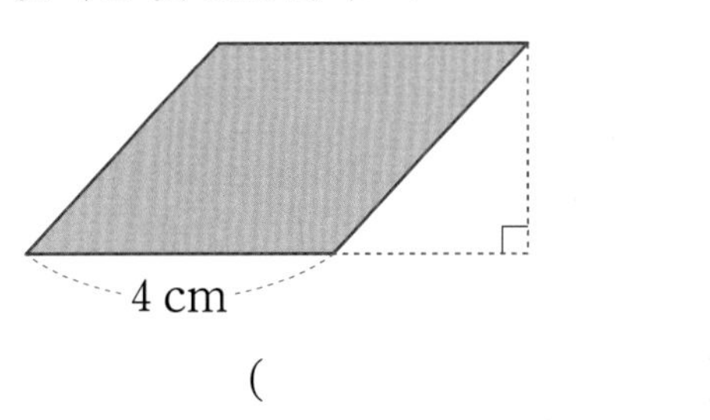

(　　　　　)

| (자연수)÷(자연수)의 몫을 분수로 나타내기(1) |

01 $1 \div 5$를 그림으로 나타내고, $1 \div 5$의 몫을 분수로 나타내어 보세요.

하

0　　　　　　　　　　　　　　　1

(　　　　　　　　　)

| (분수)÷(자연수) |

02 □ 안에 알맞은 수를 써넣으세요.

하

$$\frac{8}{9} \div 4 = \frac{\square \div 4}{9} = \frac{\square}{\square}$$

| (분수)÷(자연수)를 분수의 곱셈으로 나타내기 |

03 나타내는 값이 다른 하나를 찾아 기호를 써 보세요.

하

㉠ $\frac{8}{5} \div 3$　　㉡ $\frac{5}{8} \times \frac{1}{3}$

㉢ $\frac{8}{5} \times \frac{1}{3}$　　㉣ $1\frac{3}{5} \div 3$

(　　　　　　　　　)

| (분수)÷(자연수), (대분수)÷(자연수) |

04 계산해 보세요.

(1) $\frac{4}{7} \div 5$　　(2) $3\frac{6}{11} \div 13$

| (자연수)÷(자연수)의 몫을 분수로 나타내기(1), (2) |

05 나눗셈의 몫을 찾아 선으로 이어 보세요.

중

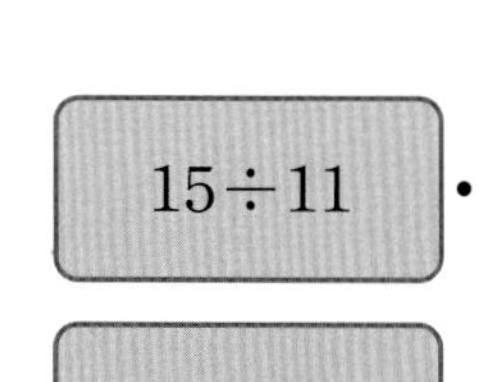

$\frac{11}{15}$

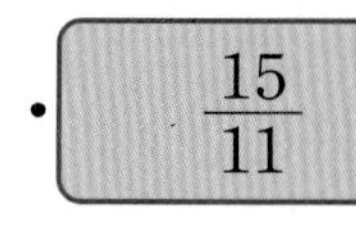

$1\frac{5}{11}$

| (자연수)÷(자연수)의 몫을 분수로 나타내기(1) |

06 리본 2 m를 5명에게 똑같이 나누어 주려고 합니다. 한 명에게 줄 리본의 길이는 몇 m인가요?

중

(　　　　　　　　　)

| (분수)÷(자연수), (분수)÷(자연수)를 분수의 곱셈으로 나타내기 |

07 빈칸에 알맞은 수를 써넣으세요.

중

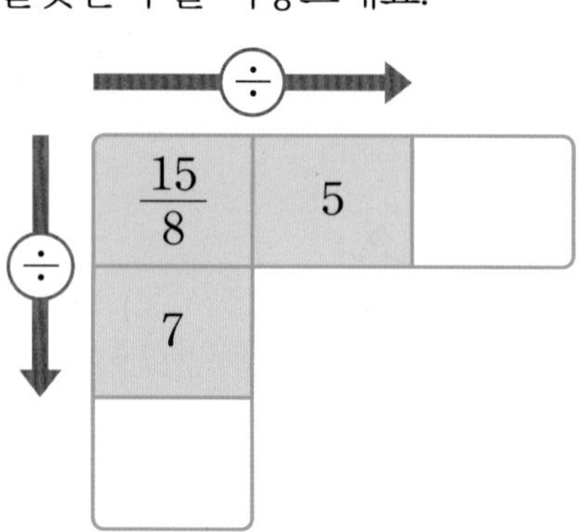

| (대분수)÷(자연수) |

08 잘못 계산한 곳을 찾아 바르게 계산해 보세요.

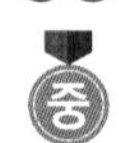

$$1\frac{3}{10}\div 2=1\frac{3}{10\div 2}=1\frac{3}{5}$$

↓

| (분수)÷(자연수)를 분수의 곱셈으로 나타내기 |

09 빈칸에 작은 수를 큰 수로 나눈 몫을 써넣으세요.

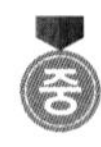

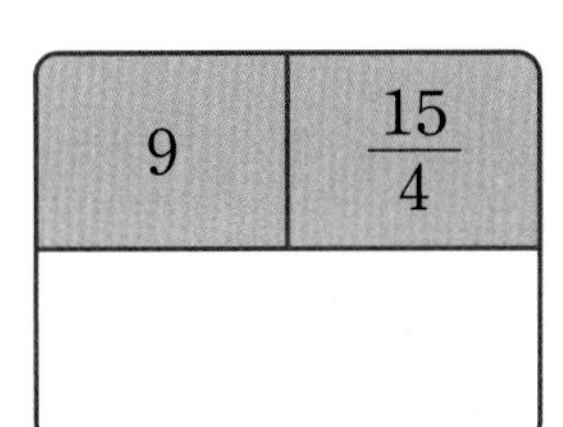

| (대분수)÷(자연수) |

10 몫의 크기를 비교하여 ◯ 안에 >, =, <를 알맞게 써넣으세요.

$$4\frac{2}{7}\div 6 \bigcirc \frac{1}{2}$$

| (분수)÷(자연수) |

11 간장 $\frac{17}{20}$ L를 3병에 똑같이 나누어 담았습니다. 한 병에 담은 간장의 양은 몇 L인지 식을 쓰고 답을 구해 보세요.

| (대분수)÷(자연수) |

12 넓이가 $9\frac{7}{15}$ cm²인 정육각형을 6부분으로 똑같이 나누었습니다. 색칠한 부분의 넓이는 몇 cm²인가요?

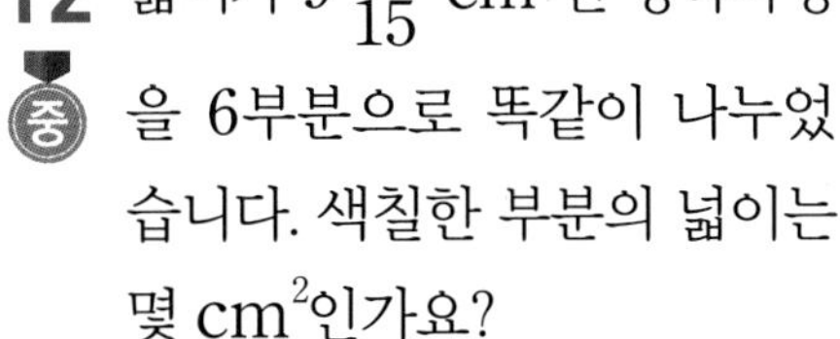

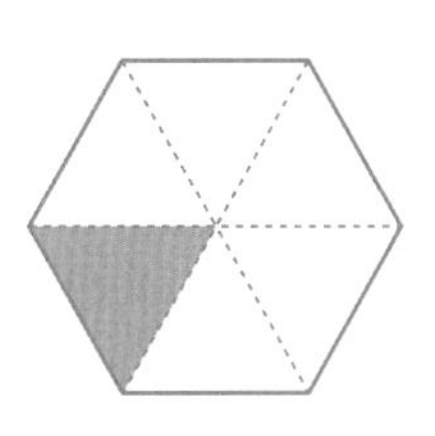

(   )

| (분수)÷(자연수)를 분수의 곱셈으로 나타내기 |

13 □ 안에 알맞은 수를 써넣으세요.

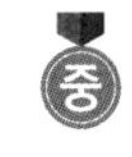

$$\frac{16}{5}\div \square =12$$

| (자연수)÷(자연수)의 몫을 분수로 나타내기(2) |

14 ㉮ 물통의 물 47 L와 ㉯ 물통의 물 78 L를 욕조에 부어 일주일 동안 똑같이 나누어 사용하려고 합니다. 하루에 사용할 물의 양은 몇 L인가요?

(   )

| (대분수)÷(자연수) |

15 넓이가 $45\frac{3}{4}$ cm²인 직사각형입니다. 이 직사각형의 가로는 몇 cm인가요?

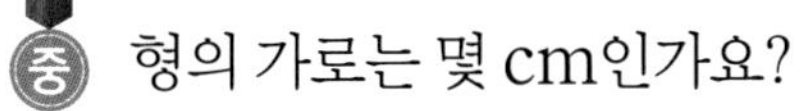

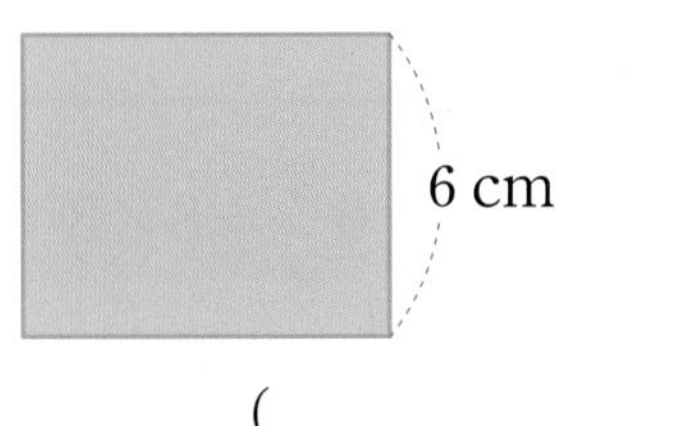

(   )

| (분수)÷(자연수)를 분수의 곱셈으로 나타내기 |

16 한 봉지에 $\frac{3}{8}$ kg인 깨를 5봉지 사서 4명이 똑같이 나누어 가지려고 합니다. 한 명이 가질 깨의 양은 몇 kg인가요?

중

(　　　　　　　　　　)

| (대분수)÷(자연수) | 서술형

17 3장의 숫자 카드 2, 4, 9를 한 번씩 모두 사용하여 가장 작은 대분수를 만들려고 합니다. 만든 대분수를 10으로 나눈 몫은 얼마인지 풀이 과정을 쓰고, 답을 구해 보세요.

중

풀이

답

| (대분수)÷(자연수) |

18 □ 안에 들어갈 수 있는 가장 작은 자연수를 구해 보세요.

상

$$6\frac{2}{5} \div 8 \times 3 < \square$$

(　　　　　　　　　　)

| (분수)÷(자연수)를 분수의 곱셈으로 나타내기 | 서술형

19 정삼각형과 정사각형의 둘레는 같습니다. 정삼각형의 한 변의 길이가 $\frac{3}{10}$ m일 때, 정사각형의 한 변의 길이는 몇 m인지 풀이 과정을 쓰고, 답을 구해 보세요.

상

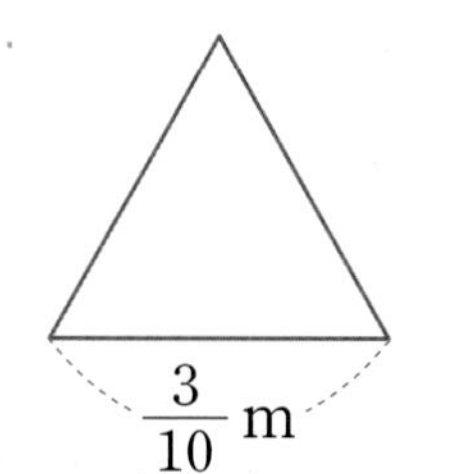

풀이

답

| (대분수)÷(자연수) | 서술형

20 길이가 $8\frac{1}{4}$ km인 도로의 한쪽에 깃발 23개를 처음부터 끝까지 같은 간격으로 세우려고 합니다. 깃발과 깃발의 간격을 몇 km로 해야 하는지 풀이 과정을 쓰고, 답을 구해 보세요.

상

(단, 깃발의 두께는 생각하지 않습니다.)

풀이

답

단원 평가 | 1. 분수의 나눗셈

정답 및 풀이 | 99쪽

평가한 날 월 일

점수

| (자연수)÷(자연수)의 몫을 분수로 나타내기(1), (2) |

01 몫을 잘못 나타낸 것을 찾아 ○표 하세요.

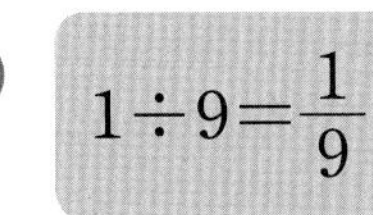

$4\div5=\frac{5}{4}$ $7\div3=\frac{7}{3}$

(　　　) (　　　) (　　　)

| (분수)÷(자연수) |

02 계산해 보세요.

(1) $\frac{3}{8}\div4$ (2) $\frac{10}{11}\div5$

| (대분수)÷(자연수) |

03 $2\frac{2}{7}\div4$를 계산해 보세요.

(1) $2\frac{2}{7}\div4=\frac{\square}{7}\div4=\frac{\square\div4}{7}=\frac{\square}{7}$

(2) $2\frac{2}{7}\div4=\frac{\square}{7}\div4=\frac{\square}{7}\times\frac{\square}{\square}$

$=\frac{\square}{7}$

| (대분수)÷(자연수) |

04 몫을 찾아 선으로 이어 보세요.

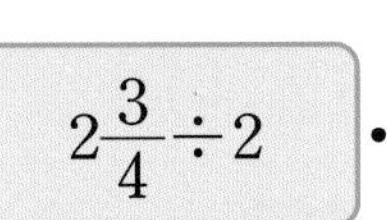

$3\frac{3}{8}\div9$

• $\frac{3}{8}$

• $\frac{8}{11}$

• $1\frac{3}{8}$

| (자연수)÷(자연수)의 몫을 분수로 나타내기(1), (2) |

05 몫이 1보다 큰 나눗셈을 찾아 ○표 하세요.

중

$1\div3$ $5\div7$ $9\div8$

| (분수)÷(자연수)를 분수의 곱셈으로 나타내기 |

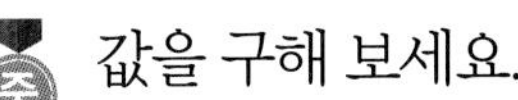

06 잘못 계산한 사람의 이름을 쓰고, 바르게 계산한 값을 구해 보세요.

중

세진: $\frac{12}{7}\div10=\frac{6}{35}$

경민: $\frac{9}{20}\div5=2\frac{1}{4}$

(　　　　　　), (　　　　　　)

| (자연수)÷(자연수)의 몫을 분수로 나타내기(2), (분수)÷(자연수) |

07 빈칸에 알맞은 수를 써넣으세요.

중

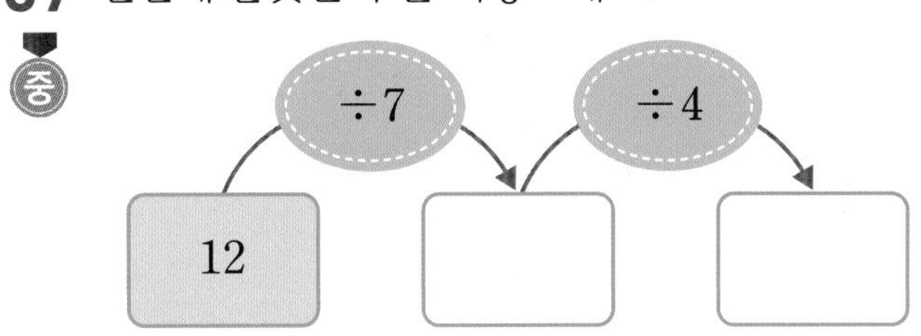

| (자연수)÷(자연수)의 몫을 분수로 나타내기(2) |

08 가장 큰 수를 가장 작은 수로 나눈 몫을 분수로 나타내어 보세요.

중

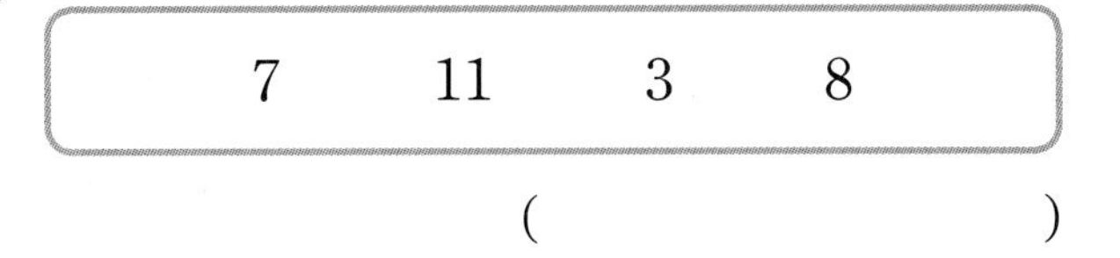

(　　　　　　)

실력 단원 평가

| (자연수)÷(자연수)의 몫을 분수로 나타내기(2), (분수)÷(자연수) |

09 몫의 크기를 비교하여 ○ 안에 >, =, <를 알맞게 써넣으세요.

중

$$7\div3 \bigcirc \frac{25}{9}\div2$$

| (자연수)÷(자연수)의 몫을 분수로 나타내기(1) |

10 몫이 가장 작은 것을 찾아 기호를 써 보세요.

㉠ $3\div8$ ㉡ $11\div12$ ㉢ $3\div4$

( )

| (분수)÷(자연수)를 분수의 곱셈으로 나타내기 |

11 어떤 수에 3을 곱하였더니 $\frac{11}{12}$이 되었습니다. 어떤 수를 구해 보세요.

중

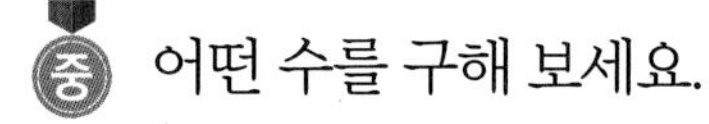

( )

| (대분수)÷(자연수) |

12 둘레가 $9\frac{3}{8}$ m인 정육각형 모양의 울타리를 만들었습니다. 울타리의 한 변의 길이는 몇 m인지 식을 쓰고 답을 구해 보세요.

중

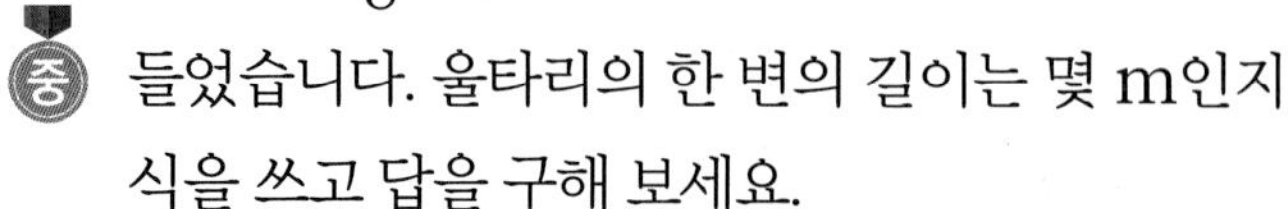

식

답

| (자연수)÷(자연수)의 몫을 분수로 나타내기(2) |

13 리본 7 m를 5부분으로 똑같이 나눈 것입니다. 색칠한 부분의 길이는 몇 m인가요?

중

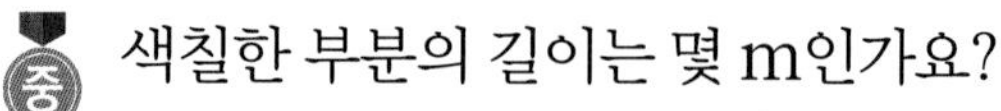

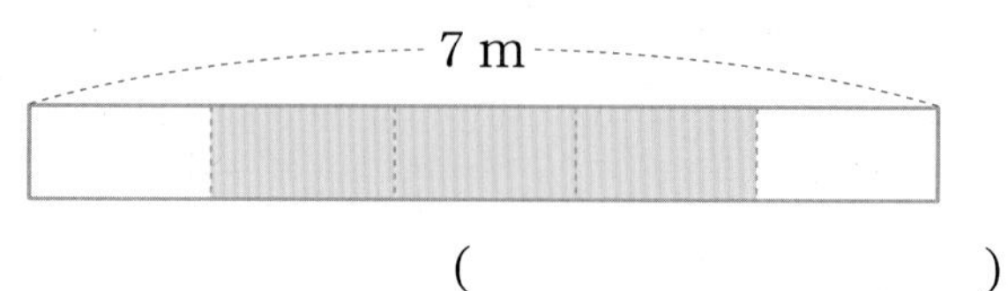

( )

| (대분수)÷(자연수) |

14 마름모의 넓이는 몇 cm^2인지 구해 보세요.

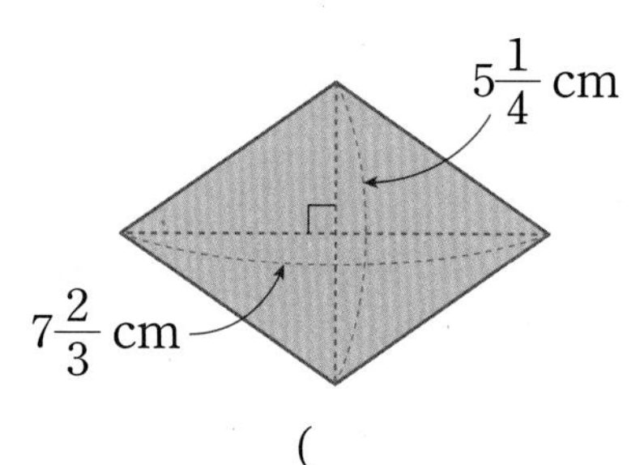

( )

서술형

| (분수)÷(자연수)를 분수의 곱셈으로 나타내기, (대분수)÷(자연수) |

15 □ 안에 알맞은 수는 얼마인지 풀이 과정을 쓰고, 답을 구해 보세요.

중

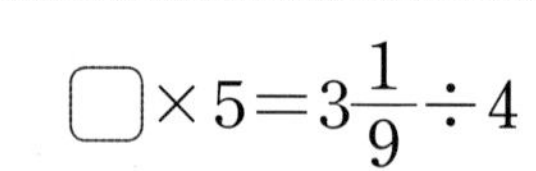

$$\square\times5=3\frac{1}{9}\div4$$

풀이

답

| (분수)÷(자연수)를 분수의 곱셈으로 나타내기 |

16 중 민주는 우유 $\frac{9}{10}$ L를 3일 동안 똑같이 나누어 마셨고, 태균이는 우유 $\frac{7}{4}$ L를 5일 동안 똑같이 나누어 마셨습니다. 하루에 우유를 더 많이 마신 사람은 누구인가요?

( )

| (대분수)÷(자연수) |

17 상 똑같은 동화책 9권이 들어 있는 상자의 무게는 $7\frac{9}{20}$ kg입니다. 빈 상자의 무게가 $\frac{1}{5}$ kg일 때, 동화책 한 권의 무게는 몇 kg인가요?

( )

| (대분수)÷(자연수) |

18 상 길이가 똑같은 색 테이프 3장을 $\frac{3}{8}$ m씩 겹치게 이어 붙였습니다. 이어 붙인 색 테이프의 전체 길이가 $9\frac{2}{5}$ m일 때, 색 테이프 한 장의 길이는 몇 m인가요?

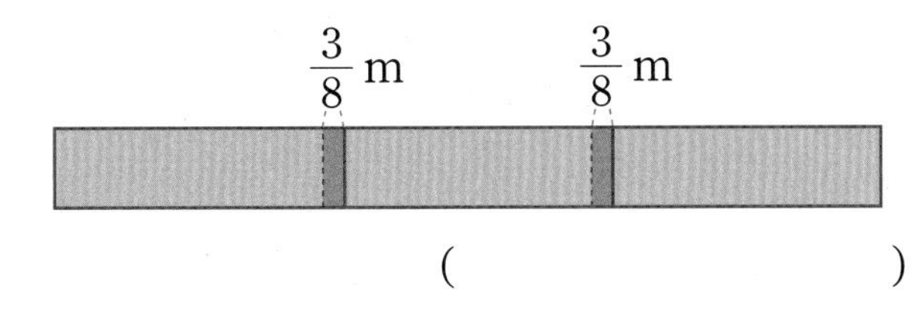

( )

| (대분수)÷(자연수) | 서술형

19 상 □ 안에 공통으로 들어갈 수 있는 자연수는 모두 몇 개인지 풀이 과정을 쓰고, 답을 구해 보세요.

$8\frac{1}{6}\div 7<\square$

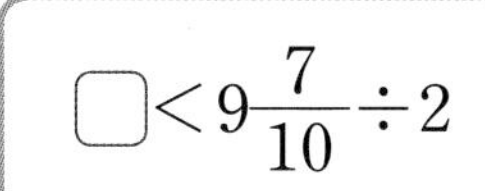

풀이

답

| (분수)÷(자연수)를 분수의 곱셈으로 나타내기 | 서술형

20 상 직사각형을 8부분으로 똑같이 나누었습니다. 색칠한 부분의 넓이는 몇 cm^2인지 풀이 과정을 쓰고, 답을 구해 보세요.

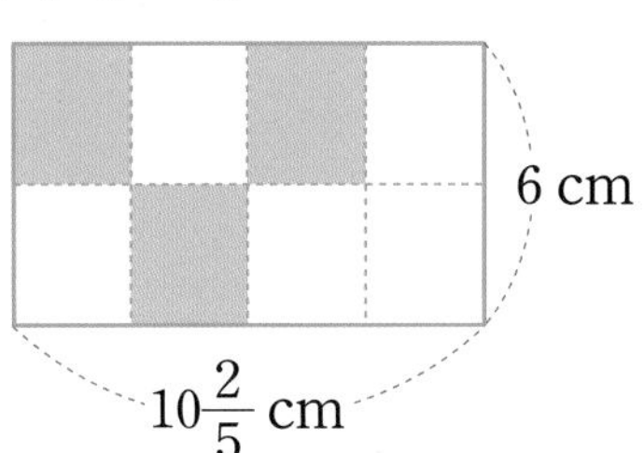

풀이

답

연습 서술형 평가 | 1. 분수의 나눗셈

Tip

❶ 잘못 계산한 식을 세우고 곱셈과 나눗셈의 관계를 이용하여 어떤 수 구하기

❷ 바르게 계산한 몫을 분수로 나타내기

01 어떤 수를 7로 나누어야 할 것을 잘못하여 곱하였더니 224가 되었습니다. 바르게 계산하였을 때의 몫은 얼마인지 풀이 과정을 쓰고, 분수로 나타내어 보세요.

답 ....

Tip

❶ ◆에 알맞은 수 구하기

❷ ★에 알맞은 수 구하기

02 같은 모양은 같은 수를 나타냅니다. ★에 알맞은 수는 얼마인지 풀이 과정을 쓰고, 답을 구해 보세요.

- $15 \div 22 =$ ◆
- ◆ $\div 9 =$ ★

풀이

답 ....

평가한 날 월 일

점수

Tip

❶ 정오각형 한 개의 둘레 구하기

❷ 정오각형의 한 변의 길이 구하기

03 철사 $5\frac{1}{4}$ m를 겹치거나 남는 부분 없이 모두 사용하여 크기가 같은 정오각형 3개를 만들었습니다. 만든 정오각형의 한 변의 길이는 몇 m인지 풀이 과정을 쓰고, 답을 구해 보세요.

풀이

답

Tip

❶ 몫이 가장 크게 되는 (대분수) ÷ (자연수) 만들기

❷ 만든 (대분수) ÷ (자연수)의 몫 구하기

04 4장의 숫자 카드 3, 5, 7, 8 을 한 번씩 모두 사용하여 (대분수) ÷ (자연수)를 만들려고 합니다. 몫이 가장 크게 되는 나눗셈의 몫은 얼마인지 풀이 과정을 쓰고, 답을 구해 보세요.

풀이

답

실전 서술형 평가 | 1. 분수의 나눗셈

Tip

❶ $10 \div 3 < \square$에서 □ 안에 들어갈 수 있는 자연수 구하기

❷ $\square < 27 \div 4$에서 □ 안에 들어갈 수 있는 자연수 구하기

❸ □ 안에 공통으로 들어갈 수 있는 자연수의 개수 구하기

01 □ 안에 공통으로 들어갈 수 있는 자연수는 모두 몇 개인지 풀이 과정을 쓰고, 답을 구해 보세요.

$10 \div 3 < \square$	$\square < 27 \div 4$

풀이

Tip

❶ 쌀과 보리의 양의 합 구하기

❷ 한 병에 담을 쌀과 보리의 양 구하기

02 쌀 $3\frac{2}{5}$ kg과 보리 $\frac{7}{8}$ kg을 섞어서 9병에 똑같이 나누어 담으려고 합니다. 한 병에 담을 쌀과 보리의 양은 몇 kg인지 풀이 과정을 쓰고, 답을 구해 보세요.

답

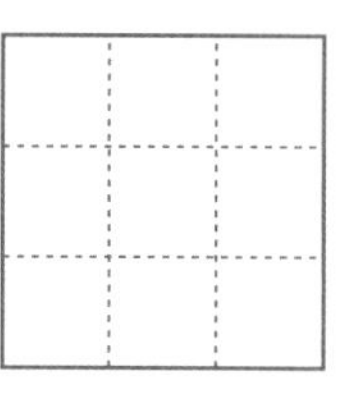

평가한 날 월 일

점수

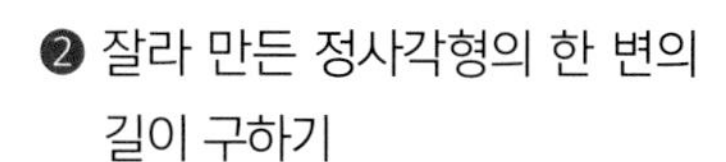

Tip

❶ 정사각형의 한 변의 길이 구하기

❷ 잘라 만든 정사각형의 한 변의 길이 구하기

03 둘레가 $15\frac{1}{5}$ cm인 정사각형을 똑같은 정사각형 9개로 잘랐습니다. 잘라 만든 정사각형의 한 변의 길이는 몇 cm인지 풀이 과정을 쓰고, 답을 구해 보세요.

풀이

답

Tip

❶ 수직선 한 칸의 크기 구하기

❷ ㉠, ㉡의 값 각각 구하기

❸ ㉠과 ㉡의 차 구하기

04 수직선을 보고 ㉠과 ㉡의 차는 얼마인지 풀이 과정을 쓰고, 답을 구해 보세요.

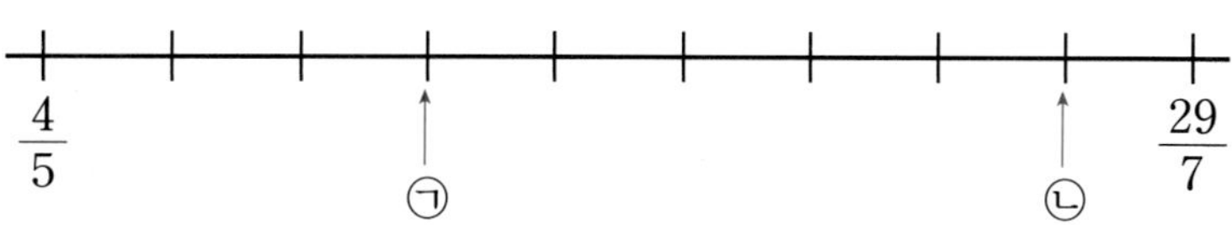

풀이

답

2 단원 교과서 핵심 개념

2 각기둥과 각뿔

수학 28~55쪽 수학 익힘 19~30쪽

개념 1 각기둥(1)

- 각기둥: 아래와 같이 두 면이 서로 평행하고 합동인 다각형으로 이루어진 기둥 모양의 입체도형

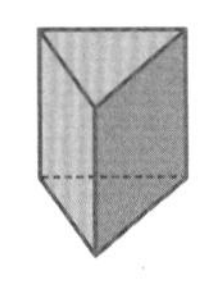
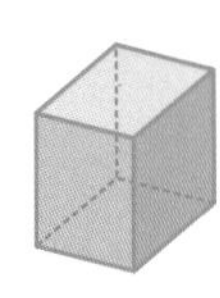
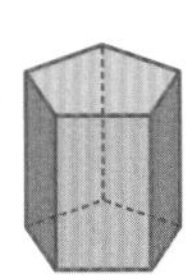

- **밑면**: 각기둥에서 서로 평행하고 합동인 두 면
- **옆면**: 각기둥에서 두 밑면과 만나는 면
- 각기둥의 두 밑면은 옆면과 모두 수직으로 만납니다.
- 각기둥의 옆면은 모두 직사각형입니다.

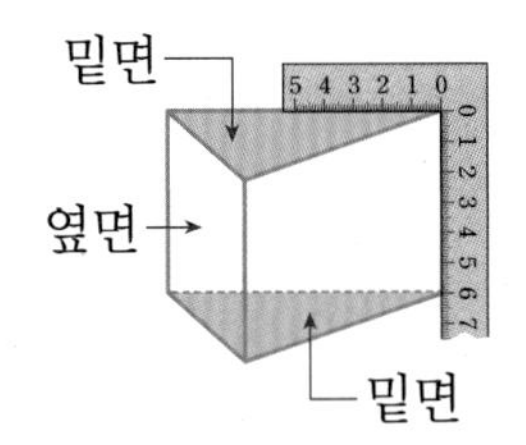

개념 2 각기둥(2)

- 각기둥은 밑면의 모양에 따라 **삼각기둥**, **사각기둥**, **오각기둥**, ...이라고 합니다.
- 각기둥의 구성 요소
  - **모서리**: 각기둥에서 면과 면이 만나는 선분
  - **꼭짓점**: 각기둥에서 모서리와 모서리가 만나는 점
  - **높이**: 각기둥에서 두 밑면 사이의 거리

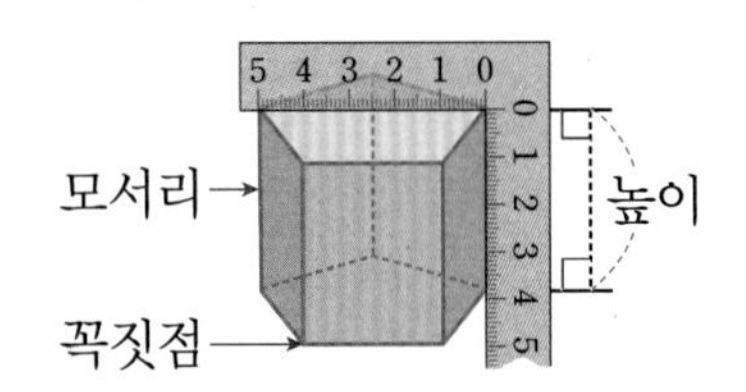

개념 3 각기둥의 전개도

- **각기둥의 전개도**: 각기둥의 모서리를 잘라 펼쳐 놓은 그림
- 각기둥의 전개도에서 밑면은 합동인 다각형이고, 2개입니다.
- 각기둥의 전개도에서 옆면은 모두 직사각형이고, 한 밑면의 변의 수만큼 있습니다.
- 각기둥의 전개도를 접었을 때 맞닿는 선분의 길이는 서로 같습니다.

개념 4 각뿔(1)

- 각뿔: 아래와 같이 한 면이 다각형이고, 다른 면이 모두 삼각형인 뿔 모양의 입체도형

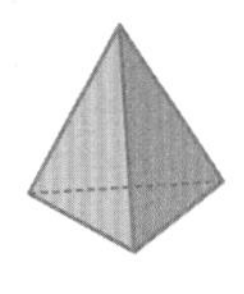
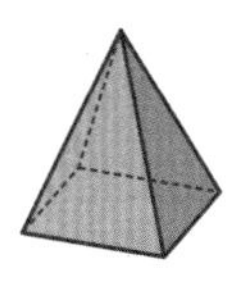
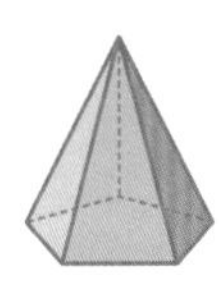

- **밑면**: 각뿔에서 면 ㄴㄷㄹㅁ과 같은 면
- **옆면**: 각뿔에서 밑면과 만나는 면
- 각뿔의 옆면은 모두 삼각형입니다.

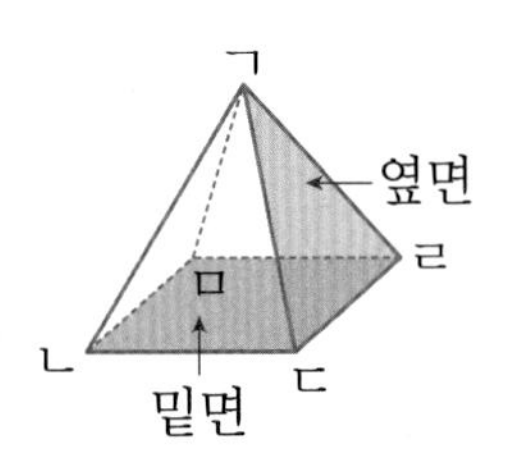

개념 5 각뿔(2)

- 각뿔은 밑면의 모양에 따라 **삼각뿔**, **사각뿔**, **오각뿔**, ...이라고 합니다.
- 각뿔의 구성 요소
  - **모서리**: 각뿔에서 면과 면이 만나는 선분
  - **꼭짓점**: 각뿔에서 모서리와 모서리가 만나는 점
  - **각뿔의 꼭짓점**: 꼭짓점 중에서도 옆면이 모두 만나는 점
  - **높이**: 각뿔의 꼭짓점에서 밑면까지의 거리

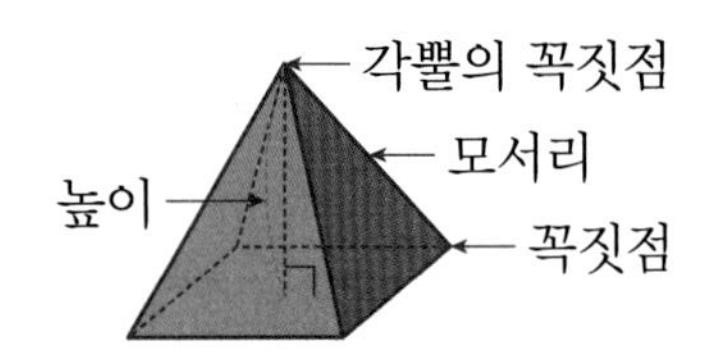

2. 각기둥과 각뿔 | 각기둥(1)

평가한 날 월 일

점수

정답 및 풀이 | 102쪽

01~02 도형을 보고 물음에 답해 보세요.

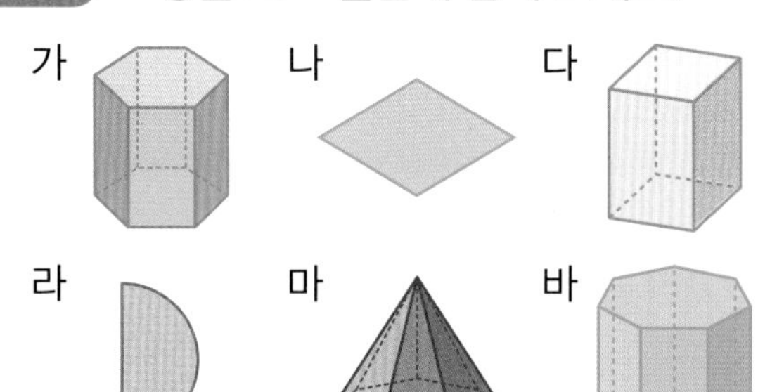

01 두 면이 서로 평행하고 합동인 다각형으로 이루어진 기둥 모양의 입체도형을 모두 찾아 기호를 써 보세요.

( )

02 01에서 찾은 입체도형을 무엇이라고 하나요?

( )

03 각기둥은 모두 몇 개인지 구해 보세요.

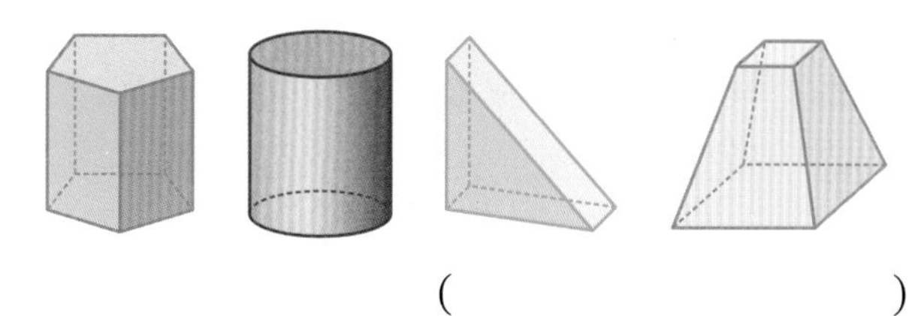

( )

04~05 각기둥을 보고 물음에 답해 보세요.

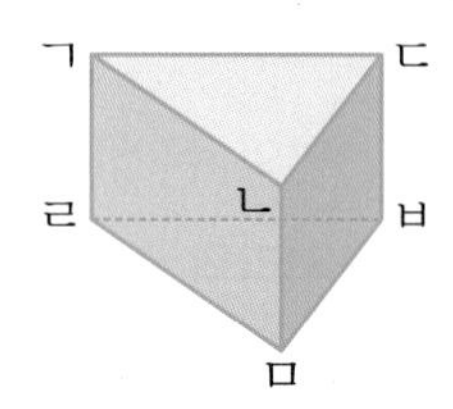

04 면 ㄱㄴㄷ과 평행한 면을 찾아 써 보세요.

05 면 ㄱㄴㄷ과 수직인 면을 모두 찾아 써 보세요.

06~07 각기둥을 보고 물음에 답해 보세요.

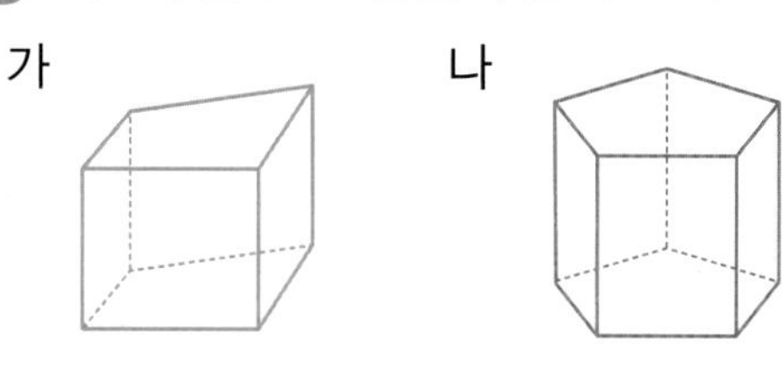

06 각기둥에서 두 밑면을 찾아 색칠해 보세요.

07 빈칸에 알맞은 수를 써넣으세요.

각기둥	가	나
옆면의 수(개)		

08 각기둥에서 면 ㄱㄴㅂㅁ이 밑면일 때, 또 다른 밑면을 찾아 써 보세요.

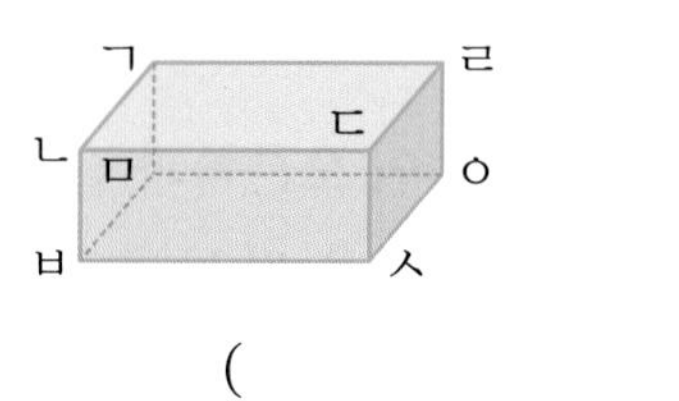

( )

09 각기둥에 대해 잘못 설명한 것을 찾아 기호를 써 보세요.

㉠ 밑면은 2개입니다.
㉡ 옆면은 직사각형입니다.
㉢ 밑면과 옆면은 서로 평행합니다.

( )

10 오른쪽 입체도형은 각기둥인가요? 그렇게 생각한 이유를 써 보세요.

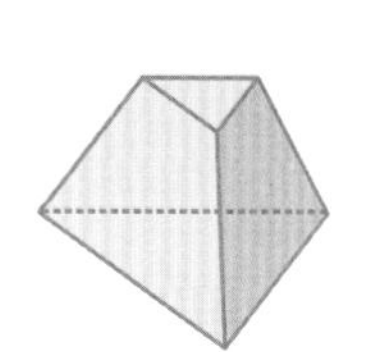

답

이유

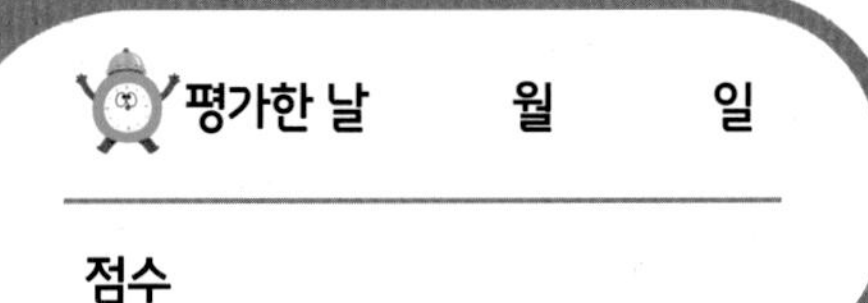

정답 및 풀이 | 102쪽

01 오른쪽 각기둥의 밑면의 모양과 각기둥의 이름을 각각 써 보세요.

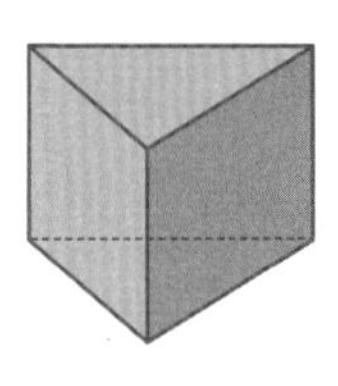

밑면의 모양 (　　　　　　　　)
각기둥의 이름 (　　　　　　　　)

02 각기둥의 이름을 찾아 선으로 이어 보세요.

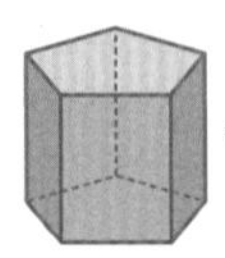

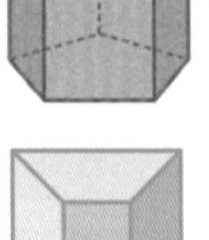

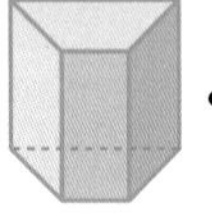

• 사각기둥
• 오각기둥
• 육각기둥

03 밑면의 모양이 오른쪽과 같은 각기둥의 이름을 써 보세요.

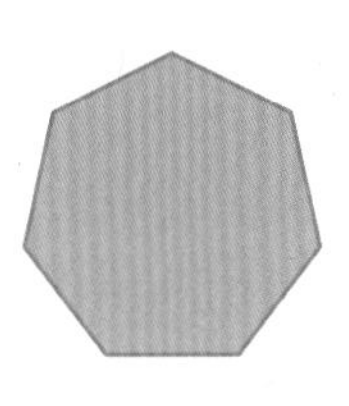

(　　　　　　　　)

04 각기둥의 각 부분의 이름으로 잘못된 것은 어느 것인가요? (　　　)

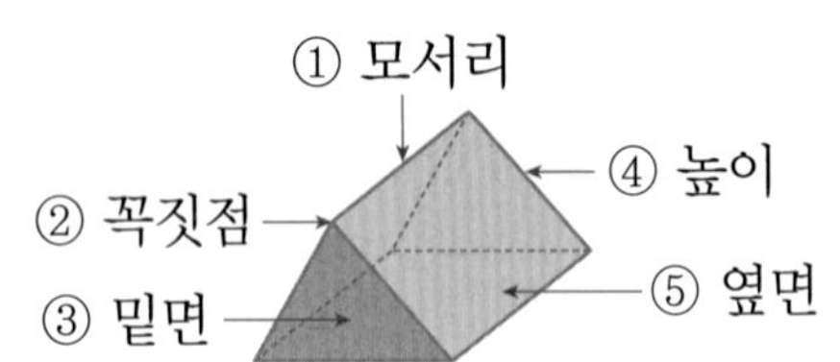

05 각기둥의 높이는 몇 cm인가요?

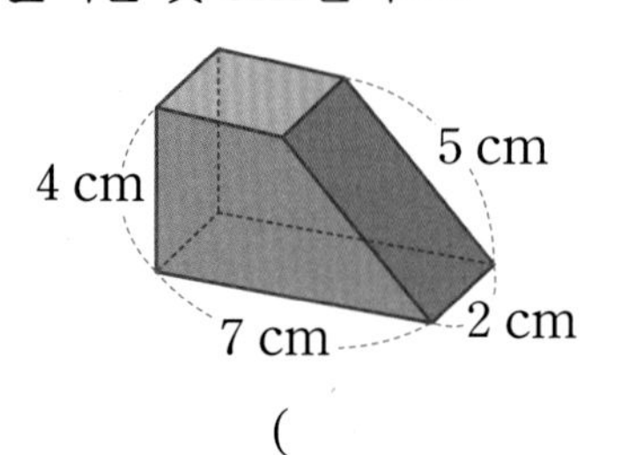

(　　　　　　　　)

06~07 오른쪽 각기둥을 보고 물음에 답해 보세요.

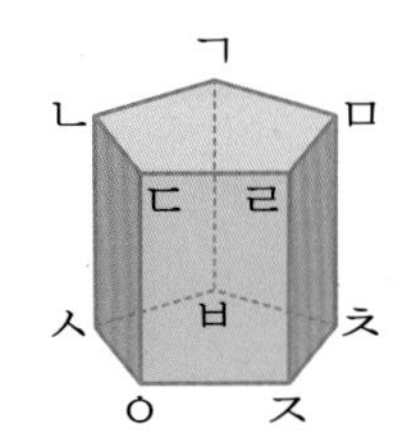

06 모서리를 모두 찾아 써 보세요.

....

....

....

07 꼭짓점을 모두 찾아 써 보세요.

....

....

08~09 각기둥을 보고 빈칸에 알맞은 수를 써넣으세요.

08

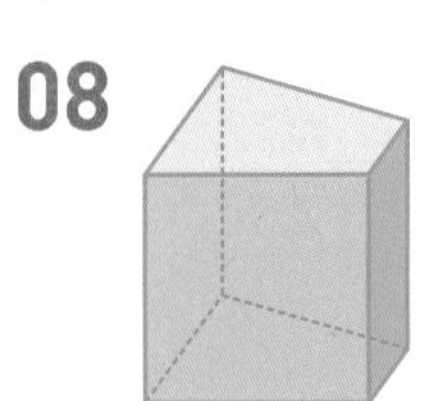

면의 수(개)	
모서리의 수(개)	
꼭짓점의 수(개)	

09

면의 수(개)	
모서리의 수(개)	
꼭짓점의 수(개)	

10 오른쪽 각기둥의 밑면이 정육각형일 때, 모든 모서리의 길이의 합은 몇 cm인가요?

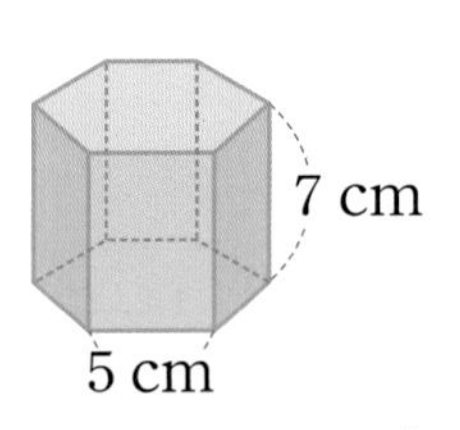

(　　　　　　　　)

2. 각기둥과 각뿔 | 각기둥의 전개도

정답 및 풀이 | 102쪽

평가한 날 월 일

점수

01~02 전개도를 접었을 때 만들어지는 각기둥의 이름을 써 보세요.

01

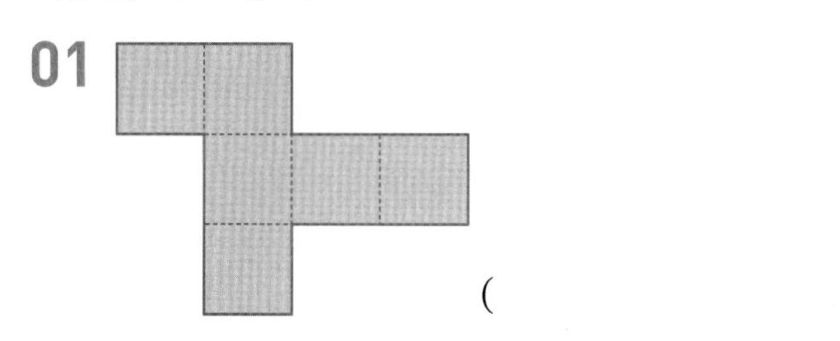

( )

02

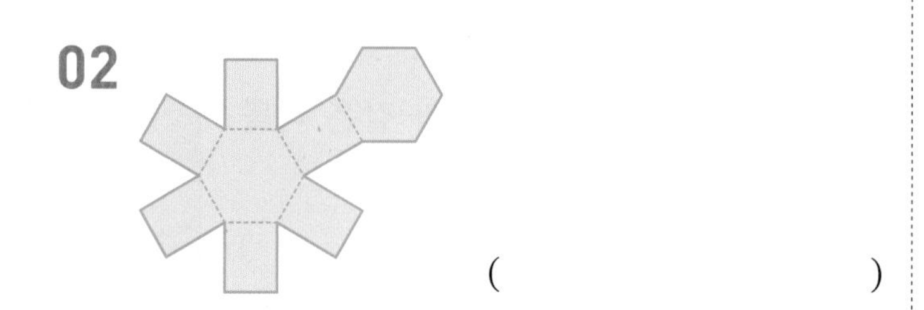

( )

03~05 각기둥의 전개도를 보고 물음에 답해 보세요.

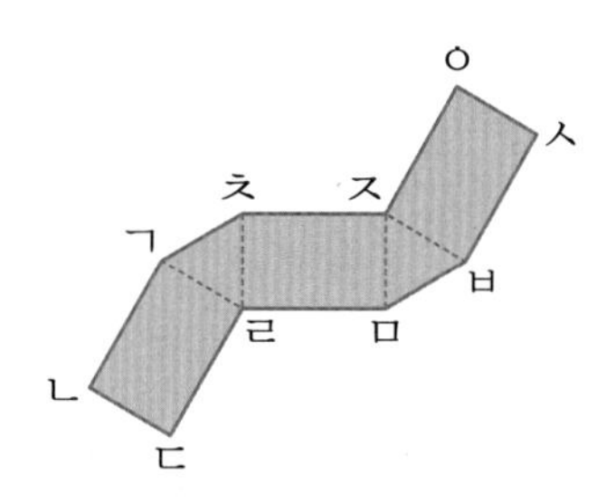

03 전개도를 접었을 때 면 ㄱㄹㅊ과 평행한 면을 찾아 써 보세요.

( )

04 전개도를 접었을 때 점 ㅇ과 만나는 점을 찾아 써 보세요.

( )

05 전개도를 접었을 때 선분 ㄷㄹ과 맞닿는 선분을 찾아 써 보세요.

( )

06~08 전개도를 접어 각기둥을 만들려고 합니다. 물음에 답해 보세요.

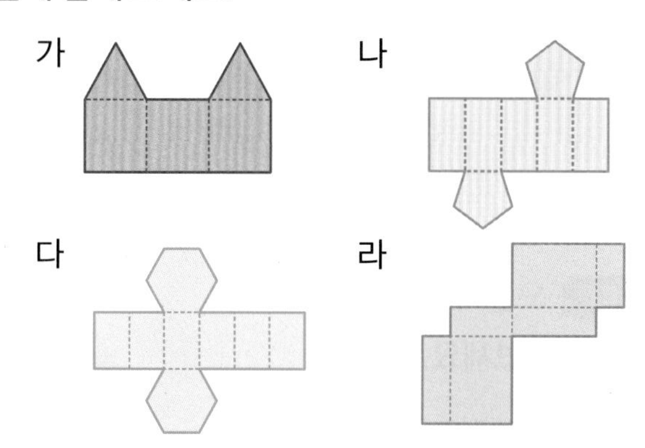

06 각기둥의 전개도를 모두 찾아 기호를 써 보세요.

( )

07 전개도를 접었을 때 오각기둥이 되는 것을 찾아 기호를 써 보세요.

( )

08 각기둥을 만들 수 없는 것을 찾아 기호를 쓰고, 그 이유를 써 보세요.

답

이유

09 사각기둥의 전개도를 완성해 보세요.

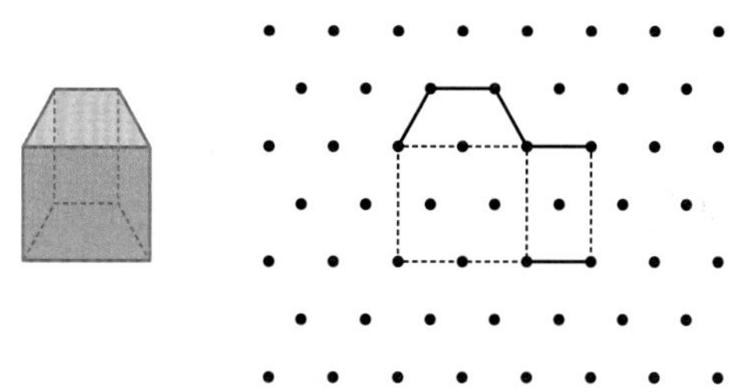

 평가한 날 월 일

점수

01 각뿔을 모두 찾아 ○표 하세요.

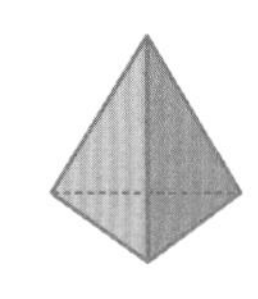 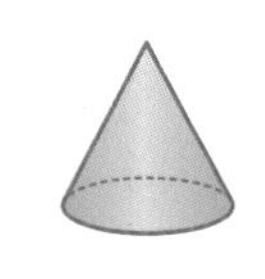 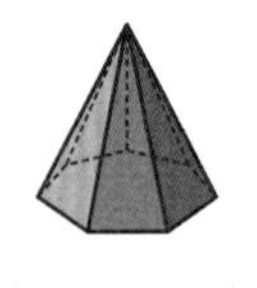 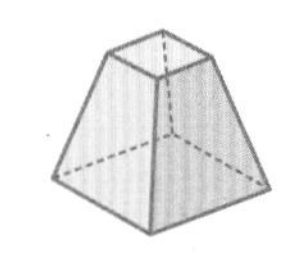

(　　　) (　　　) (　　　) (　　　)

02~04 오른쪽 각뿔을 보고 물음에 답해 보세요.

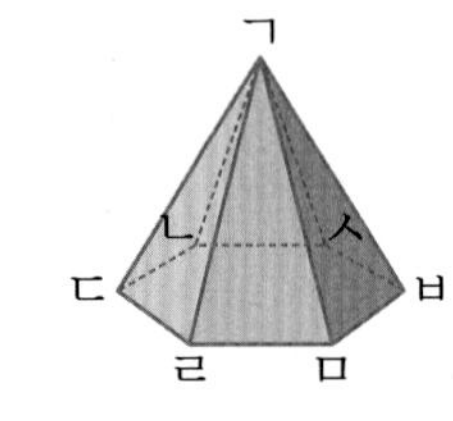

02 각뿔에서 밑면을 찾아 써 보세요.

(　　　　　　　　　)

03 각뿔에서 옆면은 모두 몇 개인가요?

(　　　　　　　　　)

04 각뿔에 대해 바르게 설명한 것을 찾아 기호를 써 보세요.

> ㉠ 밑면은 1개입니다.
> ㉡ 옆면은 육각형입니다.
> ㉢ 밑면과 옆면은 수직으로 만납니다.

(　　　　　　　　　)

05 오른쪽 입체도형은 각뿔인가요? 그렇게 생각한 이유를 써 보세요.

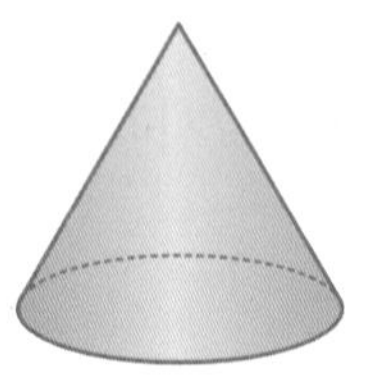

답 ....

이유 ....

06 각뿔의 이름을 찾아 선으로 이어 보세요.

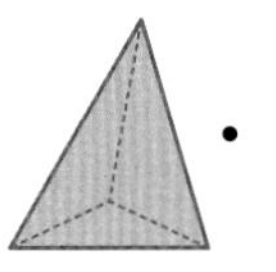 •

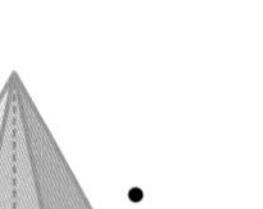 •

• 삼각뿔

• 사각뿔

• 오각뿔

07 밑면의 모양이 오른쪽과 같은 각뿔의 이름을 써 보세요.

(　　　　　　　　　)

08~09 각뿔을 보고 물음에 답해 보세요.

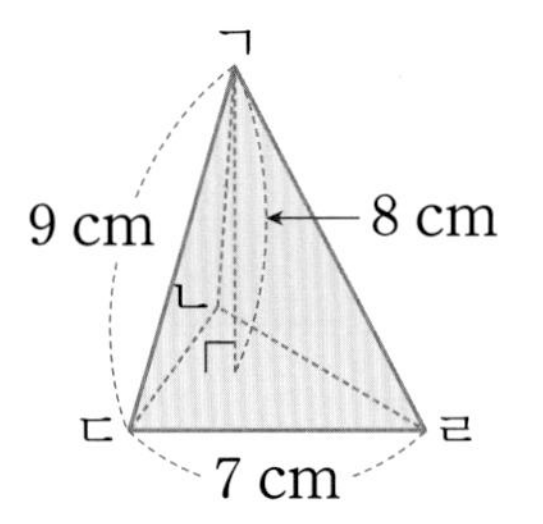

08 각뿔의 꼭짓점을 찾아 써 보세요.

(　　　　　　　　　)

09 각뿔의 높이는 몇 cm인가요?

(　　　　　　　　　)

10 각뿔을 보고 빈칸에 알맞은 수를 써넣으세요.

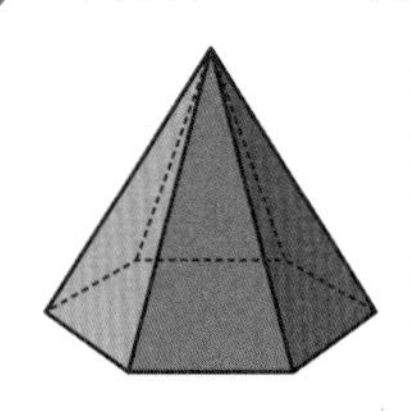

면의 수(개)	
모서리의 수(개)	
꼭짓점의 수(개)	

단원 평가 | 2. 각기둥과 각뿔

평가한 날 월 일

점수

정답 및 풀이 | 103쪽

01~02 입체도형을 보고 물음에 답해 보세요.

가

나

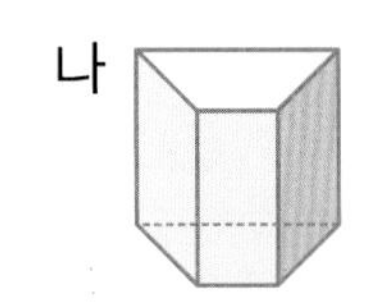

다

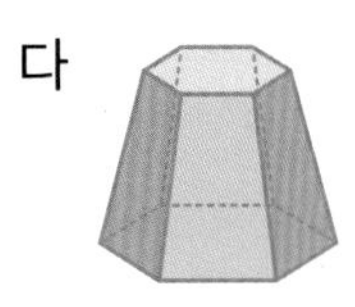

라

마

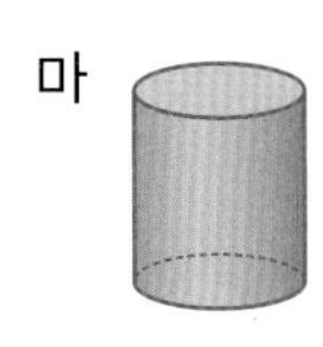

바

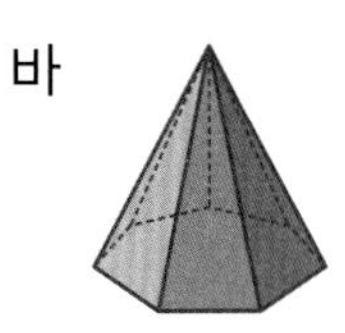

| 각기둥(1) |

01 각기둥을 모두 찾아 기호를 써 보세요.

( )

| 각뿔(1) |

02 각뿔을 모두 찾아 기호를 써 보세요.

( )

| 각기둥(2) |

03 각기둥의 높이는 몇 cm인가요?

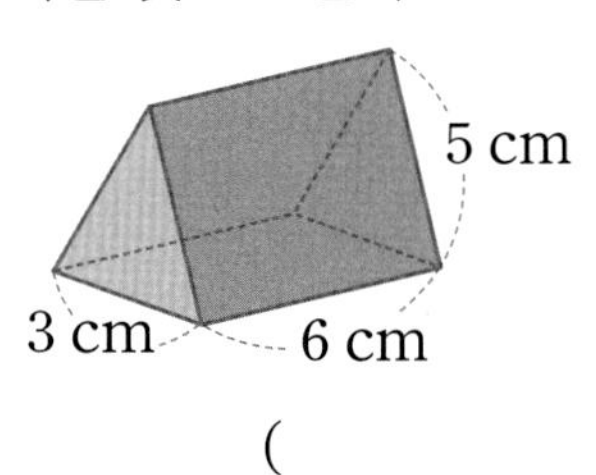

( )

| 각뿔(1) |

04 각뿔의 옆면의 모양으로 알맞은 것에 ○표 하세요.

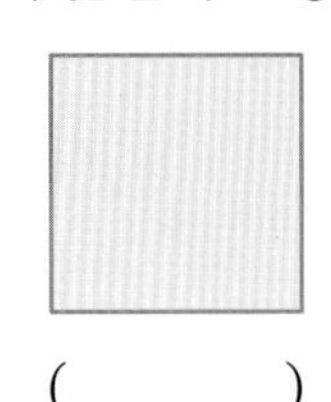

( )

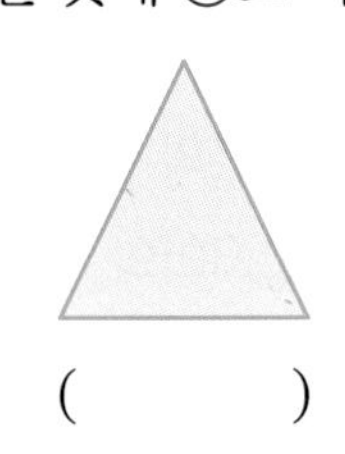

( )

05~06 각기둥을 보고 물음에 답해 보세요.

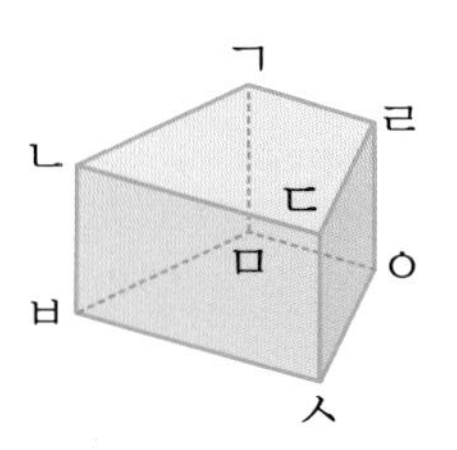

| 각기둥(1) |

05 각기둥의 밑면을 모두 찾아 써 보세요.

| 각기둥(2) |

06 각기둥의 이름을 써 보세요.

( )

| 각기둥(2) |

07 밑면의 모양과 옆면의 모양이 다음과 같은 입체도형의 이름을 써 보세요.

중

	밑면	옆면
모양		
개수	2개	5개

( )

| 각뿔(1) |

08 밑면의 모양이 오른쪽과 같은 각뿔이 있습니다. 이 각뿔의 옆면은 모두 몇 개인가요?

중

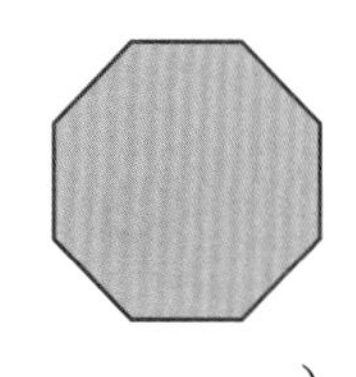

( )

09~11 전개도를 접어 각기둥을 만들려고 합니다. 물음에 답해 보세요.

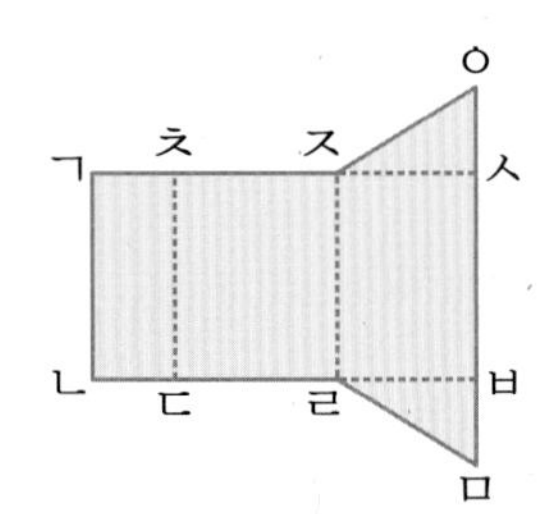

| 각기둥의 전개도 |

09 만들어지는 각기둥의 이름을 써 보세요.

(   )

| 각기둥의 전개도 |

10 선분 ㄱㄴ과 맞닿는 선분을 찾아 써 보세요.

(   )

| 각기둥의 전개도 |

11 면 ㅊㄷㄹㅈ과 수직으로 만나는 면은 몇 개인가요?

(   )

| 각기둥의 전개도 | 

12 다음은 각기둥의 전개도인가요? 그렇게 생각한 이유를 써 보세요.

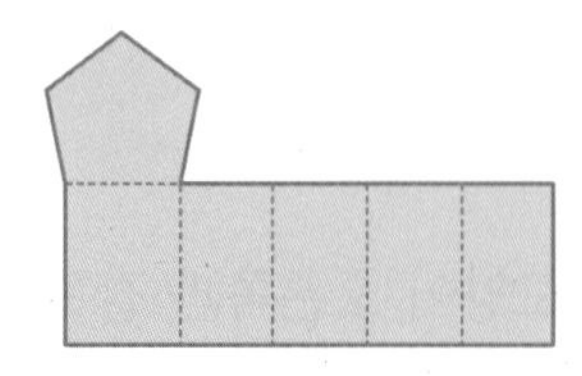

답 ....

이유 ....

| 각뿔(1), (2) |

13 각뿔의 각 부분의 이름으로 옳은 것을 모두 고르세요. (   )

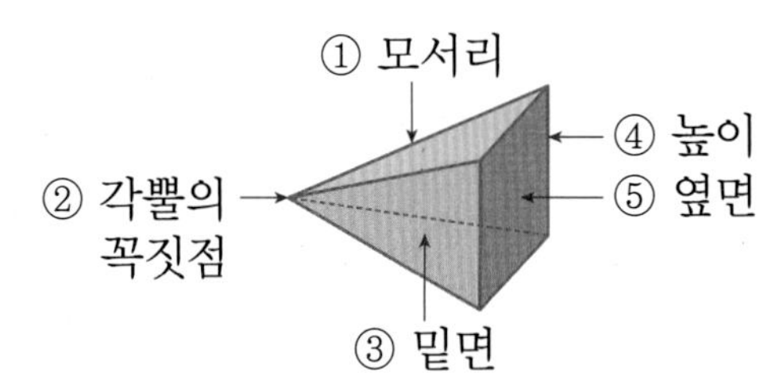

| 각뿔(2) |

14 육각뿔을 찾아 기호를 써 보세요.

가 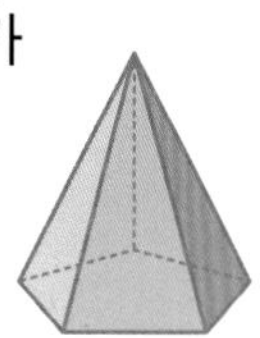 나 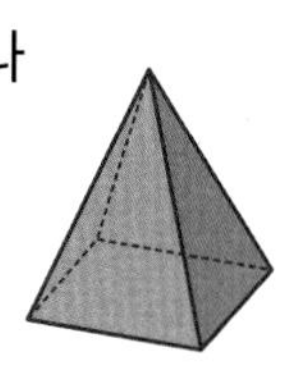 다 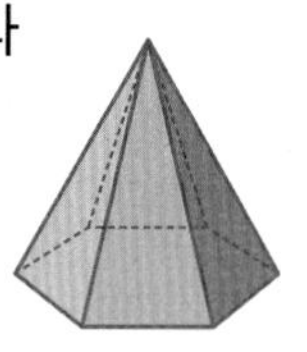

(   )

| 각기둥(2), 각뿔(2) |

15 빈칸에 알맞은 수를 써넣으세요.

입체도형		
면의 수(개)		
모서리의 수(개)		
꼭짓점의 수(개)		

| 각기둥(1), (2) |

16 각기둥에 대해 잘못 설명한 것을 찾아 기호를 쓰고, 바르게 고쳐 보세요.

중

㉠ 삼각기둥의 밑면은 2개입니다.
㉡ 오각기둥의 옆면은 직사각형입니다.
㉢ 육각기둥의 모서리는 18개입니다.
㉣ 구각기둥의 꼭짓점은 11개입니다.

답

바르게 고치기

| 각기둥(2), 각뿔(2) |

17 나타내는 수가 다른 하나를 찾아 기호를 써 보세요.

중

㉠ 삼각뿔의 모서리의 수
㉡ 사각기둥의 면의 수
㉢ 육각뿔의 꼭짓점의 수

( )

| 각뿔(2) |

18 조건을 모두 만족하는 각뿔의 이름을 써 보세요.

• 면이 9개입니다.
• 꼭짓점이 9개입니다.
• 모서리가 16개입니다.

( )

| 각기둥의 전개도 | 서술형

19 밑면이 정육각형인 육각기둥의 전개도입니다. 이 전개도를 접었을 때 만들어지는 각기둥의 모든 모서리의 길이의 합은 몇 cm인지 풀이 과정을 쓰고, 답을 구해 보세요.

상

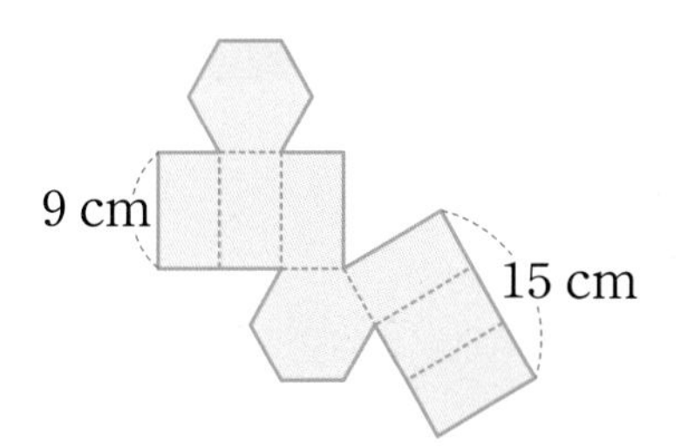

풀이

답

| 각뿔(1) | 서술형

20 옆면이 오른쪽과 같은 삼각형 4개로 이루어진 각뿔이 있습니다. 이 각뿔의 밑면의 넓이는 몇 cm^2인지 풀이 과정을 쓰고, 답을 구해 보세요.

상

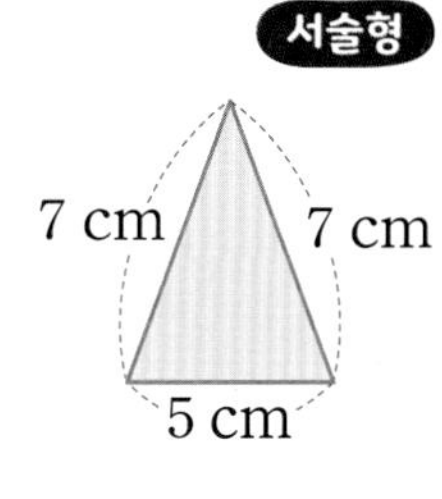

풀이

답

단원 평가 | 2. 각기둥과 각뿔

| 각기둥(1) |

01 각기둥이 아닌 것에 ○표 하세요.

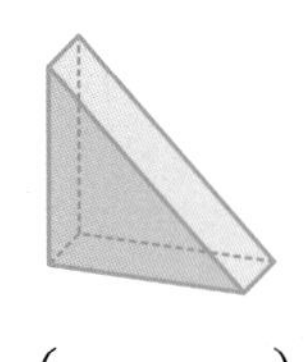 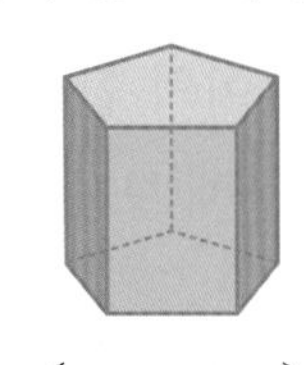 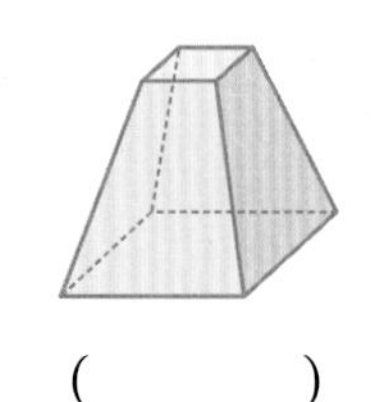

( ) ( ) ( )

| 각뿔(1) |

02 각뿔은 모두 몇 개인가요?

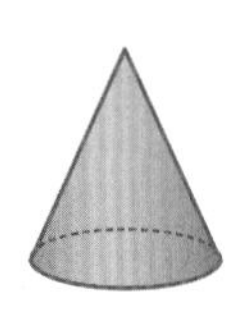 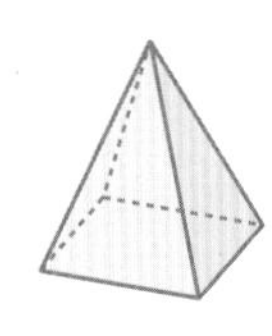 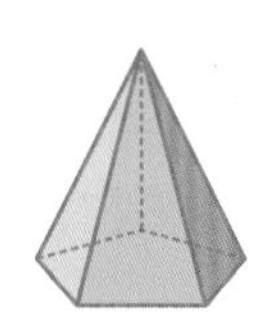 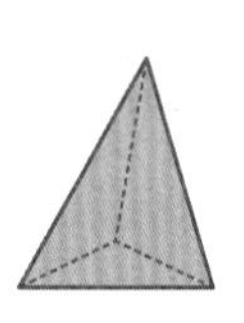

( )

| 각기둥(2), 각뿔(2) |

03 입체도형의 이름을 써 보세요.

(1) 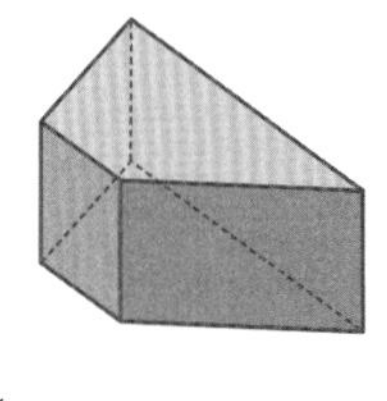 (2) 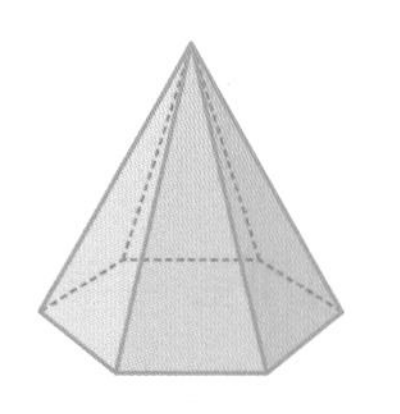

( ) ( )

| 각기둥(1) |

04 각기둥에서 색칠한 면이 밑면일 때, 옆면이 아닌 것은 어느 것인가요? ( )

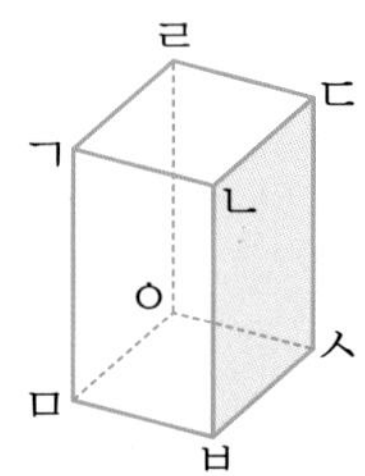

① 면 ㄱㄴㄷㄹ
② 면 ㄱㅁㅇㄹ
③ 면 ㄱㅁㅂㄴ
④ 면 ㄷㅅㅇㄹ
⑤ 면 ㅁㅂㅅㅇ

| 각기둥(2), 각뿔(2) |

05 각기둥과 각뿔의 높이의 차는 몇 cm인가요?

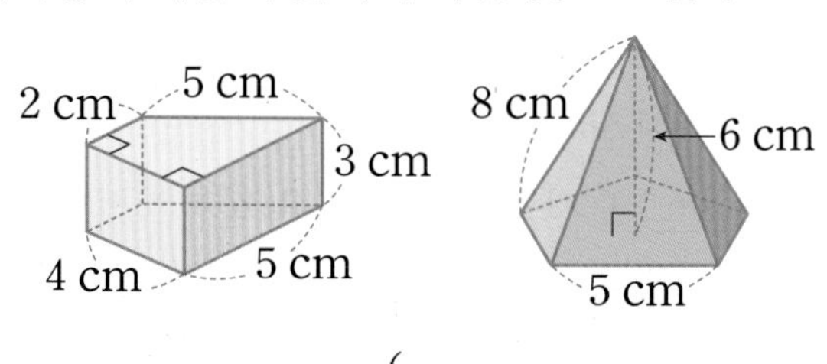

( )

| 각기둥(2) |

06 옆면이 8개인 각기둥의 이름을 써 보세요.

( )

| 각기둥의 전개도 |

07 전개도를 접었을 때 만들어지는 각기둥의 이름을 써 보세요.

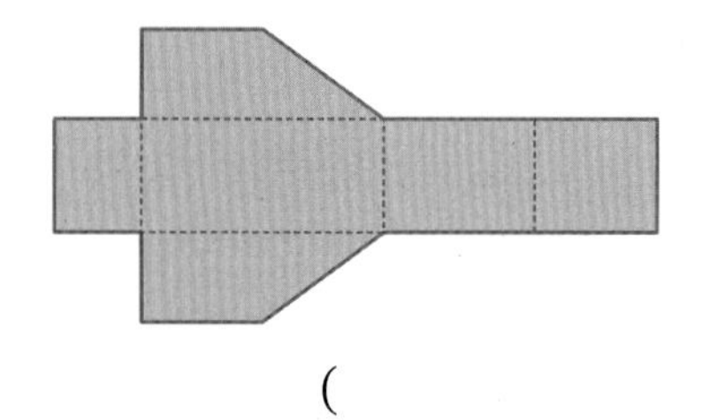

( )

| 각기둥의 전개도 |

08 육각기둥의 전개도에 ○표 하세요.

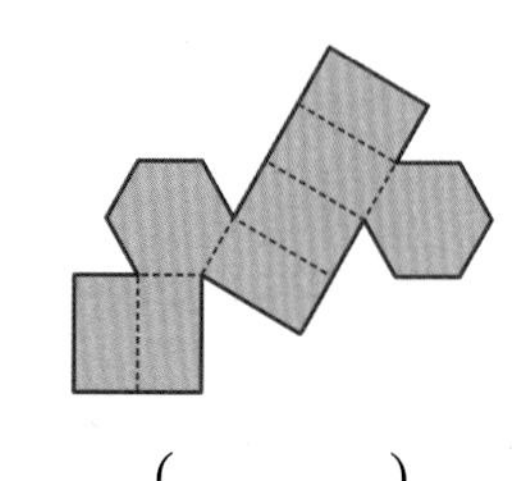 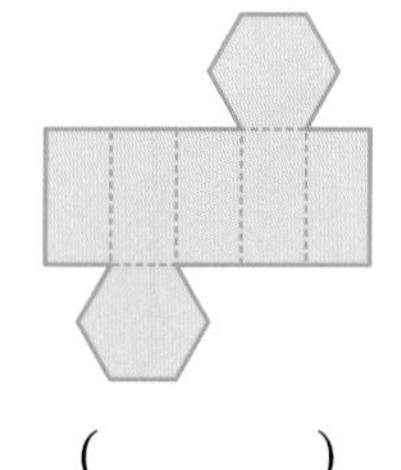

( ) ( )

평가한 날 월 일

점수

| 각기둥의 전개도 |

09 한 밑면의 모양이 오른쪽과 같고, 높이가 4 cm인 삼각기둥의 전개도를 그려 보세요.

5 cm, 3 cm, 4 cm

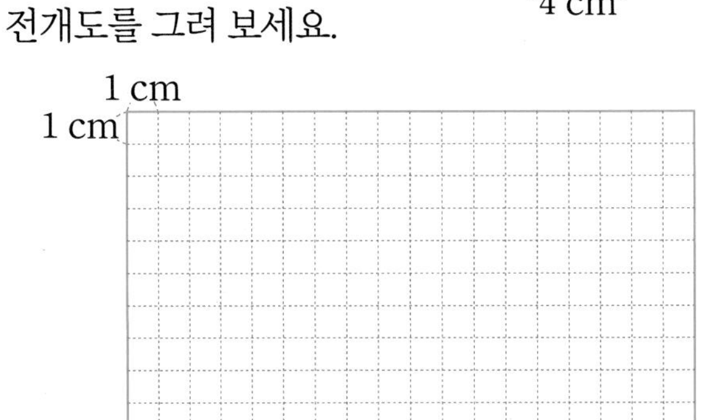

10~11 각뿔을 보고 물음에 답해 보세요.

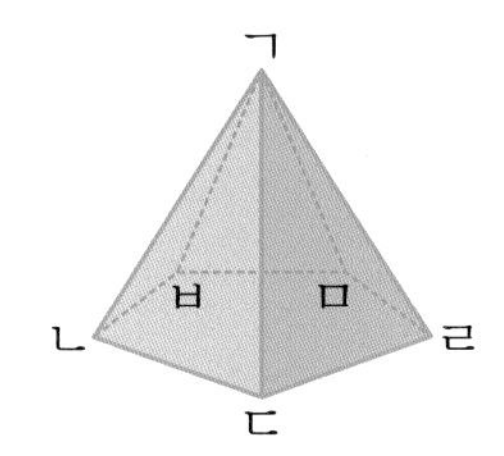

| 각뿔(1) |

10 각뿔의 밑면과 옆면을 찾아 써 보세요.

밑면	
옆면	

| 각뿔 (2) |

11 각뿔의 이름을 써 보세요.

( )

| 각기둥(2) |

12 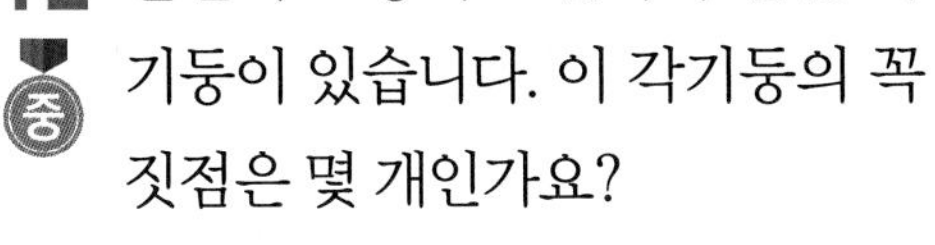밑면의 모양이 오른쪽과 같은 각기둥이 있습니다. 이 각기둥의 꼭짓점은 몇 개인가요?

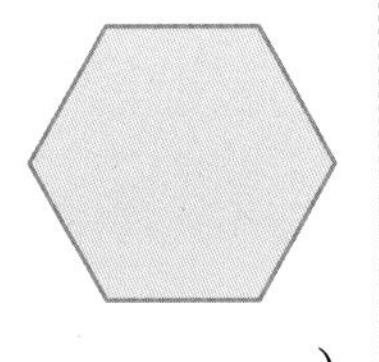

( )

13~14 입체도형을 보고 물음에 답해 보세요.

가

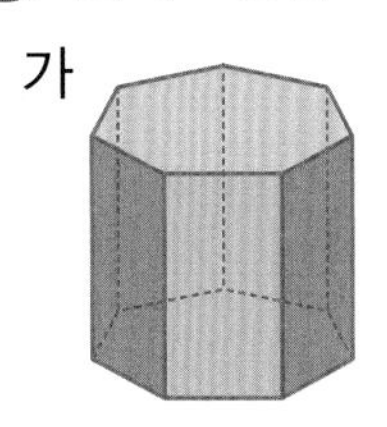

나

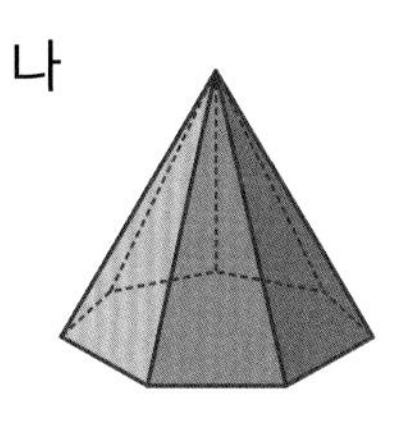

| 각기둥(1), 각뿔(1) |

13 입체도형 가와 나의 같은 점을 모두 찾아 기호를 써 보세요.

㉠ 밑면의 개수　　㉡ 밑면의 모양
㉢ 옆면의 개수　　㉣ 옆면의 모양

( )

| 각기둥(2), 각뿔(2) |

14 빈칸에 알맞은 수를 써넣으세요.

입체도형	가	나
면의 수(개)		
모서리의 수(개)		
꼭짓점의 수(개)		

| 각뿔(2) |

15 팔각뿔에 대해 잘못 설명한 것을 찾아 기호를 써 보세요.

㉠ 면이 9개입니다.
㉡ 모서리가 16개입니다.
㉢ 옆면의 수와 꼭짓점의 수가 같습니다.

( )

| 각뿔(2) |

16 (중) 오른쪽과 같이 밑면이 정사각형이고 옆면이 모두 이등변삼각형인 각뿔이 있습니다. 이 각뿔의 모든 모서리의 길이의 합은 몇 cm인지 구해 보세요.

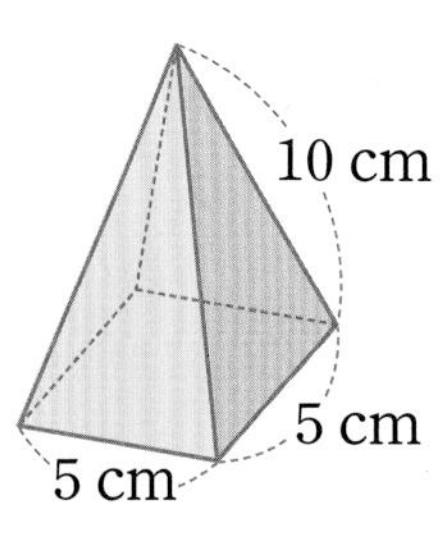

(　　　　　　　　)

| 각기둥의 전개도 | 서술형

17 (상) 밑면이 정오각형인 각기둥의 전개도입니다. 직사각형 ㄱㄴㄷㄹ의 넓이가 45 cm^2일 때, 각기둥의 높이는 몇 cm인지 풀이 과정을 쓰고, 답을 구해 보세요.

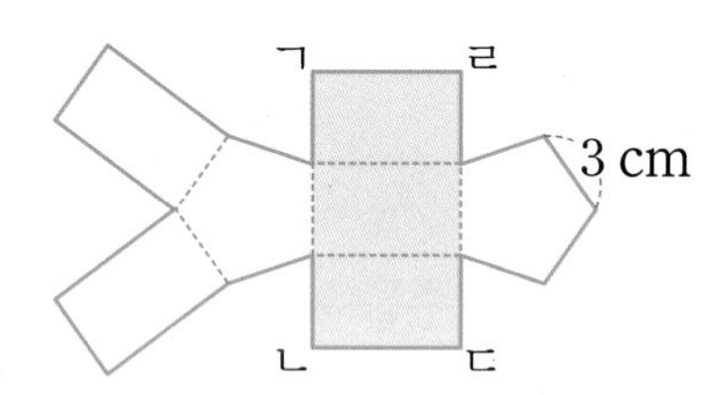

풀이

답

| 각뿔(2) |

18 (상) 면의 수가 가장 적은 각뿔의 모서리는 몇 개인가요?

(　　　　　　　　)

| 각기둥의 전개도 | 서술형

19 (상) 밑면이 정삼각형인 각기둥의 전개도입니다. 이 전개도를 접었을 때 만들어지는 각기둥의 모든 모서리의 길이의 합이 75 cm일 때, 높이는 몇 cm인지 풀이 과정을 쓰고, 답을 구해 보세요.

7 cm

풀이

답

| 각기둥(2), 각뿔(2) | 

20 (상) 면이 9개인 각기둥과 밑면의 모양이 같은 각뿔이 있습니다. 이 각뿔의 이름은 무엇인지 풀이 과정을 쓰고, 답을 구해 보세요.

풀이

답

연습 서술형 평가 | 2. 각기둥과 각뿔

정답 및 풀이 | 105쪽

평가한 날 월 일

점수

Tip

❶ 육각기둥과 육각뿔의 같은 점 쓰기

❷ 육각기둥과 육각뿔의 다른 점 쓰기

01 육각기둥과 육각뿔의 같은 점과 다른 점을 각각 써 보세요.

같은 점

다른 점

Tip

❶ 선분 ㄴㄷ, 선분 ㅁㅂ의 길이 각각 구하기

❷ 선분 ㄷㅁ의 길이 구하기

02 삼각기둥의 전개도에서 직사각형 ㄱㄴㅂㅅ의 넓이는 360 cm^2입니다. 선분 ㄷㅁ의 길이는 몇 cm인지 풀이 과정을 쓰고, 답을 구해 보세요.

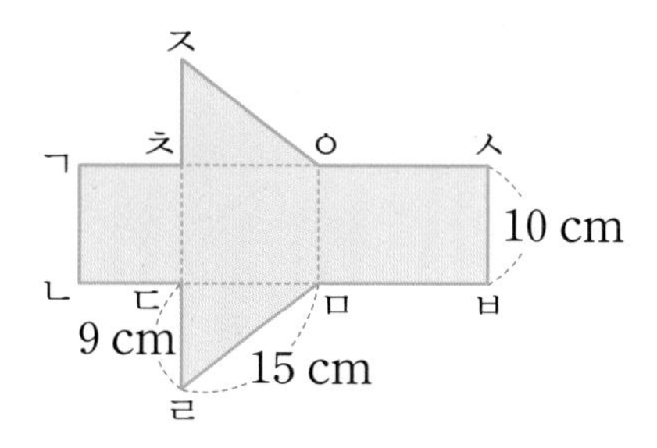

풀이

답

Tip

❶ ㉠, ㉡의 수 각각 구하기

❷ ㉠과 ㉡의 차 구하기

03 ㉠과 ㉡의 차는 몇 개인지 풀이 과정을 쓰고, 답을 구해 보세요.

㉠ 오각기둥의 꼭짓점의 수
㉡ 팔각뿔의 모서리의 수

풀이

답

Tip

❶ 각기둥의 밑면의 모양 구하기

❷ 각뿔의 면의 수 구하기

04 꼭짓점이 24개인 각기둥과 밑면의 모양이 같은 각뿔이 있습니다. 이 각뿔의 면은 몇 개인지 풀이 과정을 쓰고, 답을 구해 보세요.

풀이

답

실전 서술형 평가 | 2. 각기둥과 각뿔

정답 및 풀이 | 106쪽

평가한 날 월 일

점수

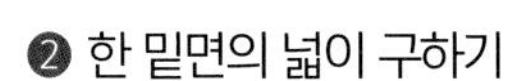

❶ 사각기둥의 밑면의 모양을 알고, 각 변의 길이 구하기

❷ 한 밑면의 넓이 구하기

01 사각기둥의 전개도입니다. 한 밑면의 둘레가 50 cm일 때, 한 밑면의 넓이는 몇 cm^2인지 풀이 과정을 쓰고, 답을 구해 보세요.

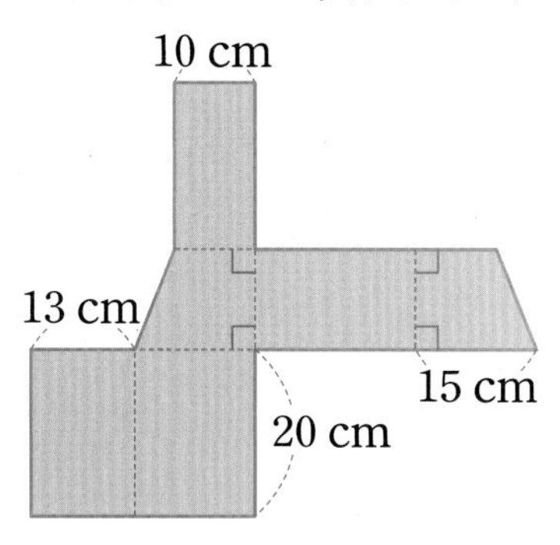

풀이

답

Tip

❶ 각뿔의 이름 구하기

❷ 길이가 □ cm인 모서리의 수와 9 cm인 모서리의 수 각각 구하기

❸ □ 안에 알맞은 수 구하기

02 옆면이 오른쪽과 같은 삼각형 5개로 이루어진 각뿔이 있습니다. 이 각뿔의 모든 모서리의 길이의 합이 65 cm일 때, □ 안에 알맞은 수는 얼마인지 풀이 과정을 쓰고, 답을 구해 보세요.

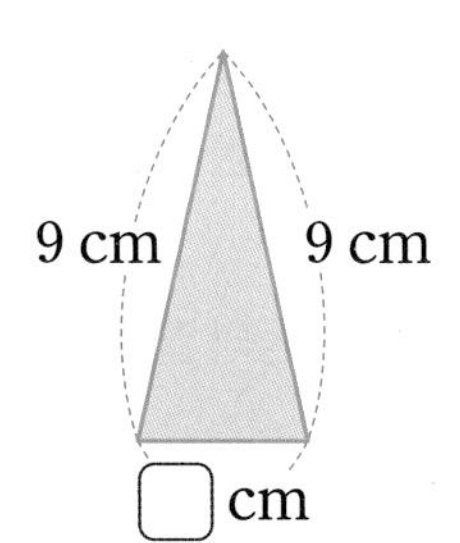

풀이

답

Tip

❶ 면이 10개인 각기둥과 각뿔의 이름 각각 구하기

❷ 조건을 만족하는 입체도형의 이름 구하기

03 조건을 모두 만족하는 입체도형의 이름은 무엇인지 풀이 과정을 쓰고, 답을 구해 보세요.

- 면이 10개입니다.
- 모서리가 24개입니다.

답

Tip

❶ 각기둥의 모서리의 수 구하기

❷ 각기둥의 밑면의 모양 구하기

❸ 각기둥의 면의 수와 꼭짓점의 수의 합 구하기

04 어떤 각기둥의 모서리의 수는 구각뿔의 모서리의 수와 같습니다. 이 각기둥의 면의 수와 꼭짓점의 수의 합은 몇 개인지 풀이 과정을 쓰고, 답을 구해 보세요.

답

3단원 교과서 핵심 개념

3 소수의 나눗셈

수학 56~87쪽 수학 익힘 31~46쪽

개념 1 (소수)÷(자연수) 알아보기(1)

예 4.2÷2를 계산하는 방법

- 분수의 나눗셈으로 계산하기

$$4.2 \div 2 = \frac{42}{10} \div 2 = \frac{42 \div 2}{10} = \frac{21}{10} = 2.1$$

- 자연수의 나눗셈으로 계산하기

$4.2 \div 2 = 2.1$

10배 ↓ ↑ $\frac{1}{10}$배

$42 \div 2 = 21$

개념 2 (소수)÷(자연수) 알아보기(2)

예 3.69÷3을 계산하는 방법

- 분수의 나눗셈으로 계산하기

$$3.69 \div 3 = \frac{369}{100} \div 3 = \frac{369 \div 3}{100} = \frac{123}{100} = 1.23$$

- 자연수의 나눗셈으로 계산하기

$3.69 \div 3 = 1.23$

100배 ↓ ↑ $\frac{1}{100}$배

$369 \div 3 = 123$

개념 3 (소수)÷(자연수)의 계산(1)

예 7.15÷5의 계산 – 내림이 있는 경우

```
    1.4 3
 5)7.1 5
   5
   2 1
   2 0
     1 5
     1 5
       0
```

자연수의 나눗셈과 같은 방법으로 계산하고, 나누어지는 수의 소수점 위치에 맞추어 소수점을 올려 찍습니다.

개념 4 (소수)÷(자연수)의 계산(2)

예 4.32÷6의 계산 – 몫이 1보다 작고 내림이 있는 경우

```
    0.7 2
 6)4.3 2
   4 2
     1 2
     1 2
       0
```

나누어지는 수가 나누는 수보다 작을 때에는 몫의 일의 자리에 0을 씁니다.

개념 5 (소수)÷(자연수)의 계산(3)

예 5.8÷4의 계산 – 소수점 아래에 0을 내려 계산하는 경우

```
    1.4 5
 4)5.8 0
   4
   1 8
   1 6
     2 0
     2 0
       0
```

나눗셈이 나누어떨어지지 않는 경우에는 나누어지는 수 뒤에 0을 계속 붙여 계산합니다.

개념 6 (소수)÷(자연수)의 계산(4)

예 6.12÷3의 계산 – 몫의 소수 첫째 자리가 0이 되는 경우

```
    2.0 4
 3)6.1 2
   6
     1 2
     1 2
       0
```

소수 첫째 자리 계산에서 1은 3으로 나눌 수 없으므로 몫의 소수 첫째 자리에 0을 씁니다.

개념 7 (자연수)÷(자연수)의 몫을 소수로 나타내기

- 자연수의 나눗셈과 같은 방법으로 나누어떨어질 때까지 나누어지는 수인 자연수의 소수점 아래에 0을 계속 붙여 계산합니다.
- $5 \div 3 = 1.666\cdots$과 같이 계속해서 나눌 수 있을 때에는 몫을 반올림하여 나타낼 수 있습니다.

3. 소수의 나눗셈 | (소수)÷(자연수) 알아보기(1), (2)

정답 및 풀이 | 107쪽

평가한 날 월 일

점수

01~02 6.4÷2를 2가지 방법으로 계산하려고 합니다. □ 안에 알맞은 수를 써넣으세요.

01

$$6.4\div2=\frac{\square}{10}\div2=\frac{\square\div2}{10}$$
$$=\frac{\square}{10}=\square$$

02

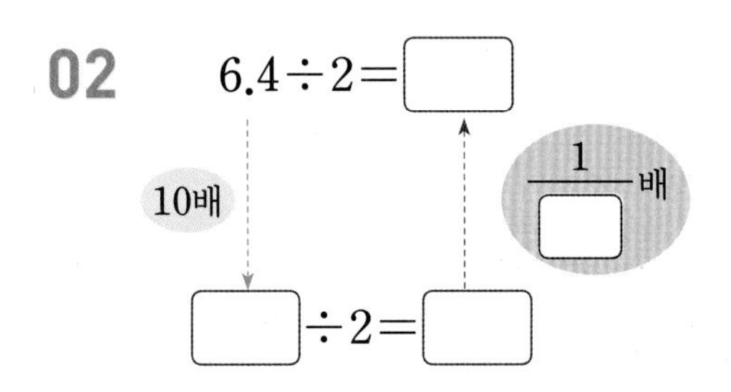

03 계산해 보세요.

(1) $0.9\div3$ (2) $4.8\div4$

(3) $2.64\div2$ (4) $3.93\div3$

04~05 빈칸에 알맞은 수를 써넣으세요.

04

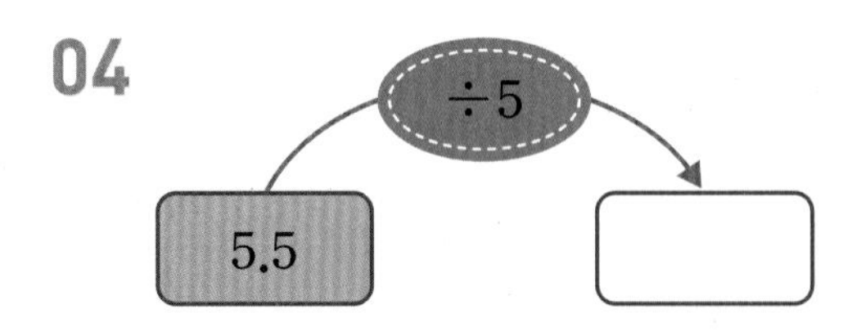

05

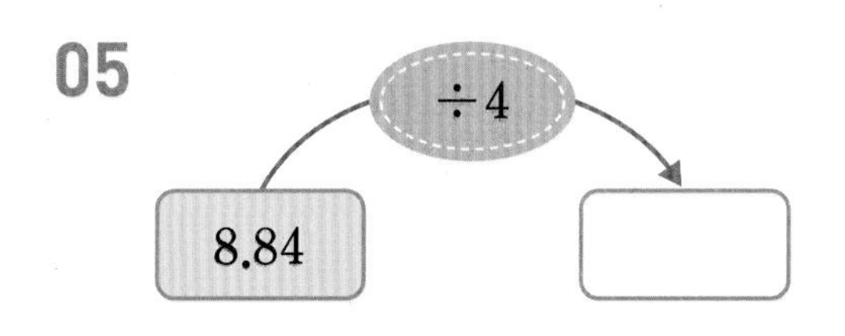

06 몫의 크기를 비교하여 ○ 안에 >, =, <를 알맞게 써넣으세요.

$4.6\div2$ ○ $6.93\div3$

07 가장 큰 수를 가장 작은 수로 나눈 몫을 소수로 나타내어 보세요.

3	8.26	6.6	2

( )

08 1부터 9까지의 자연수 중 □ 안에 들어갈 수 있는 수를 모두 구해 보세요.

$6.39\div3>\square$

( )

09 우유 0.8 L를 민우와 지희가 똑같이 나누어 마시려고 합니다. 민우가 마시게 되는 우유의 양은 몇 L인지 식을 쓰고 답을 구해 보세요.

식

답

10 둘레가 9.36 cm인 정삼각형이 있습니다. 이 정삼각형의 한 변의 길이는 몇 cm인가요?

( )

3. 소수의 나눗셈 | (소수)÷(자연수)의 계산 (1), (2)

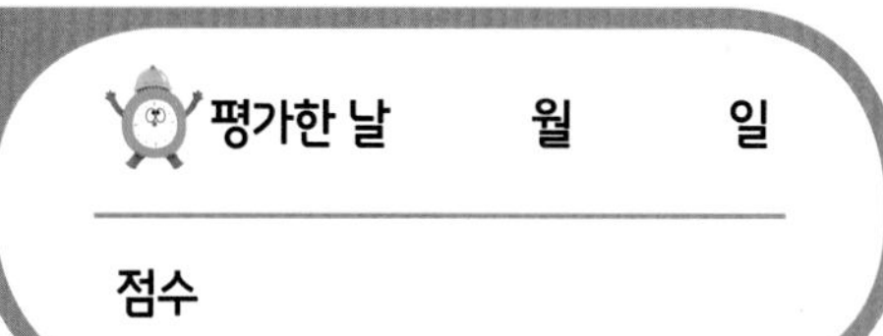

정답 및 풀이 | 107쪽

01 어림하여 몫이 1보다 작은 나눗셈을 찾아 기호를 써 보세요.

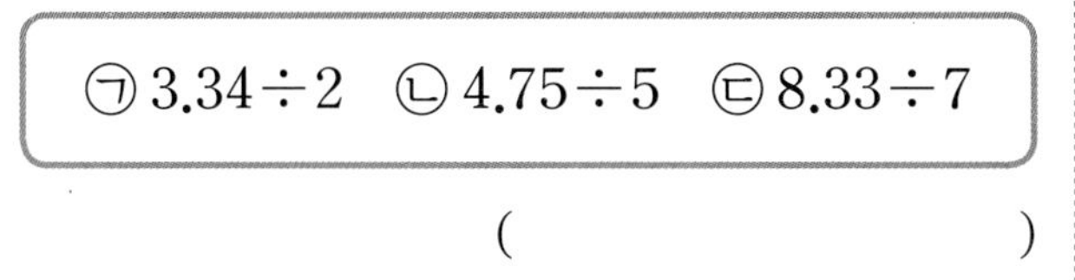

( )

02 계산해 보세요.

(1) 4)6.9 2 (2) 9)5.3 1

03 나눗셈의 몫을 찾아 선으로 이어 보세요.

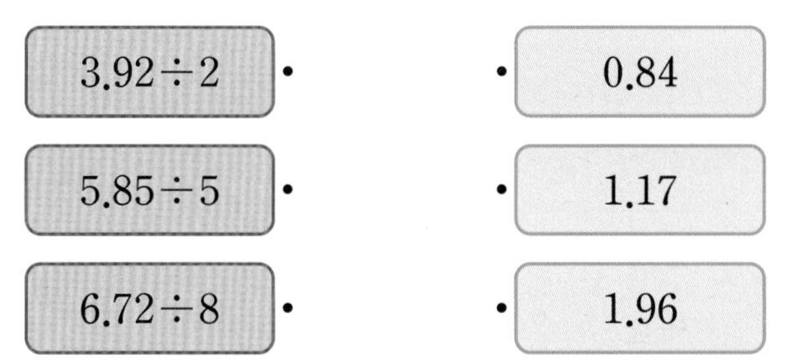

04 빈칸에 알맞은 수를 써넣으세요.

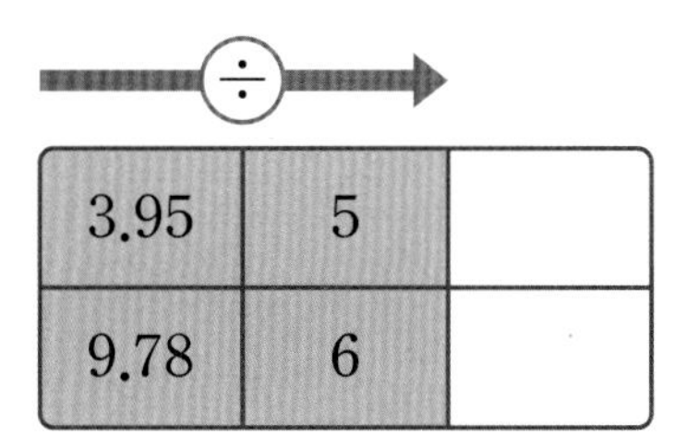

05 몫이 0.58인 것에 ○표 하세요.

2.24÷4 4.06÷7

( ) ( )

06 잘못 계산한 곳을 찾아 바르게 계산해 보세요.

```
    4.3
8)3.4 4
  3 2
    2 4
    2 4
      0
```

➜ [ ]

07 몫이 가장 큰 나눗셈을 찾아 기호를 써 보세요.

㉠ 5.76÷4 ㉡ 9.24÷7 ㉢ 9.12÷6

( )

08 1부터 9까지의 자연수 중 □ 안에 들어갈 수 있는 수를 모두 구해 보세요.

0.7□<6.75÷9

( )

09 색 테이프 7.45 m를 5명이 똑같이 나누어 가지려고 합니다. 한 명이 가질 색 테이프의 길이는 몇 m인가요?

( )

10 세영이가 우유 2.52 L를 일주일 동안 똑같이 나누어 마시려고 합니다. 하루에 마실 우유의 양은 몇 L인가요?

( )

3. 소수의 나눗셈 | (소수)÷(자연수)의 계산(3), (4)

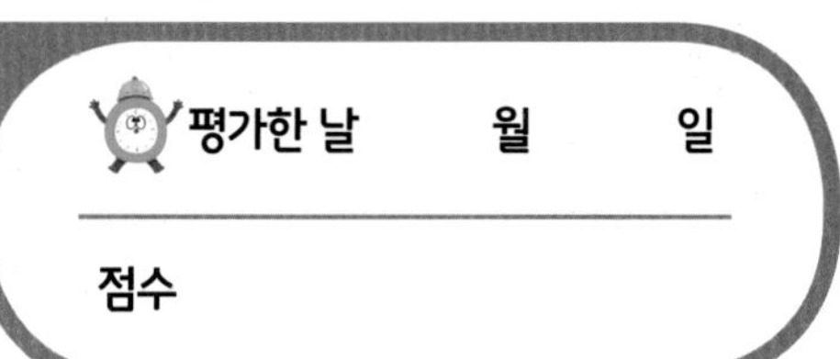

정답 및 풀이 | 107쪽

01 648÷6을 이용하여 6.48÷6을 계산해 보세요.

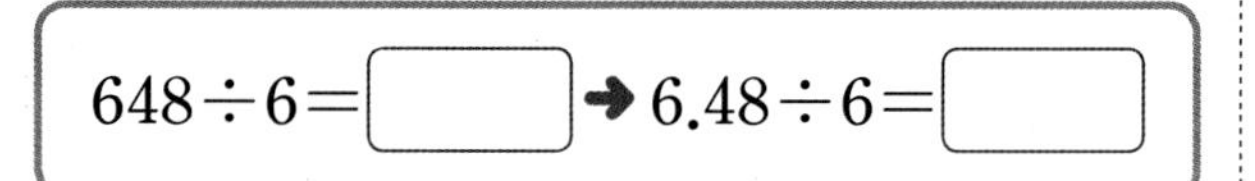

02~03 ☐ 안에 알맞은 수를 써넣으세요.

02

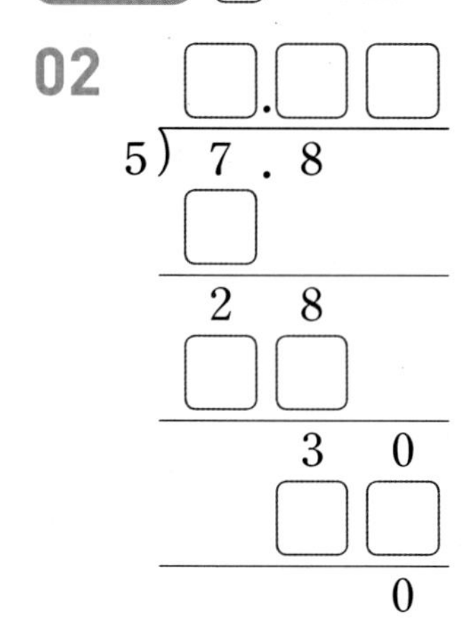

03

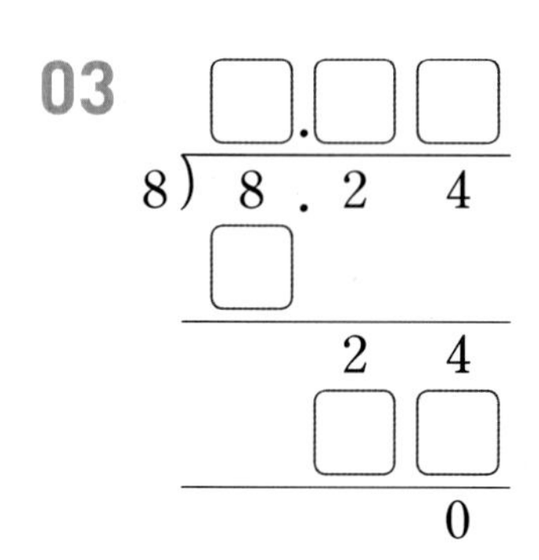

04 계산해 보세요.

(1) 4.3÷2　　　(2) 7.63÷7

05 빈칸에 알맞은 수를 써넣으세요.

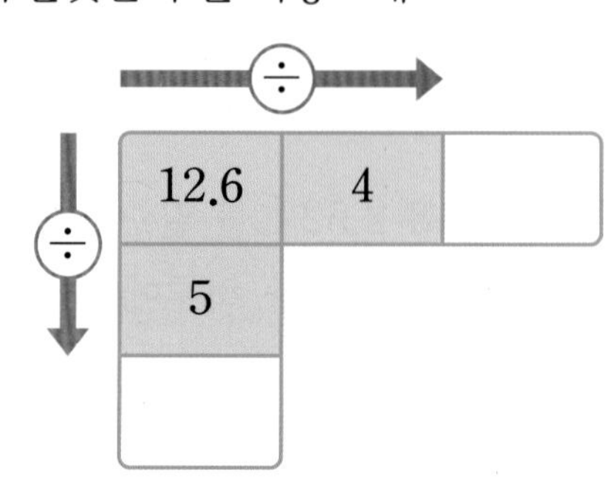

06 몫이 더 큰 것에 ○표 하세요.

8.08÷4	11.7÷6
( )	( )

07 몫이 큰 것부터 차례로 기호를 써 보세요.

㉠ 4.14÷2　㉡ 10.6÷5　㉢ 14.8÷8

( )

08 ☐ 안에 알맞은 수를 써넣으세요.

☐ ×3=6.27

09 가장 큰 수를 가장 작은 수로 나눈 몫을 구해 보세요.

6　　18.3　　12

( )

10 둘레가 43.6 cm인 정팔각형이 있습니다. 이 정팔각형의 한 변의 길이는 몇 cm인지 식을 쓰고 답을 구해 보세요.

3. 소수의 나눗셈 | (자연수)÷(자연수)의 몫을 소수로 나타내기

정답 및 풀이 | 108쪽

평가한 날 월 일

점수

01 9÷4를 계산해 보세요.

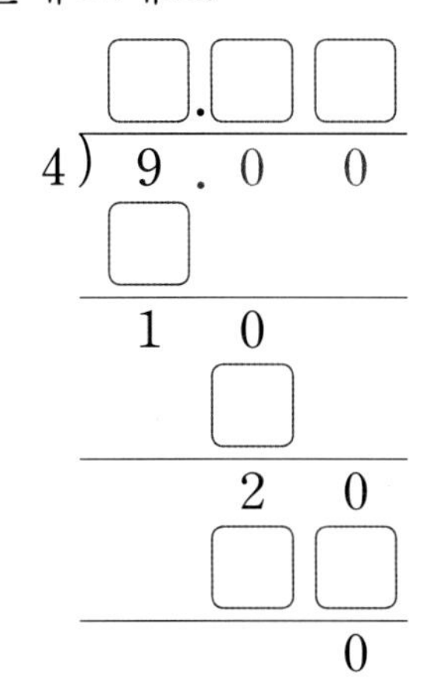

02 계산해 보세요.

(1) 11÷5 (2) 29÷8

03 빈 곳에 알맞은 수를 써넣으세요.

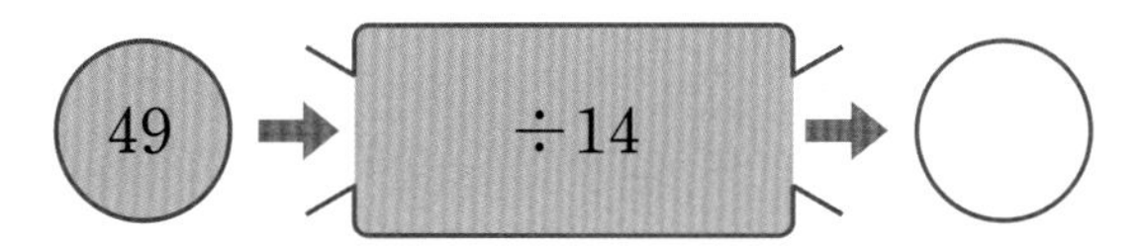

04 빈칸에 작은 수를 큰 수로 나눈 몫을 써넣으세요.

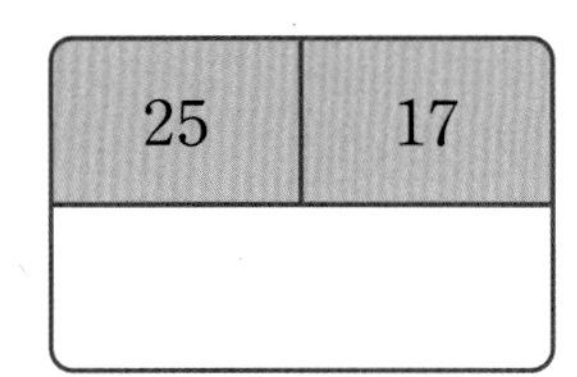

05 넓이가 90 cm^2인 직사각형이 있습니다. 이 직사각형의 가로가 12 cm일 때, 세로는 몇 cm인지 식을 쓰고 답을 구해 보세요.

06 나눗셈을 보고 주어진 자리까지 나타내어 보세요.

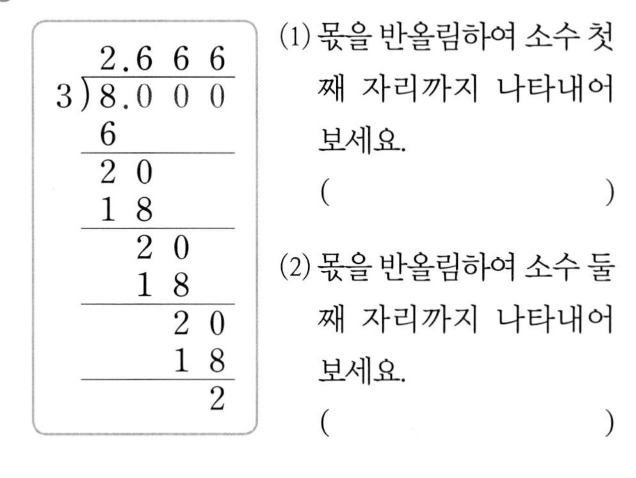

(1) 몫을 반올림하여 소수 첫째 자리까지 나타내어 보세요.

( )

(2) 몫을 반올림하여 소수 둘째 자리까지 나타내어 보세요.

( )

07 몫을 반올림하여 소수 둘째 자리까지 나타내어 보세요.

11÷6

( )

08 몫을 반올림하여 소수 첫째 자리까지 나타내려고 합니다. 나타낸 몫이 다른 하나를 찾아 ○표 하세요.

15÷7	20÷9	24÷11
( )	( )	( )

09 선우의 나이는 13살이고, 아버지의 나이는 46살입니다. 아버지의 나이는 선우의 나이의 약 몇 배인지 반올림하여 소수 둘째 자리까지 나타내어 보세요.

( )

| (소수)÷(자연수) 알아보기(1) |

01 보기 와 같이 계산해 보세요.

$0.6 \div 3 = \frac{6}{10} \div 3 = \frac{6 \div 3}{10} = \frac{2}{10} = 0.2$

$4.8 \div 2 = \frac{\square}{10} \div 2 = \frac{\square \div 2}{10}$

$= \frac{\square}{10} = \square$

| (소수)÷(자연수)의 계산(2) |

02 자연수의 나눗셈을 이용하여 바르게 계산한 것의 기호를 써 보세요.

하

㉠ $252 \div 6 = 42$ ➜ $2.52 \div 6 = 4.2$

㉡ $252 \div 6 = 42$ ➜ $2.52 \div 6 = 0.42$

(　　　　　　　　)

| (소수)÷(자연수)의 계산(1), (2) |

03 계산해 보세요.

(1) $3\overline{)4.59}$　　　(2) $7\overline{)5.88}$

| (자연수)÷(자연수)의 몫을 소수로 나타내기 |

04 빈칸에 알맞은 수를 써넣으세요.

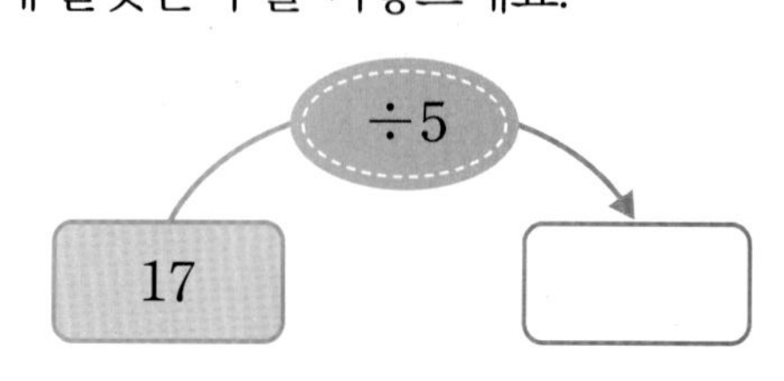

| (소수)÷(자연수)의 계산(4) |

05 잘못 계산한 곳을 찾아 바르게 계산해 보세요.

중

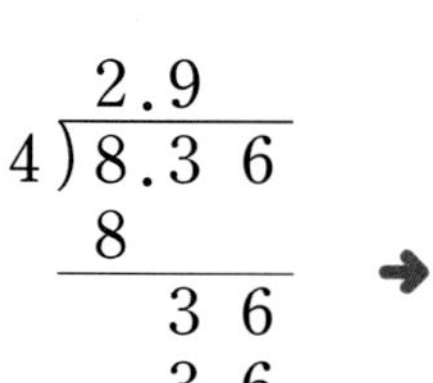

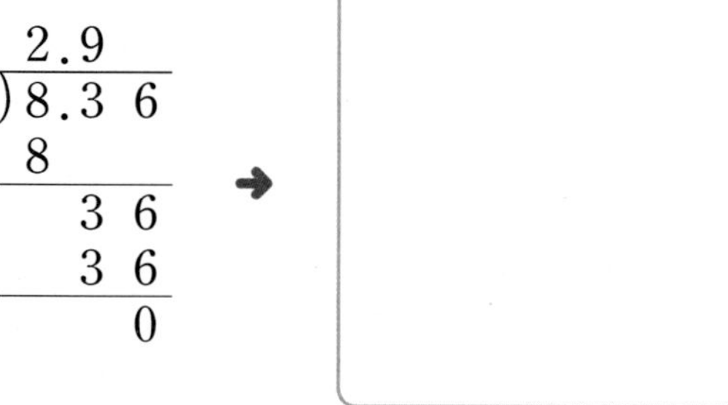

| (소수)÷(자연수)의 계산(4) |

06 몫이 다른 하나에 ○표 하세요.

$4.28 \div 4$	$5.1 \div 5$	$8.16 \div 8$
(　　)	(　　)	(　　)

| (자연수)÷(자연수)의 몫을 소수로 나타내기 |

07 몫의 크기를 비교하여 ○ 안에 >, =, <를 알맞게 써넣으세요.

$48 \div 25$ ○ $73 \div 40$

| (소수)÷(자연수)의 계산(2), (3), (4) |

08 몫이 작은 것부터 차례로 기호를 써 보세요.

㉠ $3.27 \div 3$　㉡ $5.64 \div 6$　㉢ $9.2 \div 8$

(　　　　　　　　)

평가한 날 월 일

점수

| (소수)÷(자연수)의 계산(2), (자연수)÷(자연수)의 몫을 소수로 나타내기 |

09 빈칸에 알맞은 수를 써넣으세요.

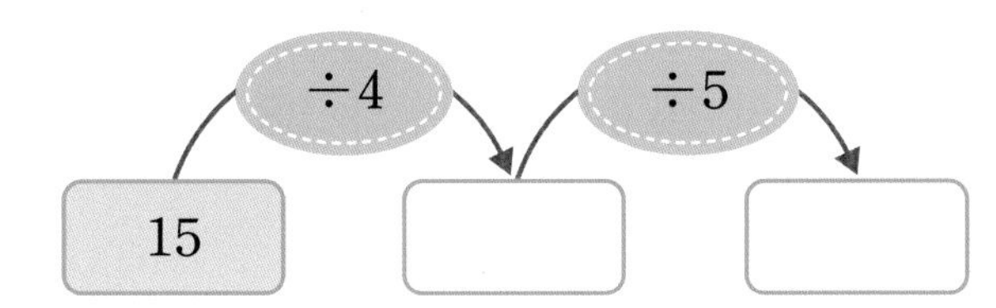

| (소수)÷(자연수)의 계산(1) |

10 재민이의 몸무게는 41.1 kg입니다. 재민이의 몸무게는 동생의 몸무게의 3배일 때, 동생의 몸무게는 몇 kg인지 식을 쓰고 답을 구해 보세요.

 식

 답

| (소수)÷(자연수)의 계산(2) |

11 딸기주스 2.25 L를 5명이 똑같이 나누어 마시려고 합니다. 한 명이 마실 딸기주스의 양은 몇 L인가요?

( )

| (자연수)÷(자연수)의 몫을 소수로 나타내기 |

12 25÷11의 몫을 반올림하여 주어진 자리까지 나타내어 보세요.

(1) 몫을 반올림하여 소수 첫째 자리까지 나타내어 보세요.

( )

(2) 몫을 반올림하여 소수 둘째 자리까지 나타내어 보세요.

( )

| (자연수)÷(자연수)의 몫을 소수로 나타내기 |

13 몫을 반올림하여 소수 둘째 자리까지 나타내었을 때, 몫이 더 큰 것에 ○표 하세요.

17÷6	30÷13
( )	( )

| (자연수)÷(자연수)의 몫을 소수로 나타내기 |

14 찬영이네 집에서 기차역까지의 거리는 7 km이고, 가희네 집에서 기차역까지의 거리는 6 km입니다. 찬영이네 집에서 기차역까지의 거리는 가희네 집에서 기차역까지의 거리의 약 몇 배인지 반올림하여 소수 둘째 자리까지 나타내어 보세요.

( )

| (소수)÷(자연수)의 계산(4) |

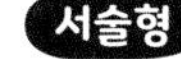 서술형

15 은정이네 모둠은 빨간색 페인트 3.5 L와 흰색 페인트 2.74 L를 섞어서 분홍색 페인트를 만들었습니다. 분홍색 페인트를 3명이 똑같이 나누어 사용할 때, 한 명이 사용할 페인트의 양은 몇 L인지 풀이 과정을 쓰고, 답을 구해 보세요.

풀이

 답

| (소수)÷(자연수)의 계산(1) |

16 넓이가 41.3 cm^2인 삼각형입니다. 이 삼각형의 높이가 7 cm일 때, 밑변의 길이는 몇 cm인가요?

중

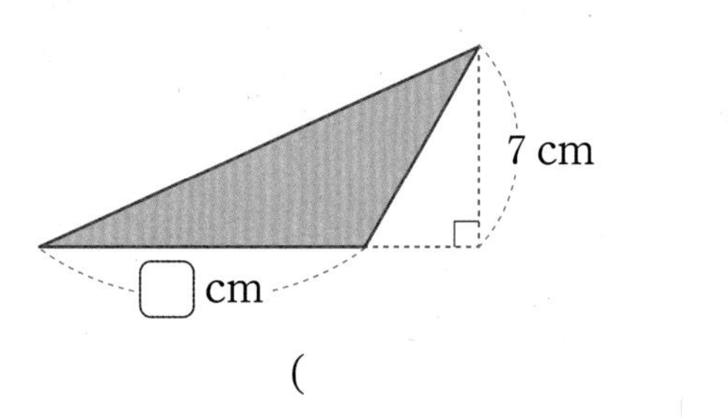

( )

| (자연수)÷(자연수)의 몫을 소수로 나타내기 |

17 몫이 더 큰 것의 기호를 써 보세요.

㉠ 10÷7의 몫을 반올림하여 소수 첫째 자리까지 나타낸 몫
㉡ 10÷7의 몫을 반올림하여 소수 둘째 자리까지 나타낸 몫

( )

| (소수)÷(자연수)의 계산(3) |

18 4장의 숫자 카드를 한 번씩 모두 사용하여 몫이 가장 작게 되는 나눗셈을 만들고, 몫을 구해 보세요.

상

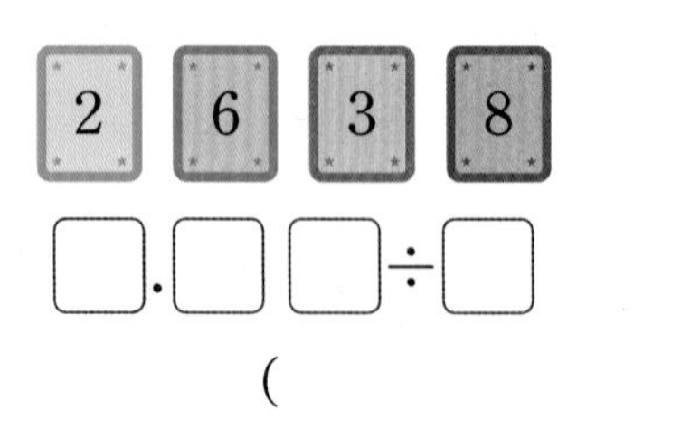

□.□□÷□

( )

| (소수)÷(자연수)의 계산(1), (3) | 서술형

19 □ 안에 공통으로 들어갈 수 있는 자연수는 모두 몇 개인지 풀이 과정을 쓰고, 답을 구해 보세요.

상

□ < 16.64÷4　　38.1÷15 < □

풀이

답

| (자연수)÷(자연수)의 몫을 소수로 나타내기 | 서술형

20 가장 큰 수를 가장 작은 수로 나눈 몫을 반올림하여 소수 첫째 자리까지 나타내려고 합니다. 풀이 과정을 쓰고, 답을 구해 보세요.

상

27　14　33　50

풀이

답

평가한 날 월 일

점수

정답 및 풀이 | 109쪽

| (소수)÷(자연수) 알아보기(2) |

01 □ 안에 알맞은 수를 써넣으세요.

하

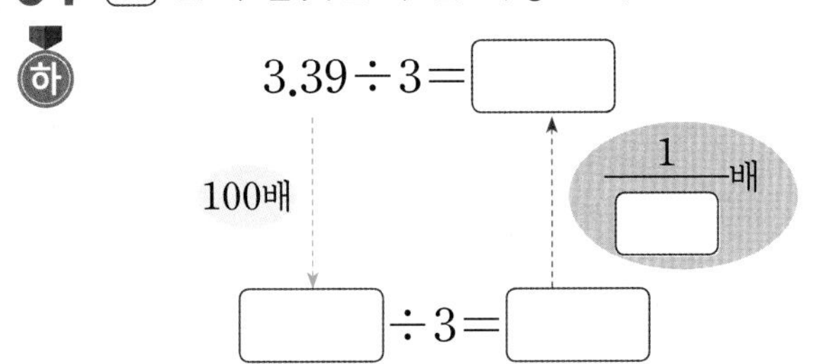

| (소수)÷(자연수)의 계산(1), (2) |

02 어림하여 몫이 1보다 작은 나눗셈을 찾아 ○표 하세요.

하

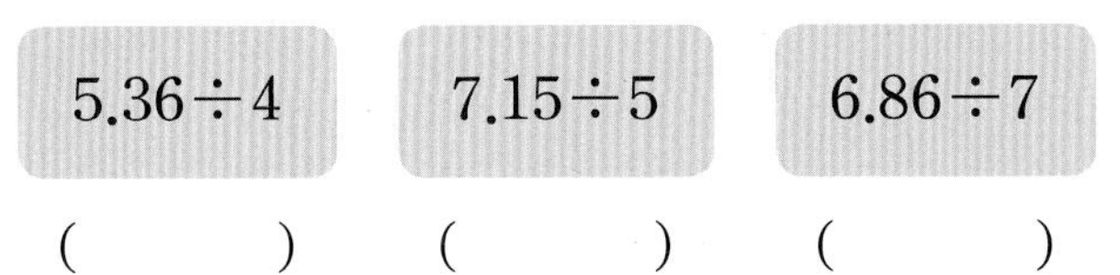

( ) ( ) ( )

| (소수)÷(자연수)의 계산(3) |

03 계산해 보세요.

하

$$6\overline{)14.7}$$

| (소수)÷(자연수)의 계산(1), (2), (4) |

04 몫의 소수 첫째 자리 숫자가 0인 나눗셈을 찾아 기호를 써 보세요.

중

㉠ 4.28÷2 ㉡ 5.22÷3
㉢ 8.12÷4 ㉣ 6.09÷7

( )

| (소수)÷(자연수)의 계산(3), (4) |

05 나눗셈의 몫을 찾아 선으로 이어 보세요.

중

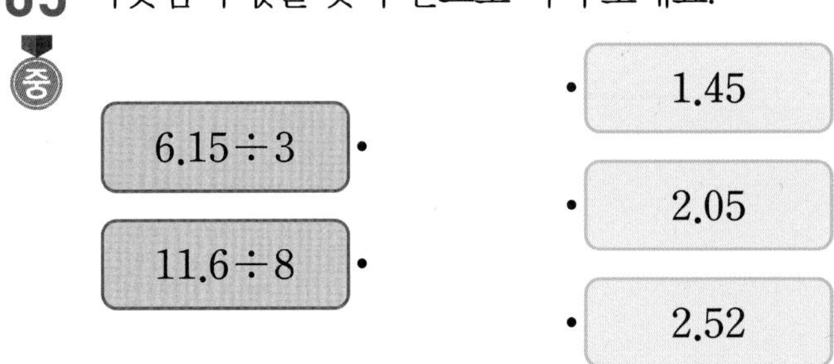

| (소수)÷(자연수)의 계산(2), (4) |

06 빈칸에 알맞은 수를 써넣으세요.

중

÷

9.15	3	
10.92	14	

| (소수)÷(자연수)의 계산(1) |

07 빈 곳에 큰 수를 작은 수로 나눈 몫을 써넣으세요.

중

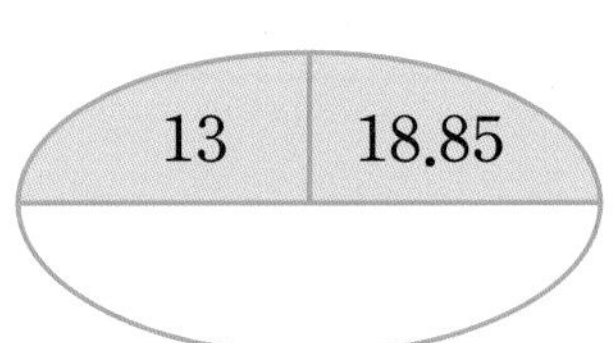

| (소수)÷(자연수)의 계산(2) |

08 식혜 7.2 L를 9병에 똑같이 나누어 담으려고 합니다. 한 병에 담을 식혜의 양은 몇 L인지 식을 쓰고 답을 구해 보세요.

중

| (자연수)÷(자연수)의 몫을 소수로 나타내기 |

09 ㉠과 ㉡의 차는 얼마인가요?

㉠ $3 \div 4$ ㉡ $9 \div 5$

( )

| (소수)÷(자연수)의 계산(2) |

10 빈칸에 알맞은 수를 써넣으세요.

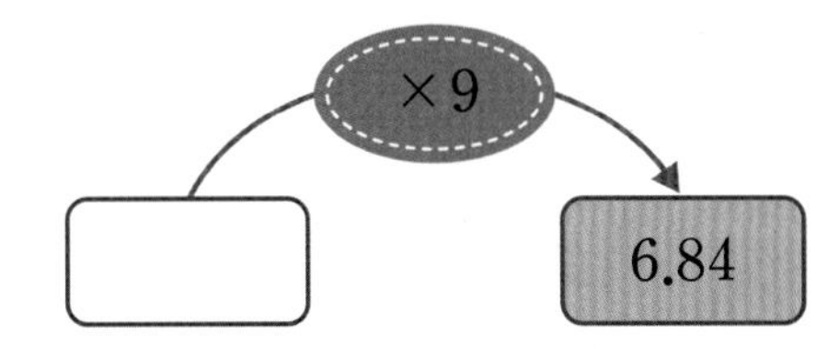

| (소수)÷(자연수)의 계산(1) |

11 □ 안에 들어갈 수 있는 자연수 중에서 가장 작은 수를 구해 보세요.

중

$31.68 \div 9 <$ □

( )

| (소수)÷(자연수)의 계산(1) |

12 철사 30.4 cm를 남김없이 모두 사용하여 가장 큰 정팔각형을 만들었습니다. 만든 정팔각형의 한 변의 길이는 몇 cm인지 식을 쓰고 답을 구해 보세요.

중

답

| (자연수)÷(자연수)의 몫을 소수로 나타내기 |

13 양초가 한 시간 동안 15 cm를 탔습니다. 양초가 일정한 빠르기로 탔다면 1분 동안 탄 길이는 몇 cm인가요?

중

( )

| (소수)÷(자연수)의 계산(3) |

14 넓이가 43.6 cm^2인 평행사변형입니다. 이 평행사변형의 밑변의 길이가 8 cm일 때, 높이는 몇 cm인가요?

중

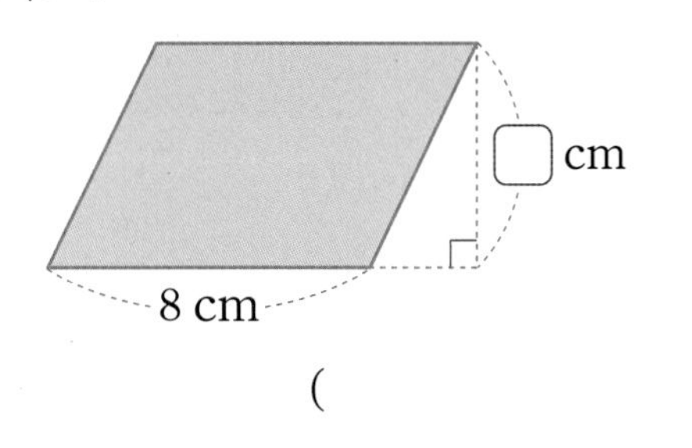

( )

| (소수)÷(자연수)의 계산(1), (3) |

15 태희는 길이가 6.2 m인 리본을 4도막으로 똑같이 나누었고, 주형이는 길이가 10.15 m인 리본을 7도막으로 똑같이 나누었습니다. 태희와 주형이 중 나눈 리본 한 도막의 길이가 더 긴 사람은 누구인가요?

중

( )

| (소수)÷(자연수)의 계산(4) |

16 중 가⊙나를 다음과 같이 약속할 때, 55.26⊙18을 구해 보세요.

가⊙나=(가−나)÷나

(   )

| (소수)÷(자연수)의 계산(4) | 서술형

17 상 무게가 똑같은 책가방 8개를 담은 상자의 무게는 8.68 kg입니다. 빈 상자의 무게가 0.28 kg일 때, 책가방 3개의 무게는 몇 kg인지 풀이 과정을 쓰고, 답을 구해 보세요.

풀이

답

| (소수)÷(자연수)의 계산(1), (3) |

18 상 어떤 수를 6으로 나누어야 할 것을 잘못하여 곱하였더니 59.4가 되었습니다. 바르게 계산하였을 때의 몫을 구해 보세요.

(   )

| (소수)÷(자연수)의 계산 (1) | 서술형

19 상 둘레가 14.8 cm인 정사각형이 있습니다. 이 정사각형의 넓이는 몇 cm^2인지 풀이 과정을 쓰고, 답을 구해 보세요.

답

| (자연수)÷(자연수)의 몫을 소수로 나타내기 | 서술형

20 상 가로가 74 cm, 세로가 36 cm인 직사각형 모양의 바닥이 있습니다. 이 바닥을 한 변의 길이가 5 cm인 정사각형 모양의 타일을 겹치지 않게 사용하여 빈틈없이 덮으려고 합니다. 바닥 전체를 덮으려면 타일은 적어도 몇 장 필요한지 풀이 과정을 쓰고, 답을 구해 보세요. (단, 잘라내고 남은 타일은 사용하지 않습니다.)

풀이

답

Tip

❶ 예진이와 동호가 1분 동안 달린 거리를 각각 구하기

❷ 1분 동안 더 많이 달린 사람 구하기

01 예진이와 동호가 자전거를 타고 공원을 달렸습니다. 일정한 빠르기로 예진이는 25분 동안 25.75 km를, 동호는 30분 동안 29.4 km를 달렸습니다. 자전거를 타고 1분 동안 더 많이 달린 사람은 누구인지 풀이 과정을 쓰고, 답을 구해 보세요.

답

Tip

❶ 육각뿔의 모서리의 수 구하기

❷ 육각뿔의 한 모서리의 길이 구하기

02 모든 모서리의 길이의 합이 54 cm인 육각뿔이 있습니다. 이 육각뿔의 모든 모서리의 길이가 같을 때, 한 모서리의 길이는 몇 cm인지 풀이 과정을 쓰고, 답을 구해 보세요.

답

점수

Tip

❶ 이등변삼각형의 둘레 구하기

❷ 정사각형의 한 변의 길이 구하기

03 이등변삼각형과 정사각형의 둘레가 같을 때 정사각형의 한 변의 길이는 몇 cm인지 풀이 과정을 쓰고, 답을 구해 보세요.

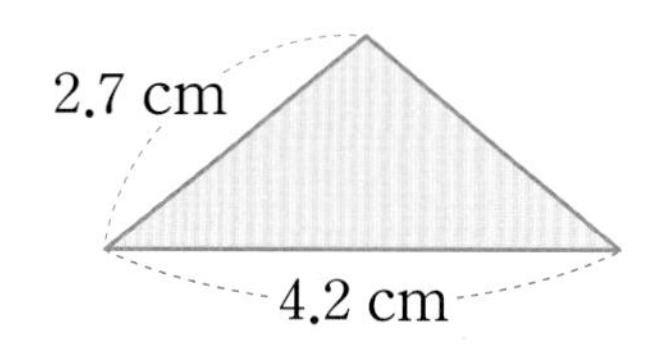

풀이

답

Tip

❶ 도로 한쪽에 세울 전봇대의 수 구하기

❷ 전봇대와 전봇대의 간격 수 구하기

❸ 전봇대와 전봇대의 간격 구하기

04 길이가 5.1 km인 도로의 양쪽에 처음부터 끝까지 전봇대 70개를 같은 간격으로 세우려고 합니다. 전봇대와 전봇대의 간격을 몇 km로 해야 하는지 풀이 과정을 쓰고, 답을 구해 보세요. (단, 전봇대의 두께는 생각하지 않습니다.)

풀이

답

Tip

❶ 한 상자의 무게 구하기

❷ 책 한 권의 무게 구하기

01 한 상자에 책이 28권씩 들어 있습니다. 5상자의 무게가 63 kg일 때, 책 한 권의 무게는 몇 kg인지 풀이 과정을 쓰고, 답을 구해 보세요.

풀이

답

Tip

❶ 몫의 소수 둘째 자리에 들어갈 수 있는 수 구하기

❷ ◆이 될 수 있는 자연수 모두 구하기

02 나눗셈식에서 ◆이 될 수 있는 자연수를 모두 구하려고 합니다. 풀이 과정을 쓰고, 답을 구해 보세요.

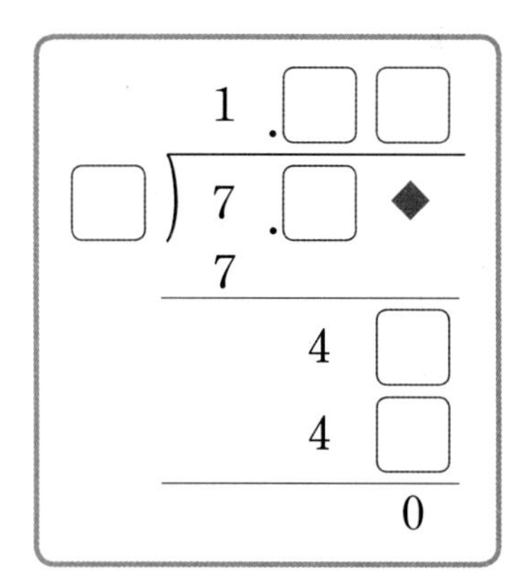

답

평가한 날 월 일

점수

Tip

❶ 삼각형 ㄱㄴㄹ의 높이 구하기

❷ 사다리꼴의 높이 구하기

❸ 사다리꼴의 넓이 구하기

03 삼각형 ㄱㄴㄹ의 넓이가 $121.5\ \text{cm}^2$입니다. 사다리꼴의 넓이는 몇 cm^2인지 풀이 과정을 쓰고, 답을 구해 보세요.

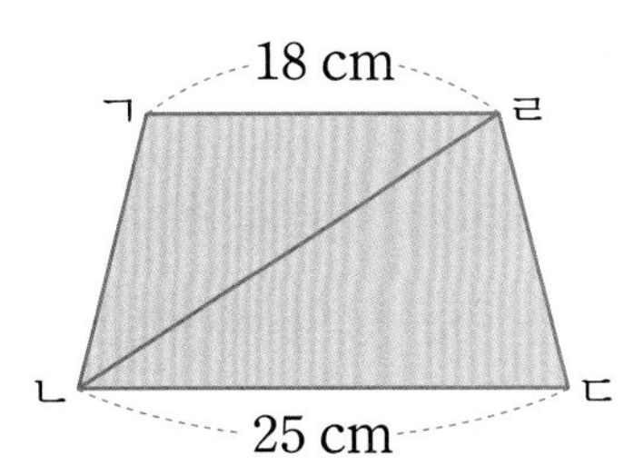

풀이

답

Tip

❶ 몫이 가장 작은 (두 자리 수)÷(두 자리 수) 만들기

❷ 몫을 반올림하여 소수 둘째 자리까지 나타내기

04 5장의 숫자 카드 중에서 4장을 골라 한 번씩만 사용하여 몫이 가장 작은 (두 자리 수)÷(두 자리 수)를 만들려고 합니다. 만들 수 있는 나눗셈의 몫을 반올림하여 소수 둘째 자리까지 나타내면 얼마인지 풀이 과정을 쓰고, 답을 구해 보세요.

풀이

답

4 단원 교과서 핵심 개념

4 비와 비율

수학 88~111쪽 수학 익힘 47~60쪽

개념 1 두 양의 크기 비교

- 뺄셈을 이용하여 두 양의 크기를 비교할 수 있습니다. 이때, 한 양이 다른 양보다 얼마나 더 많은지를 알 수 있습니다.
- 나눗셈을 이용하여 두 양의 크기를 비교할 수 있습니다. 이때, 한 양이 다른 양의 몇 배인지를 알 수 있습니다.

- 뺄셈으로 비교하면 사과는 귤보다 $8-2=6$(개) 더 많습니다.
- 나눗셈으로 비교하면 사과 수는 귤 수의 $8\div2=4$(배)입니다.

개념 2 비

- 두 수를 나눗셈으로 비교할 때 기호 :을 사용하여 나타낸 것을 비라고 합니다.
- 8이 5를 기준으로 몇 배가 되는지 나눗셈으로 비교할 때 8 : 5라 쓰고, 8 대 5라고 읽습니다.
- 비 8 : 5에서 기호 :의 오른쪽에 있는 5는 기준량이고, 왼쪽에 있는 8은 비교하는 양입니다.
- 비 8 : 5를 다음과 같이 읽습니다.

8 : 5 (8: 비교하는 양, 5: 기준량) →
- 8 대 5
- 8과 5의 비
- 8의 5에 대한 비
- 5에 대한 8의 비

개념 3 비율

기준량에 대한 비교하는 양의 크기를 비율이라고 합니다.

$$(\text{비율})=(\text{비교하는 양})\div(\text{기준량})=\frac{(\text{비교하는 양})}{(\text{기준량})}$$

예 비 8 : 40을 비율로 나타내면 $\frac{8}{40}$ 또는 0.2입니다.

개념 4 일상생활에서 사용되는 비율

기준량의 크기가 다를 때에는 비율을 구하여 두 상황을 비교할 수 있습니다.

개념 5 백분율

- 기준량을 100으로 할 때의 비율을 백분율이라고 합니다.
- 백분율은 기호 %를 사용하여 나타냅니다.
- 비율 $\frac{24}{100}$를 24 %라 쓰고 24 퍼센트라고 읽습니다.
- 백분율은 비율에 100을 곱한 다음, %를 붙여 나타냅니다.

예 $\frac{6}{20} \rightarrow \frac{6}{20}\times100=30 \rightarrow 30\ \%$

개념 6 백분율의 활용

예 지환이가 공을 25번 던져 12번 성공하였습니다.

→ 지환이가 공을 던진 횟수에 대한 성공한 횟수의 비율을 백분율로 나타내면 $\frac{12}{25}\times100=48 \rightarrow 48\ \%$입니다.

4. 비와 비율 | 두 양의 크기 비교

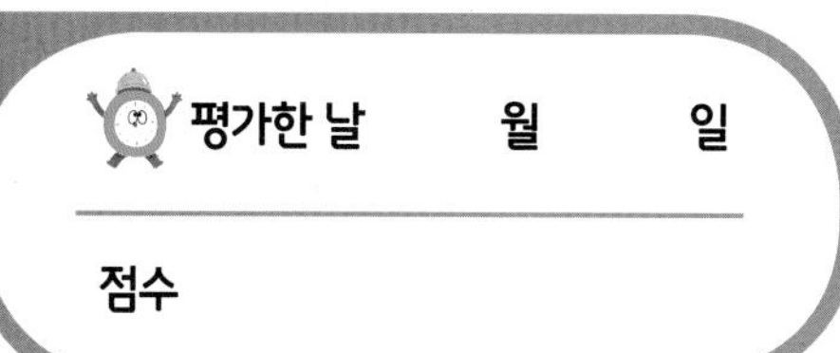

정답 및 풀이 | 112쪽

01~02 지우개 수와 집게 수를 비교하려고 합니다. 알맞은 말에 ○표 하고, □ 안에 알맞은 수를 써넣으세요.

01 (뺄셈, 나눗셈)으로 비교하면 집게는 지우개보다 □개 더 많습니다.

02 (뺄셈, 나눗셈)으로 비교하면 집게 수는 지우개 수의 □배입니다.

03~04 그림을 보고 □ 안에 알맞은 수를 써넣으세요.

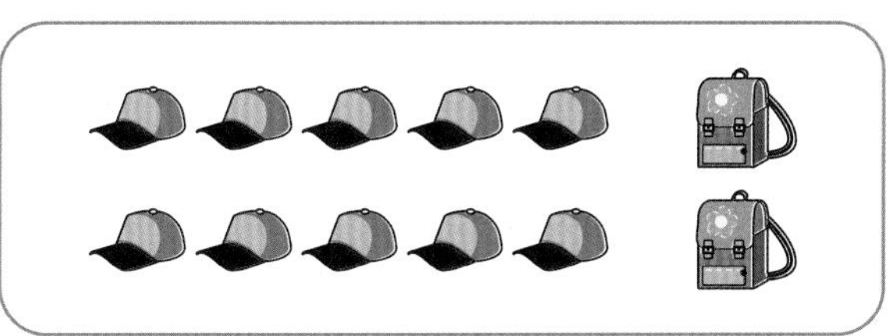

03 가방은 모자보다 $10-\square=\square$(개) 더 적습니다.

04 모자 수는 가방 수의 $10\div\square=\square$(배)입니다.

05 상자 안에 곰 인형 12개, 강아지 인형 18개가 들어 있습니다. 상자 안에 들어 있는 곰 인형과 강아지 인형을 뺄셈으로 비교해 보세요.

06 어떤 나무의 높이는 180 cm이고, 어느 시각 이 나무의 그림자의 길이를 재어 보니 30 cm입니다. 나무의 높이와 그림자의 길이를 나눗셈으로 비교해 보세요.

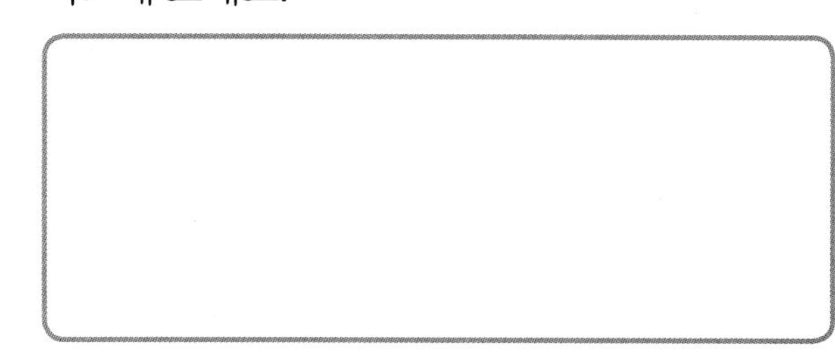

07~08 정오각형과 정팔각형의 둘레를 비교하려고 합니다. 물음에 답해 보세요.

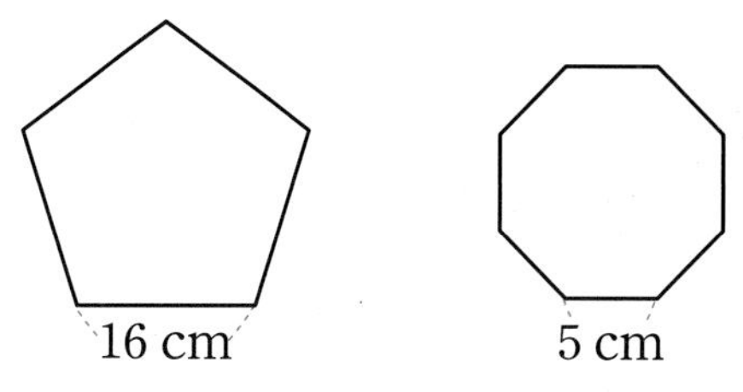

07 정오각형과 정팔각형의 둘레를 뺄셈으로 비교해 보세요.

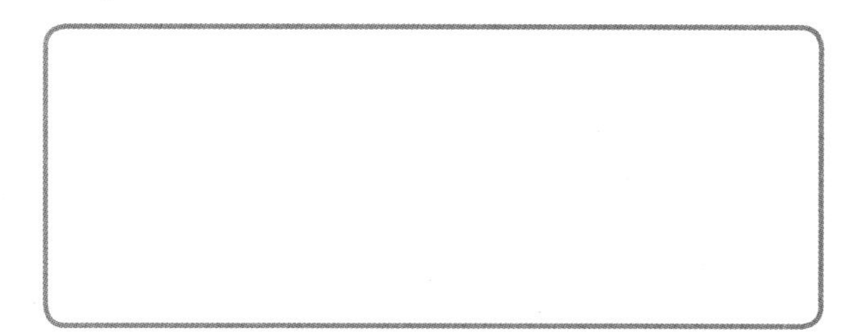

08 정오각형과 정팔각형의 둘레를 나눗셈으로 비교해 보세요.

정답 및 풀이 | 112쪽

평가한 날 월 일

점수

01 □ 안에 알맞은 수를 써넣으세요.

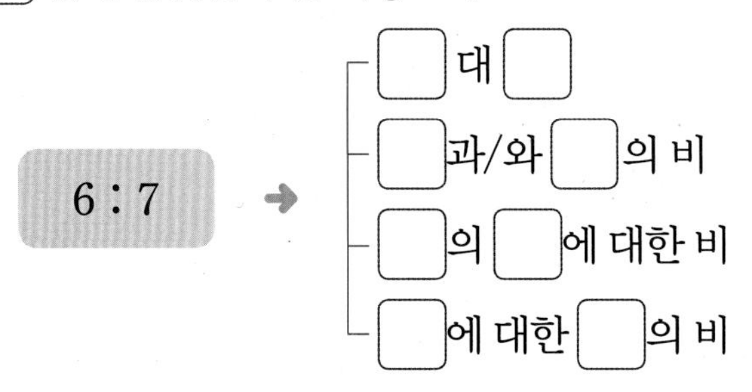

02 관계있는 것끼리 선으로 이어 보세요.

17과 6의 비 •
17에 대한 6의 비 •
6 대 17 •

• 17:6
• 6:17

03~04 그림을 보고 물음에 답해 보세요.

03 티셔츠 수와 바지 수의 비를 써 보세요.

(   )

04 바지 수의 티셔츠 수에 대한 비를 써 보세요.

(   )

05 □ 안에 알맞은 수를 써넣으세요.

(1) 4와 9의 비 ➜ □ : □

(2) 7에 대한 13의 비 ➜ □ : □

(3) 11의 15에 대한 비 ➜ □ : □

06 전체에 대한 색칠한 부분의 비를 써 보세요.

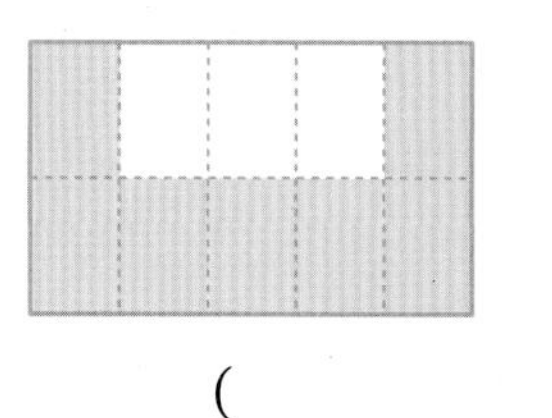

(   )

07 같은 크기의 컵으로 딸기 원액 4컵과 우유 9컵을 넣어 딸기우유를 만들려고 합니다. 딸기 원액 양의 우유 양에 대한 비를 써 보세요.

(   )

08 전체에 대한 색칠한 부분의 비가 5 : 6이 되도록 오른쪽 그림에 색칠해 보세요.

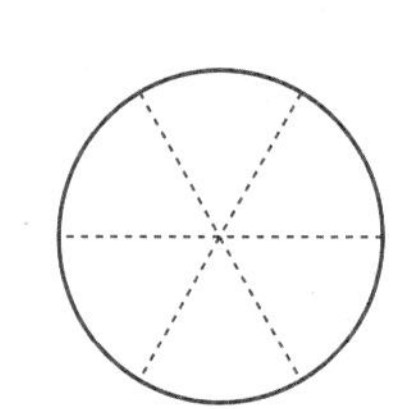

09 비가 다른 하나를 찾아 기호를 써 보세요.

㉠ 9에 대한 20의 비
㉡ 20과 9의 비
㉢ 9의 20에 대한 비

(   )

10 삼각형의 높이의 밑변의 길이에 대한 비를 써 보세요.

7 cm
15 cm

(   )

4. 비와 비율 | 비율/일상생활에서 사용되는 비율

정답 및 풀이 | 112쪽

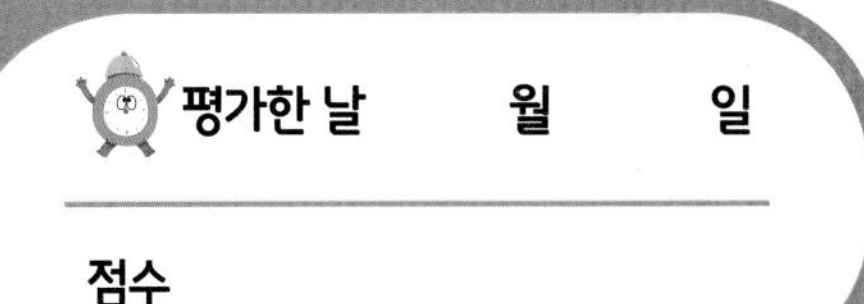

01 비 5 : 8의 비율을 분수로 나타내려고 합니다. □ 안에 알맞은 수를 써넣으세요.

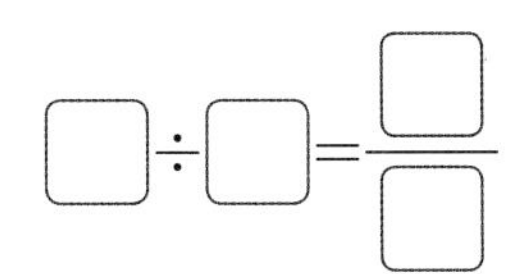

02~03 그림을 보고 물음에 답해 보세요.

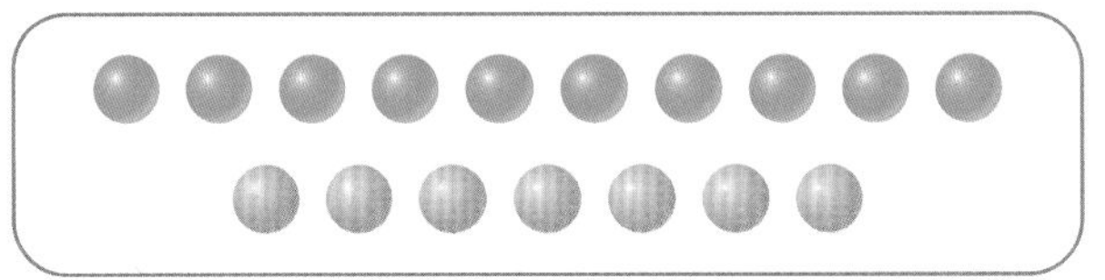

02 초록색 구슬 수에 대한 노란색 구슬 수의 비를 써 보세요.

( )

03 초록색 구슬 수에 대한 노란색 구슬 수의 비율을 소수로 나타내어 보세요.

( )

04 주어진 비를 보고 비율을 분수와 소수로 각각 나타내어 보세요.

25에 대한 6의 비

분수 ( )

소수 ( )

05 빈칸에 알맞은 수를 써넣으세요.

비 \ 비율	분수	소수
6과 20의 비		
21의 28에 대한 비		

06 비율이 더 높은 것에 ○표 하세요.

14 : 35	18 : 30
( )	( )

07 기차를 타고 2시간 동안 400 km를 갔을 때 걸린 시간에 대한 간 거리의 비율을 구해 보세요.

( )

08 민준이가 과녁에 화살을 던졌습니다. 화살 15개 중 9개를 맞혔을 때 전체 화살 수에 대한 맞힌 화살 수의 비율을 소수로 나타내어 보세요.

( )

09~10 두 마을의 인구와 넓이를 조사한 표입니다. 물음에 답해 보세요.

마을	가 마을	나 마을
인구(명)	12600	16800
넓이(km^2)	7	8

09 두 마을의 넓이에 대한 인구의 비율을 각각 구해 보세요.

가 마을 ( )

나 마을 ( )

10 두 마을 중 넓이에 대한 인구의 비율이 더 높은 마을은 어디인가요?

( )

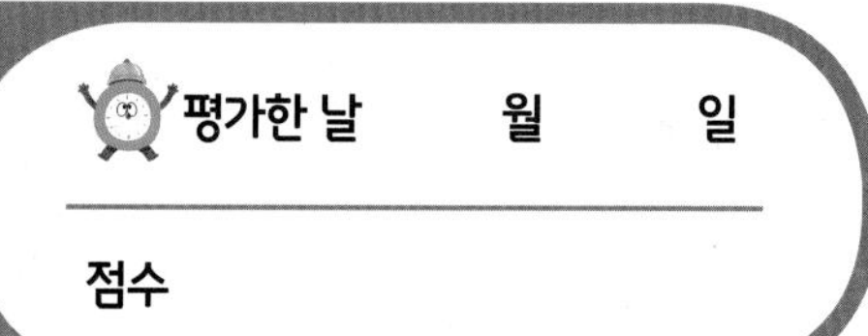

정답 및 풀이 | 113쪽

01 오른쪽 그림을 보고 전체에 대한 색칠한 부분의 비율을 백분율로 나타내어 보세요.

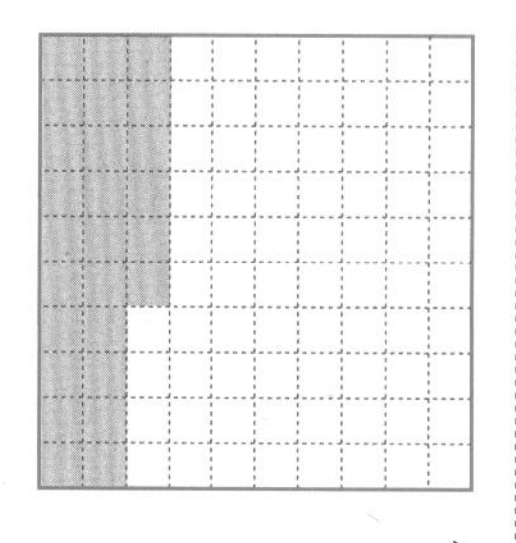

( )

02 분수로 나타낸 비율을 백분율로 나타내어 보세요.

(1) $\frac{2}{5}$ $\frac{2}{5} \times \square = \square \rightarrow \square$ %

(2) $\frac{16}{25}$ $\frac{16}{25} \times \square = \square \rightarrow \square$ %

03 빈칸에 알맞게 써넣으세요.

분수	소수	백분율
$\frac{18}{50}$		
	0.77	

04 백분율로 나타내면 40 %인 비율을 찾아 기호를 써 보세요.

㉠ $\frac{3}{5}$ ㉡ 0.04 ㉢ $\frac{14}{35}$

( )

05 두 비율을 비교하여 ○ 안에 >, =, <를 알맞게 써넣으세요.

$\frac{12}{48}$ ○ 26 %

06 창민이네 학교 학생은 모두 600명입니다. 남학생이 330명일 때, 창민이네 학교 전체 학생 수에 대한 남학생 수의 비율은 몇 %인가요?

( )

07 예진이가 300 m 달리기를 하는데 210 m를 달렸습니다. 전체 거리에 대한 도착 지점까지 남은 거리의 비율은 몇 %인가요?

( )

08~10 신발 가게에서 판매하는 운동화와 샌들의 정가와 판매가입니다. 물음에 답해 보세요.

물건	운동화	샌들
정가	40000원	35000원
판매가	36000원	28000원

08 운동화의 정가에 대한 할인된 금액의 비율은 몇 %인가요?

( )

09 샌들의 정가에 대한 할인된 금액의 비율은 몇 % 인가요?

( )

10 운동화와 샌들 중 정가에 대한 할인된 금액의 비율이 더 높은 것은 어느 것인가요?

( )

기본 단원 평가 | 4. 비와 비율

평가한 날 월 일

점수

정답 및 풀이 | 114쪽

| 두 양의 크기 비교 |

01 밤 수와 감 수를 비교하여 □ 안에 알맞은 수를 써넣으세요.

하

감은 밤보다 □개 더 많습니다.

| 비 |

02 기호 :을 사용하여 나타내어 보세요.

(1) 23과 14의 비

 (　　　　　　　　)

(2) 10의 17에 대한 비

➜ (　　　　　　　　)

| 비 |

03 그림을 보고 물음에 답해 보세요.

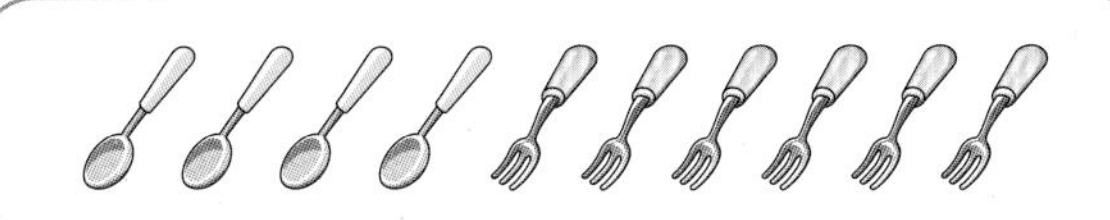

(1) 숟가락 수와 포크 수의 비를 써 보세요.

(　　　　　　　　)

(2) 숟가락 수에 대한 포크 수의 비를 써 보세요.

(　　　　　　　　)

| 백분율 |

04 비율을 백분율로 쓰고, 읽어 보세요.

$$\frac{43}{100}$$

쓰기 (　　　　　　　　)

읽기 (　　　　　　　　)

| 두 양의 크기 비교 |

05 운동장에 남학생은 21명, 여학생은 16명이 있습니다. 운동장에 있는 남학생 수와 여학생 수를 뺄셈으로 비교해 보세요.

중

| 두 양의 크기 비교 |

06 샌드위치 25개와 도넛 5개가 있습니다. 샌드위치 수와 도넛 수를 나눗셈으로 비교해 보세요.

중

| 비 |

07 전체에 대한 색칠한 부분의 비가 9 : 16이 되도록 색칠해 보세요.

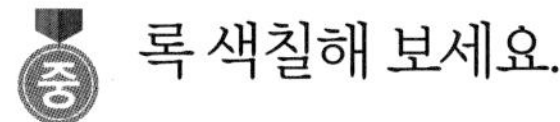

중

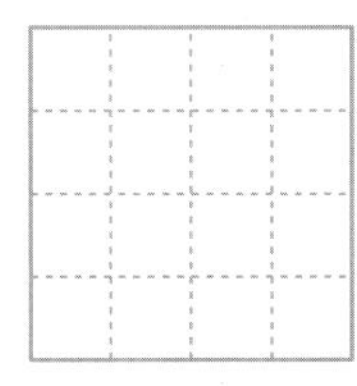

| 비 |

08 물 5컵과 쌀 4컵을 넣어 밥을 지으려고 합니다. 쌀 양과 물 양의 비를 써 보세요.

중

(　　　　　　　　)

| 비율 |

09 관계있는 것끼리 선으로 이어 보세요.

중

3과 15의 비 •	• $\frac{3}{20}$ •	• 0.6
3 : 20 •	• $\frac{18}{30}$ •	• 0.2
30에 대한 18의 비 •	• $\frac{3}{15}$ •	• 0.15

| 일상생활에서 사용되는 비율 |

10 혜성이는 가로가 40 cm, 세로가 18 cm인 직사각형 모양의 액자를 만들었습니다. 액자의 가로에 대한 세로의 비율을 소수로 나타내어 보세요.

중

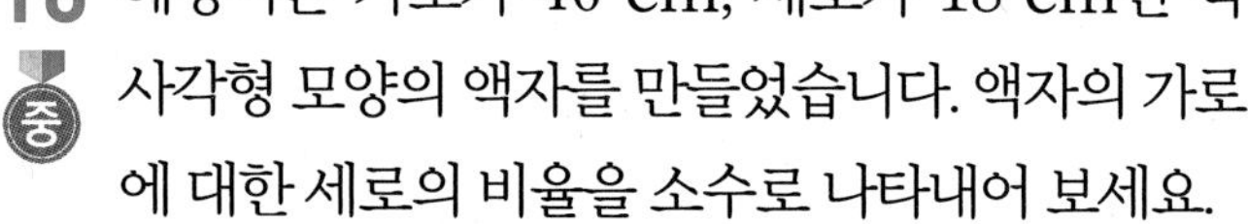

( )

| 백분율 |

11 전체에 대한 색칠한 부분의 비율을 백분율로 나타내어 보세요.

중

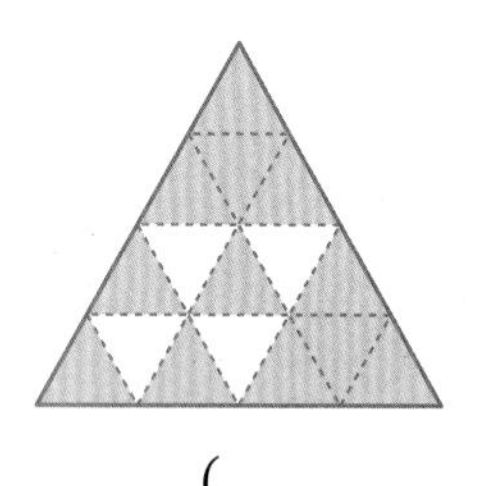

( )

| 백분율 |

12 아진이와 시우 중에서 바르게 이야기한 사람은 누구인가요?

중

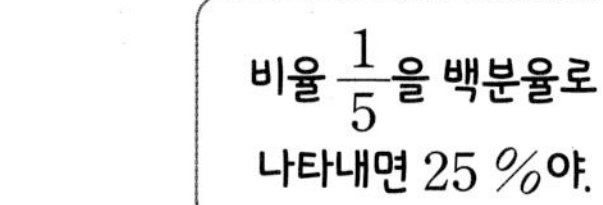

비율 $\frac{1}{5}$을 백분율로 나타내면 25 %야.

비율 $\frac{1}{20}$을 백분율로 나타내면 5 %야.

( )

13~14 서준이와 지원이는 물에 포도 원액을 넣어 포도주스를 만들었습니다. 물음에 답해 보세요.

물에 포도 원액 90 mL를 넣어 포도주스 250 mL를 만들었어.

물에 포도 원액 120 mL를 넣어 포도주스 300 mL를 만들었어.

| 일상생활에서 사용되는 비율 |

13 서준이와 지원이가 만든 포도주스 양에 대한 포도 원액 양의 비율을 각각 소수로 나타내어 보세요.

중

서준 ( )

지원 ( )

| 일상생활에서 사용되는 비율 |

14 포도주스 양에 대한 포도 원액 양의 비율이 더 높은 포도주스를 만든 사람은 누구인가요?

중

( )

| 비 |

15 미영이가 비에 대하여 이야기한 것이 맞는지 틀린지 쓰고, 그 이유를 설명해 보세요.

중

2 : 13과 13 : 2는 같아.

미영

( )

이유

| 비율 | 서술형

16 중 비율이 낮은 것부터 차례로 기호를 쓰려고 합니다. 풀이 과정을 쓰고, 답을 구해 보세요.

㉠ 22 : 25
㉡ 24에 대한 18의 비
㉢ 4와 5의 비

풀이

답

| 백분율의 활용 |

17 중 신혜는 정가가 6000원인 모자를 4800원에 샀습니다. 모자의 정가에 대한 할인된 금액의 비율은 몇 %인가요?

(　　　　　　　)

| 백분율의 활용 |

18 상 우유 1000 mL 중에서 태연이가 180 mL를 마셨고, 수영이가 320 mL를 마셨습니다. 남은 우유 양은 처음 우유 양의 몇 %인가요?

(　　　　　　　)

| 일상생활에서 사용되는 비율 | 서술형

19 상 서현이와 태현이는 축구를 하고 있습니다. 서현이는 공을 25번 차서 18번 골을 넣었고, 태현이는 공을 20번 차서 14번 골을 넣었습니다. 서현이와 태현이 중에서 축구공을 찬 횟수에 대한 골을 넣은 횟수의 비율이 더 높은 사람은 누구인지 풀이 과정을 쓰고, 답을 구해 보세요.

풀이

답

| 백분율 | 서술형

20 상 넓이가 180 cm^2인 직사각형이 있습니다. 이 직사각형의 가로가 15 cm일 때, 가로에 대한 세로의 비율은 몇 %인지 구하려고 합니다. 풀이 과정을 쓰고, 답을 구해 보세요.

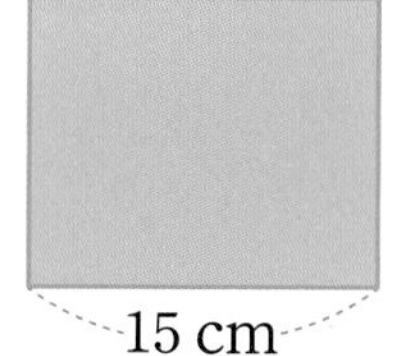

풀이

답

| 두 양의 크기 비교 |

01 머리핀 수와 빗 수를 비교하려고 합니다. □ 안에 알맞은 수를 써넣으세요.

하

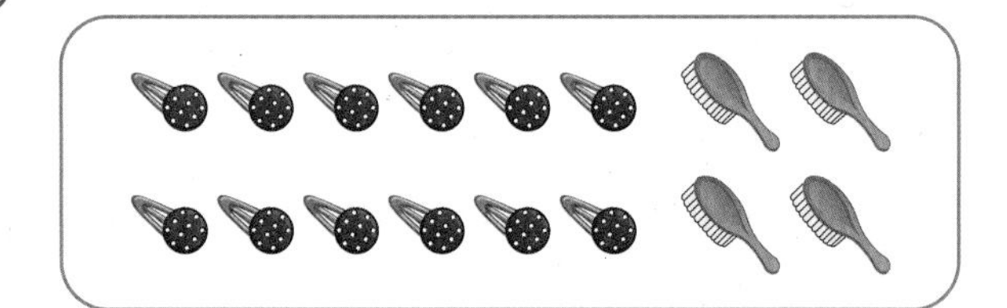

(1) 머리핀은 빗보다 □개 더 많습니다.

(2) 머리핀 수는 빗 수의 □배입니다.

| 비 |

02 기준량과 비교하는 양을 각각 찾아 써 보세요.

하

(1) 5 : 9

기준량 (   )

비교하는 양 (   )

(2) 8에 대한 3의 비

기준량 (   )

비교하는 양 (   )

| 비율 |

03 비를 쓰고 비율로 나타내어 보세요.

17의 25에 대한 비

비	비율	
	분수	소수

| 백분율 |

04 분수로 나타낸 비율을 백분율로 나타내어 보세요.

중

(1) $\frac{1}{4}$ ➜ (   )

(2) $\frac{21}{50}$ ➜ (   )

| 두 양의 크기 비교 |

05 빵집에서 도넛 3개와 쿠키 12개를 상자에 넣어 판매하고 있습니다. 도넛 수와 쿠키 수를 바르게 비교한 사람은 누구인가요?

(   )

| 비 |

06 세미는 전체 쪽수가 50쪽인 동화책 중에서 33쪽을 읽었습니다. 전체 쪽수에 대한 읽은 쪽수의 비를 써 보세요.

중

(   )

| 비 |

07 어느 과일 가게에 있는 과일 수를 나타낸 것입니다. 사과 수의 전체 과일 수에 대한 비를 써 보세요.

중

종류	사과	배	귤
과일 수(개)	25	22	30

(   )

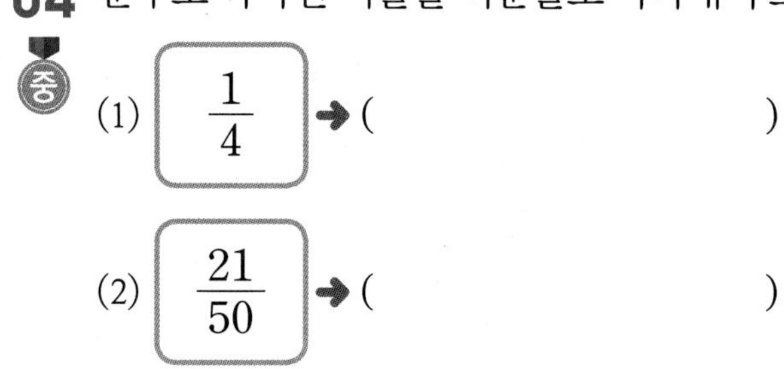

평가한 날 월 일

점수

| 비 |

08 그림을 보고 ㉡에 대한 ㉠의 비를 써 보세요.

중

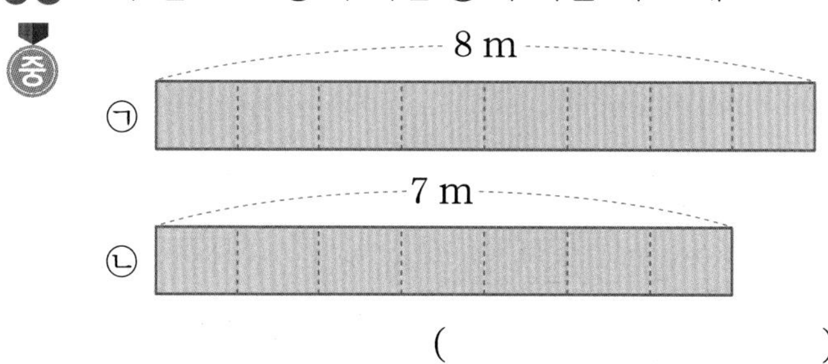

( )

| 비 |

09 비교하는 양을 나타내는 수가 다른 하나를 찾아 기호를 써 보세요.

중

㉠ 3 : 7
㉡ 3과 7의 비
㉢ 7에 대한 3의 비
㉣ 7의 3에 대한 비

( )

10~11 동전 한 개를 10번 던져서 나온 면이 그림 면인지, 숫자 면인지 나타낸 표입니다. 물음에 답해 보세요.

회차	1회	2회	3회	4회	5회
나온 면	그림	숫자	그림	숫자	그림
회차	6회	7회	8회	9회	10회
나온 면	숫자	그림	숫자	숫자	숫자

| 비율 |

10 동전을 던진 횟수에 대한 그림 면이 나온 횟수의 비를 써 보세요.

중

( )

| 비율 |

11 동전을 던진 횟수에 대한 그림 면이 나온 횟수의 비율을 분수와 소수로 각각 나타내어 보세요.

중

분수 ( )

소수 ( )

| 일상생활에서 사용되는 비율 |

12 일정한 빠르기로 달리는 두 자동차가 있습니다. 빨간색 자동차와 파란색 자동차의 걸린 시간에 대한 간 거리의 비율을 비교하면 어느 자동차가 더 빠른가요?

중

간 거리: 180 km
걸린 시간: 2시간

간 거리: 285 km
걸린 시간: 3시간

( )

| 일상생활에서 사용되는 비율 |

13 규호는 초콜릿을 14개 먹었고, 미연이는 규호보다 6개 많이 먹었습니다. 미연이가 먹은 초콜릿 수에 대한 규호가 먹은 초콜릿 수의 비율을 소수로 나타내어 보세요.

중

( )

| 백분율 |

14 관계있는 것끼리 선으로 이어 보세요.

중

$\frac{7}{10}$ •	• 35 %
0.58 •	• 58 %
$\frac{7}{20}$ •	• 70 %

| 백분율의 활용 |

15 중

400명이 참여한 투표에서 소현이가 받은 표가 180표입니다. 전체 표 수에 대한 소현이가 받은 표 수의 비율은 몇 %인가요?

( )

| 백분율 |

16 중

비율이 가장 높은 것을 찾아 백분율로 나타내어 보세요.

52 % $\frac{3}{2}$ $\frac{8}{40}$ 1.2

( )

| 백분율의 활용 | 서술형

17 상

주머니 안에 빨간색 공 15개, 파란색 공 18개, 노란색 공 17개가 있습니다. 전체 공 수에 대한 파란색 공 수의 비율은 몇 %인지 풀이 과정을 쓰고, 답을 구해 보세요.

답

| 백분율의 활용 |

18 상

체험 학습에 참가한 학생은 모두 180명입니다. 이 중 남학생은 전체의 45 %일 때 여학생은 몇 명인가요?

( )

| 비 | 서술형

19 상

직사각형 가과 정사각형 나의 둘레의 비는 얼마인지 풀이 과정을 쓰고, 답을 구해 보세요.

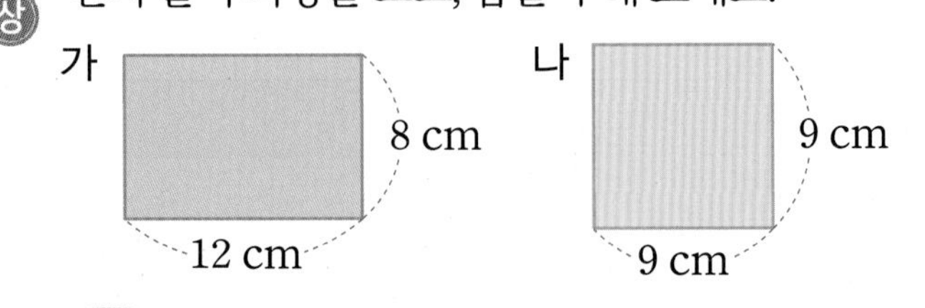

풀이

답

| 백분율의 활용 | 서술형

20 상

어느 문구점에서 어제까지 3자루에 2400원이었던 볼펜을 오늘부터 5자루에 3000원에 판매합니다. 오늘 판매하는 볼펜 한 자루의 가격은 어제 판매한 볼펜 한 자루의 가격보다 몇 % 할인된 것인지 풀이 과정을 쓰고, 답을 구해 보세요.

풀이

답

연습 서술형 평가 | 4. 비와 비율

정답 및 풀이 | 116쪽

평가한 날 월 일

점수

❶ 보리와 쌀의 무게를 뺄셈으로 비교하기

❷ 보리와 쌀의 무게를 나눗셈으로 비교하기

01 보리와 쌀의 무게를 두 가지 방법으로 비교해 보세요.

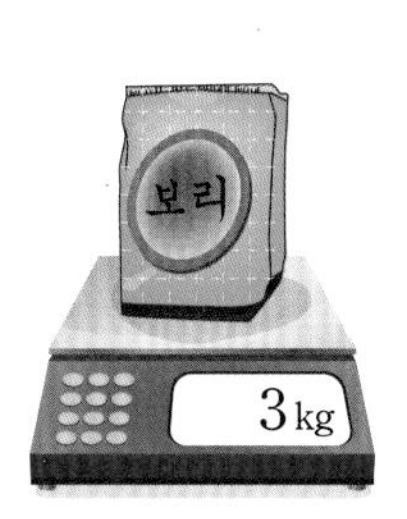

답

Tip

❶ 전체 색연필 수 구하기

❷ 전체 색연필 수에 대한 파란색 색연필 수의 비 구하기

02 연필꽂이에 빨간색 색연필이 7자루, 파란색 색연필이 4자루 꽂혀 있습니다. 전체 색연필 수에 대한 파란색 색연필 수의 비는 얼마인지 풀이 과정을 쓰고, 답을 구해 보세요.

풀이

답

Tip

① 직사각형 가의 가로에 대한 세로의 비율 구하기

② 직사각형 나의 가로에 대한 세로의 비율 구하기

③ 두 직사각형의 가로에 대한 세로의 비율 비교하기

03 두 직사각형 가, 나의 가로에 대한 세로의 비율을 비교하려고 합니다. 풀이 과정을 쓰고, 답을 구해 보세요.

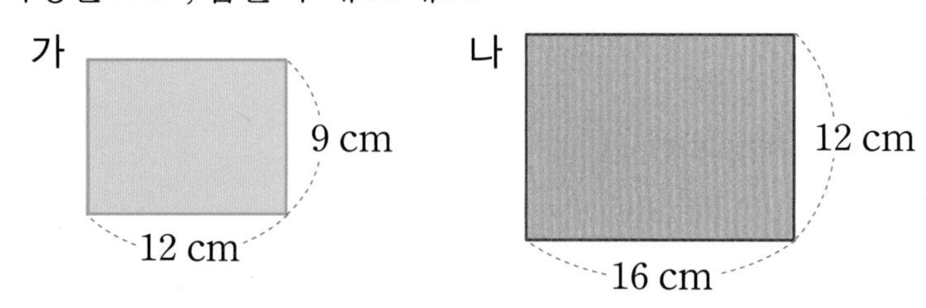

풀이

답

Tip

① 현수의 농구공을 던진 횟수에 대한 골을 넣은 횟수의 비율 구하기

② 지우의 농구공을 던진 횟수에 대한 골을 넣은 횟수의 비율 구하기

③ 시합에서 이긴 사람 구하기

04 현수, 지우, 윤호가 농구 연습을 하였습니다. 농구공을 던진 횟수에 대한 골을 넣은 횟수의 비율이 가장 높은 사람이 이기는 시합을 했습니다. 시합에서 이긴 사람은 누구인지 풀이 과정을 쓰고, 답을 구해 보세요.

풀이

답

실전 서술형 평가 | 4. 비와 비율

정답 및 풀이 | 117쪽

평가한 날 월 일

점수

Tip

❶ 여학생 수 구하기

❷ 여학생 수에 대한 남학생 수의 비 구하기

01 어느 동아리의 전체 학생은 35명이고, 남학생은 19명입니다. 여학생 수에 대한 남학생 수의 비는 얼마인지 풀이 과정을 쓰고, 답을 구해 보세요.

답

Tip

❶ 소담이가 달린 전체 시간 구하기

❷ 소담이가 간 전체 거리 구하기

❸ 소담이가 달린 전체 시간에 대한 간 전체 거리의 비율 구하기

02 소담이는 처음 45초 동안 280 m를 달렸고, 이어서 35초 동안 200 m를 더 달렸습니다. 소담이가 달린 전체 시간에 대한 간 전체 거리의 비율은 얼마인지 풀이 과정을 쓰고, 답을 구해 보세요.

답

Tip

❶ 현재가 만든 소금물에 대한 소금 양의 백분율 구하기

❷ 승미가 만든 소금물에 대한 소금 양의 백분율 구하기

❸ 누가 만든 소금물이 더 진한지 구하기

03 현재와 승미가 만든 소금물 양에 대한 소금 양의 백분율을 각각 구하여 누가 만든 소금물이 더 진한지 구하려고 합니다. 풀이 과정을 쓰고, 답을 구해 보세요.

소금 40 g을 녹여
소금물 250 g을 만들었어.

소금 42 g을 녹여
소금물 300 g을 만들었어.

풀이

답 ....

Tip

❶ 어제 읽은 위인전의 쪽수 구하기

❷ 어제 읽고 남은 위인전의 쪽수 구하기

❸ 오늘 읽은 위인전의 쪽수 구하기

04 주영이는 어제 전체가 160쪽인 위인전의 0.4를 읽었고, 오늘은 나머지의 50 %를 읽었습니다. 주영이가 오늘 읽은 위인전은 몇 쪽인지 풀이 과정을 쓰고, 답을 구해 보세요.

답 ....

5단원 교과서 핵심 개념

5 여러 가지 그래프

수학 112~147쪽 수학 익힘 61~78쪽

개념 1 그림그래프

- 값이 큰 자료를 그림그래프로 나타낼 때 자료의 값을 어림하여 나타내기도 합니다.
- 지도 위에 나타낸 그림그래프에서는 자료의 값과 위치를 함께 파악할 수 있습니다.

개념 2 띠그래프

- 띠그래프: 전체에 대한 각 부분의 비율의 크기만큼 띠를 나누어 자료의 항목을 나타낸 그래프
- 띠그래프로 나타내면 전체에서 각 항목이 차지하는 비율을 한눈에 알 수 있습니다.

예 좋아하는 색깔별 학생 수

0 10 20 30 40 50 60 70 80 90 100(%)

빨간색 (40 %)	노란색 (30 %)	파란색 (20 %)	초록색 (10 %)

- 띠그래프 그리는 방법
  ① 자료를 보고 각 항목의 백분율을 구합니다.
  ② 각 항목의 백분율의 합계가 100 %가 되는지 확인합니다.
  ③ 각 항목이 차지하는 백분율의 크기만큼 선을 그어 띠를 나눕니다.
  ④ 나눈 부분에 각 항목의 내용과 백분율을 씁니다.
  ⑤ 띠그래프의 제목을 씁니다.
- 띠그래프에서 알 수 있는 내용
  ① 띠그래프의 각 항목이 차지하는 부분을 이용하여 전체에서 각 항목이 차지하는 비율을 알 수 있습니다.
  ② 각 항목의 비율과 전체 자료의 크기를 이용하여 각 항목의 수량을 알 수 있습니다.
  ③ 항목별 비율을 비교하여 여러 가지 내용을 알 수 있습니다.

개념 3 원그래프

- 원그래프: 전체에 대한 각 부분의 비율의 크기만큼 원을 나누어 자료의 항목을 나타낸 그래프

예 연주할 수 있는 악기별 학생 수

장구 (40 %), 북 (30 %), 꽹과리(15 %), 징(15 %)

0(100) 10 20 30 40 50 60 70 80 90

— 원그래프로 나타내면 전체에서 각 항목이 차지하는 비율을 한눈에 알 수 있습니다.

- 원그래프 그리는 방법
  ① 자료를 보고 각 항목의 백분율을 구합니다.
  ② 각 항목의 백분율의 합계가 100 %가 되는지 확인합니다.
  ③ 각 항목이 차지하는 백분율의 크기만큼 선을 그어 원을 나눕니다.
  ④ 나눈 부분에 각 항목의 내용과 백분율을 씁니다.
  ⑤ 원그래프의 제목을 씁니다.
- 원그래프에서 알 수 있는 내용
  ① 원그래프의 각 항목이 차지하는 부분을 이용하여 전체에서 각 항목이 차지하는 비율을 알 수 있습니다.
  ② 각 항목의 비율과 전체 자료의 크기를 이용하여 각 항목의 수량을 알 수 있습니다.
  ③ 항목별 비율을 비교하여 여러 가지 내용을 알 수 있습니다.

개념 4 목적에 맞는 그래프로 나타내기

- 항목별 수량을 비교하기 ➔ 그림그래프, 막대그래프
- 시간의 흐름에 따른 변화를 나타내기
  ➔ 꺾은선그래프
- 전체에서 각 항목이 차지하는 비율을 비교하기
  ➔ 띠그래프, 원그래프

5. 여러 가지 그래프 | 그림그래프

정답 및 풀이 | 118쪽

평가한 날 월 일

점수

01~05 마을별 염소 수를 조사하여 나타낸 그래프입니다. ☐ 안에 알맞은 수나 말을 써넣으세요.

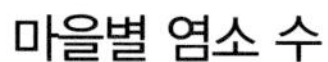

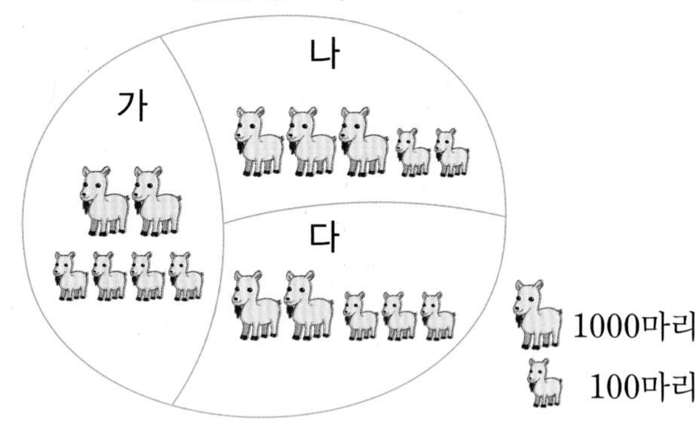

01 위와 같은 그래프를 ☐라고 합니다.

02 (큰 그림)은 ☐마리, (작은 그림)은 ☐마리를 나타냅니다.

03 가 마을은 (큰 그림)가 ☐개, (작은 그림)가 ☐개이므로 ☐마리입니다.

04 다 마을은 (큰 그림)가 ☐개, (작은 그림)가 ☐개이므로 ☐마리입니다.

05 염소 수가 가장 많은 마을은 ☐ 마을입니다.

06~10 어느 지역의 종류별 병원 수를 조사하여 나타낸 표입니다. 물음에 답해 보세요.

종류별 병원 수

종류	내과	외과	피부과	안과	합계
병원 수(개)	340	280		150	940

06 피부과 수는 몇 개인가요?

( )

07 표를 보고 그림그래프로 나타내어 보세요.

종류별 병원 수

종류	병원 수
내과	
외과	
피부과	
안과	

(큰 그림) 100개
(작은 그림) 10개

08 병원 수가 가장 적은 종류는 무엇인가요?

( )

09 병원 수가 적은 종류부터 차례로 써 보세요.

( )

10 병원 수가 가장 많은 종류와 가장 적은 종류의 병원 수의 차는 몇 개인가요?

( )

5. 여러 가지 그래프 | 띠그래프

평가한 날 월 일

점수

정답 및 풀이 | 118쪽

01~05 현수네 반 학생들의 혈액형을 조사하여 나타낸 표입니다. 물음에 답해 보세요.

혈액형별 학생 수

혈액형	A형	B형	O형	AB형	합계
학생 수(명)	14	6	12	8	40
백분율(%)	35	15			

01 전체 학생 수에 대한 혈액형별 학생 수의 백분율을 구하여 위의 표를 완성해 보세요.

02 표를 보고 띠그래프의 □ 안에 알맞은 수를 써넣으세요.

혈액형별 학생 수

0 10 20 30 40 50 60 70 80 90 100(%)

A형 (35 %) | O형 (□ %) | | B형 (15 %)

AB형(□ %)

03 띠그래프에서 띠 전체는 몇 %인가요?

(　　　　)

04 혈액형별 학생 수가 전체 학생 수의 30 %인 혈액형은 무엇인가요?

(　　　　)

05 현수네 반 학생들 중 A형 또는 B형인 학생 수는 전체 학생 수의 몇 %인가요?

(　　　　)

06~10 다경이네 학교 6학년 학생들이 태어난 계절을 조사하여 나타낸 띠그래프입니다. 물음에 답해 보세요.

계절별 태어난 학생 수

0 10 20 30 40 50 60 70 80 90 100(%)

봄 (40 %) | 가을 | 겨울 (20 %) | 여름 (15 %)

06 봄에 태어난 학생 수는 전체 학생 수의 몇 %인가요?

(　　　　)

07 가을에 태어난 학생 수는 전체 학생 수의 몇 %인가요?

(　　　　)

08 가장 적은 학생들이 태어난 계절은 무엇인가요?

(　　　　)

09 가을과 여름에 태어난 학생 수의 비율은 겨울에 태어난 학생 수의 비율의 몇 배인가요?

(　　　　)

10 다경이네 학교 6학년 학생이 300명이라면 가을에 태어난 학생은 몇 명인가요?

(　　　　)

정답 및 풀이 | 118쪽

평가한 날 월 일

점수

01~06 정혁이네 농장에 있는 동물 수를 조사하여 나타낸 표입니다. 물음에 답해 보세요.

종류별 동물 수

종류	돼지	닭	오리	기타	합계
동물 수(마리)	88	32	24	16	160
백분율(%)					

01 전체 동물 수에 대한 종류별 동물 수의 백분율을 구하여 위의 표를 완성해 보세요.

02 표를 보고 백분율을 이용하여 원그래프로 나타내어 보세요.

종류별 동물 수

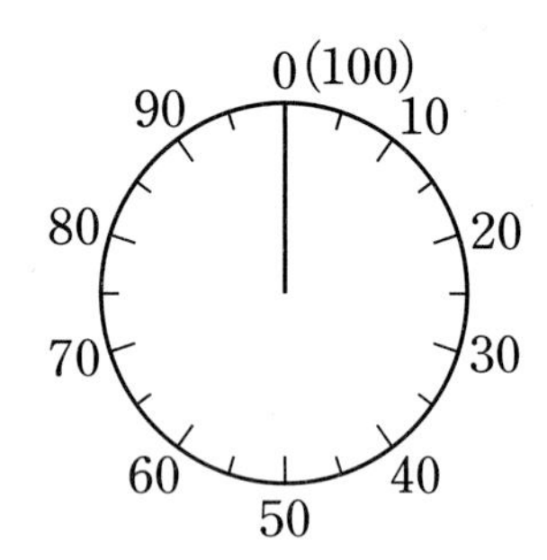

03 비율이 15 %인 동물은 ☐입니다.

04 가장 많은 동물은 ☐입니다.

05 전체 동물 수의 $\frac{1}{5}$만큼을 차지하는 동물은 ☐입니다.

06 02의 원그래프를 보고 알 수 있는 내용을 두 가지 써 보세요.

07~08 혜진이네 학교 6학년 학생들이 등교하는 방법을 조사하여 나타낸 원그래프입니다. ☐ 안에 알맞은 수를 써넣으세요.

등교 방법별 학생 수

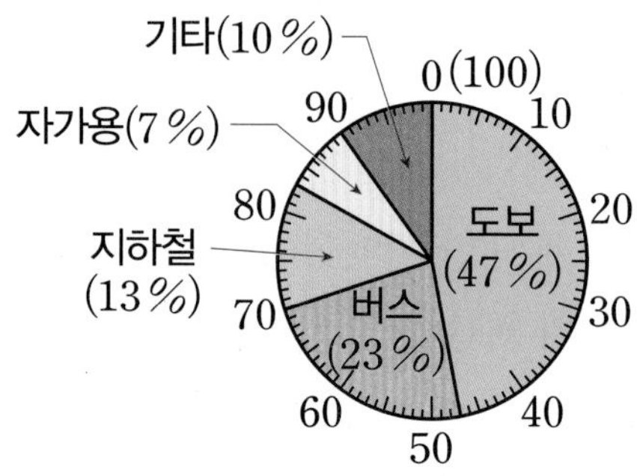

07 버스 또는 지하철로 등교하는 학생 수는 전체 학생 수의 ☐ %입니다.

08 혜진이네 학교 6학년 학생이 300명이라면 도보로 등교하는 학생은 ☐명입니다.

09~10 보검이네 학교 학생 600명의 남학생과 여학생의 비율과 남학생이 좋아하는 운동을 조사하여 나타낸 원그래프입니다. ☐ 안에 알맞은 수를 써넣으세요.

남학생과 여학생의 비율 / 남학생이 좋아하는 운동

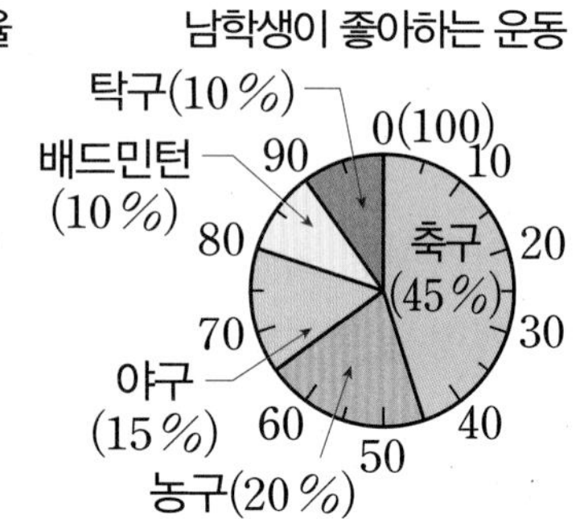

09 남학생은 모두 ☐명입니다.

10 농구를 좋아하는 남학생은 ☐명입니다.

5. 여러 가지 그래프 | 목적에 맞는 그래프로 나타내기

정답 및 풀이 | 119쪽

평가한 날 월 일

점수

01~05 어느 마을별 감자 생산량을 조사하여 나타낸 표입니다. 물음에 답해 보세요.

마을별 감자 생산량

마을	가	나	다	라	합계
생산량(kg)	2800	2000	2200	3000	10000
백분율(%)	28				100

01 전체 감자 생산량에 대한 마을별 감자 생산량의 백분율을 구하여 위의 표를 완성해 보세요.

02 표를 보고 그림그래프로 나타내어 보세요.

마을별 감자 생산량

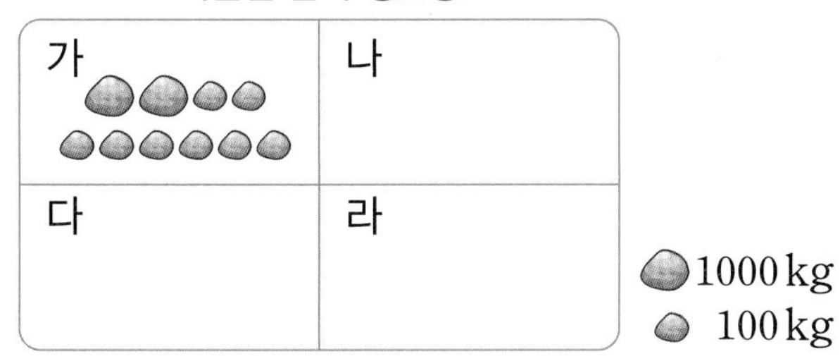

03 표를 보고 막대그래프로 나타내어 보세요.

마을별 감자 생산량

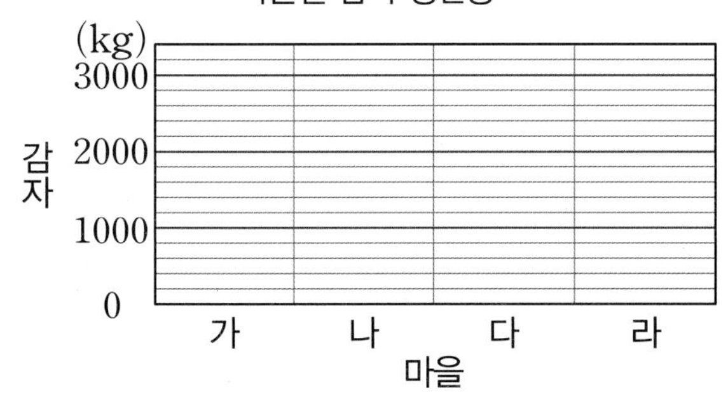

04 표를 보고 백분율을 이용하여 띠그래프로 나타내어 보세요.

마을별 감자 생산량

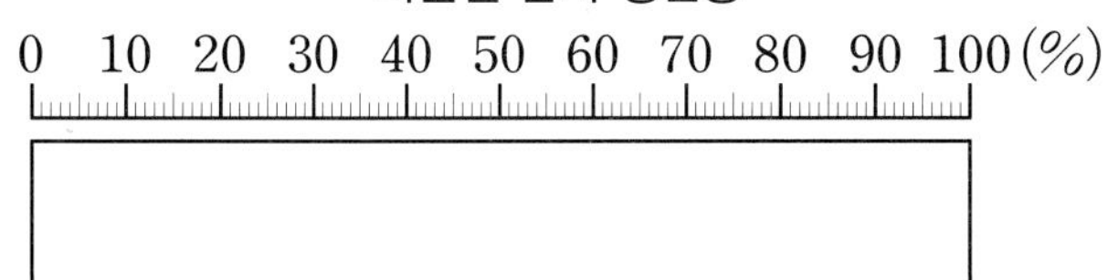

05 그림의 크기로 수량의 많고 적음을 쉽게 알 수 있는 그래프는 무엇인가요?

( )

06~08 보름이네 학교 학생들이 좋아하는 꽃을 조사하여 나타낸 그림그래프입니다. 물음에 답해 보세요.

좋아하는 꽃별 학생 수

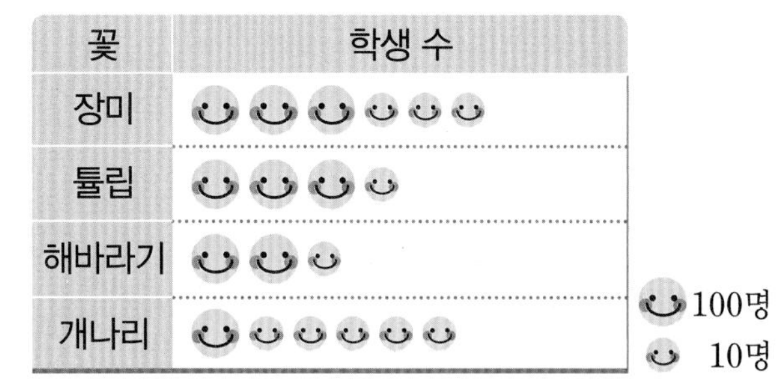

06 전체 학생 수는 [ ]명입니다.

07 전체 학생 수에 대한 좋아하는 꽃별 학생 수의 백분율을 구하여 원그래프로 나타내어 보세요.

좋아하는 꽃별 학생 수

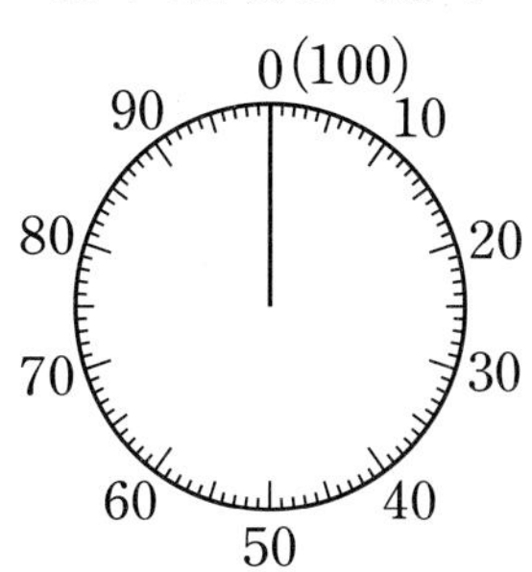

08 그림그래프를 원그래프로 나타내었을 때 어떤 점이 더 편리한지 써 보세요.

09 어느 도시의 월별 출생아 수를 그래프로 나타낼 때 그림그래프와 꺾은선그래프 중 알맞은 그래프는 무엇인가요?

( )

10 보기 에서 전체에 대한 각 부분의 비율을 이용하여 그리는 그래프를 찾아 기호를 써 보세요.

보기
㉠ 꺾은선그래프 ㉡ 띠그래프

( )

기본 단원 평가 | 5. 여러 가지 그래프

01~04 어느 어린이 도서관에 있는 책을 조사하여 나타낸 표입니다. 물음에 답해 보세요.

종류별 책 수

종류	동화책	소설책	위인전
책 수(권)	1240	1357	1076
어림한 값(권)			

| 그림그래프 |

01 책 수를 반올림하여 백의 자리까지 나타내어 위의 표를 완성해 보세요.
하

| 그림그래프 |

02 어림한 값을 이용하여 그림그래프로 나타내어 보세요.
하

종류별 책 수

종류	책 수
동화책	
소설책	
위인전	

1000권
100권

| 그림그래프 |

03 책의 수가 적은 종류부터 차례로 써 보세요.

하

( )

| 그림그래프 |

04 종류별 책 수를 표로 나타내는 것보다 그림그래프로 나타내면 어떤 점이 좋은지 써 보세요.
하

05~07 로운이네 학교 6학년 학생들의 장래 희망을 조사하여 나타낸 표입니다. 물음에 답해 보세요.

장래 희망별 학생 수

장래 희망	가수	선생님	과학자	기타	합계
학생 수(명)	70	50	60	20	200
백분율(%)					

| 띠그래프 |

05 전체 학생 수에 대한 장래 희망별 학생 수의 백분율을 구하여 위의 표를 완성해 보세요.
중

| 띠그래프 |

06 표를 보고 백분율을 이용하여 띠그래프로 나타내어 보세요.
중

장래 희망별 학생 수

0 10 20 30 40 50 60 70 80 90 100(%)

| 띠그래프 |

07 장래 희망이 가수 또는 선생님인 학생 수는 전체 학생 수의 몇 %인가요?
중

( )

| 목적에 맞는 그래프로 나타내기 |

08 마을별 오징어 어획량을 그래프로 나타낼 때 그림그래프, 꺾은선그래프, 띠그래프 중 가장 알맞은 그래프는 무엇인가요?
중

( )

평가한 날 월 일

점수

09~11 가인이네 반 학생들이 좋아하는 채소를 조사하여 나타낸 표입니다. 물음에 답해 보세요.

좋아하는 채소별 학생 수

채소	시금치	당근	버섯	가지	합계
학생 수(명)	9	5	7	4	25
백분율(%)					

| 원그래프 |

09 전체 학생 수에 대한 좋아하는 채소별 학생 수의 백분율을 구하여 위의 표를 완성해 보세요.

중

| 원그래프 |

10 표를 보고 백분율을 이용하여 원그래프로 나타내어 보세요.

중

좋아하는 채소별 학생 수

| 원그래프 |

11 10의 원그래프를 보고 잘못 설명한 사람의 이름을 써 보세요.

중

전체 학생 수의 $\frac{1}{5}$만큼이 좋아하는 채소는 버섯이야.
동건
가장 많은 학생들이 좋아하는 채소는 시금치야.
가인

( )

12~15 현정이네 학교 6학년 학생들의 멀리뛰기 등급을 조사하여 나타낸 띠그래프입니다. 물음에 답해 보세요.

멀리뛰기 등급별 학생 수

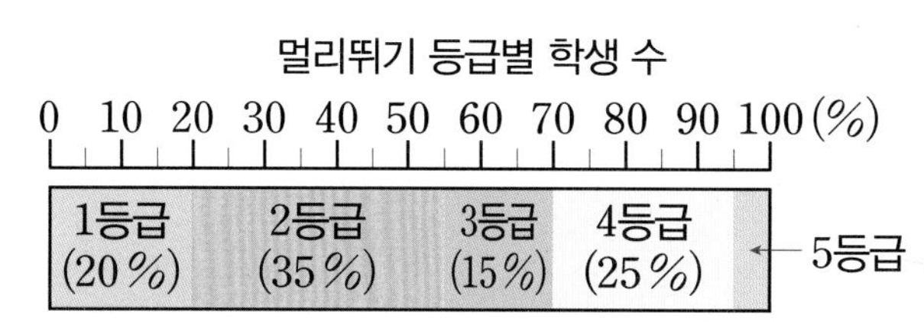

| 띠그래프 |

12 멀리뛰기 등급 중 5등급인 학생 수는 전체 학생 수의 몇 %인가요?

중

( )

| 띠그래프 |

13 멀리뛰기 등급 중 가장 낮은 비율을 차지하는 항목은 무엇인가요?

중

( )

| 띠그래프 |

14 1등급인 학생 수는 5등급인 학생 수의 몇 배인가요?

중

( )

| 띠그래프 | 서술형

15 현정이네 학교 6학년 학생이 200명이라면 멀리뛰기 등급이 3등급 또는 4등급인 학생은 몇 명인지 풀이 과정을 쓰고, 답을 구해 보세요.

중

답

16~18 지환이네 반 학생들이 좋아하는 과목을 조사하여 나타낸 원그래프입니다. 사회를 좋아하는 학생이 2명일 때, 물음에 답해 보세요.

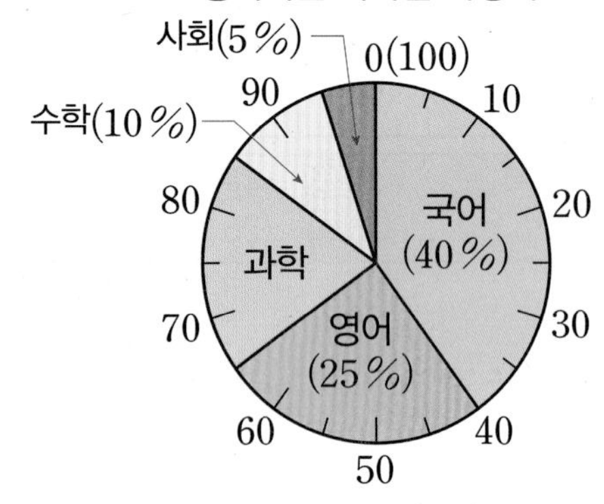

| 원그래프 |

16 과학을 좋아하는 학생 수는 전체 학생 수의 몇 %인가요? (중)

( )

| 원그래프 |

17 국어를 좋아하는 학생 수는 사회를 좋아하는 학생 수의 몇 배인가요? (중)

( )

| 원그래프 | 서술형

18 과학을 좋아하는 학생은 몇 명인지 풀이 과정을 쓰고, 답을 구해 보세요. (상)

풀이

답

19~20 우주네 학교 6학년 학생들이 여가 시간에 하고 싶은 일을 조사하여 나타낸 띠그래프와 영화감상을 하고 싶은 학생들이 보고 싶은 영화 장르를 조사하여 나타낸 원그래프입니다. 물음에 답해 보세요.

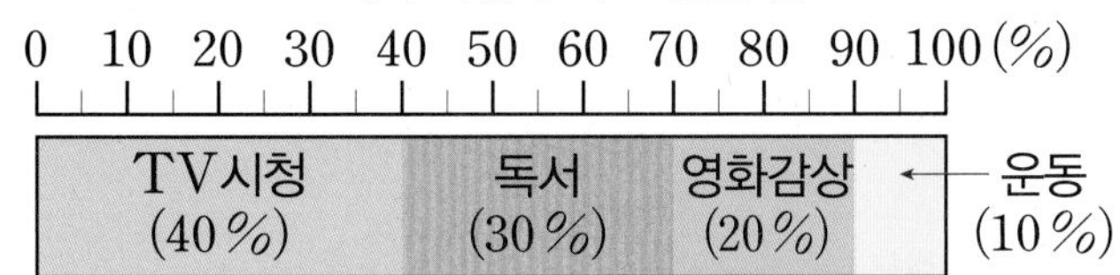

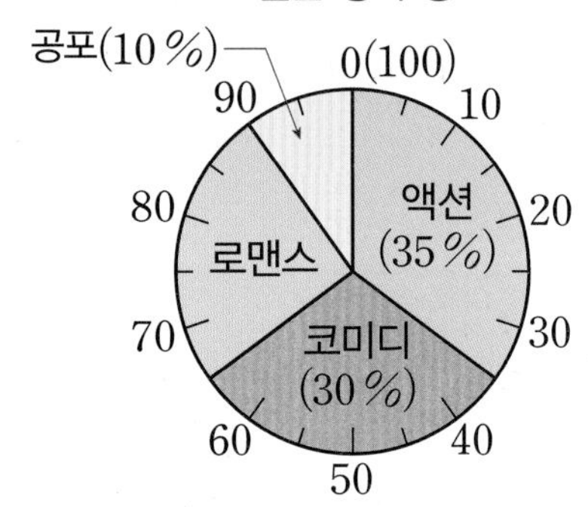

| 띠그래프 |

19 띠그래프에서 TV 시청을 나타내는 부분의 길이가 28 mm라면 띠그래프의 전체 길이는 몇 cm인가요? (상)

( )

| 띠그래프, 원그래프 | 서술형

20 우주네 학교 6학년 학생이 300명이라면 여가 시간에 로맨스 영화를 보고 싶은 학생은 몇 명인지 풀이 과정을 쓰고, 답을 구해 보세요. (상)

풀이

답

실력 단원 평가 | 5. 여러 가지 그래프

정답 및 풀이 | 121쪽

평가한 날 월 일

점수

01~02 각각의 목적에 맞는 그래프를 보기에서 찾아 □ 안에 기호를 써넣으세요.

보기

㉠ 그림그래프　㉡ 막대그래프
㉢ 꺾은선그래프　㉣ 원그래프

| 목적에 맞는 그래프로 나타내기 |

01 (하) 마을별 쓰레기 배출량의 비율을 나타내기에 알맞은 그래프는 □입니다.

| 목적에 맞는 그래프로 나타내기 |

02 (하) 강낭콩의 1년 동안 키의 변화를 나타내기에 알맞은 그래프는 □입니다.

03~04 공장별 인형 생산량을 조사하여 나타낸 그림그래프입니다. 물음에 답해 보세요.

공장별 인형 생산량

공장	생산량
가	
나	
다	

| 그림그래프 |

03 (하) 나 공장의 인형 생산량은 다 공장의 인형 생산량의 몇 배인가요?

(　　　　　)

| 그림그래프 |

04 (중) 세 공장에서 생산한 인형을 모아 한 상자에 10개씩 똑같이 나누어 담으려고 합니다. 상자는 모두 몇 개 필요한가요?

(　　　　　)

05~08 민기네 집의 한 달 생활비의 쓰임새를 조사하여 나타낸 띠그래프입니다. 기타에 쓰인 생활비가 20만 원일 때, 물음에 답해 보세요.

한 달 생활비의 쓰임새

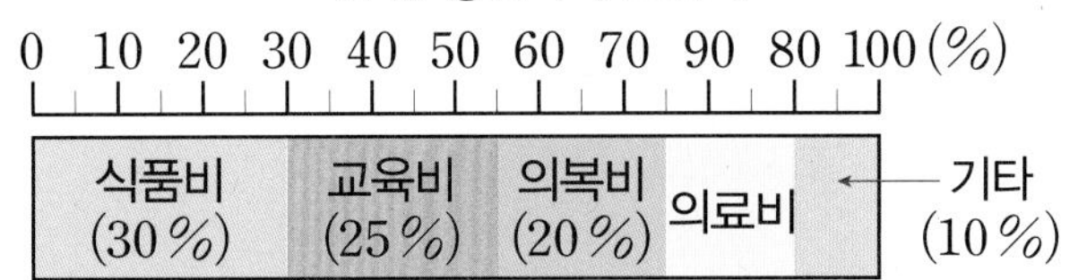

| 띠그래프 |

05 (중) 민기네 집의 한 달 생활비는 얼마인가요?

(　　　　　)

| 띠그래프 |

06 (중) 의료비는 한 달 생활비의 몇 %인가요?

(　　　　　)

| 띠그래프 |

07 (중) 의료비에 쓰인 생활비는 얼마인가요?

(　　　　　)

| 띠그래프, 원그래프 |

08 (중) 띠그래프를 보고 원그래프로 나타내어 보세요.

한 달 생활비의 쓰임새

0(100), 10, 20, 30, 40, 50, 60, 70, 80, 90

09~11 2020년 우리나라 권역별 고등학교 학생 수를 조사하여 나타낸 그림그래프입니다. 물음에 답해 보세요.

권역별 고등학교 학생 수

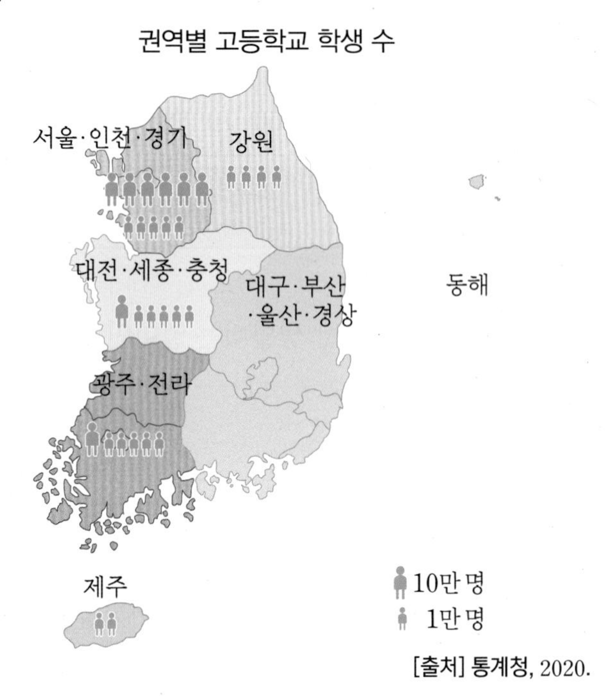

[출처] 통계청, 2020.

| 그림그래프 |

09 광주·전라 권역의 고등학교 학생은 몇 명인가요?

(　　　　　　　　)

| 그림그래프 |

10 서울·인천·경기 권역의 고등학교 학생 수와 강원 권역의 고등학교 학생 수의 합은 몇 명인가요?

(　　　　　　　　)

| 그림그래프 |

11 대구·부산·울산·경상 권역의 고등학교 학생 수는 33만 명입니다. 이 권역의 고등학교 학생 수를 그림그래프로 나타내려면 (10만 명)과 (1만 명)은 각각 몇 개로 나타내야 하나요?

(10만 명) (　　　　　　), (1만 명) (　　　　　　)

12~13 어느 가게에 있는 종류별 과자 수를 조사하여 나타낸 표입니다. 초콜릿 과자가 12개 팔리고 새우 과자를 12개 더 들여놓았을 때, 물음에 답해 보세요. (단, 감자 과자와 양파 과자 수는 변화가 없었습니다.)

종류별 과자 수

종류	감자	초콜릿	새우	양파	합계
과자 수(개)	30	54	21	45	150

| 원그래프 | 서술형

12 바뀐 종류별 과자 수의 백분율을 구하는 풀이 과정을 쓰고, 답을 구해 보세요.

풀이

답 감자 　　, 초콜릿 　　, 새우 　　, 양파

| 원그래프 |

13 12번에서 구한 종류별 과자 수의 백분율을 이용하여 원그래프로 나타내어 보세요.

종류별 과자 수

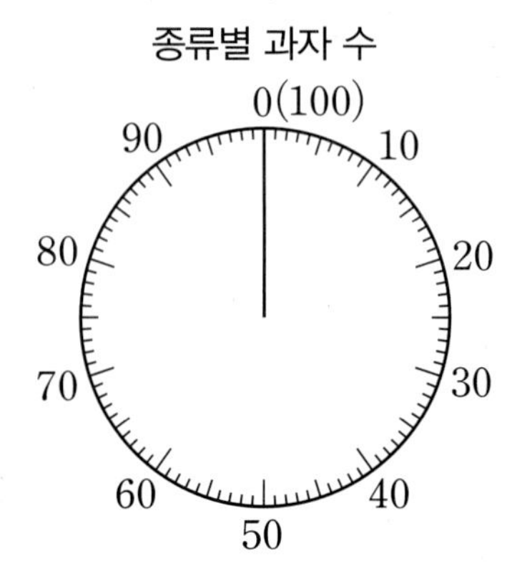

14~17 태현이네 반 학생들이 좋아하는 계절을 조사하여 나타낸 띠그래프입니다. 여름을 좋아하는 학생 수의 비율이 봄을 좋아하는 학생 수의 비율보다 15 % 더 많을 때, 물음에 답해 보세요.

좋아하는 계절별 학생 수

0 10 20 30 40 50 60 70 80 90 100(%)

	가을 (20 %)	겨울 (15 %)

| 띠그래프 | **서술형**

14 봄을 좋아하는 학생 수는 전체 학생 수의 몇 % 인지 풀이 과정을 쓰고, 답을 구해 보세요.

상

풀이

답

| 띠그래프 |

15 여름을 좋아하는 학생 수는 전체 학생 수의 몇 %인가요?

중

( )

| 띠그래프 |

16 백분율을 이용하여 위의 띠그래프를 완성해 보세요.

중

| 띠그래프 |

17 봄을 좋아하는 학생이 5명이라면 태현이네 반 전체 학생 수는 몇 명인가요?

상

( )

18~20 승철이네 학교 6학년 남학생 250명과 여학생 200명이 가고 싶은 체험 학습 장소를 조사하여 나타낸 띠그래프입니다. 물음에 답해 보세요.

가고 싶은 체험 학습 장소

0 10 20 30 40 50 60 70 80 90 100(%)

남학생	제주도	경주 (30 %)	속초 (18 %)	← 공주
여학생	제주도 (38 %)	경주 (32 %)	속초 (25 %)	← 공주

| 띠그래프 |

18 여학생 중 공주에 가고 싶은 학생 수는 전체 학생 수의 몇 %인가요?

중

( )

| 띠그래프 |

19 남학생 중 공주에 가고 싶은 학생 수의 비율은 여학생 중 공주에 가고 싶은 학생 수의 비율의 2배입니다. 남학생 중 제주도에 가고 싶은 학생 수는 전체 학생 수의 몇 %인가요?

중

( )

| 띠그래프 | **서술형**

20 속초에 가고 싶은 학생은 남학생과 여학생 중 어느 학생이 몇 명 더 많은지 풀이 과정을 쓰고, 답을 구해 보세요.

상

답 ,

Tip

❶ 지역별 소의 수를 각각 구하여 소의 수가 가장 많은 지역과 소의 수가 가장 적은 지역 구하기

❷ 소의 수의 차 구하기

01 어느 지역의 소의 수를 조사하여 나타낸 그림그래프입니다. 소의 수가 가장 많은 지역과 가장 적은 지역의 소의 수의 차는 몇 마리인지 풀이 과정을 쓰고, 답을 구해 보세요.

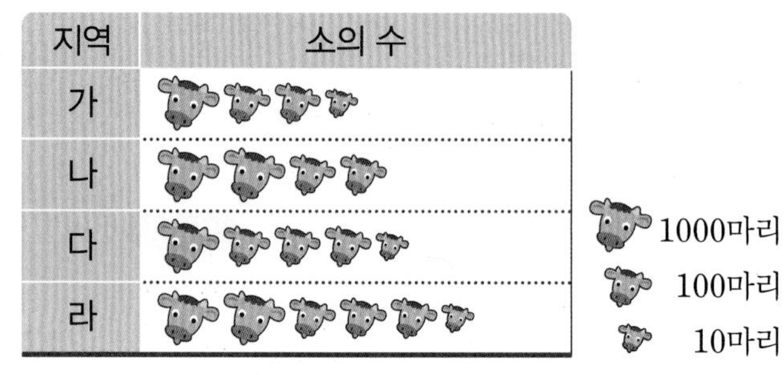

풀이

답

❶ 군것질에 쓰인 돈의 비율 구하기

❷ 군것질에 쓰인 돈 구하기

02 재호가 한 달 동안 쓴 용돈의 쓰임새를 조사하여 나타낸 띠그래프입니다. 재호의 한 달 용돈이 30000원이라면 군것질에 쓰인 돈은 얼마인지 풀이 과정을 쓰고, 답을 구해 보세요.

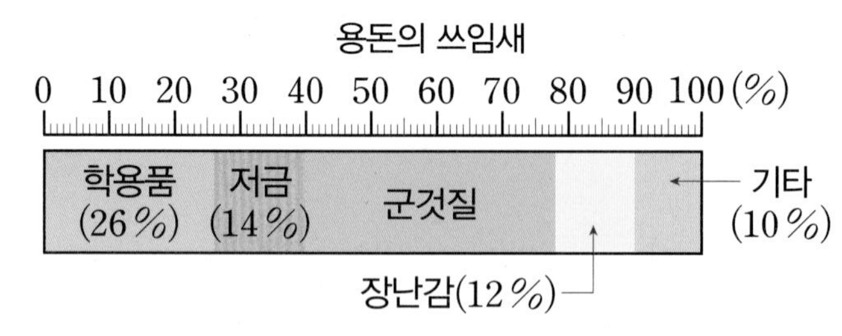

풀이

답

평가한 날 월 일

점수

Tip

❶ 6학년 학생 수 구하기

❷ 6학년 여학생 수 구하기

03 준호네 학교 학년별 학생 수와 6학년 남학생 수와 여학생 수를 조사하여 나타낸 원그래프입니다. 준호네 학교 3학년이 300명이라면 6학년 여학생은 몇 명인지 풀이 과정을 쓰고, 답을 구해 보세요.

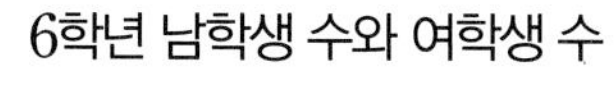

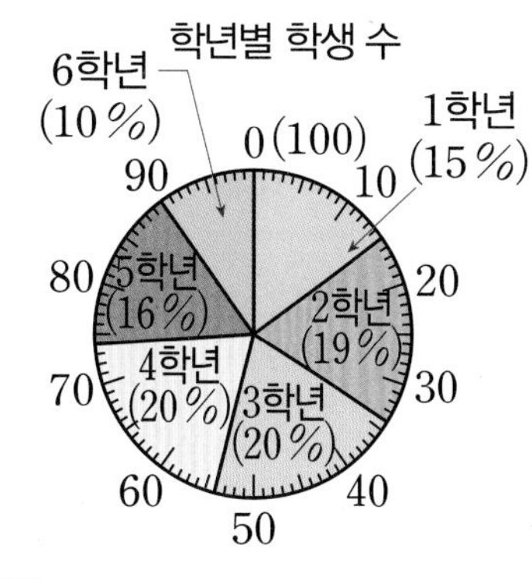

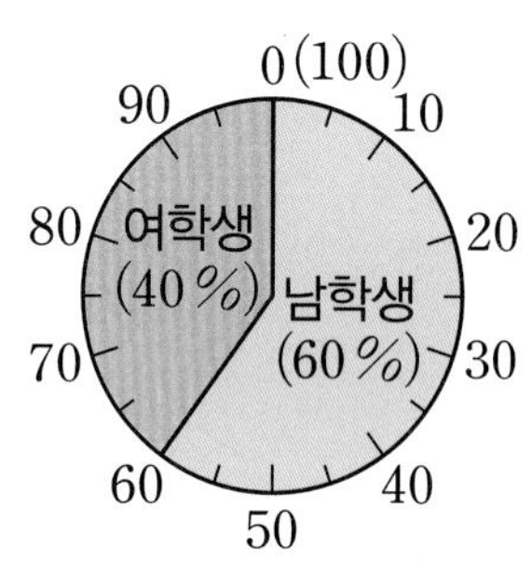

풀이

답

Tip

❶ 2018년과 2020년 제품별 판매량의 비율 비교하기

❷ 판매량의 비율이 줄어든 제품 구하기

04 어느 회사의 2018년과 2020년의 제품별 판매량의 변화를 조사하여 나타낸 띠그래프입니다. 2018년에 비해 2020년의 제품별 판매량의 비율이 줄어든 제품은 무엇인지 풀이 과정을 쓰고, 답을 구해 보세요.

제품별 판매량

	가 제품	나 제품	다 제품
2018년	15.2 %	60.2 %	24.6 %
2020년	24.6 %	45 %	30.4 %

풀이

답

❶ 나 마을과 라 마을의 감 수확량 각각 구하기

❷ 그림그래프로 완성하기

01 마을별 감 수확량을 조사하여 나타낸 표입니다. 나 마을의 감 수확량이 라 마을보다 200 kg 더 적을 때 나 마을과 라 마을의 감 수확량은 각각 몇 kg인지 풀이 과정과 답을 쓰고, 그림그래프를 완성해 보세요.

마을별 감 수확량

마을	수확량(kg)
가	900
나	
다	700
라	
합계	3000

마을별 감 수확량

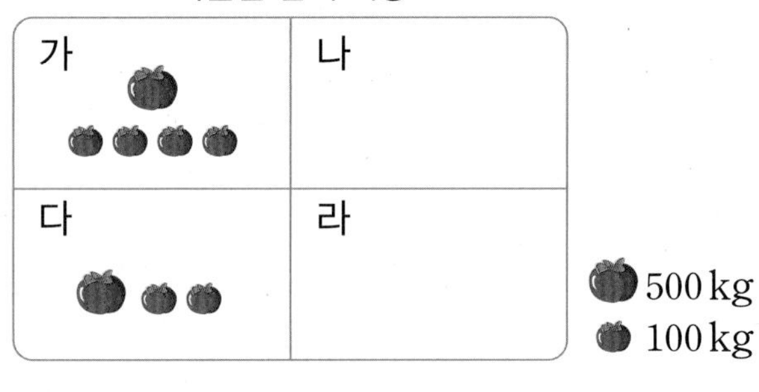

풀이

답 나 마을 , 라 마을

Tip

❶ 줄이는 찹쌀가루의 양은 전체의 몇 %인지 구하기

❷ 늘린 후 멥쌀가루의 양은 전체의 몇 %가 되는지 구하기

02 쑥떡의 재료별 양을 조사하여 나타낸 띠그래프입니다. 찹쌀가루의 양을 반으로 줄이고 줄인 찹쌀가루의 양만큼 멥쌀가루의 양을 늘리려고 합니다. 늘린 후 멥쌀가루의 양은 전체의 몇 %가 되는지 풀이 과정을 쓰고, 답을 구해 보세요.

쑥떡의 재료별 양

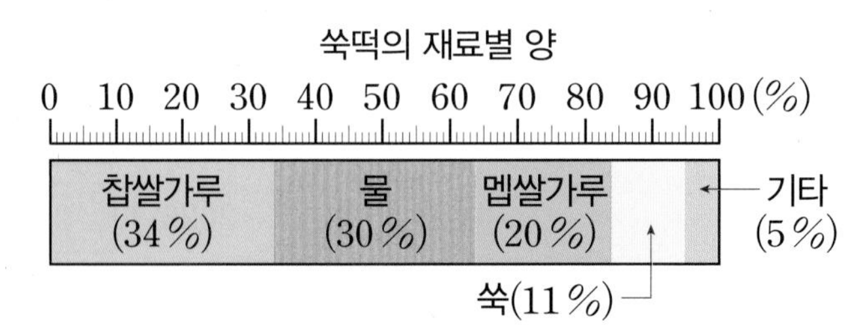

풀이

답

평가한 날 월 일

점수

❶ 밭 전체의 넓이 구하기

❷ 해바라기를 심은 밭의 넓이 구하기

03 어느 공원에 심은 꽃별 밭의 넓이를 조사하여 나타낸 원그래프입니다. 장미를 심은 밭의 넓이가 104 m^2라면 해바라기를 심은 밭의 넓이는 몇 m^2인지 풀이 과정을 쓰고, 답을 구해 보세요.

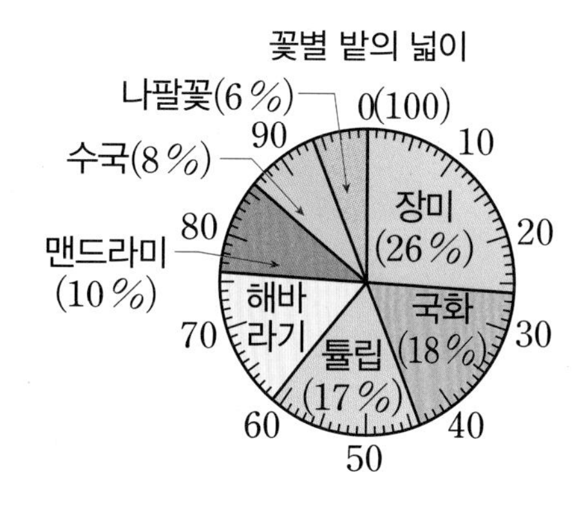

풀이

답

❶ 전기세는 전체 관리비의 몇 % 인지 구하기

❷ 전기세 구하기

04 채혁이네 집의 지난달 관리비 사용 내역을 조사하여 나타낸 띠그래프입니다. 지난달 관리비가 160000원이라면 전기세는 얼마인지 풀이 과정을 쓰고, 답을 구해 보세요.

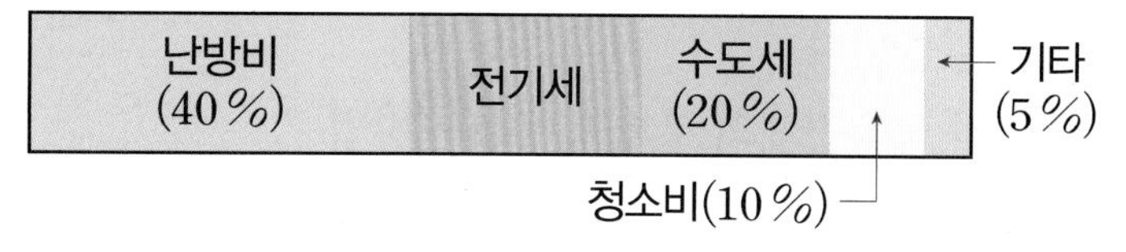

풀이

답

교과서 핵심 개념

개념 1 직육면체의 부피 비교

- 부피를 비교할 때에는 단위가 필요합니다.
- 부피를 비교할 때 같은 단위를 사용하면 어느 것의 부피가 얼마만큼 더 큰지 알 수 있습니다.

예

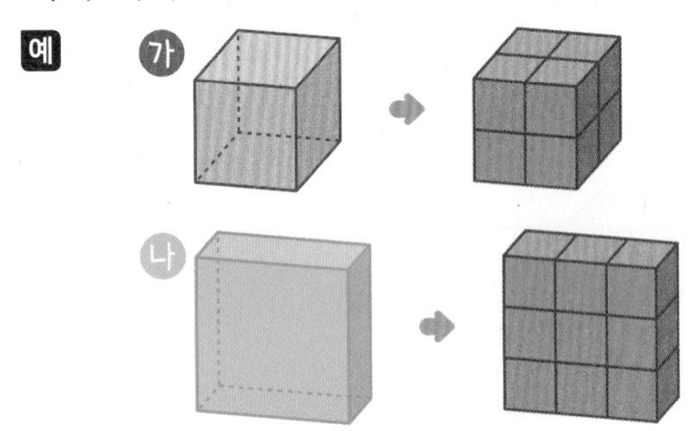

가는 작은 상자를 한 층에 4개씩 2층으로 8개를 쌓았고, 나는 작은 상자를 한 층에 3개씩 3층으로 9개를 쌓았습니다. 사용한 작은 상자의 수가 많을수록 부피가 더 큽니다.

➜ 가의 부피 $<$ 나의 부피

개념 2 직육면체의 부피

- 부피의 단위 $1\ \mathrm{cm}^3$

 부피를 나타낼 때 한 모서리의 길이가 1 cm인 정육면체의 부피를 단위로 사용할 수 있습니다. 이 정육면체의 부피를 $1\ \mathrm{cm}^3$라 쓰고, 1 세제곱센티미터라고 읽습니다.

- 직육면체와 정육면체의 부피를 구하는 방법

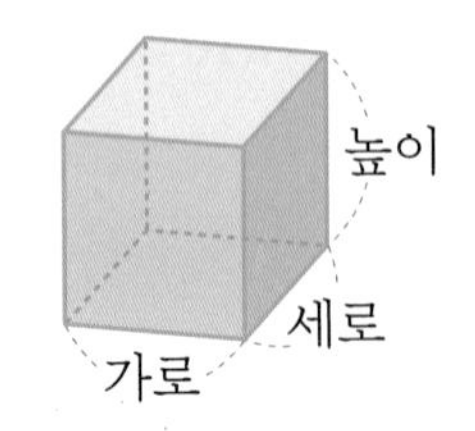

(직육면체의 부피) $=$ (가로) $\times$ (세로) $\times$ (높이)

(정육면체의 부피)

$=$ (한 모서리의 길이) $\times$ (한 모서리의 길이) $\times$ (한 모서리의 길이)

개념 3 부피의 단위 $1\ \mathrm{m}^3$

- 부피의 단위 $1\ \mathrm{m}^3$

 부피를 나타낼 때 한 모서리의 길이가 1 m인 정육면체의 부피를 단위로 사용할 수 있습니다. 이 정육면체의 부피를 $1\ \mathrm{m}^3$라 쓰고, 1 세제곱미터라고 읽습니다.

- $1\ \mathrm{cm}^3$와 $1\ \mathrm{m}^3$ 사이의 관계

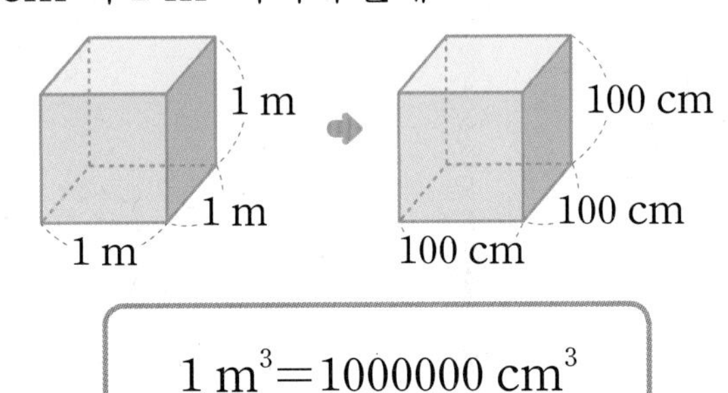

$$1\ \mathrm{m}^3 = 1000000\ \mathrm{cm}^3$$

예

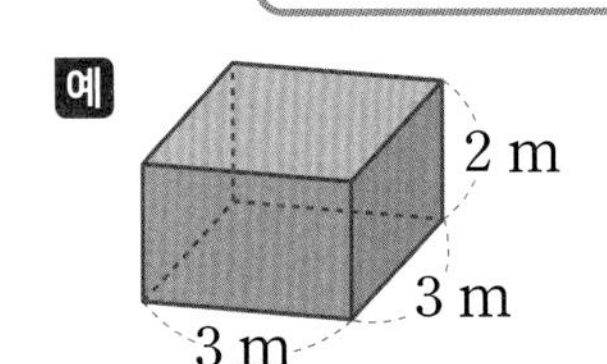

(직육면체의 부피)

$= 3 \times 3 \times 2 = 18\ (\mathrm{m}^3) = 18000000\ (\mathrm{cm}^3)$

개념 4 직육면체와 정육면체의 겉넓이

- 직육면체의 겉넓이를 구하는 방법

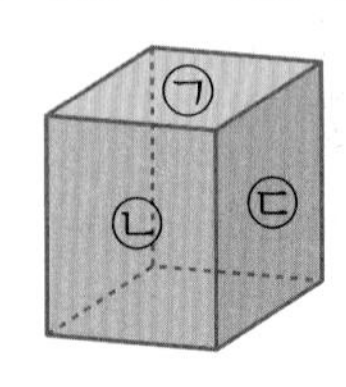

➜ (직육면체의 겉넓이)

$=$ (면 ㉠, ㉡, ㉢의 넓이의 합) $\times 2$

➜ (직육면체의 겉넓이)

$=$ (한 밑면의 넓이) $\times 2 +$ (옆면의 넓이)

- 정육면체의 겉넓이를 구하는 방법

 (정육면체의 겉넓이) $=$ (한 면의 넓이) $\times 6$

6. 직육면체의 부피와 겉넓이 | 직육면체의 부피 비교

정답 및 풀이 | 124쪽

평가한 날 월 일

점수

01~02 두 직육면체의 부피를 비교하려고 합니다. 물음에 답해 보세요.

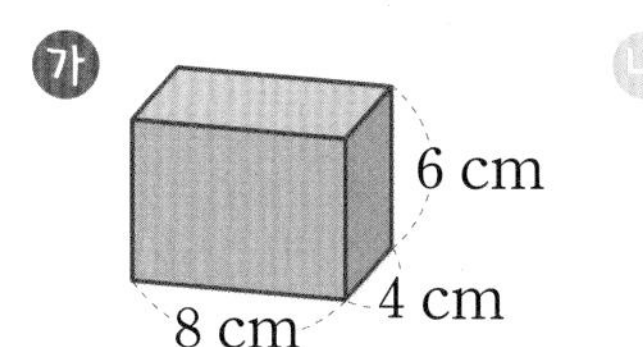

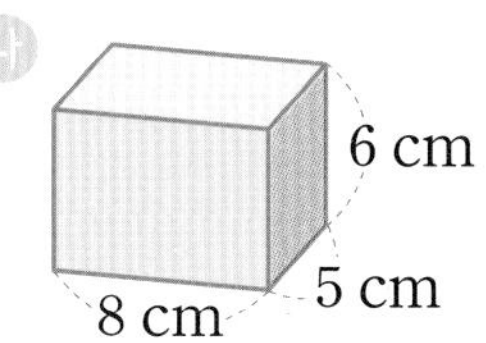

01 알맞은 말에 ○표 하세요.

> 가와 나는 밑면의 가로, 높이가 각각 같으므로 (가로, 세로, 높이)가 길수록 부피가 더 큽니다.

02 부피가 큰 직육면체의 기호를 써 보세요.

( )

03~05 직육면체 모양 두 상자에 모양과 크기가 같은 작은 상자를 담아 부피를 비교하려고 합니다. 물음에 답해 보세요.

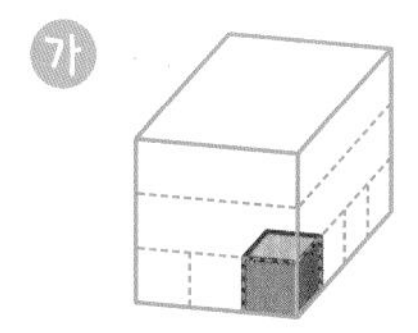

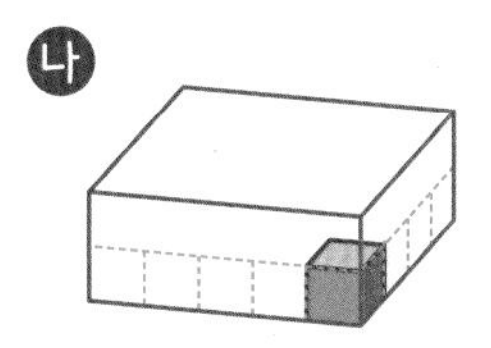

03 상자 가에 담을 수 있는 작은 상자는 몇 개인가요?

( )

04 상자 나에 담을 수 있는 작은 상자는 몇 개인가요?

( )

05 부피가 더 작은 상자의 기호를 써 보세요.

( )

06~07 크기가 같은 쌓기나무를 사용하여 두 직육면체의 부피를 비교하려고 합니다. 물음에 답해 보세요.

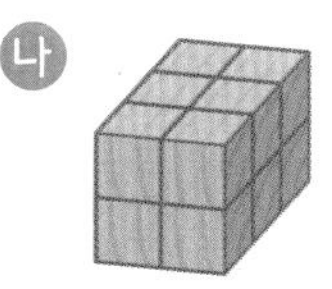

06 두 직육면체에 사용된 쌓기나무의 개수는 각각 몇 개인가요?

가 ( ), 나 ( )

07 ○ 안에 >, =, <를 알맞게 써넣으세요.

가의 부피  나의 부피

08~09 직육면체 모양의 세 상자에 모양과 크기가 같은 나무 조각을 담았습니다. 물음에 답해 보세요.

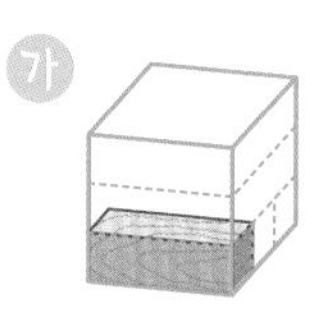

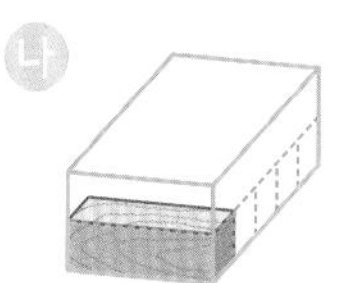

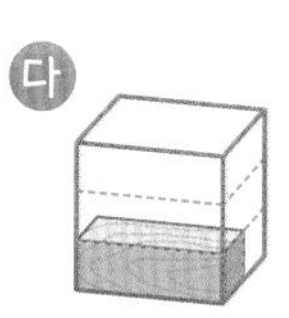

08 세 상자에 담을 수 있는 나무 조각은 각각 몇 개인가요?

가 ( )

나 ( )

다 ( )

09 나무 조각을 가장 많이 담을 수 있는 상자의 기호를 써 보세요.

( )

10 부피가 큰 직육면체부터 차례로 기호를 써 보세요.

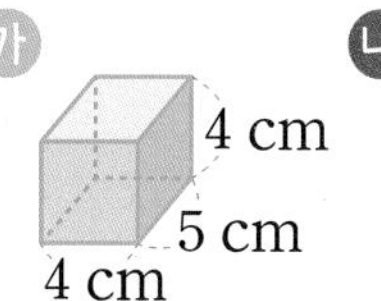

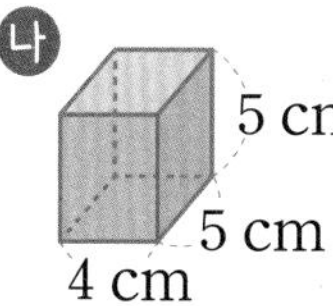

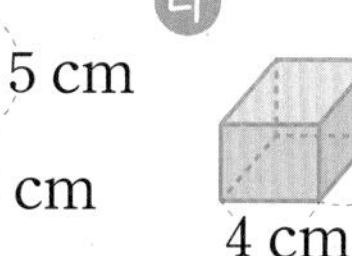

( )

6. 직육면체의 부피와 겉넓이 | 직육면체의 부피

평가한 날 월 일

점수

정답 및 풀이 | 124쪽

01 부피가 1 cm^{3}인 쌓기나무를 사용하여 부피가 45 cm^{3}인 직육면체를 만들었습니다. 이 직육면체를 만드는 데 사용한 쌓기나무는 몇 개인가요?

( )

02~04 부피가 1 cm^{3}인 쌓기나무로 두 직육면체를 만들었습니다. 물음에 답해 보세요.

가 

나 

02 사용된 쌓기나무는 각각 몇 개인가요?

가 ( )

나 ( )

03 부피는 각각 몇 cm^{3}인가요?

가 ( )

나 ( )

04 나는 가보다 부피가 몇 cm^3 더 큰가요?

( )

05 오른쪽 직육면체의 부피는 몇 cm^{3}인가요?

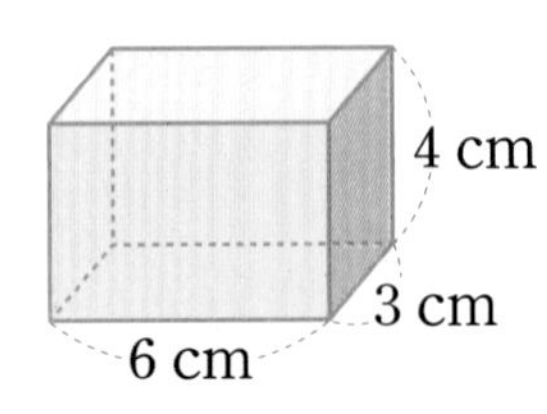

( )

06 정화는 한 모서리의 길이가 6 cm인 정육면체 모양의 주사위를 만들었습니다. 정화가 만든 주사위의 부피는 몇 cm^{3}인가요?

( )

07 한 면의 모양이 오른쪽과 같고 오른쪽 면에 수직인 모서리의 길이가 3 cm인 직육면체의 부피는 몇 cm^{3}인가요?

4 cm

4 cm

( )

08 부피가 더 큰 직육면체의 기호를 써 보세요.

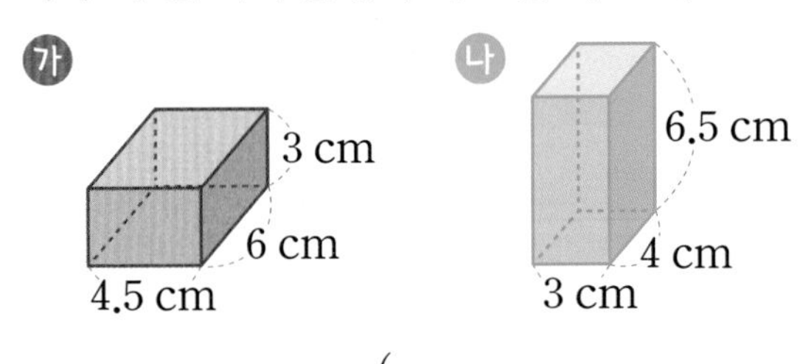

( )

09 오른쪽 직육면체의 부피가 270 cm^{3}일 때, □ 안에 알맞은 수를 써넣으세요.

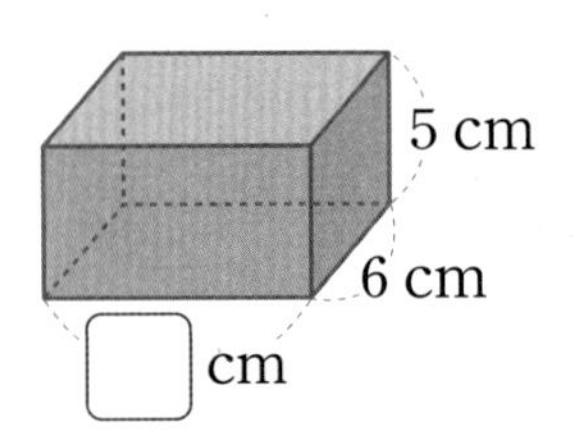

10 직육면체 가의 부피는 직육면체 나의 부피의 몇 배인가요?

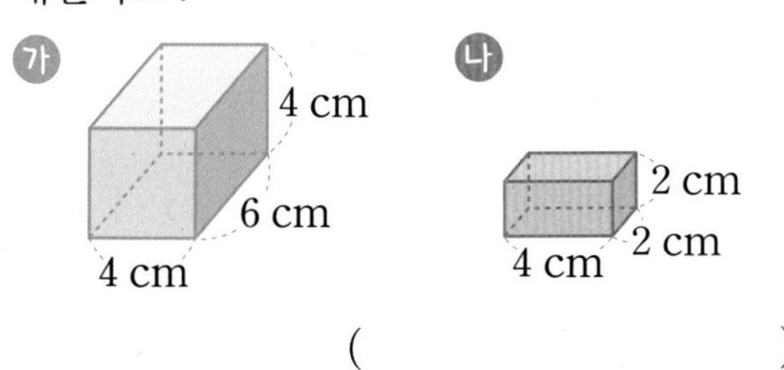

( )

6. 직육면체의 부피와 겉넓이 | 부피의 단위 1 m^3

평가한 날 월 일

점수

정답 및 풀이 | 124쪽

01~02 직육면체를 보고 물음에 답해 보세요.

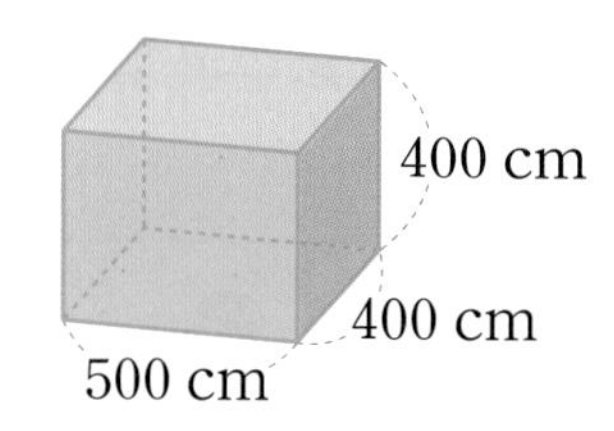

01 직육면체의 가로, 세로, 높이를 m로 나타내어 보세요.

가로 (　　　　) m

세로 (　　　　) m

높이 (　　　　) m

02 직육면체의 부피는 몇 m^3인가요?

(　　　　)

03 □ 안에 알맞은 수를 써넣으세요.

(1) $7\ m^3=$ □ cm^3

(2) $900000\ cm^3=$ □ m^3

04 정육면체의 부피는 몇 m^3인가요?

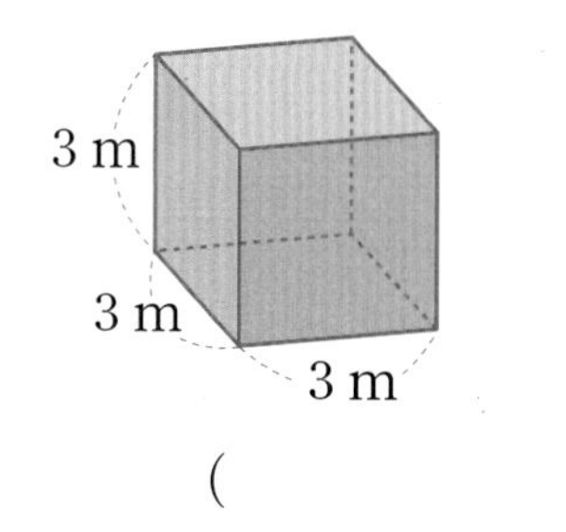

(　　　　)

05 부피가 125 m^3인 정육면체가 있습니다. 이 정육면체의 한 모서리의 길이는 몇 m인가요?

(　　　　)

06~08 직육면체의 부피는 몇 m^3인지 구해 보세요.

06

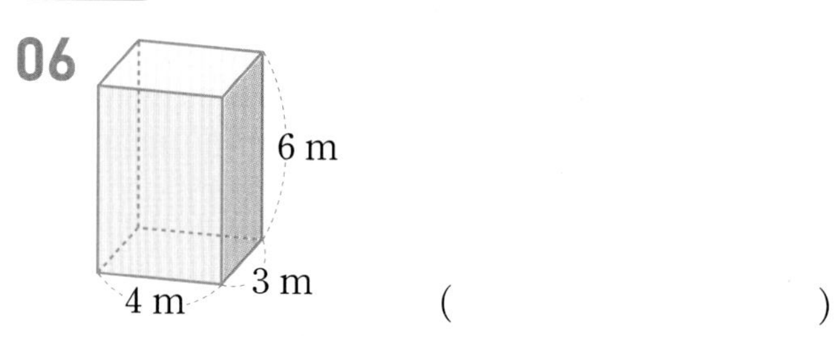

(　　　　)

07

5 m

6 m

300 cm

(　　　　)

08

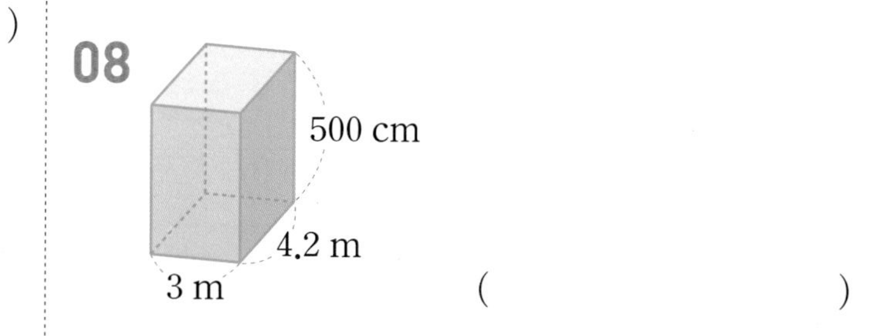

(　　　　)

09 부피가 더 큰 것의 기호를 써 보세요.

> ㉮ 가로가 7 m, 세로가 4 m, 높이가 2 m인 직육면체
>
> ㉯ 한 모서리의 길이가 400 cm인 정육면체

(　　　　)

10 오른쪽 직육면체의 부피를 m^3와 cm^3로 각각 나타내어 보세요.

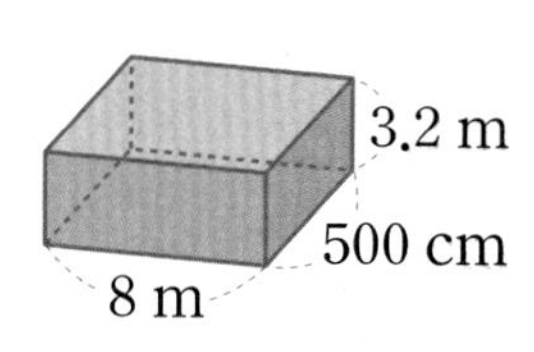

(　　　　) m^3

(　　　　) cm^3

6. 직육면체의 부피와 겉넓이 | 직육면체와 정육면체의 겉넓이

정답 및 풀이 | 125쪽

평가한 날 월 일

점수

01~02 여러 가지 방법으로 오른쪽 직육면체의 겉넓이를 구하려고 합니다. □ 안에 알맞은 수를 써넣으세요.

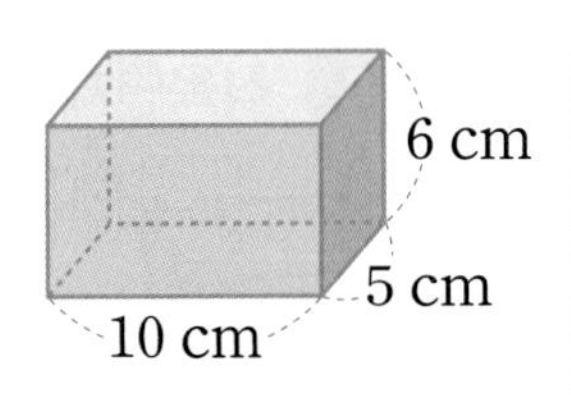

01 (직육면체의 겉넓이)

$=$(한 꼭짓점에서 만나는 세 면의 넓이의 합)$\times 2$

$=(\square\times 5+10\times 6+\square\times 6)\times 2$

$=\square\times 2=\square$ (cm^2)

02 (직육면체의 겉넓이)

$=$(한 밑면의 넓이)$\times 2+$(옆면의 넓이)

$=\square\times 2+(10+\square+10+\square)\times 6$

$=\square+\square=\square$ (cm^2)

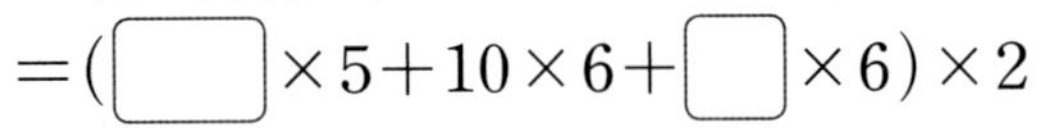

03~04 오른쪽 전개도를 접어 정육면체를 만들었습니다. 물음에 답해 보세요.

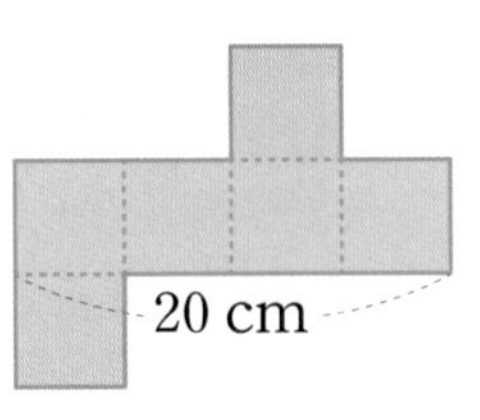

03 정육면체의 한 모서리의 길이는 몇 cm인가요?

( )

04 만든 정육면체의 겉넓이는 몇 cm^2인가요?

( )

05 전개도를 접어서 만든 직육면체의 겉넓이는 몇 cm^2인가요?

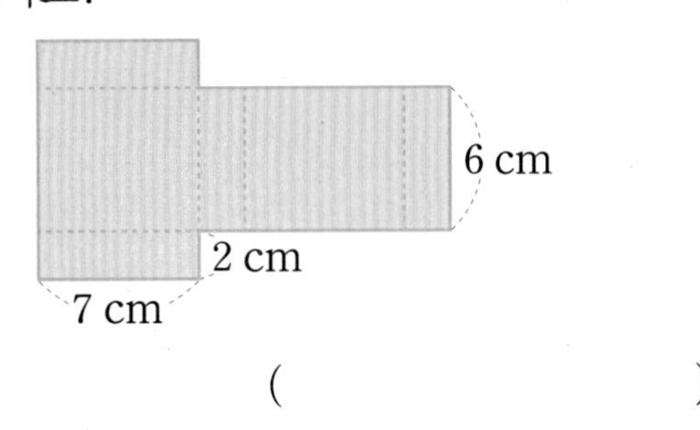

( )

06 한 모서리의 길이가 11 cm인 정육면체의 겉넓이는 몇 cm^2인지 식을 쓰고 답을 구해 보세요.

식

답

07 오른쪽 직육면체 모양의 휴지 상자의 겉넓이는 몇 cm^2인가요?

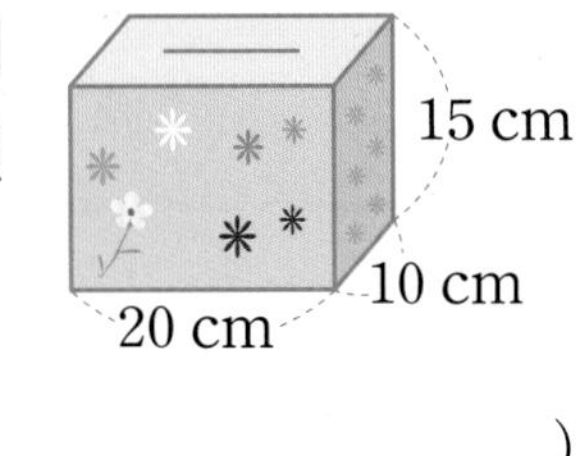

( )

08 겉넓이가 더 넓은 직육면체의 기호를 써 보세요.

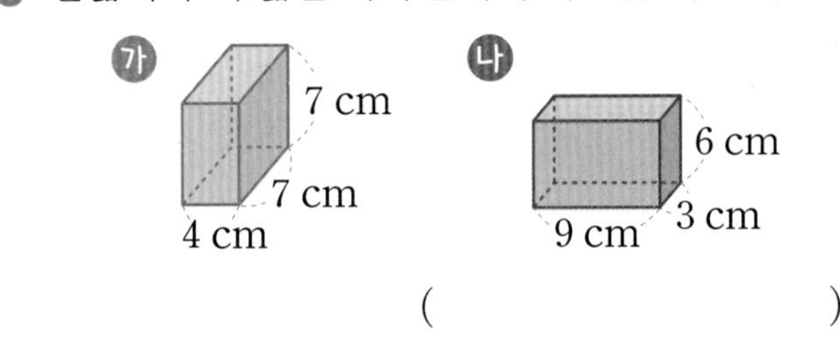

( )

09 겉넓이가 486 cm^2인 정육면체의 부피는 몇 cm^3인가요?

( )

10 오른쪽 직육면체의 겉넓이가 188 cm^2일 때, □ 안에 알맞은 수를 써넣으세요.

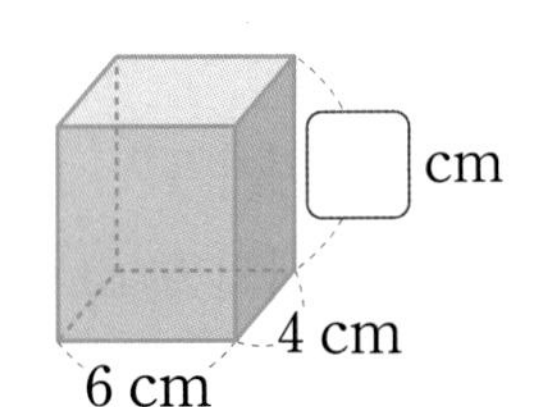

| 직육면체의 부피 비교 |

01 두 직육면체의 부피를 비교하여 ◯ 안에 >, =, <를 알맞게 써넣으세요.

하

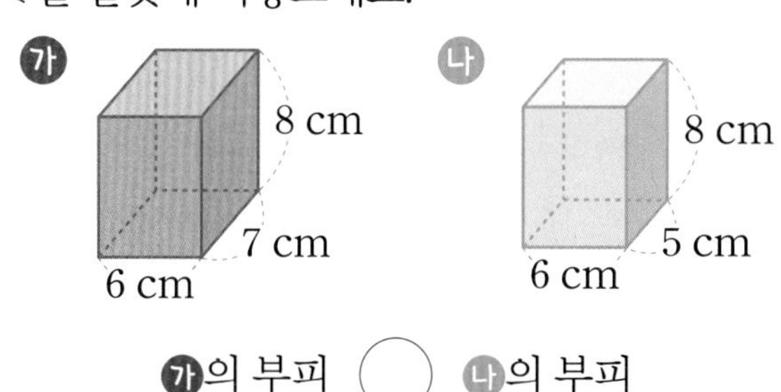

가의 부피 ◯ 나의 부피

| 직육면체의 부피 비교 |

02 크기가 같은 쌓기나무를 사용하여 두 직육면체의 부피를 비교하려고 합니다. 부피가 더 큰 직육면체의 기호를 써 보세요.

하

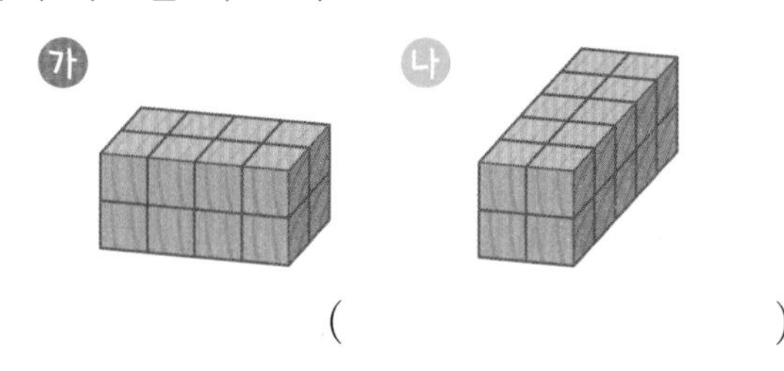

( )

| 직육면체의 부피 비교 |

03 직육면체 모양의 두 상자에 모양과 크기가 같은 작은 상자를 담아 부피를 비교하려고 합니다. 부피가 더 작은 상자의 기호를 써 보세요.

하

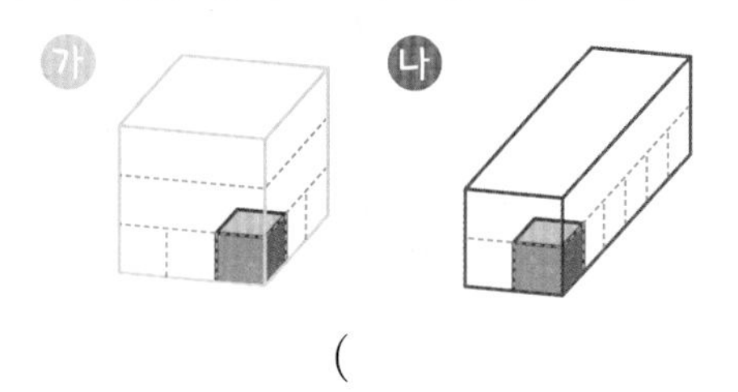

( )

| 부피의 단위 $1\ m^3$ |

04 □ 안에 알맞은 수를 써넣으세요.

하

(1) $3\ m^3$ = □ cm^3

(2) $4.5\ m^3$ = □ cm^3

(3) $2000000\ cm^3$ = □ m^3

(4) $500000\ cm^3$ = □ m^3

| 직육면체의 부피 |

05 경민이는 가로가 5 cm, 세로가 20 cm, 높이가 4 cm인 직육면체 모양의 필통을 샀습니다. 경민이가 산 필통의 부피는 몇 cm^3인가요?

중

( )

| 직육면체와 정육면체의 겉넓이 |

06 오른쪽 직육면체의 겉넓이를 구하려고 합니다. □ 안에 알맞은 수를 써넣으세요.

중

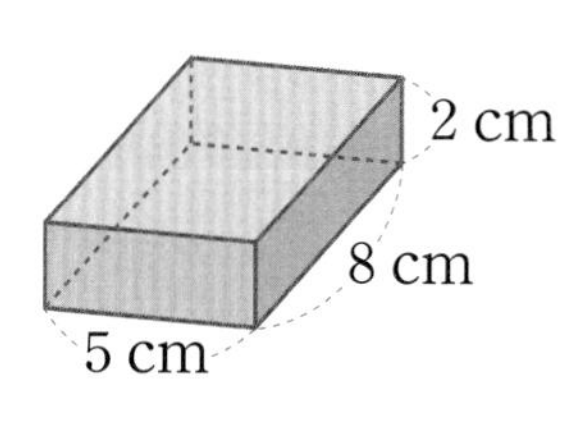

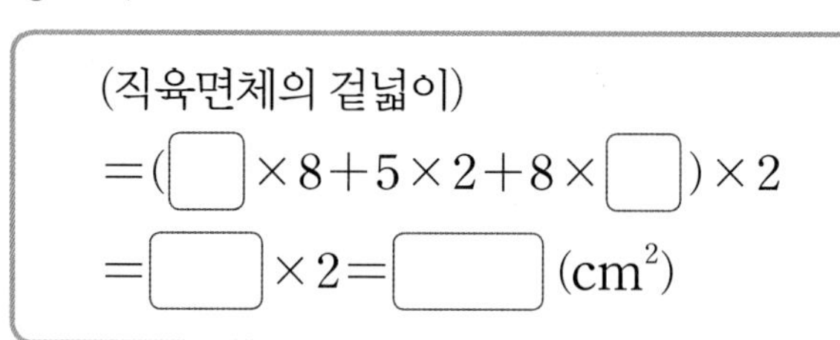

(직육면체의 겉넓이)
=(□×8+5×2+8×□)×2
=□×2=□ (cm^2)

| 부피의 단위 $1\ m^3$ |

07 오른쪽 직육면체의 부피는 몇 m^3인가요?

중

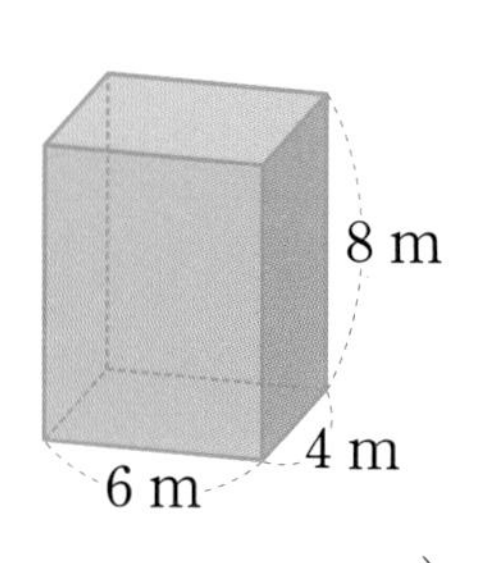

( )

| 부피의 단위 1 m^3 |

08 가로가 2 m, 세로가 80 cm, 높이가 5 m인 직육면체의 부피는 몇 m^3인가요?

중

(   )

| 직육면체와 정육면체의 겉넓이 |

09 오른쪽 정육면체의 겉넓이는 몇 m^2인지 식을 쓰고 답을 구해 보세요.

중

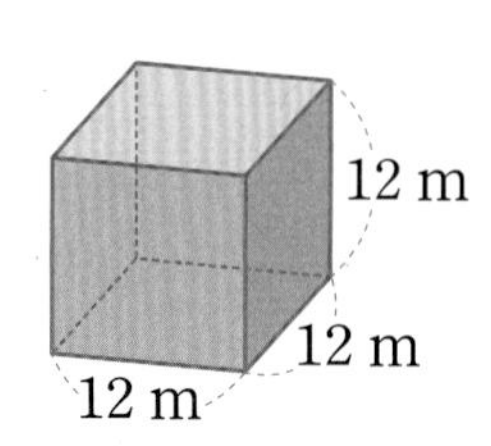

식

답

| 부피의 단위 1 m^3 |

10 부피가 더 작은 직육면체에 ○표 하세요.

중

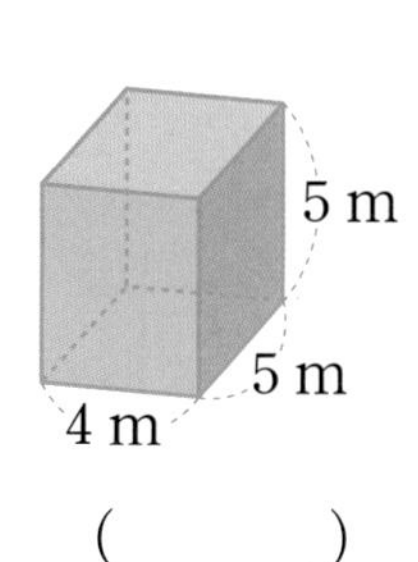

(   )

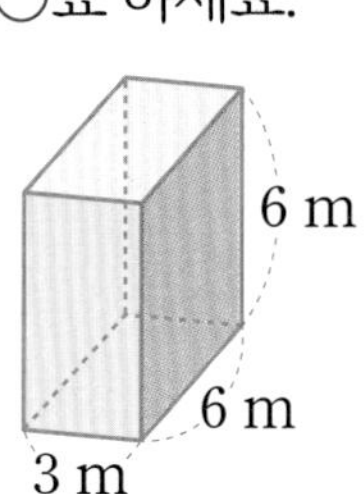

(   )

| 직육면체와 정육면체의 겉넓이 |

11 전개도를 접어서 만든 직육면체의 겉넓이는 몇 cm^2인가요?

중

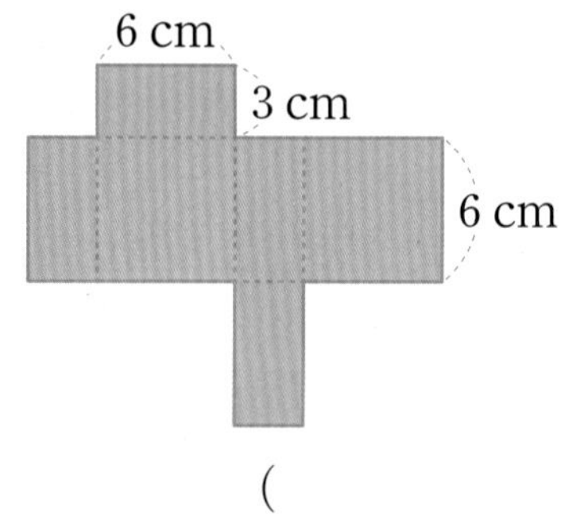

(   )

| 직육면체의 부피 |

12 수현이는 정사각형 6개를 이용하여 다음과 같이 전개도를 그렸습니다. 이 전개도로 만든 도형의 부피는 몇 cm^3인가요?

중

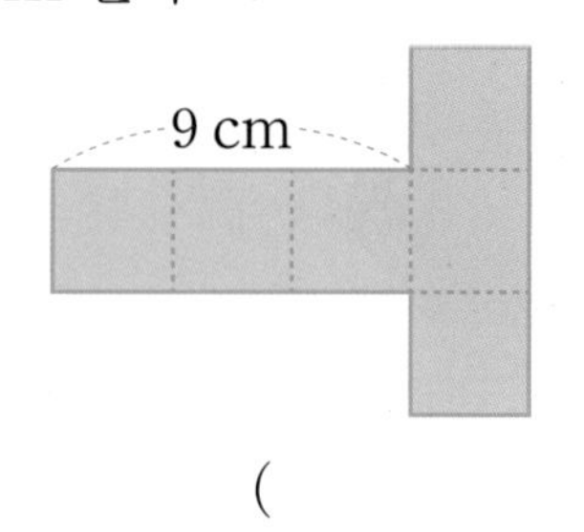

(   )

| 직육면체의 부피 |

13 두 정육면체의 부피의 합은 몇 cm^3인가요?

중

가

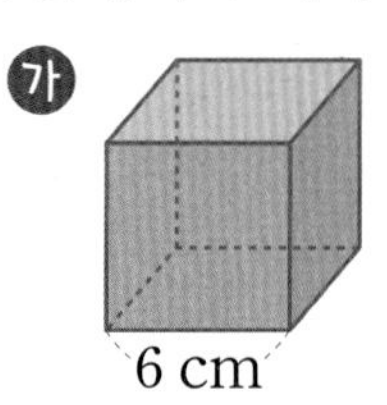

나

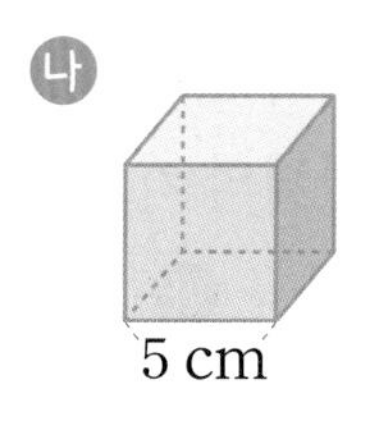

(   )

| 직육면체의 부피 |

14 부피가 1 cm^3인 쌓기나무로 두 직육면체를 만들었습니다. 직육면체 가의 부피는 직육면체 나의 부피보다 몇 cm^3 더 큰가요?

중

가

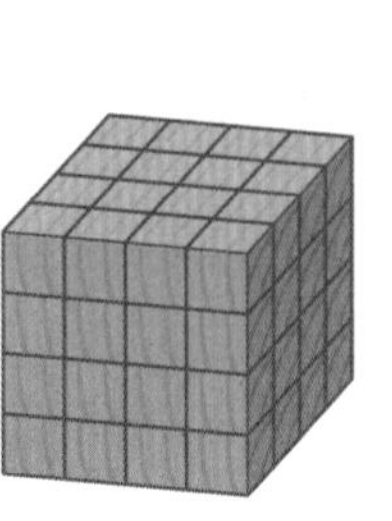

나

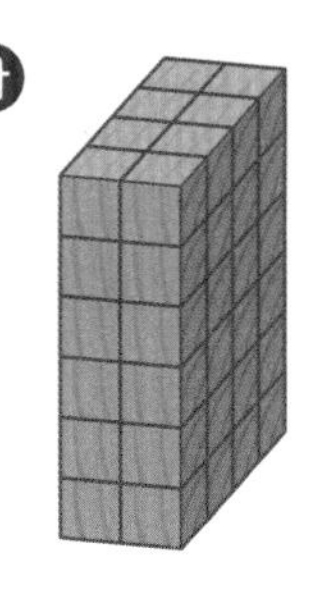

(   )

| 직육면체와 정육면체의 겉넓이 |

15 두 직육면체의 겉넓이의 차는 몇 cm^2인가요?

중

가 5 cm, 5 cm, 6 cm

나 9 cm, 4 cm, 3 cm

(　　　　　　　　　)

| 직육면체와 정육면체의 겉넓이 |

16 오른쪽과 같은 직육면체 모양의 찰흙을 잘라서 정육면체 모양으로 만들려고 합니다. 만들 수 있는 가장 큰 정육면체 모양의 겉넓이는 몇 cm^2인가요?

중

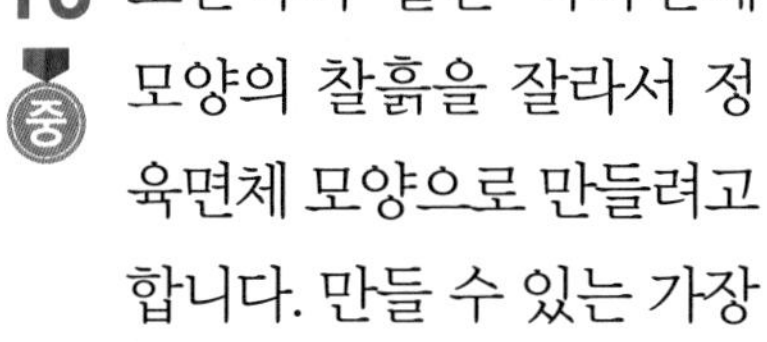

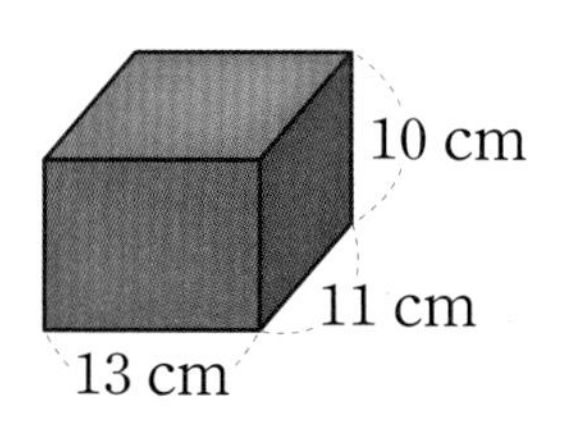

(　　　　　　　　　)

| 직육면체의 부피 비교 | 서술형

17 직접 맞대어 부피를 비교할 수 있는 직육면체끼리 모두 짝 지으려고 합니다. 풀이 과정을 쓰고, 답을 구해 보세요.

중

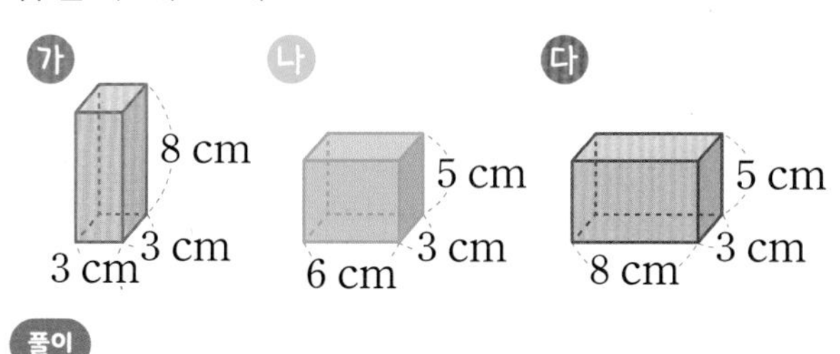

풀이

답

| 부피의 단위 1 m^3 |

18 오른쪽 입체도형의 부피는 몇 m^3인가요?

상

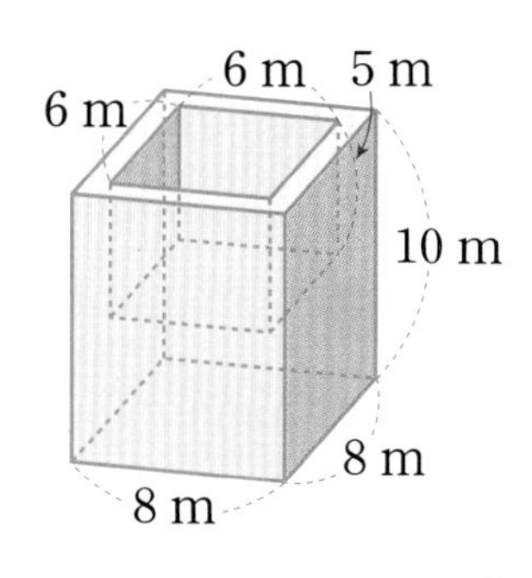

(　　　　　　　　　)

| 직육면체의 부피 | 서술형

19 부피가 오른쪽 직육면체의 2배와 같은 정육면체의 한 모서리의 길이는 몇 cm인지 풀이 과정을 쓰고, 답을 구해 보세요.

상

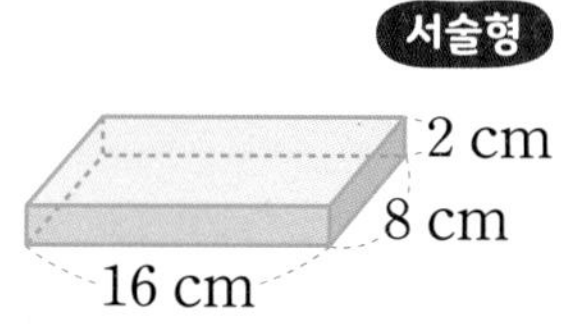

답

| 직육면체의 부피 |, | 직육면체와 정육면체의 겉넓이 | 서술형

20 겉넓이가 294 cm^2인 정육면체가 있습니다. 이 정육면체의 부피는 몇 cm^3인지 풀이 과정을 쓰고, 답을 구해 보세요.

상

| 직육면체의 부피 비교 |

01 하

부피가 작은 직육면체부터 차례로 기호를 써 보세요.

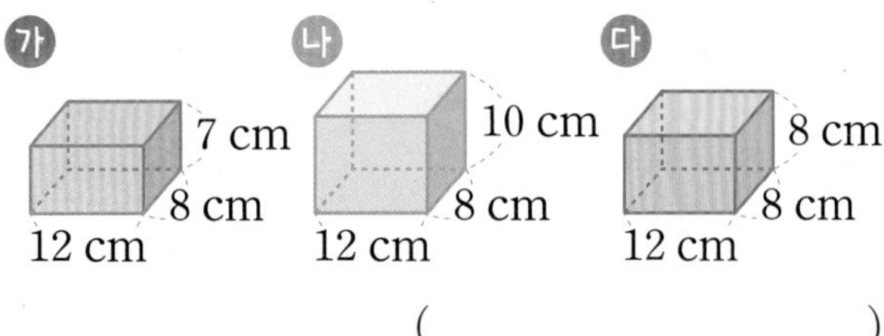

(　　　　　　　　)

| 직육면체의 부피 비교 |

02 하

크기가 같은 쌓기나무를 사용하여 세 직육면체의 부피를 비교하려고 합니다. 부피가 가장 큰 직육면체의 기호를 써 보세요.

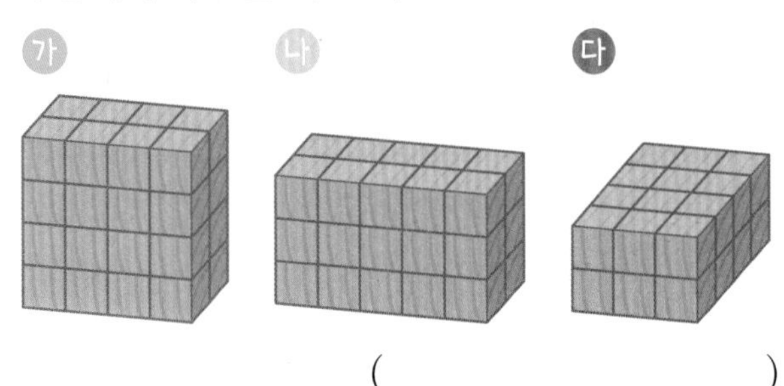

(　　　　　　　　)

| 직육면체의 부피 |

03 하

전개도를 접어서 만든 직육면체의 부피는 몇 cm^3인가요?

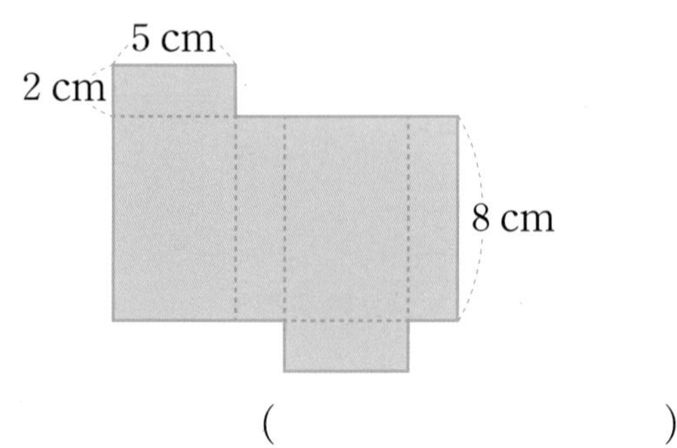

(　　　　　　　　)

| 부피의 단위 $1\ m^3$ |

04 중

부피를 비교하여 ◯ 안에 >, =, <를 알맞게 써넣으세요.

$0.89\ m^3$ ◯ $8900000\ cm^3$

| 직육면체의 부피 |

05 중

한 면의 넓이가 $49\ cm^2$인 정육면체가 있습니다. 이 정육면체의 부피는 몇 cm^3인가요?

(　　　　　　　　)

| 직육면체의 부피 비교 |

06 중

작은 상자를 직육면체 모양의 세 상자에 담았습니다. 세 상자 중 부피를 비교할 수 없는 상자의 기호를 써 보세요.

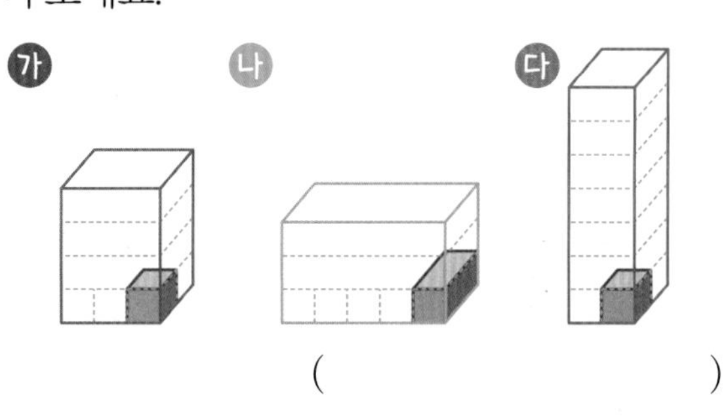

(　　　　　　　　)

| 직육면체의 부피 |

07 중

직육면체 ㉮와 직육면체 ㉯의 부피가 같습니다. □ 안에 알맞은 수를 써넣으세요.

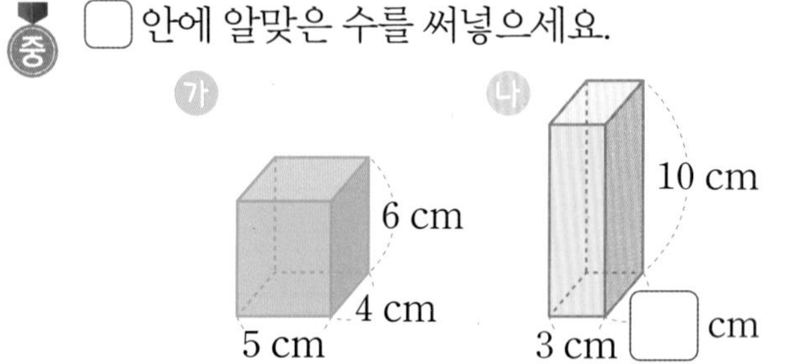

| 직육면체와 정육면체의 겉넓이 |

08 오른쪽 직육면체의 겉넓이는 몇 cm^2인지 식을 쓰고 답을 구해 보세요.

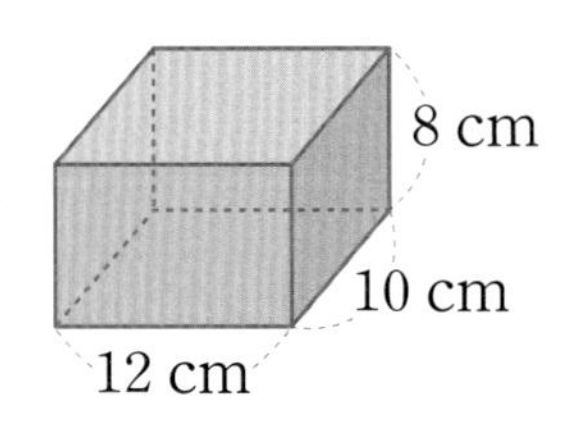

식

답

| 부피의 단위 $1 m^3$ |

09  두 직육면체의 부피의 차는 몇 m^3인가요?

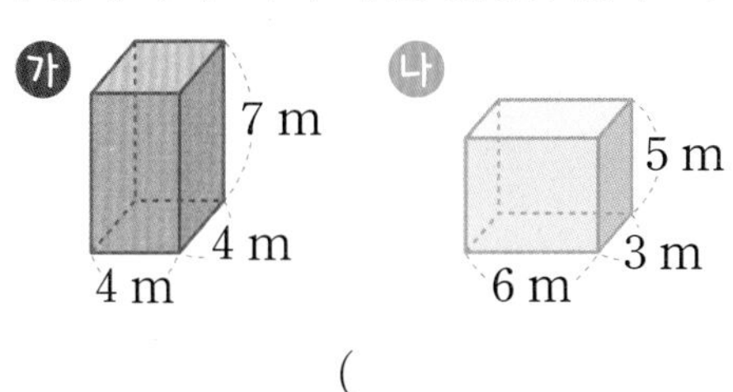

( )

| 부피의 단위 $1 m^3$ |

10  오른쪽 직육면체에서 색칠한 면의 넓이가 $15 m^2$일 때, 이 직육면체의 부피는 몇 m^3인가요?

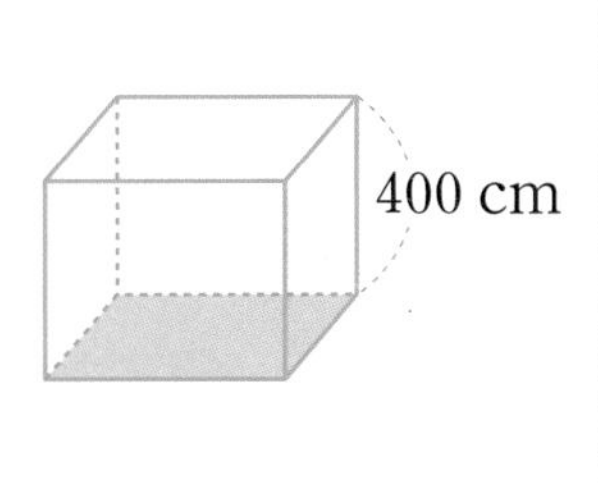

( )

| 직육면체의 부피 |

11 부피가 $1 cm^3$인 쌓기나무를 사용하여 부피가 $280 cm^3$인 직육면체를 만들었습니다. 쌓기나무를 가로로 8개, 세로로 7개 쌓았다면 높이는 몇 층을 쌓았나요?

( )

| 직육면체와 정육면체의 겉넓이 |

12 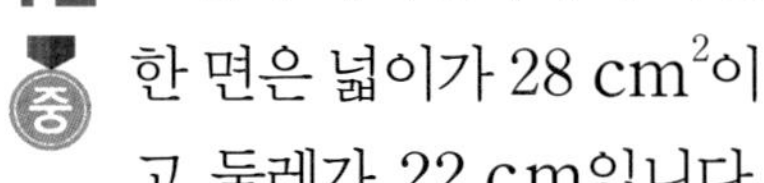 오른쪽 직육면체에서 색칠한 면은 넓이가 $28 cm^2$이고 둘레가 22 cm입니다. 이 직육면체의 겉넓이는 몇 cm^2인가요?

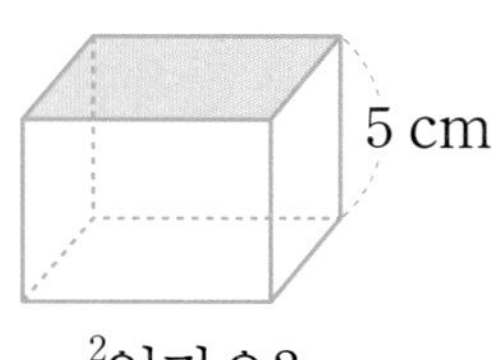

( )

| 직육면체의 부피 |

13 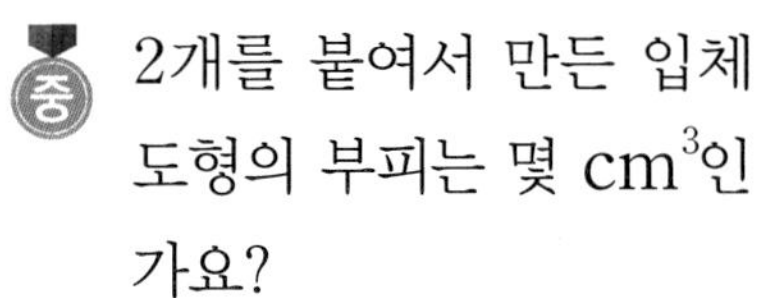 오른쪽과 같이 직육면체 2개를 붙여서 만든 입체도형의 부피는 몇 cm^3인가요?

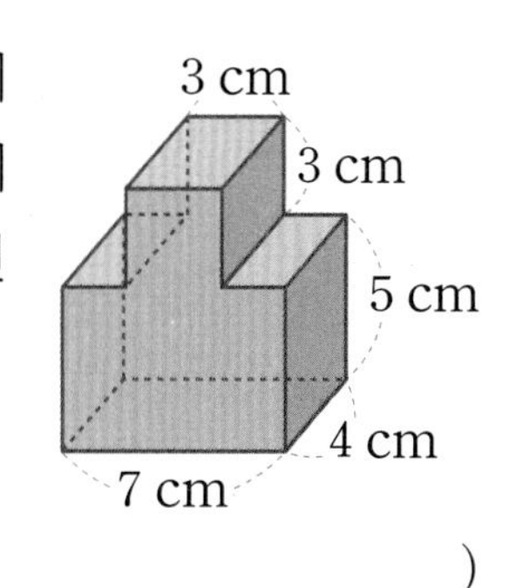

( )

| 직육면체와 정육면체의 겉넓이 |

14 오른쪽 직육면체의 겉넓이가 $472 cm^2$일 때, □ 안에 알맞은 수를 써넣으세요.

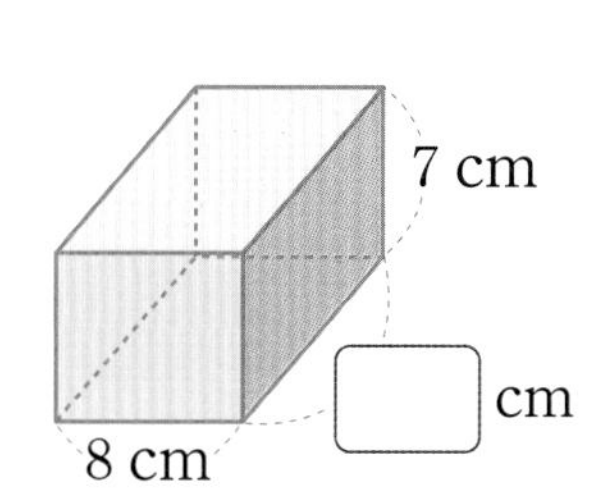

| 직육면체와 정육면체의 겉넓이 |

15 직육면체를 위, 앞, 옆에서 본 모양이 다음과 같을 때, 이 직육면체의 겉넓이는 몇 cm^2인가요?

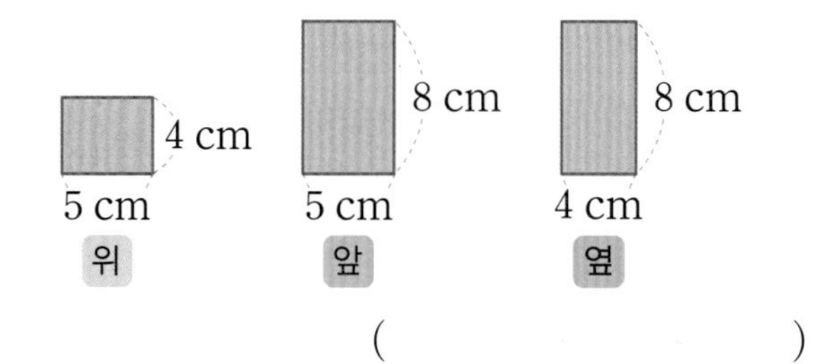

( )

| 직육면체와 정육면체의 겉넓이 | 서술형

16 중 오른쪽 직육면체와 겉넓이가 같은 정육면체의 한 모서리의 길이는 몇 cm인지 풀이 과정을 쓰고, 답을 구해 보세요.

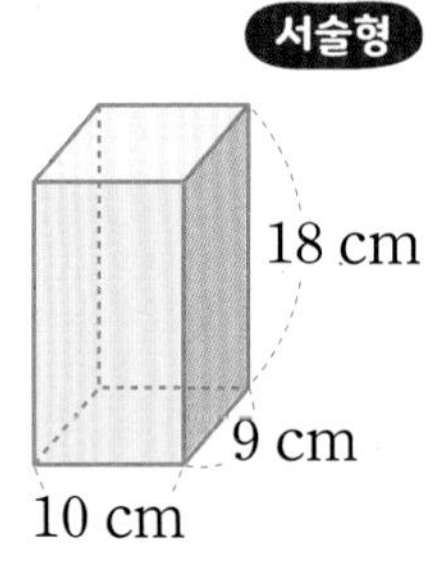

풀이

답

| 직육면체의 부피 비교 |

17 상 크기가 같은 쌓기나무를 사용하여 직육면체 모양을 만들고 있습니다. 직육면체 ㉮와 직육면체 ㉯의 부피가 같아지려면 직육면체 ㉮는 쌓기나무를 몇 층으로 쌓아야 할까요?

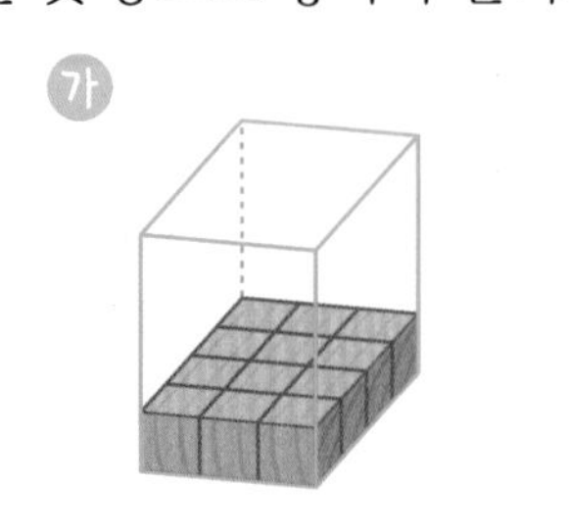

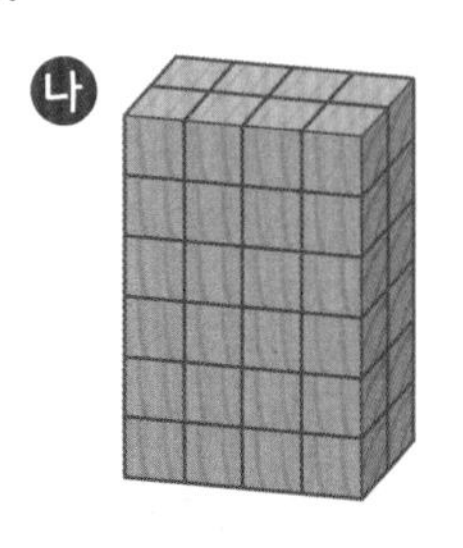

(　　　　　　　　　　)

| 직육면체의 부피 |

18 상 오른쪽과 같이 물이 들어 있는 직육면체 모양의 수조에 쇠구슬이 완전히 잠기도록 넣었더니 물의 높이가 2 cm만큼 높아졌습니다. 이 쇠구슬의 부피는 몇 cm^3인가요? (단, 수조의 두께는 생각하지 않습니다.)

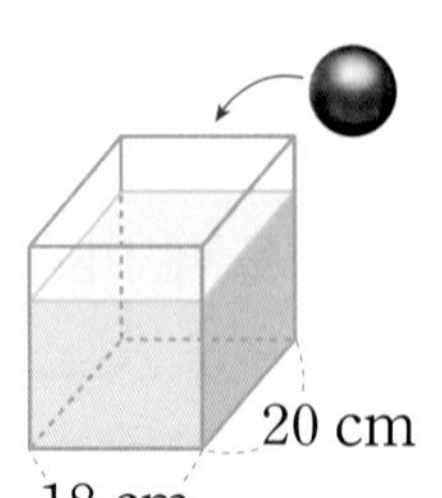

(　　　　　　　　　　)

| 부피의 단위 $1 m^3$ | 서술형

19 상 정육면체 모양의 ㉮ 상자에 직육면체 모양의 ㉯ 상자를 빈틈없이 담으려고 합니다. ㉯ 상자를 몇 개까지 담을 수 있는지 풀이 과정을 쓰고, 답을 구해 보세요. (단, 상자의 두께는 생각하지 않습니다.)

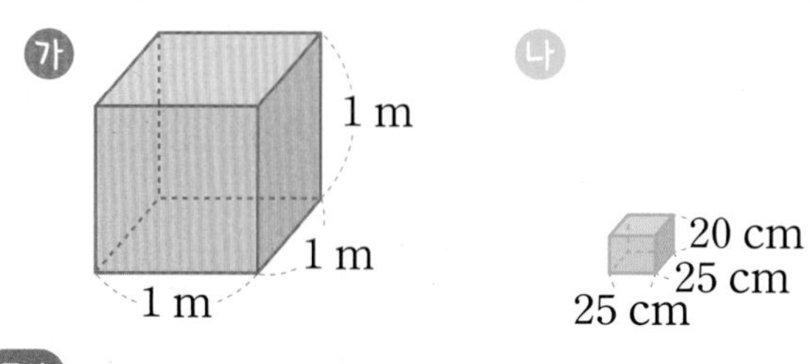

풀이

답

| 직육면체와 정육면체의 겉넓이 | 서술형

20 상 직육면체 모양의 빵을 똑같이 4조각으로 자를 때 빵 4조각의 겉넓이의 합은 처음 빵의 겉넓이보다 몇 cm^2 늘어나는지 풀이 과정을 쓰고, 답을 구해 보세요.

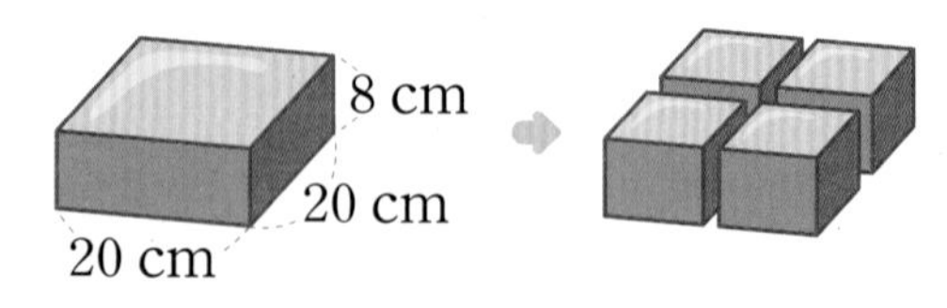

풀이

답

정답 및 풀이 | 127쪽

평가한 날 월 일

점수

❶ 에 담을 수 있는 나무 조각의 수 구하기

❷ 에 담을 수 있는 나무 조각의 수 구하기

❸ 부피가 더 작은 상자의 기호 쓰기

01 직육면체 모양의 두 상자에 모양과 크기가 같은 나무 조각을 담아 부피를 비교하여 부피가 더 작은 상자의 기호를 쓰려고 합니다. 풀이 과정을 쓰고, 답을 구해 보세요.

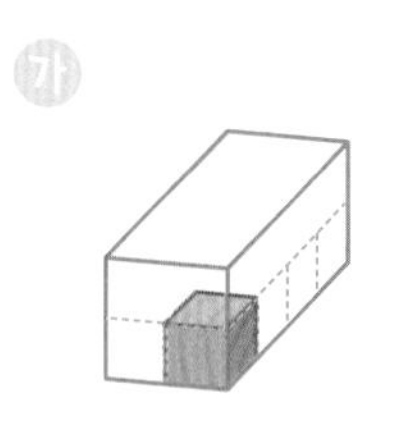

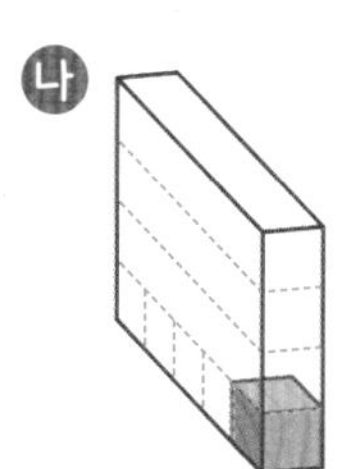

풀이

답

Tip

❶ 서랍장의 부피의 단위를 m^3로 나타내기

❷ 침대와 서랍장의 부피의 차 구하기

02 현정이의 방에 있는 침대의 부피는 $1.3\ m^3$이고 서랍장의 부피는 $480000\ cm^3$입니다. 침대와 서랍장의 부피의 차는 몇 m^3인지 풀이 과정을 쓰고, 답을 구해 보세요.

답

Tip

❶ 돌의 부피와 부피가 같은 직육면체 알아보기

❷ 돌의 부피 구하기

03 직육면체 모양의 수조에 돌을 물에 완전히 잠기도록 넣었더니 물의 높이가 3 cm 늘어났습니다. 이 돌의 부피는 몇 cm^3인지 풀이 과정을 쓰고, 답을 구해 보세요. (단, 수조의 두께는 생각하지 않습니다.)

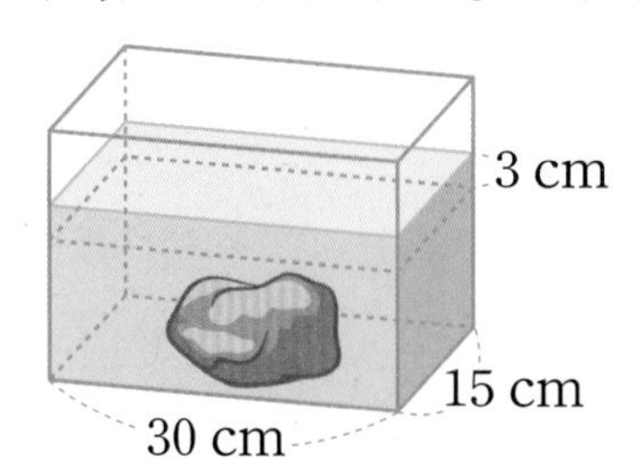

풀이

답

Tip

❶ 혜진이가 만든 상자의 겉넓이 구하기

❷ 민준이가 만든 상자의 겉넓이 구하기

❸ 누가 만든 상자의 겉넓이가 몇 cm^2 더 큰지 구하기

04 혜진이와 민준이는 친구의 생일 선물로 각각 직육면체 모양의 상자를 만들었습니다. 누가 만든 상자의 겉넓이가 몇 cm^2 더 큰지 풀이 과정을 쓰고, 답을 구해 보세요.

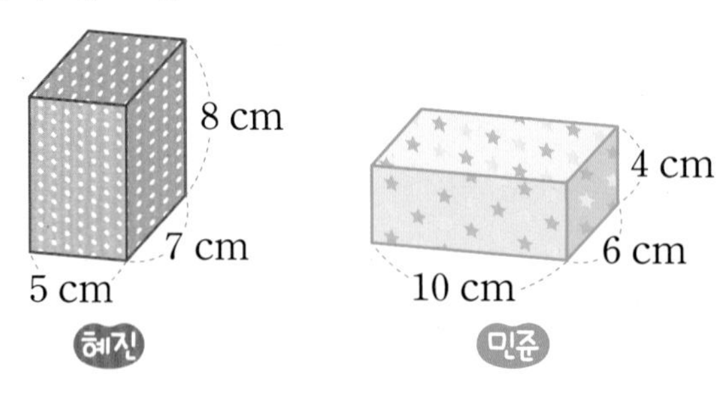

풀이

답

실전 서술형 평가 | 6. 직육면체의 부피와 겉넓이

평가한 날 월 일

점수

정답 및 풀이 | 128쪽

❶ 세 직육면체의 쌓기나무의 수 각각 구하기

❷ 부피가 가장 큰 직육면체의 기호 쓰기

01 크기가 같은 쌓기나무를 사용하여 세 직육면체의 부피를 비교하여 부피가 가장 큰 직육면체의 기호를 쓰려고 합니다. 풀이 과정을 쓰고, 답을 구해 보세요.

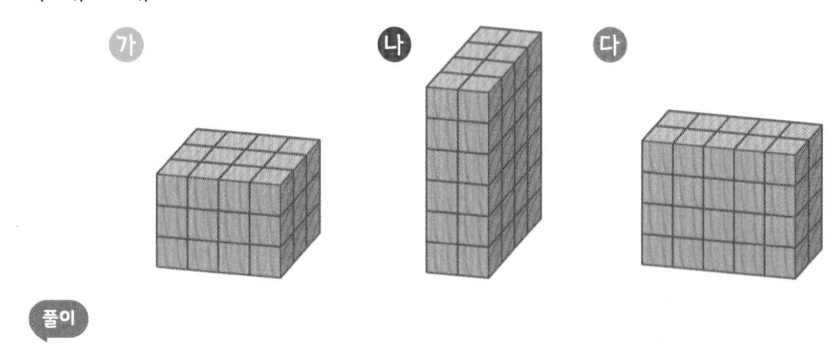

답

Tip

❶ 창고의 가로, 세로, 높이에 한 모서리의 길이가 50 cm인 상자를 각각 몇 개 놓을 수 있는지 구하기

❷ 정육면체 모양의 상자를 몇 개 쌓을 수 있는지 구하기

02 창고 안이 가로가 4 m, 세로가 3 m, 높이가 2 m인 직육면체 모양입니다. 이 창고에 한 모서리의 길이가 50 cm인 정육면체 모양의 상자를 빈틈없이 쌓으려고 합니다. 정육면체 모양의 상자를 몇 개 쌓을 수 있는지 풀이 과정을 쓰고, 답을 구해 보세요.

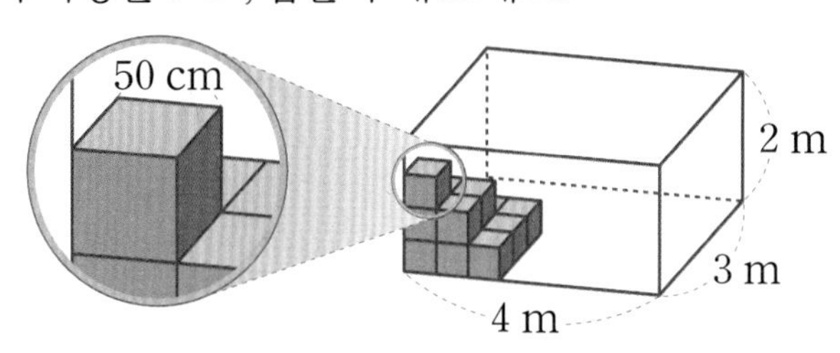

답

Tip

❶ 만들 수 있는 가장 작은 정육면체의 한 모서리의 길이 구하기

❷ 만들 수 있는 가장 작은 정육면체의 부피 구하기

03 그림과 같은 직육면체 모양의 상자를 빈틈없이 쌓아서 정육면체를 만들려고 합니다. 만들 수 있는 가장 작은 정육면체의 부피는 몇 cm^3인지 풀이 과정을 쓰고, 답을 구해 보세요.

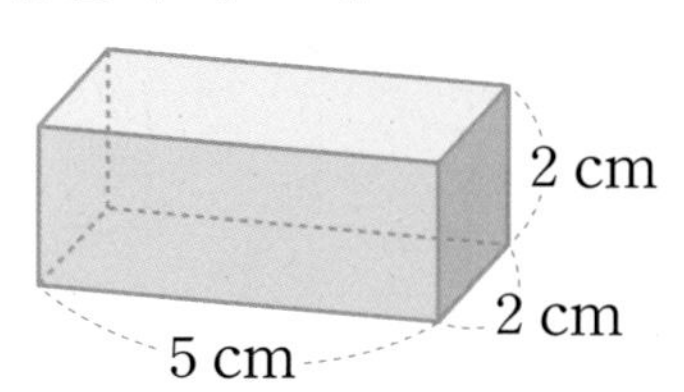

풀이

답

Tip

❶ 처음 직육면체의 겉넓이 구하기

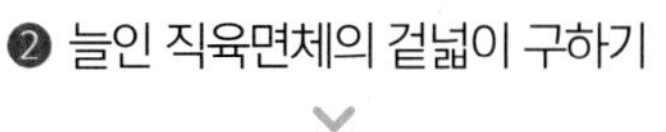

❷ 늘인 직육면체의 겉넓이 구하기

❸ 겉넓이는 몇 cm^2가 늘어나는지 구하기

04 그림과 같은 직육면체의 가로, 세로, 높이를 각각 2 cm씩 늘이면 겉넓이는 몇 cm^2가 늘어나는지 풀이 과정을 쓰고, 답을 구해 보세요.

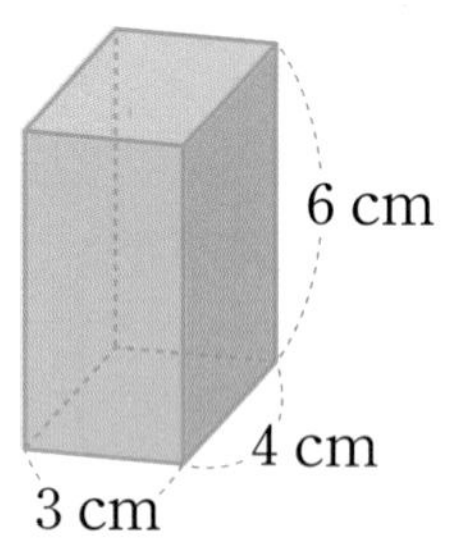

풀이

답

5~6학년군

수학 6-1

평가 문제 다잡기

정답 및 풀이

1 분수의 나눗셈

★ 기약분수 또는 대분수로 나타내지 않아도 정답으로 인정합니다.

쪽지시험 1회 6쪽

01 $\frac{1}{7}$ 02 $\frac{3}{4}$ 03 (1) $\frac{1}{6}$ (2) $\frac{4}{5}$

04 $\frac{1}{8}$ 05 $\frac{6}{11}$ 06 $>$

07 10 08 $\frac{5}{13}$

09 식 $1\div5=\frac{1}{5}$ 답 $\frac{1}{5}$ L

10 $\frac{7}{8}$ m

풀이

06 $1\div4=\frac{1}{4}$, $1\div9=\frac{1}{9}$ ➜ $\frac{1}{4}>\frac{1}{9}$

07 $7\div\square=\frac{7}{\square}=\frac{7}{10}$이므로 □ 안에 알맞은 수는 10입니다.

08 가장 작은 수는 5, 가장 큰 수는 13입니다.
➜ $5\div13=\frac{5}{13}$

09 (컵 한 개에 담을 물의 양)$=1\div5=\frac{1}{5}$ (L)

10 (한 명이 가질 리본의 길이)$=7\div8=\frac{7}{8}$ (m)

쪽지시험 2회 7쪽

01 $\frac{4}{3}$ 02 3, 3, 3, $1\frac{3}{5}$

03 ( )(○)( )

04 (1) $2\frac{1}{2}\left(=\frac{5}{2}\right)$ (2) $1\frac{2}{7}\left(=\frac{9}{7}\right)$

05 $1\frac{3}{4}\left(=\frac{7}{4}\right)$ 06 $4\frac{4}{9}\left(=\frac{40}{9}\right)$

07 $>$ 08 ㉡

09 식 $5\div3=1\frac{2}{3}$ 답 $1\frac{2}{3}\left(=\frac{5}{3}\right)$ kg

10 1, 2, 3

풀이

06 $9<40$이므로 $40\div9=\frac{40}{9}=4\frac{4}{9}$입니다.

07 $10\div3=\frac{10}{3}=3\frac{1}{3}$, $15\div7=\frac{15}{7}=2\frac{1}{7}$
➜ $3\frac{1}{3}>2\frac{1}{7}$

08 ㉠ $8\div9=\frac{8}{9}$ ㉡ $7\div3=\frac{7}{3}=2\frac{1}{3}$
㉢ $23\div25=\frac{23}{25}$
따라서 몫이 1보다 큰 것은 ㉡입니다.

09 (한 병에 담을 설탕의 양)
$=5\div3=\frac{5}{3}=1\frac{2}{3}$ (kg)

10 $19\div6=\frac{19}{6}=3\frac{1}{6}$이므로 $\square<3\frac{1}{6}$입니다.
따라서 □ 안에 들어갈 수 있는 자연수는 1, 2, 3입니다.

쪽지시험 3회 8쪽

01 6, 6, 3 02 6, 2

03 18, 18, 9

04 $\frac{4}{9}\div5=\frac{4}{9}\times\frac{1}{5}=\frac{4}{45}$

05 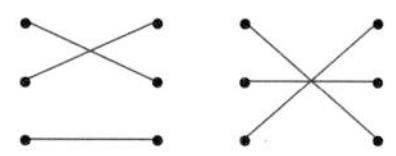 06 (1) $\frac{2}{21}$ (2) $\frac{3}{22}$

07 $\frac{4}{15}$, $\frac{2}{15}$, $\frac{8}{75}$ 08 $<$

09 $\frac{5}{54}$ 10 $\frac{13}{15}$ m^2

풀이

05 $\frac{8}{11}\div3=\frac{8}{11}\times\frac{1}{3}=\frac{8}{33}$, $\frac{5}{6}\div2=\frac{5}{6}\times\frac{1}{2}=\frac{5}{12}$,
$\frac{5}{8}\div4=\frac{5}{8}\times\frac{1}{4}=\frac{5}{32}$

06 (1) $\frac{2}{7}\div3=\frac{2}{7}\times\frac{1}{3}=\frac{2}{21}$

(2) $\frac{9}{11}\div6=\frac{\cancel{9}^{3}}{11}\times\frac{1}{\cancel{6}_{2}}=\frac{3}{22}$

07 $\frac{8}{15} \div 2 = \frac{8 \div 2}{15} = \frac{4}{15}$, $\frac{8}{15} \div 4 = \frac{8 \div 4}{15} = \frac{2}{15}$,

$\frac{8}{15} \div 5 = \frac{40}{75} \div 5 = \frac{40 \div 5}{75} = \frac{8}{75}$

08 $\frac{9}{8} \div 5 = \frac{9}{8} \times \frac{1}{5} = \frac{9}{40}\left(=\frac{27}{120}\right)$

$\frac{7}{10} \div 3 = \frac{7}{10} \times \frac{1}{3} = \frac{7}{30}\left(=\frac{28}{120}\right)$

➜ $\frac{9}{40} < \frac{7}{30}$

09 가장 작은 수는 $\frac{5}{9}$, 가장 큰 수는 6입니다.

➜ $\frac{5}{9} \div 6 = \frac{5}{9} \times \frac{1}{6} = \frac{5}{54}$

10 (나눈 종이 한 부분의 넓이)

$= \frac{13}{5} \div 3 = \frac{13}{5} \times \frac{1}{3} = \frac{13}{15}$ (m^2)

쪽지시험 4회

9쪽

01 7, 14, 14, $\frac{7}{8}$

02 7, 7, $\frac{1}{2}$, $\frac{7}{8}$

03 $\frac{18}{7} \div 3 = \frac{18 \div 3}{7} = \frac{6}{7}$

04 (1) $\frac{11}{12}$ (2) $\frac{7}{8}$

05 $1\frac{9}{10}\left(=\frac{19}{10}\right)$

06 (○)(   )(   )

07 <

08 $\frac{3}{4}$

09 식 $6\frac{2}{5} \div 12 = \frac{8}{15}$ 답 $\frac{8}{15}$ L

10 $2\frac{5}{8}\left(=\frac{21}{8}\right)$ cm

풀이

04 (1) $1\frac{5}{6} \div 2 = \frac{11}{6} \div 2 = \frac{11}{6} \times \frac{1}{2} = \frac{11}{12}$

(2) $4\frac{3}{8} \div 5 = \frac{35}{8} \div 5 = \frac{\overset{7}{\cancel{35}}}{8} \times \frac{1}{\underset{1}{\cancel{5}}} = \frac{7}{8}$

05 $5\frac{7}{10} \div 3 = \frac{57}{10} \div 3 = \frac{\overset{19}{\cancel{57}}}{10} \times \frac{1}{\underset{1}{\cancel{3}}} = \frac{19}{10} = 1\frac{9}{10}$

06 $2\frac{2}{9} \div 4 = \frac{20}{9} \div 4 = \frac{20 \div 4}{9} = \frac{5}{9}$

$1\frac{5}{9} \div 2 = \frac{14}{9} \div 2 = \frac{14 \div 2}{9} = \frac{7}{9}$

$5\frac{4}{9} \div 7 = \frac{49}{9} \div 7 = \frac{49 \div 7}{9} = \frac{7}{9}$

07 $6\frac{2}{3} \div 4 = \frac{20}{3} \div 4 = \frac{20 \div 4}{3} = \frac{5}{3} = 1\frac{2}{3}\left(=1\frac{10}{15}\right)$

$5\frac{3}{5} \div 3 = \frac{28}{5} \div 3 = \frac{28}{5} \times \frac{1}{3} = \frac{28}{15} = 1\frac{13}{15}$

➜ $1\frac{2}{3} < 1\frac{13}{15}$

08 $\square = 8\frac{1}{4} \div 11 = \frac{33}{4} \div 11 = \frac{33 \div 11}{4} = \frac{3}{4}$

09 (한 명이 마실 음료수의 양)

$= 6\frac{2}{5} \div 12 = \frac{32}{5} \div 12 = \frac{\overset{8}{\cancel{32}}}{5} \times \frac{1}{\underset{3}{\cancel{12}}} = \frac{8}{15}$ (L)

10 (평행사변형의 높이) $= 10\frac{1}{2} \div 4 = \frac{21}{2} \div 4$

$= \frac{21}{2} \times \frac{1}{4} = \frac{21}{8} = 2\frac{5}{8}$ (cm)

기본 단원 평가

10~12쪽

01 예 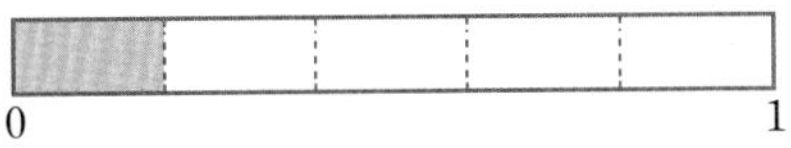 / $\frac{1}{5}$

02 8, $\frac{2}{9}$

03 ㉡

04 (1) $\frac{4}{35}$ (2) $\frac{3}{11}$

05 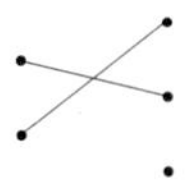

06 $\frac{2}{5}$ m

07 (위에서부터) $\frac{3}{8}$, $\frac{15}{56}$

08 예 $1\frac{3}{10} \div 2 = \frac{13}{10} \div 2 = \frac{13}{10} \times \frac{1}{2} = \frac{13}{20}$

09 $\frac{5}{12}$

10 >

11 식 $\frac{17}{20} \div 3 = \frac{17}{60}$ 답 $\frac{17}{60}$ L

12 $1\frac{26}{45}\left(=\frac{71}{45}\right)$ cm^2

13 $\frac{4}{15}$

14 $17\frac{6}{7}\left(=\frac{125}{7}\right)$ L　　**15** $7\frac{5}{8}\left(=\frac{61}{8}\right)$ cm

16 $\frac{15}{32}$ kg

17 예 ❶ 숫자 카드로 만들 수 있는 가장 작은 대분수는 $2\frac{4}{9}$입니다.

❷ $2\frac{4}{9}\div10=\frac{22}{9}\div10=\frac{\overset{11}{\cancel{22}}}{9}\times\frac{1}{\underset{5}{\cancel{10}}}=\frac{11}{45}$

/ $\frac{11}{45}$

18 3

19 예 ❶ 정삼각형은 세 변의 길이가 모두 같습니다.

➜ (정사각형의 둘레)=(정삼각형의 둘레)

$=\frac{3}{10}\times3=\frac{9}{10}$ (m)

❷ 정사각형은 네 변의 길이가 모두 같으므로 정사각형의 한 변의 길이는

$\frac{9}{10}\div4=\frac{9}{10}\times\frac{1}{4}=\frac{9}{40}$ (m)입니다.

/ $\frac{9}{40}$ m

20 예 ❶ (깃발과 깃발의 간격 수)

$=23-1=22$(군데)

❷ (깃발과 깃발의 간격)

$=8\frac{1}{4}\div22=\frac{33}{4}\div22=\frac{\overset{3}{\cancel{33}}}{4}\times\frac{1}{\underset{2}{\cancel{22}}}$

$=\frac{3}{8}$ (km)

/ $\frac{3}{8}$ km

풀이

06 (한 명에게 줄 리본의 길이)$=2\div5=\frac{2}{5}$ (m)

07 $\frac{15}{8}\div5=\frac{15\div5}{8}=\frac{3}{8}$, $\frac{15}{8}\div7=\frac{15}{8}\times\frac{1}{7}=\frac{15}{56}$

09 $\frac{15}{4}=3\frac{3}{4}$이므로 $9>\frac{15}{4}$입니다.

➜ $\frac{15}{4}\div9=\frac{\overset{5}{\cancel{15}}}{4}\times\frac{1}{\underset{3}{\cancel{9}}}=\frac{5}{12}$

10 $4\frac{2}{7}\div6=\frac{30}{7}\div6=\frac{30\div6}{7}=\frac{5}{7}$ ➜ $\frac{5}{7}>\frac{1}{2}$

11 (한 병에 담은 간장의 양)

$=\frac{17}{20}\div3=\frac{51}{60}\div3=\frac{51\div3}{60}=\frac{17}{60}$ (L)

12 (색칠한 부분의 넓이)

$=9\frac{7}{15}\div6=\frac{142}{15}\div6=\frac{\overset{71}{\cancel{142}}}{15}\times\frac{1}{\underset{3}{\cancel{6}}}$

$=\frac{71}{45}=1\frac{26}{45}$ (cm^2)

13 $\square=\frac{16}{5}\div12=\frac{\overset{4}{\cancel{16}}}{5}\times\frac{1}{\underset{3}{\cancel{12}}}=\frac{4}{15}$

14 (욕조에 부은 물의 양)$=47+78=125$ (L)

(하루에 사용할 물의 양)

$=125\div7=\frac{125}{7}=17\frac{6}{7}$ (L)

15 (직사각형의 가로)

$=45\frac{3}{4}\div6=\frac{183}{4}\div6=\frac{\overset{61}{\cancel{183}}}{4}\times\frac{1}{\underset{2}{\cancel{6}}}$

$=\frac{61}{8}=7\frac{5}{8}$ (cm)

16 (5봉지 깨의 양)$=\frac{3}{8}\times5=\frac{15}{8}$ (kg)

(한 명이 가질 깨의 양)$=\frac{15}{8}\div4=\frac{15}{8}\times\frac{1}{4}$

$=\frac{15}{32}$ (kg)

17

채점 기준		
	❶ 숫자 카드를 사용하여 가장 작은 대분수 만들기	2점
	❷ 만든 대분수를 10으로 나눈 몫 구하기	3점

18 $6\frac{2}{5}\div8\times3=\frac{32}{5}\div8\times3=\frac{4}{5}\times3=\frac{12}{5}=2\frac{2}{5}$

따라서 $2\frac{2}{5}<\square$이므로 □ 안에 들어갈 수 있는 가장 작은 자연수는 3입니다.

19

채점 기준		
	❶ 정사각형의 둘레 구하기	2점
	❷ 정사각형의 한 변의 길이 구하기	3점

20

채점 기준		
	❶ 깃발과 깃발의 간격 수 구하기	2점
	❷ 깃발과 깃발의 간격 구하기	3점

실력 단원 평가

13~15쪽

01 ( )(○)( ) **02** (1) $\frac{3}{32}$ (2) $\frac{2}{11}$

03 (1) 16, 16, 4 (2) 16, 16, $\frac{1}{4}$, 4

04

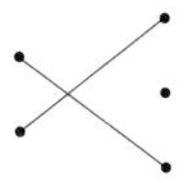

05 9÷8에 ○표

06 경민, $\frac{9}{100}$

07 $1\frac{5}{7}\left(=\frac{12}{7}\right)$, $\frac{3}{7}$

08 $3\frac{2}{3}\left(=\frac{11}{3}\right)$

09 >

10 ㉠

11 $\frac{11}{36}$

12 식 $9\frac{3}{8}\div6=1\frac{9}{16}$ 답 $1\frac{9}{16}\left(=\frac{25}{16}\right)$ m

13 $4\frac{1}{5}\left(=\frac{21}{5}\right)$ m

14 $20\frac{1}{8}\left(=\frac{161}{8}\right)$ cm²

15 예 ❶ $3\frac{1}{9}\div4=\frac{28}{9}\div4=\frac{28\div4}{9}=\frac{7}{9}$이므로

□$\times5=\frac{7}{9}$입니다.

❷ □$=\frac{7}{9}\div5=\frac{7}{9}\times\frac{1}{5}=\frac{7}{45}$

/ $\frac{7}{45}$

16 태균

17 $\frac{29}{36}$ kg

18 $3\frac{23}{60}\left(=\frac{203}{60}\right)$ m

19 예 ❶ $8\frac{1}{6}\div7=\frac{49}{6}\div7=\frac{49\div7}{6}=\frac{7}{6}=1\frac{1}{6}$

이므로 $1\frac{1}{6}<$□입니다.

□안에 들어갈 수 있는 자연수는

2, 3, 4, ...입니다.

❷ $9\frac{7}{10}\div2=\frac{97}{10}\div2=\frac{97}{10}\times\frac{1}{2}=\frac{97}{20}$

$=4\frac{17}{20}$

이므로 □$<4\frac{17}{20}$입니다.

□안에 들어갈 수 있는 자연수는

1, 2, 3, 4입니다.

❸ □ 안에 공통으로 들어갈 수 있는 자연수는 2, 3, 4로 모두 3개입니다.

/ 3개

20 예 ❶ (직사각형의 넓이)

$=10\frac{2}{5}\times6=\frac{52}{5}\times6=\frac{312}{5}$ (cm²)

❷ (똑같이 나눈 한 부분의 넓이)

$=\frac{312}{5}\div8=\frac{312\div8}{5}=\frac{39}{5}$ (cm²)

❸ (색칠한 부분의 넓이)

$=\frac{39}{5}\times3=\frac{117}{5}=23\frac{2}{5}$ (cm²)

/ $23\frac{2}{5}\left(=\frac{117}{5}\right)$ cm²

풀이

04 $2\frac{3}{4}\div2=\frac{11}{4}\div2=\frac{11}{4}\times\frac{1}{2}=\frac{11}{8}=1\frac{3}{8}$

$3\frac{3}{8}\div9=\frac{27}{8}\div9=\frac{27\div9}{8}=\frac{3}{8}$

06 세진: $\frac{12}{7}\div10=\frac{\overset{6}{\cancel{12}}}{7}\times\frac{1}{\underset{5}{\cancel{10}}}=\frac{6}{35}$

경민: $\frac{9}{20}\div5=\frac{9}{20}\times\frac{1}{5}=\frac{9}{100}$

09 $7\div3=\frac{7}{3}=2\frac{1}{3}$,

$\frac{25}{9}\div2=\frac{50}{18}\div2=\frac{50\div2}{18}=\frac{25}{18}=1\frac{7}{18}$

➜ $2\frac{1}{3}>1\frac{7}{18}$

10 ㉠ $3\div8=\frac{3}{8}$ ㉡ $11\div12=\frac{11}{12}$ ㉢ $3\div4=\frac{3}{4}$

$\frac{3}{8}=\frac{9}{24}$, $\frac{11}{12}=\frac{22}{24}$, $\frac{3}{4}=\frac{18}{24}$이므로 몫이 가장 작은 것은 ㉠입니다.

11 어떤 수를 □라고 하면 □$\times3=\frac{11}{12}$입니다.

➜ □$=\frac{11}{12}\div3=\frac{11}{12}\times\frac{1}{3}=\frac{11}{36}$

12 정육각형은 변 6개의 길이가 모두 같습니다.

(울타리의 한 변의 길이)

$=9\frac{3}{8}\div6=\frac{75}{8}\div6=\frac{\overset{25}{\cancel{75}}}{8}\times\frac{1}{\underset{2}{\cancel{6}}}$

$=\frac{25}{16}=1\frac{9}{16}$ (m)

13 (리본 한 부분의 길이)$=7\div5=\frac{7}{5}$ (m)

(색칠한 부분의 길이)$=\frac{7}{5}\times3=\frac{21}{5}=4\frac{1}{5}$ (m)

14 (마름모의 넓이)

$=7\frac{2}{3}\times5\frac{1}{4}\div2=\frac{23}{\cancel{3}_{1}}\times\frac{\overset{7}{\cancel{21}}}{4}\div2=\frac{161}{4}\div2$

$=\frac{161}{4}\times\frac{1}{2}=\frac{161}{8}=20\frac{1}{8}$ (cm^2)

15

채점 기준		
	❶ $3\frac{1}{9}\div4$의 몫 구하기	2점
	❷ □ 안에 알맞은 수 구하기	3점

16 (민주가 하루에 마신 우유의 양)

$=\frac{9}{10}\div3=\frac{9\div3}{10}=\frac{3}{10}$ (L)

(태균이가 하루에 마신 우유의 양)

$=\frac{7}{4}\div5=\frac{7}{4}\times\frac{1}{5}=\frac{7}{20}$ (L)

$\frac{3}{10}=\frac{6}{20}$이므로 $\frac{6}{20}<\frac{7}{20}$입니다.

따라서 하루에 우유를 더 많이 마신 사람은 태균입니다.

17 (동화책 9권의 무게)

$=7\frac{9}{20}-\frac{1}{5}=7\frac{9}{20}-\frac{4}{20}=7\frac{5}{20}=7\frac{1}{4}$ (kg)

(동화책 한 권의 무게)

$=7\frac{1}{4}\div9=\frac{29}{4}\div9=\frac{29}{4}\times\frac{1}{9}=\frac{29}{36}$ (kg)

18 (겹친 부분의 길이의 합)$=\frac{3}{\cancel{8}_{4}}\times\overset{1}{\cancel{2}}=\frac{3}{4}$ (m)

색 테이프 한 장의 길이를 □m라고 하면

(이어 붙인 색 테이프의 전체 길이)

$=□\times3-\frac{3}{4}=9\frac{2}{5}$ (m),

$□\times3=9\frac{2}{5}+\frac{3}{4}=9\frac{8}{20}+\frac{15}{20}=9\frac{23}{20}=10\frac{3}{20}$,

$□=10\frac{3}{20}\div3=\frac{203}{20}\div3=\frac{203}{20}\times\frac{1}{3}$

$=\frac{203}{60}=3\frac{23}{60}$

19

채점 기준		
	❶ $8\frac{1}{6}\div7<□$에서 □ 안에 들어갈 수 있는 자연수 구하기	2점
	❷ $□<9\frac{7}{10}\div2$에서 □ 안에 들어갈 수 있는 자연수 구하기	2점
	❸ □ 안에 공통으로 들어갈 수 있는 자연수의 개수 구하기	1점

20

채점 기준		
	❶ 직사각형의 넓이 구하기	1점
	❷ 똑같이 나눈 한 부분의 넓이 구하기	2점
	❸ 색칠한 부분의 넓이 구하기	2점

연습 서술형 평가

16~17쪽

01 예 ❶ 어떤 수를 □라고 하면 $□\times7=224$,

$□=224\div7=32$입니다.

❷ 어떤 수는 32이므로 바르게 계산하면

$32\div7=\frac{32}{7}=4\frac{4}{7}$입니다.

/ $4\frac{4}{7}\left(=\frac{32}{7}\right)$

02 예 ❶ $15\div22=\frac{15}{22}$이므로 $◆=\frac{15}{22}$입니다.

❷ $◆\div9=\frac{15}{22}\div9=\frac{\overset{5}{\cancel{15}}}{22}\times\frac{1}{\cancel{9}_{3}}=\frac{5}{66}$이므로

$★=\frac{5}{66}$입니다.

/ $\frac{5}{66}$

03 예 ❶ (정오각형 한 개의 둘레)

$=5\frac{1}{4}\div3=\frac{21}{4}\div3=\frac{21\div3}{4}=\frac{7}{4}$ (m)

❷ 정오각형은 변 5개의 길이가 모두 같습니다.

➜ (정오각형의 한 변의 길이)

$=\frac{7}{4}\div5=\frac{7}{4}\times\frac{1}{5}=\frac{7}{20}$ (m)

/ $\frac{7}{20}$ m

04 예 ❶ 나눗셈의 몫이 가장 크게 되는 경우는 가장 큰 수를 가장 작은 수로 나누는 경우입니다. 숫자 카드 중에서 가장 작은 수인 3을 나누는 수로 하고, 남은 숫자로 만든 가장 큰 대분수 $8\frac{5}{7}$를 나누어지는 수로 하는 $8\frac{5}{7}\div3$을 만듭니다.

❷ $8\frac{5}{7}\div3=\frac{61}{7}\div3=\frac{61}{7}\times\frac{1}{3}=\frac{61}{21}=2\frac{19}{21}$

/ $2\frac{19}{21}\left(=\frac{61}{21}\right)$

풀이

01 채점 기준

❶ 어떤 수 구하기	10점
❷ 바르게 계산한 몫을 분수로 나타내기	15점

02 채점 기준

❶ ◆에 알맞은 수 구하기	10점
❷ ★에 알맞은 수 구하기	15점

03 채점 기준

❶ 정오각형 한 개의 둘레 구하기	10점
❷ 정오각형의 한 변의 길이 구하기	15점

04 채점 기준

❶ 몫이 가장 크게 되는 (대분수)÷(자연수) 만들기	15점
❷ 만든 (대분수)÷(자연수)의 몫 구하기	10점

실전 서술형 평가

18~19쪽

01 예 ❶ $10\div3=\frac{10}{3}=3\frac{1}{3}$이므로 $3\frac{1}{3}<\square$입니다.

□ 안에 들어갈 수 있는 자연수는 4, 5, 6, ...입니다.

❷ $27\div4=\frac{27}{4}=6\frac{3}{4}$이므로 $\square<6\frac{3}{4}$입니다.

□ 안에 들어갈 수 있는 자연수는 1, 2, 3, 4, 5, 6입니다.

❸ □ 안에 공통으로 들어갈 수 있는 자연수는 4, 5, 6으로 모두 3개입니다.

/ 3개

02 예 ❶ (쌀과 보리의 양의 합)

$=3\frac{2}{5}+\frac{7}{8}=3\frac{16}{40}+\frac{35}{40}=3\frac{51}{40}$

$=4\frac{11}{40}$ (kg)

❷ (한 병에 담을 쌀과 보리의 양)

$=4\frac{11}{40}\div9=\frac{171}{40}\div9=\frac{171\div9}{40}$

$=\frac{19}{40}$ (kg)

/ $\frac{19}{40}$ kg

03 예 ❶ (정사각형의 한 변의 길이)

$=15\frac{1}{5}\div4=\frac{76}{5}\div4=\frac{76\div4}{5}$

$=\frac{19}{5}$ (cm)

❷ (잘라 만든 정사각형의 한 변의 길이)

$=\frac{19}{5}\div3=\frac{19}{5}\times\frac{1}{3}=\frac{19}{15}=1\frac{4}{15}$ (cm)

/ $1\frac{4}{15}\left(=\frac{19}{15}\right)$ cm

04 예 ❶ $\left(\frac{4}{5}\right.$에서 $\frac{29}{7}$ 사이의 크기$\left.\right)$

$=\frac{29}{7}-\frac{4}{5}=\frac{145}{35}-\frac{28}{35}=\frac{117}{35}$

(수직선 한 칸의 크기)

$=\frac{117}{35}\div9=\frac{117\div9}{35}=\frac{13}{35}$

❷ ㉠$=\frac{4}{5}+\frac{13}{35}\times3=\frac{4}{5}+\frac{39}{35}$

$=\frac{28}{35}+\frac{39}{35}=\frac{67}{35}$

㉡$=\frac{29}{7}-\frac{13}{35}=\frac{145}{35}-\frac{13}{35}=\frac{132}{35}$

❸ ㉠과 ㉡의 차는

$\frac{132}{35}-\frac{67}{35}=\frac{65}{35}=1\frac{30}{35}=1\frac{6}{7}$입니다.

/ $1\frac{6}{7}\left(=\frac{13}{7}\right)$

풀이

01 채점 기준

❶ 10÷3<□에서 □ 안에 들어갈 수 있는 자연수 구하기	10점
❷ □<27÷4에서 □ 안에 들어갈 수 있는 자연수 구하기	10점
❸ □ 안에 공통으로 들어갈 수 있는 자연수의 개수 구하기	5점

02 채점 기준

❶ 쌀과 보리의 양의 합 구하기	10점
❷ 한 병에 담을 쌀과 보리의 양 구하기	15점

03 채점 기준

❶ 정사각형의 한 변의 길이 구하기	10점
❷ 잘라 만든 정사각형의 한 변의 길이 구하기	15점

04 채점 기준

❶ 수직선 한 칸의 크기 구하기	10점
❷ ㉠, ㉡의 값 각각 구하기	10점
❸ ㉠과 ㉡의 차 구하기	5점

2 각기둥과 각뿔

쪽지시험 1회

21쪽

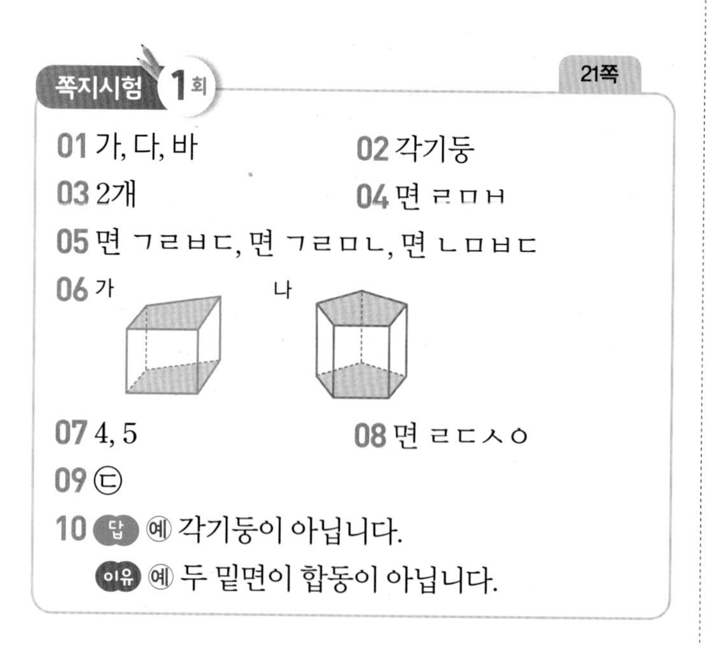

01 가, 다, 바
02 각기둥
03 2개
04 면 ㄹㅁㅂ
05 면 ㄱㄹㅂㄷ, 면 ㄱㄹㅁㄴ, 면 ㄴㅁㅂㄷ
06 가 나
07 4, 5
08 면 ㄹㄷㅅㅇ
09 ㉢
10 답 예 각기둥이 아닙니다.
이유 예 두 밑면이 합동이 아닙니다.

풀이

03 두 면이 서로 평행하고 합동인 다각형으로 이루어진 기둥 모양의 입체도형을 찾아봅니다.

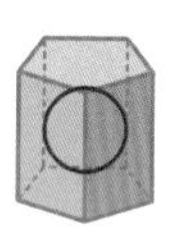 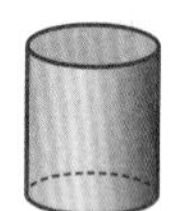 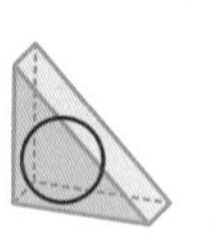 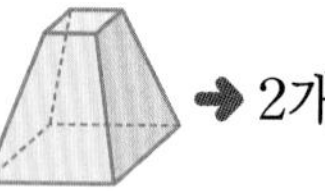
➜ 2개

04 면 ㄱㄴㄷ과 평행한 면은 면 ㄱㄴㄷ과 마주 보는 면입니다.

05 면 ㄱㄴㄷ과 수직인 면은 면 ㄱㄴㄷ과 만나는 면입니다.

06 각기둥에서 서로 평행하고 합동인 두 면을 찾아 색칠합니다.

08 면 ㄱㄴㅂㅁ과 마주 보는 면을 찾습니다.

09 ㉢ 밑면과 옆면은 모두 수직으로 만납니다.

쪽지시험 2회

22쪽

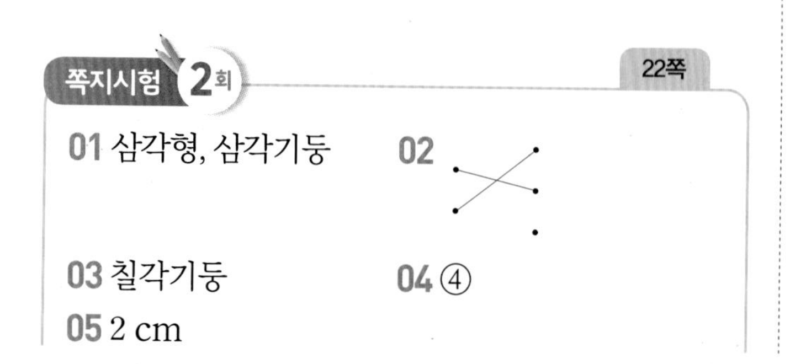

01 삼각형, 삼각기둥
02
03 칠각기둥
04 ④
05 2 cm
06 모서리 ㄱㄴ, 모서리 ㄴㄷ, 모서리 ㄷㄹ, 모서리 ㄹㅁ, 모서리 ㄱㅁ, 모서리 ㄱㅂ, 모서리 ㄴㅅ, 모서리 ㄷㅇ, 모서리 ㄹㅈ, 모서리 ㅁㅊ, 모서리 ㅂㅅ, 모서리 ㅅㅇ, 모서리 ㅇㅈ, 모서리 ㅈㅊ, 모서리 ㅂㅊ
07 꼭짓점 ㄱ, 꼭짓점 ㄴ, 꼭짓점 ㄷ, 꼭짓점 ㄹ, 꼭짓점 ㅁ, 꼭짓점 ㅂ, 꼭짓점 ㅅ, 꼭짓점 ㅇ, 꼭짓점 ㅈ, 꼭짓점 ㅊ
08 6, 12, 8
09 10, 24, 16
10 102 cm

풀이

04 ④ 각기둥에서 높이는 두 밑면 사이의 거리입니다.

05 두 밑면 사이의 거리는 2 cm이므로 각기둥의 높이는 2 cm입니다.

08 밑면이 사각형인 사각기둥은 면이 6개, 모서리가 12개, 꼭짓점이 8개입니다.

09 밑면이 팔각형인 팔각기둥은 면이 10개, 모서리가 24개, 꼭짓점이 16개입니다.

10 각기둥에서 5 cm인 모서리는 12개, 7 cm인 모서리는 6개입니다.
➜ (모든 모서리의 길이의 합)
$=5\times12+7\times6=60+42=102$ (cm)

쪽지시험 3회

23쪽

01 사각기둥
02 육각기둥
03 면 ㅂㅁㅈ
04 점 ㅊ
05 선분 ㅁㄹ
06 나, 다, 라
07 나
08 답 가
이유 예 전개도를 접었을 때 서로 겹치는 부분이 있습니다.
09 풀이 참조

풀이

03 전개도를 접었을 때 면 ㄱㄹㅊ과 평행한 면은 면 ㄱㄹㅊ과 마주 보는 면입니다.

04 전개도를 접었을 때 점 ㅇ과 만나는 점은 점 ㅊ입니다.

05 전개도를 접었을 때 점 ㄷ과 만나는 점은 점 ㅁ이므로 선분 ㄷㄹ과 맞닿는 선분은 선분 ㅁㄹ입니다.

07 나: 밑면이 2개, 옆면이 5개이고, 접었을 때 겹치는 부분이 없으므로 전개도를 접으면 오각기둥이 됩니다.

09

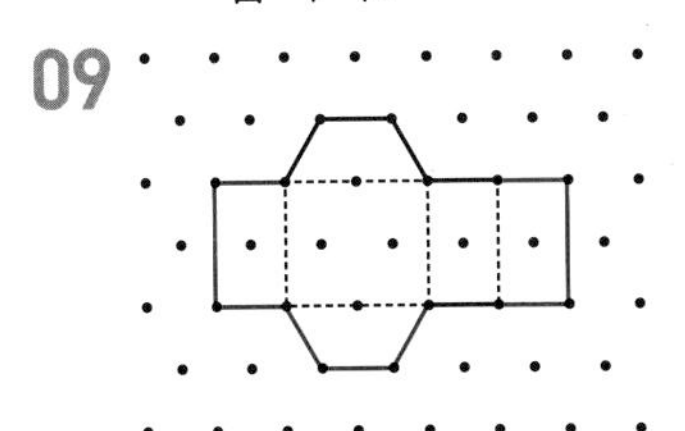

각기둥의 전개도를 접었을 때 맞닿는 선분의 길이가 서로 같아야 합니다.

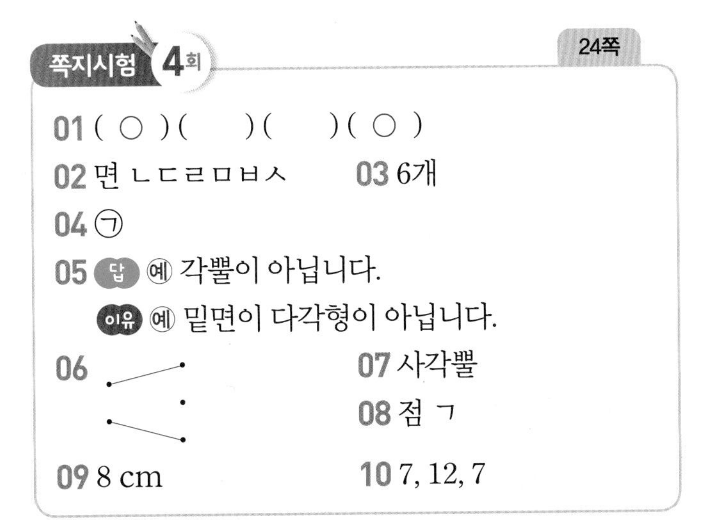

쪽지시험 4회 24쪽

01 (○) (　) (　) (○)

02 면 ㄴㄷㄹㅁㅂㅅ　**03** 6개

04 ㉠

05 답 예 각뿔이 아닙니다.

이유 예 밑면이 다각형이 아닙니다.

06　**07** 사각뿔

08 점 ㄱ

09 8 cm　**10** 7, 12, 7

풀이

03 각뿔에서 옆면은 면 ㄱㄴㄷ, 면 ㄱㄷㄹ, 면 ㄱㄹㅁ, 면 ㄱㅁㅂ, 면 ㄱㅂㅅ, 면 ㄱㄴㅅ으로 모두 6개입니다.

04 ㉡ 각뿔의 옆면은 삼각형입니다.

㉢ 각뿔의 모든 옆면은 한 점에서 만나므로 밑면과 수직으로 만나지 않습니다.

06 밑면이 삼각형인 각뿔은 삼각뿔이고, 밑면이 오각형인 각뿔은 오각뿔입니다.

07 밑면의 모양이 사각형이므로 사각뿔입니다.

09 각뿔의 꼭짓점에서 밑면까지의 거리는 8 cm이므로 각뿔의 높이는 8 cm입니다.

10 밑면이 육각형인 육각뿔은 면이 7개, 모서리가 12개, 꼭짓점이 7개입니다.

기본 단원 평가 25~27쪽

01 나, 라　**02** 가, 바

03 6 cm　**04** (　) (○)

05 면 ㄱㄴㄷㄹ, 면 ㅁㅂㅅㅇ

06 사각기둥　**07** 오각기둥

08 8개　**09** 삼각기둥

10 선분 ㅅㅂ　**11** 2개

12 답 예 각기둥의 전개도가 아닙니다.

이유 예 밑면이 2개여야 하는데 1개입니다.

13 ①, ②　**14** 다

15 (위에서부터) 7, 6 / 15, 10 / 10, 6

16 답 ㉣

바르게 고치기 예 구각기둥의 꼭짓점은 18개입니다.

17 ㉢　**18** 팔각뿔

19 예 ❶ 각기둥의 밑면이 정육각형이므로 밑면의 한 변의 길이는 $15 \div 3 = 5$ (cm)이고, 높이는 9 cm입니다.

❷ 육각기둥에서 5 cm인 모서리는 12개, 9 cm인 모서리는 6개입니다.

❸ 각기둥의 모든 모서리의 길이의 합은 $5 \times 12 + 9 \times 6 = 114$ (cm)입니다.

/ 114 cm

20 예 ❶ 각뿔은 밑면의 변의 수와 옆면의 수가 같으므로 삼각형 4개로 이루어진 각뿔은 사각뿔입니다.

❷ 밑면은 한 변의 길이가 5 cm인 정사각형이므로 밑면의 넓이는 $5 \times 5 = 25$ (cm^2)입니다.

/ 25 cm^2

풀이

03 각기둥에서 두 밑면 사이의 거리는 6 cm이므로 각기둥의 높이는 6 cm입니다.

04 각뿔의 옆면은 모두 삼각형입니다.

07 옆면의 모양이 직사각형인 입체도형은 각기둥이므로 밑면의 모양이 오각형인 각기둥은 오각기둥입니다.

08 각뿔의 옆면은 밑면의 변의 수와 같습니다.
따라서 밑면은 변이 8개이므로 옆면은 8개입니다.

09 밑면의 모양이 삼각형이므로 전개도를 접었을 때 만들어지는 각기둥은 삼각기둥입니다.

10 전개도를 접었을 때 점 ㄱ과 만나는 점은 점 ㅅ, 점 ㄴ과 만나는 점은 점 ㅂ이므로 선분 ㄱㄴ과 맞닿는 선분은 선분 ㅅㅂ입니다.

11 면 ㅊㄷㄹㅈ은 옆면이므로 면 ㅊㄷㄹㅈ과 수직으로 만나는 면은 밑면으로 2개입니다.

13 ③ 삼각형이므로 옆면입니다.
④ 면과 면이 만나는 선분이므로 모서리입니다.
⑤ 다각형으로 1개이므로 밑면입니다.

14 가: 밑면이 오각형이므로 오각뿔입니다.
나: 밑면이 사각형이므로 사각뿔입니다.
다: 밑면이 육각형이므로 육각뿔입니다.

15 오각기둥은 면이 7개, 모서리가 15개, 꼭짓점이 10개입니다.
오각뿔은 면이 6개, 모서리가 10개, 꼭짓점이 6개입니다.

17 ㉠ 삼각뿔은 모서리가 6개입니다.
㉡ 사각기둥은 면이 6개입니다.
㉢ 육각뿔은 꼭짓점이 7개입니다.
따라서 나타내는 수가 다른 하나는 ㉢입니다.

18 면이 9개인 각뿔은 밑면이 1개, 옆면이 8개이므로 밑면의 모양이 팔각형입니다.
밑면이 팔각형인 각뿔은 팔각뿔이고, 팔각뿔은 꼭짓점이 9개, 모서리가 16개이므로 조건을 모두 만족합니다.

19

채점 기준		
	❶ 각기둥의 밑면의 한 변의 길이와 높이 각각 구하기	2점
	❷ 각기둥의 밑면의 변의 수와 높이가 될 수 있는 모서리의 수 각각 구하기	2점
	❸ 각기둥의 모든 모서리의 길이의 합 구하기	1점

20

채점 기준		
	❶ 각뿔의 밑면의 변의 수 구하기	3점
	❷ 각뿔의 밑면의 넓이 구하기	2점

실력 단원 평가

28~30쪽

01 (　)(　)(○)

02 3개

03 (1) 사각기둥 (2) 육각뿔

04 ②

05 3 cm

06 팔각기둥

07 사각기둥

08 (○)(　)

09 풀이 참조

10 밑면: 면 ㄴㄷㄹㅁㅂ / 옆면: 면 ㄱㄴㄷ, 면 ㄱㄷㄹ, 면 ㄱㄹㅁ, 면 ㄱㅁㅂ, 면 ㄱㄴㅂ

11 오각뿔

12 12개

13 ㉡, ㉢

14 (위에서부터) 9, 8 / 21, 14 / 14, 8

15 ㉢

16 60 cm

17 예 ❶ 밑면인 정오각형의 한 변의 길이가 3 cm이므로 직사각형 ㄱㄴㄷㄹ의 세로는 $3\times3=9$ (cm)입니다.
❷ 직사각형 ㄱㄴㄷㄹ의 가로를 □cm라고 하면 $\square\times9=45$이므로 $\square=5$입니다.
따라서 각기둥의 높이는 5 cm입니다.
/ 5 cm

18 6개

19 예 ❶ 전개도를 접었을 때 만들어지는 각기둥은 삼각기둥입니다.
❷ 삼각기둥은 모서리가 9개이므로 각기둥의 높이를 □cm라고 하면 7 cm인 모서리는 6개, □cm인 모서리는 3개입니다.
❸ (모든 모서리의 길이의 합)
$=7\times6+\square\times3=75$,
$42+\square\times3=75$, $\square\times3=33$, $\square=11$
따라서 높이는 11 cm입니다.
/ 11 cm

20 예 ❶ 면이 9개인 각기둥은 밑면이 2개, 옆면이 7개이므로 밑면의 모양이 칠각형입니다.
❷ 밑면의 모양이 칠각형인 각뿔은 칠각뿔입니다.
/ 칠각뿔

풀이

02 각뿔은 한 면이 다각형이고, 다른 면이 모두 삼각형인 뿔 모양의 입체도형입니다.

 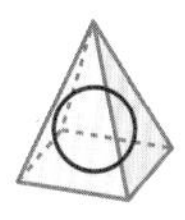 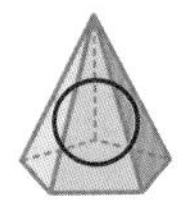 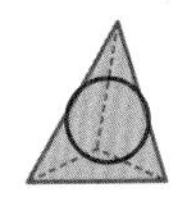 ➜ 3개

05 각기둥의 높이는 3 cm, 각뿔의 높이는 6 cm입니다.
따라서 각기둥과 각뿔의 높이의 차는
$6-3=3$ (cm)입니다.

06 옆면이 8개이면 한 밑면은 변이 8개인 팔각형입니다.
따라서 밑면이 팔각형인 각기둥은 팔각기둥입니다.

08 밑면이 2개, 옆면이 6개이면서 전개도를 접었을 때 겹치는 부분이 없는 것을 찾습니다.

09 예

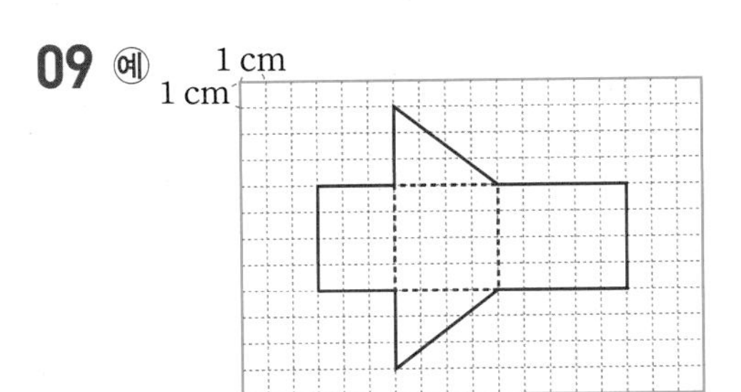

10 각뿔에서 밑면은 다각형으로 1개이고, 옆면은 모두 삼각형입니다.

12 밑면의 모양이 육각형이므로 육각기둥입니다.
육각기둥은 꼭짓점이 12개입니다.

13

입체도형	가	나
㉠ 밑면의 개수	2개	1개
㉡ 밑면의 모양	칠각형	칠각형
㉢ 옆면의 개수	7개	7개
㉣ 옆면의 모양	직사각형	삼각형

14 가: 칠각기둥은 면이 9개, 모서리가 21개, 꼭짓점이 14개입니다.
나: 칠각뿔은 면이 8개, 모서리가 14개, 꼭짓점이 8개입니다.

15 ㉢ 팔각뿔은 옆면이 8개, 꼭짓점이 9개이므로 옆면의 수와 꼭짓점의 수가 같지 않습니다.

16 각뿔에는 5 cm인 모서리가 4개, 10 cm인 모서리가 4개 있습니다.
➜ (모든 모서리의 길이의 합)
$=5\times4+10\times4=60$ (cm)

17

채점 기준		
	❶ 직사각형 ㄱㄴㄷㄹ의 세로의 길이 구하기	2점
	❷ 각기둥의 높이 구하기	3점

18 면의 수가 가장 적은 각뿔은 삼각뿔입니다.
따라서 삼각뿔의 모서리는 6개입니다.

19

채점 기준		
	❶ 각기둥의 이름 구하기	1점
	❷ 7 cm인 모서리의 수와 높이가 될 수 있는 모서리의 수 각각 구하기	2점
	❸ 각기둥의 높이 구하기	2점

20

채점 기준		
	❶ 각기둥의 밑면의 모양 구하기	3점
	❷ 각뿔의 이름 구하기	2점

연습 서술형 평가

31~32쪽

01 같은 점 예 밑면의 모양이 같습니다.
옆면의 개수가 같습니다.
다른 점 예 육각기둥은 밑면이 2개이고, 육각뿔은 밑면이 1개입니다.
육각기둥의 옆면은 직사각형이고, 육각뿔의 옆면은 삼각형입니다.

02 예 ❶ 전개도를 접었을 때 맞닿는 선분의 길이는 같으므로 (선분 ㄴㄷ)=(선분 ㄹㄷ)=9 cm, (선분 ㅁㅂ)=(선분 ㅁㄹ)=15 cm입니다.
❷ 선분 ㄷㅁ의 길이를 □ cm라고 하면 직사각형 ㄱㄴㅂㅅ의 가로는 (9+□+15) cm, 세로는 10 cm입니다.
(직사각형 ㄱㄴㅂㅅ의 넓이)
$=(9+\square+15)\times10=360$ (cm^2)
➜ $\square+24=36$, $\square=12$
따라서 선분 ㄷㅁ의 길이는 12 cm입니다.
/ 12 cm

03 예 ❶ ㉠ 오각기둥은 꼭짓점이 10개입니다.
㉡ 팔각뿔은 모서리가 16개입니다.
❷ ㉡－㉠＝16－10＝6(개)이므로
㉠과 ㉡의 차는 6개입니다.
/ 6개

04 예 ❶ 꼭짓점이 24개인 각기둥은 십이각기둥이므로 밑면의 모양이 십이각형입니다.
❷ 밑면이 십이각형인 각뿔은 십이각뿔입니다. 따라서 십이각뿔의 면은 13개입니다.
/ 13개

풀이

01

채점 기준		
	❶ 육각기둥과 육각뿔의 같은 점 쓰기	10점
	❷ 육각기둥과 육각뿔의 다른 점 쓰기	15점

02

채점 기준		
	❶ 선분 ㄴㄷ, 선분 ㅁㅂ의 길이 각각 구하기	10점
	❷ 선분 ㄷㅁ의 길이 구하기	15점

03

채점 기준		
	❶ ㉠, ㉡의 수 각각 구하기	15점
	❷ ㉠과 ㉡의 차 구하기	10점

04

채점 기준		
	❶ 각기둥의 밑면의 모양 구하기	10점
	❷ 각뿔의 면의 수 구하기	15점

실전 서술형 평가

33~34쪽

01 예 ❶ 밑면은 오른쪽과 같은 사다리꼴 모양이므로 사다리꼴의 높이를 □ cm라고 하면 사다리꼴의 둘레는
10＋13＋15＋□＝50 (cm)입니다.
➜ 38＋□＝50, □＝12

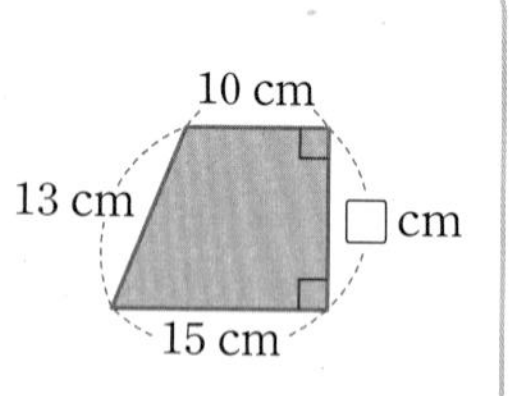

❷ (한 밑면의 넓이)＝(사다리꼴의 넓이)
＝(10＋15)×12÷2
＝150 (cm^2)
/ 150 cm^2

02 예 ❶ 옆면이 5개이므로 밑면의 모양이 오각형인 오각뿔입니다.
❷ 오각뿔은 모서리가 10개이므로 □ cm인 모서리가 5개, 9 cm인 모서리가 5개입니다.
❸ (모든 모서리의 길이의 합)
＝□×5＋9×5＝65 (cm)
➜ □×5＋45＝65, □×5＝20, □＝4
/ 4

03 예 ❶ 면이 10개인 각기둥은 팔각기둥이고, 각뿔은 구각뿔입니다.
❷ 팔각기둥은 면이 10개, 모서리가 24개이므로 조건을 만족하고, 구각뿔은 면이 10개, 모서리가 18개이므로 조건을 만족하지 않습니다.
/ 팔각기둥

04 예 ❶ 구각뿔은 모서리가 18개이므로 어떤 각기둥의 모서리는 18개입니다.
❷ 모서리가 18개인 각기둥은 밑면의 모양이 육각형입니다.
❸ 밑면이 육각형인 각기둥은 육각기둥입니다. 육각기둥은 면이 8개, 꼭짓점이 12개이므로 면의 수와 꼭짓점의 수의 합은 8＋12＝20(개)입니다.
/ 20개

풀이

01

채점 기준		
	❶ 사각기둥의 밑면의 모양을 알고, 각 변의 길이 구하기	15점
	❷ 한 밑면의 넓이 구하기	10점

02

채점 기준		
	❶ 각뿔의 이름 구하기	5점
	❷ 길이가 □cm인 모서리의 수와 9 cm인 모서리의 수 각각 구하기	10점
	❸ □ 안에 알맞은 수 구하기	10점

03

채점 기준		
	❶ 면이 10개인 각기둥과 각뿔의 이름 각각 구하기	10점
	❷ 조건을 만족하는 입체도형의 이름 구하기	15점

04

채점 기준		
	❶ 각기둥의 모서리의 수 구하기	5점
	❷ 각기둥의 밑면의 모양 구하기	10점
	❸ 각기둥의 면의 수와 꼭짓점의 수의 합 구하기	10점

3 소수의 나눗셈

쪽지시험 1회 36쪽

01 64, 64, 32, 3.2
02 (위에서부터) 3.2, 10, 64, 32
03 (1) 0.3 (2) 1.2 (3) 1.32 (4) 1.31
04 1.1 05 2.21 06 $<$
07 4.13 08 1, 2
09 식 $0.8 \div 2 = 0.4$ 답 0.4 L
10 3.12 cm

풀이

06 $4.6 \div 2 = 2.3$, $6.93 \div 3 = 2.31$ ➔ $2.3 < 2.31$
07 가장 큰 수는 8.26이고, 가장 작은 수는 2입니다.
➔ $8.26 \div 2 = 4.13$
08 $6.39 \div 3 = 2.13$이므로 $2.13 > \square$입니다.
따라서 □ 안에 들어갈 수 있는 자연수는 1, 2입니다.
09 (민우가 마시게 되는 우유의 양)
$= 0.8 \div 2 = 0.4$ (L)
10 정삼각형은 세 변의 길이가 모두 같습니다.
(정삼각형의 한 변의 길이)
$= 9.36 \div 3 = 3.12$ (cm)

쪽지시험 2회 37쪽

01 ㉡
02 (1) 1.73 (2) 0.59
03
04 0.79, 1.63
05 ( )(○)
06
```
     0.4 3
  8 ) 3.4 4
      3 2
      ----
        2 4
        2 4
        ---
          0
```
07 ㉢
08 1, 2, 3, 4
09 1.49 m
10 0.36 L

풀이

07 ㉠ $5.76 \div 4 = 1.44$ ㉡ $9.24 \div 7 = 1.32$
㉢ $9.12 \div 6 = 1.52$
따라서 $1.52 > 1.44 > 1.32$이므로 몫이 가장 큰 것은 ㉢입니다.
08 $6.75 \div 9 = 0.75$이므로 $0.7\square < 0.75$입니다.
따라서 □ 안에 들어갈 수 있는 자연수는 1, 2, 3, 4입니다.
09 (한 명이 가질 색 테이프의 길이)
$= 7.45 \div 5 = 1.49$ (m)
10 일주일은 7일입니다.
(하루에 마실 우유의 양)$= 2.52 \div 7 = 0.36$ (L)

쪽지시험 3회 38쪽

01 108, 1.08
02
```
      [1].[5][6]
  5 ) 7 . 8
      [5]
      -----
      2  8
      [2][5]
      -----
         3  0
        [3][0]
        -----
            0
```
03
```
      [1].[0][3]
  8 ) 8 . 2  4
      [8]
      ------
         2  4
        [2][4]
        -----
            0
```
04 (1) 2.15 (2) 1.09
05 (위에서부터) 3.15, 2.52
06 (○)( )
07 ㉡, ㉠, ㉢
08 2.09
09 3.05
10 식 $43.6 \div 8 = 5.45$ 답 5.45 cm

풀이

06 $8.08 \div 4 = 2.02$, $11.7 \div 6 = 1.95$
➔ $2.02 > 1.95$
07 ㉠ $4.14 \div 2 = 2.07$ ㉡ $10.6 \div 5 = 2.12$
㉢ $14.8 \div 8 = 1.85$
따라서 $2.12 > 2.07 > 1.85$이므로 몫이 큰 것부터 차례로 기호를 쓰면 ㉡, ㉠, ㉢입니다.
08 $\square = 6.27 \div 3 = 2.09$

09 가장 큰 수는 18.3이고, 가장 작은 수는 6입니다.
➜ $18.3 \div 6 = 3.05$

10 정팔각형은 변 8개의 길이가 모두 같습니다.
(정팔각형의 한 변의 길이)
$= 43.6 \div 8 = 5.45$ (cm)

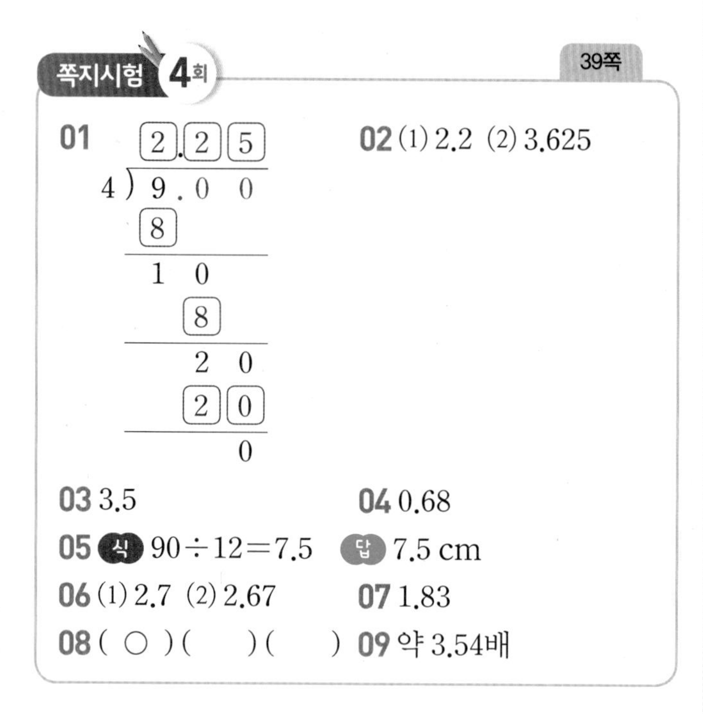

쪽지시험 4회

39쪽

01

```
     [2].[2][5]
4 ) 9 . 0  0
    [8]
    1  0
       [8]
       2  0
      [2][0]
          0
```

02 (1) 2.2 (2) 3.625

03 3.5

04 0.68

05 식 $90 \div 12 = 7.5$ 답 7.5 cm

06 (1) 2.7 (2) 2.67

07 1.83

08 (○)( )( )

09 약 3.54배

풀이

04 $25 > 17$이므로 $17 \div 25 = 0.68$입니다.

05 (직사각형의 넓이)=(가로)×(세로)입니다.
➜ $90 = 12 \times$(세로), (세로)$= 90 \div 12 = 7.5$ (cm)

07 $11 \div 6 = 1.833\cdots$이므로 몫을 반올림하여 소수 둘째 자리까지 나타내면 1.83입니다.

08
- $15 \div 7 = 2.14\cdots$이므로 몫을 반올림하여 소수 첫째 자리까지 나타내면 2.1입니다.
- $20 \div 9 = 2.22\cdots$이므로 몫을 반올림하여 소수 첫째 자리까지 나타내면 2.2입니다.
- $24 \div 11 = 2.18\cdots$이므로 몫을 반올림하여 소수 첫째 자리까지 나타내면 2.2입니다.

09 $46 \div 13 = 3.538\cdots$이므로 몫을 반올림하여 소수 둘째 자리까지 나타내면 3.54입니다. 따라서 아버지의 나이는 선우의 나이의 약 3.54배입니다.

기본 단원 평가

40~42쪽

01 48, 48, 24, 2.4

02 ㉡

03 (1) 1.53 (2) 0.84

04 3.4

05

```
     2.0 9
4 ) 8.3 6
    8
      3 6
      3 6
        0
```

06 (○)( )( )

07 >

08 ㉡, ㉠, ㉢

09 3.75, 0.75

10 식 $41.1 \div 3 = 13.7$ 답 13.7 kg

11 0.45 L

12 (1) 2.3 (2) 2.27

13 (○)( )

14 약 1.17배

15 예 ❶ (분홍색 페인트의 양)
$= 3.5 + 2.74 = 6.24$ (L)
❷ (한 명이 사용할 페인트의 양)
$= 6.24 \div 3 = 2.08$ (L)
/ 2.08 L

16 11.8 cm

17 ㉡

18 [2].[3][6]÷[8], 0.295

19 예 ❶ $16.64 \div 4 = 4.16$이므로 □<4.16입니다.
□ 안에 들어갈 수 있는 자연수는 1, 2, 3, 4입니다.
❷ $38.1 \div 15 = 2.54$이므로 $2.54<$□입니다.
□ 안에 들어갈 수 있는 자연수는 3, 4, 5, ...입니다.
❸ □ 안에 공통으로 들어갈 수 있는 자연수는 3, 4로 모두 2개입니다.
/ 2개

20 예 ❶ 가장 큰 수는 50이고, 가장 작은 수는 14입니다.
❷ $50 \div 14 = 3.57\cdots$이므로 몫을 반올림하여 소수 첫째 자리까지 나타내면 3.6입니다.
/ 3.6

풀이

06 $4.28 \div 4 = 1.07$, $5.1 \div 5 = 1.02$,
$8.16 \div 8 = 1.02$

07 $48 \div 25 = 1.92$, $73 \div 40 = 1.825$
➜ $1.92 > 1.825$

08 ㉠ $3.27 \div 3 = 1.09$ ㉡ $5.64 \div 6 = 0.94$
㉢ $9.2 \div 8 = 1.15$
따라서 $0.94 < 1.09 < 1.15$이므로 몫이 작은 것부터 차례로 기호를 쓰면 ㉡, ㉠, ㉢입니다.

09 $15 \div 4 = 3.75$, $3.75 \div 5 = 0.75$

10 (동생의 몸무게)$= 41.1 \div 3 = 13.7$ (kg)

11 (한 명이 마실 딸기주스의 양)
$= 2.25 \div 5 = 0.45$ (L)

12 $25 \div 11 = 2.272\cdots$입니다.
(1) 몫을 반올림하여 소수 첫째 자리까지 나타내면 2.3입니다.
(2) 몫을 반올림하여 소수 둘째 자리까지 나타내면 2.27입니다.

13 • $17 \div 6 = 2.833\cdots$이므로 몫을 반올림하여 소수 둘째 자리까지 나타내면 2.83입니다.
• $30 \div 13 = 2.307\cdots$이므로 몫을 반올림하여 소수 둘째 자리까지 나타내면 2.31입니다.
➜ $2.83 > 2.31$

14 $7 \div 6 = 1.166\cdots$이므로 몫을 반올림하여 소수 둘째 자리까지 나타내면 1.17입니다. 따라서 찬영이네 집에서 기차역까지의 거리는 가희네 집에서 기차역까지의 거리의 약 1.17배입니다.

15

채점 기준		
	❶ 분홍색 페인트의 양 구하기	2점
	❷ 한 명이 사용할 페인트의 양 구하기	3점

16 (삼각형의 넓이)$=$(밑변의 길이)$\times$(높이)$\div 2$
➜ $41.3 = \square \times 7 \div 2$, $\square \times 7 = 82.6$, $\square = 11.8$

17 ㉠ $10 \div 7 = 1.42\cdots$이므로 몫을 반올림하여 소수 첫째 자리까지 나타내면 1.4입니다.
㉡ $10 \div 7 = 1.428\cdots$이므로 몫을 반올림하여 소수 둘째 자리까지 나타내면 1.43입니다.
따라서 $1.4 < 1.43$이므로 몫이 더 큰 것은 ㉡입니다.

18 몫이 가장 작게 되려면 가장 작은 수를 가장 큰 수로 나누어야 합니다. 숫자 카드 중에서 가장 큰 숫자인 8을 나누는 수로 하고, 남은 숫자를 사용하여 만든 가장 작은 소수 두 자리 수 2.36을 나누어지는 수로 하여 나눗셈 $2.36 \div 8$을 만듭니다.
➜ $2.36 \div 8 = 0.295$

19

채점 기준		
	❶ $16.64 \div 4$의 몫보다 작은 자연수 구하기	2점
	❷ $38.1 \div 15$의 몫보다 큰 자연수 구하기	2점
	❸ □ 안에 공통으로 들어갈 수 있는 자연수의 개수 구하기	1점

20

채점 기준		
	❶ 가장 큰 수와 가장 작은 수 각각 구하기	2점
	❷ 몫을 반올림하여 소수 첫째 자리까지 나타내기	3점

실력 단원 평가

43~45쪽

01 (위에서부터) 1.13, 100, 339, 113
02 ( ) ( ) (○)
03 2.45
04 ㉢
05
06 3.05, 0.78
07 1.45
08 식 $7.2 \div 9 = 0.8$ 답 0.8 L
9 1.05
10 0.76
11 4
12 식 $30.4 \div 8 = 3.8$ 답 3.8 cm
13 0.25 cm
14 5.45 cm
15 태희
16 2.07
17 예 ❶ (책가방 8개의 무게)$= 8.68 - 0.28$
$= 8.4$ (kg)
❷ (책가방 한 개의 무게)$= 8.4 \div 8 = 1.05$ (kg)
❸ (책가방 3개의 무게)$= 1.05 \times 3 = 3.15$ (kg)
/ 3.15 kg
18 1.65

19 예 ❶ 정사각형은 네 변의 길이가 모두 같습니다.
(정사각형의 한 변의 길이)
$=14.8\div4=3.7$ (cm)
❷ (정사각형의 넓이)
$=3.7\times3.7=13.69$ (cm^2)
/ 13.69 cm^2

20 예 ❶ (가로 한 줄에 필요한 타일의 수)
$=74\div5=14.8$ ➔ 15장
(세로 한 줄에 필요한 타일의 수)
$=36\div5=7.2$ ➔ 8장
❷ (필요한 타일의 수)$=15\times8=120$(장)
/ 120장

풀이

04 ㉠ $4.28\div2=2.14$ ㉡ $5.22\div3=1.74$
㉢ $8.12\div4=2.03$ ㉣ $6.09\div7=0.87$

07 $13<18.85$이므로 $18.85\div13=1.45$입니다.

08 (한 병에 담을 식혜의 양)$=7.2\div9=0.8$ (L)

09 ㉠ $3\div4=0.75$ ㉡ $9\div5=1.8$
따라서 $0.75<1.8$이므로 $1.8-0.75=1.05$입니다.

10 $\square\times9=6.84$ ➔ $\square=6.84\div9=0.76$

11 $31.68\div9=3.52$이므로 $3.52<\square$입니다.
따라서 □ 안에 들어갈 수 있는 자연수 중에서 가장 작은 수는 4입니다.

12 정팔각형은 변 8개의 길이가 모두 같습니다.
(정팔각형의 한 변의 길이)$=30.4\div8=3.8$ (cm)

13 1시간은 60분입니다.
(1분 동안 탄 양초의 길이)$=15\div60=0.25$ (cm)

14 (평행사변형의 넓이)=(밑변의 길이)×(높이)입니다.
➔ $43.6=8\times\square$, $\square=43.6\div8=5.45$

15 (태희가 나눈 리본 한 도막의 길이)
$=6.2\div4=1.55$ (m)
(주형이가 나눈 리본 한 도막의 길이)
$=10.15\div7=1.45$ (m)
따라서 $1.55>1.45$이므로 나눈 리본 한 도막의 길이가 더 긴 사람은 태희입니다.

16 $55.26⊙18=(55.26-18)\div18$
$=37.26\div18=2.07$

17

채점 기준	
❶ 책가방 8개의 무게 구하기	1점
❷ 책가방 한 개의 무게 구하기	2점
❸ 책가방 3개의 무게 구하기	2점

18 어떤 수를 □라고 하면 $\square\times6=59.4$입니다.
➔ $\square=59.4\div6=9.9$
따라서 바르게 계산하면 $9.9\div6=1.65$입니다.

19

채점 기준	
❶ 정사각형의 한 변의 길이 구하기	3점
❷ 정사각형의 넓이 구하기	2점

20

채점 기준	
❶ 가로, 세로 한 줄에 필요한 타일의 수 각각 구하기	3점
❷ 바닥 전체를 덮는 데 필요한 타일의 수 구하기	2점

연습 서술형 평가

46~47쪽

01 예 ❶ (예진이가 1분 동안 달린 거리)
$=25.75\div25=1.03$ (km)
(동호가 1분 동안 달린 거리)
$=29.4\div30=0.98$ (km)
❷ $1.03>0.98$이므로 자전거를 타고 1분 동안 더 많이 달린 사람은 예진입니다.
/ 예진

02 예 ❶ 육각뿔은 모서리가 12개입니다.
❷ 육각뿔의 모든 모서리의 길이가 같으므로 한 모서리의 길이는 $54\div12=4.5$ (cm)입니다.
/ 4.5 cm

03 예 ❶ (이등변삼각형의 둘레)
$=2.7+2.7+4.2=9.6$ (cm)
❷ (정사각형의 둘레)=(이등변삼각형의 둘레)
$=9.6$ cm
(정사각형의 한 변의 길이)
$=9.6\div4=2.4$ (cm)
/ 2.4 cm

04 예 ❶ 도로 한쪽에 세울 전봇대는 $70 \div 2 = 35$(개)입니다.

❷ (전봇대와 전봇대의 간격 수) $= 35 - 1 = 34$(군데)

❸ (전봇대와 전봇대의 간격) $= 5.1 \div 34 = 0.15$ (km)

/ 0.15 km

풀이

01

채점 기준		
	❶ 예진이와 동호가 1분 동안 달린 거리를 각각 구하기	15점
	❷ 1분 동안 더 많이 달린 사람 구하기	10점

02

채점 기준		
	❶ 육각뿔의 모서리의 수 구하기	10점
	❷ 육각뿔의 한 모서리의 길이 구하기	15점

03

채점 기준		
	❶ 이등변삼각형의 둘레 구하기	10점
	❷ 정사각형의 한 변의 길이 구하기	15점

04

채점 기준		
	❶ 도로 한쪽에 세울 전봇대의 수 구하기	5점
	❷ 전봇대와 전봇대의 간격 수 구하기	10점
	❸ 전봇대와 전봇대의 간격 구하기	10점

실전 서술형 평가

48~49쪽

01 예 ❶ (한 상자의 무게) $= 63 \div 5 = 12.6$ (kg)

❷ (책 한 권의 무게) $= 12.6 \div 28 = 0.45$ (kg)

/ 0.45 kg

02 예 ❶

1.ⓛⓡ

ⓖ) 7.ⓒ◆

7

4◆

4ⓜ

0

ⓖ×1=7이므로 ⓖ=7입니다.

ⓒ을 그대로 내려 쓴 것이 4이므로 ⓒ=4입니다.

4는 7로 나눌 수 없으므로 ⓛ=0입니다.

7×ⓡ=4ⓜ이므로 ⓡ이 될 수 있는 수는 6, 7입니다.

❷ ⓡ=6일 때, $7 \times 6 = 42$이므로 ⓜ=2이고, ◆=2입니다.

ⓡ=7일 때, $7 \times 7 = 49$이므로 ⓜ=9이고, ◆=9입니다.

따라서 ◆이 될 수 있는 자연수는 2, 9입니다.

/ 2, 9

03 예 ❶ 삼각형 ㄱㄴㄹ의 높이를 □cm라고 하면

(삼각형 ㄱㄴㄹ의 넓이) $= 18 \times \square \div 2 = 121.5$ (cm^2)입니다.

➔ $18 \times \square \div 2 = 121.5$, $18 \times \square = 243$, $\square = 13.5$

❷ 사다리꼴의 높이는 삼각형 ㄱㄴㄹ의 높이와 같으므로 13.5 cm입니다.

❸ (사다리꼴의 넓이) $= (18 + 25) \times 13.5 \div 2 = 290.25$ (cm^2)

/ 290.25 cm^2

04 예 ❶ 나눗셈의 몫이 가장 작게 되는 경우는 가장 작은 수를 가장 큰 수로 나누는 경우입니다. 숫자 카드로 만들 수 있는 가장 작은 두 자리 수 13을 나누어지는 수로 하고, 가장 큰 두 자리 수 95를 나누는 수로 하여 나눗셈 $13 \div 95$를 만듭니다.

❷ $13 \div 95 = 0.136\cdots$이므로 몫을 반올림하여 소수 둘째 자리까지 나타내면 0.14입니다.

/ 0.14

풀이

01

채점 기준		
	❶ 한 상자의 무게 구하기	10점
	❷ 책 한 권의 무게 구하기	15점

02

채점 기준		
	❶ 몫의 소수 둘째 자리에 들어갈 수 있는 수 구하기	15점
	❷ ◆이 될 수 있는 자연수 모두 구하기	10점

03

채점 기준		
	❶ 삼각형 ㄱㄴㄹ의 높이 구하기	10점
	❷ 사다리꼴의 높이 구하기	5점
	❸ 사다리꼴의 넓이 구하기	10점

04

채점 기준		
	❶ 몫이 가장 작은 (두 자리 수)÷(두 자리 수) 만들기	15점
	❷ 몫을 반올림하여 소수 둘째 자리까지 나타내기	10점

4 비와 비율

쪽지시험 1회 (51쪽)

01 뺄셈에 ○표, 6
02 나눗셈에 ○표, 3
03 2, 8
04 2, 5
05 예 강아지 인형은 곰 인형보다 6개 더 많습니다.
06 예 나무의 높이는 그림자의 길이의 6배입니다.
07 예 정오각형의 둘레는 정팔각형의 둘레보다 40 cm 더 깁니다.
08 예 정오각형의 둘레는 정팔각형의 둘레의 2배입니다.

풀이

05 강아지 인형은 곰 인형보다 $18-12=6$(개) 더 많습니다.
06 나무의 높이는 그림자의 길이의 $180\div30=6$(배)입니다.
07 (정오각형의 둘레)$=16\times5=80$ (cm)
(정팔각형의 둘레)$=5\times8=40$ (cm)
정오각형의 둘레는 정팔각형의 둘레보다
$80-40=40$ (cm) 더 깁니다.
08 정오각형의 둘레는 정팔각형의 둘레의
$80\div40=2$(배)입니다.

쪽지시험 2회 (52쪽)

01 6, 7 / 6, 7 / 6, 7 / 7, 6
02 (선 잇기)
03 3 : 8
04 8 : 3
05 (1) 4, 9 (2) 13, 7 (3) 11, 15
06 7 : 10
07 4 : 9
08 예 (원 그림)
09 ㉢
10 7 : 15

풀이

02 17과 6의 비 ➔ 17 : 6, 17에 대한 6의 비 ➔ 6 : 17, 6 대 17 ➔ 6 : 17
03 티셔츠 수와 바지 수의 비는 기준량이 8, 비교하는 양이 3이므로 3 : 8입니다.
04 바지 수의 티셔츠 수에 대한 비는 기준량이 3, 비교하는 양이 8이므로 8 : 3입니다.
05 (1) 4와 9의 비 ➔ 4 : 9
(2) 7에 대한 13의 비 ➔ 13 : 7
(3) 11의 15에 대한 비 ➔ 11 : 15
06 전체 10칸 중에서 색칠한 부분이 7칸이므로 전체에 대한 색칠한 부분의 비는 7 : 10입니다.
07 딸기 원액 양의 우유 양에 대한 비는 기준량이 9, 비교하는 양이 4이므로 4 : 9입니다.
08 전체 6칸 중 5칸을 색칠합니다.
09 ㉠ 20 : 9 ㉡ 20 : 9 ㉢ 9 : 20
따라서 비가 다른 하나는 ㉢입니다.
10 삼각형의 높이의 밑변의 길이에 대한 비는 기준량이 15, 비교하는 양이 7이므로 7 : 15입니다.

쪽지시험 3회 (53쪽)

01 5, 8, $\frac{5}{8}$
02 7 : 10
03 0.7
04 $\frac{6}{25}$, 0.24
05 (위에서부터) 예 $\frac{6}{20}$, 0.3 / 예 $\frac{21}{28}$, 0.75
06 ( ) (○)
07 예 $\frac{400}{2}$(=200)
08 0.6
09 예 $\frac{12600}{7}$(=1800), 예 $\frac{16800}{8}$(=2100)
10 나 마을

풀이

02 초록색 구슬 수에 대한 노란색 구슬 수의 비는 기준량이 10, 비교하는 양이 7이므로 7 : 10입니다.
03 7 : 10을 비율로 나타내면 $\frac{7}{10}=0.7$입니다.

04 25에 대한 6의 비는 6 : 25입니다.
6 : 25의 비율을 분수로 나타내면 $\frac{6}{25}$,
소수로 나타내면 0.24입니다.

05 6과 20의 비 ➔ 6 : 20 ➔ $\frac{6}{20}=0.3$
21의 28에 대한 비 ➔ 21 : 28 ➔ $\frac{21}{28}=0.75$

06 14 : 35를 비율로 나타내면 $\frac{14}{35}=0.4$입니다.
18 : 30을 비율로 나타내면 $\frac{18}{30}=0.6$입니다.
$0.4<0.6$이므로 비율이 더 높은 것은 18 : 30입니다.

07 걸린 시간에 대한 간 거리의 비는 400 : 2이므로 비율로 나타내면 $\frac{400}{2}=200$입니다.

08 전체 화살 수에 대한 맞힌 화살 수의 비는 9 : 15이므로 비율로 나타내면 $\frac{9}{15}=0.6$입니다.

09 가 마을의 넓이에 대한 인구의 비는 12600 : 7이므로 비율로 나타내면 $\frac{12600}{7}=1800$입니다.
나 마을의 넓이에 대한 인구의 비는 16800 : 8이므로 비율로 나타내면 $\frac{16800}{8}=2100$입니다.

10 $1800<2100$이므로 넓이에 대한 인구의 비율이 더 높은 마을은 나 마을입니다.

쪽지시험 4회 54쪽

01 26 %
02 (1) 100, 40, 40 (2) 100, 64, 64
03 (위에서부터) 0.36, 36 % / $\frac{77}{100}$, 77 %
04 ㉢
05 <
06 55 %
07 30 %
08 10 %
09 20 %
10 샌들

풀이

03 $\frac{18}{50}=\frac{18\times2}{50\times2}=\frac{36}{100}=0.36$,
$\frac{18}{50}\times100=36$ ➔ 36 %
$0.77=\frac{77}{100}$, $0.77\times100=77$ ➔ 77 %

04 ㉠ $\frac{3}{5}\times100=60$ ➔ 60 %
㉡ $0.04\times100=4$ ➔ 4 %
㉢ $\frac{14}{35}\times100=40$ ➔ 40 %
따라서 백분율로 나타내면 40 %인 비율은 ㉢입니다.

05 $\frac{12}{48}\times100=25$ ➔ 25 %
25 %<26 %이므로 $\frac{12}{48}$<26 %입니다.

06 창민이네 학교 전체 학생 수에 대한 남학생 수의 비율은 $\frac{330}{600}$입니다. $\frac{330}{600}\times100=55$이므로 백분율로 나타내면 55 %입니다.

07 (도착 지점까지 남은 거리)$=300-210=90$ (m)
전체 거리에 대한 도착 지점까지 남은 거리의 비율은 $\frac{90}{300}$입니다. $\frac{90}{300}\times100=30$이므로 백분율로 나타내면 30 %입니다.

08 (운동화의 할인된 금액)
$=40000-36000=4000$(원)
운동화의 정가에 대한 할인된 금액의 비율은 $\frac{4000}{40000}$입니다. $\frac{4000}{40000}\times100=10$이므로 백분율로 나타내면 10 %입니다.

09 (샌들의 할인된 금액)
$=35000-28000=7000$(원)
샌들의 정가에 대한 할인된 금액의 비율은 $\frac{7000}{35000}$입니다. $\frac{7000}{35000}\times100=20$이므로 백분율로 나타내면 20 %입니다.

10 10 %<20 %이므로 정가에 대한 할인된 금액의 비율이 더 높은 것은 샌들입니다.

기본 단원 평가 55~57쪽

01 6

02 (1) 23 : 14 (2) 10 : 17

03 (1) 4 : 6 (2) 6 : 4 **04** 43 %, 43 퍼센트

05 예 운동장에 남학생이 여학생보다 5명 더 많습니다.

06 예 샌드위치 수는 도넛 수의 5배입니다.

07 예 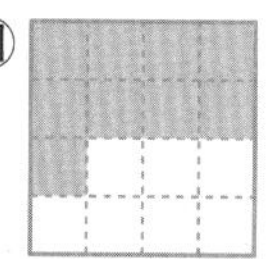 **08** 4 : 5

09 **10** 0.45

11 75 %

12 시우 **13** 0.36, 0.4

14 지원

15 틀립니다.

이유 예 2 : 13은 기준량이 13이지만 13 : 2는 기준량이 2입니다.

16 예 ❶ 비율을 소수로 나타냅니다.

㉠ 22 : 25 ➔ $\frac{22}{25}=0.88$

㉡ 24에 대한 18의 비 ➔ 18 : 24

➔ $\frac{18}{24}=0.75$

㉢ 4와 5의 비 ➔ 4 : 5 ➔ $\frac{4}{5}=0.8$

❷ 비율을 비교하면 $0.75<0.8<0.88$이므로 비율이 낮은 것부터 차례로 기호를 쓰면 ㉡, ㉢, ㉠입니다.

/ ㉡, ㉢, ㉠

17 20 % **18** 50 %

19 예 ❶ 축구공을 찬 횟수에 대한 골을 넣은 횟수의 비율은 서현이가 $\frac{18}{25}(=0.72)$이고, 태현이가 $\frac{14}{20}(=0.7)$입니다.

❷ $0.72>0.7$이므로 축구공을 찬 횟수에 대한 골을 넣은 횟수의 비율이 더 높은 사람은 서현입니다.

/ 서현

20 예 ❶ (직사각형의 세로)$=180\div15=12$ (cm)

❷ 가로에 대한 세로의 비율은 $\frac{12}{15}$입니다.

$\frac{12}{15}\times100=80$이므로 백분율로 나타내면 80 %입니다.

/ 80 %

풀이

03 (1) 숟가락 수와 포크 수의 비는 기준량이 6, 비교하는 양이 4이므로 4 : 6입니다.

(2) 숟가락 수에 대한 포크 수의 비는 기준량이 4, 비교하는 양이 6이므로 6 : 4입니다.

09 3과 15의 비 ➔ 3 : 15 ➔ $\frac{3}{15}=0.2$

3 : 20 ➔ $\frac{3}{20}=0.15$

30에 대한 18의 비 ➔ 18 : 30 ➔ $\frac{18}{30}=0.6$

10 액자의 가로에 대한 세로의 비는 18 : 40이므로 비율로 나타내면 $\frac{18}{40}=0.45$입니다.

11 전체 16칸 중에서 색칠한 부분이 12칸이므로 비율로 나타내면 $\frac{12}{16}$이고, $\frac{12}{16}\times100=75$이므로 백분율로 나타내면 75 %입니다.

12 아진: $\frac{1}{5}\times100=20$ ➔ 20 %

시우: $\frac{1}{20}\times100=5$ ➔ 5 %

따라서 바르게 이야기한 사람은 시우입니다.

13 서준이가 만든 포도주스 양에 대한 포도 원액 양의 비는 90 : 250이므로 비율로 나타내면 $\frac{90}{250}=0.36$입니다.

지원이가 만든 포도주스 양에 대한 포도 원액 양의 비는 120 : 300이므로 비율로 나타내면 $\frac{120}{300}=0.4$입니다.

14 $0.36<0.4$이므로 지원이가 만든 포도주스가 포도주스 양에 대한 포도 원액 양의 비율이 더 높습니다.

16

채점 기준		
	❶ 비율을 소수로 나타내기	4점
	❷ 비율이 낮은 것부터 차례로 기호를 쓰기	1점

17 (모자의 할인된 금액)$=6000-4800=1200$(원)
모자의 정가에 대한 할인된 금액의 비율은 $\frac{1200}{6000}$입니다. $\frac{1200}{6000}\times100=20$이므로 20 % 할인된 것입니다.

18 (남은 우유 양)$=1000-180-320=500$ (mL)
따라서 남은 우유 양은 처음 우유 양의 $\frac{500}{1000}$입니다.
$\frac{500}{1000}\times100=50$이므로 백분율로 나타내면 50 %입니다.

19

채점 기준		
	❶ 서현이와 태현이가 축구공을 찬 횟수에 대한 골을 넣은 횟수의 비율을 각각 구하기	4점
	❷ 축구공을 찬 횟수에 대한 골을 넣은 횟수의 비율이 더 높은 사람 구하기	1점

20

채점 기준		
	❶ 직사각형의 세로 구하기	2점
	❷ 가로에 대한 세로의 비율을 백분율로 나타내기	3점

실력 단원 평가

58~60쪽

01 (1) 8 (2) 3
02 (1) 9, 5 (2) 8, 3
03 17 : 25, $\frac{17}{25}$, 0.68
04 (1) 25 % (2) 42 %
05 지민
06 33 : 50
07 25 : 77
08 8 : 7
09 ㄹ
10 4 : 10
11 예 $\frac{4}{10}$, 0.4
12 파란색 자동차
13 0.7
14
15 45 %
16 150 %
17 예 ❶ (전체 공 수)$=15+18+17=50$(개)
❷ 전체 공 수에 대한 파란색 공 수의 비율은 $\frac{18}{50}$입니다. $\frac{18}{50}\times100=36$이므로 백분율로 나타내면 36 %입니다.
/ 36 %

18 99명
19 예 ❶ (직사각형 가의 둘레)
$=12+8+12+8=40$ (cm)
❷ (정사각형 나의 둘레)
$=9+9+9+9=36$ (cm)
❸ 직사각형 가와 정사각형 나의 둘레의 비는 40 : 36입니다.
/ 40 : 36
20 예 ❶ (어제 판매한 볼펜 한 자루의 가격)
$=2400\div3=800$(원)
(오늘 판매하는 볼펜 한 자루의 가격)
$=3000\div5=600$(원)
❷ 오늘 판매하는 볼펜 한 자루의 가격은 어제 판매한 볼펜 한 자루의 가격보다 $800-600=200$(원) 더 쌉니다.
❸ $\frac{200}{800}\times100=25$이므로 25 % 할인된 것입니다.
/ 25 %

풀이

03 17의 25에 대한 비는 17 : 25입니다.
17 : 25를 비율로 나타내면 $\frac{17}{25}=0.68$입니다.

05 뺄셈으로 비교하면 쿠키는 도넛보다 $12-3=9$(개) 더 많습니다.
나눗셈으로 비교하면 쿠키 수는 도넛 수의 $12\div3=4$(배)입니다.
따라서 도넛 수와 쿠키 수를 바르게 비교한 사람은 지민입니다.

07 (전체 과일 수)$=25+22+30=77$(개)
사과 수의 전체 과일 수에 대한 비는 기준량이 77, 비교하는 양이 25이므로 25 : 77입니다.

10 그림 면이 나온 회차는 1회, 3회, 5회, 7회로 4번 나왔습니다. 동전을 던진 횟수에 대한 그림 면이 나온 횟수의 비는 기준량이 10, 비교하는 양이 4이므로 4 : 10입니다.

11 동전을 던진 횟수에 대한 그림 면이 나온 횟수의 비는 4 : 10이므로 비율로 나타내면 $\frac{4}{10}=0.4$입니다.

12 빨간색 자동차의 걸린 시간에 대한 간 거리의 비는 180 : 2이므로 비율로 나타내면 $\frac{180}{2}=90$입니다.
파란색 자동차의 걸린 시간에 대한 간 거리의 비는 285 : 3이므로 비율로 나타내면 $\frac{285}{3}=95$입니다.
➜ $90<95$이므로 파란색 자동차가 더 빠릅니다.

13 (미연이가 먹은 초콜릿 수)$=14+6=20$(개)
미연이가 먹은 초콜릿 수에 대한 규호가 먹은 초콜릿 수의 비는 14 : 20이므로 비율로 나타내면 $\frac{14}{20}=0.7$입니다.

14 비율을 백분율로 나타냅니다.
$\frac{7}{10}\times100=70$ ➜ 70 %
$0.58\times100=58$ ➜ 58 %
$\frac{7}{20}\times100=35$ ➜ 35 %

15 전체 표 수에 대한 소현이가 받은 표 수의 비율은 $\frac{180}{400}$입니다.
$\frac{180}{400}\times100=45$이므로 백분율로 나타내면 45 %입니다.

16 비율을 백분율로 각각 나타냅니다.
$\frac{3}{2}\times100=150$ ➜ 150 %
$\frac{8}{40}\times100=20$ ➜ 20 %
$1.2\times100=120$ ➜ 120 %
150 %$>$120 %$>$52 %$>$20 %이므로
비율이 가장 높은 것은 $\frac{3}{2}$이고 백분율로 나타내면 150 %입니다.

17

채점 기준		
	❶ 전체 공 수 구하기	2점
	❷ 전체 공 수에 대한 파란색 공 수의 비율은 몇 %인지 구하기	3점

18 45 %를 분수로 나타내면 $\frac{45}{100}=\frac{9}{20}$입니다.
$\frac{9}{20}=\frac{9\times9}{20\times9}=\frac{81}{180}$이므로 남학생 수는 81명입니다.
따라서 여학생 수는 $180-81=99$(명)입니다.

19

채점 기준		
	❶ 직사각형 가의 둘레 구하기	2점
	❷ 정사각형 나의 둘레 구하기	2점
	❸ 직사각형 가와 정사각형 나의 둘레의 비 구하기	1점

20

채점 기준		
	❶ 어제와 오늘 볼펜 한 자루의 가격 각각 구하기	2점
	❷ 어제와 오늘 볼펜 한 자루의 가격의 차 구하기	1점
	❸ 오늘 볼펜 한 자루의 가격은 어제 볼펜 한 자루의 가격보다 몇 % 할인된 것인지 구하기	2점

연습 서술형 평가

61~62쪽

01 예 ❶ 쌀은 보리보다 $15-3=12$ (kg) 더 무겁습니다.
❷ 쌀의 무게는 보리의 무게의 $15\div3=5$(배)입니다.

02 예 ❶ 전체 색연필 수는 $7+4=11$(자루)입니다.
❷ 전체 색연필 수에 대한 파란색 색연필 수의 비는 기준량이 11, 비교하는 양이 4이므로 4 : 11입니다.
/ 4 : 11

03 예 ❶ 직사각형 가의 가로에 대한 세로의 비는 9 : 12이므로 비율로 나타내면 $\frac{9}{12}=0.75$입니다.
❷ 직사각형 나의 가로에 대한 세로의 비는 12 : 16이므로 비율로 나타내면 $\frac{12}{16}=0.75$입니다.
❸ 직사각형 가와 직사각형 나의 가로와 세로의 길이는 다르지만 가로에 대한 세로의 비율은 같습니다.
/ 예 두 직사각형의 가로와 세로의 길이는 다르지만 가로에 대한 세로의 비율은 같습니다.

04 예 ❶ 현수의 농구공을 던진 횟수에 대한 골을 넣은 횟수의 비율은 $\frac{28}{40}\times100=70$ ➔ 70 % 입니다.

❷ 지우의 농구공을 던진 횟수에 대한 골을 넣은 횟수의 비율은 $\frac{27}{36}\times100=75$ ➔ 75 % 입니다.

❸ 따라서 75 % > 72 % > 70 %이므로 시합에서 이긴 사람은 지우입니다.

/ 지우

풀이

01

채점 기준		
	❶ 보리와 쌀의 무게를 뺄셈으로 비교한 경우	12점
	❷ 보리와 쌀의 무게를 나눗셈으로 비교한 경우	13점

02

채점 기준		
	❶ 전체 색연필 수 구하기	12점
	❷ 전체 색연필 수에 대한 파란색 색연필 수의 비 구하기	13점

03

채점 기준		
	❶ 직사각형 가의 가로에 대한 세로의 비율 구하기	10점
	❷ 직사각형 나의 가로에 대한 세로의 비율 구하기	10점
	❸ 두 직사각형 가, 나의 가로에 대한 세로의 비율 비교하기	5점

04

채점 기준		
	❶ 현수의 농구공을 던진 횟수에 대한 골을 넣은 횟수의 비율 구하기	10점
	❷ 지우의 농구공을 던진 횟수에 대한 골을 넣은 횟수의 비율 구하기	10점
	❸ 시합에서 이긴 구하기	5점

실전 서술형 평가

63~64쪽

01 예 ❶ (여학생 수) $=35-19=16$(명)

❷ 여학생 수에 대한 남학생 수의 비는 기준량이 16, 비교하는 양이 19이므로 19 : 16 입니다.

/ 19 : 16

02 예 ❶ (소담이가 달린 전체 시간)

$=45+35=80$(초)

❷ (소담이가 간 전체 거리)

$=280+200=480$ (m)

❸ 소담이가 달린 전체 시간에 대한 간 전체 거리의 비는 480 : 80이므로 비율로 나타내면 $\frac{480}{80}=6$입니다.

/ 예 $\frac{480}{80}(=6)$

03 예 ❶ 현재가 만든 소금물 양에 대한 소금 양의 비율은 $\frac{40}{250}$입니다. $\frac{40}{250}\times100=16$이므로 백분율로 나타내면 16 %입니다.

❷ 승미가 만든 소금물 양에 대한 소금 양의 비율은 $\frac{42}{300}$입니다. $\frac{42}{300}\times100=14$이므로 백분율로 나타내면 14 %입니다.

❸ 16 % > 14 %이므로 현재가 만든 소금물이 더 진합니다.

/ 현재

04 예 ❶ (어제 읽은 위인전의 쪽수)

$=160\times0.4=64$(쪽)

❷ (어제 읽고 남은 위인전의 쪽수)

$=160-64=96$(쪽)

❸ 50 %를 분수로 나타내면 $\frac{50}{100}$입니다.

(오늘 읽은 위인전의 쪽수)

$=96\times\frac{50}{100}=48$(쪽)

/ 48쪽

풀이

01

채점 기준		
	❶ 여학생 수 구하기	12점
	❷ 여학생 수에 대한 남학생 수의 비 구하기	13점

02

채점 기준		
	❶ 소담이가 달린 전체 시간 구하기	8점
	❷ 소담이가 간 전체 거리 구하기	8점
	❸ 소담이가 달린 전체 시간에 대한 간 전체 거리의 비율 구하기	9점

03

채점 기준		
	❶ 현재가 만든 소금물에 대한 소금 양의 백분율 구하기	10점
	❷ 승미가 만든 소금물에 대한 소금 양의 백분율 구하기	10점
	❸ 누가 만든 소금물이 더 진한지 구하기	5점

04

채점 기준		
	❶ 어제 읽은 위인전의 쪽수 구하기	10점
	❷ 어제 읽고 남은 위인전의 쪽수 구하기	5점
	❸ 오늘 읽은 위인전의 쪽수 구하기	10점

5 여러 가지 그래프

쪽지시험 1회 (66쪽)

01 그림그래프　02 1000, 100　03 2, 4, 2400
04 2, 3, 2300　05 나　06 170개
07

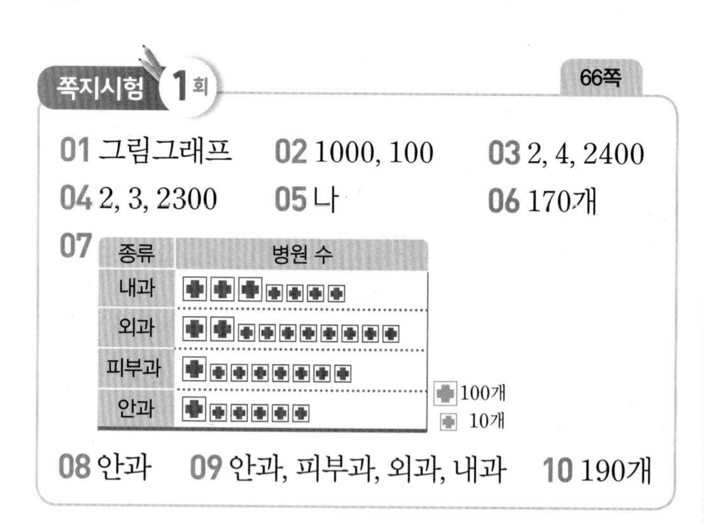

종류
병원 수
내과
외과
피부과
안과
100개
10개

08 안과　09 안과, 피부과, 외과, 내과　10 190개

풀이

03 가 마을: 큰 그림( ) 2개, 작은 그림( ) 4개
→ 2400마리

04 다 마을: 큰 그림( ) 2개, 작은 그림( ) 3개
→ 2300마리

05 큰 그림( )의 수가 가장 많은 마을은 나 마을입니다.

06 $940-340-280-150=170$(개)

07 내과: 340은 100이 3개, 10이 4개이므로 ▣ 3개, ▣ 4개를 그립니다.
외과: 280은 100이 2개, 10이 8개이므로 ▣ 2개, ▣ 8개를 그립니다.
피부과: 170은 100이 1개, 10이 7개이므로 ▣ 1개, ▣ 7개를 그립니다.
안과: 150은 100이 1개, 10이 5개이므로 ▣ 1개, ▣ 5개를 그립니다.

08 큰 그림(▣)의 수가 가장 적은 종류는 피부과, 안과입니다. 이 중에서 작은 그림(▣)의 수가 가장 적은 종류는 안과입니다.

09 $150<170<280<340$이므로 병원 수가 적은 종류부터 차례로 쓰면 안과, 피부과, 외과, 내과입니다.

10 병원 수가 가장 많은 종류는 내과로 340개이고 병원 수가 가장 적은 종류는 안과로 150개입니다.
→ (병원 수의 차)$=340-150=190$(개)

쪽지시험 2회 (67쪽)

01 (왼쪽에서부터) 30, 20, 100
02 30, 20　03 100 %　04 O형
05 50 %　06 40 %　07 25 %
08 여름　09 2배　10 75명

풀이

01 O형: $\frac{12}{40}\times100=30$ → 30 %
AB형: $\frac{8}{40}\times100=20$ → 20 %
(합계)$=35+15+30+20=100$ (%)

04 혈액형별 학생 수가 전체 학생 수의 30 %인 혈액형은 O형입니다.

05 A형인 학생 수는 전체 학생 수의 35 %, B형인 학생 수는 전체 학생 수의 15 %이므로 A형 또는 B형인 학생 수는 전체 학생 수의 $35+15=50$ (%)입니다.

07 $100-40-20-15=25$ (%)

09 가을과 여름에 태어난 학생 수는 전체 학생 수의 $25+15=40$ (%), 겨울에 태어난 학생 수는 전체 학생 수의 20 %입니다. → $40\div20=2$(배)

10 가을에 태어난 학생 수는 전체 학생 수의 25 %이므로 가을에 태어난 학생은 $300\times\frac{25}{100}=75$(명)입니다.

쪽지시험 3회 (68쪽)

01 (왼쪽에서부터) 55, 20, 15, 10, 100
02 예
기타(10 %)
0 (100)
10
20
30
40
50
60
70
80
90
돼지 (55 %)
오리 (15 %)
닭 (20 %)
03 오리
04 돼지
05 닭

06 예 • 닭 또는 오리 수의 비율은 전체 동물 수의 35 % 입니다.
• 닭 수의 비율은 기타 수의 비율의 2배입니다.

07 36　　08 141
09 300　　10 60

풀이

01 돼지: $\frac{88}{160}\times100=55 \rightarrow 55\ \%$

닭: $\frac{32}{160}\times100=20 \rightarrow 20\ \%$

오리: $\frac{24}{160}\times100=15 \rightarrow 15\ \%$

기타: $\frac{16}{160}\times100=10 \rightarrow 10\ \%$

(합계)$=55+20+15+10=100\ (\%)$

03 비율이 15 %인 동물은 오리입니다.

05 $\frac{1}{5}\times100=20 \rightarrow 20\ \%$입니다.

전체 동물 수의 $\frac{1}{5}$만큼을 차지하는 동물은 전체 동물 수의 20 %인 닭입니다.

07 버스로 등교하는 학생 수는 전체 학생 수의 23 %, 지하철로 등교하는 학생 수는 전체 학생 수의 13 %이므로 버스 또는 지하철로 등교하는 학생 수는 전체 학생 수의 $23+13=36\ (\%)$입니다.

08 도보로 등교하는 학생 수는 전체 학생 수의 47 %이므로 도보로 등교하는 학생은

$300\times\frac{47}{100}=141$(명)입니다.

09 남학생 수는 전체 학생 수의 50 %이므로 남학생은 $600\times\frac{50}{100}=300$(명)입니다.

10 농구를 좋아하는 남학생 수는 전체 남학생 수의 20 %이므로 농구를 좋아하는 남학생은

$300\times\frac{20}{100}=60$(명)입니다.

쪽지시험 4회　　69쪽

01 (왼쪽에서부터) 20, 22, 30

02

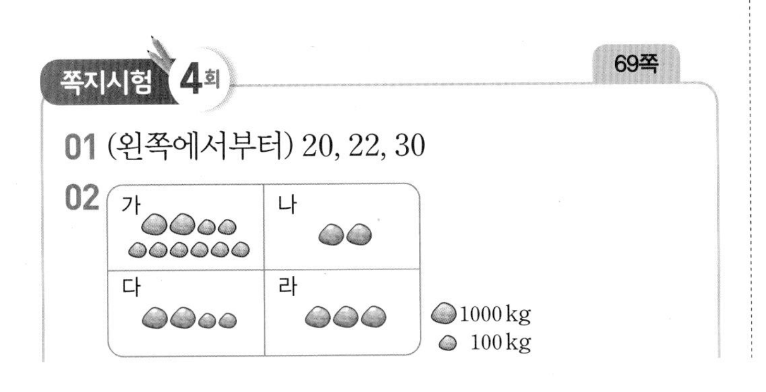

03

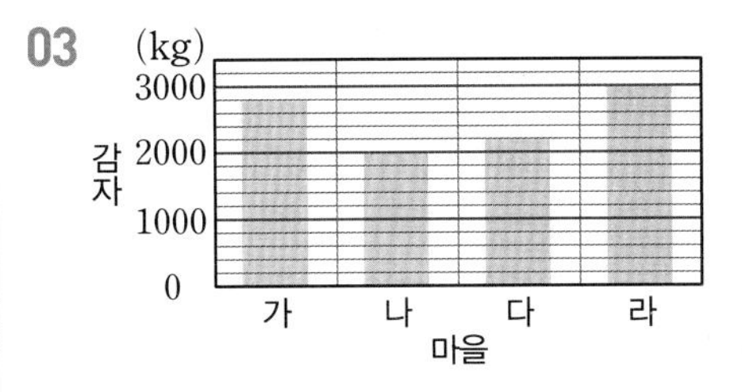

04 예

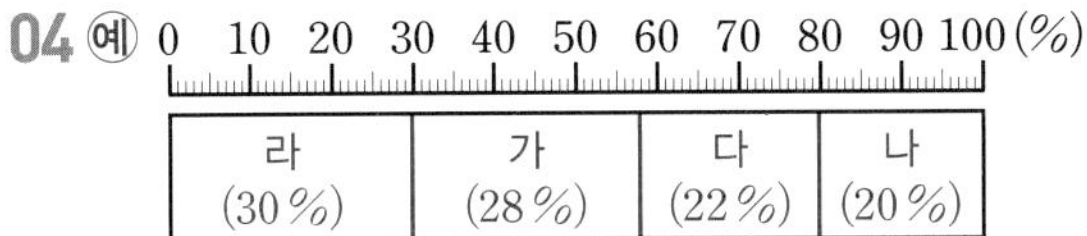

05 그림그래프　　06 1000명

07 예

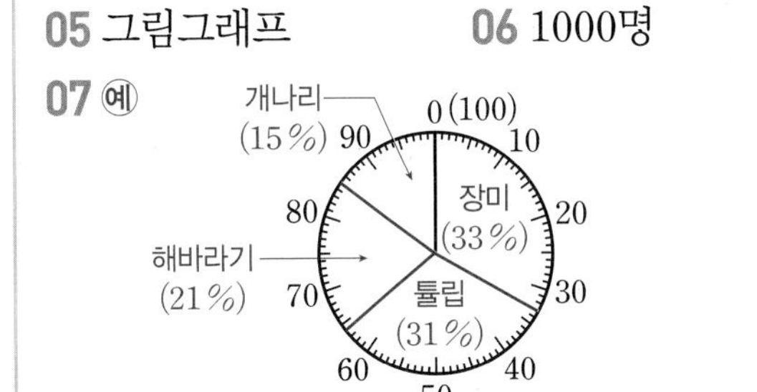

08 예 원그래프는 전체에서 각 항목이 차지하는 비율을 한눈에 알 수 있어 더 편리합니다.

09 꺾은선그래프　　10 ㉡

풀이

01 나: $\frac{2000}{10000}\times100=20 \rightarrow 20\ \%$

다: $\frac{2200}{10000}\times100=22 \rightarrow 22\ \%$

라: $\frac{3000}{10000}\times100=30 \rightarrow 30\ \%$

(합계)$=28+20+22+30=100\ (\%)$

06 장미는 가 3개, 가 3개이므로 330명입니다.
튤립은 가 3개, 가 1개이므로 310명입니다.
해바라기는 가 2개, 가 1개이므로 210명입니다.
개나리는 가 1개, 가 5개이므로 150명입니다.
(전체 학생 수)$=330+310+210+150=1000$(명)

07 장미: $\frac{330}{1000}\times100=33 \rightarrow 33\ \%$

튤립: $\frac{310}{1000}\times100=31 \rightarrow 31\ \%$

해바라기: $\frac{210}{1000}\times100=21 \rightarrow 21\ \%$

개나리: $\frac{150}{1000}\times100=15 \rightarrow 15\ \%$

(합계)$=33+31+21+15=100\ (\%)$

기본 단원 평가

70~72쪽

01 (왼쪽에서부터) 1200, 1400, 1100

02

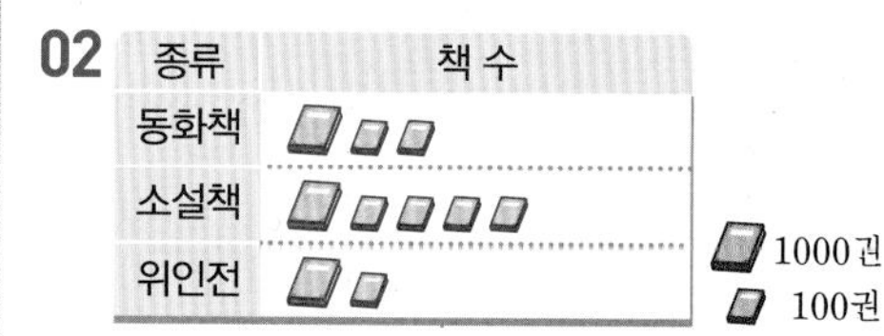

03 위인전, 동화책, 소설책

04 예 그림그래프로 나타내면 그림의 크기로 종류별 책 수의 많고 적음을 한눈에 알아보기 쉽습니다.

05 (왼쪽에서부터) 35, 25, 30, 10, 100

06 예 0 10 20 30 40 50 60 70 80 90 100(%)

가수(35 %) | 과학자(30 %) | 선생님(25 %) | 기타(10 %)

07 60 %

08 그림그래프

09 (왼쪽에서부터) 36, 20, 28, 16, 100

10 예

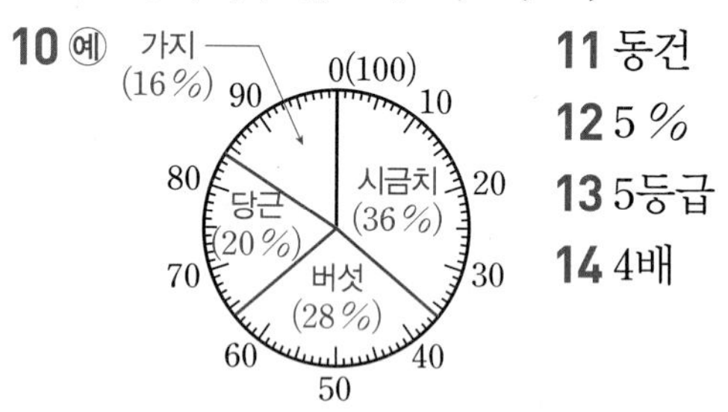

11 동건

12 5 %

13 5등급

14 4배

15 예 ❶ 멀리뛰기 등급이 3등급 또는 4등급인 학생 수는 전체 학생 수의 $15+25=40$ (%)입니다.

❷ 멀리뛰기 등급이 3등급 또는 4등급인 학생은 $200\times\frac{40}{100}=80$(명)입니다. / 80명

16 20 %

17 8배

18 예 ❶ 과학을 좋아하는 학생 수는 전체 학생 수의 20 %이고 사회를 좋아하는 학생 수는 전체 학생 수의 5 %이므로 과학을 좋아하는 학생 수는 사회를 좋아하는 학생 수의 $20\div5=4$(배)입니다.

❷ 과학을 좋아하는 학생 수는 $2\times4=8$(명)입니다. / 8명

19 7 cm

20 예 ❶ 여가 시간에 영화감상을 하고 싶은 학생 수는 전체 학생 수의 20 %이므로 $300\times\frac{20}{100}=60$(명)입니다.

❷ 원그래프에서 로맨스 영화는 전체의 $100-35-30-10=25$ (%)이므로 여가 시간에 로맨스 영화를 보고 싶은 학생 수는 $60\times\frac{25}{100}=15$(명)입니다. / 15명

풀이

01 1240 → 1200, 1357 → 1400, 1076 → 1100

03 1100<1200<1400이므로 책의 수가 적은 종류부터 차례로 쓰면 위인전, 동화책, 소설책입니다.

05 가수: $\frac{70}{200}\times100=35$ ➔ 35 %

선생님: $\frac{50}{200}\times100=25$ ➔ 25 %

과학자: $\frac{60}{200}\times100=30$ ➔ 30 %

기타: $\frac{20}{200}\times100=10$ ➔ 10 %

(합계)$=35+25+30+10=100$ (%)

07 장래 희망이 가수인 학생 수는 전체 학생 수의 35 %, 장래 희망이 선생님인 학생 수는 전체 학생 수의 25 %이므로 장래 희망이 가수 또는 선생님인 학생 수는 전체 학생 수의 $35+25=60$ (%)입니다.

09 시금치: $\frac{9}{25}\times100=36$ ➔ 36 %

당근: $\frac{5}{25}\times100=20$ ➔ 20 %

버섯: $\frac{7}{25}\times100=28$ ➔ 28 %

가지: $\frac{4}{25}\times100=16$ ➔ 16 %

(합계)$=36+20+28+16=100$ (%)

11 동건: $\frac{1}{5}\times100=20$ ➔ 20 %

전체 학생 수의 $\frac{1}{5}$만큼이 좋아하는 채소는 전체의 20 %인 당근입니다.

가인: 가장 많은 학생들이 좋아하는 채소는 원그래프에서 차지하는 부분이 가장 넓은 시금치입니다.

➔ 잘못 설명한 사람은 동건입니다.

12 $100-20-35-15-25=5\ (\%)$

13 띠그래프에서 차지하는 길이가 가장 짧은 항목을 찾으면 5등급입니다.

14 1등급인 학생 수는 전체 학생 수의 20 %, 5등급인 학생 수는 전체 학생 수의 5 %입니다.
➔ $20\div5=4$(배)

15

채점 기준		
	❶ 멀리뛰기 등급이 3등급 또는 4등급인 학생 수는 전체 학생 수의 몇 %인지 구하기	2점
	❷ 멀리뛰기 등급이 3등급 또는 4등급인 학생 수 구하기	3점

16 $100-40-25-10-5=20\ (\%)$

17 국어를 좋아하는 학생 수는 전체 학생 수의 40 %, 사회를 좋아하는 학생 수는 전체 학생 수의 5 %입니다.
➔ $40\div5=8$(배)

18

채점 기준		
	❶ 과학을 좋아하는 학생 수는 사회를 좋아하는 학생 수의 몇 배인지 구하기	3점
	❷ 과학을 좋아하는 학생 수 구하기	2점

19 띠그래프에서 TV 시청은 전체의 40 %이고 28 mm이므로 전체의 10 %는 $28\div4=7$ (mm)입니다.
➔ 띠그래프의 전체 길이는 $7\times10=70$ (mm)이므로 7 cm입니다.

20

채점 기준		
	❶ 여가 시간에 영화감상을 하고 싶은 학생 수 구하기	2점
	❷ 여가 시간에 로맨스 영화를 보고 싶은 학생 수 구하기	3점

실력 단원 평가
73~75쪽

01 ㉣ **02** ㉢ **03** 2배

04 71개 **05** 200만 원

06 15 % **07** 30만 원

08 예

기타 (10 %), 식품비 (30 %), 교육비 (25 %), 의복비 (20 %), 의료비 (15 %)

0(100), 10, 20, 30, 40, 50, 60, 70, 80, 90

09 15만 명

10 69만 명

11 3개, 3개

12 예 ❶ 팔린 초콜릿 과자와 들여놓은 새우 과자의 수가 같으므로 전체 과자 수는 150개입니다.
(바뀐 초콜릿 과자 수)$=54-12=42$(개)
(바뀐 새우 과자 수)$=21+12=33$(개)

❷ 감자: $\frac{30}{150}\times100=20$ ➔ 20 %

초콜릿: $\frac{42}{150}\times100=28$ ➔ 28 %

새우: $\frac{33}{150}\times100=22$ ➔ 22 %

양파: $\frac{45}{150}\times100=30$ ➔ 30 %

(합계)$=20+28+22+30=100\ (\%)$

/ 20 %, 28 %, 22 %, 30 %

13 예

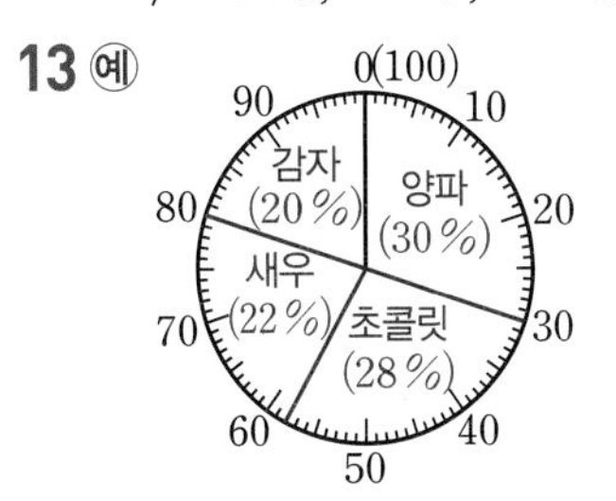

14 예 ❶ 봄 또는 여름을 좋아하는 학생 수의 비율은 $100-20-15=65\ (\%)$입니다.
❷ 봄을 좋아하는 학생 수의 비율을 □ %라고 하면 여름을 좋아하는 학생 수의 비율은 (□+15) %입니다.
□+□+15=65, □+□=50, □=25
따라서 봄을 좋아하는 학생 수는 전체 학생 수의 25 %입니다. / 25 %

15 40 %

16 예

0 10 20 30 40 50 60 70 80 90 100(%)

여름 (40 %)	봄 (25 %)	가을 (20 %)	겨울 (15 %)

17 20명 **18** 5 % **19** 42 %

20 예 ❶ 남학생 중 속초에 가고 싶은 학생 수는 전체 남학생 수의 18 %이므로
$250\times\frac{18}{100}=45$(명)입니다.
여학생 중 속초에 가고 싶은 학생 수는 전체 여학생 수의 25 %이므로
$200\times\frac{25}{100}=50$(명)입니다.

❷ 속초에 가고 싶은 학생은 여학생이
$50-45=5$(명) 더 많습니다.
/ 여학생, 5명

풀이

03 나 공장은 큰 인형 3개, 작은 인형 2개이므로 320개입니다.
다 공장은 큰 인형 1개, 작은 인형 6개이므로 160개입니다.
➜ $320\div160=2$(배)

04 가, 나, 다 공장에서 생산한 인형 수의 합은
$230+320+160=710$(개)입니다.
➜ 필요한 상자는 $710\div10=71$(개)입니다.

05 기타의 10 %가 20만 원이므로 민기네 집의 한 달 생활비는 $20\times10=200$(만 원)입니다.

06 $100-30-25-20-10=15$ (%)

07 의료비는 한 달 생활비의 15 %이므로 의료비에 쓰인 생활비는 $200\times\frac{15}{100}=30$(만 원)입니다.

09 광주·전라 권역은 큰 그림 1개, 작은 그림 5개이므로 15만 명입니다.

10 서울·인천·경기 권역은 큰 그림 6개, 작은 그림 5개이므로 65만 명입니다.
강원 권역은 작은 그림 4개이므로 4만 명입니다.
➜ 서울·인천·경기 권역의 고등학교 학생 수와 강원 권역의 고등학교 학생 수의 합은
$65+4=69$(만 명)입니다.

11 큰 그림은 10만 명, 작은 그림은 1만 명을 나타내고 대구·부산·울산·경상 권역의 고등학교 학생 수는 33만 명이므로 큰 그림 3개, 작은 그림 3개로 나타냅니다.

12

채점 기준		
	❶ 바뀐 초콜릿 과자 수와 새우 과자 수 각각 구하기	2점
	❷ 바뀐 종류별 과자 수의 백분율 구하기	3점

14

채점 기준		
	❶ 봄 또는 여름을 좋아하는 학생 수의 비율 구하기	2점
	❷ 봄을 좋아하는 학생 수는 전체 학생 수의 몇 %인지 구하기	3점

15 여름을 좋아하는 학생 수는 전체 학생 수의
$60-25=40$ (%)입니다.

17 봄을 좋아하는 학생 수는 전체 학생 수의 25 %, 즉 $\frac{25}{100}=\frac{1}{4}$이고, 전체의 $\frac{1}{4}$이 5명이므로 전체 학생 수는 $5\times4=20$(명)입니다.

18 여학생 중 공주에 가고 싶은 학생 수는 전체 여학생 수의 $100-38-32-25=5$ (%)입니다.

19 여학생 중 공주에 가고 싶은 학생 수의 비율이 5 %이므로 남학생 중 공주에 가고 싶은 학생 수의 비율은 $5\times2=10$ (%)입니다.
따라서 남학생 중 제주도에 가고 싶은 학생 수는 전체 학생 수의 $100-30-18-10=42$ (%)입니다.

20

채점 기준		
	❶ 속초에 가고 싶은 남학생 수와 여학생 수 각각 구하기	4점
	❷ 남학생과 여학생 중 어느 학생이 몇 명 더 많은지 구하기	1점

연습 서술형 평가

76~77쪽

01 예 ❶ 가 지역은 큰 그림 1개, 중간 그림 2개, 작은 그림 1개이므로 1210마리입니다.
나 지역은 큰 그림 2개, 중간 그림 2개이므로 2200마리입니다.
다 지역은 큰 그림 1개, 중간 그림 3개, 작은 그림 1개이므로 1310마리입니다.
라 지역은 큰 그림 2개, 중간 그림 3개, 작은 그림 1개이므로 2310마리입니다.
따라서 소의 수가 가장 많은 지역은 라 지역이고, 소의 수가 가장 적은 지역은 가 지역입니다.
❷ 소의 수가 가장 많은 지역과 가장 적은 지역의 소의 수의 차는 $2310-1210=1100$(마리)입니다. / 1100마리

02 예 ❶ 군것질에 쓰인 돈은 한 달 용돈의
$100-26-14-12-10=38$ (%)입니다.
❷ 군것질에 쓰인 돈은
$30000\times\frac{38}{100}=11400$(원)입니다.
/ 11400원

03 예 ❶ 3학년 학생 수는 전체 학생 수의 20 %, 6학년 학생 수는 전체 학생 수의 10 %이므로 3학년 학생 수는 6학년 학생 수의 $20 \div 10 = 2$(배)입니다.
따라서 3학년이 300명이므로 6학년은 $300 \div 2 = 150$(명)입니다.
❷ 6학년 여학생 수는 6학년 전체 학생 수의 40 %이므로 6학년 여학생은 $150 \times \frac{40}{100} = 60$(명)입니다. / 60명

04 예 ❶ 가 제품: 15.2 % ➜ 24.6 % (증가)
나 제품: 60.2 % ➜ 45 % (감소)
다 제품: 24. 6 % ➜ 30.4 % (증가)
❷ 2018년에 비해 2020년의 제품별 판매량의 비율이 줄어든 제품은 나 제품입니다.
/ 나 제품

풀이

문항	채점 기준		점수
01	채점 기준	❶ 지역별 소의 수를 각각 구하여 소의 수가 가장 많은 지역과 소의 수가 가장 적은 지역 구하기	15점
		❷ 소의 수의 차 구하기	10점
02	채점 기준	❶ 군것질에 쓰인 돈의 비율 구하기	10점
		❷ 군것질에 쓰인 돈 구하기	15점
03	채점 기준	❶ 6학년 학생 수 구하기	15점
		❷ 6학년 여학생 수 구하기	10점
04	채점 기준	❶ 2018년과 2020년 제품별 판매량의 비율 비교하기	15점
		❷ 판매량의 비율이 줄어든 제품 구하기	10점

실전 서술형 평가

78~79쪽

01 예 ❶ 라 마을의 감 수확량을 □ kg이라고 하면 나 마을의 감 수확량은 (□−200) kg입니다.
$900+□-200+700+□=3000$,
$1400+□+□=3000$, $□+□=1600$,
$□=800$
따라서 라 마을의 감 수확량은 800 kg, 나 마을의 감 수확량은 $800-200=600$ (kg)입니다.

❷ 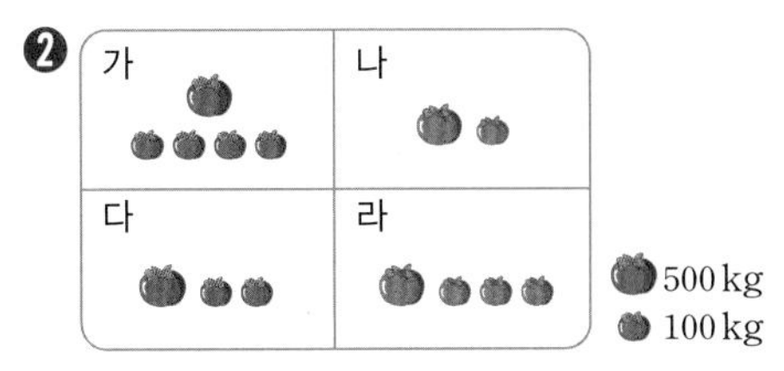

/ 600 kg, 800 kg

02 예 ❶ 줄이는 찹쌀가루의 양은 전체의 $34 \div 2 = 17$ (%)입니다.
❷ 처음 멥쌀가루의 양은 전체의 20 %이므로 늘린 후 멥쌀가루의 양은 전체의 $20+17=37$ (%)가 됩니다. / 37 %

03 예 ❶ 밭 전체의 넓이를 □ m^2라고 하면 장미를 심은 밭의 넓이는 104 m^2이고, 장미는 전체의 26 %이므로
$□ \times \frac{26}{100} = 104$, $□=400$입니다.
따라서 밭 전체의 넓이는 400 m^2입니다.
❷ 해바라기를 심은 밭의 넓이는 전체 밭의 넓이의
$100-26-18-17-10-8-6=15$ (%)
이므로 해바라기를 심은 밭의 넓이는
$400 \times \frac{15}{100} = 60$ (m^2)입니다. / 60 m^2

04 예 ❶ 전기세는 전체 관리비의 $100-40-20-10-5=25$ (%)입니다.
❷ 지난달 관리비가 160000원이므로 전기세는 $160000 \times \frac{25}{100} = 40000$(원)입니다.
/ 40000원

풀이

문항	채점 기준		점수
01	채점 기준	❶ 나 마을과 라 마을의 감 수확량 각각 구하기	15점
		❷ 그림그래프 완성하기	10점
02	채점 기준	❶ 줄이는 찹쌀가루의 양은 전체의 몇 %인지 구하기	10점
		❷ 늘린 후 멥쌀가루의 양은 전체의 몇 %가 되는지 구하기	15점
03	채점 기준	❶ 밭 전체의 넓이 구하기	15점
		❷ 해바라기를 심은 밭의 넓이 구하기	10점
04	채점 기준	❶ 전기세는 전체 관리비의 몇 %인지 구하기	10점
		❷ 전기세 구하기	15점

6 직육면체의 부피와 겉넓이

쪽지시험 1회 81쪽

01 세로에 ○표
02 ㉯
03 36개
04 40개
05 ㉮
06 18개, 12개
07 >
08 9개, 10개, 6개
09 ㉯
10 ㉯, ㉮, ㉰

풀이

02 밑면의 세로를 비교하면 $4<5$이므로 ㉯의 부피가 더 큽니다.

03 ㉮에는 작은 상자를 가로로 3개, 세로로 4개씩 3층으로 36개를 담을 수 있습니다.

04 ㉯에는 작은 상자를 가로로 5개, 세로로 4개씩 2층으로 40개를 담을 수 있습니다.

05 $36<40$이므로 ㉮의 부피가 더 작습니다.

06 ㉮는 한 층에 9개씩 2층으로 18개를 쌓았습니다.
㉯는 한 층에 6개씩 2층으로 12개를 쌓았습니다.

07 $18>12$이므로 ㉮의 부피>㉯의 부피입니다.

08 ㉮에는 나무 조각을 한 층에 3개씩 3층으로 9개를 담을 수 있습니다.
㉯에는 나무 조각을 한 층에 5개씩 2층으로 10개를 담을 수 있습니다.
㉰에는 나무 조각을 한 층에 2개씩 3층으로 6개를 담을 수 있습니다.

09 $10>9>6$이므로 나무 조각을 가장 많이 담을 수 있는 상자는 ㉯입니다.

10 세 직육면체의 밑면의 가로와 세로가 각각 같으므로 높이가 높을수록 부피가 더 큽니다.
높이를 비교하면 $5>4>3$이므로 부피가 큰 직육면체부터 차례로 쓰면 ㉯, ㉮, ㉰입니다.

쪽지시험 2회 82쪽

01 45개
02 36개, 48개
03 36 cm^3, 48 cm^3
04 12 cm^3
05 72 cm^3
06 216 cm^3
07 48 cm^3
08 ㉮
09 9
10 6배

풀이

02 ㉮ : $3\times6\times2=36$(개)
㉯ : $4\times4\times3=48$(개)

05 (직육면체의 부피)$=6\times3\times4=72$ (cm^3)

06 (주사위의 부피)$=6\times6\times6=216$ (cm^3)

07 주어진 면이 밑면일 때 높이는 3 cm이므로
(직육면체의 부피)$=4\times4\times3=48$ (cm^3)

08 (직육면체 ㉮의 부피)$=4.5\times6\times3=81$ (cm^3)
(직육면체 ㉯의 부피)$=3\times4\times6.5=78$ (cm^3)
$81>78$이므로 ㉮의 부피가 더 큽니다.

09 (직육면체의 부피)$=\square\times6\times5=270$ (cm^3)
$30\times\square=270$, $\square=9$

10 (직육면체 ㉮의 부피)$=4\times6\times4=96$ (cm^3)
(직육면체 ㉯의 부피)$=4\times2\times2=16$ (cm^3)
따라서 직육면체 ㉮의 부피는 직육면체 ㉯의 부피의 $96\div16=6$(배)입니다.

쪽지시험 3회 83쪽

01 5, 4, 4
02 80 m^3
03 (1) 7000000 (2) 0.9
04 27 m^3
05 5 m
06 72 m^3
07 90 m^3
08 63 m^3
09 ㉯
10 128, 128000000

풀이

08 500 cm$=$5 m이므로
(직육면체의 부피)$=3\times4.2\times5=63$ (m^3)

09 (직육면체 ㉮의 부피)$=7\times4\times2=56$ (m^3)
400 cm=4 m이므로
(정육면체 ㉯의 부피)$=4\times4\times4=64$ (m^3)
$56<64$이므로 ㉯의 부피가 더 큽니다.

10 500 cm=5 m이므로
(직육면체의 부피)$=8\times5\times3.2=128$ (m^3)
1 m^3=1000000 cm^3이므로
128 m^3=128000000 cm^3

쪽지시험 4회

84쪽

01 10, 5, 140, 280
02 50, 5, 5, 100, 180, 280
03 5 cm
04 150 cm^2
05 136 cm^2
06 $11\times11\times6=726$, 726 cm^2
07 1300 cm^2
08 ㉮
09 729 cm^3
10 7

풀이

03 한 모서리의 길이는 $20\div4=5$ (cm)입니다.

05 (직육면체의 겉넓이)
$=(7\times2)\times2+(7+2+7+2)\times6$
$=28+108=136$ (cm^2)

07 (직육면체의 겉넓이)
$=(20\times10+20\times15+10\times15)\times2$
$=650\times2=1300$ (cm^2)

09 정육면체의 한 모서리의 길이를 □cm라고 하면
(정육면체의 겉넓이)$=□\times□\times6=486$ (cm^3)
$□\times□=81$, □=9
정육면체의 한 모서리의 길이가 9 cm이므로
(정육면체의 부피)$=9\times9\times9=729$ (cm^3)

10 (직육면체의 겉넓이)
$=(6\times4+6\times□+4\times□)\times2=188$ (cm^2)
$24+10\times□=94$, $10\times□=70$, □=7

기본 단원 평가

85~87쪽

01 >
02 ㉯
03 ㉯
04 (1) 3000000 (2) 4500000 (3) 2 (4) 0.5
05 400 cm^3
06 5, 2, 66, 132
07 192 m^3
08 8 m^3
09 $12\times12\times6=864$, 864 m^2
10 (○) (   )
11 144 cm^2
12 27 cm^3
13 341 cm^3
14 16 cm^3
15 20 cm^2
16 600 cm^2
17 예 ❶ ㉮와 ㉰는 8 cm, 3 cm인 모서리의 길이가 같으므로 직접 맞대어 부피를 비교할 수 있습니다.
❷ ㉯와 ㉰는 3 cm, 5 cm인 모서리의 길이가 같으므로 직접 맞대어 부피를 비교할 수 있습니다. / ㉮와 ㉰, ㉯와 ㉰
18 460 m^3
19 예 ❶ (직육면체의 부피)
$=16\times8\times2=256$ (cm^3)
❷ (정육면체의 부피)
=(직육면체의 부피)$\times2$
$=256\times2=512$ (cm^3)
❸ $8\times8\times8=512$이므로
정육면체의 한 모서리의 길이는 8 cm입니다. / 8 cm
20 예 ❶ 정육면체의 한 모서리의 길이를 □cm라고 하면
(정육면체의 겉넓이)
$=□\times□\times6=294$ (cm^2)
$□\times□=49$, □=7
정육면체의 한 모서리의 길이는 7 cm입니다.
❷ (정육면체의 부피)
$=7\times7\times7=343$ (cm^3)
/ 343 cm^3

풀이

01 밑면의 세로를 비교하면 $7>5$이므로 ㉮의 부피>㉯의 부피입니다.

03 $27>24$이므로 ㉯의 부피가 더 작습니다.

12 여섯 면이 모두 합동인 정육면체의 전개도입니다. 세 모서리의 길이의 합이 9 cm이므로 한 모서리의 길이는 3 cm입니다.
➜ (도형의 부피)$=3\times3\times3=27$ (cm^3)

13 (정육면체 ㉮의 부피)$=6\times6\times6=216$ (cm^3)
(정육면체 ㉯의 부피)$=5\times5\times5=125$ (cm^3)
(두 정육면체의 부피의 합)
$=216+125=341$ (cm^3)

14 ㉮는 쌓기나무가 $4\times4\times4=64$(개)이므로 부피는 64 cm^3입니다. ㉯는 쌓기나무가 $2\times4\times6=48$(개)이므로 부피는 48 cm^3입니다.
따라서 직육면체 ㉮의 부피는 직육면체 ㉯의 부피보다 $64-48=16$ (cm^3) 더 큽니다.

15 (직육면체 ㉮의 겉넓이)
$=(6\times5+6\times5+5\times5)\times2$
$=85\times2=170$ (cm^2)
(직육면체 ㉯의 겉넓이)
$=(3\times4+3\times9+4\times9)\times2$
$=75\times2=150$ (cm^2)
(겉넓이의 차)$=170-150=20$ (cm^2)

16 정육면체의 한 모서리의 길이는 직육면체의 가장 짧은 모서리의 길이인 10 cm이어야 합니다.
만들 수 있는 가장 큰 정육면체 모양의 겉넓이는 $10\times10\times6=600$ (cm^2)

17

채점 기준		
	❶ ㉮와 ㉰를 비교할 수 있는지 찾고, 이유 쓰기	2점
	❷ ㉯와 ㉰를 비교할 수 있는지 찾고, 이유 쓰기	3점

18 (입체도형의 부피)
$=$(가로가 8 m, 세로가 8 m, 높이가 10 m인 직육면체의 부피)$-$(가로가 6 m, 세로가 6 m, 높이가 5 m인 직육면체의 부피)
$=8\times8\times10-6\times6\times5$
$=640-180=460$ (m^3)

19

채점 기준		
	❶ 직육면체의 부피 구하기	2점
	❷ 정육면체의 부피 구하기	2점
	❸ 정육면체의 한 모서리의 길이 구하기	1점

20

채점 기준		
	❶ 정육면체의 한 모서리의 길이 구하기	3점
	❷ 정육면체의 부피 구하기	2점

실력 단원 평가

88~90쪽

01 ㉮, ㉰, ㉯
02 ㉮
03 80 cm^3
04 <
05 343 cm^3
06 ㉯
07 4
08 예 $(12\times10+12\times8+10\times8)\times2=592$, 592 cm^2
09 22 m^3
10 60 m^3
11 5층
12 166 cm^2
13 176 cm^3
14 12
15 184 cm^2
16 예 ❶ (직육면체의 겉넓이)
$=(10\times9+10\times18+9\times18)\times2$
$=432\times2=864$ (cm^2)
❷ 정육면체의 겉넓이는 864 cm^2이므로 정육면체의 한 면의 넓이는 $864\div6=144$ (cm^2)입니다.
❸ $12\times12=144$이므로 정육면체의 한 모서리의 길이는 12 cm입니다.
/ 12 cm
17 4층
18 720 cm^3
19 예 ❶ (㉮ 상자의 부피)$=1\times1\times1=1$ (m^3)
$=1000000$ (cm^3)
❷ (㉯ 상자의 부피)$=25\times25\times20$
$=12500$ (cm^3)
❸ $1000000\div12500=80$(개)까지 담을 수 있습니다.
/ 80개

20 예 ❶ (처음 빵의 겉넓이)
$=(20\times20+20\times8+20\times8)\times2$
$=720\times2=1440\ (cm^2)$
❷ 빵을 똑같이 4조각으로 자르면 한 조각은 가로가 10 cm, 세로가 10 cm, 높이가 8 cm인 직육면체 모양이 되므로
(빵 4조각의 겉넓이의 합)
$=(10\times10+10\times8+10\times8)\times2\times4$
$=260\times2\times4=2080\ (cm^2)$
❸ 따라서 빵 4조각의 겉넓이의 합은 처음 빵의 겉넓이보다
$2080-1440=640\ (cm^2)$ 늘어납니다.
/ $640\ cm^2$

풀이

01 높이를 비교하면 $7<8<10$이므로 부피가 작은 직육면체부터 차례로 쓰면 ㉮, ㉰, ㉯입니다.

04 $8900000\ cm^3=8.9\ m^3$이므로
$0.89\ m^3<8900000\ cm^3$입니다.

05 $7\times7=49$이므로 정육면체의 한 모서리의 길이는 7 cm입니다.
➜ (정육면체의 부피)$=7\times7\times7=343\ (cm^3)$

06 ㉮와 ㉰는 모양과 크기가 같은 작은 상자를 담았지만 ㉯는 모양과 크기가 다른 상자를 담았습니다.

07 (직육면체 ㉮의 부피)$=5\times4\times6=120\ (cm^3)$
(직육면체 ㉯의 부피)$=3\times\square\times10=120\ (cm^3)$
$30\times\square=120$, $\square=4$

10 400 cm=4 m이므로
(직육면체의 부피)=(밑면의 넓이)×(높이)
$=15\times4=60\ (m^3)$

11 높이를 □ cm라고 하면
(직육면체의 부피)$=8\times7\times\square=280\ (cm^3)$
$56\times\square=280$, $\square=5$, 따라서 높이는 5층입니다.

12 색칠한 면을 밑면으로 생각하면 색칠한 면의 둘레는 옆면의 가로와 같습니다.
(직육면체의 겉넓이)
$=28\times2+22\times5=56+110=166\ (cm^2)$

13 (입체도형의 부피)
$=3\times4\times3+7\times4\times5$
$=36+140$
$=176\ (cm^3)$

14 (직육면체의 겉넓이)
$=(8\times\square+8\times7+\square\times7)\times2=472\ (cm^2)$
$56+15\times\square=236$, $15\times\square=180$, $\square=12$

15 (직육면체의 겉넓이)$=(5\times4+5\times8+4\times8)\times2$
$=92\times2=184\ (cm^2)$

16

채점 기준		
	❶ 직육면체의 겉넓이 구하기	2점
	❷ 정육면체의 한 면의 넓이 구하기	2점
	❸ 정육면체의 한 모서리의 길이 구하기	1점

17 ㉯는 한 층에 8개씩 6층으로 48개를 쌓았습니다.
㉮는 한 층에 12개씩 쌓았습니다.
따라서 ㉮는 쌓기나무를 $48\div12=4$(층)으로 쌓아야 합니다.

18 쇠구슬을 넣었을 때 늘어난 물의 부피와 쇠구슬의 부피가 같습니다.
➜ (쇠구슬의 부피)$=18\times20\times2=720\ (cm^3)$

19

채점 기준		
	❶ ㉮ 상자의 부피 구하기	2점
	❷ ㉯ 상자의 부피 구하기	2점
	❸ ㉯ 상자를 몇 개까지 담을 수 있는지 구하기	1점

20

채점 기준		
	❶ 처음 빵의 겉넓이 구하기	2점
	❷ 빵 4조각의 겉넓이의 합 구하기	2점
	❸ (빵 4조각의 겉넓이의 합)−(처음 빵의 겉넓이) 구하기	1점

연습 서술형 평가

91~92쪽

01 예 ❶ ㉮에는 나무 조각을 가로로 2개, 세로로 4개씩 2층으로 16개를 담을 수 있습니다.
❷ ㉯에는 나무 조각을 가로로 5개, 세로로 1개씩 4층으로 20개를 담을 수 있습니다.
❸ $16<20$이므로 ㉮의 부피가 더 작습니다. / ㉮

02 예 ❶ $480000\ cm^3=0.48\ m^3$입니다.
❷ 침대와 서랍장의 부피의 차는
$1.3-0.48=0.82\ (m^3)$ / $0.82\ m^3$

03 예 ❶ 돌의 부피는 늘어난 물의 부피와 같으므로 가로 30 cm, 세로 15 cm, 높이 3 cm인 직육면체의 부피와 같습니다.

❷ (돌의 부피)$=30\times15\times3=1350$ (cm^3)

/ 1350 cm^3

04 예 ❶ 혜진이가 만든 상자의 겉넓이는

$(5\times7+5\times8+7\times8)\times2$

$=131\times2=262$ (cm^2)

❷ 민준이가 만든 상자의 겉넓이는

$(10\times6+10\times4+6\times4)\times2$

$=124\times2=248$ (cm^2)

❸ $262>248$이므로 혜진이가 만든 상자의 겉넓이가 $262-248=14$ (cm^2) 더 큽니다.

/ 혜진, 14 cm^2

풀이

01

채점 기준		
	❶ ㉮에 담을 수 있는 나무 조각의 수 구하기	10점
	❷ ㉯에 담을 수 있는 나무 조각의 수 구하기	10점
	❸ 부피가 더 작은 상자의 기호 쓰기	5점

02

채점 기준		
	❶ 서랍장의 부피의 단위를 m^3로 나타내기	10점
	❷ 침대와 서랍장의 부피의 차 구하기	15점

03

채점 기준		
	❶ 돌의 부피와 부피가 같은 직육면체 알아보기	10점
	❷ 돌의 부피 구하기	15점

04

채점 기준		
	❶ 혜진이가 만든 상자의 겉넓이 구하기	10점
	❷ 민준이가 만든 상자의 겉넓이 구하기	10점
	❸ 누가 만든 상자의 겉넓이가 몇 cm^2 더 큰지 구하기	5점

실전 서술형 평가

93~94쪽

01 예 ❶ ㉮는 한 층에 12개씩 3층으로 36개를 쌓았습니다.

㉯는 한 층에 8개씩 6층으로 48개를 쌓았습니다.

㉰는 한 층에 10개씩 4층으로 40개를 쌓았습니다.

❷ $48>40>36$이므로 ㉯의 부피가 가장 큽니다.

/ ㉯

02 예 ❶ 1 m$=$100 cm이므로

4 m에는 $400\div50=8$(개),

3 m에는 $300\div50=6$(개),

2 m에는 $200\div50=4$(개) 놓을 수 있습니다.

❷ 따라서 한 모서리의 길이가 50 cm인 정육면체 모양의 상자를 모두 $8\times6\times4=192$(개) 쌓을 수 있습니다. / 192개

03 예 ❶ 5, 2, 2의 최소공배수가 10이므로 가장 작은 정육면체의 한 모서리의 길이는 10 cm입니다.

❷ (정육면체의 부피)

$=10\times10\times10=1000$ (cm^3) / 1000 cm^3

04 예 ❶ (처음 직육면체의 겉넓이)

$=(3\times4+3\times6+4\times6)\times2$

$=54\times2=108$ (cm^2)

❷ (늘인 가로)$=3+2=5$ (cm),

(늘인 세로)$=4+2=6$ (cm),

(늘인 높이)$=6+2=8$ (cm)이므로

(늘인 직육면체의 겉넓이)

$=(5\times6+5\times8+6\times8)\times2$

$=118\times2=236$ (cm^2)

❸ 직육면체의 겉넓이는

$236-108=128$ (cm^2)가 늘어납니다.

/ 128 cm^2

풀이

01

채점 기준		
	❶ ㉮, ㉯, ㉰의 쌓기나무의 수 각각 구하기	21점
	❷ 부피가 가장 큰 직육면체의 기호 쓰기	4점

02

채점 기준		
	❶ 가로, 세로, 높이에 한 모서리의 길이가 50 cm인 상자를 각각 몇 개 놓을 수 있는지 구하기	15점
	❷ 정육면체 모양의 상자를 몇 개 쌓을 수 있는지 구하기	10점

03

채점 기준		
	❶ 만들 수 있는 가장 작은 정육면체의 한 모서리의 길이 구하기	10점
	❷ 만들 수 있는 가장 작은 정육면체의 부피 구하기	15점

04

채점 기준		
	❶ 처음 직육면체의 겉넓이 구하기	8점
	❷ 늘인 직육면체의 겉넓이 구하기	12점
	❸ 겉넓이는 몇 cm^2가 늘어나는지 구하기	5점